KB086462

최상위 3%를 위한 책

산부인과
FINAL CHECK

산과

OBSTETRICS

최원규 지음

군자출판사

산부인과
FINAL CHECK | 산과

첫째판 1쇄 인쇄 | 2022년 5월 9일
첫째판 1쇄 발행 | 2022년 5월 20일

지 은 이   최원규
발 행 인   장주연
출 판 기 획   최준호
편집디자인   최정미
표지디자인   김재욱
발 행 처   군자출판사(주)
          등록 제 4-139호(1991. 6. 24)
          본사 (10881) **파주출판단지** 경기도 파주시 회동길 338(서패동 474-1)
          전화 (031) 943-1888   팩스 (031) 955-9545
          홈페이지 | www.koonja.co.kr

ⓒ 2022년, 산부인과 FINAL CHECK 산과 / 군자출판사(주)
본서는 저자와의 계약에 의해 군자출판사(주)에서 발행합니다.
본서의 내용 일부 혹은 전부를 무단으로 복제하는 것은 법으로 금지되어 있습니다.
www.koonja.co.kr

* 파본은 교환하여 드립니다.
* 검인은 저자와의 합의 하에 생략합니다.

ISBN 979-11-5955-889-4
     979-11-5955-888-7 (세트)

정가 100,000원

최상위 3%를 위한 곳

NAVER 카페 | 메디닥(MediDoc) ▼

https://cafe.naver.com/medidocc

질문과 답변

- 공부하다 이해가 어려운 내용에 대한 질문과 답변
- 문제에 대한 질문
- 오답 정정

단계적 강좌를 통한 개념 정리

- 예과생을 위한 선생 학습
- 본과생을 위한 심화 학습
- 문제 풀이에 따른 개념 정복

진로 상담

- 병원 및 전공과 정보 제공 및 상담
- USMLE 상담

시리얼 코드

E1K9-E8C7-A3P3-F9C1

※ 카페 가입 시 이 책의 시리얼 넘버가 반드시 필요합니다.
※ 타인에게 노출되지 않도록 주의하세요.

Contents

산부인과
FINAL CHECK 산과

Contents

산부인과
FINAL CHECK

산과

OBSTETRICS

1) 인구동태통계(Vital statistics)

(1) 산과학 용어의 정의

① 주산기(perinatal period)

    a. 임신 기간을 기준으로 만 22주 or 출생 체중을 기준으로 500 g 이상 or 신체 길이를 기준으로 25 cm 이상일 때

    b. 생후 만 7일까지(WHO)

    c. 임신 20주부터 생후 28일까지(Williams obstetrics, 2018)

    d. 임신 28주부터 생후 만 7일까지(OECD)

② 출산(birth)

    a. 탯줄의 절단이나 태반의 부착 여부에 관계없이 모체로부터 태아가 완전 만출 또는 적출된 경우

    b. 태아 체중이 500 g 미만일 때는 출산이 아닌 유산에 포함

조산(Preterm birth)		만기 출산(Term birth)		
임신 $20^{0/7} \sim 36^{6/7}$주		임신 $37^{0/7} \sim 41^{6/7}$주		
조기 조산 (Early preterm)	후기 조산 (Late preterm)	조기 만기 (Early term)	만기 (Term)	후기 만기 (Late term)
임신 $33^{6/7}$ 이전	임신 $34^{0/7} \sim 36^{6/7}$주	임신 $37^{0/7} \sim 38^{6/7}$주	임신 $39^{0/7} \sim 40^{6/7}$주	임신 $41^{0/7} \sim 41^{6/7}$주
지연 출산(Postterm birth) or 과숙 출산(Prolonged birth)				
임신 $42^{0/7}$주 이상				

③ 출생률(birth rate) : 인구 1,000명당 출생수

④ 출산율(fertility rate) : 15세부터 44세까지의 여성 인구 1,000명당 출생수

⑤ 유산(abortion)

    a. 태아가 자궁 밖으로 나왔을 때 생존능력이 없는 것

    b. 태아 체중을 기준으로 할 때 500 g 미만

    c. 임신 기간을 기준으로 할 때 임신 20주 미만에 임신이 종결된 것

⑥ 출생(live birth)

    a. 임신 기간에 관계없이, 수태에 의한 생성물이 그 모체로부터 완전히 만출 또는 적출되는 것

    b. 태아가 숨을 쉬거나, 심장의 고동, 탯줄의 박동 또는 수의근의 명확한 운동과 같이 어떤 다른 생명의 징표를 나타내는 경우

⑦ 사산(stillbirth, fetal death) : 임신 시간에 관계없이, 수태에 의한 생성물이 그 모체로부터 완전히 만출 또는 적출되기 전에 사망하는 경우

⑧ 신생아(neonate) : 출생일부터 28일까지의 아기

    a. 조산아(preterm neonate) : 임신 36주 6일을 포함하여 그 이전에 출생한 신생아

    b. 만삭아(term neonate) : 임신 37주 0일과 41주 6일을 포함한 그 사이에 출생한 신생아

    c. 과숙아(postterm infant) : 임신 42주 또는 그 이후에 출생한 신생아

⑨ 신생아 사망(neonatal death)

    a. 신생아 사망률(neonatal mortality rate) : 1,000명 출생당 신생아 사망수

    b. 조기 신생아 사망(early neonatal death) : 생후 7일 이내의 사망

    c. 후기 신생아 사망(late neonatal death) : 생후 7일 후부터 28일까지의 사망

    d. 신생아 사망의 원인

       - 저출생체중(low birth weight) : 가장 흔한 원인

       - 분만 손상(birth injury)

       - 질식(asphyxia)

       - 선천성 기형(congenital malformation)

    e. 주산기 사망률(perinatal mortality rate)

       - 1,000명 출산당 사산수와 신생아 사망수를 합친 것

       - Perinatal mortality rate = (still birth + neonatal death)/1,000 birth

       - 산과 관리(obstetrical care) 수준의 지표

       - 영아 이환율(infant morbidity)의 좋은 지표

    f. 영아 사망(infant death) : 출산된 영아의 출생부터 12개월까지의 사망

    g. 영아 사망률(infant mortality rate) : 1,000명 출생당 영아 사망수

⑩ 사산율(stillbirth rate, fetal death rate) : 출생 및 사산을 포함한 1,000명의 태어난 영아당 사산아수

⑪ 출생 체중(birth weight) : 분만 후 측정된 신생아 체중으로 최근접 gram (g)으로 표시

    a. 저출생체중(low birth weight) : 출산 후 계측한 체중이 2,500 g 미만인 경우

    b. 초저출생체중(very low birth weight) : 출산 후 계측한 체중이 1,500 g 미만인 경우

    c. 극저출생체중(extremely low birth weight) : 출산 후 계측한 체중이 1,000 g 미만인 경우

⑫ 낙태아(abortus) : 임신 20주 이전(22주 이전을 기준으로 하는 경우도 있음), 체중 500 g 미만으로 자궁으로부터 제거 또는 배출된 태아 또는 배아

⑬ 인공 임신중절(induced termination of pregnancy) : 자궁 내 임신의 의도적 종결

⑭ 모성 사망(maternal death)

    a. 직접 모성 사망(direct maternal death) : 임신, 분만 또는 산욕기의 산과적 합병증이나, 부적절한 치료, 치료의 소홀 또는 이들 요인들의 연쇄적 진행 결과에 의한 모성 사망

    b. 간접 모성 사망(indirect maternal death)

      - 모성 사망의 원인이 직접적으로 산과적 원인에 의한 것이 아닌 경우로 임신부의 임신 전 지병 또는 임신, 분만 그리고 산욕기 중에 발병하였거나 임신부가 임신에 적응하는 과정 중에 악화된 질병에 의한 모성 사망

      - 심혈관계 질환이 가장 흔함

    c. 비모성 사망(nonmaternal death) : 임신과 관련이 없는 사고 또는 우발적 원인에 의한 모성 사망

    d. 모성 사망비(maternal mortality ratio)

      - 10만 생존출생당 생식과정에 의한 모성 사망수

      - 모성 사망비 $= \dfrac{\text{당해 연도 모성사망자}}{\text{당해 연도 연간 출생아 수}} \times 1{,}000$

⑮ 임신관련 사망(pregnancy-related death) : 사망의 원인과 관계없이 임신 또는 분만 후 42일 이내에 발생한 여성 사망

(2) 모성 사망(Maternal death)

  ① 모성 사망의 분류

그림 1-1. 모성 사망의 분류

② 직접 모성 사망의 원인(2008년 이후)

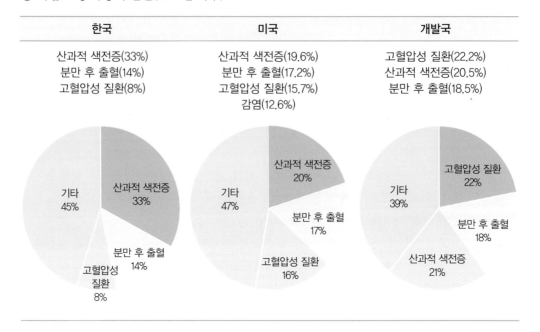

한국	미국	개발국
산과적 색전증(33%) 분만 후 출혈(14%) 고혈압성 질환(8%)	산과적 색전증(19.6%) 분만 후 출혈(17.2%) 고혈압성 질환(15.7%) 감염(12.6%)	고혈압성 질환(22.2%) 산과적 색전증(20.5%) 분만 후 출혈(18.5%)

③ 모성 사망 원인의 변화
  a. 2008년에는 분만 후 출혈이 28%에서 14%로 감소하고, 산과적 색전증이 8%에서 33%로 증가하며, 산욕기에 관련된 합병증 중 37.9%로 가장 많은 비중을 차지
  b. 모성 사망의 3대 세부 원인 질환 가운데 단백뇨 및 고혈압성 장애와 분만 후 출혈은 다소 변동을 보이면서 지속적으로 감소하고 있으나, 산과적 색전증의 구성비는 계속 15% 이상 으로 많은 부분을 차지하고 있음
④ 우리나라의 모성 사망률이 OECD 평균에 비해 높은 원인
  a. 저출산으로 인해 분만 감소, 낮은 분만수가와 의료사고 분쟁에 대한 부담감으로 분만을 하는 산부인과 병의원과 산부인과 전문의의 수의 감소
  b. 지역에 따른 산부인과의 분포 차이가 심해져 분만 시 적절한 처치가 어려워짐

(3) 생식 사망(Reproductive mortality)
  ① 정의 : 임신에 의한 사망과 피임법에 의한 사망을 합한 것
  ② 가장 큰 요인 : 피임과 유산

(4) 영아 사망(Infant death)

① 한국의 영아 사망률은 1993년 출생아 1,000명당 9.9%에서 2002년 5.3%(OECD 평균 5.9%), 2013년 3.0%(OECD 평균 4%), 2017년 2.8%(OECD 평균 3.9%)로 감소함

② 2017년 우리나라 영아사망의 사인분포를 보면 출생 전후기에 기원한 특정병태(51.7%)와 선천기형, 변형(deformity) 및 염색체 이상(16.8%)이 전체 영아사망의 68.5%를 차지하여 영아 사망 양상이 선진국형 저출산시대의 양상을 보여주고 있음

2) 한국 모자보건의 미래

(1) 출산력의 변화

① 한국은 1960년 합계출산력 6.0에서 2002년 합계출산력 1.17까지 급속하게 감소하여 세계적으로 유래가 없는 빠른 속도로 저출산 고령화시대로 진입

② 출산율 감소의 직접적 원인

    a. 배우자가 있는 여성의 출산 감소

    b. 미혼자의 결혼 연기 및 혼인율 감소

(2) 출산력 변화의 의의

① 고령 임신의 증가

② 고위험 임신이 모성 건강 및 주산기 건강을 악화시키는 요인으로 작용

③ 궁극적으로 출생 인구수 감소와 건강 수준도 낮아져, 인구의 양과 질이 후퇴

1 골반의 해부학(Musculoskeletal pelvic anatomy)

1) 뼈골반(Bony pelvis)

(1) 분계선(Linea terminalis)

① 엉덩뼈의 활꼴선(arcuate line), 치골뼈빗(pectineal line), 치골결합(symphysis pubis)의 상연을 지나는 경사면

② 진성 골반과 거짓 골반을 나누는 경계

(2) 거짓 골반(False pelvis)

① 다른 이름 : 큰골반, 대골반, greater pelvis

② 경계

a. 뒤쪽(posterior) : 요추(lumbar vertebrae)

b. 양 옆(lateral) : 엉덩뼈 오목(iliac fossa)

c. 앞쪽(anterior) : 하부 복벽(lower portion of anterior abdominal wall)

(3) 진성 골반(True pelvis)

① 산도로서 출산에 중요한 역할

② 골반 입구(pelvic inlet)

a. 진성 골반의 위쪽 입구에 해당

b. 경계

- Sacral promontory

- Ala of sacrum

- Linea terminalis

- Pubic bone의 upper margin

③ 골반 출구(pelvic outlet)

    a. 진성 골반의 아래쪽 입구에 해당

    b. 경계

      - Pubic bone

      - Ischial tuberosity

      - Coccyx

④ 궁둥뼈가지(ischial spine)

    a. 양쪽 궁둥뼈가지의 interspinous diameter는 산도 중 가장 좁은 부분(약 10 cm)

    b. 중골반(mid pelvis)의 지표

    c. 태아 선진부(presenting part)의 높이를 평가하는 기준

⑤ 엉치뼈(sacrum)의 산과적 중요성

    a. Sacral promontory는 내진으로 촉진이 가능한 골반계측법(clinical pelvimetry)의 지표

    b. Sacrum 골반강 내면의 오목함이 개인마다 차이가 있어 분만 시 산과적 차이 유발

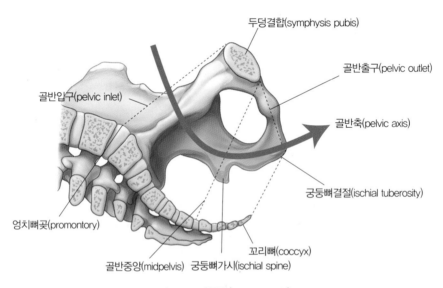

그림 2-1. 뼈골반(Bony pelvis)

2) 골반의 평면과 직경(Planes and diameters of pelvis)

  (1) 골반 입구(Pelvic inlet)

    ① 전후 직경(AP diameter)

      a. 진성 결합선(true conjugate) : Sacral promontory에서 symphysis pubis 상단까지의 거리

b. 대각 결합선(diagonal conjugate)

   - Pubic symphysis 아래에서 sacral promontory 까지의 거리

   - 측정 방법 : 내진(vaginal examination)으로 측정

   - 정상치 : 11.5 cm

   - 임상적 의의

     • 대각 결합선을 통해 산과 결합선을 간접적으로 측정

     • 대각 결합선이 11.5 cm 이상이면 골반 입구는 출산에 적절한 크기

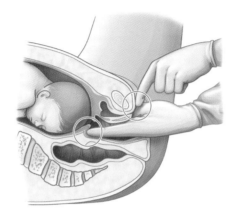

그림 2-2. 대각 결합선(diagonal conjugate)의 측정

c. 산과 결합선(obstetric conjugate)

   - Symphysis pubis의 내측면부터 sacral promontory의 중앙까지 거리

   - 정상치 : 10 cm 이상

   - 임상적 의의

     • 태아 머리가 지나는 골반 입구의 가장 짧은 전후 직경

     • 산과적으로 중요

   - 측정 방법

     • Obstetric conjugate = Diagonal conjugate − (1.5~2 cm)

     • 산과 결합선과 대각 결합선의 차이 발생 이유 : symphysis pubis 두께와 경사 각도

② 가로 직경(transverse diameter)

  a. 정상치 : 13.5 cm

  b. 산과 결합선과 직각으로 만나는 것 중 가장 긴 직경

③ 2개의 사선 직경(oblique diameter)

  a. 정상치 : 13 cm

  b. 한쪽 sacroiliac synchondrosis와 반대편 iliopectineal eminence를 잇는 선

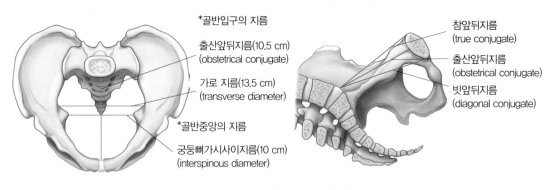

*골반입구의 지름
출산앞뒤지름(10.5 cm)
(obstetrical conjugate)
가로 지름(13.5 cm)
(transverse diameter)
*골반중앙의 지름
궁둥뼈가시사이지름(10 cm)
(interspinous diameter)

참앞뒤지름
(true conjugate)
출산앞뒤지름
(obstetrical conjugate)
빗앞뒤지름
(diagonal conjugate)

그림 2-3. 정상 성인 여성의 골반

(2) 중골반(Mid pelvis)
① 해부학적 위치
a. 골반 입구와 출구의 중간에 해당하는 부분
b. 지표 : 양측 좌골극(ischial spine)
c. 폐쇄 분만의 경우 태아 머리가 진입 된 후 중요한 산과적 의미를 갖는 부위
② 직경
a. 가로 직경(transverse diameter)
- 기준 : Interspinous diameter
- 골반 내 직경 중 가장 짧음(the smallest pelvic diameter)
- 정상치 : 10 cm 이상
- 8 cm 이하인 경우 : 분만이 잘 진행되지 않을 거라 의심하고 주의해야 함
b. 전후 직경(AP diameter)
- Pubic symphysis의 하단에서부터 interspinous diameter를 수직으로 통과하는 연장선이
sacrum과 만나는 점까지의 거리
- 정상치 : 11.5 cm 이상
c. Posterior sagittal diameter
- 전후 직경의 뒷부분인 sacrum에서부터 interspinous diameter와 수직으로 만나는 점까지
의 거리
- 정상치 : 4.5 cm 이상
③ 중골반 협착(mid pelvis contraction)을 의심할 수 있는 소견
a. 궁둥뼈가시(ischial spine)가 돌출된 경우(예 : 남성형 골반)
b. 골반 측벽(pelvic side wall)이 점점 좁아지는 경우
c. 엉치뼈(sacrum)의 오목함이 평평하거나 얕은 경우
d. Interspinous diameter 8 cm 이하인 경우

(3) 골반 출구(Pelvic outlet)

① Ischial tuberosity 사이를 잇는 선을 밑변으로 공유하는 두 개의 삼각형으로 구성

② 골반 출구의 측정

　　a. 주먹과 골반 출구의 비교(주먹의 폭이 대개 8 cm를 넘기 때문)

　　b. 치골궁(pubic arch)의 모양도 평가

③ 직경

　　a. 전후 직경(AP diameter)

　　　- Symphysis pubis 하단에서 sacral tip까지의 거리

　　　- 정상치 : 9.5∼11.5 cm

　　b. 가로 직경(transverse diameter)

　　　- 양측 ischial tuberosity inner edges 사이의 거리

　　　- 정상치 : 11 cm

　　c. Posterior sagittal diameter

　　　- Sacral tip에서 양측 ischial tuberosity를 잇는 선과 수직으로 만나는 점까지의 거리

　　　- 정상치 : 7.5 cm

3) 골반의 형태(Pelvic shapes)

(1) 여성형 골반(Gynecoid pelvis)

① 여성의 50%에서 나타나는 가장 흔한 형태

② 질식분만(vaginal delivery)에 가장 적합

③ 특징

　　a. 골반 입구의 transverse diameter가 AP diameter보다 약간 길거나 비슷함(난원형)

　　b. Pelvic side wall : straight

　　c. Spine : not prominent

　　d. Pubic arch : wide

　　e. Interspinous diameter >10 cm

(2) 남성형 골반(Android type)

① 골반 입구의 posterior sagittal diameter가 anterior sagittal diameter보다 짧은 형태

② 질식분만에 대한 예후가 나쁨

　　a. 태아 머리가 posterior space을 이용하여 통과하는데 어려움

　　b. 분만 중 내회전(internal rotation)이 안 됨

③ 특징

　　a. Side walls : convergent

b. Ischial spines : prominent

c. Subpubic arch : narrow

d. Sacrosciatic notch : narrow & highly arched

e. Inclination of sacrum : forward (lower 1/3)

f. Bone structure : heavy

(3) 유인성 골반(Anthropoid type)

① 골반 입구의 AP diameter가 transverse diameter보다 긴 형태

② 다른 형태의 골반보다 골반강이 훨씬 깊음

(4) 편평 골반(Platypelloid type)

① AP diameter가 짧고 transverse diameter가 긴 형태(편평한 여성형 골반)

② 순수형 골반 중에서 가장 드묾(3% 이내)

(5) 중간형 또는 혼합형(Intermediate type)

① 가장 흔한 형태의 골반형

② 순수형에 비해서 빈도가 훨씬 높음

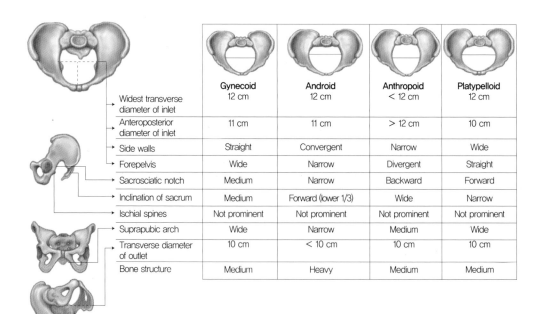

	Gynecoid 12 cm	Android 12 cm	Anthropoid < 12 cm	Platypelloid 12 cm
Widest transverse diameter of inlet	12 cm	12 cm	< 12 cm	12 cm
Anteroposterior diameter of inlet	11 cm	11 cm	> 12 cm	10 cm
Side walls	Straight	Convergent	Narrow	Wide
Forepelvis	Wide	Narrow	Divergent	Straight
Sacrosciatic notch	Medium	Narrow	Backward	Forward
Inclination of sacrum	Medium	Forward (lower 1/3)	Wide	Narrow
Ischial spines	Not prominent	Not prominent	Not prominent	Not prominent
Suprapubic arch	Wide	Narrow	Medium	Wide
Transverse diameter of outlet	10 cm	< 10 cm	10 cm	10 cm
Bone structure	Medium	Heavy	Medium	Medium

그림 2-4. 여성 골반 분류법

2 골반계측법(Pelvimetry)

1) 임상적 골반계측법(Clinical pelvimetry)
(1) 골반 입구 및 출구의 측정
① 골반 입구의 측정 : 대각 결합선(diagonal conjugate)을 측정
② 골반 출구의 측정 : 주먹을 이용하여 궁둥뼈결절사이 직경(intertuberous diameter) 측정

(2) 진입(Engagement)의 확인
① 정의 : 태아 머리의 biparietal diameter (BPD)가 골반 입구보다 아래로 내려온 것
② 좌골극(ischial spine)의 위치와 관련한 하강 정도의 측정
  a. 고려 사항
   - 골반 입구에서 ischial spine level까지 5 cm
   - Unmolded fetal head의 biparietal plane에서 vertex까지 3~4 cm
  b. 평가
   - 일반적으로 fetal occiput의 최하단부가 ischial spine level 또는 그 아래에 있으면 진입된 것으로 생각
   - Molding 또는 caput succedaneum 시에는 평가에 주의

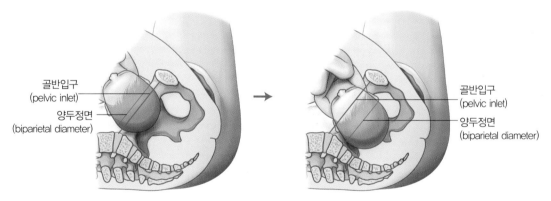

골반입구
(pelvic inlet)
양두정면
(biparietal diameter)

골반입구
(pelvic inlet)
양두정면
(biparietal diameter)

그림 2-5. 태아 머리의 진입(engagement)

③ 태아 머리의 고정(fixation)
  a. 태아 머리가 진입하여 임신부의 하복부에 두 손으로 압력을 가했을 때, 태아 머리가 어느 방향으로도 움직이지 않을 정도로 하강된 상태
  b. 고정이 반드시 태아 머리의 진입을 의미하지 않음 : Molding이 심한 경우는 진입하지 않고도 고정되기도 함

2) 영상 골반계측법(Image pelvimetry)

(1) 방사선 골반계측법

① 방사선 골반계측법의 의의

    a. 분만 예후에 영향을 미치는 5가지 인자(estimation of pelvic capacity)

- 뼈골반의 크기와 모양(size & shape of bony pelvis)
- 태아 머리의 크기(size of fetal head)
- 자궁의 수축 강도(force of uterine contraction)
- 태아 머리의 변형 능력(moldability of fetal head)
- 태위와 태향(presentation & position of fetus)

    b. 방사선 골반 계측이 내진에 비해 좋은 점

- 어느 정도 정확한 측정이 가능
- 다른 방법으로는 측정할 수 없는 2개의 중요한 직경의 측정이 가능
  - Transverse diameter of inlet
  - Interischial spinous diameter (transverse diameter of mid pelvis)

② 적응증

    a. 뼈골반을 침범할 것 같은 질환 또는 이전의 손상이 있는 경우

    b. 태위가 둔위인 상황에서 질식분만을 시도하는 경우

(2) 기타 방법들

① 컴퓨터단층촬영(CT)

② 초음파

③ 자기공명단층촬영(MRI)

1) 자궁(Uterus)

(1) 자궁의 해부학적 변화

① 임신 전과 만삭 때 자궁의 비교

    a. 무게 : 70 g → 1,100 g

    b. 용량 : 10 mL → 5~20 L (500~1,000배 증가)

② 임신 중 자궁 크기 증가의 특징

    a. 조직학적인 특징

      - 근육세포들의 신전(stretching)과 비대(hypertrophy) 때문

      - 외측 근육층에서 탄성조직과 섬유조직이 증가되어 자궁벽의 물리적 강도가 향상

      - 근육세포가 새로 생기는 일은 드묾

    b. 해부학적인 특징

      - 비대칭적이며, 주로 자궁저부(fundus)에서 일어남

      - 태반 부착 주위의 자궁이 더 빨리 증가함

③ 임신 중 자궁 크기 증가의 원인

    a. 임신 초기 : 주로 estrogen에 의하며 progesterone도 작용함

    b. 임신 12주 이후 : 주로 수태산물의 증가로 인한 압력이 원인(pressure effect)

④ 자궁체부(body)의 두께

    a. 임신 초기에 두꺼워지지만 임신이 진행되면서 점차 얇아짐

    b. 만삭에는 1.5 cm 이하

(2) 자궁근육세포(Myocyte)의 배열

① 바깥층 : 덮개 모양으로 되어 있어서 자궁저부 및 각종 인대까지 연장된 층

② 중간층

    a. 자궁벽의 대부분을 차지하는 층

    b. 근섬유와 함께 짜여진 망상조직으로 형성되어 있고 혈관이 여러 방향으로 관통

    c. 혈관들 주위에 각 방향으로 겹쳐서 이중곡선을 이루며 배열되어서 두 개의 섬유를 조합하면 8자형을 이룰 수 있어 분만 후 근세포들이 수축을 하면 이 층을 통과하는 혈관들을 압박하여 지혈 역할을 함

③ 안쪽층 : 난관 입구와 자궁내구(int. os) 주위의 괄약근 형태의 섬유로 구성된 층

(3) 자궁의 크기, 모양, 위치

① 자궁 크기의 변화

    a. 임신 초기 몇 주 동안 서양 배 모양

    b. 임신이 지속 됨에 따라 체부와 저부가 둥글게 되면서 12주가 되면 구형이 됨

    c. 이후 폭보다 길이가 더 빨리 커지게 되어 난원형이 됨

    d. 임신 초기 자궁이 커지면서 광인대(broad ligament) 및 원인대(round ligament)의 신전으로 인해 서혜부 통증이 발생 가능

② 임신 12주 말에는 자궁이 커져서 골반 밖으로 나오기 시작

③ 우측회전(dextrorotation)

    a. 자궁이 골반으로부터 올라오면 보통 우측으로 회전하여 좌측 면이 전면을 향함

    b. 원인 : 좌측에 직장 및 구불결장이 있기 때문

④ 자궁저부의 높이(height of fundus, HOF)

    a. 임신 20~32주 사이에 치골결합(symphysis pubis)에서 자궁저부(fundus)까지의 높이(cm)는 임신 주수와 거의 일치

    b. 임신 주수와 자궁저부의 위치

      - 임신 12주 : 골반 밖으로 나오기 시작

      - 임신 16주 : 치골결합과 배꼽 사이

      - 임신 20주 : 배꼽 높이

      - 임신 32주 : 칼돌기(xiphoid process) 높이

      - 임신 40주 : 임신 36주 때보다 조금 낮아짐

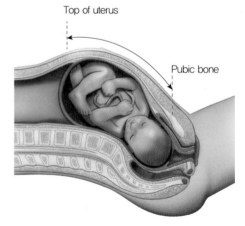

Top of uterus

Pubic bone

그림 3-1. **자궁저부의 높이**(height of fundus)

(4) 자궁수축

① 임신 제1삼분기 : 불규칙적인 무통성의 수축이 발생

② 임신 제2삼분기 : Braxton Hicks 수축

    a. 예고 없이 산발적으로 일어나는 불규칙적인 수축

    b. 강도는 5~25 mmHg로 다양함

    c. 마지막 달까지 드물게 발생

③ 임신 마지막 1~2주 : 가진통(false labor) 시작

    a. 수축의 빈도가 증가하여 10~20분 간격으로 발생 가능

    b. 규칙성을 나타낼 수도 있음

    c. 약간의 불편감을 유발

(5) 자궁태반의 혈류(Uteroplacental flow)

① 태반 관류(placental perfusion) : 총 자궁혈류량(total uterine blood flow)의 영향을 받는데, 이는 대부분 자궁 및 난소 동맥으로부터 공급

② 시기별 자궁태반의 혈류

    a. 임신 전 : 자궁내막, 근층에 동일한 혈류량 분포

    b. 임신 제1삼분기 말 : 약 50%가 자궁내막으로 가는 혈류

    c. 임신 말기 : 혈류량의 90%가 태반에 분포, 분당 500~750 mL

③ 부위별 자궁태반의 혈류 증가

    a. 태반과 태아 사이의 혈류 : 태반 혈관의 지속적인 성장으로 인한 증가

    b. 모체와 태반 사이의 혈류 : 혈관의 확장으로 인한 증가

    c. 증가한 혈류에 대한 적응 : 탄력소 함량과 교감신경 밀도의 감소를 포함한 여러 요인으로 인한 자궁정맥이 재구성되어 정맥의 직경과 확장성이 증가

④ 임신 중 자궁태반혈류을 포함한 혈관 저항에 영향을 주는 인자들

    a. 산화질소(nitric oxide, NO)

        - 혈관내피세포에서 나오는 강력한 혈관확장제(potent vasodilator)

        - 혈소판의 응고 및 혈관내벽에 대한 부착을 억제

        - 혈관 저항성을 조절하여 임신 중 자궁태반의 혈류 개선에 중요한 역할

        - 임신성 고혈압 산모에서 산화질소의 생성이 감소

    b. 안지오텐신 II (angiotensin II)

        - 정상 임신부

            • Angiotensin II에 대한 혈관 무감응성(vascular refractoriness)을 보이는 것이 특징

            • 혈관 무감응성이 자궁태반혈류의 증가를 유발

- 임신성 고혈압 산모는 혈관 무감응성을 보이지 않음
- 전자간증(preeclampsia)이나 자간증(eclampsia)이 발병할 산모에서는 혈관 무감응성이 바뀌어서 angiotensin II에 대한 민감도가 증가

c. 전자간증(preeclampsia)의 발병기전과 연관이 있는 인자들
- 에스트로겐(estrogen), 프로게스테론(progesterone), 액티빈(activin), 태반성장인자(placental growth factor, PlGF), 혈관내피성장인자(vascular endothelial growth factor, VEGF) : 혈관형성(angiogenesis)에 중요한 역할
- sFlt-1 (soluble FMS-like tyrosine kinase 1) : 태반성장인자(PlGF)와 혈관내피성장인자(VEGF)를 억제

d. 자궁태반혈류를 증가시키는 다른 인자들 : relaxin, adipocytokines (chemerin, visfatin, leptin, resistin, adiponectin)

(6) 자궁경부(Cervix)

① 수정 후 1개월경부터 자궁경부는 매우 부드러워지고 푸른빛을 띠기 시작
a. 자궁경부의 부종과 혈관 증가
b. 자궁경부의 비대와 증식

② 자궁경부의 점액선(gland)
a. 임신 전에는 일부를 차지하지만 임신 말기에는 절반을 차지
b. 외번(eversion)
- 정상 임신에 따른 변화로 증식하고 있는 내자궁경부 원주상선의 확장
- 붉고 부드러우며 자궁경부세포진검사와 같은 약한 자극에도 출혈 발생
c. 내자궁경부 점막세포(endocervical mucosal cell)는 수정 직후 많은 양의 끈끈한 점액을 분비해서 자궁경부를 막음
- 점액(mucus)에는 면역글로불린(immunoglobulins)과 사이토카인(cytokines)이 풍부하여 임신 중 질 세균의 자궁 내 감염을 예방
- 진통 시작 시 점액마개(mucus plug)가 방출되어 혈성 이슬(bloody show)이 발생

d. 자궁경부 점액의 도말 성상

염주 모양(beaded pattern)의 결정체	가지 모양(ferning pattern)의 결정체
Progesterone의 영향 정상 임신인 경우 월경 주기 21일 이상일 때 NaCl <1%	Estrogen의 영향 양수 누출이 있는 경우 월경 주기 7~18일 사이일 때 NaCl >1%

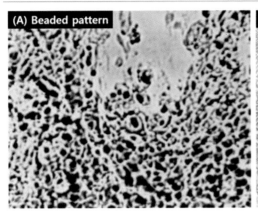 

그림 3-2. 자궁경부 점액의 도말

2) 난소(Ovary)와 난관(Fallopian tube)

(1) 난소(Ovary)의 변화

① 임신 중 배란은 멈춰지고, 새로운 난포 성숙이 정지

② 임신 중의 황체(corpus luteum)

   a. 임신부 난소에서는 보통 하나의 황체만 관찰

   b. 임신 6~7주(배란 후 4~5주) 동안 프로게스테론을 생성

   c. 임신 8주 이후부터는 대부분 태반에서 프로게스테론을 생성

   d. Luteo-placental shift : 임신 7주 이전에 황체를 제거하는 경우 산모의 혈중 프로게스테론 농도가 급격히 낮아져 자연 유산(spontaneous abortion)이 유발

(2) 릴랙신(Relaxin)

① 인슐린(insulin), 인슐린유사성장인자(IGF-I, II)와 유사한 구조를 갖는 단백호르몬

② 분비 장소 : 황체(corpus luteum), 태반(placenta), 탈락막(decidua)

③ 분비 양상 : hCG와 유사

④ 기능

   a. 생식기관 결체조직이 재구성되어 임신에 적응하고 분만을 성공적으로 이끌게 도와 줌

   b. 자궁경부의 생화학적 구조에 영향을 미침

c. 자궁근육의 수축에도 영향을 주어 조산과 관련이 있음

d. 임신 중 각 관절의 유동성 증가와 혈중 릴랙신 농도는 연관 없음

(3) 임신황체종(Pregnancy leuteoma)

① 정상 난소의 과도한 황체화 반응으로 생기는 고형성 종괴

② 신생물이 아니며 분만 후 퇴화하여 난소의 기능은 정상으로 회복

③ 문제점

    a. 모체의 남성화 발생 가능

    b. 여성 태아의 남성화는 드묾 : 태반이 보호역할을 하며 안드로겐과 안드로겐유사스테로이드들을 에스트로겐으로 바꿀 수 있는 능력이 크기 때문

    c. 다음 임신 시 재발 가능

(4) 난포막황체낭종(Theca-lutein cyst)

① 과도한 생리적 난포 자극으로 발생하는 양성의 낭성 종괴

② 초음파 소견

    a. 양측성으로 커진 난소의 내부에 여러 개의 낭종이 관찰

    b. 임신황체종과 차이점

      - 임신황체종 : 고형질(solid)

      - 난포막황체낭종 : 낭성(cystic)

③ 대부분 무증상이지만 낭종의 출혈 시 복통 발생

④ 산모의 남성화를 일으키는 두 번째 양성병변

    a. 25%에서 임신 중 모체의 남성화를 유발

    b. Androstenedione과 testosterone의 증가로 일시적인 탈모, 다모증, 음핵비대를 초래할 수 있지만 태아의 제대혈 내에서는 정상

⑤ 혈중 hCG의 과도한 증가와 관련이 있고, hCG에 대한 난소의 반응도도 높음

⑥ 다태아, 임신융모질환에서 잘 발견

⑦ 분만 후 자연소실되지만, 어떤 경우에는 성선자극호르몬(gonadotropin)에 대한 난소 반응성의 증가가 분만 몇 주 후까지 나타나기도 함

(5) 난관(Fallopian tubes)

① 임신 중 난관근육의 비대는 거의 없으며 난관점막의 세포는 편평해짐

② 난관내막기질(endosalpinx stroma)에 탈락막 반응이 일어나지만 지속적인 탈락막을 형성하지는 않음

3) 질(Vagina)과 회음부(Perineum)

(1) 해부학적 변화

① Chadwick sign

    a. 임신 중 질이 특징적인 보라색을 띠는 현상

    b. 혈관이 증가하며 충혈(hyperemia)되어 발생

② 진통 시 발생하는 확장에 대비한 질벽의 변화

    a. 점막(mucosa) 두께의 상당한 증가

    b. 결체조직(connective tissue)의 이완

    c. 평활근세포(smooth muscle cell)의 비대

③ 임신 중 질 분비물의 산도 : 산성(acidic), pH 3.5~6.0

    a. 약간 두텁고 하얀 자궁경부 분비물이 증가

    b. *Lactobacillus acidophilus*가 질상피 내의 글리코겐으로부터 젖산(lactic acid)의 생성을 증가시키기 때문

2 피부(Skin)와 유방(Breast)

1) 피부(Skin)

(1) 복벽(Abdominal wall)

① 임신선(striae gravidarum)

    a. 임신 후반기에 나타나는 복부, 유방, 대퇴의 붉고 약간 함몰된 줄무늬

    b. 은색선(silvery abdominal striae) : 이전 임신 시 생긴 임신선의 반흔

② 복직근 분리(diastasis recti)

    a. 복벽의 근육이 장력을 이기지 못해 복직근이 중심선에서 갈라진 것

    b. 심한 경우 복벽이 오직 한 층의 피부층과 얇아진 근막, 그리고 복막으로만 되어 있음

(2) 색소 침착(Hyperpigmentation)

① 흑색선(linea nigra) : 복부 피부의 정중선에 색소가 침착되어 흑갈색을 보이는 선

② 기미(chloasma), 임신기미(melasma gravidarum) : 얼굴과 목에 생기는 다양한 크기의 불규칙한 갈색 반점

③ 유륜(areola)과 생식기 주변의 색소 침착도 심화

④ 모든 색소 침착은 분만 후에 사라지거나 상당 부분 회복

⑤ 경구피임제 복용 시 비슷한 색소 침착이 나타날 수 있음

⑥ 색소 침착의 원인

    a. 멜라닌세포자극호르몬(melanocyte stimulating hormone) : 임신 2개월 말부터 말기까지 현저히 상승

    b. 에스트로겐, 프로게스테론 : 멜라닌세포를 자극하는 효과

(3) 피부 혈관의 변화(Vascular changes)

① 혈관종(angioma), 손바닥 홍반(palmar erythema)

② 이 둘의 임상적 의의는 없으며 임신 기간이 끝난 직후 대부분에서 사라짐

③ 고에스트로겐혈증(hyperestrogenemia)에 의해 발생

2) 유방(Breast)

(1) 유방의 변화

① 임신 초기에 유방의 통증이나 저린 증상이 있을 수 있음

② 임신 2개월이 지나면 유방의 크기가 커지고 피하 정맥이 보이게 됨

③ 유두는 커지며 색소가 침착되며 더욱 발기성 조직으로서의 특성을 나타냄

④ 임신 첫 몇 개월이 지난 후에는 유두를 부드럽게 마사지하면 진한 노란색의 초유(colostrum)가 나오기도 하고, 이 시기에 유륜은 넓어지고 더욱 짙은 색으로 변화

⑤ 몽고메리선(glands of Montgomery) : 피지선의 비대로 형성된, 유륜(areolae) 근처에 산재하는 다수의 작은 융기

⑥ 유방이 상당히 커지면 복부의 임신선과 유사한 선이 나타남

⑦ 임신 전 유방의 크기와 모유 생성량은 관계가 없음

3 대사의 변화(Metabolic changes)

1) 체중 증가(Weight gain)

(1) 임신 중 체중 증가의 원인

① 주로 태아, 태반, 양수, 자궁, 유방, 혈액량 및 세포외액의 증가 등에 의해 발생

② 그 외에 세포내액의 증가, 지방이나 단백질의 축적 등도 영향을 미침

(2) 임신 동안의 평균 체중 증가 : 12.5 kg (27.5 lb)

Tissues and Fluids	Cumulative increased in weight (g)			
	10 weeks	20 weeks	30 weeks	40 weeks
Fetus	5	300	1,500	3,400
Placenta	20	170	430	650
Amnionic fluid	30	350	750	800
Uterus	140	320	600	970
Breasts	45	180	360	405
Blood	100	600	1,300	1,450
Extravascular fluid	0	30	80	1,480
Maternal stores (fat)	310	2,050	3,480	3,345
Total	650	4,000	8,500	12,500

2) 수분 대사(Water metabolism)

(1) 수분 축적(Water retention)

① 혈장 삼투압(plasma osmolality)의 감소 : 약 10 mOsm/kg

② 레닌-안지오텐신(renin-angiotensin)의 변화에 의해 활성 나트륨 및 수분의 저류

(2) 정상 임신 말기의 수분량 증가

① 임신 말기의 전체 수분량 증가 : 6.5 L (14.3 lb)

a. 태아, 태반 및 양수의 수분량 증가 : 3.5 L

b. 산모의 혈액량, 자궁 및 유방 증가 : 3.0 L

② 오목 부종(pitting edema)

a. 정의 : 산모가 출산이 임박해지면 오후나 저녁에 발목이나 다리에 부종 형성

b. 원인

- 커진 자궁에 의해 하대정맥이 부분적으로 눌려서 자궁위치 이하의 정맥압 증가

- 간질 내 콜로이드 삼투압(interstitial colloid osmotic pressure)의 감소

3) 단백질 대사(Protein metabolism)

(1) 임신 중 단백질의 대사

① 임신 동안 일일 단백질 섭취 요구량 증가 : 산모의 영양 섭취와 임신 전 산모의 근육과 지방에 저장된 단백질에 의해 충족

② 아미노산은 태반을 능동적으로 통과하여 태아 쪽으로 운반되고, 태아는 단백질을 합성하고 에너지원으로 사용

③ 태반은 단백질 합성, 산화, 비필수아미노산의 아미노기 전이(transamination)를 담당

(2) 임신 후반기 단백질의 보충

① 임신 중 약 900~1,000 g의 단백질 증가가 발생

    a. 임신 말기의 태아와 태반은 약 4 kg이 되며, 약 500 g의 단백질을 포함

    b. 자궁근육, 유방의 유선조직, 모체 혈액 내의 단백질 등이 약 500 g 증가

② 현재 권고치 : 0.88 g/kg/day

4) 탄수화물 대사(Carbohydrate metabolism)

(1) 임신 중 탄수화물 대사의 특징

① 공복 시 경증의 저혈당(mild fasting hypoglycemia)

② 식후 고혈당(postprandial hyperglycemia)

③ 고인슐린혈증(hyperinsulinemia)

(2) 인슐린에 대한 말초 조직의 저항성 증가

① 혈당에 대한 인슐린 반응의 증가

② 혈당의 말초 흡수 감소

③ 글루카곤의 반응 억제

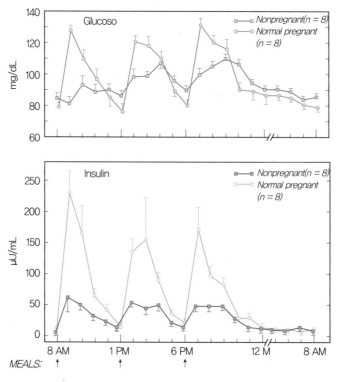

그림 3-3. 임신 말기 혈장 포도당(glucose)과 인슐린(insulin)의 하루 동안의 변화

(3) 임신 중 인슐린에 대한 민감도 감소 및 인슐린 저항성의 기전

① 프로게스테론(progesterone), 사람태반락토겐(human placental lactogen, hPL), 젖분비호르몬(prolactin), 코르티솔(cortisol)

a. 직접 또는 간접적으로 인슐린에 대한 조직 저항성을 증가시킴

b. 인슐린의 합성과 분비를 촉진하고 지방 분해를 증가시켜 유리지방산을 증가시킴

② 종양괴사인자(tumor necrosis factor-α, TNF-α)

a. 임신 중 인슐린의 신호전달체계를 약화시켜, 인슐린 저항성을 증가시킴

b. 임신 중 인슐린에 대한 민감도를 나타내는 지표로 사용

③ 유리지방산(free fatty acid)

a. 임신 말기에 모체 내에서 증가

b. 인슐린에 의한 당 섭취가 증가하는 중요 조직인 골격근과 지방조직에서의 인슐린 신호전달체계를 둔화시켜, 인슐린 감수성 저하에 영향을 미침

c. 임신 시 연료가 당에서 지방으로 바뀌는 가속 기아(accelerated starvation)가 나타나고, 금식이 길어질수록 이러한 변화가 심해지며 케톤혈증(ketonemia)이 빠르게 발생

5) 지방 대사(Fat metabolism)

(1) 임신 중 지질의 변화

① 지방 조직의 임신 중 증가

a. 몸의 전반적인 수분 증가에 따른 것

b. 혈장 지질(lipid)과 지질단백(lipoprotein)의 증가

c. 임신 초기에는 몸의 중심부 피하지방이 증가

d. 임신 제3삼분기까지 서서히 내장지방과 복부 피하지방이 증가

② 지방 조직의 증가와 고지혈증의 결과로 지질분해 활성(lipolytic activity)이 향상되고 지질단백분해효소 활성(lipoprotein lipase activity)이 감소되어 지방조직으로의 중성지방(triglyceride) 흡수가 줄어듦

③ 산모는 에너지원으로 지질(lipid)의 사용을 선호하고, 태아를 위해 포도당(glucose)과 아미노산(amino acids)을 절약

(2) 산모의 고지혈증(Hyperlipidemia)

(mg/dL)	Nonpregnancy Adult	1st Trimester	2nd Trimester	3rd Trimester
Cholesterol, total	<200	141~210	176~299	219~349
HDL-cholesterol	40~60	40~78	52~87	48~87
LDL-cholesterol	<100	60~153	77~184	101~224
VLDL-cholesterol	6~40	10~18	13~23	21~36
Triglycerides	<150	40~159	75~382	131~453
Apolipoprotein A-I	119~240	111~150	142~253	145~262
Apolipoprotein B	52~163	58~81	66~188	85~238

① 원인 : 임신 중 증가된 인슐린 저항성과 에스트로겐 자극
② 임신 중 lipid, lipoprotein, apolipoprotein 증가
③ 중성지방(triglycerides), 초저밀도 지질단백(very-low-density lipoprotein, VLDL), 저밀도 지질단백(low-density lipoprotein, LDL), 고밀도 지질단백(high-density lipoprotein, HDL)은 임신 제3삼분기 동안 증가
④ 모유수유(breast feeding)
  a. 산모의 중성지방(triacylglycerol) 수치를 낮추지만 HDL-C 수치는 증가시킴
  b. 총 콜레스테롤(total cholesterol)과 LDL-C 수치에 대한 영향은 불분명
⑤ 임신 중 콜레스테롤과 지질이 상승하지만 동맥경화에 대한 장기적 위험도 상승은 없음

(3) 렙틴(Leptin)

① 지방세포에서 분비되는 펩타이드호르몬
② 몸의 지방과 에너지 소비의 조절에 중추적인 역할
③ 임신 중 점차 증가해서 임신 제2삼분기에 최고치가 되고 임신 말까지 그대로 유지
④ 태반에서도 생성되며, 태반 무게와 제대혈에서 측정한 렙틴 농도는 밀접한 관계
⑤ 비정상적인 상승 : 전자간증(preeclampsia), 임신성 당뇨병(gestational diabetes)과 연관
⑥ 태아 렙틴(fetal leptin)
  a. 태아의 췌장, 신장, 심장 및 뇌를 포함한 여러 기관의 발달에 중요
  b. 태아 수치는 산모의 체질량지수(BMI) 및 출생체중(birthweight)과 상관관계를 보임
  c. 낮은 수치는 태아성장제한(fetal-growth restriction)과 연관
⑦ 분만 후 산모와 신생아 모두에서 감소

6) 전해질과 무기질 대사(Electrolyte and Mineral metabolism)

(1) 전해질(Electrolytes)

① 임신 중 Na (sodium)은 1,000 mEq, K (potassium)은 300 mEq 축적되지만 모체 혈장량의 증가로 혈장의 농도는 비임신 여성의 정상 범위와 매우 비슷하지만 약간 감소

② Na, K의 사구체 여과율(glomerular filtration rate)은 증가하지만 세뇨관 재흡수(tubular resorption)도 증가하기 때문에 Na, K의 배설은 변하지 않음

(2) 무기질(Minerals)

① 총 혈청 calcium 농도는 임신 동안 감소

a. 이는 전해질들이 부착하는 혈장 albumin 농도를 반영하며, 단백질에 결합된 양이 감소

b. 혈청 ionized calcium 농도는 변하지 않음

c. 만삭까지 약 30 g의 칼슘이 태아 골격형성에 필요하며, 80%가 제3삼분기에 요구됨

d. 이를 위해 산모의 장 내 칼슘 흡수율이 2배로 증가되고, 충분한 칼슘 섭취가 필요함

② 혈청 magnesium 농도도 감소하는데, 총 magnesium과 ionized magnesium 모두 감소

③ 혈청 phosphate의 농도는 비임신 시와 비슷

4 혈액학적 변화(Hematologic changes)

1) 혈액량(Blood volume)

(1) 혈액량의 증가

① 만삭 시 임신부의 혈액량 증가 : 평균 40~45% 증가하지만 개인 차이가 큼

② 임신 시기에 따른 증가 속도

a. 임신 10~20주 사이에 혈장량(plasma volume)의 증가로 전부하가 증가하기 시작

b. 임신 32주가 되면 혈장량이 최고에 이르러 4,700~5,200 mL 정도에 도달(비임신 시에 비해 45% 가량 증가된 양)

c. 임신 제3삼분기에는 천천히 증가하다가 마지막 수 주 동안 평형을 이룸

③ 혈장량(plasma volume)의 증가가 먼저 일어나고 뒤이어 적혈구(erythrocyte)가 증가

④ 혈장량(plasma volume)의 증가가 적혈구(erythrocyte)의 증가보다 많아 생리적 희석으로 모체 적혈구용적률(hematocrit)이 약간 감소

(2) 혈액량 증가의 역할

① 확장된 자궁과 매우 비대해진 혈관계통의 대사량을 충족

② 빠르게 성장하는 태반과 태아에 필요한 영양분과 산소를 공급

③ 눕거나 서 있는 자세에서 정맥혈 환류 감소로부터 산모와 태아를 보호

④ 분만 전후 혈액 손실로 인한 부작용으로부터 산모를 보호

(3) 혈색소 농도와 적혈구용적률(Hemoglobin concentration and hematocrit)

① 임신 중 혈장량의 증가가 매우 많기 때문에 조혈작용의 증가에도 불구하고 혈색소 농도와 적혈구용적률은 약간 감소하며 전혈 점도도 감소

② 만삭 때 혈색소 농도 : 평균 12.5 g/dL

　　a. 철분제를 꾸준히 복용한 여성 : 임신 전에 비해 약 1 g/dL 감소

　　b. 철분제를 복용하지 않은 여성 : 임신 전에 비해 약 2 g/dL 감소

③ 철결핍성 빈혈(iron-deficiency anemia) : 임신 말기 Hb ≤11.0 g/dL

2) 철 대사(Iron metabolism)

(1) 철 저장량(Iron storage)

① 철의 흡수

　　a. 철은 2가(divalent)의 제일철(ferrous) 상태로만 십이지장에서 흡수

　　b. 식물에서 오는 3가(trivalent)의 제이철(ferric)은 제이철 환원효소(ferric reductase)에 의해 2가(divalent)의 제일철(ferrous)로 변환되어야 함

　　c. 체내의 철 저장량이 정상이면 섭취된 철의 약 10% 정도만 흡수

② 여성의 체내 총 철분량 : 2.0~2.5 g(성인 남자의 반 정도)

③ 정상 여성의 철분 저장량 : 300 mg

(2) 철 요구량(Iron requirements)

① 정상 임신 동안의 철 요구량 : 1,000 mg

　　a. 태아와 태반의 이용 : 300 mg

　　b. 여러 경로를 통한 배출(주로 위장관계) : 200 mg

　　c. 모체 적혈구의 증가 : 500 mg

　　　- 증가하는 순환 적혈구의 양 : 450 mL

　　　- 1 mL 적혈구는 1.1 mg의 철을 포함

② 임신 후반기 철 요구량 : 6~7 mg/day

③ 임신 중 하루 철 섭취 권장량 : 철 30 mg/day 또는 Ferrous gluconate 325 mg/day

　　a. 임신 20주까지는 철분의 소요가 적어 별도 보충이 필요하지 않음

　　b. 임신 20주 이전에 섭취하면 오심이나 구토가 더 심해질 수 있음

　　c. 수유 시 분만 수주 후까지 필요

④ 철결핍성 빈혈 여성의 임신

   a. 기본적으로 필요한 1,000 mg에 추가적인 철의 보충이 필요

   b. 사용할 수 있는 철분제

     - Ferrous sulfate 325 mg (65 mg의 철) : 하루 2회

     - Ferrous gluconate 325 mg (35 mg의 철)

     - Ferrous fumarate 325 mg (107 mg의 철)

⑤ 산모와 태아의 혈색소 농도는 상관관계가 없음

   a. 철은 주로 임신 제3삼분기에 능동적 운반(active transport)을 통해 태아에게 공급

   b. 산모가 철결핍이 있어도 태아는 적당량의 철을 공급받아 정상 혈색소 유지

⑥ 임신 초기에 혈청 내 철 농도와 ferritin 농도가 증가하는 이유

   a. 임신 초기에는 철 요구량이 적음

   b. 무월경에 의해 철의 손실이 없어짐

⑦ 빈혈이 없는 산모에서 임신 중 철 보충을 하지 않은 경우

   a. 혈청 철과 ferritin 감소

   b. 혈청 내 철결합력(iron binding capacity, transferrin) 증가

(3) 분만 중 발생하는 혈액 손실량

① 단태아의 질식 분만 중, 분만 후 : 500~600 mL

② 제왕절개 수술, 쌍태아의 질식 분만 후 : 1,000 mL

③ 남는 혈색소는 저장철이 됨

3) 면역기능(Immunological functions)

(1) 임신 중 면역기능의 변화

① 임신 중 체액성(humoral) 면역 및 세포성(cell-mediated) 면역의 기능은 억제

② 모체가 모계 및 부계 기원의 항원을 가지고 있는 반동종이식(semiallogenic)인 태아를 받아들일 수 있음

   a. 영양막(trophoblast)의 항원성(antigenicity) 결여(MHC class II Ag 결여)

   b. 세포영양막(cytotrophoblast) 세포에서 발현되는 것은 모두 HLA-G(MHC class I)

   c. 모체의 CD4 T lymphocyte 기능 저하

     - T-helper (Th) 1, T-cytotoxic (Tc) 1 cell 억제, T-helper (Th) 2 cell 증가 : interleukin-2 (IL-2), interferon-γ, tumor necrosis factor (TNF) 분비 감소

     - 세포성 면역의 감소로 세포성 면역질환인 rheumatoid arthritis, multiple sclerosis 등이 있는 여성이 임신 동안에 종종 호전을 보이기도 함

     - 자가면역질환 중 하나인 루푸스는 임신 초기에 활동성인 경우, 임신 중 질병의 활성도

가 급증할 수 있음

(2) 백혈구(WBC)

① 백혈구의 수

a. 임신 동안 점차 증가 : 주로 호중구(neutrophils)와 과립구(granulocytes)의 증가

- 임신 중 : 15,000/μL 까지 증가

- 분만진통 중 또는 초기 산욕기 때 : 25,000/μL 정도(보통 20,000~30,000/μL)

b. 산후 1주 말까지는 비임신기의 수준으로 회복

c. 기전 : 확실하지 않지만 에스트로겐(estrogen)과 코르티솔(cortisol) 증가 때문으로 생각

② C-reactive protein (CRP)

a. 비임신 때보다 임신 시 조직 외상(tissue trauma), 염증(inflammation)에 반응하여 1,000배 정도 빠르게 증가

b. 임신과 진통 시가 비임신때보다 수치가 높지만 1.5 mg/dL를 넘지 않고, 임신 주수에 영향을 받지 않음

③ Erythrocyte sedimentation rate (ESR) : 혈장 globulins과 fibrinogen이 증가되어 있어서 정상 임신에서 증가

④ Complement factors C3, C4 : 임신 제2, 3삼분기에 크게 증가

4) 혈액 응고(Coagulation)와 항응고기능(Fibrinolysis)

(1) 혈소판(Platelet)

① 임신 중 혈소판의 수는 감소

a. 혈액희석(hemodilution) : 혈장량(plasma volume)의 증가로 인한 생리적 감소

b. 비장항진(hypersplenism) : 비장(spleen)의 비대로 혈소판의 조기 파괴 증가

② 임신 중 : 213,000/μL 정도

③ 임신 중 혈소판감소증(thrombocytopenia) : 2.5 percentile (116,000/μL) 이하일 때

(2) 임신 중 혈액 응고인자의 변화

① 혈액 응고인자의 증가

a. Factor I (fibrinogen)

- 300 mg/dL (200~400 mg/dL) : 비임신 시보다 50% 정도 증가

- 임신 말기 450 mg/dL (300~600 mg/dL)로 증가 : ESR 증가 유발

b. Factor II (prothrombin), VII, VIII, X, von Willebrand factor

② 혈액 응고인자 중 XI와 XIII (fibrin stabilizing factor)를 제외한 나머지 인자의 증가

③ 항응고에 관련된 total protein S, protein C 감소
④ 혈액 응고 성향의 증가는 출산 시 다량의 출혈에 대비를 해주지만, 임신 정맥저류의 증가와 혈관벽의 손상 등과 더불어 임신 중 혈전색전증의 위험을 높임

5 심혈관계(Cardiovascular system)

1) 심장(Heart)

(1) 임신 중 심장의 변화
① 심혈관계의 변화는 임신 첫 8주간 뚜렷함
② 전신 혈관저항이 감소
③ 심장의 심박출량 증가
④ 수축기, 이완기 혈압 모두 임신 초기부터 유의하게 감소
⑤ 맥박의 증가 : 안정 시 10~15회/min. 정도 상승
⑥ 심장의 위치 변화
  a. 임신 중 횡격막이 올라감에 따라, 심장은 좌측 상방으로 이동하고 장축을 따라 회전
  b. 흉부 사진 촬영 시 심장이 약간 커 보이기도 함
  c. 정상적으로 임신 중 소량의 심낭삼출(mild pericardial effusion)이 발생

(2) 임신 중 심박출량(Cardiac output)
① 심박출량의 증가
  a. 동맥 혈압, 혈관 저항 : 감소
  b. 혈액량, 산모의 체중, 기초 대사량 : 증가
② 옆으로 누운 자세(lateral recumbent position)에서 임신 초기부터 안정 시 심박출량이 현저히 증가하고 출산할 때까지 유지
③ 측와위에서 측정한 휴식기의 심박출량은 임신 초기에 최대로 증가하기 시작하여 계속 증가하여 만삭 때까지도 증가된 채로 유지
④ 임신 26~30주경 20% 증가(심박출량 최고 증가 시기), 32~34주경 10% 정도 증가
⑤ 진통 시에도 증가하는데 진통 2기에 힘주기를 할 때는 더욱 증가
⑥ 일회 박출량
  a. 임신 30주경에 최대가 되었다가 점차 감소하는 양상을 보임
  b. 임신 말기에는 일회 박출량이 감소하더라도 심박수가 증가하여 전체 심박출량은 큰 변화가 없음

시기	심박출량 (L/min)
임신 전	5.0
임신 20~24주	6.8
임신 28~32주	7.1
임신 38~40주	5.8
분만 제 1기 잠재기	6.2
분만 제 1기 활성기	7.2
분만 제 2기	8.9
출산 직후	9.3

(3) 임신 후반기의 혈역학적 변화(Hemodynamic function in late pregnancy)

증가	감소	변화 없음
Heart rate Stroke volume Cardiac output	Systemic vascular resistance Pulmonary vascular resistance Colloid osmotic pressure COP-PCWP gradient	Pulmonary capillary wedge pressure Mean arterial pressure Central venous pressure Left ventricular stroke work index

(4) 임신 중 심음과 심잡음의 변화

① 심음의 변화

a. 제1심음 : 분리가 뚜렷해지고 소리 증가

b. 제2심음 : 변화 없음

c. 제3심음 : 크고 쉽게 청진, 대부분이 대동맥이나 폐동맥에서 발생

② 심잡음의 변화

a. 수축기 심잡음 : 약 90%에서 청진, 복장 뼈(sternum)의 좌측 경계에서 잘 들림

b. 연성 확장기 심잡음(soft diastolic murmur) : 약 20%에서 일시적으로 청진

c. 유방의 혈류에 의한 지속적인 심잡음(continuous murmur) : 약 10%에서 청진

2) 순환(Circulation)과 혈압(Blood pressure)

(1) 임신 중 혈압의 변화

① 동맥압

a. 산모의 자세에 따라 차이 발생

b. 임신 중 점차 감소하여 임신 24~26주경 가장 낮아지고 그 이후에 다시 상승

c. 확장기 혈압이 수축기 혈압보다 더 많이 감소

② 정맥압

a. 팔꿈치 앞쪽 정맥압(antecubital venous pressure) : 변화 없음

b. 대퇴부의 정맥압(femoral venous pressure) : 임신 후반기로 갈수록 증가

c. 하지 정맥 혈류의 저류로 인한 하지 정맥압의 상승

- 임신 중 체위 부종, 하지와 외음부의 정맥류, 치질 등이 자주 발생

- 심부정맥 혈전증의 원인이 되기도 함

③ 임신 중 동맥압과 동맥 경직도(arterial stiffness)의 감소가 전자간증 빈도를 감소시킴

(2) 임신 중 혈압 조절인자

① 레닌-안지오텐신-알도스테론 축(Renin-Angiotensin-Aldosterone system)

a. 나트륨과 물의 균형을 이용해 혈압을 조절

b. Renin, angiotensin, aldosterone : 임신 중 모두 증가

② 심장나트륨이뇨인자(cardiac natriuretic peptide)

a. 종류 : A형(atrial natriuretic peptide, ANP), B형 펩티드(B-type natriuretic peptide, BNP)

b. 심방벽이 늘어나는 자극을 받게 되면 심근(cardiomyocyte)에서 분비

c. 기능 : 나트륨 배설, 혈관 평활근 이완, 이뇨 작용을 통한 혈액량의 조절

d. 임신 중 혈장량이 늘어남에도 불구하고, 혈장 ANP와 BNP수치는 일정하게 유지

③ 프로스타글란딘(prostaglandins, PG)

a. 임신 중 증가

b. 기능 : 혈관 긴장도, 혈압, 나트륨 평형을 조절

c. Prostaglandin E2 (PGE$_2$)

- 콩팥 수질(renal medulla)에서 생성

- 임신 말기에 급격히 증가되며 이로 인해 나트륨 이뇨가 발생

d. Prostacyclin (PGI$_2$)

- 혈관내피의 주요 prostaglandin

- 임신 말기에 증가

- 혈액응고와 혈압 조절에 관여

- Angiotensin에 대한 불응성에도 중요한 인자로 작용

- PGI$_2$ 결핍은 병적인 혈관수축과 관련

④ 일산화질소(nitric oxide)

a. 내피세포에서 분비

b. 임신 중 혈관저항성을 조절

c. 태반 혈관의 발달 및 압력에 주요한 인자로서 전자간증의 발생과 연관이 있음

(3) 누운 자세 저혈압증후군(Supine hypotension syndrome)

① 정상 임신 말기에 누운 자세에서 자궁에 의해 하대정맥(inferior vena cava)이 눌려 하체로부

터의 정맥 환류가 감소하여 심장으로 가는 혈류가 감소하고 심박출량도 감소하여 발생하는 동맥 저혈압(arterial hypotension)

② 임신부의 약 10%에서 발생

③ 치료 : 산모를 왼쪽 측와위 자세(left lateral decubitus position)로 눕힘

6 호흡기계(Respiratory tract)

1) 임신 중 폐의 변화

(1) 해부학적 변화

① 자궁이 비대해지면서 횡격막은 약 4 cm 상승하고, 호기말 식도 및 위장관 내 압력이 증가하여 흉곽 내 음압이 증가하면서 작은 기관지의 폐색이 일찍 발생하여 폐의 잔기량(residual volume)이 감소

② 임신 후반기에 흉곽 횡단면이 약 2 cm, 흉곽둘레가 6 cm 정도 증가하지만 횡경막의 상승에 의한 줄어든 폐의 잔기량을 보상하지 못함

(2) 폐기능의 변화(Pulmonary function changes)

① 임신 중 폐기능 변화의 원인

    a. 호르몬 변화

      - Progesterone : 이산화탄소에 대한 호흡중추의 민감도가 증가하여 호흡이 증가

      - Estrogen : 호흡에 대한 프로게스테론 수용체의 민감도를 증가시키는 역할

    b. 자궁의 크기 증가로 인한 흉곽의 구조적인 변화

② 임신 중 폐기능 지표의 변화

증가하는 것	감소하는 것	변화 없는 것
일회 호흡량 (tidal volume)	기능적 잔류용량 (functional residual capacity)	최대 호흡용적 (maximum breathing capacity)
분당 호흡량 (minute ventilatory volume)	잔기량 (residual volume)	강제 폐활량 (forced or timed vital capacity)
분당 산소섭취량 (minute oxygen uptake)	총 폐저항 (total pulmonary resistance)	폐탄성 (lung compliance)
들숨 용적 (inspiratory capacity)	$PaCO_2$	호흡수 (respiratory rate)
공기 전도도 (airway conductance)		
pH (respiratory alkalosis)		

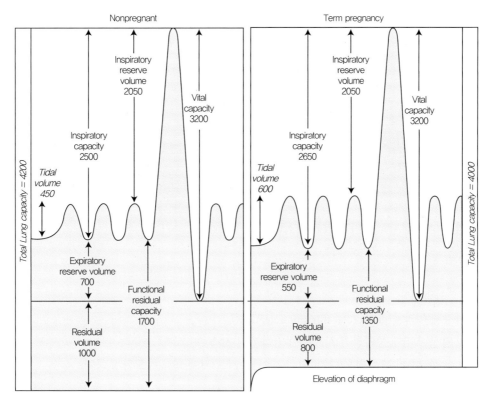

그림 3-4. 임신 중 폐 용적의 변화

2) 산-염기의 변화

(1) 임신부의 산소요구도

① 임신 중 산소 소비량은 약 20% 정도 증가하고, 분만진통 중에는 40~60% 정도 증가

② 임신 중 증가된 산소 요구량은 일회 호흡량(tidal volume)이 증가하여 충족됨

③ 심박출량과 총 혈색소량의 증가로 전체 산소운반능력이 향상되어 동정맥 간의 산소 차이는 감소

④ 임신 중 과도한 호흡노력 때문에 호흡성 알칼리증(respiratory alkalosis)이 초래

(2) 임신 중 호흡성 알칼리증(Respiratory alkalosis)

① 혈액의 이산화탄소 분압이 35~40 mmHg에서 28~30 mmHg로 낮아지고 이를 보상하기 위하여 혈장 내 중탄산염(bicarbonate)의 농도가 26 mmol/L에서 22 mmol/L로 감소

② 혈액의 pH는 증가되어 호흡성 알칼리증(respiratory alkalosis)이 나타나고, 산소 해리곡선 (oxygen dissociation curve)이 좌측으로 이동하여 산소에 대한 모체 혈색소의 친화력이 높아지면서 산소분리능력(oxygen-releasing capacity)이 감소 - Bohr effect

③ 모체의 과호흡은 이산화탄소의 분압을 낮추어 태아에서 모체로의 이산화탄소 이동을 촉진

시키고 모체에서 태아로 산소의 이동을 방해하는 것처럼 보이지만 pH가 약간 올라가면 모체 적혈구 내의 2,3-diphosphoglycerate가 증가하게 되어 Bohr effect와 반대 작용을 하여 산소해리곡선을 다시 오른쪽으로 이동시켜 산소가 태아로 쉽게 넘어가게 됨

7 비뇨기계(Urinary system)

1) 신장(Kidney)

(1) 신장 크기의 변화

① 임신 중에 신장의 크기가 약간 커짐(길이가 1 cm 정도 증가)
② 분만 후 임신 전 크기로 회복

(2) 신장 기능의 변화

① 사구체 여과율(glomerular filtration rate, GFR)
 a. 임신 초기에 증가하기 시작하여 만삭까지 지속
 b. 임신 2주에 25% 정도 증가, 임신 제2삼분기 초기에 50% 정도까지 증가
 c. 사구체 여과율의 증가 이유
  - 임신 중 혈액량 증가로 인해 혈청이 희석되어 신장 사구체의 미세혈류순환으로 유입되는 단백질과 혈장의 삼투압이 감소하기 때문
  - 신장혈장유량(RPF)의 증가
② 신장혈장유량(renal plasma flow, RPF)
 a. 임신 초기에 증가하기 시작
 b. 임신 후반에 감소하여 정상화
③ 릴랙신(relaxin)
 a. 사구체 여과율(GFR)과 신장혈장유량(RPF)의 증가에 중요한 역할
 b. 릴랙신에 의해 일산화질소(nitric oxide) 생산이 증가하면 신장 혈관이 확장되고 신장 내 유출유입동맥의 저항이 감소하여 신장혈장유량과 사구체 여과율이 증가
④ 산모의 자세에 따라 소변 배출량과 나트륨의 배설량은 영향을 받음
 → 똑바로 누웠을 때는 옆으로 누웠을 때에 비해 소변량과 나트륨 배설이 절반 이하로 감소

(3) 임신 중 신장기능검사(Renal function tests)

① 혈청 크레아티닌(serum creatinine)
 a. 비임신 여성의 평균인 0.7 mg/dL에서 임신부 평균인 0.5 mg/dL로 감소
 b. >0.9 mg/dL인 경우 : 신장질환을 의심하고 추가 검사를 시행

② 크레아티닌 청소율(creatinine clearance)

　　a. 임신 중 신장기능을 평가할 수 있는 주요한 검사

　　b. 비임신 여성의 청소율(100~115 mL/min)에 비해 30% 정도 증가

③ 요소질소(urea nitrogen)

　　a. 비임신 여성의 평균인 1.2 mg/dL에서 임신부 평균인 0.9 mg/dL로 감소

　　b. 임신 중 비정상 수치 : >1.4 mg/dL

(4) 소변검사(Urinalysis)

① 임신 중 요당(glucosuria)

　　a. 임신 시 소변검사에서 요당이 나온다고 해서 반드시 비정상은 아님

　　b. 임신 중 소변의 당이 나오는 이유

　　　- 사구체 여과율(GFR)의 증가

　　　- 요세관의 재흡수 능력 감소

　　c. 반복적으로 나타날 경우 당뇨의 가능성을 생각해야 함

② 임신 중 혈뇨(hematuria)

　　a. 검체를 받는 과정에서 오염된 경우를 제외하고는 비정상

　　b. 신장질환 또는 감염을 의심

　　c. 난산에 의한 하부 요로의 손상 확인

③ 임신 중 단백뇨(proteinuria)

　　a. 단백뇨로 진단되는 소변에서의 단백질 배설량

　　　- 비임신 시 : 150 mg/day

　　　- 임신 시 : 300 mg/day (사구체 여과율이 증가하고 세뇨관 재흡수가 감소)

　　b. 과격한 분만 중 혹은 분만 후에 소량 나오는 것은 정상

2) 요관(Ureters)과 방광(Bladder)

(1) 요관(Ureters)

① 자궁이 커져서 골반 밖으로 나와 요관을 바깥쪽으로 밀게 되고 골반 가장자리에서는 요관을 압박함

② 요관 확장(hydroureter)

　　a. 원인

　　　- 커진 자궁이 골반 언저리에서 요관을 압박(가장 주요한 원인)

　　　- 프로게스테론의 효과

　　b. 우측에 호발(86%)

　　　- 좌측 요관은 구불창자(sigmoid colon)에 의한 완충 작용

- 자궁의 우회전(dextrorotation)에 의한 우측 요관의 압박
- 우측 난소정맥복합체(right ovarian vein complex)의 확장

(2) 방광(Bladder)

① 방광의 변화

　a. 임신 12주 이전까지는 큰 변화 없음

　b. 임신 12주부터 골반 내 장기의 충혈, 방광 근육과 결체조직의 과형성으로 방광 삼각이 위로 올라가면서 방광 삼각 내의 요관 진입부위 가장자리가 두꺼워짐

　c. 임신 말기까지 계속되면서 삼각 부위는 더 깊어지고 넓어짐

② 방광의 점막은 혈관의 크기와 구불구불해짐이 증가

③ 방광압(bladder pressure) : 임신 초기(8 cm H_2O)보다 말기(20 cm H_2O)에 증가

④ 감소된 방광 용적을 보완하여 요실금이 발생하지 않도록 하는 변화

　a. 요도 길이(urethral length)가 5 mm로 증가

　b. 최대 요도 내압(maximal intraurethral pressure)이 70 cm H_2O에서 93 cm H_2O로 증가

　c. 그럼에도 약 반 이상의 여성들이 임신 중 요실금을 경험

8 　소화기계(Gastrointestinal tract)

1) 위장관계(Digestive tract)

(1) 위장관계의 해부학적 변화

① 자궁의 비대로 위(stomach)와 장(intestine)은 위쪽(cephalad)으로 이동

② 충수(appendix)는 위쪽, 약간 바깥쪽 위로 밀려 오른쪽 옆구리(right flank)에 위치

(2) 위(Stomach)의 기능 변화

① 임신 중 수축력과 운동성이 모두 감소

　a. Progesterone : 위-식도 괄약근의 긴장도를 감소시킴

　b. Estrogen : 위산이 식도로 역류하는 것을 증가시킴

② 가슴앓이(pyrosis, heartburn)

　a. 위산의 역류로 발생하는 속쓰림

　b. 원인

　　- 임신 자궁에 의한 위장의 위치 변화

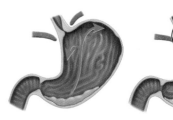

(A) 비임신　　　　(B) 위식도 역류질환

그림 3-5. 임신 중 위식도 역류질환

- 하부 식도 괄약근의 긴장도 감소
- 위장 내 압력에 비해 식도 내 압력 감소
- 식도의 연동운동 감소

③ 위궤양(peptic ulcer)의 위험도 감소

    a. 위 점액 분비(gastric mucous secretion)의 증가

    b. Prostaglandin이 위 점막을 보호하는 효과

    c. Progesterone에 의한 위 운동의 억제

④ 위배출시간(gastric emptying time)은 크게 변하지 않음

    a. 분만진통 중의 진통제 투여 : 위배출시간의 상당한 지연 발생

    b. 분만 시의 전신마취 : 위 내용물의 역류나 흡인 위험성 증가

(3) 장(Intestine)의 기능 변화

① 소장과 대장의 불안정한 운동성

    a. 변비가 증가하고, 간혹 설사도 할 수 있음

    b. Estrogen과 progesterone에 의한 운동성의 감소

      - 소장 : 통과 시간이 증가하여 영양분의 흡수 증가

      - 대장 : 수분과 나트륨 흡수 증가

② 치핵(hemorrhoids)

    a. 치핵이 흔히 발생

    b. 변비와 커진 자궁의 아래쪽에 있는 하부 직장 정맥(rectal veins)의 압력 증가로 발생

2) 간(Liver)과 담낭(Gallbladder)

(1) 간(Liver)

① 임신 중 간 크기의 변화는 없으나, 간 동맥과 간 문맥 정맥혈류는 꾸준히 증가

② 임신 중 간 기능(hepatic function)의 변화

	Nonpreg. Adult	1st Trimester	2nd Trimester	3rd Trimester
Alanine transaminase (ALT) (U/L)	7~41	3~30	2~33	2~25
Albumin (g/dL)	4.1~5.3	3.1~5.1	2.6~4.5	2.3~4.2
Alkaline phosphatase (ALP) (U/L)	33~96	17~88	25~126	38~229
Aspartate transaminase (AST) (U/L)	12~38	3~23	3~33	4~32
Bicarbonate (mmol/L)	22~30	20~24	20~24	20~24
Bilirubin, total (mg/dL)	0.3~1.3	0.1~0.4	0.1~0.8	0.1~1.1
Bile acids (µmol/L)	0.3~4.8	0~4.9	0~9.1	0~11.3
γ-glutamyl transpeptidase (GGT) (U/L)	9~58	2~23	4~22	3~26
Protein, total (g/dL)	6.7~8.6	6.2~7.6	5.7~6.9	5.6~6.7

a. Alkaline phosphatase (ALP) 활성도는 2배가 되는데 간에서의 생성 증가가 아닌, 태반에서 생성되는 heat-stable placental alkaline phosphatase isozymes의 영향으로 증가

b. Bilirubin, aspartate transaminase (AST), alanine transaminase (ALT), γ-glutamyl transpeptidase (GGT)는 비임신에 비해 약간 감소

c. Protein과 albumin의 양(levels)은 혈액량과 함께 전체적으로 증가하지만, 혈장량(plasma volume)이 늘며 발생하는 혈액희석(hemodilution) 효과에 의해 protein과 albumin의 농도(concentration)는 임신 후반기로 갈수록 점차 감소

d. 임신 중 albumin 보다 globulin의 양(levels) 증가가 더 많아 A/G ratio는 감소

e. Leucine aminopeptidase는 증가

증가	감소
Alkaline phosphatase (ALP) Globulin Leucine aminopeptidase	Bilirubin Aspartate transaminase (AST) Alanine transaminase (ALT) γ–glutamyl transpeptidase (GGT) Albumin Protein

(2) 담낭(Gallbladder)

① Progesterone의 영향

a. 담낭의 수축력 감소, 잔여 용적 증가를 유발

b. Cholecystokinin에 의한 담낭 평활근 수축을 억제

c. 담낭의 배출시간이 지연되고 담즙이 정체되면서, 담즙 콜레스테롤 포화도가 증가하여 다산부에서 담석(cholesterol gallstones)의 발생 빈도가 증가

② 담즙염의 저류(retained bile salts) : Intrahepatic cholestasis와 pruritis gravidarum 유발

9 내분비계(Endocrine system)

1) 뇌하수체(Pituitary gland)

(1) 임신 시 뇌하수체의 변화

① 임신 시 뇌하수체는 약 135% 정도 커지고, 출산 후 약 6개월경 정상 크기로 회복

a. Estrogen에 의한 뇌하수체의 비대(hypertrophy)와 젖분비호르몬 분비세포(lactotrophs)의 증식(hyperplasia) 때문

b. 시신경 교차 부분(optic chiasm)을 누를 정도가 되지만, 시야 변화는 없거나 미미함

c. 뇌하수체가 커짐에 따라 혈액 공급 변화에 더 민감하고, 산후 경색(Sheehan syndrome)의

위험도가 증가

② 뇌하수체 세포의 변화

    a. 젖분비호르몬분비세포(lactotrophs) : 증가

    b. 생식샘자극세포들(gonadotrophs) : 감소

    c. 코르티솔분비세포(corticotrophs), 갑상샘호르몬분비세포(thyrotrophs) : 일정

    d. 성장자극세포(somatotrophs) : 억제

③ 모체의 뇌하수체가 임신 유지에 필수적인 기관은 아님

(2) 성장호르몬(Growth hormone)

① 임신 시기별 분비 양상

    a. 임신 제1삼분기

    - 모체의 뇌하수체에서 주로 분비

    - 혈청과 양수 내의 농도 : 0.5~7.5 ng/mL 유지(비임신 시와 유사)

    b. 태반에서 임신 6주부터 분비되기 시작하고, 임신 20주까지 주요 생산부위가 됨

② 농도의 변화

    a. 모체 혈청의 농도 : 임신 10주부터 28주까지 서서히 증가한 후 유지(plateau)

    b. 양수 내의 농도 : 임신 14~15주에 최고치 도달, 36주 이후에 기저선까지 천천히 감소

③ 태반 성장호르몬(placental growth hormone)

    a. 뇌하수체 성장호르몬과 13개의 아미노산 잔기(amino acid residues)가 다름

    b. 융합세포영양막(syncytiotrophoblast)에서 비박동성(nonpulsatile)으로 분비

    c. 태아 성장에 영향

    - Insulin-like growth factor 1 (IGF-1)의 상향조절(upregulation)

    - 태반 락토겐(placental lactogen)과도 같이 작용

    - 태아의 출생체중과 양의 상관관계

    d. 임신 중기 이후 모체의 인슐린 저항성, 전자간증의 발생에 영향

    - 태아성장제한(fetal growth restriction), 자궁동맥 저항성(uterine artery resistance)과 음의 상관관계

(3) 젖분비호르몬(Prolactin)

① 뇌하수체 전엽의 젖분비호르몬분비세포(lactotrophs), 자궁의 탈락막(decidua)에서 합성되어, 양수 내에 고농도로 존재

② 농도의 변화

    a. 임신 5~8주 사이에 증가하기 시작

    b. 임신 20~26주 사이에 최고(10,000 ng/mL)에 이르렀다가 그 후에 점차 감소하여 임신 34

주에 최저에 도달

　　c. 만삭에서는 비임신 시의 10배 정도(150 ng/mL)로 증가

　　d. 분만 후 수유 여성에서 혈장 내 농도는 감소

　③ 젖분비호르몬(prolactin)에 대한 분비 인자

　　a. TRH, serotonin : 분비 증가

　　b. Dopamine : 분비 감소

　④ 산모에 대한 영향

　　a. 유방의 꽈리세포(alveolar cells)의 RNA 합성과 젖생산(galactopoiesis)을 시키며 카세인(casein), 락트알부민(lactalbumin), 젖당(lactose), 지방(lipids)의 생산을 촉진

　　b. 유방의 꽈리세포(alveolar cells)와 유선에서 상피세포의 DNA 합성과 유사분열을 유발하여 이들 세포의 estrogen과 progesterone 수용체의 수를 증가

　⑤ 태아의 탈수 예방

2) 갑상샘(Thyroid gland)

(1) 임신 중 갑상샘의 변화

　① 임신 동안에 형태학적, 조직학적, 검사지표들의 변화에도 정상 갑상샘(euthyroid) 상태

　② 약간의 크기 증가 : 분비샘 증식(glandular hyperplasia), 혈관 확장(greater vascularity)

　③ 갑상샘자극호르몬(thyroid stimulating hormone, TSH, thyrotropin)

　　a. hCG와 유사한 구조

　　　- α-subunit : 동일한 구조

　　　- β-subunit : 유사하지만 아미노산 순서가 다름

　　b. 임신 중 증가하는 hCG가 갑상샘을 자극하고, 임신 전 정상 TSH 수치를 보인 여성들 중 약 80% 이상이 임신 중 감소를 보임

　　c. 임신 제1삼분기에 일시적으로 감소 후, 제1삼분기 말부터 임신 전과 같아짐

　④ 갑상샘자극분비호르몬(thyroid-releasing hormone, TRH)

　　a. 정상 임신에서는 증가하지 않음

　　b. 태반을 통과하여 태아의 뇌하수체를 자극하고 TSH의 분비를 유도

(2) 태아 갑상샘(Fetal thyroid)

　① 모체의 갑상샘은 태아의 갑상샘 기능에 태반을 통해서 간접적으로 관여

　② 태반은 요오드(iodine)와 소량의 티록신(thyroxine)이 태아로 이동하는 것을 조절

　③ 임신 초 태아의 정상적인 신경발달을 위해서 모체의 티록신(thyroxine, T4) 공급이 중요

　④ 임신 제1삼분기 이후에 태아의 갑상샘은 모체와는 독립적으로 기능함

(3) 임신 중 요오드 상태(Iodine status)

① 갑상샘호르몬의 생합성에 필수 요소

② 섭취 권장량

    a. 성인 : 150 μg/day

    b. 임신부 : 200~300 μg/day

③ 요오드 요구량 증가의 원인

    a. 신장의 요오드 배출 증가

    b. 모체와 태아 갑상샘의 티록신(thyroxine) 요구도 증가

(4) 임신 중 갑상샘 기능검사(Thyroid function test)의 변화

증가	감소	변화 없음
Thyroxine-binding globulin (TBG) Total T3, T4 Radioactive iodine uptake test (RAIU)	T3 resin uptake Serum iodine	Free T3, T4 Thyroid stimulating hormone (TSH) Thyroid-releasing hormone (TRH)

① Thyroxine-binding globulin (TBG) : 증가 ← 임신 중 증가하는 estrogen의 영향

② Total T3, T4 : 임신 6~9주부터 18주 정도까지 증가한 후 유지(plateau) ← TBG 증가 때문

③ Free T3, T4 : 임신 초 일시적으로 증가 후, 비임신 정상 범위 내 존재

④ T3 resin uptake : 감소 ← 갑상샘 기능 항진증 시에는 증가

⑤ Thyroid stimulating hormone (TSH) : 임신 초 일시적 감소 후, 비임신 정상 범위 내 존재

⑥ Thyroid-releasing hormone (TRH) : 변화 없음

⑦ Serum iodine : 감소 ← 신장의 배출 증가, 태아로의 이동 때문

⑧ Radioactive iodine uptake test (RAIU) : 증가

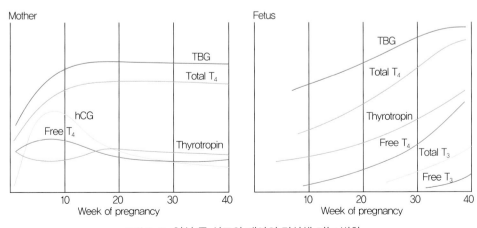

그림 3-6. 임신 중 산모와 태아의 갑상샘 기능 변화

(5) 갑상샘호르몬의 태반 통과

통과 가능	통과 불가능
T3, T4 (느리게 소량 통과) Thyroid-releasing hormone (TRH) Iodide TSH receptor antibody (Long acting thyroid stimulator, LATs) Propylthiouracil (PTU) Methimazole (MTZ)	Free T4 reverse T3 (rT3) Thyroid stimulating hormone (TSH)

3) 부갑상샘(Parathyroid gland)

(1) 부갑상샘호르몬(Parathyroid hormone, PTH)

① 임신 중 부갑상샘호르몬(PTH)의 혈장 내 농도

   a. 임신 제1삼분기 동안 감소

   b. 임신 제2, 3삼분기 동안 점차 증가

② 부갑상샘호르몬(PTH)의 분비

   a. 혈장 내 칼슘(calcium)과 마그네슘(magnesium)의 농도가 감소하면 분비 증가

   b. 혈장 내 칼슘(calcium)과 마그네슘(magnesium)의 농도가 증가하면 분비 감소

③ 부갑상샘호르몬(PTH)의 기능

   a. 칼슘(calcium) 농도의 증가 : 뼈에서의 칼슘 흡수, 장의 칼슘 흡수, 신장에서의 칼슘 재흡수에 관여

   b. 인(phosphate) 농도의 감소

④ Vitamin D와 칼슘(calcium)의 관계

   a. 태아 뼈의 미네랄화는 주로 임신 제3삼분기에 이루어지는데, 약 30 g의 칼슘이 필요

   b. 임신 동안에 vitamin D는 간에서 25-hydroxyvitamin D3로 전환이 되고, 이는 다시 신장, 탈락막 및 태반에서 활성형인 1,25-dihydroxyvitamin D3로 전환됨

   c. 1,25-dihydroxyvitamin D3는 칼슘의 장 흡수를 증가시켜 임신 제3삼분기 때에는 하루 약 400 mg의 칼슘을 장에서 흡수함

   d. 활성형 vitamin D는 PTH 또는 PTH-related protein (PTH-rP) 생성 증가에 따라 증가함

(2) 칼시토닌(Calcitonin)

① 칼시토닌(calcitonin)의 분비

   a. 갑상샘(thyroid gland)의 소포주위(perifollicular) 부위에 위치한 C cell에서 분비

   b. 칼시토닌(calcitonin)의 생합성과 분비를 증가시키는 인자들

     - 칼슘(calcium), 마그네슘(magnesium)

- 위장 호르몬(gastric hormones) : gastrin, pentagastrin, glucagon, pancreozymin

② 임신 중 농도의 증가

    a. 임신 13~16주부터 증가하여 임신 25주에 최고로 분비

    b. 임신 35주경 임신 전의 수치로 회복

③ 칼시토닌(calcitonin)의 기능

    a. 부갑상샘호르몬(PTH)과 vitamin D의 뼈 흡수 작용을 억제

    b. 칼슘 스트레스(calcium stress) 상황인 임신과 수유 동안 산모의 골격(skeleton)을 보호

4) 부신(Adrenal glands)

(1) 코르티솔(Cortisol)

① 임신 중 혈청 내 순환하는 코르티솔(cortisol)의 농도는 증가

    a. 순환하는 코르티솔은 transcortin(cortisol binding globulin)과 결합 상태로 존재

    b. 산모의 부신으로부터 분비는 증가하지 않으며 오히려 감소 상태이지만, 코르티솔의 대사
       율이 낮아지고 반감기가 2배 정도 증가

② 임신 초기 급격히 감소했다가, 10주경부터 부신겉질자극호르몬(ACTH, corticotropin)과 유
    리 코르티솔(free cortisol) 수치가 함께 급격히 증가

③ 임신 중 증가된 황체호르몬(progesterone)에 반응하여 항상성(homeostasis)의 유지에 유리 코
    르티솔(free cortisol)이 필요

④ 임신 후반기 증가된 혈장량 유지를 위해 모체의 코르티솔과 알도스테론의 분비가 증가

(2) 알도스테론(Aldosterone)

① 알도스테론(aldosterone)의 분비

    a. 임신 15주부터 모체의 부신에서 분비 증가

    b. 임신 중반 이후 renin과 angiotensin II의 증가로 임신 제3삼분기에는 하루 약 1 mg의 알도
       스테론이 분비

    c. 염분 섭취가 제한될 경우 분비는 더욱 증가

② 알도스테론(aldosterone)의 역할

    a. 황체호르몬(progesterone)과 심방나트륨이뇨인자(atrial natriuretic peptide, ANP)에 의한
       나트륨 배설촉진효과(natriuretic effect)에 대한 보호작용

    b. 영양막(trophoblast)의 성장과 태반 크기(placental size)를 조절

(3) 11-디옥시코르티코스테론(11-Deoxycorticosterone, DOC)

① 임신 중 농도 증가

    a. 만삭 시 15배 이상 증가(약 1,500 pg/mL)

b. Estrogen 자극에 의한 신장에서의 생성이 증가하기 때문

② 태아 혈액의 수치가 모체보다 더 증가하는데, 태아의 deoxycorticosterone이 모체로 이동됨을 시사

(4) 안드로스테네디온(Androstenedione)과 테스토스테론(Testosterone)

① 모두 임신 중 증가

② 태반에서 에스트라디올(estradiol)로 변환

③ 모체의 테스토스테론(testosterone)은 영양막 세포에서 17β-estradiol로 변환되기 때문에 태아의 혈액으로 전달되지 않음

(5) 디히드로에피안드로스테론 황산염(Dehydroepiandrosterone sulfate, DHEAS)

① 임신 중 혈청(serum)과 소변(urine) 내의 DHEAS는 감소

② 대사청소율(metabolic clearance)이 증가하여 DHEAS가 감소하는 이유

a. 산모 간에서의 16α-hydroxylation

b. 태반에서의 estrogen으로의 변환

10 기타 장기들(Other systems)

1) 근골격계(Musculoskeletal system)

(1) 해부학적 변화

① 척추 앞굽음증(lordosis)

a. 임신 중 나타나는 정상적인 현상

b. 커진 자궁이 앞으로 나오는 것을 보완하기 위해 무게중심이 하지 위로 후방 이동

② 심하게 목이 앞으로 굽고 어깨 이음뼈가 내려가면 ulnar nerve, median nerve가 당겨지고, 상지의 통증, 저림 같은 손목굴증후군(carpal tunnel syndrome)과 비슷한 증상이 발생

(2) 관절 유동성(Joint laxity)의 증가

① 엉치엉덩(sacroiliac), 엉치꼬리(sacrococcygeal), 두덩뼈(pubic bone) 관절의 유동성 증가

② 대부분 임신 전반기에 발생

③ 산모의 자세를 변하게 하고 허리통증을 유발

④ Estradiol, progesterone, relaxin 증가와는 관련이 없음

⑤ 이완된 관절의 회복은 분만 후 시작되어 3~5개월 뒤 완료

2) 중추 신경계(Central nervous system)

(1) 눈(Eyes)

① 해부학적 변화

　　a. 안압(intraocular pressure)의 감소

　　　- 유리체 유출(vitreous outflow)의 증가로 발생

　　　- 녹내장이 있던 경우 개선되기도 함

　　b. 각막 민감도(corneal sensitivity)의 감소 : 임신 후반기에 크게 변함

　　c. 각막 두께(corneal thickness)의 약간 증가 : 부종(edema)에 의한 영향

　　d. 각막의 혼탁 : Krukenberg spindle

　　　- 각막의 후면에 적갈색의 혼탁이 생기는 것

　　　- 임신 중 분비되는 호르몬 때문에 착색이 증가되어 발생

② 기능적 변화

　　a. 원근 조절의 일시적인 장애 발생 가능

　　b. 시력(visual function)은 임신과 상관 없음

(2) 기억력(Memory)

① 임신 및 산욕기 초기에 주의력, 집중력, 기억력, 공간 식별 능력이 감소

② 기억력 감소(memory decline)

　　a. 임신 제3삼분기에 국한되며 일시적이고 출산 후 대부분 회복

　　b. 우울감, 불안, 수면장애와는 관련이 없음

(3) 수면장애(Sleep disorder)

① 임신 12주경부터 분만 후 2개월까지 나타남

② 잠을 잘 이루기 힘들고, 자주 깨며, 밤 수면이 짧아지고, 수면의 효율성이 감소

③ 출산 후 더 자주 발생하며, 산후우울감(postpartum blue)과 우울증의 원인이 되기도 함

CHAPTER 04

생식기계 이상(Reproductive tract abnormalities)

1 선천성 생식기계 이상(Congenital reproductive tract abnormalities)

1) 생식기의 형성 및 뮐러관 기형(Müllerian abnormalities)

(1) 생식기의 형성

① 자궁(uterus)

    a. 임신 10주경에 양측의 뮐러관(Müllerian duct)이 서로 합쳐져서 형성

    b. 임신 20주경에 위쪽 중격(septum)은 서서히 소실되어 자궁강을 형성

② 질(vagina)

    a. 뮐러결절(Müllerian tubercle)과 비뇨생식굴(urogenital sinus) 사이에서 cell cord가 용해되어 형성

    b. 질의 윗부분 : 뮐러관(Müllerian duct) 유래

    c. 질의 아랫부분 : 비뇨생식굴(Urogenital sinus) 유래

(2) 뮐러관 기형(Müllerian abnormalities)

① 뮐러관 기형(Müllerian anomaly)과 중간콩팥관 기형(mesonephric duct anomaly)

    a. 태생학적으로 뮐러관과 중간콩팥관이 서로 가깝게 위치

    b. 한쪽 관에 손상을 주는 일이 있을 경우 양쪽에 모두 손상을 줄 가능성이 높음

    c. 생식관과 비뇨기계의 이상은 연관성이 높으므로, 한쪽의 생식기 이상 발견 시 같은 쪽 비뇨기계 이상을 확인해야 함

② 뮐러관 기형의 분류(classification of Müllerian anomalies)

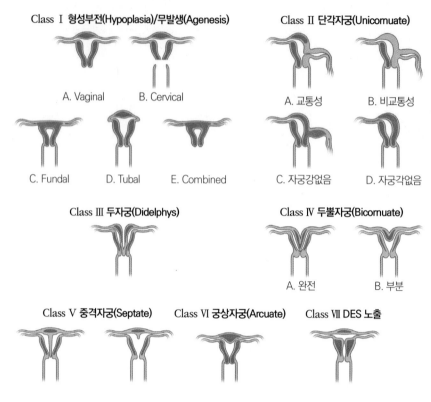

Class Ⅰ 형성부전(Hypoplasia)/무발생(Agenesis)

A. Vaginal B. Cervical

C. Fundal D. Tubal E. Combined

Class Ⅱ 단각자궁(Unicornuate)

A. 교통성 B. 비교통성

C. 자궁강없음 D. 자궁각없음

Class Ⅲ 두자궁(Didelphys)

Class Ⅳ 두뿔자궁(Bicornuate)

A. 완전 B. 부분

Class Ⅴ 중격자궁(Septate) Class Ⅵ 궁상자궁(Arcuate) Class Ⅶ DES 노출

그림 4-1. 뮐러관 기형의 분류법

2) 생식기계의 이상(Reproductive tract abnormalities)

(1) 질의 이상(Vaginal abnormalities)

① 질 무발생(agenesis)

a. Mayer-Rokitansky-Küster-Hauser(MRKH) syndrome

b. 신장, 골격, 청각의 이상 동반 가능

② 질의 완전 폐쇄(complete atresia)

a. 약 1/3에서 비뇨기계 이상을 동반

b. 폐쇄로 인해 자연 임신은 불가능

c. 질 확장(vaginal dilatation)으로 90%에서 기능성 질(functional vagina)을 만들 수 있음

③ 질의 불완전 폐쇄(incomplete atresia)

a. 손상이나 염증으로 인한 흉터의 결과로 발생

b. 임신하게 되면 대부분 부드러워지고 태아의 선진부의 압력에 의해 점차 늘어나게 되므로 질식 분만을 방해하지 않음

④ 선천성 세로 중격(complete longitudinal septum)

    a. 진통 중 태아가 내려오면서 대부분 충분히 늘어남

    b. 보통 난산을 유발하지 않음

⑤ 불완전 중격(incomplete septum)

    a. 종종 태아의 하강을 방해

    b. 절개 또는 제왕절개가 필요

⑥ 가로 중격(transverse septum)

    a. 중격의 구멍이 자궁경부의 자궁외구(external os)로 잘못 오인되는 경우가 많음

    b. 자궁외구(external os)가 완전히 개대된 후 태아의 선진부가 내려오면서 중격이 제거되지 않으면 작은 구멍에 압력이 가해지면서 점점 커지게 됨

    c. 십자절개(cruciate incision)가 필요한 경우도 있음

(2) 자궁경부의 이상(Cervical abnormalities)

  ① 자궁경부의 폐쇄(atresia)

  ② 중복자궁경부(double cervix) : 세로 질중격(longitudinal vaginal septum)과 연관

  ③ 반자궁경부(single hemicervix), 자궁경부중격(septate cervix) : 한쪽 뮐러관만 발달

  ④ 완전 자궁경부 폐쇄(complete cervical atresia)

    a. 자연 임신은 불가능, IVF로 임신 가능

    b. Uterovaginal anastomosis로 임신율 증가

(3) 자궁의 이상(Uterine abnormalities)

  ① 발생 빈도 : 0.4~10%

  ② 이상 빈도 : Arcuate > Septate > Bicornuate > Didelphys > Unicornuate

  ③ 진단 방법

    a. Sonography

    b. Hysterosalpingography (HSG)

    c. Magnetic-resonance imaging (MRI)

    d. Laparoscopy

    e. Hysteroscopy

  ④ 요로 검사(urological evaluation)

    a. 비뇨기계 이상이 잘 동반되므로 생식기계의 비대칭적 발달 장애가 있을 때 비뇨기계 검사를 해야 함

    b. 한쪽에 자궁 폐쇄(uterine atresia)가 있거나 중복질(double vagina)의 한쪽 끝이 막혀 있으면 같은 쪽의 요로 이상이 있을 가능성이 증가

⑤ 청각 검사(auditory evaluation)

　　a. 신장 및 생식기 기형이 있는 경우 청각이상의 가능성이 존재

　　b. 뮐러관이상 여성의 최대 1/3에서 청각이상이 발생

　　c. 주로 고주파에서 감각신경성 청각장애(sensorineural hearing loss)의 형태로 나타남

⑥ 자궁기형의 산과적 합병증

　　a. 유산 : 중격(septate) 또는 단각(unicornuate)자궁은 반복유산의 위험이 5배 증가

　　b. 자궁외임신(ectopic pregnancy), 흔적자궁뿔임신(rudimentary horn pregnancy)

　　c. 조기양막파수(premature rupture of membranes), 조기진통(preterm labor)

　　d. 자궁 내 태아성장제한(intrauterine growth restriction)

　　e. 태아위치이상(malpresentation)

　　f. 자궁기능장애(uterine dysfunction)

　　g. 자궁 파열(uterine rupture)

⑦ 단각자궁(Unicornuate uterus) : Class II

　　a. 빈도 : 4,000명당 1명에서 발생

　　b. 증상 : 불임, 자궁내막증, 월경통

　　c. 예후

　　　- 유산, 조산, 발육지연, 둔위, 자궁수축부전, 제왕절개의 빈도 증가

　　　- 임신이 잘못될 가능성 40% 이상

　　　- 흔적자궁뿔임신 시 자궁파열 위험 증가 : 대개 임신 20주 내에 파열

　　　- MRI로 진단하는 것이 좋음

Class II 단각자궁(Unicornuate)

A. 교통성　　　　B. 비교통성

C. 자궁강없음　　D. 자궁각없음

⑧ 두자궁(Uterine didelphys) : Class III

　　a. 뮐러관이 완전히 융합되지 않아 발생

　　b. 완전히 분리된 두개의 반자궁(hemiuteri)과 자궁경부(cervix) 그리고 대개 두 개의 질(two vaginas)로 구성

　　c. Obstructed hemivagina and with ipsilateral renal agenesis (OHVIRA)

　　　- 태생 3주경 유전적이상이나 기형발생인자(teratogen)의 영향

　　　- 태생기에 중간콩팥관(mesonephric duct)의 불완전한 형성으로 동측 신장의 무형성

　　　- 비뇨생식굴(urogenital sinus)에서 중간콩팥관(mesonephric duct)이 불완전하게 형성됨으로써 중간콩팥곁관(paramesonephric duct)의 융합이 일어나지 않아 두자궁(uterine didelphys)이 발생

Class III 두자궁(Didelphys)

d. 예후

    - 70%에서 성공적인 임신 결과를 보임

    - 유산(miscarriage), 조산(preterm birth), 이상태위(malpresentation), 태아성장제한(fetal growth restriction), 제왕절개술(cesarean section) 등의 증가

⑨ 두뿔자궁(Bicornuate uterus)과 중격자궁(Septate uterus) : Class IV and V

  a. 예후 : 유산, 조산, 태아위치이상, 제왕절개 증가

  b. 임신 20주 이전 유산률이 매우 높음

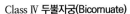
Class IV 두뿔자궁(Bicornuate)

A. 완전   B. 부분

    - 쌍각자궁(70%)보다 중격자궁(88%)에서 더 높음

    - 이유 : 무혈관 중격(avascular septum)에 수정란이 착상되면 혈관 공급을 받지 못하기 때문

⑩ 궁상자궁(Arcuate uterus) : Class VI

Class V 중격자궁(Septate)

A. 완전   B. 부분

  a. 정상 자궁의 경한 변형(minimal deviation)의 일종

  b. 임신에 대한 예후가 좋음

⑪ 뮐러관 기형의 치료

  a. 막혀 있지 않은 기형(didelphys, unicornuate) : 수술적 치료가 필요 없음

  b. 태아 위치 이상

    - 정상 자궁인 경우와 동일하게 치료

    - 외전향(external cephalic version)은 잘 안되며, 자궁 파열을 유발할 수 있어 위험

  c. 자궁경부원형결찰술(cervical cerclage)의 적응증

    - 자궁경부 부분무형성(partial cervical atresia), 자궁경부 발육부전(cervical hypoplasia)은 복식 자궁경부원형결찰술(transabdominal cervical cerclage)이 효과적

    - 두자궁(uterine didelphys), 두뿔자궁(bicornuate uterus)은 자궁성형 이후 개복술을 통한 자궁경부원형결찰술 시행

  d. 자궁성형(metroplasty)

    - 두뿔자궁(bicornuate uterus)

     • 개복하여 자궁성형 시행

     • 중격 절제 후 자궁저부 재조합 교정(septal resection and recombination of the fundi)

    - 중격자궁(septate uterus)

     • 자궁경(hysteroscopy)을 통한 격막 절제(septal resection)

     • 임신율의 향상을 기대해 볼 수 있음

(4) DES에 의한 생식기 이상(Diethylstilbestrol reproductive tract abnormalities)

① 산전 노출 : vaginal adenocarcinoma 발생 위험 증가

② 구조적, 기능적 이상의 증가

　a. 과도한 자궁경부의 외번(eversion)으로 ectopic vaginal gland epithelium 증가

　b. VAIN & CIN 발생률 2배 증가

　c. 2/3에서 자궁 이상 발생

　　- Hypoplastic T-shape cavity, cervical collars, hood, septa, coxcomb, withered fallopian tubes

　　- 자궁내막 두께 감소

　　- 자궁 혈류 감소

　d. 1/4에서 자궁경부, 질의 구조적 이상 발생

2 후천성 생식기계 이상(Acquired reproductive tract abnormalities)

1) 생식기의 이상(Reproductive tract abnormalities)

(1) 외음부의 이상(Vulvar abnormalities)

① 부종(edema)

　a. 많은 여성이 임신 중 약간의 외음부 부종이 있음

　b. 특별한 원인 없이 심한 부종이 생길 수도 있음

② 염증성 병변(inflammatory lesions)

　a. 음순 유착(labial agglutination) : 사춘기 이전 특히 영유아에 빈번

　b. 원인 : 사춘기 이전의 낮은 estrogen 농도 혹은 피부 자극물로 인한 만성 염증으로 대음순
　과 소음순이 중앙선에서 유착되어 발생

　c. Estrogen 크림 국소 도포, 도수 분리(manual separation)

③ 바르톨린선 염증(Bartholin gland lesions)

　a. 대개 무균성(sterile)으로 임신 중 특별한 치료는 필요 없음

　b. 바르톨린선 낭종이 커서 진통 및 분만에 방해가 될 때는 바늘을 이용한 흡인 시행

　c. 농양(abscess)이 있는 경우 광범위 항생제를 쓰고 농양 배액을 시행

④ 요도 및 방광 병변(urethral and bladder lesions)

　a. 요관에 외상을 입거나 감염이 생긴 경우 때때로 요관 주위 농양, 낭종, 게실(periurethral
　abscesses, cysts, diverticula)이 발생

　b. 농양은 자연적으로 소실되는 경우가 많으며, 후유증으로서 낭종이 형성될 수 있음

　c. 낭종이나 게실의 수술적 제거는 임신 중에는 시행하지 않음

⑤ 첨형 콘딜로마(Condyloma acuminata)

    a. 분만 전 박멸(eradication)하는 것이 바람직

      - 난산, 이차감염 및 출혈을 방지

      - 병변의 크기를 줄이면 신생아의 감염 위험 감소

    b. 사람 인유두종 바이러스(HPV)에 의해 생기므로 예방접종으로 어느 정도 예방 가능

    c. 임신 중 쓸 수 있는 약제 : trichloroacetic acid (TCA), 레이저치료(laser ablation)

    d. 임신 중 금기 약제 : Podophyllin, 5-FU cream, interferon

(2) 질의 이상(Vaginal abnormalities)

① 부분 폐쇄(partial atresia)

    a. 감염이나 외상으로 발생

    b. 진통 중에는 대개 선진부의 압력으로 늘어나 문제가 없지만 절개나 제왕절개술이 필요한 경우도 있음

② 생식기 샛길(genital tract fistulas)

    a. 종류 : 방광-질, 방광-자궁, 방광-자궁경부 사이의 샛길

    b. 원인 : 자궁경부원형결찰술, 제왕절개술 후 질식분만, 오랜 진통

    c. 생식기 샛길의 일부는 저절로 좋아지지만 대부분은 교정이 필요

(3) 자궁경부의 이상(Cervical abnormalities)

① 자궁경부 협착(cervical stenosis)

    a. 원인

      - 자궁경부 원추절제술(conization) : 가장 흔한 원인

      - 환상투열절제술(LEEP), 냉동치료, 레이저치료, 소작술(cauterization)

      - 심한 자궁경부암

      - 낙태에 부식제를 사용한 경우(corrosives used to induce abortion)

      - 자궁경부 절단술(cervical amputation)

      - 자궁경부의 감염(infection)과 조직 손상(tissue destruction)

    b. 대개는 진통 중에 열림

② 자궁경부의 암(carcinoma of the cervix)

(4) 자궁의 이상(Uterine abnormalities)

① 자궁전굴(anteflexion)

    a. 원인 : 복직근 분리(diastasis recti)나 하수복(pendulous abdomen)이 있을 경우

    b. 치료 : 잘 맞는 복대를 하면 대개 교정 가능

② 자궁후굴(retroflexion)

　　a. 임신 시에는 드물게 후굴된 자궁이 계속 자라서 엉치뼈(sacrum)의 오목한 곳에 꼭 끼어서 문제가 될 수 있음

　　b. 감돈자궁(incarcerated uterus)의 증상 : 복부 불편감, 배뇨장애, 모순성 요실금

　　c. 치료 : 방광에 도뇨관을 삽입하고 슬흉위(knee chest position)를 취하면 자궁이 제 위치로 돌아오며, 방광의 긴장도가 회복될 때까지 도뇨관을 거치

2) 자궁근종(Uterine leiomyomas)

(1) 종류

① 위치에 따른 구분

　　a. 점막하근종(submucosal myoma)

　　b. 근층내근종(intramural myoma)

　　c. 장막하근종(subserosal myoma)

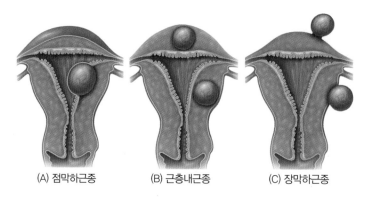

　　(A) 점막하근종　　　(B) 근층내근종　　　(C) 장막하근종

그림 4-2. **자궁근종의 위치에 따른 분류**

② 유경근종(pedunculated myoma)

　　a. 장막하 또는 점막하근종이 줄기에 의해 매달린 것

　　b. 임신 중 염전(torsion) 될 수 있음

③ 기생근종(parasitic myoma)

　　a. 유경근종이 자궁으로부터 분리되어 복강 벽이나 장막, 또는 다른 장기에 부착되어 혈액공급을 받아 자라는 것

　　b. 난소 종양 등과의 감별이 필요

④ 자궁근종의 분류

FIGO Leiomyoma classification system	
Type 0	자궁내강으로 완전히 돌출된 목있는 점막하근종(pedunculated intracavitary)
Type 1	50% 미만이 자궁 근층에 위치한 점막하근종(<50% intramural)
Type 2	50% 이상이 자궁 근층에 위치한 점막하근종(≥50% intramural)
Type 3	자궁내강 노출 없이 자궁내막에 인접한 근종(contact endometrium, 100% intramural)
Type 4	자궁내막이나 장막에 접하지 않고 온전히 근층내에 위치한 근층내근종(intramural)
Type 5	50% 이상이 근층에 위치한 장막하근종(subserosal ≥50% intramural)
Type 6	50% 미만이 근층에 위치한 장막하근종(subserosal <50% intramural)
Type 7	목있는 장막하근종(subserosal pedunculated)
Type 8	자궁 근층과 동떨어진 위치의 기생 근종

(2) 임신 중 근종 크기의 변화

① 개인에 따라 다르기 때문에 예측하기 어려움

② 1/2에서만 근종의 크기가 변함

시기	변화	원인
임신 제1삼분기	불변 or 커짐	에스트로겐 증가
임신 제2삼분기	작은 것(2~6 cm) : 불변 or 커짐 큰 것 : 감소	에스트로겐의 대량 증가 때문에 점유되지 않은 에스트로겐 수용체의 수가 감소하기 시작(down regulation)
임신 제3삼분기	불변 or 감소	에스트로겐 수용체의 감소 때문

(3) 자궁근종의 임신에 대한 영향

① 증가하는 위험성 : 유산, 조산, 태반 조기박리, 태아 위치 이상, 폐쇄 분만(obstructed labor), 제왕절개, 산후 출혈

② 산과적 합병증

  a. 합병증의 발생에 있어서 자궁근종의 크기와 위치가 중요

    - 태반이 근종 근처에 착상하면 유산, 조산, 태반조기박리, 산후 출혈의 위험이 증가

    - 자궁경부근종(cervical myoma), 자궁하절부근종(low segment myoma)

     • 태아 머리의 하강을 막거나 진통을 물리적으로 억제하여 제왕절개를 시행해야 하는 경우도 있음

     • 임신 초에 산도 내에 있더라도 자궁이 커지면서 위로 올라갈 수 있음

- 대부분의 경우에서는 진통이 시작되기 이전에는 분만방법을 결정하지 않음
    b. 적색 또는 출혈성 변성(red or hemorrhagic degeneration)
        - 임신 또는 산욕기 중 자궁근종이 출혈성 경색(hemorrhagic infarction)된 것
        - 호르몬의 영향으로 근종이 자라는 속도에 비해 혈액 공급은 적어서 유발
        - 증상 및 감별진단

적색변성의 증상	감별진단
국소적인 통증 및 압통 미열 중등도의 백혈구 증가	충수염(appendicitis) 태반 조기박리(placental abruption) 요로결석(ureteral stone) 신우신염(pyelonephritis)

- 치료
    - 진통제(codeine 등)
    - 임신 중 연속적으로 초음파 검사를 시행
    - 출혈, 복통, 자궁수축 등이 나타나는지 관찰
- 예후 : 대개 수일 내에 증세가 사라지지만 염증에 의해 진통이 유발될 수도 있음
    c. 감염
        - 산욕기 자궁염 또는 패혈성 유산이 있는 경우에 발생
        - 감염 발생이 증가하는 경우
            - 태반이 자궁근종 근처에 있던 경우
            - 수술기구로 자궁근종을 천공시킨 경우

(4) 임신 중 근종절제술(Myomectomy)
    ① 임신 중 또는 제왕절개 중 근종절제술을 하지 않는 이유
        a. 심한 출혈 유발 가능
        b. 분만 후 크기가 줄어들 수 있음
    ② 근종절제술 후 임신
        a. 다음 임신에서 자궁파열의 위험 증가(임신 초반기에도 발생 가능)
        b. 수술 시 자궁강 내로 들어갔거나 가까웠을 경우에는 진통 시작 전에 제왕절개 분만

3) 난소 종양(Adnexal mass)
    (1) 임신 중 난소 종양의 종류
        ① 기형종(cystic teratoma) : 30%
        ② 장액성 또는 점액성 낭종(serous or mucinous cystadenoma) : 28%
        ③ 황체 낭종(corpus luteal cyst) : 13%

④ 임신 시에만 나타나는 난소 종양 : luteoma, theca lutein cyst, ovarian hyperstimulation syndrome

(2) 합병증

① 염전(torsion)

    a. 5%, 가장 흔하면서도, 가장 심각한 합병증

    b. 임신 제1삼분기에서 가장 흔함

② 파열(rupture) : 진통 중 또는 수술 중에 파열될 수 있음

③ 산도 폐색(labor obstruction) : 낭종이 골반강 내를 차지하고 있는 경우에 발생

(3) 임신 중 난소 종양의 처치

① 크기에 따른 처치

    a. 6 cm 이하

      - 임신 황체 낭종이 가장 흔함

      - 대부분 임신 14주 정도에 자연적으로 사라짐

      - 낭성 종괴(양성의 가능성)는 계속 관찰

    b. 6~10 cm

      - 초음파, color doppler, MRI 등으로 계속 추적 관찰

      - 악성 의심 시 수술

    c. 10 cm 이상

      - 악성의 가능성

      - 염전이나 파열의 경우 수술적 제거

② 악성이 의심되는 경우 : 악성이 의심되면 치료를 연기하면 안 됨

    a. 크기의 증가

    b. 증상의 발생

    c. 초음파상 악성을 의심할 수 있는 소견

      - 불규칙한 격막(septum)

      - 결절성(nodular)

      - 유두상 돌출물(papillary excrescence)

      - 큰 고형성분(large solid area)

    d. 초음파상 난소 종양의 감별이 어려우면 MRI 시행

③ 정규 수술 시기

    a. 임신 14~20주

    b. 이유 : 낮은 유산 가능성, 자연 퇴화될 낭종이 없어진 시기

④ 난소의 수술 적응증

    a. 낭종의 파열(rupture), 염전(torsion)

    b. 산도 폐색(labor obstruction)

    c. 낭종의 크기가 10 cm 이상

⑤ 수술 방법 : 개복 수술보다 복강경이 유리

⑥ 종양 지표(tumor marker) : 큰 도움이 되지 않음

⑦ 임신 7주 이전 황체 제거 시 : 17-α-hydroxyprogesterone caproate (250 mg) IM/week

CHAPTER 05

착상과 태반 발달
(Implantation and Placental development)

1 탈락막(Decidua)

1) 탈락막 반응(Decidual reaction)

(1) 정의

① 배란 후 다량 분비되는 estrogen과 progesterone에 의해 시작되는 자궁내막의 변화

② 착상과 영양공급을 위해 자궁내막을 준비하는 과정으로 배아가 착상을 해야 완성

(2) 탈락막 세포(Decidual cell)의 특징

① 다각형 또는 원형이고, 핵이 둥글게 되어 수포성으로 변화

② 세포질은 투명한 호염기성으로, 세포는 투명한 막 모양의 기질로 변화

2) 탈락막의 구조(Decidual structure)

(1) 탈락막의 위치에 따른 구분

① 바닥 탈락막(Decidua basalis)

    a. 주머니배(blastocyst)가 착상된 바로 아래의 자궁내막

    b. 영양막 침투(trophoblast invasion)에 의해 변화

② 피막 탈락막(Decidua capsularis)

    a. 주머니배(blastocyst)의 윗부분을 덮는 자궁내막

    b. 수정란을 나머지 자궁강으로부터 분리시켜주는 구조물

    c. 임신 2개월에는 탈락막세포(decidual cell)와 한 층의 상피로 구성되며, gland는 소실

③ 벽쪽 탈락막(Decidua parietalis)

    a. 나머지 자궁 안을 덮고 있는 부분

    b. Basalis나 capsularis 이외의 자궁내막

④ 이중탈락막 징후(double decidual sign)

    a. 임신낭을 둘러싼 두 겹의 탈락막

    b. 피막 탈락막(decidua capsularis)과 벽쪽 탈락막(decidua parietalis)을 의미

⑤ 진성 탈락막(Decidua vera)

    a. 매우 커진 수정낭은 14∼16주에 자궁강(uterine cavity)을 채우게 되고 바닥 탈락막과 벽쪽 탈락막이 합쳐져 자궁강이 폐쇄됨

    b. 이 시기의 벽쪽 탈락막(decidua parietalis)을 진성 탈락막(decidua vera)라고 부름

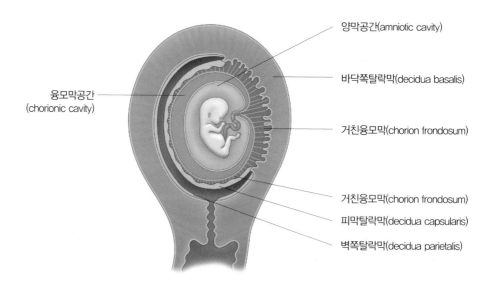

그림 5-1. 탈락막(decidua)의 발달

(2) 탈락막의 두께

① 임신 초기 : 5∼10 mm

② 임신 말기 : 자궁 내 임신 부산물의 압력에 의해 두께가 얇아짐

(3) 탈락막의 세 층

① 기능층(zona functionalis) : 두개의 층으로 구성

    a. 표면의 치밀층(zona compacta)

    b. 중간의 해면층(zona spongiosa) : 태반 분리가 일어나는 층

② 바닥층(zona basalis) : 분만 후에는 바닥층에서 새로운 자궁내막이 형성

(4) 탈락막의 혈액 공급(Decidual blood supply)

① 피막 탈락막(decidua capsularis) : 태아와 임신낭이 커지면서 혈액 공급 차단

② 벽쪽 탈락막(decidua parietalis) : 분비기 시기에 존재하던 나선동맥(spiral artery)으로부터 혈액 공급, 혈관 평활근(smooth muscle wall)과 혈관 내피세포(endothelial cell)가 여전히 존재하여 혈관작용인자(vasoactive agent)에 반응

③ 바닥 탈락막(decidua basalis)

    a. 나선동맥의 생리적 변형(physiological transformation) : 나선동맥이 세포영양막(cytotrophoblast)에 의하여 침투되면서 파괴되어 혈관 평활근과 내피세포가 없는 골격만 남게 되어, 혈관작용인자(vasoactive agents)에 반응하지 않고 산모 혈액을 안정적으로 태반에 공급하는 자궁태반혈관(uteroplacental vessel)으로 변함

    b. 태반과 태아 사이의 혈액을 공급하는 태아융모막 혈관(fetal chorionic vessel)은 평활근이 있어 혈관작용인자에 반응

3) 조직 및 기능

(1) 탈락막의 조직(Decidual histology)

① 여러 종류의 세포로 구성되는데, 자궁내막 기질세포 유래의 탈락막 세포가 주된 세포

② 일종의 자연세포독성세포(natural killer cell)인 큰과립림프구(large granular lymphocyte)가 다수 존재하는데, 말초 혈액에 존재하는 세포독성 세포와 달리 95%에서 다양한 cytokine을 분비하여 영양막 침투(trophoblast invasion)와 혈관 형성(vasculogenesis)에 관여

③ 니타부흐층(Nitabuch layer) : 침투해 들어가는 세포영양막세포가 탈락막과 만나는 곳에 섬유소 모양의 변성대(zone of fibrinoid degeneration)가 형성되는데, 유착 태반(placenta accrete)에서는 보이지 않음

④ Rohr stria : 융모사이공간(intervillous space)의 기저에 고정된 융모(anchoring villi) 주위에 불규칙적으로 섬유소가 침착된 곳

(2) 탈락막의 분비 물질(Decidual bioactive substances)

① Prolactin

    a. 양수량 및 수분 전해질 이동

    b. 면역세포 조절

    c. 착상과정 중 혈관 신생에 관여

② Relaxin

③ Insulin-like growth factor

④ Insulin-like growth factor binding protein

2 착상(Implantation), 태반(Placenta)의 형성, 태아막(Fetal membrane)의 발달

1) 수정과 착상(Fertilization and Implantation)

(1) 난자 수정(Ovum fertilization)과 수정란 분할(Zygote cleavage)

① 수정(fertilization) : 배란 후 2~3분 이내에 배란된 난자가 난관술(fimbriae)에 잡혀, 대개 난관 팽대부(ampulla) 안에서 정자와 만나 수시간 내에 이루어짐

② 수정 가능 기간

    a. 난자 : 배란된 후 12~24시간 내

    b. 정자 : 사정된 후 48~72시간 내

    c. 배란일 2일 전부터의 부부 관계(intercourse)에 의해서 거의 모든 임신이 발생

③ 수정란(zygote) : 난자와 정자가 수정되어 생긴 세포

④ 할구(blastomere) : 수정란의 난할(cleavage)로 생긴 딸 세포(daughter cells)

⑤ 상실배(morula)

    a. 12~16개 가량의 할구(blastomere)로 형성된 세포 덩어리의 상태

    b. 수정란이 3일간은 나팔관에 머물면서 천천히 난할을 거친 후 자궁강(uterine cavity)으로 들어갈 때의 세포상태

⑥ 주머니배(blastocyst) : 수정 후 4~5일 후

⑦ 배아(embryo) : 배란 후 7주(임신 9주)까지

⑧ 태아(fetus) : 배란 8주 후(임신 10주)부터

⑨ 임신 부산물(conceptus) : 임신에 의한 모든 산물

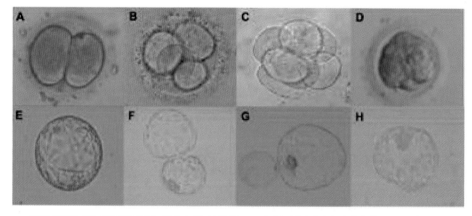

(A) 2 세포기, (B) 4 세포기, (C) 8 세포기, (D) 상실배(morula), (E), (F), (G), (H) 주머니배(blastocyst)의 부화

그림 5-2. 착상 전 배아

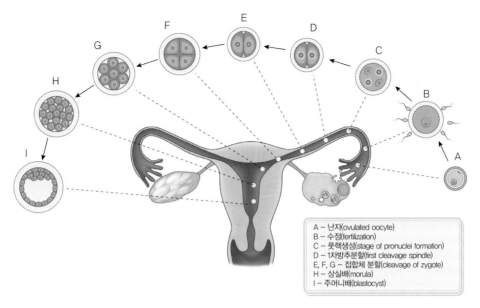

A – 난자(ovulated oocyte)
B – 수정(fertilization)
C – 풋핵생성(stage of pronuclei formation)
D – 1차방추분할(first cleavage spindle)
E, F, G – 접합체 분할(cleavage of zygote)
H – 상실배(morula)
I – 주머니배(blastocyst)

그림 5-3. 수정과 착상(fertilization & implantation)

(2) 주머니배(Blastocyst)

① 수정 후 4~5일 후 상실배(morula)에서 50~60 할구가 나타나는 시기
② 상실배가 자궁강에 도달한 뒤 세포들 사이에 액체가 고이면서 생긴 것
③ 자궁내막에 착상될 때의 세포상태

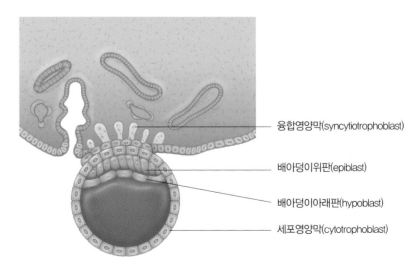

융합영양막(syncytiotrophoblast)

배아덩이위판(epiblast)

배아덩이아래판(hypoblast)

세포영양막(cytotrophoblast)

그림 5-4. 주머니배(blastocyst)의 착상

④ 58 세포 주머니배(58 cell blastocyst)

  a. 5 cells

    - 내세포괴(inner cell mass)

    - 한쪽 끝에 세포괴(cell mass)가 모여 있는 부분으로 나중에 배아(embryo)로 발달

  b. 53 cells

    - 외세포괴(outer cell mass)

    - 영양외배엽(trophectoderm)이라 부르며, 이후 태반(placenta) 조직을 형성

⑤ 107 세포 주머니배(107 cell blastocyst) : 액체가 고이기 시작함에도 불구하고 분할 초기 수정란에 비해 커지지 않는 착상 준비가 된 시기

  a. 8 cells : 배아형성세포가 됨

  b. 99 cells : 8 세포를 둘러싸며 영양막세포가 됨

(3) 주머니배의 착상(Blastocyst implantation)

① 수정 후 6~7일

② 부화(hatching)

  a. 착상되기 전에 주머니배가 투명대(zona pellucida) 밖으로 나오는 것

  b. 임신 성공의 중요한 단계로서 영양막과 자궁내막 상피세포간의 상호작용을 가능하게 하여, 영양막에서 자궁강 내로 호르몬이 분비되게 함

③ 착상은 주로 100~250 세포 주머니배 시기에 이루어지며 후벽 상방에 되며 주머니배는 미란된 자궁내막 표피를 침투해서 자궁내막 속에 완전히 파묻힘

④ 인테그린(integrin)

  a. 세포외바탕질(extracellular matrix) 단백질에 대한 세포 부착을 매개하는 세포표면 수용체(cell surface receptors)

  b. 주머니배(blastocyst)가 자궁내막에 부착할 수 있도록 부착 분자의 발현에 관여함

2) 영양막의 생물학적 기능(Biology of the trophoblast)

(1) 영양막의 기능(Functions of the trophoblast)

① 침습성(invasiveness) : 임신 초기 주머니배(blastocyst)가 자궁안 탈락막(decidua)에 부착 가능할 수 있게 하는 역할

② 영양(nutrition) : 수태물에 영양을 공급

③ 내분비 기관(endocrine organ) : 많은 호르몬을 합성, 분비하여 임신을 유지시키고 모체가 임신으로 인한 변화에 잘 적응할 수 있게 하는 역할

(2) 영양막의 분화(Trophoblast differentiation)

① 주머니배(blastocyst)의 구성

　a. 내세포괴(inner cell mass) : 배아(embryo)로 분화

　b. 영양막(trophoblast) : 주머니배(blastocyst)의 바깥쪽 층으로 태반(placenta)으로 분화

② 수정 후 8일째, 영양막(trophoblast)은 2종류로 분화

　a. 융모 영양막(villous trophoblast) : 융모(chorionic villi)를 형성하여 태아와 모체 간 산소와 영양소의 운반 기능을 담당

　　- 융합영양막(syncytiotrophoblast) : 영양막의 바깥쪽 층이며 다수의 핵을 가진 융합체

　　- 세포영양막(cytotrophoblast) : 영양막의 가장 안쪽의 층이며 모든 영양막 세포는 세포영양막에서 유래

　b. 융모외 영양막(extravillous trophoblast) : 자궁의 탈락막과 근육층으로 침습하며 모체의 혈관 조직을 침습하여 여러 형태의 모체 세포와 직접 접촉

　　- 사이질 영양막(interstitial trophoblast) : 탈락막과 자궁근층으로 침습

　　- 혈관내 영양막(endovascular trophoblast) : 나선동맥(spiral artery)을 침습

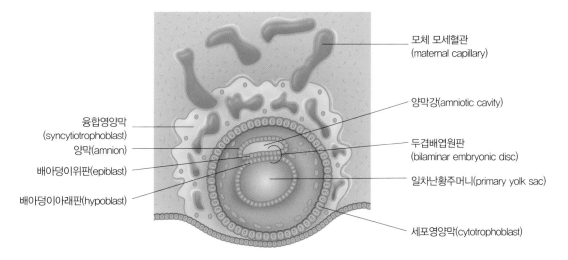

그림 5-5. 태아막(fetal membrane)의 형성

3) 착상 후 배아 발달(Embryonic development after implantation)

(1) 초기 영양막 침습(Early trophoblast invasion)

① 배엽원판(embryonic disc)

　a. 수정 후 7.5일의 내세포괴(inner cell mass)

　b. 원시 외배엽(primitive ectoderm)과 내배엽(endoderm)으로 분화

② 영양막과 배엽원판 사이에는 약간의 작은 세포들이 나타나서 공간을 메워 후에 양막강을 형성

③ 융모 소포(chorionic vesicle) : 중간엽(mesenchyme)은 처음에 주머니배강(blastocyst cavity) 안에 독립된 세포로 나타나는데 이것이 완전하게 중배엽(mesoderm)으로 둘러싸인 경우를 말하며 이 막을 융모(chorion)라 하고, 융모는 영양막과 간엽으로 구성되어 있음

(2) 12일이 되는 배아

① 강 내의 간엽세포는 배아 주위에 가장 많은데 이들 간엽세포들은 몸줄기(body stalk)가 되어 배아를 영양 융모막(nutrient chorion)에 연결시켜 주고 후에 탯줄(umbilical cord)이 됨

② 양막강(amniotic cavity)은 이제 외배엽(ectoderm)으로 둘러싸여 있으며 배엽원판과 연결되어 있음

③ 내배엽은 내판의 아래쪽에서 분리 형성되고 곧 말초로 확산되어 배포강(blastocele)을 덮어 난황 주머니(yolk sac)를 형성

④ 배포강의 나머지 부분은 영양막에서 유래하는 중배엽으로 채워짐

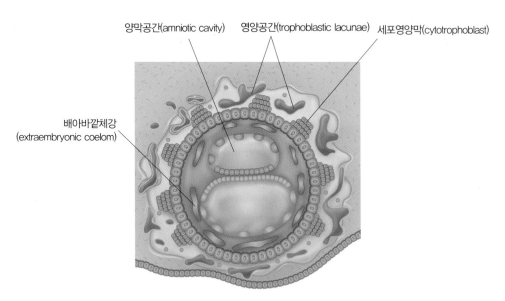

그림 5-6. 착상된 주머니배(blastocyst)

(3) 임신 초기의 초음파상 보이는 구조물

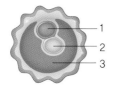

① Amniotic cavity
② Yolk sac
③ Chorion
※ 구조물이 보이는 순서
G−sac → Amnion → Yolk sac → Embryo

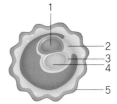

① Amniotic cavity
② Body stalk
③ Allantois
④ Yolk sac
⑤ Chorion

① Heart   ⑥ Allantois
② Amniotic cavity ⑦ Yolk sac
③ Embryo   ⑧ Chorion
④ Body stalk
⑤ Placental villi

① Placental villi   ⑥ Digestive tube
② Yolk sac   ⑦ Embryo
③ Umbilical cord   ⑧ Amniotic cavity
④ Allantois
⑤ Heart

4) 태반의 구성(Placental organization)

(1) 혈액융모 태반형성(Hemochorial placentation)의 의미

① 탈락막이 침윤하는 영양막세포와 상호작용을 하며 혈액융모 태반형성이 이루어짐

② 융모사이공간(intervillous space)으로 들어온 모체 혈액의 산소나 영양소가 융모(villous cho-rion) 내의 태아 모세혈관을 통과하여 태아 혈액으로 전달

③ 모체 혈액은 융합영양막(syncytiotrophoblast)을 적시지만 태아 혈액은 융모사이공간(inter-villous space)내의 융모모세관 안에 있어서 모체 혈액과 분리

(2) 융모(Chorionic villi)

① 융모의 형성

　　a. 수정 후 12일경 융합세포영양막융합체 속으로 세포영양막(cytotrophoblast)이 증식하면서

침입하여 손가락 모양의 단단한 돌기를 만들며 일차융모(primary villi)를 형성

b. 세포영양막(cytotrophoblast), 배아 밖 중배엽에서 유래한 간엽세포(extraembryonic mesen-chymal cell)이 침입해 이차융모(secondary villi)를 형성

c. 태아 조직에서 유래된 모세혈관이 침입해 삼차융모(tertiary villi)를 형성

② 수정 17일경 태아-태반 순환(fetal-placental circulation)이 형성

5) 태반의 발달(Placental development)

(1) 융모막(Chorion)과 탈락막(Decidua)의 형성

① 발생 8주까지 융모막융모(chorionic villi)는 전체 융모낭(chorionic sac) 표면을 덮고 있음

② 이후 융모낭(chorionic sac)이 팽창하면서 융모막융모(chorionic villi)의 구조가 변화하여 두 부분으로 나뉨

a. 융모융모막(chorionic frondosum)

- 바닥 탈락막(decidua basalis)과 닿아 있는 융모는 더 증식하여 태반 형성
- 융모막생검(chorionic villus sampling, CVS) 시 이용하는 부분

b. 평활융모막(chorionic leave)

- 피막 탈락막(decidua capsularis)과 접해 있는 영양막은 일차 융모로 발달
- 태아가 발육되면서 압박되어 혈액 공급이 감소하고 융모가 변성되어 막처럼 변함

② 약 3개월까지 exocoelomic cavity에 의해 양막과 분리되어 있으나 이후에는 서로 붙어 amnio-chorion을 형성

③ 임신 4개월까지 태반은 성장하는데 자궁강에 접하고 있던 융모는 퇴화하며 이를 덮고 있던 피막 탈락막(decidua capsularis)도 점차 소실되어 벽쪽 탈락막(decidua parietalis)과 합쳐져 진성 탈락막(decidua vera)을 형성

(2) 영양막의 침습(Trophoblast invasion)

① 융모외영양막(extravillous trophoblast)은 자궁내막과 자궁근층의 상부 1/3까지 침습

② 침습 과정

a. 융모외영양막이 자궁내막으로 침습해 들어갈 때 먼저 단백분해효소로 탈락막을 둘러싸고 있는 세포외바탕질단백을 분해 한 후 세포표면에 있는 특정 인테그린(integrin)에 의하여 탈락막세포들에 부착할 수 있게 됨

b. 영양막은 태아섬유결합소(fetal fibronectin)를 합성, 분비하는데 영양막이 탈락막으로 이동하고 부착하는 데 있어서 중요한 역할을 함

c. 질 분비물에서 태아섬유결합소가 검출될 경우 조기진통의 예측인자로 사용

③ 바탕질금속단백분해효소-9 (Matrix metalloproteinase-9, MMP-9)

a. 임신 14~16주경 영양막 침습(trophoblast invasion)에 관여

b. 탈락막(decidua)의 세포외바탕질(extracellular matrix) 단백질을 분해

c. 영양막(trophoblast)에서 분비하는 IL-1, hCG에 의해 생성 증가

④ 태아섬유결합소(fetal fibronectin)

a. 영양막 아교(trophoblastic glue)

b. 영양막(trophoblast)의 탈락막(decidua)으로 이동 및 부착에 중요한 역할

c. 질 분비물에서 태아섬유결합소가 검출될 경우 조기진통(preterm labor)의 예측 인자로 사용됨

(3) 영양막의 혈관내 침습(Endovascular invasion)

① 자궁 나선동맥(spiral artery)이 융모외 영양막의 침습에 의하여 내피세포와 평활근이 소실되고 대신 혈관내영양막으로 대체되어 모체 혈관운동신경의 조절을 받지 않는 비탄력적인 확장된 관의 형태로 변함

② 이와 같은 혈관의 개조(remodelling) 과정이 정상적으로 일어나지 않을 경우 자궁태반혈관의 저항은 감소되지 않고 높은 상태로 지속되어 임신중독증이나 자궁내 태아성장지연과 같은 병적인 상태로 발전

6) 태반의 성장과 성숙(Placental growth and maturation)

(1) 태반의 성장

① 태반의 성장

a. 임신 첫 삼분기 동안 태반의 성장은 태아보다 더 빠름

b. 임신 17주경 태아와 태반의 무게는 동일

c. 만삭 때 태반의 무게는 태아의 1/6 정도

- 평균 직경 185 mm, 두께 23 mm

- 무게 508 g, 부피 497 mL 정도

- 개인적인 차이가 심하고 측정 방법에 따라 다양함

- 탯줄의 대부분, 태아막, 혈액 등이 있는 채로 재면 무게가 50% 정도 증가

② 태반엽(cotyledon)

a. 태반의 산모 쪽 표면에 융기된 부분

b. 10~38개로 구성

c. 불완전한 태반 중격(placental septum)에 의하여 구분

d. 태반엽(cotyledon)의 수는 임신기간 동안 일정하나 각각의 태반엽이 자라며 마지막 수주 동안에는 별로 자라지 않음

(2) 태반의 성숙

① 임신이 진행되면서 태아의 대사요구량의 증가와 더불어 물질 이동과 교환의 효율성을 높이기 위한 태반의 변화

    a. 합포체(syncytium)의 두께 감소

    b. 세포영양막세포의 감소

    c. 기질(stroma)의 감소

    d. 융모모세관이 증가하고 표면에 밀착

② 만삭 시 태반 교환의 효율을 감소시키는 변화

    a. 융모모세관과 영양막의 기저막이 두꺼워짐

    b. 태아 혈관(fetal vessel)의 소멸

    c. 융모의 표면 위의 섬유소(fibrin)의 침착

7) 성숙 태반에서의 혈액 순환(Circulation in the mature placenta)

(1) 태아측 순환(Fetal circulation)

① 태아 혈액

    a. 태아 순환 후 산소 농도가 떨어진 혈액은 두 개의 탯줄동맥(umbilical arteries)을 통하여 태반으로 이동

    b. 태반에 접한 부위의 양막 하부에 이르러 분지를 형성하며 계속해서 융모막 내에서도 분지를 만들어 최종적으로 모세혈관망(capillary network)을 형성하여 산모 쪽 태반으로부터 산소 농도가 풍부한 혈액을 받음

    c. 고농도의 산소를 함유하는 혈액은 한 개의 탯줄정맥(umbilical vein)을 통하여 태반으로부터 태아로 이동

② 10주경에 이르면 탯줄동맥의 초음파상 혈류속도파형은 급격히 변화하여 이완기말 혈류(end-diastolic flow)가 관찰되기 시작하는데 이는 태아-태반 순환의 저항 감소와 태아 혈압의 증가를 반영

(2) 모체측 순환(Maternal circulation)

① 모체 혈액

    a. 모체 동맥압에 의해 생긴 분출력으로 융모사이공간 내로 들어가며 이 압력은 융모판(chorionic plate)에 이르면 약화되어 혈류가 양측으로 분산

    b. 동맥혈은 계속해서 유입되어 융모사이공간(intervillous space) 쪽으로 힘을 가하게 되고, 기저판(basal plate)에 있는 정맥 개구를 향하여 혈액을 밀어내며 모체 정맥(자궁정맥, 골반정맥)으로 배출

② 자궁이 수축하는 동안 혈액의 유입과 유출은 다소 감소하나 융모사이공간 내의 혈액량은 유지

a. 나선동맥(spiral artery)은 자궁벽에 수직으로 주행하는 데 반해 정맥은 자궁벽에 평행하게 주행하기 때문에 자궁수축이 있는 동안 동맥으로부터의 혈류 유입보다 정맥으로의 유출이 더 많이 차단되어 융모사이공간 내의 혈액량은 줄어들지 않고 오히려 약간 증가된 상태로 유지

b. 유입량도 감소하지만 정맥으로부터의 환류가 더 많이 감소하여 융모사이공간 내의 혈류량은 유지되므로 교환은 계속 일어남

③ 융모사이공간(intervillous space) 내에서 혈류를 조절하는 요소들

a. 동맥 혈압(arterial blood pressure)

b. 자궁 내 압력(intrauterine pressure)

c. 자궁수축의 양상(pattern of uterine contraction)

d. 동맥벽(arterial wall)에 특이하게 작용하는 인자들

④ 모체-태아 간의 교환은 오로지 태반엽(cotyledon)을 구성하는 융모에서만 발생

8) 태반 면역학

(1) 모체가 반동종이식(semiallogenic)인 태아를 받아들이는 기전

① 영양막(trophoblast)의 항원성(antigenicity) 결여(MHC class II Ag 결여)

② 모체의 CD4 T 림프계(CD4 T lymphocyte) 기능 저하

③ 세포영양막(cytotrophoblast) 세포에서 발현되는 것은 모두 HLA-G (MHC class I)

(2) 사람백혈구항원(Human leukocyte antigen, HLA)

① HLA는 6번 염색체의 단완에 존재

② Class I HLA

a. 표준(classic) Ia 항원

- HLA-A, B, C

- 사람에 따라 차이를 보이는 다형성(polymorphic)

b. 비표준(nonclassic) Ib 항원

- HLA-E, F, G

- 사람에 따라 차이를 보이지 않는 단형성(monomorphic)

- 다른 사람의 항원이라도 면역체계는 자신으로 인식

③ Class II HLA

a. 다형성(polymorphic)

b. 임신 전 기간 동안에 영양막에서 발현되지 않음

④ 모체의 혈액과 접하고 있는 융합세포영양막(syncytiotrophoblast)에서는 class I과 II의 HLA가 모두 발현되지 않음

⑤ 자궁을 침윤해 들어가는 융모외 세포영양막(extravillous cytotrophoblast)에는 class Ib의 HLA-G가 주로 발현되며 그 외에도 HLA-C와 HLA-E가 발현되어 있음

(3) 자궁자연살해세포(uterine natural killer cells, uNK cells)

① 월경 주기 중 착상 시기에 해당하는 황체기 중기에 다량으로 자궁내막에 출현하고 임신이 안 될 경우에는 황체기 말에 이르러 그 핵이 붕괴

② 임신이 될 경우에는 임신 초기 동안 탈락막에 계속 존재하게 되며 임신 제1삼분기 말에는 자궁내막에 존재하는 백혈구의 약 70%를 차지하게 되고 만삭이 되면 거의 소실

③ 골수에서 유래한 자연살해세포 계통에 속하는 림프구

④ 표면에 다량의 CD56이 존재

⑤ 프로게스테론 및 기질세포(stromal cell)가 분비하는 interleukin-15와 prolactin에 의해서 자궁자연살해세포(uNK cells)의 침습이 증가

⑥ 과립구큰포식세포집락자극인자(granulocyte-macrophage colony-stimulating factor, GM-CSF)를 분비하여 영양막의 세포자멸사(apoptosis)를 미연에 방지하는 역할

(4) 세포영양막(Cytotrophoblast)의 HLA-G가 자궁자연살해세포(uNK cells)에 미치는 영향

① 아버지로부터 유래된 HLA-G라도 단형성이기 때문에 자연살해세포로 하여금 자기로 인식하게 하여 세포 용해로부터 영양막을 보호

② 자연살해세포의 활성화를 통해 cytokine과 혈관형성인자들을 분비하게 하여 영양막 침윤과 조직의 리모델링에 관여

9) 양막(Amnion)

(1) 양막의 구조

① 5층으로 구성

   a. 상피세포(epithelium)

   b. 기저막(basement membrane)

   c. 치밀층(compact layer)

   d. 중간엽세포층(mesenchymal cell, fibroblastic layer)

   e. 해면층(spongiosa, spongy layer)

② 평활근, 신경, 혈관, 림프관이 존재하지 않음

③ 영양분과 산소는 융모액, 양수, 그리고 태반표면혈관 등으로부터 공급

(2) 양막의 기능

① 태아를 외부 충격에서 보호

② 양수의 항상성 유지 : 수분의 이동 및 양수의 산도 조절

③ Vasoactive peptide (endothelin-1, 부갑상샘호르몬관련단백), growth factor, cytokine, brain natriuretic peptide (BNP), ACTH 등을 생산

(3) 양수

① 임신 34주까지 임신이 진행되면서 양막 내에서 양이 증가

② 만삭 시 1,000 mL 정도

10) 탯줄과 주위 조직(Umbilical cord and related structures)

(1) 구조

① 외부는 양막으로 덮여 있고, 내부는 탯줄 혈관이 있음

② 크기

a. 직경 : 0.8~2.0 cm

b. 평균 길이 : 55 cm (30~100 cm)

c. 비정상 : 30 cm 이하인 경우

(2) 내부 구조

① 두 개의 동맥과 한 개의 정맥

a. 혈관의 회전

- 시계 방향(50~90%)

- 반시계 방향

- 탯줄 전체 길이에서 보면 평균 11회의 나선을 유지

b. 혈관 회전의 의의 : 염전(torsion)과 같은 일이 발생하지 않도록 막아 줌

② 가짜 매듭탯줄(false knots cord) : 혈관이 탯줄의 길이보다 더 길어서 표면에 결절 형성

③ 탯줄의 기질 : 왈톤 젤리(Wharton jelly)로 구성

(3) 탯줄의 기형

① 한쪽 탯줄 동맥의 결여

② Meckel's diverticulum : Umbilical vesicle의 복강내 부분은 장(intestine)까지 연결되는데 보통 위축되어 소실되지만, 가끔 소통된 상태로 남아있는 경우

3 태반호르몬(Placental hormones)

1) 태반에서 분비되는 호르몬

(1) 스테로이드호르몬(Steroids)

① Estrogen : 태아의 adrenal gland에서 분비되는 c19-steroid precursor를 이용하여 합성

② Progesterone : 산모 혈청 내의 LDL cholesterol을 이용하여 합포체 영양막에서 합성

(2) 단백질호르몬(Protein hormones)

① hCG, hPL, ACTH, growth hormone variant (hGH-V), PTH-rP, calcitonin, relaxin, inhibin, activin, ANP

② Hypothalamic-like releasing hormones (TRH, GnRH, GHRH, CRH, somatostatin)

2) 사람융모생식샘자극호르몬(Human chorionic gonadotropin, hCG)

(1) 화학적 특성

① α -subunit : LH, FSH, TSH와 동일

② β -subunit : 특징적인 아미노산 배열을 가지고, 호르몬의 생물학적 특성(biological activity)을 나타내는 부분

(2) 생성 장소

① 세포영양막(cytotrophoblast)에서 생성된 GnRH가 주변분비(paracrine) 기전으로 융합세포영양막(syncytiotrophoblast)에 작용하여 hCG 합성

② 임신 6주 이전의 초기에는 세포영양막(cytotrophoblast)에서 발견되나 그 이후에는 대부분 융합세포영양막(syncytiotrophoblast)에서 합성

(3) 분비 양상

① 황체형성호르몬(LH) 상승 7~9일 후 주머니배(blastocyst)가 착상될 때 모체의 혈액에서 측정

② 모체 혈액 내의 호르몬 농도

  a. 수정 후 8~11일 사이에 확인 가능

   - 신속한 임신 반응검사 : 혈장농도 25~30 IU/mL에서 양성

   - ≥25 IU/mL : 확실한 임신

   - ≤5 IU/mL : 임신 배제 가능

  b. 정상 초기 임신 시 hCG doubling time : 2일

   - 혈중 농도가 2일 동안 두 배가 되지 않거나, 감소 시 자궁외임신, 유산 등을 의심

   - 초음파 검사를 병행하면 감별진단이 가능

c. 임신 8~10주(마지막 월경일 60~80일)경 최고 농도로 상승 : 약 100,000 IU/mL

d. 임신 10~12주경 감소하기 시작

e. 임신 20주경 최저 농도에 도달 : 약 10,000~20,000 IU/mL

f. 임신 후기에도 낮은 농도지만 지속적으로 검출

g. 제1삼분기의 유산, 임신 종결 후에도 모체의 혈장, 소변에서 10주까지 검출

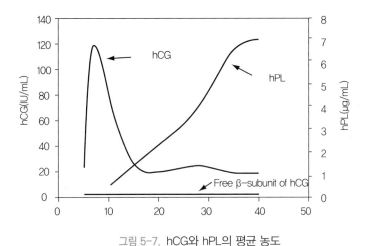

그림 5-7. hCG와 hPL의 평균 농도

③ hCG 호르몬이 증가 또는 감소하는 경우

hCG 호르몬이 증가하는 경우	hCG 호르몬이 감소하는 경우
다태임신(multiple pregnancy)	초기 유산(threatened abortion)
태아적아구증(erythroblastosis fetalis)	자궁외임신(ectopic pregnancy)
임신융모질환(gestational trophoblastic disease)	태아 사망(fetal death)
융모성 상피암(gestational choriocarcinoma)	에드워드증후군(Edward syndrome) 태아를 임신
다운증후군(Down syndrome) 태아를 임신	

(4) 분비의 조절

① 태반의 생식샘자극호르몬분비호르몬(placental gonadotropin-releasing hormone, GnRH)

a. hCG 형성 조절에 관여 : 순환 hCG 수치를 상승 시킴

- GnRH를 임신부에게 투여하였을 때 hCG농도가 상승

- 영양막세포(trophoblast)에 GnRH를 투여하여 배양하면 hCG가 증가

b. 뇌하수체 GnRH의 생산 조절

- Activin : GnRH와 hCG의 생성을 자극

- Inhibin : GnRH와 hCG의 생성을 억제

② hCG는 간에서 70% 정도 대사되며 나머지는 신장으로 배설

(5) 생물리학적 작용

① 임신 초기 난소 황체 황체(corpus luteum)의 구출 및 기능 유지 : 임신 초기에 황체의 LH 수용체에 결합하여 퇴화되는 것을 방지하고 기능을 유지시켜 주어 지속적인 progesterone 생성하여 임신을 유지시켜 줌

② 태아 고환 자극 : LH를 대신하여 태아 고환(fetal testis)에서 Leydig cell을 자극하여 testosterone의 합성 및 분비를 자극하고 태아의 성분화를 촉진시킴

③ 임신부 갑상샘의 자극 : 갑상샘의 TSH 및 LH-hCG 수용체를 통해 갑상샘을 자극

④ 스테로이드(steroid hormone)의 합성 촉진 : estrogen, progesterone

⑤ 면역 억제 : 자궁자연살해세포(uNK cells)를 조절, 모체로부터 태아 거부반응을 억제

⑥ 자궁혈관과 자궁근육의 이완 : 난소 황체에서 relaxin 분비를 촉진하며 자궁근육과 혈관조직에서 LH-hCG 수용체가 있어서 자궁혈관과 자궁근육의 이완에 관여

3) 사람태반락토겐(Human placental lactogen, hPL)

(1) 특성

① 융합세포영양막(syncytiotrophoblast)에서 합성

② 구조 : Single polypeptide

③ 다른명 : 융모성장호르몬(chorionic growth hormone), human chorionic somatostatin (hCS)

(2) 분비 양상

① 수정 후 5~10일 후 태반에서 검출

② 수정 3주째 임신부의 혈액에서 측정되기 시작하여 임신 34~36주까지 점진적으로 증가

③ 태반의 용적 변화와 거의 일치하고 만삭에 이르면 거의 1 g/day의 비율로 만들어져 인체의 어느 호르몬보다 많음

④ 임신부의 소변이나 태아의 혈액에서는 hPL이 거의 검출되지 않으며 양수 내 농도는 임신부 혈중 농도보다 낮음

⑤ 합성 촉진 : 임신 전반기의 장기간 영양결핍, insulin, IGF-1

⑥ 합성 억제 : PGE2, PGF2 α

(3) 생물리학적 작용

① 지질분해(lipolysis) 작용 : 임신부의 혈중 유리 지방산(free fatty acid)의 농도를 증가시켜 임신부와 태아의 에너지원을 공급

② 항인슐린 작용(anti-insulin effect)

a. 단백질 합성을 촉진시키고 태아에게 제공되는 아미노산의 유용한 원천을 제공

b. 인슐린 저항성을 상쇄하기 위해 임신부의 인슐린 농도를 증가

③ 강력한 혈관형성호르몬 : 태아의 혈관 형성에 중요한 역할을 제공

4) 다른 태반 단백질 호르몬(Other placental protein hormones)

(1) 융모부신겉질자극호르몬(Chorionic adrenocorticotropin, ACTH)

① 기능이 명확하지 않음

② 태반 CRH에 의해 자극되어 농도가 증가하며 이는 코티솔을 증가시키고 코티솔은 다시 태반 CRH를 증가시키는 양성되먹임 기전을 통해 태아의 폐성숙과 분만 개시에 관여

(2) 리랙신(Relaxin)

① 황체(corpus luteum), 탈락막(decidua), 태반(placenta), 뇌(brain), 심장(heart), 신장(kidney)에서 생성

② 구조적으로 인슐린(insulin), 인슐린유사성장인자(insulin-like growth factor)와 유사

③ 기능

a. 프로게스테론과 함께 임신 초기 자궁근육의 이완(relaxation & quiescence)을 유지

b. 태반과 태아막 내에서 자가분비(autocrine)와 주변분비(paracrine)로 작용하여 출산 후 세포외기질분해(extracellular matrix degradation)에 관여

c. 사구체 여과율(glomerular filtration rate) 향상

(3) 부갑상샘호르몬량단백(Parathyroid hormone-related protein, PTH-rP)

① 임신 중 산모에서는 증가하지만 태아 혈액에는 존재하지 않음

② 생성

a. 모체의 자궁근층, 내막, 황체, 수유 중인 유방조직에 존재

b. 모체의 부갑상샘(parathyroid glands)에서는 생성되지 않음

③ 태반의 칼슘 이동과 무기질 항상성에 관여

5) 프로게스테론(Progesterone)

(1) 생성 장소

① 난소의 황체(corpus luteum), 태반(placenta)

a. 임신 6~7주(배란 후 4~5주)경까지는 난소의 황체(corpus luteum)에서 생성

b. 임신 8주 이후부터는 대부분 태반(placenta)에서 생성

② Luteoplacental shift

a. 임신 7주 이전에 황체를 제거하는 경우 산모의 혈중 프로게스테론(progesterone) 농도가

급격히 낮아져 자연 유산(spontaneous abortion)이 유발

   b. 치료 : 17-α-hydroxyprogesterone caproate (250 mg) IM/week

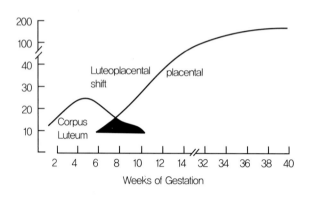

그림 5-8. Luteoplacental shift

(2) 합성

① 두 단계를 거쳐 합성

   a. 콜레스테롤(cholesterol)이 미토콘드리아에서 cytochrome p450 cholesterol side-chain cleavage enzyme에 의해서 분해되어 pregnenolone으로 전환

   b. 세포질그물(endoplasmic reticulum)에서 3β-steroid dehydrogenase에 의해 프로게스테론으로 전환

② 영양막에서 콜레스테롤의 생합성은 제한적이어서 태반에서 프로게스테론을 생성하기 위해서는 외부로부터 LDL 콜레스테롤이나 pregnenolone을 공급받아야 하는데 90% 이상이 임신부 혈액으로부터 공급받음

(3) 분비 양상

① 단태 임신의 말기에 매일 생산되는 호르몬의 양 : 250 mg

② 다태 임신 : 600 mg 이상 생산

(4) 생물리학적 작용

① 배아가 착상할 수 있도록 자궁내막을 준비하고 유지

② 임신 기간 중 자궁을 이완시켜 임신을 유지 : PR-A, PR-B 수용체로 자궁수축을 조절

③ 분만진통의 개시에 관여 : PR-A 수용체를 통해 진통 개시에 관여

④ 태아 항원에 대한 모체 면역을 감소시켜 영양막(trophoblast)에 대한 거부반응을 방지

⑤ 태아의 안녕과는 밀접한 관계가 없음 : 에스트로겐과 달리 태아사망, 탯줄 결찰, 무뇌아 등에

서 농도가 감소하지 않음

6) 에스트로겐(Estrogens)

(1) 에스트로겐의 종류 및 특징

① Estrone (E1)

  a. 상대적으로 약한 에스트로겐으로 한 개의 hydroxyl group

  b. 폐경 후 androstenedione (ADD)의 extraglandular conversion으로 가장 많이 생성

② Estradiol (E2)

  a. 강력한 에스트로겐으로 두 개의 hydroxyl group

  b. 비임신 여성의 난소에서 가장 많이 생성

③ Estriol (E3)

  a. 약한 에스트로겐으로 세 개의 hydroxyl group

  b. 임신 첫 2~4주 동안에는 hCG에 의해 황체에서 생성

  c. 임신 7주 이후에는 태반에서 50% 이상이 생성

(2) 태반의 에스트로겐 합성

① 비임신 시 정상 난소에서 에스트로겐의 생산 과정

  a. 발달하는 난포의 theca cell 내의 아세테이트 또는 콜레스테롤로부터 estrone (E1)의 전구물질인 androstenedione (ADD)이 생산되고 이는 난포액으로 들어가서 과립막세포(granulosa cell)에 의해 에스트로겐이 합성됨(주로 E2)

  b. 난소 밖 조직에서 혈청 androstenedione (ADD)을 이용하여 형성되는 에스트로겐은 E1

② 임신 중 태반 자체에서 합성이 불가능하며 반드시 태아나 모체의 도움을 받음

  a. 난소에서 전구물질로 이용되던 아세테이트, 콜레스테롤, 프로게스테론이 태반에서는 전구물질이 될 수 없음

    - 인간 태반은 에스트로겐 합성에 중요한 17α-hydroxylase, 17,20-desmolase 작용이 있는 P450c17을 담당하고 있는 유전자 CYP17 이 결여되어 있어 C21 스테로이드를 C19 스테로이드로 전환시키는 효소가 없음

    - 태반에서는 C19 스테로이드를 E1, E2로 용이하게 전환시킬 수 있어 모체나 태아로부터 C19 스테로이드(DHEA, DHEA-S, ADD, testosterone)를 공급받아야 함

  b. 태아 부신(fetal adrenal gland)은 에스트로겐 합성의 전구물질인 DHEAS의 중요한 원천

    - 임신 말기에 생성되는 E1, E2의 약 60%는 태아의 전구체에서 만들어지고 40%는 모체의 전구체에서 합성

    - E3는 태아 부신과 간의 복합작용으로 형성된 전구물질을 이용해 태반에서 합성

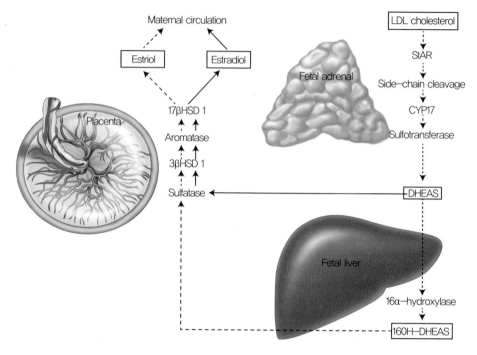

그림 5-9. 태반에서의 에스트로겐(estrogens) 합성

(3) 태아 부신(fetal adrenal gland)
  ① 태아 부신의 발달과 성장
    a. 태아 부신은 임신 전 기간을 통하여 계속 성장하며 특히 임신 마지막 5~6주에 급격한 성장이 일어남
    b. 성장은 ACTH에만 의존하지 않고 한 개 이상의 성장 촉진 요소에 의존함
    c. 만삭 시 분비되는 스테로이드는 하루 100~200 mg 이상으로 어른에서의 하루 30~40 mg보다 더 많아 매우 활발한 분비 기능을 갖는 것으로 생각됨
    d. 분만 후 태아 부신피질은 빠르게 위축되며 수 주 동안 부신의 무게는 급격히 감소
  ② 무뇌아 : 뇌하수체-시상하부의 기능이 없어서 부신이 위축되어 전구물질을 제공하지 못하므로 에스트로겐이 정상 임신 여성의 1/10에 불과

(4) 태아 부신에서 스테로이드의 전구물질
  ① LDL 콜레스테롤 : 태아 부신에서는 적은 양을 제공
  ② 산모 혈액 내의 콜레스테롤 이용 : 약 20% 정도만 제공
  ③ 태아의 간에서 새로 합성하여 제공 : 태아의 혈중 콜레스테롤은 대부분 태아 간에서 자체 생성

(5) 에스트로겐의 생물리학적 작용

① 자궁수축력을 증가시켜 진통 개시에 관여

    a. 인지질 합성과 대사 증가

    b. 프로스타글란딘(prostaglandin)의 합성 증가

    c. 자궁내막에서 용해소체(lysosome)의 발현과 아드레날린성 작용

② 자궁의 혈류를 증가시켜 태아에게 적절한 산소와 영양소를 공급

③ 임신 중 유방의 변화 : 유방조직 내의 상피세포를 증식시켜 유즙 분비 준비

④ 태아의 발달에도 관여

⑤ 태아 안녕 상태에 대한 정보를 제공

(6) 에스트로겐 생성에 영향을 주는 인자들

에스트로겐 생성 감소

- 태아 사망
- 무뇌아 : 부신겉질의 태아대가 없음
- 태아 부신형성저하증 : 부신겉질의 저형성
- 태반 sulfatase 결핍 : 남아에서만 발생하는 X염색체질환, 에스트로겐 생성이 감소하여 진통 발생이 지연
- 태반 aromatase 결핍 : Androstenedion (ADD)이 E3로 전환되지 못함
- 다운증후군(Down syndrome) : 임신 중반기에 unconjugated E3 수치 감소
- 태아의 LDL 콜레스테롤 합성 저하
- 임신부의 glucocorticoid 치료
- 임신부의 부신기능 이상

에스트로겐 생성 증가

- 태아적혈모구증(erythroblastosis fetalis) : 태반 용적의 증가
- 임신부의 안드로겐생성종양 : 태반에서 에스트로겐 합성이 증가
- 임신융모질환(gestational trophoblastic disease) : 태아 부신의 전구체가 없어 estradiol (E2)이 주로 생성

CHAPTER 06

태반, 탯줄, 태아막의 이상
(Abnormalities of the Placenta, Umbilical cord, Membranes)

---

1 **태반의 이상(Abnormalities of Placenta)**

1) 비정상 모양(Shape) 또는 착상(Implantation)

  (1) 정상 태반(Normal placenta)

    ① 만삭의 태반

      a. 모양 : 원반 모양의 원형

      b. 무게 : 약 470 g

      c. 평균 직경 22 cm, 중심 두께 2.5 cm

      d. 태아측(chorionic plate) : 탯줄이 중심부로 들어가고, 태반 실질로 들어가기 전 분포되어 나온 혈관들이 분지를 형성

      e. 모체측(basal plate) : Villous tree 구조가 집단화되어 cotyledons 형성

    ② 태반의 만출 직후 육안적 관찰사항

      a. 태반의 무게, 색깔, 크기와 모양

      b. 탯줄의 길이, 모양과 혈관 개수

      c. 탯줄의 태반 부착위치

      d. 태반조기박리 유무

③ 태반의 병리학적 검사 적응증

태아 또는 신생아 이상	산과 질환
조산 또는 과숙임신	임신부의 내과 질환 또는 사망
태아성장제한 또는 거대아	임신부 감염
태아 또는 신생아 곤란증	임신성 고혈압
사산 또는 신생아 사망	양수과소증 또는 양수과다증
신생아 질환	산전 또는 산후 출혈
선천성 기형	태반 손상
태아 감염	태반 조기 박리
태아수종	비정상 태반 및 탯줄
태아 혈액 질환	
자궁 내 태아 치료	

(2) 모양과 크기의 변이형(Shape and size variants)

① 다태반(multiple placenta with single fetus)

 a. 태반이 여러 개의 엽(lobe)으로 나뉘어져 있는 것

 b. 이엽태반(bilobed placenta) : 두 개의 엽(lobe)으로 되어 있으나 분리가 불완전하고 엽 사이에 혈관 연결이 있는 것

 c. 이중태반(placenta duplex) : 두 개의 엽(lobe)이 완전히 분리되어 각각의 탯줄 혈관과 직접 연결

 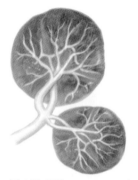

(A) 이엽태반(Bilobed placenta)　　　　　(B) 이중태반(Placenta duplex)

그림 6-1. 다태반(Multiple placenta)

② 부태반(succenturiate lobes)

 a. 주태반(main placenta)과 떨어져 있는 하나 이상의 다른 엽이며, 태반 혈관이 탯줄의 혈관이 아닌 주태반의 막에서 생성되어 각각의 부태반으로 연결되어 있음

b. 임상적 의의
- 부태반이 남아 분만 후 출혈, 자궁이완증, 자궁내막염 유발 가능
- 태반 혈관이 자궁내구를 덮으면 전치혈관을 형성하여 태아 출혈 유발 가능

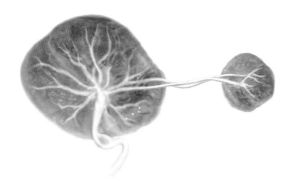

그림 6-2. 부태반(Succenturiate lobe)

③ 막태반(placenta membranacea)
   a. 태아막에 융모가 존재하며, 이러한 막태반이 가늘고 깊게 착상되어 있는 태반 이상의 드문 형태
   b. 전치태반이나 유착태반과 동반되어 심각한 출혈을 일으킬 수 있음
      - 분만 시 태반이 잘 떨어지지 않을 수 있음
      - 넓은 범위에 착상된 경우 자궁절제술 가능성이 있음
   c. 산전 초음파로 진단 가능

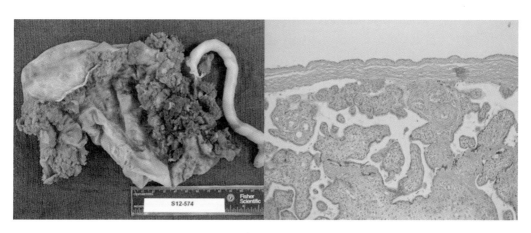

그림 6-3. 막태반(Placenta membranacea)

④ 윤상태반(ring-shaped placenta)

    a. 막태반(placenta membranacea)의 변이형

    b. 태반은 고리(annular), 링(ring), 말발굽(horseshoe) 모양 : 태반의 위축(atrophy) 때문

    c. 산전 또는 산후 출혈, 태아성장제한의 가능성이 높음

⑤ 유창태반(placenta fenestrata)

    a. 태반이 접시 모양이며 중심 부위가 결손 된 형태

    b. 융모 조직(villous tissue)만 결여되어 있고, 태아쪽 융모판(chorionic plate)은 정상

    c. 잔류태반(retained placenta)으로 오인 가능

⑥ 거대태반(placentomegaly)

    a. 태반의 두께가 40 mm를 넘는 경우

    b. 융모가 비정상적으로 커지면서 발생

    c. 원인

      - 산모의 당뇨 또는 심한 빈혈

      - 매독(syphilis), 톡소포자충증(toxoplasmosis), 거대세포바이러스(cytomegalovirus), 파르보바이러스(parvovirus)에 의한 태아수종(fetal hydrops), 빈혈, 감염

(3) 융모막외 태반 형성(Extrachorial placentation)

① 태반의 태아쪽 융모판(chorionic plate)이 기저판(basal plate)보다 작아 기저판이 태반 위로 올라온 것

② 변연태반(circummarginate placenta)

    a. 융모판의 변연부가 태반의 변연과 일치하며 평평한 것

    b. 임상적인 중요성은 없음

③ 주획태반(circumvallate placenta)

    a. 변연부의 융모막과 양막이 중첩되어 회백색 모양의 고리가 융기되어 있는 것

    b. 융모막 주변부(chorion periphery)

      - 두 번 접힌 양막(amnion)과 융모막(chorion)

      - 탈락막 섬유소 축적(fibrin deposition)이 있음

    c. 증가하는 합병증

      - 산전 출혈(antepartum bleeding)

      - 저체중아, 태반조기박리(placental abruption)

      - 양수감소증

      - 유산, 조산(preterm birth)

      - 태아 사망(fetal demise), 태아 기형(fetal malformation)

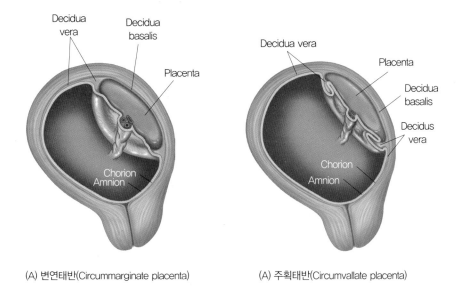

(A) 변연태반(Circummarginate placenta)   (A) 주획태반(Circumvallate placenta)

그림 6-4. 융모막외 태반 형성(Extrachorial placentation)

2) 순환 장애(Circulatory disturbances)

(1) 모체의 혈류 장애

① 모체측 바닥경색(maternal floor infarction, MFI)

　a. 태반의 자궁 부착부의 기저 탈락막과 여기에 인접한 융모 주변부에만 섬유소 축적(fibri-noid deposition)이 존재하는 것

　b. 태반의 광범위한 융모주위 섬유소 축적은 융모의 위축 및 소실을 초래하고 이로 인해 태아로 가는 혈류량이 감소되어 산소 및 영양 물질의 공급 장애 발생

　c. 임신에 주는 영향 : 태아성장제한, 조산, 유산, 사산

　d. 모체의 혈전증(thrombophilia)과 관련도 보고됨

② 혈종(hematoma)

　a. 위치에 따른 종류

　　- Retroplacental hematoma : 태반과 인접한 탈락막(decidua) 사이의 혈종

　　- Marginal hematoma (subchorionic hemorrhage) : 융모막(chorion)과 탈락막(decidua) 사이의 혈종

　　- Subchorial thrombosis : 융모판(chorionic plate) 아래의 혈종

　　- Subamnionic hematoma : 태반과 양막(amnion) 사이의 혈종

　b. 광범위한 경우 증가하는 위험성 : 유산, 태반 조기박리, 태아성장제한, 조산, 유착 태반

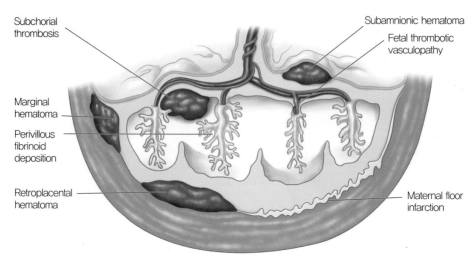

그림 6-5. 모체와 태아에 관련된 태반 순환 장애 부위

(2) 태아의 혈류 장애(Fetal blood flow disruption)

① 태아 혈전성 혈관병증(fetal thrombotic vasculopathy) : 탯줄동맥(umbilical artery)에서 기원하는 여러 분지 동맥들의 혈전증

② Subamnionic hematoma

　　a. 분만진통 제3기에 탯줄 삽입 근처에 있다면, 견인 중 파열이 잘 됨

　　b. 광범위한 경우 증가하는 위험성 : 태아-모체 출혈, 태아성장제한

3) 태반의 석회화와 종양(Placental Calcification and Tumors)

(1) 태반의 석회화(Placental calcification)

① 원인 및 빈도

　　a. 칼슘염 축적으로 태반의 모체측에 작은 소결절 또는 plaque의 형태로 발생

　　b. 임신이 진행에 따라 정상적으로 발생하며, 임신 33주 이후에는 1/2 이상에서 나타남

　　c. 산모의 흡연 및 혈청 칼슘 수치의 증가와 관련

② 임상적 의의

　　a. 일반적으로 정상 기능을 하는 넓은 태반 부위가 있기 때문에 임상적 중요성은 없음

　　b. 고혈압이 심한 임신부에서는 자궁의 혈류 감소로 태아 사망을 초래할 수 있음

(2) 태반 종양(Placental tumors)

① 임신 영양막병(gestational trophoblastic disease)

　　a. 태반에서 기원하는 종양의 대부분을 차지

b. 최근에는 보조생식술에 의한 다태임신이 증가하면서 정상 임신과 동반된 임신 영양막병이 발생하기도 함

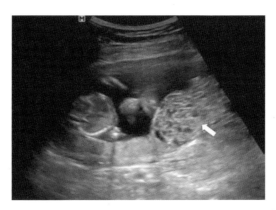

그림 6-6. **임신 영양막병**(Gestational trophoblastic disease)

② 융모막혈관종(chorioangioma)
    a. 임신 중 가장 흔한 태반 종양(빈도 : 1%)
    b. 태반에 생기는 유일한 양성 종양
    c. 색 도플러를 이용한 초음파 검사로 진단이 가능
    d. 크기가 작을 때는 대개 증상이 없음
    e. 크기가 큰 융모막혈관종(5 cm를 넘는 경우) : 태아 빈혈, 태아수종, 출혈, 조기 분만, 양수량 이상, 태아성장제한 등이 연관
③ 태반 용종(placental polyp)
    a. 태반의 일부가 분만 후 자궁에 남아 태반 조직의 괴사가 일어나고 섬유소가 침착되어 형성된 것
    b. 후기 산후 출혈의 원인

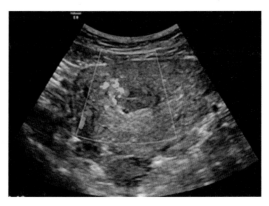

그림 6-7. **태반 용종**(placental polyp)

2 탯줄과 태아막의 이상(Abnormalities of Umbilical cord and Membranes)

1) 탯줄의 이상(Abnormalities of Umbilical cord)

(1) 탯줄 길이의 이상

① 만삭 임신에서 탯줄의 평균 길이 : 약 55 cm (35~77 cm)

② 탯줄의 길이에 따른 합병증

탯줄이 긴 경우	탯줄이 짧은 경우
제대 얽힘(cord entanglement, true knots) 탯줄 탈출(cord prolapse) 혈전에 의한 혈관 폐색	태아성장제한(fetal growth restriction) 선천성 기형(congenital malformations) 진통 중 태아 곤란증(intrapartum distress) 태아 사망(fetal death) 태반 조기박리(placenta abruption) 자궁내번증(uterine inversion)

(2) 매듭(Knots), 고리(Loops)

① 가짜 매듭탯줄(false knots cord)

　　a. 탯줄의 노출된 혈관이 길어져 꼬인 것이 매듭처럼 보이는 탯줄

　　b. 예후와 관련이 없음

② 진짜 매듭탯줄(true knots cord)

　　a. 태아의 움직임으로 인해 탯줄이 매듭을 형성하듯 묶인 탯줄

　　b. Monoamniotic twin에서 잘 발생

　　c. 매듭이 단단히 조여져 있는 경우에는 자궁 내 태아사망의 위험이 증가(5~10배 증가)

그림 6-8. 진짜 매듭 탯줄(true knots cord)

③ 목덜미 탯줄(nuchal cord)

    a. 탯줄이 태아의 목이나 몸을 감고 있는 경우로 매우 흔하게 발견

    b. 진통 중 태아 심박동 감소를 보이기도 하지만 좋지 않은 주산기 예후와 관련이 적음

(3) 탯줄 감김(Coiling)

    ① Umbilical coiling index (UCI) : 탯줄이 감긴 수를 센티미터 단위의 탯줄 길이로 나눈 값

    ② Hypocoiling cord : 사산(fetal demise)과 연관

    ③ Hypercoliling cord : 태아성장제한, 자궁 내 태아산증, 태아 질식과 연관

(4) 혈관 숫자(Vessel number)의 이상

    ① 정상 탯줄 혈관 : 탯줄동맥 2개, 탯줄정맥 1개 → 2a1v

    ② 단일 탯줄 동맥(single umbilical artery, SUA)

        a. 탯줄 동맥 1개, 탯줄 정맥 1개로만 구성

        b. 정상 탯줄 동맥의 이차적인 위축에 의해 발생하는 것으로 보임

        c. 진단 : 탯줄이 태반에 부착되는 부위에서는 두 개의 탯줄동맥이 합쳐지는 경우가 있으므로 부착되기 5 cm 전의 위치에서 혈관의 숫자를 초음파로 관찰

        d. 빈도

          - 출생아의 0.63%, 주산기 사망의 1.92%, 쌍태아 임신의 3%에서 발견

          - 당뇨병, 간질, 임신중독증, 산전 출혈, 양수과다증, 양수과소증, 염색체 이상에서 증가

        e. 단일 탯줄동맥이 진단되면 심장을 포함한 태아 장기에 대해 초음파 검사를 시행

          - 흔한 동반기형 부위 : 심혈관계(cardiovascular), 비뇨생식기계(genitourinary)

          - 동반기형이 없는 경우 : 예후가 좋음

          - 동반기형이 있는 경우 : 이수성(aneuploidy) 위험이 증가하므로 양수천자 시행

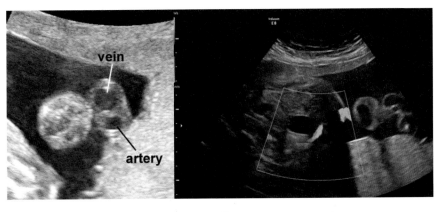

그림 6-9. 단일 탯줄 동맥(Single umbilical artery)

(5) 탯줄 부착(Insertion)의 이상

① 태반 가장자리 부착(marginal insertion)

   a. 탯줄이 태반의 가장자리 2 cm 이내에 부착된 경우

   b. 다른 명칭 : 부채 태반(battledore placenta)

   c. 빈도 : 약 7% 정도

   d. 임상적으로 큰 의미는 없음

② 양막 부착(velamentous insertion)

   a. 탯줄이 태반의 가장자리에 있는 양막 부위에 부착된 경우

   b. 가장자리의 혈관은 Warton 젤리가 없이 양막에 둘러싸여 있어 압박되기 쉬움

   c. 빈도

      - 단태아에서 1.1%

      - 다태아 임신, 전치태반에서 빈도 증가

   d. 산과적 합병증

      - 태아의 선천성 기형 발생률 증가

      - 태반조기박리, 태아발육제한, 조산

      - 쉽게 눌려 태아 저산소증을 유발, 낮은 Apgar 점수

      - 전치혈관(vasa previa)을 유발

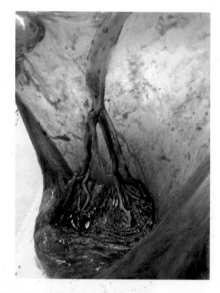

그림 6-10. 탯줄의 양막 부착(Velamentous insertion)

③ 전치혈관(vasa previa)

    a. 양막 부착(velamentous insertion)된 태반에서 혈관이 자궁내구(internal os.)를 지나면서 태아의 선진부와 자궁내구 사이에서 압박을 받을 수 있음

    b. 찢어지거나 박리되는 경우 심각한 출혈이 발생

    c. 전치혈관을 증가시키는 요소

       - 이엽태반(bilobed placenta), 부태반(succenturiate lobes)

       - 전치태반(placenta previa)

       - 다태아(multifetal pregnancy)

       - IVF에 의한 임신

    d. 진단

       - 촉진(내진) : 양막에서 박동하는 혈관을 확인

       - 양막내시경(amnioscopy)

       - 컬러 도플러 초음파

    e. 태아의 출혈은 약간만 있어도 태아에게 위험하며, 잘 치료하더라도 예후는 좋지 않음

    f. 전치혈관으로 진단되면 이른 시기(임신 34~35주 사이)에 제왕절개술로 분만

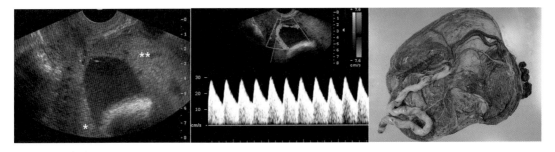

그림 6-11. 전치혈관(vasa previa)

2) 태아막의 이상(Abnormalities of Membranes)

(1) 태변 착색(Meconium staining)

① 빈도

    a. 12~20%에서 양수 내 태변이 확인됨

    b. 임신 38주 이전에는 적으나 임신 40주 이상 되면 태변 배출의 빈도가 증가

    c. 태변 배출 후 착색까지 걸리는 시간은 1~3시간

    d. 태변 착색이 되면 양막이 암녹색(brownish-green color)으로 변색

    e. 태변 착색된 경우 대개 문제없으나 약 10%에서 태변 흡인 증후군 발생

　　　f. 태변 배출의 원인

　　　　- 정상적 위장관의 발육 현상

　　　　- 탯줄 압박에 의한 미주신경 자극(vagal stimulation)

　　　　- 저산소증이 항문 괄약근의 톤을 저하시켜 태변 배출을 초래

　　② 예후

　　　　a. 태변 착색의 의의 : 주산기 이환 및 사망 증가

　　　　　- 분만 시 태아 산혈증(pH 7.0 이하)

　　　　　- 태아 위험 증가 : 제왕절개, 겸자분만, 진통 중 태아 심음 이상

　　　　　- 낮은 Apgar 점수 및 보조환기의 빈도 증가

　　　　b. 산모 : 산욕기 자궁내막염이 2배로 증가

(2) 융모양막염(Chrioamnionitis)

　　① 양수, 태아막, 태반, 탈락막 등에 감염이 발생한 경우

　　② 감염 경로

　　　　a. 생식기로부터의 상행 감염(가장 흔한 원인)

　　　　b. 산모로부터 혈액 감염

　　　　c. 자궁내막으로부터 직접 전파

　　　　d. 침습적 시술 중 발생한 감염

　　③ 진단 : 고열과 함께 다른 두 가지 이상의 소견

증상 (A)	증상 (B)
37.8~38.0℃ 이상의 고열	자궁압통 산모의 빈맥(>100/min) 산모의 백혈구증가(>15,000cells/mm^3) 태아의 빈맥(>160/min) 악취가 나는 양수

　　④ 치료

　　　　a. 광범위 항생제 : Ampicillin 2 g, 6시간마다, IV + Gentamicin 1.5 mg/kg, 8시간마다, IV

　　　　b. 분만 : 임신부와 태아의 상태에 따라 결정

　　　　c. 제왕절개 후에는 혐기성균의 수술 후 감염을 줄이기 위해 Clindamycin, 900 mg, IV

(3) 양막띠증후군(Amniotic band syndrome)

　　① 원인과 발생 기전은 명확하지 않음

　　② 양막의 일부가 배아 혹은 태아에 붙어 기계적인 또는 혈관의 이상을 초래

③ 팔, 다리와 손가락, 발가락 등의 절단 혹은 변형, 두개 안면 기형, 피부 결손, 합지증, 만곡족, 폐형성부전증 등이 발생

④ 산전 초음파 검사와 분만 후 신체 진찰을 통해 진단

⑤ 예후 : 동반 기형과 내부장기 이상의 정도에 따라 좌우

CHAPTER 07

배아 형성과 태아 성장
(Embryogenesis and Fetal development)

1 임신 주수(Gestational age)

1) 임신 주수의 계산

(1) 월경령(Menstrual age) 혹은 임신령(Gestational age)

① 마지막 월경 첫날, 혹은 배란과 수정 2주일 전, 혹은 수정란의 착상 3주일 전부터 계산을 하는 방법

② 임신 기간 : 40주(280일)

③ 수태후령(postconceptional age)보다 2주 빠름

(2) 배란령(Ovulation age) 혹은 수태후령(Postconceptional age)

① 태아 연령(fetal age)을 기준으로 한 것

② 배란 또는 수정된 날로부터 계산하는 방법

③ 보통 최종 월경일(LMP) 2주 후가 시작일

(3) 구분

① 삼분기(trimester)로 구분 : 임신 기간을 3개월씩 3등분(1~13주, 14~27주, 28~40주)

② 자연 유산의 가능성은 주로 임신 첫 3개월에 잘 발생

③ 조산아의 생존 가능성은 임신 마지막 3개월에 국한

2) 분만 예정일의 계산

(1) Naegele's rule

① 최종 월경일(LMP)의 첫째 날의 일수에서 7일을 더하고 월수에서 3개월을 빼거나 9개월을 더함

② 예 : 최종 월경일(LMP)이 6월 8일인 경우 다음해 3월 15일이 분만 예정일

③ 월경 주기가 28일로 규칙적인 여성을 가정한 것으로 모든 경우에 적용할 수 없음

2 형태학적 성장(Morphological growth)

1) 난자(Ovum), 수정란(Zygote), 주머니배(Blastocyst)

(1) 배란 후 첫 2주

① 배란(ovulation)

② 수정(fertilization)

③ 주머니배(free blastocyst) 형성

④ 주머니배의 착상(implantation)

(2) 배아(Embryo)

② 융모(chorionic villi)가 형성된 후 배아(embryo)로 명명

② 이전까지는 수정란(zygote)

2) 배아기(Embryonic period)

(1) 배아기(Embryonic period)

① 배란(ovulation), 수정(fertilization) 3주 후부터 시작

② 임신반응검사(hCG) 양성

③ 배엽원판(embryonic disc) 식별 가능

④ 몸줄기(body stalk)가 분화되고 융모낭(chorionic sac)의 직경이 1 cm 크기

⑤ 모체 혈액을 포함하는 실제 융모사이공간(intervillous space)이 발달하고 융모 중심부(villous core)에 혈관모세포 융모성중배엽(angioblastic chorionic mesoderm)이 관찰

(2) 배란 후 4주 말(6주 말경)

① 융모낭이 2~3 cm, 배아의 길이가 4~5 mm 정도

② 심장과 심낭막은 심방의 팽창으로 돌출하고 팔과 다리의 발달 시작

③ 양막이 몸줄기(body stalk)를 감싸기 시작하여 나중에 탯줄을 형성

(3) 배란 후 6주 말(8주 말경)

① 배아의 길이는 22~24 mm, 몸체에 비하여 두부가 큼

② 손, 발가락이 나타나고, 두부 양측에 외이(external ears)의 융기가 관찰

(4) 배아 발생의 단계

: 수정(정자+난자) → 접합체(zygote) → 주머니배(blastocyst) → 배아(embryo) → 태아(fetus)

3) 태아기(Fetal period)

(1) 정의

① 수정 후 8주부터 또는 최종 월경일에서 10주부터 출생까지

② 기관의 성숙과 기능적 발달이 일어나는 시기

③ 태아의 길이 : 약 4 cm

(2) 임신 주수에 따른 변화

① 임신 12주

a. 태아의 머리엉덩길이(crown-rump length, CRL) : 6~7 cm

b. 태아 뼈에서 골화 중심(ossification center)이 발견

c. 손, 발가락의 구별이 가능해지고 손톱과 발톱이 형성

d. 산발적인 모발의 형태가 나타남

e. 태아가 자발적인 움직임을 하기 시작

② 임신 16주

a. 태아의 머리엉덩길이(CRL)는 12 cm, 무게는 110 g

b. 임신 14주경 태아의 성별이 결정되어 외부 생식기를 주의 깊게 관찰하면 확인 가능

③ 임신 20주

a. 태아의 몸무게 : 300 g

b. 피부는 투명도가 줄고 솜털 같은 체모가 온몸을 덮으며 두피에서 모발 인지

c. 태아는 거의 1분 마다 움직이고 산모가 태동을 느낄 수 있음

④ 임신 24주

a. 태아의 몸무게 : 630 g

b. 피부에 특징적인 주름이 잡혀지고 피하지방이 침착

c. 머리는 상대적으로 큰 편이며 눈썹과 속눈썹 구분 가능

d. 이 시기에 조산이 발생하면 가스 교환에 필요한 종말낭(terminal sac)이 아직 형성되지 않아 거의 대부분 사망

⑤ 임신 28주

a. 태아의 머리엉덩길이(CRL)는 25 cm, 무게는 1,100 g

b. 얇은 피부는 붉은 색깔을 나타내고 태지(vernix caseosa)로 덮여 있음

c. 태아의 눈에 있는 동공막(pupillary membrane)이 사라짐

d. 이 시기에 태어나면 90% 정도가 신체적, 신경학적 장애를 갖지 않고 생존 가능

⑥ 임신 32주

    a. 태아의 머리엉덩길이(CRL)는 28 cm, 무게는 1,800 g

    b. 피부 표면은 아직 붉은 빛을 띠고 주름지어 있음

    c. 임신 32~36주경 태아 머리 둘레와 복부 둘레는 비슷

⑦ 임신 36주

    a. 태아의 머리엉덩길이(CRL)는 32 cm, 무게는 2,500 g

    b. 피하지방이 침착되어 좀 더 살이 찌고 얼굴에 있던 주름이 소실

⑧ 임신 40주

    a. 태아의 머리엉덩길이(CRL)는 36 cm, 무게는 3,400 g

    b. 남아가 여아보다 100 g 더 무거움

(3) 태아의 머리(Fetal head)

① 두개골(skull)

    a. 2개의 전두골(frontal bone)

    b. 2개의 두정골(parietal bone))

    c. 2개의 측두골(temporal bone)과 후두골(occipital bone)의 상부 및 접형골의 날개(the wings of the sphenoid)

② 봉합선(sutures)

    a. 전두봉합(frontal suture) : 2개의 전두골 사이, 임상적으로 중요한 봉합선

    b. 시상봉합(sagittal suture) : 2개의 두정골 사이

    c. 관상봉합(coronal suture) : 전두골과 두정골 사이 좌우 양측

    d. 삼각봉합(lambdoid suture) : 두정골의 후변과 후두골의 상변 사이의 2개

    e. 측두봉합(temporal suture) : 좌우 양측의 두정골 하변과 측두골 상변 사이, 내진 시 만져지지 않음

③ 천문(fontanel)

    a. 여러 봉합선이 만나는 지점에 막으로 둘러싸인 불규칙한 공간으로 분만 중 용이하게 촉지되어 태아의 태위, 태향 등의 주요 정보 제공

    b. 종류

      - 대천문 혹은 전천문(greater or anterior) : 시상봉합과 관상봉합이 교차하는 부위

      - 소천문 혹은 후천문(lesser or posterior) : 작은 삼각형 모양으로 시상봉합과 삼각봉합이 만나는 부위

④ 만삭 시 태아 머리의 직경(diameter of fetal head diameter in full term baby)

    a. 후두전두경(occipitofrontal diameter) : 코 뿌리(root) 직상부부터 후두골의 가장 융기된 부위까지 거리, 약 11.5 cm

b. 두정골간경(biparietal diameter)

- 머리의 가장 긴 가로 지름(transverse diameter), 약 9.5 cm

- 태아의 가로 지름(transverse diameter) 중 가장 길어 분만을 위해서는 임신부 골반의 in-terischial spine의 거리가 10 cm 이상이 되어야 분만이 용이

- 14주 이후 임신 주수 예측에 사용 가능

c. 측두골간경(bitemporal diameter) : 양측 측두봉합의 연결선 중 가장 긴 거리, 약 8 cm

d. 후두이경(occipitomental diameter) : 턱과 후두골의 가장 돌출한 부위의 연결선, 약 12.5 cm

e. 후두하대천문경(suboccipitobregmatic diameter) : 대천문의 중앙부에서 목과 연결되는 후두골 하면의 연결선, 약 9.5 cm

⑤ 만삭 시 태아 머리의 둘레(head circumference)

a. 가장 긴 둘레 : 후두전두경을 포함하는 면의 둘레 길이로 약 34.5 cm

b. 가장 짧은 둘레 : 후두하대천문경을 포함하는 면의 둘레 길이로 약 32 cm

c. 태아 머리의 주형(molding) : 강력한 자궁수축력 때문에 임신부의 골반 크기와 모양에 따라 태아의 두개골이 봉합선에서 겹쳐지면서 태아의 머리 모양이 변형되는 것

(4) 태아의 뇌(Fetal brain)

① 뇌척수신경과 뇌간(brain stem)의 수초화(myelination)은 약 임신 6개월부터 시작

② 척수의 수초화(myelination)는 임신 중기에 시작되어 출생 후 1세까지 계속됨

3 태반과 태아의 성장(Placenta and Fetal growth)

1) 태반축(Placental arm)과 주변분비축(Paracrine arm)

(1) 태반축(Placental arm)

① 구성

a. 융모사이공간의 태아 혈액(fetal blood in Intervillous space)

b. 태반(placenta)

c. 융모사이공간의 산모 혈액(maternal blood in Intervillous space)

② 기능

a. 영양분의 전달(nutrient transfer)

b. 태아 부산물의 제거(removal of Fetal waste products)

c. 내분비기능(endocrine function)

d. 면역학적 과정(immunologic process)

(2) 주변분비축(Paracrine arm)

① 구성

　　a. 태아막(fetal membrane) : 양막(amnion), 융모(chorion)

　　b. 탈락막(decidua)

　　c. 자궁근육(myometrium)

② 기능

　　a. 임신의 유지(maintenance of pregnancy)

　　b. 반동종이식인 태아를 받아들임(acceptance of semiallogenic fetal graft)

　　c. 양수량의 항상성 유지(homeostasis of amniotic fluid volume)

　　d. 태아의 신체 보호(physical protection of fetus)

　　e. 분만(parturition)

2) 태반의 물질 이동(Placental transfer)

　(1) 태반(Placenta)의 구성 및 특징

　　① 구성

　　　　a. 합포체(syncytium)

　　　　b. 산모 혈액(maternal blood)

　　　　c. 태아 혈액(fetal blood)

　　② 특징

　　　　a. 산모와 태아 사이에 물질 교환이 일어나는 장소

　　　　b. 태아의 혈액과 산모의 혈액이 직접적으로 섞이지 않고 융모막융모(chorionic villi)에 있는 융합세포영양막(syncytiotrophoblast)을 통해 일어남

　(2) 융모사이공간(Intervillous space)

　　① 산모-태아 간의 물질이동(maternal-fetal transfer)

　　　　a. 산모에서 태아 쪽으로 이동

　　　　: 융모사이공간(intervillous space) → 융합세포영양막(syncytiotrophoblast) → 융모사이공간(intervillous space)의 기질(stroma) → 태아모세혈관벽(fetal capillary wall)

　　　　b. 태아에서 산모 쪽으로 이동은 역으로 이루어짐

　　　　c. 산소, 영양분은 태아로 공급되고 노폐물은 산모 쪽으로 배출되므로 융모사이공간과 융합세포영양막은 태아에게 폐, 위장관 및 신장의 기능을 함

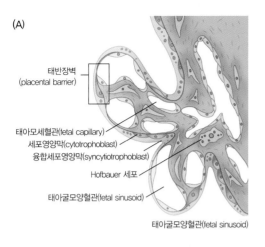

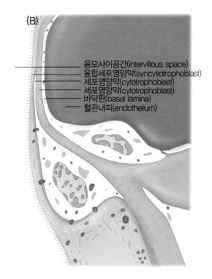

그림 7-1. (A) 융모의 기본 구조, (B) 태반장벽

② 융모사이공간(intervillous space)의 혈류량

    a. 임신 말기 태반의 융모사이공간의 잔류 혈량 : 140 mL 정도

    b. 만삭 때 자궁-태반의 분당 혈류량 : 700~900 mL

    c. 진통 중 강력한 자궁수축으로 융모사이공간으로의 혈액 유입량이 감소

      - 융모사이공간 내의 혈압

        • 자궁동맥압보다 유의하게 낮음

        • 자궁정맥압보다는 높음

      - 자궁정맥압은 임신부의 체위에 따라 달라짐

        • 누운 자세에서는 하대정맥 아랫부분의 압력이 상승하여 자궁 및 난소정맥, 융모사이공간 내압이 높아짐

        • 서 있는 자세에서는 더 높아짐

(3) 태반 내 물질 이동의 조절(Regulation of placental transfer)

    ① 모체 혈장 내의 물질 농도(plasma concentration) 및 운반 단백(carrier protein)과 같은 다른 화합물과 결합 상태로 존재하는 부분이 차지하는 비율

    ② 융모사이공간을 통한 모체 혈류 속도(maternal blood flow rate)

    ③ 교환에 참여하는 영양막(trophoblast)의 면적

    ④ 단순 확산(simple diffusion)이 가능한 영양막(trophoblast)의 물리적 특성

    ⑤ 능동 수송(active transport)을 위한 영양막(trophoblast)의 조직

⑥ 물질 이동 중 태반에 의한 물질 대사(substance metabolism)

⑦ 교환에 참여하는 태아 융모사이 모세혈관(fetal intervillous capillary)의 면적

⑧ 물질의 태아 혈액에서의 농도

⑨ 태아 혹은 모체 순환 내의 특이적 결합 단백(specific binding proteins) 혹은 운반 단백

⑩ 융모모세혈관을 통과하는 혈류의 속도

(4) 태반 내 물질의 이동 기전

① 단순 확산(simple diffusion)

    a. 수동 수송(passive transport)으로, 농도의 차이에 따라 이동

    b. 산소, 탄산 가스, 물과 대다수의 전해질(Fe, Ca 제외), 마취용 가스, 지방산

    c. Insulin, adrenal steroid, thyroid hormone : 매우 느린 속도

② 선택적 이동(selective transfer)

    a. 촉진 확산(facilitated diffusion)

      - 전하(electrical charge)를 통하여 이동

      - 포도당, 유산염, IgG

    b. 능동 수송(active transport)

      - 농도 차이를 무시하고 이동하며, 이때 에너지가 필요

      - 칼슘(calcium)과 인(phosphorus), 철분, vitamin C, 요오드화물(iodide), 아연(zinc)

③ 음세포작용(pinocytosis)

    a. 에너지를 소모하여 능동적으로 원형질막의 일부가 변형되면서 함몰되어 그 안에 포획된 물질을 세포 안으로 이입시키는 과정

    b. 분자량이 높은 경우 이 방법으로 이동

    c. LDL cholesterol

④ 기타 특징

    a. 중성 지방은 태반을 통과할 수 없으나, glycerol은 통과

    b. 융합세포영양막(syncytiotrophoblast)에는 중금속 결합단백인 metallothionein-1이 존재하여 아연, 구리, 납, cadmium 등 다수의 중금속과 결합

    c. Virus, bacteria, malignant cell 등은 선택적 이동(selective transfer)에 의해 통과

    d. TSH는 통과하지 못하고, T3, T4, rT3는 극소량만 통과

    e. TRH, propylthiouracil, methimazole, long-acting thyroid stimulator (LATS)는 통과

    f. 태아 혈액 내에서 높은 농도를 보이는 물질 : retinol (Vit. A), ascorbic acid (Vit. C), iron, zinc, amino acid

    g. 산모 혈액 내에서 높은 농도를 보이는 물질 : Vitamin D, copper

⑤ 태반 내 물질 이동의 방법 및 각 물질의 종류

확산(diffusion)	선택적 이동(selective transfer)	
	촉진 확산(facilitated diffusion)	능동 수송(active transport)
O_2, CO_2, H_2O Fatty acid Amino acid Most electrolyte (Fe, Ca 제외) Insulin Steroid hormone Thyroid hormone Placental hormone (hCG, hPL)	Glucose Galactose Lactate IgG	Vit. C Iodide Iron (Fe) Calcium (Ca) Phosphorus

(5) 태반 내에서 산소(Oxygen)와 탄산가스(Carbon dioxide)의 이동

① 산소 포화도와 산소 분압

    a. 융모사이공간 내의 산소 포화도는 65~75%, 산소 분압은 30~35 mmHg

    b. 태아 혈액의 산소 포화도는 산모 혈액과 비슷함

    c. 탯줄정맥의 산소 포화도는 이와 비슷하나 산소 분압은 27 mmHg로 약간 낮음

② 임신 기간 동안 태아가 상대적으로 낮은 산소 분압에 적응하는 기전

    a. 태아 체중에 비해 높은 심박출량(cardiac output)

      - 태아는 성인에 비해 체중의 단위당 심박출량이 상당히 큼

      - 태아의 심박출량 : 200 mL/kg/min.

      - 성인의 심박출량 : 70 mL/kg/min.

    b. 성인 헤모글로빈보다 태아 헤모글로빈의 산소 친화도가 높음(higher oxygen affinity)

    c. 성인에 비해 높은 혈색소에 의해 낮은 산소장력(oxygen tension)을 효과적으로 보상

③ CO_2 이동 : 단순 확산(simple diffusion)

    a. 태아에서 모체로 가는 탄산 가스의 전이는 확산에 의해 일어나는데 산소보다 더 빨리 융모막융모를 통과함

    b. 만삭 시 탯줄동맥의 탄산 가스의 분압은 50 mmHg이고 융모사이공간의 탄산가스 분압(45 mmHg)과 비교하여 5 mmHg 정도 높음

    c. 태아 혈액은 산모 혈액보다 CO_2에 대한 친화력이 낮으므로 태아에서 모체로의 CO_2 전달이 유리

    d. 산모가 경도의 과호흡을 통해 모체의 이산화탄소 농도를 떨어뜨려, 태아쪽에서 모체쪽으로 빨리 CO_2를 이동시킬 수 있음

4 태아의 영양(Fetal nutrition)

1) 포도당과 태아 성장(Glucose and Fetal growth)

(1) 태아의 에너지원

① 포도당 : 태아 성장과 에너지의 주영양소

② 태아는 영양에 관해 전적으로 산모에 의존하지만, 수동적 기생체(passive parasite)가 아닌 능동적 기능도 가짐

③ 임신 중기에 태아의 포도당 농도는 산모의 혈당과 상관이 없고, 때로는 그보다도 높은 경우도 있음

(2) 사람태반락토겐(Human placental lactogen, hPL)

① 산모의 유리지방산(free fatty acid)의 동원 및 사용을 촉진

② 산모의 말초에서 포도당 흡수 및 사용을 차단

③ 정상 임신을 위하여 필수적인 것은 아님

(3) 지질분해(Lipolysis)를 증가시키는 물질

① 사람태반락토겐(human placental lactogen)

② 글루카곤(glucagon)

③ 노에피네프린(norepinephrine)

④ 당류부신피질호르몬(glucocorticoids)

⑤ 갑상샘호르몬(thyroxine)

2) 다른 성분들

(1) 유리 지방산(Free fatty acids) 및 중성지방(Triglyceride)

① 태아 지방 성분은 체중의 16%로 비교적 많은 부분을 차지하며, 이는 임신 말기에 태아에게 운반되는 물질의 많은 부분이 지방으로 저장됨을 의미

② 중성지방(triglyceride)은 태반을 통과하지 못하지만, 글리세롤(glycerol)은 통과

③ 대부분의 지방산은 단순 확산(simple diffusion)에 의해 태반을 통과하며, 태반은 지방산을 합성하기도 함

④ 큰 저밀도 지방단백질(low density lipoprotein, LDL) 입자는 수용체중개 세포내이입(receptor-mediated endocytosis) 과정에 의하여 흡착

⑤ 아포단백(apoprotein) 및 LDL 콜레스테롤 에스터들(esters)은 합포체(syncytium) 내 리소솜 효소(lysosomal enzyme)에 의해 가수분해되어 다음의 역할을 함

　a. 황체호르몬(progesterone) 합성을 위한 콜레스테롤 제공

b. 필수 아미노산을 포함한 유리 아미노산(free amino acid) 제공

c. 필수 지방산, 특히 LDL 콜레스테롤 에스터(cholesterol esters)의 가수분해에 의한 리놀레산 (linoleic acid)을 공급(리놀레산의 가수 분해로 생기는 아라키돈산(arachidonic acid)의 농도는 모체 혈청보다 태아 혈청에서 높음)

(2) 단백질(Proteins)

① 큰 단백들의 태반을 통한 이동에는 한계가 있음

② 큰 단백들이 태반을 통과하는 예외적인 상황

a. Immunoglobulin G : 세포내이입(endocytosis)과 영양막(trophoblast)의 Fc receptor 이용

b. 레티놀 결합단백(retinol-binding protein) : 합포체(syncytium)를 통과

c. 임신 말기에 탯줄 혈청과 산모 혈청에서의 IgG의 농도는 유사하나 IgA, IgM은 태반을 통과하지 못하므로 탯줄 혈청에서 현저히 낮음

d. 태아에 감염이 있어 면역체계를 자극하면, 태아에서도 IgM의 상승 가능

(3) 이온(Ions)과 미량 금속(Trace metals)

① 요오드화물(iodide) : 에너지를 요하는 운반체중개(carrier-mediated energy-requiring active process)에 의해 능동적으로 태반을 통과

② 아연(zinc) : 태아 혈청의 농도가 산모 혈청보다 높음

③ 구리(copper) : 태아 혈청의 농도가 산모 혈청보다 낮음

(4) 중금속(Heavy metals)

① 중금속 결합단백인 metallothionein-1은 융합세포영양막(syncytiotrophoblast)에서 발현

② 이 단백질은 아연, 구리, 납(lead) 및 카드뮴(cadmium)을 포함한 중금속과 결합

③ 납은 산모 농도의 90%가 태아에게 들어가지만, 카드뮴의 태반 이동은 증가하지 않음

(5) 비타민(Vitamins)

① Vitamin A (retinol)

a. 태아 혈청이 산모 혈청보다 높음

b. 태아 혈청의 비타민 A는 레티놀결합단백(retinol-binding protein) 및 전알부민(pre-albumin)과 결합

c. 레티놀결합단백은 합포체(syncytium)를 통과하여 산모로부터 전달

② Vitamin C (ascorbic acid)

a. 태아 혈청이 산모 혈청보다 높음

b. 에너지의존운반체중개(energy-dependent carrier-mediated process)로 태아에게 이동

③ Vitamin D (cholecalciferol)

    a. 대사물질인 1,25-dihydroxycholecalciferol은 태아 혈청 보다 산모 혈청에서 더 높음

    b. 대사물의 1베타-수산화(1β-hydroxylation)가 태반 및 탈락막에서 이루어짐

(6) 기타 영양소

    ① 아미노산(amino acids) : 확산(diffusion)에 의해 이동

    ② 칼슘(calcium)과 인(phosphorus) : 능동 수송(active transport)으로 태반을 통과

---

5   태아의 생리(Fetal physiology)

1) 양수(Amniotic fluid)

(1) 양수량

    ① 임신 8주에 약 10 mL, 임신 12주에 50 mL, 임신 21주까지 매주 60 mL씩 증가

    ② 임신 중기에 400 mL, 임신 34주에 1,000 mL 정도로 최대량이 됨

    ③ 만삭이 가까워지면 양수량은 감소하며, 분만 예정일을 넘기면 그 양은 더욱 적어지게 되므로 양수과소증을 유의해야 함

(2) 양수의 기능

    ① 태아의 움직임을 용이하게 하여 성장을 도움

    ② 외부 충격으로부터 태아를 보호

    ③ 일정한 온도를 유지

    ④ 양수 내 포함된 성장호르몬을 통하여 태아의 성숙을 도우며, 폐와 소화기계의 성장과 분화를 증진

    ⑤ 태아의 건강에 관한 정보를 제공

    ⑥ 분만 중 태아의 선진부가 자궁하부에 밀착되어 있지 않은 경우 양수가 선진부를 대신하여 자궁경부의 개대 및 숙화를 진행시켜 분만진행을 도움

(3) 양수의 구성성분

    ① 임신 초기 양수의 성분 : 산모 혈장의 초미세여과(ultrafiltration)에 의해 생성

    ② 임신 제2삼분기 : 태아의 혈장이 확산되어 양수를 구성

    ③ 임신 중기(약 20주) 이후 : 태아 피부 각질화로 혈장의 확산이 억제되고, 태아 소변이 양수의 주요 구성 성분

        a. 태아 신장은 임신 12주가 되면 소변 생성을 시작

b. 임신 16~18주부터 태아 소변이 양수 구성에 중요한 역할

c. 태아 소변은 임신부나 태아의 혈장에 비해서 매우 저장성이지만 요소, 크레아티닌, 요산은 혈장보다 많이 함유

④ pH : 7.0~7.5(약알칼리성)

2) 태아 순환(Fetal circulation)

(1) 탯줄(Umbilical cord)

① 탯줄동맥(umbilical artery) : 2개

② 탯줄정맥(umbilical vein) : 1개

(2) 정상 태아 순환(Normal fetal circulation)

① 탯줄정맥(umbilical vein) → 정맥관(ductus venosus, 50%), 문맥동(portal sinus, 50%) → 하대정맥(inf. vena cava) → 우심방(right atrium) → 난원공(foramen ovale) → 좌심방(left atrium) → 좌심실(left ventricle) → 상행대동맥(ascending aorta) → 뇌, 심장

② 문맥동(portal sinus) → 간정맥(hepatic vein) → 하대정맥(inf. vena cava), 상대정맥(sup. vena cava) → 우심방(right atrium) → 우심실(right ventricle) → 동맥관(ductus arteriosus, 85%), 폐동맥(pulmonary artery, 15%) → 하행대동맥(descending aorta) → 하장간막동맥(inf. mesenteric artery, 66%), 하지(common iliac artery, 33%) → 탯줄동맥(umbilical artery)

③ 산소 농도가 가장 낮은 곳 : 동맥관(ductus arteriosus)

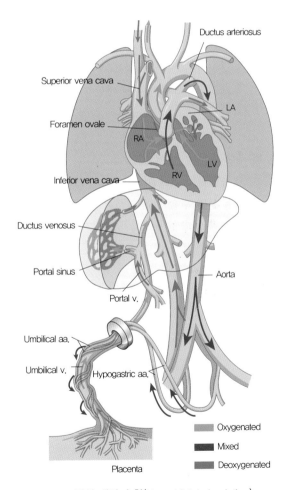

그림 7-2. 정상 태아 순환(Nornal fetal circulation)

(3) 태아의 심장 순환(Fetal heart circulation)

① 태아 심박출량의 약 40% (200 mL/kg/min)가 태반 순환에 사용

② 태반에서 나오는 탯줄 혈류의 약 50%는 정맥관(ductus venosus)을 경유하고, 나머지는 간-문
맥정맥계(hepatic-portal venous system)를 통과하여 하대정맥(inf. vena cava)으로 연결

③ 정맥관(ductus venosus)을 통해 온 혈액과 복부 하대정맥(inf. vena cava)에서 온 혈류는 섞이
지 않고 우심방으로 진입

④ 우심방에서 상대정맥(sup. vena cava)에서 온 혈액과 섞여서 우심실로 가고, 심박출량의 65%
가 동맥관(ductus arteriosus)을 경유하여 태반으로 가서 산소를 공급받음

⑤ 좌심방의 산소포화도가 높은 혈액은 좌심실을 통해 심박출량의 35%가 전신에 공급

4) 태아 순환과 성인 순환의 차이점

① 우심실의 심박출량이 좌심실보다 많음

② 임신기간 중 점진적으로 기관이 성장

③ 임신 주수 증가 시 말초저항이 감소하여 전부하(preload)가 증가하고 심박출량이 증가

④ 폐혈관저항이 높아서 폐로 가는 혈류가 적음

⑤ 난원공(foramen ovale)을 통해 우-좌 혈액의 흐름이 발생

(5) 출생 후 태아 순환의 변화

① 동맥관(ductus arteriosus)

   a. 분만 후 호흡에 의해서 산소 압력이 55 mmHg 이상 되면 혈류가 감소

   b. 출생 후 10~96시간까지 기능적으로 막히게 되며 해부학적으로 2~3주 후에 막힘

   c. 출생 후 동맥관(ductus arteriosus) 폐쇄의 원인

      - Prostaglandin E2의 감소

      - Prostaglandin 생성억제제(indomethacin)로 폐쇄를 촉진시킬 수 있음

   d. 출생 후 변화 : 동맥관인대(ligamentum arteriosum)

② 정맥관(ductus venosus)

   a. 출생 후 수축되고 그 내강은 폐쇄

   b. 출생 후 변화 : 정맥관인대(ligamentum venosum)

③ 탯줄 혈관(umbilical vessels)

   a. 출생 후 3~4일 내에 위축 또는 폐쇄

   b. 출생 후 변화

      - 탯줄동맥(umbilical artery) : 탯줄 인대(umbilical ligament)

      - 탯줄정맥(umbilical vein) : 자궁원인대(ligamentum teres)

④ 난원공(foramen ovale)

a. 출생 직후 기능적으로 폐쇄되고, 1년 후 해부학적으로 폐쇄

b. 출생 후 변화 : 난원와(fossa ovalis)

3) 태아 혈액(Fetal blood)

(1) 임신 주수에 따른 조혈(Hemopoiesis)기관의 변화

① 중아 세포기(mesoblastic period) : 혈구 생성이 14~19일된 난황낭(yolk sac)에서 시작

② 간성 조혈기(hepatic period)

    a. 적혈구 및 골수구 생성이 임신 6주에 간(liver)에서, 12주에 비장(spleen)에서 시작

    b. 림프구 생성이 임신 17주부터 동맥 주위 림프절(lymph node)에서 주로 일어나며 일생동안 계속됨

    c. 거핵구(megakaryocyte)는 임신 5~6주에 난황낭(yolk sac)에서 처음 관찰되며, 11주에 혈액에서 혈소판이 나타남

③ 골수 조혈기(myeloid period)

    a. 적혈구 및 골수구 생성(myelopoiesis)이 임신 20주에 골수(bone marrow)에서 일어나고 이때부터 전 생애에 걸쳐 골수가 조혈의 주요 장기가 됨

    b. 임신 22주부터 골수의 혈구 생성이 왕성해지고 모든 계통의 세포가 출현

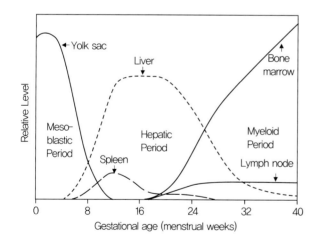

임신주 수	조혈기관
~10주	난황낭
6주~출생	간
4~28주(주로 8~16주)	비장
20주~출생 후 계속	골수(대부분)
20주~출생 후 계속	림프절(일부)

그림 7-3. 임신 주수에 따른 조혈기관

(2) 적혈구 조혈(Erythropoiesis)

① 처음에는 원시형의 유핵 적혈모구(nucleated erythroblast)를 형성하지만, 점차 무핵 적혈모구(unnucleated erythroblast)를 형성

② 혈색소(hemoglobin)의 점진적 증가

  a. 임신 중기 : 12 g/dL

  b. 임신 말기 : 18 g/dL

③ 망상 적혈구(reticulocyte) 수치가 높음

  a. 태아 적혈구는 처음에는 수명이 짧지만, 임신 제3삼분기부터 점점 증가하여 만삭이 되면 적혈구 수명이 90일이 됨

  b. 만삭 시 망상 적혈구 수치는 5%로 감소

④ 태아가 성숙되면서 간에서 erythropoietin이 생성되어 수치가 증가

(3) 태아 혈색소(Fetal hemoglobin)

① 태아형 헤모글로빈(hemoglobin F, Hb-F)

  a. two α-peptide + two γ-peptide

  b. 태아에 의해 형성되는 마지막 혈색소

  c. 산(acid) 및 알칼리(alkali)에 저항성이 강함

    - Alkali denaturation test (Apt test)

      • 신생아 토혈 시 산모 혈액인지 태아 혈액인지 감별하는 방법(1% NaOH를 이용)

      • 태아 혈액 : 분홍색(알칼리 저항력 때문에 색이 변하지 않음)

      • 산모 혈액 : 갈색으로 변색(Brown discoloration)

    - Kleihauer-Betke test (KB test)

      • 산성 환경에서 산모의 혈색소가 불안정하고 취약한 반면에 태아의 혈색소는 상대적으로 안정적으로 강한 성질을 이용하는 방법

      • 염색하였을 때 태아 혈색소만 선명하게 진한 분홍색으로 염색되는 것이 특징

  d. 수명이 짧음(정상 성인 혈색소의 2/3)

② 헤모글로빈 A(hemoglobin A, Hb-A)

  a. 성인 혈색소의 주성분

  b. two α-peptide + two β-peptide

③ 임신 32~34주에 Hb-F에서 Hb-A로 전환 시작

  a. γ-globin gene의 methylation에 의해 전환

  b. 당뇨 임신부에서는 methylation이 저하되어, 태아에서 Hb-F가 지속

④ 태아형 헤모글로빈(hemoglobin F)은 산소와 결합력이 높음

  a. O_2 saturation curve의 left-shift

  b. 의의 : 산모에서 태아로의 산소 이동을 돕는 역할

  c. 원인 : 2,3-DPG 농도가 산모혈보다 낮기 때문

  d. 태아 체온이 상승하면 right-shift 되어 태아의 저산소증이 악화

⑤ 만삭 시 Hb-F는 전체 혈색소의 3/4을 차지

⑥ 출생 후 6~12개월 동안 Hb-F의 비율은 점차 감소하여 마침내 정상 성인에서 보이는 낮은 수준에 도달

(4) 태아의 응고인자(Fetal coagulation factors)

① 임신 12주가 되면, 정상 성인 형태의 procoagulant, fibrinolytic, anticoagulant protein을 만들기 시작

② 출생 시 응고 인자의 수치

    a. Factor II, VII, IX, X, XI, protein S, protein C, antithrombin, plasminogen : 성인의 50%

    b. Factor V, VIII, XIII, fibrinogen : 성인과 비슷한 수치

③ 비타민 K-의존 응고인자(vitamin K-dependent coagulation factors)는 생후 첫 며칠 동안 더욱 감소하므로, 특히 모유를 먹이는 신생아에서는 예방적 비타민 K를 투여하지 않으면 신생아 출혈 유발 가능

④ 혈소판 수치(platelet counts)는 정상 성인과 비슷

⑤ 혈액응고전구물질(procoagulant)의 양이 적음에도 탯줄천자(cordocentesis) 같은 침습적 시술 후에도 태아 출혈이 거의 일어나지 않는 이유는 양수 내 thromboplastin과 Wharton jelly 내에 있는 일부 인자들이 탯줄 천공 부위의 지혈에 관여하기 때문

4) 태아 면역계(Fetal immunological system)

(1) 태아 면역계의 특징

① 감염과 같은 직접적인 항원 자극이 없는 한 태아의 면역글로블린은 대개 산모에서 합성되어 태반을 통해 이동한 면역글로블린 G (IgG)

② 태아와 신생아에서의 항체(antibody)는 산모의 면역학적 경험을 반영

(2) 면역글로블린 G(Immunoglobulins G, IgG)

① 태반 통과 가능

② 산모로부터의 이동은 임신 16주경에 시작되어 임신이 지속될수록 증가

③ 대부분의 IgG가 마지막 4주 동안 이동하므로, 조산아는 모체로부터 항체를 적게 받음

④ 생후에 생성하기 시작하지만 3세 이전까지는 성인 수준에 도달하지 못함

⑤ 산모로부터 태아에 전달되는 IgG가 유해한 경우 : Rh-항원 동종면역(Rh-antigen alloimmunization)으로 인한 태아의 용혈성질환(hemolytic disease)

(3) 면역글로블린 M(Immunoglobulins M, IgM)

① 태반을 통과할 수 없어 산모에서 이동되지 못함

② 태아나 신생아의 IgM은 태아에서 직접 생성된 것

③ 풍진(rubella), 거대세포바이러스감염(CMV), 톡소플라즈모증(toxoplasmosis) 같은 선천성감염이 있을 때 매우 증가

④ 탯줄 혈액의 IgM 측정은 태아의 자궁 내 감염 진단에 효과적

⑤ 9개월 이후에 성인 수준에 도달

(4) 면역글로블린 A(Immunoglobulins A, IgA)

① IgA는 점막보호작용이 있어 장염을 예방함

② 양수에는 적은 양의 태아 분비 IgA가 포함되어 있음

③ 초유에도 IgA가 있음

(5) 림프구(Lymphocytes)와 단핵구(Monocytes)

① 면역체계는 태아기 초기에 성숙되기 시작

② B 림프구(B lymphocyte) : 임신 9주에 간에서, 임신 12주에 혈액과 비장에서 나타남

③ T 림프구(T lymphocyte) : 임신 14주에 흉선(thymus)에서 나타남

④ 단핵구(monocytes) : 신생아의 단핵구에는 모체의 항원 특이 T 세포(maternal antigen-specific T cells)에 대한 항원이 있음

5) 태아의 기관들(Fetal organs)

(1) 태아의 중추신경계(Central nervous system)

① 연접 기능(synaptic function) : 임신 8주경에 충분히 발달되어 목과 상체의 굴절 운동이 가능

② 임신 10주경에 산모는 느끼지 못하지만 자율적인 태동이 있고 국소적인 자극 시 손가락을 불완전하게 쥐거나 입을 벌리고 눈을 가늘게 뜨기도 함

③ 임신 4개월이 되면 완전하게 손가락을 쥐는 것이 가능해짐

④ 연하운동(swallowing)은 임신 10~12주경, 호흡운동(breathing)은 임신 14~16주경 시작

⑤ 흡철반사(sucking reflex)는 임신 6개월 이후에 가능

⑥ 임신 제3삼분기 동안에 신경계나 근육 기능은 빠르게 성숙

⑦ 빛에 대한 눈의 반응이나 인식 능력은 임신 7개월경 이루어짐

⑧ 임신 24~26주경 자궁 내부에서 소리를 알아듣게 됨

⑨ 미뢰(taste bud)는 조직학적으로 임신 3개월부터 관찰 가능

⑩ 뇌척수신경과 뇌간의 수초화(myelination)는 약 임신 6개월에서부터 시작

⑪ 척수(spinal cord)의 수초화는 임신 중기에서 시작되어 출생 후 1세까지 지속

(2) 태아의 소화기계(Gastrointestinal system)

① 태아 위장관의 발달

  a. 위장기관은 다른 기관에 비하여 태아 초기에 거의 완벽하게 발달되어 만삭 전에 기능적으로 거의 완성

  b. 임신 10~12주부터 연동운동(peristalsis)이 시작되어 소장(small intestine)에서 포도당(glucose)을 흡수할 수 있으나 위장관기능은 임신 16주가 되어야 완벽히 발달하여 양수 속에서 수분을 흡수하고 필요 없는 물질은 배출

② 임신 후반기에는 하루에 약 200~760 mL의 양수를 삼키며, 대부분 태아 연동운동에 의해 양수량이 조절

③ 태변(meconium)

  a. 태변의 구성성분

    - 양수를 흡입한 후 소화되지 않은 찌꺼기

    - 위장관계에서 분비되거나 탈락되는 여러 가지 물질

    - 빌리버딘(biliverdin) : 태변이 암녹색이 되게 하는 색소

  b. 미주신경 자극(vagal stimulation)이나 정상 만삭 태아의 정상 연동운동(peristalsis)에 의해서 태변이 배출 가능

  c. 저산소증에 빠지면 태아 뇌하수체로부터 아르기닌바소프레신(arginine vasopressin, AVP)이 분비되어 대장의 평활근을 수축시키고 태변이 양수 내로 배출

  d. 자궁 내에서 태변을 배출한다고 하여 반드시 태아 저산소증을 의미하지는 않음

  e. 태변은 호흡기계에 독성으로 작용하여 태변흡인증후군을 유발할 수 있음

④ 태아의 간(liver)

  a. 태아 간은 효소가 상당히 저하되어 있어 유리 빌리루빈(bilirubin)이 bilirubin diglucuronoside로 전환하는 능력이 한정되어 있고, 태아가 미성숙할수록 빌리루빈 결합능력은 더욱 저하됨

  b. 태아 적혈구의 생존 기간은 정상 성인보다 짧아 상대적으로 더욱 많은 빌리루빈이 생성되지만 단지 일부분만이 태아 간에서 결합되어 담관(biliary duct)을 통해 장 내로 배설되어 빌리버딘(biliverdin)으로 산화됨

  c. 태아의 콜레스테롤의 대부분은 태아의 간에서 생산되어 태아 부신이 필요로 하는 LDL 콜레스테롤을 제공

  d. 당원(glycogen) 농도가 임신 제2삼분기 동안에 매우 낮으나, 만삭이 되면 갑자기 증가하여 성인 농도의 2~3배가 되고, 분만 후 당원의 농도는 급격히 떨어짐

⑤ 태아의 췌장(pancreas)

  a. 인슐린(insulin)을 함유한 과립은 임신 9~10주에 태아 췌장에서 확인되고 태아 혈장 내의 인슐린은 임신 12주에 측정

b. 당뇨병 임신부의 신생아 혈청에서 인슐린 농도가 높아 태아가 과발육되고, 분만 후 신생아 저혈당이 올 수 있음

c. 인슐린은 모체로부터 받는 기본적인 영양소를 동화시켜 태아 성장에 이용하는 데 관여

d. 글루카곤(glucagon)은 임신 8주에 태아 췌장에서 학인

e. 대부분의 췌장 효소들은 임신 16주에 나타남

(3) 태아의 비뇨기계(Urinary system)

① 임신 제1삼분기 말(약 임신 4개월)부터 콩팥단위(nephron)는 사구체 여과를 통해 배뇨의 기능 형성

② 소변의 생산

a. 임신 12주부터 시작

b. 임신 18주 : 7~14 mL/day

c. 임신 30주 : 10 mL/hr

d. 만삭 : 27 mL/hr(650 mL/day)

③ 신장은 자궁 내에서 생존을 위해서는 필수적이지 않지만 양수의 조성 및 양을 조절하는 데 중요 - 임신 24주 이전에 만성 무뇨(chronic anuria)로 양수과소증이 생긴 경우 태아 폐성숙이 저하

(4) 태아의 호흡기계(Respiratory system)

① 태아 호흡운동(fetal breathing movement)

a. 리듬 호흡운동(rhythmic breathing movement) : 초음파로 임신 11주부터 확인 가능

b. 평균 횟수 : 임신 30~31주경 58회/min. 정도, 임신 38~39주경 41회/min. 정도로 감소

c. 임신 14~16주부터 호흡운동이 왕성하여 호흡기계를 통한 양수의 흡입과 배출이 시작

태아 호흡운동 증가	태아 호흡운동 감소
모체의 식후	조기진통, 조기양막파수
모체 운동	만삭 진통직전, 태아 저산소증
혈당이 높을 때	융모양막염, 태아발육지연
야간	스테로이드 투여 48시간 이내

② 태아 폐의 발달(fetal lung development)

a. 거짓샘시기(pseudoglandular stage) : 임신 6~16주, 구역속 기관지나무(intrasegmental bronchial tree)가 발달

b. 소관기(canalicular stage) : 임신 16~25주, 선포세포(acinus)와 혈관이 생성

c. 종말낭(terminal sac) : 임신 25~32주, 폐포(alveoli)는 종말낭(terminal sacs)이 됨

d. 폐포기(alveolar stage) : 세포외기질, 모세혈관그물, 림프계 등이 성숙되고 가스교환이 일

어나며, 제2형 폐세포가 표면활성제(surfactant)를 생성하기 시작

③ 표면활성제(surfactant)

  a. 출생 후 호흡 시 폐포(alveoli)의 조직-공기 경계면(tissue air-interface)에서 압력이 떨어질 때 폐포가 쭈그러들지 않게 하는 물질

  b. 폐포(alveoli)의 표면을 덮고 있는 제2형 폐세포(pneumocyte type II)에서 생성

  c. 표면활성제 구성 성분

    - 90%가 인지질(glycerophospholipids) 성분

    - 인지질 성분의 80%가 인지질콜린(phosphatidylcholine, PC, lecithin)

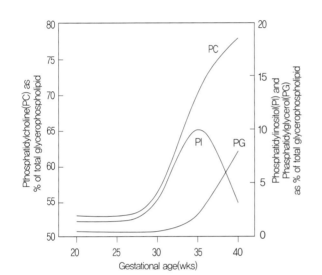

표면활성제의 구성성분	%
Dipalmitoylphosphatidylcholine (DPPC or PC)	50%
Unsaturated phosphatidylcholine	20%
Phosphatidylglycerol(PG)	8~15%
Phosphatidylethanolamine	5%
Phosphatidylinositol(PI)	4%
Other PG	4%

그림 7-4. 표면활성제의 임신 주수별 성분변화

  d. 인지질글리세롤(phosphatidylglycerol, PG)

    - 낮은 함유량에도 불구하고 단독으로 표면 장력의 감소에 아주 중요한 작용

    - 호흡곤란증후군(respiratory distress syndrome) 예방에 가장 중요한 역할

     • 미성숙 태아일수록 PG가 감소되어 있고, PI가 증가

     • 표면활성제 내에 PG가 거의 없는 상태로 태어난 신생아들은 PC가 충분하고 L/S 비율이 2.0 이상이라 하더라도 호흡곤란증후군(RDS) 발현 빈도가 높음

    - PG는 PI의 감소와 함께 증가

    - 당뇨 산모에서 PC (lecithin)가 증가해 있는 경우에도 호흡곤란증후군이 생기는 경우가 있는데 이 경우 PG가 낮고 PI가 높은 것이 특징

e. 표면활성제 형성에 관여하는 호르몬

- Cortisol

- Thyroxine, TRH

- Epidermal growth factor (EGF)

- Platelet-activating factor (PAF)

- Fibroblast pneumocyte factor (FPF)

- Prolactin

- Estrogen

f. 태아 폐성숙 지표(fetal lung maturation index)

- L/S 비율(Lecithin/Sphingomyelin ratio)

• 임신 34주에 2:1

• 2:1 이상은 폐성숙을 의미

• 단점 : 기술적으로 어렵고, 4~5시간 이상의 검사 시간이 소요되어 응급검사로 부적절하며, 실험실간 편차가 큼

- L/S 비율 2:1 이상이라 하더라도 호흡곤란증이 나타나는 경우

• Maternal gestational DM

• Acidosis

• Sepsis

• Phosphatidylglycerol의 결핍

g. 표면활성제와 결합하는 단백질(surfactant protein, SP)

- 표면활성제(SP) apoprotein의 종류와 역할

Apoprotein	역 할
SP-A	선천적 숙주방어 단백질, 폐에서 백혈구의 염증성 반응조절 SP-A의 비율이 감소할수록, 기관지폐형성이상이 잘 생김
SP-B	생성된 표면활성제가 결집되는 데 필요한 인자
SP-C	SP-C가 결핍되면, 간질성 폐질환, 호흡곤란 증후군발생
SP-D	선천적 숙주방어 단백질, 폐에서 백혈구의 염증성 반응조절

- Surfactant protein A (SP-A)

• Major apoprotein으로 alveolar type II cells에서 생성

• 임신 주수와 폐성숙이 증가함에 따라 양수에서 늘어남

- SP-B, SP-C가 표면활성제의 역할 최적화에 중요

- 당뇨병 산모에서는 태아의 과인슐린 혈증으로 apoprotein의 합성 방해

④ 태아의 폐성숙과 corticosteroids

    a. 태아 코르티솔(fetal cortisol) : 태아의 폐성숙과 표면활성제 합성을 촉진

    b. 임신 중 특정시기에 glucocorticoid 투여가 태아의 폐성숙을 촉진시킬 수 있음

    c. 투여 약물 : betamethasone, dexamethasone 등

(5) 태아의 내분비계(Endocrine system)

① 태아의 뇌하수체(pituitary gland)

    a. 뇌하수체 전엽(anterior lobes)

      - 5개의 세포 형태로 분화하여 6종의 단백호르몬을 분비

세포 형태	분비 단백호르몬
락토트로프세포(lactotropes)	프로락틴(prolactin, PRL)
성장자극세포(somatotropes)	성장호르몬(growth hormone, GH)
부신겉질자극세포(corticotropes)	부신겉질자극호르몬(corticotropin, ACTH)
갑상샘자극호르몬(thyrotropes)	갑상샘자극호르몬(thyroid stimulating hormone, TSH)
생식샘자극세포(gonadotropes)	황체형성호르몬(luteinizing hormone, LH) 난포자극호르몬(follicle stimulating hormone, FSH)

      - 임신 17주경 모든 뇌하수체 호르몬을 합성하고 저장

    b. 뇌하수체 중엽(intermediate lobes)

      - 태아에서 잘 발달되어 있으나, 만삭 이전에 사라지기 시작하여 성인에서는 찾을 수 없음

      - 분비 : α-MSH (melanocyte stimulating hormone), β-endorphin

    c. 신경하수체(neurohypophysis)

      - 임신 10~12주경에 잘 발달되며 oxytocin과 AVP (arginine vasopressin)가 이때 나타남

      - 두 호르몬 모두 태아의 신장보다는 폐와 태반에 주로 작용하여 수분을 보존함

② 태아의 갑상샘(thyroid gland)

    a. 뇌하수체와 갑상샘 사이의 유기적인 관계는 임신 제1삼분기 말에 기능적으로 완료

    b. 갑상샘 자극 호르몬과 갑상샘 호르몬의 분비는 임신 중반까지 낮은 상태이며 그 뒤에 서서히 증가

    c. 분만 후 차가운 외부 공기에 의해 thyrotropin이 증가하여 생후 24~36시간에 T4 (thyroxine)가 최고치에 달하며 T3 (triidothyronine)가 비슷한 증가를 보임

    d. 태아 갑상샘은 모든 태아 조직의 발달에 중요하고, 특히 뇌의 발달에 중요

e. 태반 통과와의 관계
- Iodine : 태반을 쉽게 통과
- TSH : 태반을 통과하지 못함
- Long acting thyroid stimulator (LATS) : 고농도일 때 태반을 통과하여 신생아 갑상샘 기능 항진증을 유발
- Thyroid hormone (T3, T4) : 아주 제한적으로만 태반을 통과

③ 태아의 부신(adrenal gland)
a. 성인과 비교하면, 태아 체중에 비하여 매우 큰 장기
b. 지나친 비대는 부신피질의 태아대(fetal zone) 때문이고, 출생 후 빠르게 위축됨
c. E3 (Estriol) 생성 전구 물질을 제공 : Dehydro-epi-androsterone sulfate (DHEA-S)

6 태아의 성 발달(Sex development)

1) 성 분화(Sexual differentiation)
(1) 염색체 성(Chromosomal sex)
① 성 염색체에 따른 분류 : XX 또는 XY
② 수정 시 핵형(karyotype)으로 결정
③ 태아의 초기 발생 과정(임신 6주)은 남녀가 같음

(2) 생식샘 성(Gonadal sex)
① 생식샘(gonad)의 형태에 따른 분류 : 고환(testis) 또는 난소(ovary)
② 생식샘 성의 확립은 원시적 생식샘이 고환이나 난소로 분화하는 데서 시작
③ 성결정구역 유전자(sex determining region of Y chromosome, SRY)
a. 생식샘이 고환(testis)으로의 분화에 중요한 역할을 함
b. SRY의 산물인 고환결정인자(testis determining factor, TDF)가 고환으로 분화에 중요
c. WNT-4. DAX-1 유전자들의 발현을 억제
④ 난소(ovary)로의 분화에는 WNT-4, DAX-1 등의 유전자가 필요
⑤ DAX-1 유전자 : 난소로의 분화에 결정적 역할을 하는 항정소인자(anti-testis factor)

(3) 표현형 성(Phenotypic sex)
① 임신 8주 이전 태아에서 비뇨생식기는 남·녀의 차이를 구분할 수 없음
② 표현형 남성(phenotypic male)의 외부 생식기의 발달
a. 임신 7~8주경 Sertoli cell의 분화에 따라 뮐러관 억제물질(Müllerian inhibiting substance)의

생산이 증가하여 뮐러관이 퇴화함

- 뮐러관 억제물질(Müllerian inhibiting substance, MIS)
  - Anti-Müllerian hormone (AMH)이라고도 불림
  - 뮐러관(Müllerian duct)이 자궁, 나팔관, 질 상부로의 발달을 억제
  - 측분비인자(paracrine factor)로서 형성된 장소 근처에 국소적으로 작용
  - 한쪽의 고환이 없다면 그쪽의 뮐러관은 지속되어 그쪽 편의 자궁과 나팔관이 발생

b. 임신 9주경에는 Leydig cell에서 생성된 테스토스테론(testosterone)이 볼프관(Wolffian duct)을 발달시켜 부고환, 정관 등 남성 내부 생식기관이 만들어짐

c. 조직 내 5α-reductase가 있는 전립선, 비뇨생식능선, 외부 생식기 등에서 testosterone이 남성호르몬 수용체에 대한 친화력이 더욱 높은 dihydrotestosterone (DHT)으로 전환됨

d. 임신 10주경에는 뮐러관의 퇴화가 거의 마무리되고 볼프관이 더 두드러짐

e. 남성 호르몬은 고환에서 형성된 후 주위 볼프관으로 확산되어 남성화 작용을 하지만, 남성 외부 생식기의 남성화는 testosterone이 국소적으로 DHT로 전환된 결과로 나타남

f. 임신 10주경에는 생식결절과 항문주름과의 사이가 점차 벌어지기 시작하고, 생식결절은 두꺼워지고 길이가 길어져서 음경을 형성하게 되고, 요도판은 요도주름을 따라 뒤에서 앞으로 융합함

g. 방광 쪽에서 요도는 전립선으로 둘러싸이고 생식융기는 음낭이 됨

h. 임신 12~13주에 남성의 외부 생식기는 urogenital cleft가 닫히며 완성

i. 태아 고환에서 분비되는 testosterone의 영향에 의해 임신 후기에 음경의 길이가 성장하고 고환이 하강

③ 표현형 여성(phenotypic female)의 외부 생식기의 발달

a. 여성으로 분화에는 태아 난소같은 성선으로부터의 분비가 꼭 필요하지 않음

b. 여성 외부 생식기는 임신 11주에 나타나지만, 임신 20주는 되어야 남·녀의 차이를 명확하게 구별 가능

2) 반음양(Hermaphroditism)

(1) 진성 반음양(True hermaphroditism)

① 난소(ovary)와 고환(testis)이 동시에 각각 존재하거나 난소고환증(ovotestis) 형태로 되어 있는 경우에 발생 - 생식샘 발달과정의 장애

② 외부 생식기는 모호하거나 남성 또는 여성으로 보일 수도 있음

③ 염색체 핵형은 XX, XY, 또는 둘 다 있을 수 있음

(2) 가성 반음양(Pseudohermaphroditism)

① 유전자형(genotype)과 표현형(phenotype)이 일치하지 않는 경우

② 유전자형(genotype)에 따라 Female or Male pseudohermaphroditism으로 명명

    a. Female pseudohermaphroditism : 정상 가임 여성이 될 수 있음

    b. Male pseudohermaphroditism : 불임

③ 여성 가성 반음양(Female pseudohermaphroditism)의 치료

    a. 외부 생식기를 외관상으로나 기능적으로 여성으로 성형수술

    b. 모든 것을 18개월 이전에 끝내 기억에 남지 않게 해주는 것이 좋음

    c. 고환은 악성화 되기 전에 제거

    d. 남성 생식기나 미분화 된 남성 생식기 부분을 모두 제거하여 향후에 증가된 testosterone에 의해 남성화 될 부분들을 없애 줌

    e. 사춘기가 되면 estrogen을 투여하여 이차 성징을 유도

    f. 자궁이 있는 경우에는 주기적인 자궁내막 검사를 하여 주기적인 출혈을 유도

1 임신 전 상담(Preconceptional counseling)

1) 상담 세션(Counseling session)

(1) 목적

① 임신 전 건강과 관련된 지식, 태도, 행동을 증진시키기 위해

② 가임기 여성에게 근거 중심에 의한 위험 선별검사, 임신 전 관리를 받도록 해서 건강이 제일 좋을 때 임신할 수 있도록 하기 위해

③ 이전 나쁜 임신의 예후를 임신 사이에 교정하여 반복되는 나쁜 예후를 줄이거나 예방하기 위해

④ 나쁜 임신 예후의 불균형을 줄이기 위해

(2) 상담이 필요한 이유

① 임신의 절반이 계획되지 않은 임신

② 계획되지 않은 임신의 위험성

    a. 담배, 약물 등에 대한 위험

    b. 비타민 등에 대한 적은 복용

(3) 상담 시간

① 정기 건강 검진 시 예방적인 상담을 제공하는 것이 가장 좋음

② 가장 좋은 상담 시기 : 임신을 하지 않았을 때

③ 산전 상담 시간 : 30~60분 정도가 적당

④ 식이, 음주, 약물 사용, 흡연, 비타민, 운동 등의 내용이 제공되어야 함

2) 임신 전 상담의 방법 및 구성요소

(1) 가족력(Family history)

① 가족력을 알기 위해서는 가계도를 작성

② 혈연 관계인 친척들의 건강과 생식력 정도는 내과적 질환, 정신지체, 출생 시 결함, 불임, 유산 등을 위하여 확인

③ 어떤 인종, 종교적 배경은 어떤 질환의 위험이 증가

(2) 의학적 조사(Medical assessment)

① 일반적인 사항

  a. 연령, 직업, 흡연, 음주

  b. 월경력, 임신 전 피임제 복용 여부, 자궁내장치(IUD) 사용여부

② 산과적 기왕력

  a. 임신력, 출산력, 이전 임신의 결과(유산, 조산, 태아기형, 저체중 출생아, 과체중 출생아 등), 분만 방법, 산전과 산후 그리고 분만 중 합병증 등을 확인

  b. 이전의 유산 : 다음 임신의 실패에 대한 불안과 유전질환, 조산의 위험을 증가시키고 다음 임신에서 비슷한 시기에 조산이 재발할 가능성이 매우 높으므로 유산에 대한 자세한 병력이 필요함

③ 내외과적 기왕력

  a. 심혈관 질환, 신장병, 대사성 질환, 감염병(결핵, 매독, 요로 감염, 바이러스 감염), 과민증, 알레르기

  b. 최근 사용중인 약물 등을 파악

(3) 사회적 환경 조사(Social history)

① 산모의 나이(maternal age)

  a. 청소년 임신(adolescent pregnancy)

   - 15~19세 사이의 임신

   - 성인 여성보다 높은 칼로리(calorie) 필요

    • 여전히 성장하고 있기 때문

    • 저체중 여성의 경우 칼로리를 400 kcal/day 까지 증량해야 함

청소년 임신에서 증가하는 위험성	
• 임신성 고혈압(preeclampsia, eclampsia)	• 태반조기박리
• 빈혈	• 양수 내 감염
• 태아성장제한(fetal growth restriction)	• 영아 사망률
• 조기진통(preterm labor)	• 성병

b. 고령 임신(35세 이상)

- 산과적인 합병증과 주산기 이환율과 사망률이 증가

- 임신과 연관된 사망률(20대 : 35~39세 : 40세 이상 = 1 : 2.5 : 5.3)

- 고령 임신에서 증가하는 위험성

증가하는 임신부의 위험성	증가하는 태아의 위험성
• 임신성 당뇨병 • 임신성 고혈압 • 조산 • 저체중출생아 • 전치태반 • 태반조기박리 • 제왕절개분만의 빈도 • 주산기 이환율과 사망률, 사산	• 고혈압, 당뇨 같은 임신부의 합병증에 의한 조산 • 특발성 조기진통 증가 • 산모의 만성 질환이나 다태임신에 의한 태아성장장애 • 태아의 홀배수체(aneuploidy) 염색체 이상의 증가 • 보조생식기술에 의한 다태임신 및 태아기형 증가

② 아버지의 나이(paternal age)

    a. 새로운 우성변이(autosomal dominant mutation)에 의한 유전 질환이 증가

    b. 자식들(offspring)에서 유전 질환의 발생률 증가를 보이지만 전체적인 발생률은 낮음

③ 술, 담배 및 약물 남용

    a. 알코올과 연관된 정신지체(mental retardation)만이 유일하게 예방 가능

    b. 흡연은 용량에 의존적으로 태아의 성장에 영향을 미침

      - 조기분만, 태아발육부전, 저체중아, 주의력결핍장애, 행동장애과 학습능력저하

      - 혈관에 손상을 주어 태반기능부전, 태반조기박리의 위험성도 증가

    c. 코카인은 기형, 조산, 태반조기박리 및 다른 합병증과 연관

    d. 경구피임제, 피임 삽입물(implants), 질 내 살정제(spermicide) : 기형 유발작용 없음

④ 환경 유해물질

    a. 수은(methyl mercury) : 태반을 통과하여 태아에 신경독소(neurotoxin)로 작용

    b. 신생아실 간호사는 CMV와 respiratory syncytial virus (RSV)에 노출

    c. 일용직 종사자는 parvovirus와 풍진균에 잘 노출

    d. 산업 근로자는 중금속과 여러 화학 약품에 노출

    e. 시골에 거주하는 경우는 살충제와 오염된 지하수에 노출

    g. 애완용으로 고양이를 기르는 경우 toxoplasma IgG 검사

    h. Fish, king mackerel, tilefish는 권장하지 않음

    i. 고압 전기선, 전기담요, 전자레인지, 휴대전화 등의 전자기파(electromagnetic energy)에 대한 노출이 유해한 증거는 아직 없음

(4) 생활양식(Lifestyle)

① 식이

    a. 얼음, 세탁용 전분, 또는 진흙에 대한 이식증은 빈혈과 연관

    b. 채식주의자는 단백질이 부족한 상태이므로 치즈나 달걀 섭취로 보충

    c. 비만

      - 산모 합병증 증가 : 고혈압, 임신중독증, 임신성 당뇨, 혈전정맥염, 난산, 지연 임신, 제왕절개술과 수술 합병증

      - 태아 합병증 증가 : 태아 사망, 임신 32주전의 조산, 척추 파열, 복벽의 결손과 장의 기형과 같은 선천성기형

    d. 영양이 결핍된 경우 : 전해질의 부조화, 부정맥과 위장관의 이상이 증가

② 운동

    a. 합병증이 없는 임신 중 운동은 해가 되지 않음

    b. 임신 중 평형 감각과 관절의 이완으로 정형외과적 손상 문제 발생 가능

③ 가정 내 폭력

    a. 임신 동안 배우자의 학대로부터 위험이 증가될 수 있음

    b. 임신 중 학대가 증가하는 경우 : 배우자가 알코올과 약물 남용을 하는 경우, 최근에 실직한 경우, 교육 정도가 낮은 경우, 수입이 적은 경우

    c. 태반 조기박리, 분만 전 출혈, 태아 골절, 자궁, 간, 비장 파열, 조산 등 발생

(5) 유용한 선별 검사들

① 혈액 검사

    a. 혈색소, 헤마토크리트, 혈소판, 적혈구

    b. 혈액형(ABO, Rh) 검사, 이상 적혈구 항체검사

    c. 매독 혈청검사

    d. 풍진 항체검사

    e. B형 간염 선별검사

② 요 검사

    a. 당, 단백질

    b. 현미경 검사

    c. 요배양 검사

(6) 감염 및 예방접종

    ① 산전에 풍진과 B형 간염에 대한 면역력을 평가

    ② 산모의 건강 상태, 여행 계획, 시기에 따라서 필요한 예방접종 시행

③ 태아의 예후에 영향을 주지 않는 예방 접종

    a. Toxoid : tetanus

    b. 사백신 : influenza, pneumococcus, hepatitis B, meningococcus, rabies

④ 임신 중 예방접종 금기인 경우 : 생백신(live-virus vaccines)

    a. Varicella-zoster, measles, mumps, polio, rubella, chicken pox, yellow fever

    b. 살아 있는 균을 약화시켜 만든 예방접종은 임신 1개월 전에 접종하는 것이 좋음

    c. 임신 중 접종을 했더라도 임신 종결을 권유하지 않음

⑤ 예방접종의 시기 및 방법

    a. 파상풍, 디프테리아, 백일해(TDP, Tdap)

       - 임신 전 접종력이 없는 경우, 임신 중 27~36주 사이 접종

       - 임신 중 접종하지 못한 경우 분만 후 신속하게 접종

    b. 폐렴구균(PPSV)

       - 폐렴구균 위험군의 경우 가능한 임신 전 접종을 권고

       - 임신 중 폐렴구균 감염예방백신이 필요시 PPSV23으로 접종 가능

    c. B형 간염(HBV)

       - 접종은 보통은 임신 전, 출산 후 접종이 권고

       - 임신 중이라도 의료기관이나 수용시설 근무자 등의 고위험이면서 바이러스 항체를 안 가지고 있는 경우 임신 도중에도 권고

    d. A형 간염(HAV)

       - 가임기 여성에서 접종이 권고

       - 백신의 임신부에 대한 안전성은 결정되지 않았으나, A형간염 유행지역 여행자, 군인, 외식업 종사자 등 바이러스에 노출될 위험이 큰 고위험 대상이라면 임신 전, 임신 중, 출산 후 모두 권고

       - 임신한 여성이 A형 간염바이러스에 노출된 경우 면역글로블린(immune globulin)의 접종이 권고

    e. 인플루엔자(influenza) 백신

       - 불활성화백신으로 유행 시기에 1회 접종

       - 임신 전, 임신 중, 분만 후 모두 권고

    f. 인유두종바이러스(HPV) 백신

       - 비활성화백신으로 임신 전에 권고

       - 접종 기간 중에 임신이 되는 경우 분만 후 접종으로 연기

⑥ 지카 바이러스(Zika virus)

    a. 임신부 감염 시 태아 소두증, 뇌위축 등의 선천성 기형을 유발할 수 있지만 아직 백신이 없음

    b. 임신 주수에 상관없이 감염이 가능하다고 알려져 있으므로, 임신부는 유행 지역으로의 여행은 피할 것을 권고

    c. 모기에 의한 전파 외 성접촉으로 전파도 가능

      - 유행 지역을 여행한 남자와 여자 모두 최소 6개월의 피임을 권고

      - 임신부의 배우자가 유행 지역 여행 시 임신 기간 동안 금욕 또는 피임할 것을 권고

    d. 지카바이러스 감염증의 진단 및 검사

역학적 위험요인	증상 시작 전 2주 이내 • 지카바이러스 감염증 발생국가 방문 • 지카바이러스 감염자와 성접촉 • 지카바이러스 감염증 발생지역에 최근 6개월 이내 방문 이력이 있는 사람과 성접촉 • 지카바이러스 감염증 발생국가에서 수혈력이 있는 경우
임상 증상	발진과 함께 다음 증상 중 하나 이상이 동반된 경우 • 동반증상 : 관절통/관절염, 근육통, 비화농성 결막염/결막충혈
대상별 검사방법	의사환자(확진 환자는 아니지만, 감염이 의심되는 환자) • 임신부 : real-time RT-PCR(혈청, 소변), ELISA(혈청), PRNT (혈청) • 일반인 : real-time RT-PCT(혈청, 소변) 비의사환자 • real-time RT-PCR(소변)

2 내과적 질환과 유전적 질환(Medical and Genetic disease)

1) 만성 내과적 질환(Chronic medical diseases)

  (1) 당뇨(Diabetes mellitus)

    ① 임신 전에 모체의 혈당수치를 잘 조절함으로써 합병증을 막을 수 있음

    ② 목표 혈당(ADA 2019, ACOG 2018)

      a. 공복 혈당 ≤95 mg/dL

      b. 식후 1시간 혈당 ≤140 mg/dL

      c. 식후 2시간 혈당 ≤120 mg/dL

    ③ 혈당 조절 방법

      a. 식이요법

      b. 운동요법

      c. 인슐린(insulin) : 식이요법과 운동으로 목표 혈당 내 조절이 안될 때 시작

      d. 경구 혈당강하제(oral hypoglycemic agent) : 임신 중 권장되지 않음

    ④ 임신 전 관리의 장점

      a. Hemoglobin A1c 감소

    b. 임신 중 당뇨병 조절을 위한 입원 기간 단축

    c. 저혈당 문제 감소

    d. 당뇨병 케톤산증(diabetic ketoacidosis) 감소

    e. 고혈압 합병증 감소

    f. 산후 입원 기간 감소

(2) 신장 질환(Renal disease)

① Serum Cr >2 mg/dL 일 경우 임신 동안 신장 기능의 급격한 감소가 있을 수 있음

② 혈관 기능 장애 가능성 증가

    a. 태아성장제한(fetal growth restriction)

    b. 조산(preterm delivery)

    c. 주산기 사망률(prenatal morbidity & mortality)

③ 고혈압(hypertension), 중복전자간증(superimposed preeclampsia) 악화 가능성 증가

④ ACE inhibitor : 태아 신장 이형성(renal dysgenesis) 및 신부전(renal failure) 유발 가능

⑤ 주산기 예후(perinatal outcome)의 가장 좋은 예측 인자 : Serum Cr 수치

(3) 고혈압(Hypertension)

① 임신 동안 악화 가능

② 약의 추가가 필요할 수 있음

③ 의인성 조산(iatrogenic preterm delivery) 가능성 증가

④ 비만(obesity)

    a. 체중 감소로 교정할 수 있는 공동인자(cofactor)

    b. 체중 감소로 인한 이점

      - 혈압(blood pressure)의 감소

      - 심실 질량(ventricular mass) 감소

      - 고인슐린혈증(hyperinsulinemia) 감소

      - 고중성지방혈증(hypertriglyceridemia) 감소

      - 당뇨(diabetes mellitus) 감소

(4) 간질(Epilepsy)

① 간질 여성은 구조적 이상의 태아 발생률이 2~3배 높음

② 임신에 앞서 1년간 발작 증세가 없었던 경우, 임신 중 경련(seizure)의 위험성이 50~70% 감소하여 임신 전 항경련제의 투여를 중지해 볼 수 있음

③ 약물의 중지가 어려운 경우 기형 발생이 적은 약, 가급적이면 한가지 약물로 투여하고 엽산

(folic acid)을 같이 복용

④ 임신 동안 1/3에서 경련의 발생이 증가

    a. 체액 증가로 인한 약물 농도(drug level) 감소

    b. 약물 청소율(drug clearance) 증가

    c. 오심(nausea), 구토(vomiting) 등으로 약을 안 먹는 경우 발생

    d. 통증, 과호흡 등에 의한 경련 역치(seizure threshold) 감소

⑤ 임신 중 약물을 복용하지 않아도 되는 경우

    a. 2~5년 동안 발작이 없었던 경우

    b. Single seizure type인 경우

    c. 신경학적 검사나 지능이 정상인 경우

    d. 치료로 인하여 뇌파 검사가 정상인 경우

(5) 심장 질환(Cardiac disease)

① 선천성 심장 질환(congenital heart disease)

    a. 심장 질환의 형태에 따라 사망률(mortality)이 다름

    b. 임신을 권하지 않는 경우 : 확장성 심장근육병증(dilated cardiomyopathy), 원발성 폐동맥 고혈압, Eisenmenger 증후군, 대동맥 확장이 합병된 Marfan 증후군, 폐동정맥누공, 중증 좌심실폐쇄, 약물요법에 반응하지 않고 교정이 불가능한 NYHA III, IV

② 청색성 심장 질환(cyanotic heart disease)

    a. 선천성 심장 결함을 가진 여성의 임신 중 가장 위험

    b. 증가하는 위험성 : 심부전, 혈전 합병증, 부정맥, 감염, 산모 사망률, 태아 사망률

(6) 혈전증(Thromboembolism)

① 임신 동안 재발 위험성 증가

② 35세 이상의 임신에서는 2배 정도 위험성 증가

③ 가장 중요한 위험인자 : 가족력

④ 흡연하는 나이든 여성 : 담배로 인한 혈관 손상 가능성 증가

(7) 정신 질환(Psychiatric disorders)

① 임신은 dysphoric symptom을 증가시킴

② 산후 우울증 또는 정신질환의 위험인자

    a. 기존 정신과 장애

    b. 양극성 장애(bipolar disorder)

      - 산후 정신병 : 25%

- 이전 임신에서 산후 정신병을 겪은 경우 : 50~75%

    c. 주요 우울증, 월경 전 증후군, 산후 우울증의 기왕력

2) 유전적 질환(Genetic diseases)

(1) 신경관결손(Neural tube defects)

① 1~2/1,000 live birth

② 태아 구조적 기형 중 두 번째로 흔함

③ 엽산(folic acid)

    a. 비타민 B9으로 아미노산, 핵산(DNA) 합성, 세포 분열과 성장 등에 중요

    b. 임신 전 엽산 복용은 신경관결손(neural tube defect) 예방에 도움이 됨

    c. 엽산(folic acid)의 예방적 복용

      - 가임 여성 : 매일 400 μg/day 권장

      - 일반 산모 : 임신 전 1개월부터 임신 제1삼분기 동안 400~800 μg/day 권장

      - 고위험 산모 : 임신 전 1개월부터 임신 제1삼분기 동안 4 mg/day 권장

        • 신경관결손(neural tube defect) 임신의 과거력

        • 임신 전 당뇨(pregestational DM)

        • 항경련제(anticonvulsant) 복용자 : valproic acid

(2) 페닐케톤뇨증(Phenylketonuria, PKU)

① 병이 태아에게 유전되는 질환이 아닌 산모 질환에 의하여 태아가 손상 받는 병

② Phenylalanine은 태반을 쉽게 통과하여 태아의 기관, 특히 심장과 신경 조직을 손상시킴

③ 태아에서 증가하는 합병증

    a. 정신지체, 지적장애(92%)

    b. 소뇌증(73%)

    c. 선천성 심장기형(12%)

    d. 태아성장제한(40%)

    f. 자연유산(24%)

④ 혈중 농도를 임신 전 3개월간 정상으로 만들고 임신동안 유지(목표 : 120~360 μmol/L)

(3) 지중해 빈혈(Thalassemias)

① 지중해 연안과 동남아시아가 유행 지역

② 산전 상담을 통하여 발병율을 80% 정도 줄일 수 있음

(4) 테이삭스병(Tay-Sachs disease)

① 심한 상염색체 열성 신경퇴행성 장애(autosomal recessive neurodegenerative disorder)로서 대부분 소아기 때 사망

② 미국의 유대인에서 유전되는 질환으로 매년 60예 정도 발병

③ 일차 예방을 위해 산전 상담을 통하여 모체가 이형 접합체 보균자(heterozygous carrier)인 경우 배우자를 이상이 없는 사람으로 선택

1 산전 관리의 구성

1) 임신의 진단(Diagnosis of pregnancy)

(1) 임신의 증상(Symptoms)과 징후(Signs)

① 임신의 증상(symptoms)

a. 오심, 구토

- 임신 6주경 시작하여 12주경 없어짐

- hCG의 높은 농도에 의해 갑상샘이 자극되어 발생

b. 빈뇨 : 임신이 진행될수록 빈뇨는 감소하지만 후반기에 다시 발생

c. 피로감 : 임신 20주 이후에는 대부분 없어짐

d. 태동

- 첫 태동(quickening) : 임신부가 태동을 처음 느낀 날

- 임신 16~20주 정도에 느낄 수 있음

- 다임신부(multipara)에서 빠름

② 임신의 징후(signs)

a. 월경 중단

- 월경 예정일 보다 10일 이상 지나면 임신을 의심할 수 있으며, 두 번째 시기가 지나면 임신을 더욱 의심

- 착상 출혈(placental sign)

• 착상 시 자궁 내 작은 혈관의 파열로 생기는 소량의 출혈

• 생리보다는 훨씬 소량으로 하루나 이틀 정도 발생

• 수정이 되고 나서 2주 후인 다음 생리 예정일 무렵에 나오기 때문에 착상 출혈의 양이 좀 많은 경우에는 정상 생리로 착각하기도 함

　　　b. 하부 생식기의 변화

　　　　　- 질 점막의 변색(Chadwick's sign) : 질의 혈관이 증가하여 푸른색을 띠게 되는 것

　　　　　- 자궁경부 점액의 염주 모양(beaded pattern)

　　　c. 자궁의 변화

　　　　　- 자궁경부가 부드러워지고 푸른색으로 변함(가장 초기에 나타나는 징후)

　　　　　- 자궁경부의 입구는 손가락이 들어갈 수 있도록 열리나 internal OS.는 닫혀 있음

　　　　　- 복부 팽대

　　　　　　• 임신 12주까지는 자궁이 치골결합(symphysis pubis) 바로 위에서 촉지

　　　　　　• 임신 말기에 이를수록 크기가 점차 증가

　　　　　- Braxton-Hick 수축 : 임신 초기부터 자궁이 불규칙한 간격으로 무통 수축하는 것을 말하며, 자궁을 마사지하면 수축의 횟수나 강도가 증가

　　　d. 유방과 피부 변화

　　　　　- 유방의 해부학적 변화는 초임부(primigravida)에게 특징적으로 나타남

　　　　　- 유방의 통증이나 저린 증상

　　　　　- 임신부와 비슷한 변화를 나타내는 경우

　　　　　　• Prolactin이 증가되는 경우 : prolactin 분비 뇌하수체 종양, prolactin 분비를 유발하는 신경안정제 복용(e.g. benzodiazepines)

　　　　　　• 가상 임신(pseudocyesis), 유방의 반복적 자극, 경구 피임약의 복용

　　　　　- 피부 색소 침착 : 흑색선(linea nigra), 기미(chloasma), 임신기미(melasma gravidarum)

　　　e. 태아의 움직임

　　　　　- 부유감(ballottement) : 임신 중기(16~20주 정도)에 자궁에 갑작스런 압력을 가하면, 태아가 양수 속에서 밀렸다가 원래 위치로 되돌아오는 것을 느낄 수 있음

　　　　　- 임신 20주 경에 태아 움직임을 진찰자가 알 수 있음

(2) 사람융모생식샘자극호르몬(human chorionic gonadotropin, hCG)의 검출

　　① 착상된 이후부터 융합세포영양막(syncytiotrophoblast)에서 분비

　　② 혈청 hCG의 농도

　　　a. 임신 2~3일부터 증가하기 시작

　　　b. 두배로 증가하는 데 걸리는 시간(doubling time) : 1.4~2.0일

　　　c. 최고치(peak time) : 약 임신 10주경

　　③ 검출 시기 : 빠르면 배란(ovulation) 후 약 8~9일째부터 검출 가능

　　　a. Serum hCG : 임신 21일 이후

　　　b. Urine hCG : 임신 38일 이후

　　④ 거짓양성이 나오는 경우(false-positive hCG test)

a. 혈액 내에 이종성 항체(heterophilic antibodies)가 존재하는 경우(e.g. 동물 유래 항체가 검사 항체와 결합하는 경우)

b. 포상기태 임신과 같은 임신영양막병(gestational trophoblastic disease)

c. hCG를 투여받은 경우(e.g. 불임 환자)

d. 신부전(renal failure) 같은 hCG 배출이 어려운 경우

e. hCG 생성 종양(e.g. germ cell tumor)

f. 민감한 검사법이 physiological pituitary hCG에 반응하는 경우

⑤ 소변 임신 테스트기 : 만드는 회사마다 정확도의 차이가 발생

(3) 초음파 검사에 의한 임신의 확인

① 임신 확인 후 가장 먼저 시행해야 하는 검사

② 방법 차이에 따른 임신 초음파 소견

    a. 복부 초음파

      - 임신 5주 : 임신낭 확인

      - 임신 6주 : 태아 심박동 확인

    b. 질 초음파

      - 임신 4주 : 임신낭 확인

      - 임신 5주 : 난황낭 확인

      - 임신 6주 직전 : 태아 심박동 확인

③ 임신낭(gestational sac)과 거짓 임신낭(pseudogestational sac)의 감별

    a. 탈락막내 징후(intradecidual sign)

    b. 이중 탈락막 징후(double decidual sign) : 무에코의 임신낭을 둘러싼 피막 탈락막(decidua capsularis)과 벽쪽 탈락막(decidua parietalis)으로 구성된 두 겹의 막

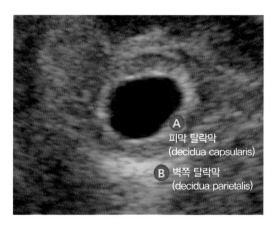

그림 9-1. 이중탈락막 징후(Double decidual sign)

④ 난황낭(yolk sac)

    a. 임신낭 내에서 처음으로 보이는 구조물

    b. 자궁 내 임신임을 확인할 수 있음

    c. 둥글고 중심이 무반향성(sonolucent center)이며 경계가 분명한 고반향성 막(echogenic periphery)으로 싸여 있는 구조

    d. 난황관(vitelline duct)으로 배아와 붙어있음

    e. 관찰되는 시점

      - 임신 5~6주

      - 평균 임신낭 직경(mean sac diameter, MSD) 5~6 mm

      - 배아(embryo)가 관찰되기 3~5일 전

    f. 임신 10주에 6 mm로 최대이고 이후 감소하여 임신 제1삼분기 이후 보이지 않음

⑤ 양막(amnion)

    a. 임신 5주 5일 정도부터 관찰 가능

    b. 얇고 둥근 막으로 배아를 둘러싸고 있고, 깨끗한 물을 함유

    c. 배아와 양막강(amniotic space)을 배아외체강(extraembryonic coelom)과 분리

    d. 임신 12~16주에 주위 융모막과 붙음

⑥ 배아(embryo)

    a. 난황낭에 바로 인접해서 선구조(linear structure)로 두터워져 있는 1~2 mm 크기

    b. 질 초음파 검사로 임신 5~6주경 보이기 시작

    c. 임신 6주에서 6주 5일경 태아 심음(fetal heart tone)이 관찰되기 시작

    d. 임신 6~10주에 머리엉덩이길이(CRL)는 매일 1 mm 정도 증가

2) 초기 산전 평가(Initial prenatal evaluation)

(1) 목적

① 산모와 태아의 건강 상태 평가

② 태아의 임신 주수(gestational age) 판정

③ 지속적인 산전 관리의 계획 수립 및 시행

(2) 용어의 정의

① 임신력(gravidity) : 임신의 결과나 동시에 태어난 태아의 숫자와 관계없이 현재의 임신을 포함하여 완료된 모든 임신의 횟수

    a. 미임신부(nulligravida) : 임신한 경험이 한 번도 없는 여성

    b. 초임부(primigravida) : 처음 임신 하였거나 한번 임신한 경험이 있는 여성

    c. 다임신부(multigravida) : 두 번 이상의 임신 경험이 있는 여성

② 출산력(parity)

  a. 미분만부(nullipara) : 유산의 범위(임신 20주 0일)를 지나 임신을 종결한 경우가 없는 여성으로 자연 유산이나 인공 유산의 경험은 관계없음

  b. 초산부(primipara) : 생존 또는 사망한 태아를 임신 20주(20주 0일) 이후에 분만한 횟수가 1번인 여성

  c. 다분만부(multipara) : 생존 또는 사망한 태아를 임신 20주(20주 0일) 이후에 분만한 횟수가 2번 이상인 여성

  d. 산후부(puerpera) : 바로 전에 분만을 끝낸 여성

③ 삼분기(trimester)

  a. 제1삼분기(first trimester) : 최종 월경주기의 첫째 날부터 임신 14주 0일까지

  b. 제2삼분기(second trimester) : 임신 15주(14주 1일)부터 28주(28주 0일)까지

  c. 제3삼분기(third trimester) : 임신 29주(28주 1일)부터 42주(42주 0일)까지

④ 임신 기간

  a. 조산(preterm) : 임신 20주 1일에서 36주 6일까지

  b. 만삭(full term) : 임신 37주 0일부터 41주 6일까지

  c. 지연임신(postterm) : 임신 42주 0일을 지난 경우

(3) 병력 청취

① 일반적인 측면

  a. 연령, 직업, 결혼여부, 교육 정도 등의 확인

  b. 불규칙한 월경력, 임신 전 피임약 복용 여부 등의 확인

  c. 자궁내장치(IUD) 사용 여부의 확인

② 산과적 측면

  a. 임신력, 출산력, 이전 임신의 결과, 분만 방법, 산전, 산후, 분만 중 합병증 등 확인

  b. 산과 합병증은 다음 임신에 재발하는 경향이 있어 필수적인 부분

  c. 산과력의 기술

    - 산과력을 기록하는 통일된 방법은 없지만 4개의 숫자로 기록

그림 9-2. 산과력의 기술

③ 내외과적 측면 : 심혈관질환, 콩팥병, 대사병, 감염병, 알레르기병, 약물 복용 등의 확인

④ 가족력 : 고혈압, 당뇨병, 간질, 유전질환, 기형, 다태임신 등의 여부를 파악

⑤ 정신사회적 측면

  a. 흡연

    - 니코틴의 혈관수축작용으로 인하여 태반-자궁의 혈류가 감소

    - 일산화탄소(carbon monoxide)에 의한 모체와 태아 혈색소의 불활성화

    - 임신 중 흡연의 위험성 : 자연 유산, 조산, 태아성장제한으로 인한 저체중아, 신생아와 태아의 사망, 태반 조기박리

    - 식욕이 줄어 섭취 칼로리가 감소

  b. 음주

    - 알코올(alcohol) : 강력한 기형 유발 물질(teratogen)

    - 태아 알코올 증후군(fetal alcohol syndrome) 초래

      • 출생 전 또는 출산 후 성장 장애(pre- or postnatal growth impairment)

      • 얼굴 기형(dysmorphic facial feature)

      • 중추신경계 이상(central nervous system abnormalities)

  c. 습관성 약물

    - 태아 가사, 저체중아

    - 출생 후 약물금단증후군(drug withdrawal syndrome)

  d. 폭력에의 노출

    - 배우자 또는 가족 구성원에 의해 육체적, 정신적 폭력, 성적학대 등에 노출되어 있거나 위협받고 있는지 반드시 확인

    - 가족이나 친구가 없을 때, 개별적으로 은밀하게 확인

    - 가정폭력을 선별할 수 있는 질문표 예시를 제공하여 첫 번째 산전 방문 시, 매 삼분기 마다, 그리고 분만 후에 점검하도록 권고(ACOG, 2012)

(4) 초기 산전 진찰

① 신체 진찰

  a. 혈압, 신장, 체중 측정 및 신체비만지수(body mass index, BMI) 계산

  b. 필요한 경우 유방, 심장, 폐, 복부 진찰을 시행

② 골반 진찰

  a. 외음부(vulva)와 회음부(perineum)의 병적 소견 여부를 관찰

  b. 자궁경부와 질염 여부를 관찰하고 자궁경부 세포진 검사(Pap smear)를 시행

  c. 내진 혹은 초음파 검사를 통해 자궁과 부속기의 상태를 확인

  d. 직장의 통증이나 출혈 등을 호소하는 경우, 직장 수지 검사를 시행

(5) 첫 번째 산전 방문 시 검사실 검사

① 혈액 검사

a. ABO/Rh 혈액형검사, 항체선별검사, 혈색소와 적혈구용적률, 매독혈청검사, 풍진항체검사, B형간염항체검사, 사람면역결핍바이러스 혈청검사

b. 사람면역결핍바이러스 혈청검사는 반드시 권고하여야 하며 만약 임신부가 검사를 거절하였을 경우에는 의무기록에 기록해 놓아야 함

② 소변 검사

a. 요단백 평가 : 첫 검사 이후 산전관리를 받는 동안 고혈압이 발생하지 않는다면 추가검사는 필요 없음

b. 소변배양검사 : 무증상 세균뇨(asymptomatic bacteriuria)도 반드시 치료

③ 자궁경부 검사(ACOG, 2017)

a. *Chlamydia trachomatis* : 모든 임신부에서 첫 산전검사 시에 선별검사를 시행

b. *Neisseria gonorrheae* : 고위험군에 한해서 초기 산전검사와 제3삼분기에 시행

(6) 임신 위험도 평가

① 고위험 임신 : 의미가 모호하고 범위가 넓어 적절치 않은 용어로 특정 진단명으로 규정할 수 있다면 이러한 용어의 사용을 피해야 함

② 모체-태아의학 전문가에게 자문 협진을 구해야 할 질환

내외과적 병력

- 심장병 : 청색증, 심근경색증의 과거력, 중등도 또는 중증 판막협착 또는 판막역류, 마르팡증후군(Marfan syndrome), 인공판막, 미국심장학회 분류 2등급 이상의 상태
- 종말기관(end-organ)손상이 있거나 조절되지 않는 고혈당이 있는 당뇨병
- 유전자 이상의 가족력 또는 개인력
- 혈색소병증
- 심장 또는 콩팥질환을 동반하거나 조절되지 않는 만성고혈압
- 1일 500 mg 이상의 단백뇨, 혈청 크레아티닌 1.5 mg/dL 이상 또는 고혈압과 연관된 신부전
- 중증 제한폐병 또는 폐쇄폐병(중증 천식도 포함)
- 사람면역결핍바이러스 감염
- 폐색전증 또는 심부정맥혈전증의 과거력
- 자가면역질환을 포함한 중증전신질환
- 비만 수술력
- 조절이 안되거나 또는 한 가지 항경련제로 조절되지 않는 간질
- 암, 특히 임신 중 치료해야 하는 암

산과 병력 및 합병증

- Rh 또는 다른 혈액형 동종면역(ABO 및 루이스는 제외)
- 이전 태아 또는 현재 태아의 구조이상 또는 염색체이상
- 산전진단 및 태아 치료가 필요한 상태
- 임신 전후에 알려진 기형유발물질에 노출된 경우
- 선천성 감염을 일으킬 수 있는 균에 감염 또는 노출된 경우
- 세 쌍둥이 이상의 다태아임신
- 양수량의 중증 장애

---

3) 추적 산전 관리(Subsequent prenatal visits)

(1) 정기적 산전 관리

① 정상적인 임신의 산전 관리 일정

a. 임신 28주까지 : 4주에 한 번

b. 임신 36주까지 : 2주에 한 번

c. 임신 36주 이후 : 매주 정기적으로 방문

d. 매 방문 시 임신부의 혈압, 체중, 자궁저부의 높이, 태아의 심음, 크기, 양수량, 태동 등을 평가

② 합병증이 있는 고위험 임신의 경우에는 자주 산전 감시를 시행

(2) 신경관결손(Neural tube defect)과 유전자 선별검사(Genetic screening)

① 신경관결손(neural tube defect)에 대한 선별검사

a. 시행 시기 : 임신 15~20주

b. 측정 인자 : 모체 혈청 알파태아단백질(maternal serum α-fetoprotein)

② 태아 염색체 홀배수체(aneuploidy) 선별검사 시행 시기 : 임신 11~14주 and/or 15~20주

a. 임신 제1삼분기(임신 11~14주)에 시행할 수 있는 선별검사

- 태아 목덜미투명대(nuchal translucency) 측정

- 이중 표지자 검사 : PAPP-A, hCG

b. 임신 제2삼분기(임신 15~20주)에 시행할 수 있는 선별검사

- 삼중 검사(triple test) : α-fetoprotein, β-hCG, estriol

- 사중 검사(quad test) : α-fetoprotein, β-hCG, estriol, inhibin-A

③ 태아 염색체 진단검사

a. 융모막융모생검 : 임신 10~13주

b. 양수 검사 : 임신 15~20주(20주 이후도 가능)

c. 태아채혈술

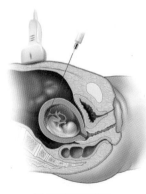
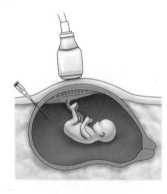
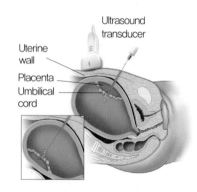

(A) 융모막융모생검   (B) 양수 천자   (C) 태아채혈술

그림 9-3. 태아 염색체 진단검사

(3) 초음파 검사

① 태아의 해부학적 구조, 성장 및 안녕(wellbeing)에 대한 중요한 정보를 제공

② 일반적인 임신부에서는 적응증이 없으면 검사를 최소화

③ 산모가 원하는 경우는 시행하는 것이 바람직함

(4) 임신성 당뇨 선별검사

① 임신 24~28수에 경구 당부하김사를 시행히는 것이 가장 민갑

    a. 50 g 경구당부하 검사(50 g OGTT)

    b. 100 g 경구당부하 검사(100 g OGTT) : 50 g OGTT의 혈당 ≥140 mg/dL 시 시행

② 첫 산전진찰 시 임신성 당뇨에 대한 위험도 평가 시행

    a. 임신성 당뇨 고위험 산모는 즉시 당뇨 선별검사(50 g 경구당부하검사) 시행

    b. 정상이더라도 임신 24~28주에 50 g 경구당부하검사 다시 시행

(5) 항-D 면역글로불린(anti-D immune globulin) 투여

① 민감화 되지 않은 Rh 음성 임신부에서 임신 28~29주에 항체 선별검사를 반복 시행

② 항체가 없을 경우 항-D 면역글로불린(anti-D immune globulin)을 투여

(6) B군 연쇄구균(Group B streptococcus) 선별검사

① 임신 35~37주의 모든 산모에서 B군 연쇄구균 선별검사 시행

② 선별검사 결과에 따른 분만 진통 중 예방적 항생제 사용을 권장

(7) 임신 주수별 산전관리

임신 주수	실시 항목
최초 방문 시	초음파 검사, 빈혈 검사, 혈액형 검사, 풍진 항체 검사, B형 간염 검사, 에이즈 검사, 소변 검사, 자궁경부 세포진 검사
임신 9~13주	초음파 검사(목덜미투명대 11~13주), 이중 표지자 검사(PAPP-A, hCG), 융모막융모생검
임신 15~20주	삼중 검사(α-fetoprotein, hCG, estriol), 사중 검사(α-fetoprotein, hCG, estriol, inhibin-A), Maternal serum AFP, 양수 검사
임신 20~24주	정밀 초음파, 태아 심장 초음파
임신 24~28주	임신성 당뇨 선별검사, 빈혈 검사, Rh 음성인 경우 면역글로불린 주사
임신 29~41주	초음파 검사(태아 체중, 태반 위치, 양수량), 분만 전 검사, 수술 전 검사, 태아안녕검사(NST)

(8) 산전 관리 스케줄

	Weeks			
	First Visit	15~20	24~28	29~41
History				
Complete	●			
Updated		●	●	●
Physical examination				
Complete	●			
Blood pressure	●	●	●	●
Maternal weight	●	●	●	●
Pelvic/cervical examination	●			
Fundal height	●	●	●	●
Fetal heart rate/fetal position	●	●	●	●
Laboratory tests				
Hematocrit or hemoglobin	●		●	
Blood type and Rh factor	●			
Antibody screen	●		A	
Pap smear screening	●			
Glucose tolerance test			●	
Fetal aneuploidy screening	B[a] and/or	B		
Neural-tube defect screening		B		
Cystic fibrosis screening	B or	B		
Urine protein assessment	●			
Urine culture	●			
Rubella serology	●			
Syphilis serology	●			C
Gonococcal screening	D			D
Chlamydial screening	●			C
Hepatitis B serology	●			D
HIV serology	B			D
Group B streptococcus culture				E

[a]First-trimester aneuploidy screening may be offered between 11 and 14 weeks.
A Performed at 28 weeks, if indicated.
B Test should be offered.
C High-risk women should be retested at the beginning of the third trimester.
D High-risk women should be screened at the first prenatal visit and again in the third trimester.
E Rectovaginal culture should be obtained between 35 and 37 weeks.
HIV = human immunodeficiency virus.

2 | 임신 중 영양(Nutrition)

1) 임신 중 체중의 변화

(1) BMI에 따른 적절한 임신 중 체중 증가 범위

임신 전 BMI	체중 증가 권고 범위 (kg)	
	단태아(single)	쌍태아(twin)
저체중 (<18.5 kg/m²)	12.5~18	기준 없음 (근거자료 부족)
정상 (18.5~24.9 kg/m²)	11.5~16	16.8~24.5
과체중 (25~29.9 kg/m²)	7~11.5	14.1~22.7
비만 (≥30 kg/m²)	5~9	11.4~19.1

(2) 증가된 체중의 분포

① 태아, 태반, 양수, 자궁의 증대, 모체 혈액량의 증가, 유방의 발육, 세포외액 등 정상 생리적 현상으로 약 9 kg 증가

② 모체의 지방 축적으로 약 3.5 kg 증가

(3) 영양 실조

① 제2차 대전 시 영양 부족으로 신생아 출생체중이 평균 250 g 감소

   a. 임신 후반부의 굶주림이 출생 체중에 더 많은 영향을 미침

   b. 주산기 사망률은 변하지 않았고, 기형과 전자간증도 증가하지 않았음

   c. 성년이 된 후 지능 발달에 특별한 영향이 없었음

② Fetal programming : 임신 중, 후반기의 굶주림을 겪은 신생아는 성인이 되어 고혈압, 반응성 기도질환, 이상지질혈증, 심혈관질환의 빈도가 증가한다는 이론

(4) 분만 후 체중 감소

① 체중의 감소

   a. 분만 중 5.5 kg 감소

   b. 분만 후 2주 사이에 4 kg 감소

   c. 분만 후 6개월까지 2.5 kg 감소

② 임신 중 체중 증가가 많을 수록 분만 후 감소되는 체중이 많음

③ 다분만부는 체중의 축적이 초산부보다 많으며 장기간의 비만과 연관됨

2) 임신 중 영양 권장량

(1) 열량(Calories)

    ① 비임신 시에 비해 추가적으로 100~300 kcal/day 정도가 필요

    ② 주로 임신 제2삼분기 이후부터 추가적으로 섭취

        a. 제2삼분기 : 340 kcal/day 추가

        b. 제3삼분기 : 450 kcal/day 추가

    ③ 열량 섭취가 부족하면 태아의 성장과 발육에 꼭 필요한 단백질이 에너지화 됨

(2) 한국인 임신부와 수유부에서 1일 권장 영양섭취기준 (한국영양학회, 2015)

연령(19~49세)	임신부	수유부
지용성 비타민		
비타민 A	720 µg	1,140 µg
비타민 D[a]	10 µg	10 µg
비타민 E	10 mg	13 mg
비타민 K[a]	65 µg	65 µg
수용성 비타민		
비타민 C	110 mg	140 mg
티아민(thiamine)	1.5 mg	1.5 mg
리보플라빈(riboflavin)	1.6 mg	1.7 mg
니아신(niacin)	18 mg	17 mg
비타민 B6	2.2 mg	2.2 mg
엽산(folate)	620 µgDFE[b]	550 µgDFE[b]
비타민 B12	2.6 µg	2.8 µg
무기질(Mineral)		
칼슘(calcium)	700 mg	700 mg
인(phosphorus)	700 mg	700 mg
나트륨(sodium)[a]	1.5 g	1.5 g
칼륨(potassium)[a]	3.5 g	3.9 g
염소(chlorine)[a]	2.3 g	2.3 g
마그네슘(magnesium)	320 mg	280 mg
철(iron)	24 mg	14 mg
아연(zinc)	10.5 mg	13 mg
구리(copper)	930 µg	1,280 µg
요오드(iodine)	240 µg	340 µg
셀레늄(selenium)	64 µg	70 µg
망간(manganese)[a]	3.5 mg	3.5 mg

기타		
단백질(protein)[c]	50~55 g	75~80 g
	65~70 g	
	80~85 g	
식이섬유(fiber)	25 g	25 g

[a] 충분 섭취량(adequate intake)
[b] Dietary Folate Equivalents, 가임기 여성은 400 μg/day의 엽산 섭취를 권장함
[c] 임신 제1, 2, 3삼분기별 권장 섭취량

(3) 단백질(Protein)

① 모체 혈액량의 증가와 태아, 태반, 자궁 및 유방의 성장과 발달에 필수적인 요소
② 임신 후반기 5개월 동안 1,000 g의 단백질 보충이 필요(5~6 g/day)
③ 한국인의 경우 제2삼분기에는 15 g/day, 제3삼분기에는 30 g/day의 단백질을 추가적으로 섭취할 것을 권고
④ 동물성 단백질이 적당(우유와 유제품이 이상적인 칼슘과 단백질 공급원)

(4) 무기질(Minerals)

① 철(iron)

    a. 임신 중 총 철분 요구량 : 1,000 mg

      - 태아와 태반 : 300 mg

      - 모체 적혈구 생성 : 500 mg

      - 배출 : 200 mg

    b. 임신 중기 이후 평균 철 요구량 : 약 6~7 mg/day

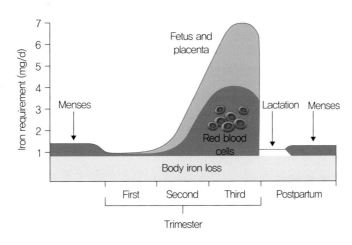

그림 9-4. 평균 철 요구량

c. 임신부 철 섭취 권고안

- 한국영양학회 권고안

• 가임기 여성 : 14 mg iron/day

• 임신부 : 24 mg iron/day

- 미국산부인과학회 권고안

• 27 mg iron/day

• Ferrous sulfate, gluconate, fumarate

d. 하루 60~100 mg iron/day 철분을 복용해야 하는 경우

- 임신부의 체격이 큰 경우

- 쌍태아를 임신한 경우

- 철분제를 불규칙적으로 복용한 경우

- 혈색소치가 정상 이하인 경우

e. 임신 제1삼분기 때에는 요구량이 많지 않고 위장 장애나 구토 등을 악화 시킬 수 있기 때문에 임신 16주 이후부터 섭취를 권장함

② 요오드(iodine)

a. 한국인의 요오드 섭취 권고안

- 가임기 여성 : 150 μg/day

- 임신부 : 240 μg/day (임신 전보다 90 μg이 추가로 더 필요)

b. 한국인의 임신 중 요오드 섭취는 충분

c. 요오드 결핍 시 다발성 신경학적 장애가 특징인 크레틴병(cretinism) 초래

③ 칼슘(calcium)

a. 임신 전 기간에 걸쳐 대략 30 g의 칼슘이 산모의 체내에 축적

- 대부분은 임신 후기에 태아에게 축적됨

- 이는 모체 칼슘의 2.5%에 불과하며 대부분 모체 골격 내에 저장되어 있으므로 태아 성장에 즉시 이용될 수 있음

b. 한국 여성은 임신 시 280 mg/day, 수유 시 370 mg/day의 칼슘 추가 섭취를 권장

④ 아연(zinc)

a. 한국인의 아연 섭취 권고안 : 10.5 mg/day

b. 아연 결핍 시 증가하는 위험성

- 식욕 부진, 성장 저하, 상처 치유의 지연

- 태아의 난쟁이증(dwarfism), 생식샘저하증(hypogonadism)

c. 표준적인 식사를 하는 건강한 임신부에게 추가적인 아연 섭취가 도움이 된다는 근거는 없음

⑤ 칼륨(potassium)

　　a. 임신 중기 산모의 혈중 칼륨 농도는 0.5 mEq/L 정도 감소

　　b. 과도한 입덧으로 인해 저칼륨혈증이 발생할 수 있음

⑥ 마그네슘(magnesium) : 임신의 예후와 상관 관계가 없음

⑦ 미량 금속(trace metals)

　　a. 크롬, 망간, 구리, 셀레늄 등은 특정 효소기능에 중요한 역할을 담당

　　b. 임신으로 인해 추기 권장량 섭취가 요구되나 대개 평균적인 식사로 보충이 가능

(5) 비타민(Vitamins)

① 엽산(folic acid)

　　a. 임신 초기 엽산 복용 : 신경관결손(neural tube defect)의 위험성이 감소

　　b. 섭취 권고안

　　　- 가임기 여성 : 400~800 μg/day

　　　- 이전에 신경관결손 아이를 분만하였거나 간질약을 복용 중인 여성 : 4 mg/day

　　　　• 신경관결손의 종류 : anencephaly, cephalocele, encephalocele, spina bifida

　　　　• 임신 전 최소 한 달 전부터 임신 제1삼분기까지 섭취 시, 2~5%의 재발 위험을 70% 이상 감소시킬 수 있음

　　　　• 이 용량은 종합 비타민제(multivitamin tablets)가 아닌 별도의 정제로 복용해야 하고, 지용성 비타민(fat-soluble vitamins)의 과도한 섭취도 피해야 함

② Vitamin A

　　a. 임신 중 고농도(>10,000 IU/day)로 섭취 시 태아의 기형 증가

　　b. Vitamin A derivative isotretinoin : 기형유발물질(potent teratogen)

　　c. 과일이나 채소에 들어있는 베타카로틴(beta-carotene)은 태아에게 독성이 없음

　　d. 임신부가 비타민 A 보충제를 추가로 섭취할 필요는 없음

　　e. 부족 시 야맹증(night blindness), 산모의 빈혈(anemia), 조산(preterm birth) 등이 증가

③ Vitamin B_{12} (cobalamin)

　　a. 동물성 식품에만 함유되어 있기 때문에 채식주의자에게 섭취 권고해야 함

　　b. Vitamin C의 과량 섭취는 vitamin B_{12}의 기능적 결핍을 유발

　　c. 논란의 여지가 있지만, 임신 전 비타민 B_{12}의 부족은 신경관결손을 증가시킬 수 있음

④ Vitamin B_6 (pyridoxine)

　　a. 일반적인 임신부에게 보충이 필요하지 않음

　　b. 입덧이 있을 경우 vitamin B_6와 함께 항히스타민제인 독실아민(doxylamine)의 복용이 증상 완화에 도움을 줌

c. 영양 불균형 고위험군 : 2 mg/day 섭취 권장
- 약물 남용자(substance abuse)
- 청소년(adolescents)
- 다태아 임신(multiple pregnancy)

⑤ Vitamin C
a. 임신부 권장 섭취량 : 80~85 mg/day
- 임신 전보다 20% 이상 증량
- 합리적인 식단으로 충분히 섭취할 수 있어 보충이 필요하지 않음
b. 모체 혈장에서의 수치는 감소하고 제대혈에서의 수치가 더 높음(수용성 비타민의 특징)

⑥ Vitamin D
a. 대사과정을 거친 후 활성형이 되어 장에서 칼슘의 흡수를 촉진하고, 뼈의 무기질 침착(mineralization)과 성장을 도움
b. 섭취가 아닌, 햇볕에 노출되었을 때 체내에서 합성
c. 임신부 권장 섭취량 : 10 µg/day(미국 15 µg/day)
d. 부족 시 선천성 구루병(rickets)이나 신생아 골절의 원인이 될 수 있음

3 임신 중 일반 상식

1) 신체 활동

(1) 직업(Employment)
① 합병증이 없으면 진통이 시작될 때까지 업무가 가능하고, 출산 4~6주 후 복귀가 가능
② 임신부에게는 근무 중 적절한 휴식 시간이 제공되어야 함
③ 신체적으로 힘든 일 : 조산, 태아성장제한, 임신성 고혈압, 조기양막파수의 위험성 증가

(2) 운동(Exercise)
① 일반적으로 제한할 필요 없으나 너무 심한 피로감, 부상이 초래되지 않도록 해야함
② 임신 중 운동을 권하기 전에 철저한 임상적인 평가가 필요
③ 규칙적인 에어로빅, 조깅을 한 여성
a. 태아 체중이 310 g 정도 적음
b. 분만 기간이 짧았고, 제왕절개의 빈도가 낮음
c. 태변 착색의 빈도가 적음
d. 분만 중 태아곤란증의 빈도가 감소

④ 임신 중 운동의 절대 금기증(ACOG, 2017)

    a. 심혈관 질환(cardiovascular disease) 또는 폐질환(pulmonary disease)이 있는 경우

    b. 조기진통(preterm labor)의 위험성이 있는 경우

       - 원형결찰술(cerclage)

       - 다태아 임신(multifetal pregnancy)

       - 질 출혈(significant bleeding)

       - 조기진통(preterm labor)

       - 조기양막파수(premature rupture of membranes)

    c. 임신 합병증이 있는 경우

       - 전자간증(preeclampsia)

       - 전치태반(placenta previa)

       - 빈혈(anemia)

       - 잘 조절되지 않는 당뇨(diabetes) 또는 간질(epilepsy)

       - 병적으로 심한 비만(morbid obesity)

       - 태아성장제한(fetal growth restriction)

(3) 성교(Coitus)

① 임신 마지막 4주 전까지는 임신 중 성교를 제한할 필요는 없음

② 유산이나 조산의 위험이 있는 경우는 피하거나 콘돔을 사용

③ 임신 중 성교의 주의 사항

    a. 금기증 : 유산이나 조산의 위험, 전치태반이 있는 경우

    b. 남성 상위 자세(male superior position) : 양막파수 가능성이 2배 증가

    c. 구강-질 성교는 일부 해롭다는 보고가 있어 임신 중에는 바람직하지 않음

(4) 여행(Travel)

① 자동차 여행(automobile travel)

    a. 삼점식 안전벨트를 착용

    b. 위쪽 벨트는 자궁 위로, 아래쪽 벨트는 자궁 아래쪽과 허벅지 위로 지나가게 착용

② 비행기 여행(air travel)

    a. 임신 36주까지 가능

    b. 장시간 앉아서 하는 여행은 정맥 혈액의 정체와 혈전색전증의 위험을 증가시키므로 적어도 한 시간마다 하지를 규칙적으로 움직여 정맥 순환 촉진이 필요

그림 9-5. 임산부의 삼점식 안전벨트 착용

2) 신체 증상

(1) 구역(Nausea), 구토(Vomiting)

① 임신 초기에 가장 흔하게 호소하는 증상

② 입덧(morning sickness)

    a. 임신부의 75% 정도에서 발생

    b. 주로 아침에 심하지만 하루 종일 지속되기도 함

    c. 임신 6주경부터 시작하여 임신 14~16주 정도까지 지속

    d. 50%는 임신 14주경, 90%는 임신 22주경 증상이 호전됨

③ 치료

    a. 입덧이 심할 때는 적은 양을 자주 섭취하고, 구역과 구토를 유발하는 음식을 피함

    b. 경증 : Vitamin B_6 + Doxylamine

    c. 중증 : Phenothiazine, H1-receptor blocking antiemetics

④ 임신과다구토(hyperemesis gravidarum) : 구토가 심하여 탈수, 전해질 및 산, 염기 장애 또는 기아에 빠지는 경우

(2) 명치쓰림(Heartburn)

① 음식물이 식도 하부로 역류하여 발생

② 주로 밤 늦게 또는 오래 누워 있은 다음에 잘 발생

    a. 증대된 자궁에 의하여 위가 상방으로 이동되고 압박

b. 하부식도괄약근(lower esophageal sphincter)의 이완

③ 치료

    a. 적은 양을 자주 섭취하고, 숙이거나 바로 눕는 자세를 피함

    b. 제산제(Antacids)

      - Aluminum hydroxide, magnesium trisilicate, magnesium hydroxide

      - 단독 또는 병합 투여

(3) 수면(Sleeping), 피로(Fatigue)

① 임신 초기 피로를 쉽게 느끼고 잠이 많아짐

② 황체호르몬(progesterone)의 영향으로 추측

③ 임신이 진행될 수록 수면효율 감소 : REM 수면 감소, non-REM 수면 증가

④ 치료

    a. 낮잠(daytime naps)

    b. 잠자리에 들기 전 가벼운 진정제 : Diphenhydramine (Benadryl)

(4) 두통(Headache)

① 임신 초기에 흔하고 임신 중기가 되면 약해짐

② 원인은 알 수 없고 임신성 고혈압 여부를 잘 관찰해야 함

(5) 요통(Backache)

① 임신부의 거의 70%에서 경험하는 흔한 증상으로 임신 주수가 증가함에 따라 요통의 정도도 증가

② 앉아있을 경우 허리를 쿠션으로 받쳐 주는 것이 도움이 되며 굽이 높은 신발은 피함

③ 중증의 요통은 반드시 정형외과 진료를 받도록 조언해야 함

(6) 무분별탐식증(Pica), 침과다증(Ptyalism)

① 무분별탐식증(pica)

    a. 임신 중 얼음, 진흙 등을 계속 먹는 증상

    b. 심한 철결핍증에서 나타나기도 하지만 전부 철결핍증은 아님

② 침과다증(ptyalism)

    a. 임신 중 과도하게 침을 흘리는 증상

    b. 원인은 정확하지 않음

(7) 정맥류(Varicosities)

① 임신 후반기에 하지 또는 외음부에 잘 나타남

② 주기적으로 다리를 올리고 쉬거나 탄력스타킹을 착용

③ 임신 중 수술은 권하지 않고, 출산 후 6개월에도 지속되면 수술

(8) 변비(Constipation)와 치핵(Hemorrhoids)

① 변비(constipation)

    a. 원인

       - 임신 중 생리적으로 장운동이 감소하여 변이 딱딱해짐

       - 커진 자궁에 의해 직장이 압박

    b. 딱딱한 변을 배출할 때 출혈, 항문열창(anal fissure), 치핵이 발생

② 치핵(hemorrhoids)

    a. 직장 정맥에 생긴 정맥류(rectal vein varicosities)

    b. 원인 : 골반 정맥압(pelvic venous pressures)의 상승

    c. 임신부 40% 정도에서 발생

③ 치료 : 국소마취연고(topical anesthetics), 좌욕, 대변 연화제(stool softening agents)

(9) 백색 질 분비물(Leukorrhea)

① 임신 중 질 분비물은 증가

② 증가된 여성호르몬의 영향으로 자궁경부에서 점액 생산이 증가하기 때문

③ 음문질감염(vulvovaginal infection)으로 인해 질 분비물 증가와 감별해야 함

3) 음식 및 기호 식품

(1) 해산물 섭취(Seafood consumption)

① 물고기는 단백질이 풍부하고 포화지방산 함량이 적으며 오메가-3를 함유

② 대부분의 해산물에는 수은이 포함되어 있고, 상어, 황새치, 고등어, 옥돔과 같이 비교적 많은 양의 수은을 함유한 어류의 섭취를 피해야 함

(2) 카페인(Caffeine)

① 하루 500 mg 이상의 카페인 : 유산(miscarriage)의 위험이 약간 증가

② 하루 200 mg 이하의 카페인 : 특별한 문제 없음

③ 미국영양학회(ADA, 2008)에서는 하루 300 mg 이내로 권고

(3) 흡연(Smoking)

① 임신에 대한 영향

　a. 산모의 체중 증가 억제

　b. 일산화탄소, 니코틴 등의 영향으로 태반 혈류 감소

　c. 식욕 저하로 칼로리 섭취량 감소

　d. 산모의 혈장량 감소

② 흡연으로 증가하는 위험성 : 유산, 자궁외임신, 태아 기형, 태아 사망, 조산, 태아성장제한, 저체중출생아, 전치태반, 태반조기박리, 조기양막파수, 영아돌연사증후군, 태아의 정신운동장애

4) 건강 관리

(1) 치아 관리(Dental care)

① 산전 진찰 시 치아 검진이 포함되어야 함

② 치주 질환 : 조산과 관련이 있으나 치과 치료를 통해 조산을 예방하지는 못함

③ 임신 중 방사선검사를 포함한 치과 치료는 가능하며 제한을 둘 필요는 없음

(2) 예방 접종(Immunization)

① 생백신(live attenuated virus vaccines)

　a. 홍역(measles), 볼거리(mumps), 풍진(rubella), 수두(varicella), 두창(smallpox) : 임신 중 금기(수유 중 금기는 아님)

　b. 장티푸스(typhoid) : 위험 지역으로 여행을 가거나 계속적으로 노출되었을 때에만 접종

　c. 황열병(yellow fever) : 위험 지역에 노출되었을 때만 접종

② 불활성화 바이러스, 박테리아 백신

　a. 인플루엔자(influenza) : 임신 주수에 상관없이 접종 가능(임신 중 권장)

　b. 일본뇌염(Japanese encephalitis), 콜레라(cholera) : 득실을 고려하여 접종

　c. 광견병(rabies), A형 간염, B형 간염, 폐렴, 뇌염, haemophilus : 비임신 시와 동일

　d. 인유두종 바이러스(Human papillomavirus) : 임신 중 권장되지 않음

③ 변성독소(toxoid)

　a. 파상풍(tetanus), 디프테리아(diphtheria)

　　- 비임신 시와 동일

　　- 지난 10년간 추가접종을 하지 않은 경우 접종

　b. 백일해(pertussis)

　　- 최근 유병률이 증가하고, 1세 미만의 영아에서 사망 위험이 높음

　　- 임신 27~36주 사이에 파상풍-디프테리아-백일해 백신(Tdap) 접종을 권고(ACOG,

      2017)

      - 임신 중에 접종하지 못한 경우 분만 후 신속하게 접종할 것을 권장

④ 면역글로불린(immune globulins)

    a. A형 간염, B형 간염, 광견병(rabies), 파상풍(tetanus), 홍역(measles), 수두(varicella)

    b. 임신 중 감염에 노출되면 예방적으로 투여

1 산과 초음파 검사

1) 초음파 검사의 원리와 안전성

(1) 원리

① 초음파(ultrasound)

    a. 가청 음역을 넘는 주파수의 음파

    b. 보통 20,000 hertz (cycle/sec.) 이상의 음파를 지칭

② 음파는 조직의 여러 층을 지나 서로 다른 밀도를 가지는 조직 사이의 경계면에서 반사되어 탐색자로 다시 돌아오게 되고, 이는 다시 전기 에너지로 바뀌어 화면에 영상으로 나타내어 짐

    a. 고주파 탐색자 : 더 선명한 영상을 만들어내지만 조직 투과성이 낮음

    b. 저주파 탐색자 : 영상은 덜 선명하지만 조직 투과성이 좋음

(2) 안전성

① 초음파의 음속 에너지가 조직에 흡수되면 이 에너지는 열로 바뀌게 되지만 진단에 사용되는 저수준 에너지를 흡수해서 생기는 생물학적 효과는 미미한 것으로 알려짐

② 포유류의 조직에 대한 생물학적 피해가 보고된 적은 없음

③ 의학적 적응증이 되는 경우에 한하여 최소한으로 시행

2) 산과 영역에서의 이용

(1) 임신 제1삼분기의 초음파 검사

① 임신 제1삼분기 초음파 검사의 목적

    a. 임신의 진단

      - 정상 자궁내임신(임신낭, 난황낭, 배아, 배아의 수, 태아 크기, 태아 심박동 등)

- 비정상 임신(유산, 자궁외임신, 임신성 융모 질환 등)
  b. 임신 주수의 확인
  c. 자궁 및 부속기 확인
  d. 태아 목덜미 투명대(nuchal translucency) 두께 측정
② 임신 제1삼분기의 초기 초음파 소견

임신낭(gestational sac)이 보이는 시기

질 초음파(TVUS)상 임신 5주
복부 초음파(TAUS)상 임신 6주

배아와 심박동(embryo with cardiac activity)이 보이는 시기

질 초음파(TVUS)상 임신 6주
복부 초음파(TAUS)상 임신 7주

배아(embryo)가 보여야 하는 경우

질 초음파(TVUS)상 평균 임신낭 크기(mean sac diameter)가 25 mm 이상일 때

심박동(cardiac activity)이 보여야 하는 경우

복부 초음파(TAUS)상 배아가 15 mm 이상일 때
질 초음파(TVUS)상 배아가 7 mm 이상일 때
임신낭(gestational sac)은 보이지만 난황낭(yolk sac)이 보이지 않은 날부터 14일 후
임신낭(gestational sac)과 난황낭(yolk sac)이 보인 날부터 11일 후

③ 머리엉덩길이(crown-rump length, CRL)
  a. 임신 제1삼분기에서 임신 주수를 추정하는 가장 정확한 지표
  b. CRL이 약 1.6 mm 정도면 태아 심박동 확인 가능
  c. 임신 6~10주에 CRL은 1 mm/day 증가
  d. 정확한 측정을 위한 조건
    - 태아 전부가 보이는 중앙 시상면(midsagittal plane)에서 측정
    - 수평 방향(horizontally)으로 측정 : ultrasound beam과 90°를 유지
    - 확대 배율이 화면 너비 대부분을 채워야 함
    - 태아(fetus)는 중립 자세(neutral position)를 취해야 함
    - 턱과 가슴 사이에 양수(amniotic fluid)가 있어야 함
    - 머리와 엉덩이의 피부 바깥쪽에 캘리퍼(calipers)가 위치
④ 생리적 중간창자 탈장(physiologic midgut herniation)
  a. 임신 8주경에 탯줄을 따라 장이 나오는 현상
  b. 대개 1 cm 미만이며 임신 11~12주까지 보일 수 있는 정상적인 소견
  c. 복벽 결손(abdominal wall defect) 여부는 임신 12주 이후에 확인

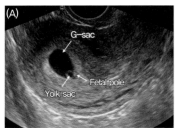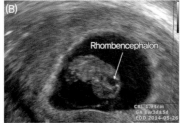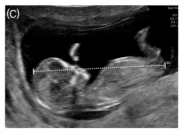

그림 10-1. 임신 제1산분기 초음파. (A) 임신 6주, (B) 임신 8주, (C) 임신 11주 CRL 측정

⑤ 태아 목덜미 투명대(nuchal translucency, NT)

　a. 태아의 목 뒤 연조직의 경계와 표면을 덮는 피부조직 경계 사이에 체액이 차 있는 저음영
　　의 피하 공간

　b. 검사 시기 : 임신 11주 0일에서 13주 6일(CRL이 45~84 mm일 때)

　c. 홀배수체 선별 검사(aneuploidy screening)에 이용

　d. 검사 방법

　　- 태아가 전체 화면의 75% 이상을 차지하도록 확대를 한 상태에서 태아의 중앙 시상면
　　　(midsagittal plane)에서 측정

　　- 태아의 코뼈와 코 피부 음영이 보이고, 구개(palate)가 일직선으로 잘 보여야 함

　　- 태아의 목이 신전(extension) 되어 있으면 목덜미 투명대 두께가 과다 측정되고, 태아의
　　　목이 굴곡(flexion) 되어 있으면 과소 측정될 수 있으므로 꼭 중립 위치(neutral position)
　　　에서 측정

　　- 캘리퍼를 투명대 내측에서 연조직 내측(inner to inner)에 위치하여 최대 두께를 측정

　　- 최소 3회 이상 측정한 후 가장 높은 값을 최종 결과로 기록

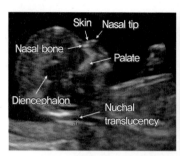
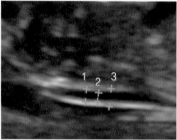
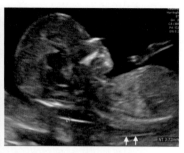

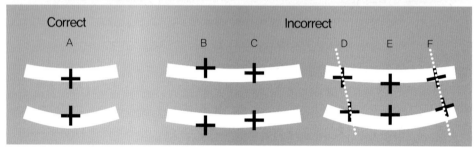

그림 10-2. 태아 목덜미 투명대(fetal nuchal translucency)의 측정

e. 목덜미 투명대의 증가

- 기준값(ACOG, 2016)

  • ≥99 percentile of gestational age (CRL)

  • ≥3 mm

- 목덜미 투명대의 증가 확인되면 염색체 핵형 검사(karyotyping)를 시행

- 목덜미 투명대가 증가했지만 정상 염색체 핵형을 가지는 경우 태아 심초음파(fetal echo-cardiography)와 정밀 초음파(detailed ultrasonography)를 시행

- 목덜미 투명대가 증가하는 질환

  • 염색체 이상 : 13, 18, 21 Trisomy, Turner syndrome (45,X)

  • 선천성 심장 기형

  • 선천성 근골격계 기형

  • 대사이상 질환

  • 유전 증후군

(2) 임신 제2, 3삼분기의 초음파 검사

① 임신 제2, 3삼분기 초음파 검사의 목적

a. 태아의 수 확인(다태아는 chorionicity, amnionicity 평가)

b. 태아의 해부학적 구조, 성장 및 발달, 위치, 건강 상태 등을 확인

    c. 양수량, 태반의 위치, 모양, 자궁경부와의 관계, 탯줄이 연결되는 부위의 확인

    d. 자궁 및 부속기, 자궁경부의 이상 여부 확인

② 기본 초음파 검사(standard ultrasonography)

    a. 태아의 기본 해부학적 구조 확인

    b. 다태 임신 : 양막과 융모막의 수, 각 태아 크기, 각 양막강 내의 양수량 및 성별 확인

③ 특수 초음파 검사(specialized ultrasonography)

    a. 세부적인 해부학적 구조 및 기능을 보다 정밀하고 구체적으로 검사하는 것

    b. 정밀 초음파(detailed ultrasonography) : 임신 20주 전후에 시행하는 자세한 해부학적 기형 이상유무를 관찰하기 위한 초음파 검사

    c. 표적기형 초음파(targeted ultrasonography) : 병력, 모체 혈청 검사, 표준 초음파 결과를 바탕으로 의심되는 기형에 초점을 맞추어 시행하는 초음파 검사

    d. 적응증

       - 태아 기형의 과거력이 있거나, 일반 초음파에서 이상이 발견된 경우

       - 산모의 당뇨 등 태아 기형의 위험이 높은 경우

    e. 정밀 초음파로 태아의 모든 선천성 기형을 발견할 수 없고, 기형의 종류에 따라 발견될 수 있는 시기가 다르다는 것을 반드시 설명해야 함

④ 기본 초음파 검사와 특수 초음파 검사 구성 요소

Standard sonogram	Additional targeted (detailed) sonogram
Head, face, and neck	**Head, face, and neck**
Lateral cerebral ventricles	Integrity and shape of cranium
Choroid plexus	Third ventricle
Midline falx	Fourth ventricle
Cavum septum pellucidum	Corpus callosum
Cerebellum	Cerebellar lobes, vermis
Cisterna magna	Brain parenchyma
Upper lip	Profile
Consideration of nuchal skin fold measurement at 15~20 weeks	Coronal nose, lips, lens
	Palate, maxilla, mandible, and tongue
	Ear position and size
	Orbits
	Neck
Chest	**Chest**
Cardiac activity	Aortic arch
Four chamber view of the heart	Superior/inferior vena cava
Left ventricular outflow tract	3-vessel view
Right ventricular outflow tract	3-vessel and trachea view
	Lungs
	Integrity of diaphragm
	Ribs

Abdomen
Stomach : presence, size, situs
Kidneys
Urinary bladder
Umbilical cord insertion into fetal abdomen
Umbilical cord vessel number

Abdomen
Small and large bowel
Adrenal glands
Gallbladder
Liver
Renal arteries
Spleen
Integrity of abdominal wall

Spine
Cervical, thoracic, lumbar, and sacral spine

Spine
Shape and curvature
Integrity of spine and overlying soft tissue

Extremities
Legs and arms

Extremities
Architecture, position, number
Hands
Feet
Digits : number, position

Fetal sex
In multifetal gestations and when medically
indicated

⑤ 초음파 검사에 영향을 주는 요인들

　　a. 모체의 비만(maternal obesity)

　　b. 태반의 자궁 전면 위치

　　c. 양수과다증(hydramnios), 양수과소증(oligohydramnios)

　　d. 태아의 위치 및 자세

(3) 태아 계측(Fetal measurement)

① 태아의 신체 계측(ISUOG guideline)

　　a. 양쪽마루뼈 지름(biparietal diameter, BPD)

　　　- 양측 시상(thalamus)이 대칭적으로 보이는 단면에서 측정

　　　- 초음파 주사 각도는 중간선(falx)과 직각이 되도록 함

　　　- 양쪽 대뇌반구(hemisphere)가 서로 대칭이 되도록 함

　　　- 대뇌낫(falx cerebri)이 중간선으로 연속적으로 보이다가 투명 사이막 공간(cavum septum pellucidum), 시상(thalamus)에 의해 단절된 모습으로 보임

　　　- 소뇌(cerebellum)는 보이지 않아야 함

　　　- 캘리퍼(caliper) 위치는 머리뼈의 바깥쪽에서 안쪽(outer to inner)까지 중간선(midline falx)에 직각으로 머리뼈가 가장 크게 보이는 단면에서 측정

b. 머리 둘레(head circumference, HC)
- 양쪽마루뼈 지름(BPD)을 측정하는 평면과 같은 평면에서 캘리퍼(caliper)를 머리뼈의 가장 바깥 부위에 위치하고 측정

c. 복부 둘레(abdominal circumference, HC)
- 단면이 태아 대동맥이나 척추와 직각이 되도록 고정하고, 태아 복부의 단면 형태가 최대한 원형이 되도록 함
- 문정맥(portal sinus) 위치에서 탯줄정맥(umbilical vein)이 나타나두록 함
- 위장(stomach) 음영이 보이고, 탯줄정맥의 복부 삽입부나 신장은 보이지 않아야 함
- 캘리퍼(caliper)를 피부 가장자리에 위치하고 측정

d. 대퇴골 길이(femur length, FL)
- 양쪽 말단의 골화된 골간단(ossified metaphysis)이 보이는 것이 이상적인 단면
- 가장 긴 골간(ossified diaphysis) 축의 길이를 측정
- 초음파의 주사 각도는 45~90° 사이를 유지
- 캘리퍼(caliper)는 대퇴골의 근위부와 원위부의 골단(epiphysis)을 제외한 골간(shaft)의 길이만을 측정
- 삼각형 모양으로 끝부분이 돌출된 형태는 골간이 아니므로 측정하지 않음

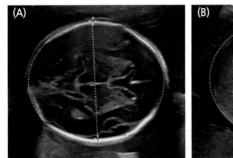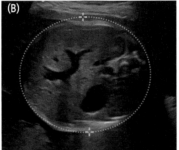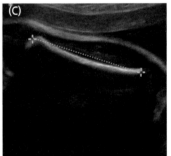

(A) 양쪽 마루뼈 지름(BPD)   (B) 복부 둘레(HC)   (B) 대퇴골 길이(FL)

그림 10-3. 태아 계측(Fetal measurement)

② 임신 주수의 추정
a. 임신 제1삼분기 : CRL이 가장 유용(3~5일 오차)
b. 임신 제2삼분기(임신 14~26주)
- BPD가 가장 유용(7~10일 오차)
- FL도 BPD와 잘 연관됨(7~11일 오차)
c. 임신 26주 이후에는 모두 정확하지 않음

d. 산모가 알고 있는 임신 주수와 초음파 검사에서의 임신 주수가 차이가 날 경우 가장 먼저 월경력에 대한 문진을 시행해야 함

e. 항목을 1개만 가지고 측정하는 것보다 몇 개를 조합하는 것이 더 정확

(4) 양수량의 측정(Amniotic fluid measurement)

① 객관적인 측정 방법

a. 양수지수(amniotic fluid index, AFI)
- 자궁을 네 부분으로 나누고 각각에서 가장 큰 양수 포켓 깊이를 합하는 방법
- 단위 기준 : 센티미터(cm)

b. 가장 큰 포켓의 크기(maximal vertical pocket, MVP)
- 가장 큰 포켓의 크기를 측정하는 방법
- 다태아 임신의 양수량을 측정할 때 유용

② 비정상 양수량

	Amniotic fluid index (AFI)	Maximum vertical pocket
양수과소증(oligohydramnios)	≤5 cm	<2 cm
양수과다증(hydramnios)	≥24 cm	>8 cm

(5) 도플러(Doppler)

① 임신 중 가장 유용한 S/D ratio

a. Maternal uterine artery/fetal umbilical artery

b. Indirect estimate of adequacy of blood flow to fetus

c. 탯줄동맥(umbilical artery)
- 태아절박가사(fetal distress)를 진단할 때 가장 많이 이용되는 혈관
- 영향을 주는 인자
  • 태아의 호흡운동
  • 측정 위치
  • 탯줄의 감김(coiling)
- 탯줄동맥 이완기말혈류역전(umbilical artery reverse end-diastolic flow)
  • 자궁태반관류저하(uteroplacental insufficiency)를 의미
  • 비수축검사(NST)로 태아의 상태를 확인하는 것이 필요
  • Ext. iliac artery의 이완기 혈류가 없거나 역전은 정상 소견

② S/D ratio

a. 임신 20주 : 약 4.0

b. 임신 30주 : 약 3.0 이하

c. 임신 40주 : 2.0

d. S/D ratio가 증가하는 경우

   - 산모의 고혈압

   - 전신홍반루프스(SLE)

   - 잘 조절되지 않은 1형 당뇨(type I DM)

   - 태아성장제한(fetal growth restriction)

③ 탯줄정맥(umbilical vein) 도플러

a. 임신 15주까지는 UV pulsation 보일 수 있음

b. 임신 주수가 증가하면서 빈도 감소

c. 임신 후반기에 나타나는 pulsation

   - 비정상 소견(abnormal finding)

   - uteroplacental insufficiency, fetal congenital heart failure

④ 중대뇌동맥(middle cerebral artery) 도플러

a. 태아 빈혈(fetal anemia) : MCA 최대수축속도(peak systolic velocity)의 증가

b. MCA PI는 임신 주수가 증가하면서 작아짐

⑤ 도플러(doppler) 혈류 파형의 적응증

a. 자궁 내 태아성장제한(intrauterine growth restriction)

b. 태아 저산소증(fetal hypoxia)

c. 태아절박가사(fetal distress)

d. 임신성 고혈압(gestational hypertension)

e. 태아 빈혈(fetal anemia)

f. 전자간증(preeclampsia)

2 정상 및 비정상 태아 해부학(Normal and Abnormal fetal anatomy)

1) 중추신경계(Central nervous system)

(1) 기본 가로면(Routine transverse view)

① 경시상 단면도(transthalamic view) : BPD, HC, thalamus, cavum septum pellucidum, lat. ventricle (ant. horn)

② 경뇌실 단면도(transventricular view) : lat. ventricle, choroid plexus, cranial contour

③ 경소뇌 단면도(transcerebellar view) : cerebellum, cisterna magna

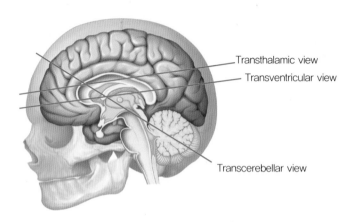

그림 10-4. 기본 가로면(Routine transverse view)

(2) 정상 구조물

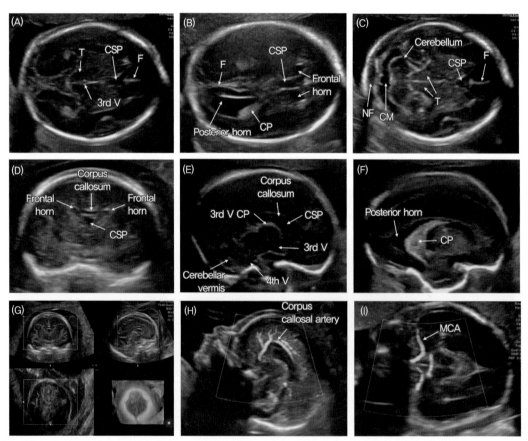

(A) 경시상 단면도, (B) 경뇌실 단면도, (C) 경소뇌 단면도, (D) 관상면, (E) 중앙 시상면, (F) 측방 시상면, (G) 태아 뇌의 3차원 초음파, (H) 뇌량 동맥 확인, (I) 윌리스 고리와 중대뇌동맥 확인

그림 10-5. 정상 태아의 뇌초음파

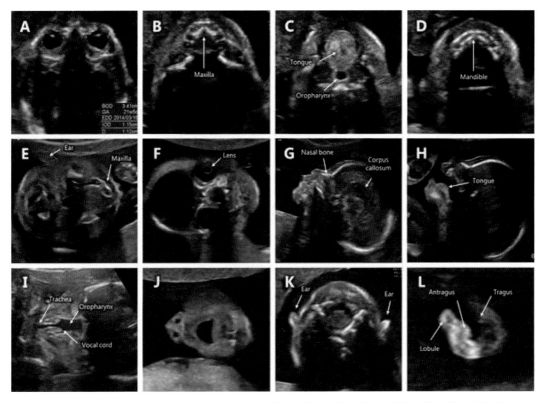

(A) 양측 안구, (B) 상악궁, (C) 혀와 목구멍, (D) 하악궁, (E) 상악궁, (F) 수정체, (G) 얼굴 시상면, (H) 얼굴 시상면, (I) 구강인두와 기도, (J) 코와 입술, (K), (L) 귀 시상면

그림 10-6. 정상 태아의 얼굴과 귀 초음파

(3) 신경관결손(Neural tube defects, NTD)

① 정의 및 특징

  a. 정의 : 뇌에서 척수로 이어지는 신경관의 어느 부위에서든 신경관을 형성하고 있는 막이나 뼈, 피부의 결손으로 발생되는 질환

  b. 원인 : 임신 6주 또는 배아 연령 26~28일 사이에 신경관 폐쇄의 실패

  c. 위험 인자

    - 다인자성으로 발생

    - 엽산 부족, 산모의 당뇨병, 비만, 간질병, 임신 초기의 고온 노출 등

  d. 빈도 : 선천심장기형 다음으로 흔한 기형으로 사산아나 출생아 1,000명당 1~2명

  e. 종류 : 무뇌증(anencephaly), 뇌탈출증(encephalocele), 척추이분증(spina bifida)

② 무뇌증(anencephaly)

   a. 두개골 기저부(skull base)와 안와(orbits) 위쪽으로 머리덮개뼈(cranium)와 뇌가 없는 것

   b. 임신 제1삼분기에서도 진단이 가능하며 제2삼분기에서는 100% 진단 가능

   c. 특징

      - 안구가 돌출되어 보이는 개구리 눈 모양(frog eye appearance)

      - CRL이 임신 주수보다 작음(62%의 무뇌증이 5th percentile 미만)

      - 임신 제2삼분기에 BPD를 잘 측정할 수 없으면 무뇌증을 의심

      - 양수과다증(hydramnios)을 잘 동반

      - 경추 결손(cervical spine defect)이 자주 동반됨

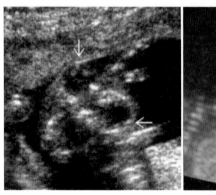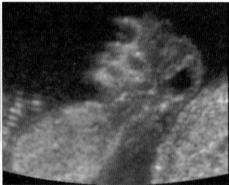

그림 10-7. 무뇌증(Anencephaly)

③ 뇌탈출증(cephalocele)

   a. 정의

      - Cephalocele : 두개골의 결손을 통하여 뇌막(meninges)이 머리뼈 밖으로 탈출된 것

      - Encephalocele : 두개골의 결손을 통하여 뇌막(meninges)과 뇌조직(brain tissue)이 머리뼈 밖으로 탈출된 것

   b. 호발 부위 : 뒤통수(75%), 이마(15%)

   c. 특징

      - 머리뼈 결손을 통하여 머리뼈 바깥쪽으로 탈출된 덩어리가 특징적

      - 수두증과 소두증의 동반이 흔하며 지능저하가 초래

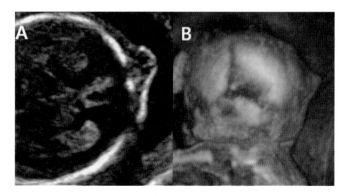

그림 10-8. 뇌탈출증(Cephalocele)

④ 척추이분증(spina bifida)

   a. 척추뼈결손(spinal defect)을 통하여 신경관 안의 척수(spinal cord)가 외부로 노출된 것

   b. 호발 부위 : 척추의 뒤쪽 결손(dorsal defect)

   c. 종류

     - 수막탈출증(meningocele) : 결손을 통하여 뇌막낭(meningeal sac)만 돌출된 것

     - 수막척수탈출증(myelomeningocele) : 결손을 통하여 뇌막낭(meningeal sac) 안에 신경조직(neural elements)을 포함하여 돌출된 것(90%를 차지)

   d. 산전 초음파상 정상적인 다리의 움직임을 보여도 출생 후 정상적인 하지 기능을 예측하기 어려움

   e. Arnold-Chiari II malformation

     - 척추이분증(spina bifida)과 동반되어 발생

     - 큰구멍(foramen magnum)을 통하여 소뇌가 경추 상부 쪽으로 당겨지면서 발생

     - 척추이분증의 99%에서 다음 중 하나 이상의 두개 내 징후(cranial signs)를 동반

     - 두개 내 징후(cranial signs)

       • 양쪽마루뼈지름 감소(small BPD)

       • 뇌실확장증(ventriculomegaly)

       • 레몬 징후(lemon sign) : 이마뼈(frontal bone)가 뾰족 해지는(scalloping) 모양

       • 바나나 징후(banana sign) : 소뇌(cerebellum)가 큰구멍(foramen magnum)쪽으로 빠지면서 정상적인 아령 모양을 잃고 바나나 모양으로 변형

       • 대조(cisterna magna)가 작거나 보이지 않음

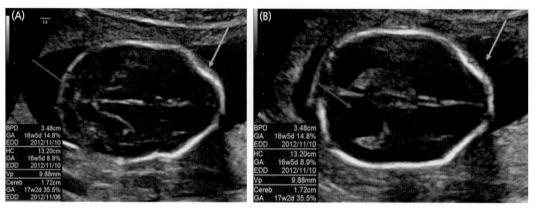

그림 10-9. 두개 내 징후(cranial signs), (A) Lemon sign & Banana sign, (B) Ventriculomegaly

    f. 두개 내 징후(cranial signs)는 있으나 척추 결손이 잘 안보이는 경우

       - 표적기형 초음파(targeted ultrasonography) 시행

       - 양수천자(amniocentesis) : 양수 내 AFP & acetylcholinesterase 측정

    g. 수막척수탈출증(myelomeningocele)의 초음파 소견

       - Protrusion of neural elements & meninges through the dysraphic spinal defect

       - Myelomeningocele sac and/or disruption of the overlying integument

       - Hydrocephalus with the Arnold-Chiari II malformation

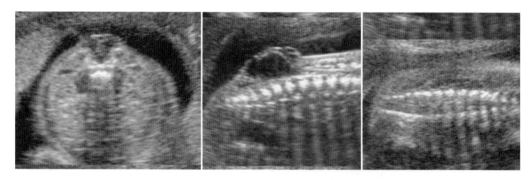

그림 10-10. 수막척수탈출증(myelomeningocele)

(4) 뇌실확장증(Ventriculomegaly)

    ① 측뇌실(lateral ventricle)

       a. 직경은 15주에서 만삭까지 5~10 mm로 비교적 일정

       b. 정상 범위 : 10 mm 이하(평균 7 mm)

       c. 뇌실 넓이의 측정

         - 가측 뇌실(lateral ventricle)이 뒷뿔(posterior horn)과 옆뿔(temporal horn)로 이행되는 부

위 뇌실방(atrium)에서 측정

- 맥락얼기뭉치(glomus of choroid plexus) 바로 옆에서 뇌실의 벽에 수직으로 벽 안쪽부터 반대편 벽 안쪽(inner to inner margin)까지 측정
- 정확한 측정 단면의 기준
  • 뇌의 중앙부를 기준으로 상하 머리뼈까지의 거리가 같을 것
  • V자 형태의 ambient cistern이 관찰될 것
  • 뇌실 내측벽에 수직으로 측정할 것
  • Parieto-occipital sulcus에서 가장 가까운 곳에서 측정할 것

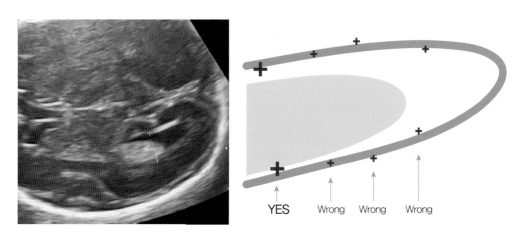

그림 10-11. 측뇌실(Lateral ventricle)의 측정

② 진단 기준

a. Ventricular atrial diameter >10 mm
  - 경계성 뇌실확장증(borderline ventriculomegaly) : 10~12 mm
  - 경증 뇌실확장증(mild ventriculomegaly) : 12~15 mm
  - 중증 뇌실확장증(overt ventriculomegaly) : 15 mm 초과
b. Choroid plexus separation from ventricular wall ≥3~4 mm

c. Dangling choroid plexus (Dangling sign)

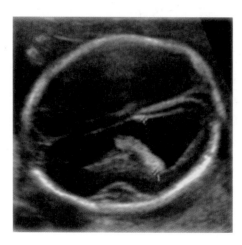

그림 10-12. 뇌실확장증(ventriculomegaly)의 dangling sign

③ 원인

    a. CNS abnormality : Dandy-Walker malformation, holoprosencephaly

    b. Obstructive process : aqueductal stenosis

    c. Destructive process : porencephaly, intracranial teratoma

④ 확인 후 필요한 검사

    a. 염색체 검사(karyotyping)

    b. 감염 확인(infection study)

⑤ 예후

    a. 출생 후 뇌 MRI로 추적 관찰 시 6.4% 정도에서 부가적인 뇌 이상소견이 확인

    b. 뇌실확장이 10~15 mm 사이일 때는 5.9%에서, 뇌실확장이 15 mm 이상일 때는 7%에서 비정상적인 뇌신경계 발달을 보임

(5) 맥락막총 낭종(Choroid plexus cysts, CPC)

  ① 측뇌실 내의 맥락막총(choroid plexus)에 보이는 낭종

  ② 발생 원인

    a. 뇌척수액과 세포 찌꺼기가 신경표면의 주름(neuroepithelial fold)에 갇혀서 발생

    b. 임신 17~18주 이전에는 잘 관찰되지 않음

    c. 임신 24~16주까지 염색체 이상 여부와 관계없이 거의 대부분 소실됨

  ③ 초음파 소견

    a. 측내실 내에서 고음영으로 보이는 맥락얼기로 둘러싸인 낭종 모양

b. 크기 : 2~20 mm (다양함)

c. 일측성(unilateral) or 양측성(bilateral)

d. 한 개(single) or 여러 개(multiple)

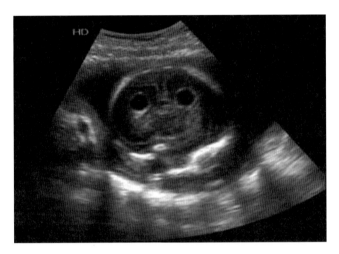

그림 10-13. 맥락막총 낭종(Choroid plexus cysts)

④ 임상적 의의

    a. 염색체 이상의 위험도가 증가

      - 낭종의 개수, 크기, 양측성과는 관련이 없음

      - Trisomy 18의 50% 정도에서 CPC가 관찰됨

    b. 염색체가 정상인 경우에도 약 18%에서 동반 이상이 발생 : IUGR, brachycephaly, micro-cephaly, short femur, pyelectasis, ventriculomegaly

⑤ 처치 및 예후

    a. 정밀 초음파상 다른 이상이 없고, 모체 혈청 선별검사가 정상인 경우 태아 염색체 검사(karyotyping)의 적응증이 아님

    b. 정밀 초음파상 다른 기형이 있거나, 다른 초음파 표지자(sonographic soft marker)가 동반될 때는 태아 염색체 검사(karyotyping)를 시행

    c. 출생 후 동반 기형이 없는 경우 정상 발달을 보임

(6) 뇌량 무발생증(Agenesis of corpus callosum)

  ① 중추신경계 기형의 약 4% 빈도로 발생하는 가장 흔한 중추신경계 기형 중 하나

  ② 투명사이막공간(cavum septi pellucidi)이 보이지 않으면서 전두각(frontal horn)이 외측으로 전위(lateral displacement)되어 보일 때 뇌량 무발생증을 의심할 수 있음

③ 초음파 소견

  a. 간접 징후

    - 눈물방울 징후(Tear drop sign) : occipital horn이 눈물방울 모양으로 확장된 소견

    - 황소뿔 징후(Bull's horn sign) or 바이킹 모자 징후(Viking helmet sign) : Probst bundles에 의해 frontal horn이 외측으로 전위되어 양측 간의 거리가 떨어지고 안쪽 벽이 오목하게 보이는 것

    - 제3뇌실의 위쪽 전위(elevation of 3rd ventricle)

    - 대뇌반구간 낭종(interhemispheric cyst)

  b. 직접 징후

    - 중앙 시상면(midsagittal plane)상 뇌량(corpus callosum)이 보이지 않음

    - 전대뇌동맥(anterior cerebral artery)에서 나오는 뇌량주위 동맥(pericallosal artery)이 보이지 않음

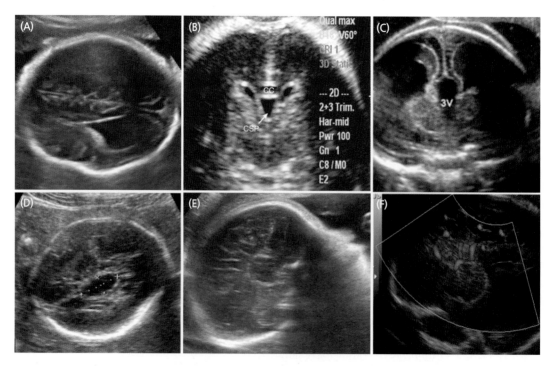

그림 10-14. 뇌량 무발생증(Agenesis of corpus callosum), (A) Tear drop sign, (B) Bull's horn sign, (C) 제3뇌실의 위쪽 전위, (D) Interhemispheric cyst, (E) Midsagittal plane에서 보이지 않는 corpus callosum, (F) 뇌량주위 동맥의 비정상 소견

④ 처치 및 예후

    a. 염색체 검사(karyotyping)와 자기공명영상(MRI)을 시행

    b. 여러 염색체 이상, 유전질환, 선천성 증후군, 두개 내 혹은 두개 외 기형과 관련됨

(7) 완전전뇌증(Holoprosencephaly)

  ① 전뇌의 대뇌 반구로의 분할 이상에 의해 발생한 대뇌 기형

  ② 원인

    a. Heterogeneous cause

    b. Chromosomal abnormalities (trisomy 13, polyploidy)

  ③ 특징

    a. 정중 기형(midline anomaly)과 trisomy 13과 동반이 흔함

    b. 자궁 내 사망률이 높음

  ④ 완전전뇌증(holoprosencephaly)의 종류와 초음파 소견

Alobar holoprosencephaly

− 1st trimester
: Absent butterfly sign
− 2nd, 3rd trimester
: Monoventricle, absent midline structures, fused thalami, facial anomalies

 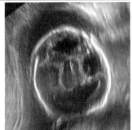

Semilobar holoprosencephaly

− Best diagnostic clue is absent cavum septi pellucidi with incomplete interhemispheric fissure
− Thalami completely/partly fused

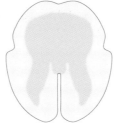 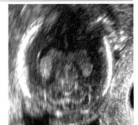

Lobar holoprosencephaly

− Absent CSP may be only finding at 2nd trimester scan
− Small head size may progress to microcephaly
− Fused fornices have been described as specific sign of lobar holoprosencephaly on fetal US

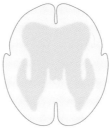 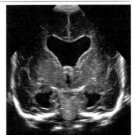

---

  ⑤ 처치 : 태아 염색체 검사(karyotyping), TORCH screening

(8) 댄디-워커 기형(Dandy-Walker malformation) - 소뇌충부 무형성증(Vermian agenesis)

① 발생 원인 : 후뇌(rhombencephalon) 발달 정지로 인해 생기게 되는데, 전막성부(anterior membranous area)가 맥락얼기로 완전히 융합되지 않아서 소뇌충부가 맥락얼기 사이의 전막성부가 잔존하여 발생

② 진단 기준 : 다음 세 가지 조건을 만족할 때 진단

a. 소뇌충부의 완전 혹은 부분적 무형성(complete or partial agenesis of cerebellar vermis)

b. 제4뇌실의 낭성 확장(cystic dilatation of 4th ventricle)

c. 소뇌천막과 정맥동후두골연합의 위쪽 전위가 동반된 큰수조의 확장(enlarged posterior fossa with tentorial elevation)

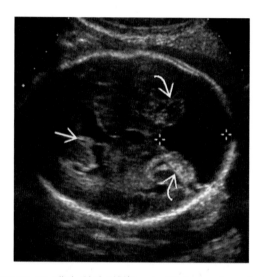

그림 10-15. 댄디-워커 기형(Dandy-Walker malformation)

③ 처치 및 예후

a. 산전에 진단되면 태아 염색체 검사(karyotyping), 정밀 초음파 검사, 자기공명영상검사(MRI)를 시행

b. 대부분은 치료가 예후에 도움이 되지 않지만 수두증이 심하거나 낭성 확장이 심하면 단락술(shunt)을 고려

c. 정상적인 신경발달에서 심한 신경발달장애와 사망까지 예후기 매우 다양

(9) 감염(Infection)

① 거대세포바이러스(cytomegalovirus, CMV)

a. Brain : ventriculomegaly, cerebral calcification, intraparenchymal cysts, intraventricular adhesions, microcephaly, cortical dysplasia, signs of lenticulostriate vasculopathy

b. Others : intrauterine growth restriction (IUGR), oligohydramnios, ventriculomegaly, hydrocephalus, non-immune hydrops fetalis

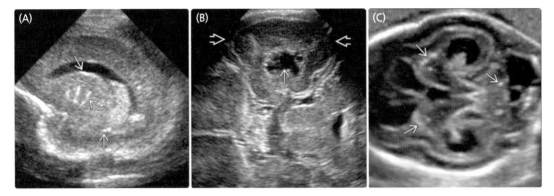

그림 10-16. Cytomegalovirus, (A) Periventricular and basal ganglia calcifications, (B) Intraparenchymal cysts, (C) Ventriculomegaly and multiple periventricular and intraparenchymal calcifications

② 파르보바이러스(parvovirus)

a. Ascites

b. Hydrops in severe cases - Cardiac failure secondary to severe fetal anemia, myocarditis

c. Placentomegaly, polyhydramnios

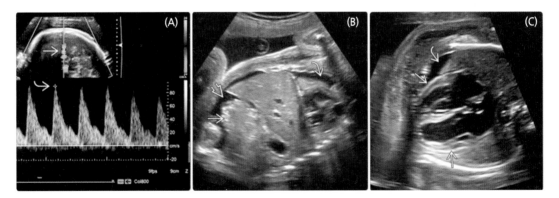

그림 10-17. Parvovirus, (A) Fetus with severe anemia, (B) Pleural effusion, (C) Pleural effusion and cardiomegaly

③ 톡소포자충증(toxoplasmosis)

 a. Nonshadowing intracranial and intrahepatic calcifications

 b. Fetal growth restriction

 c. Ventriculomegaly, echogenic bowel

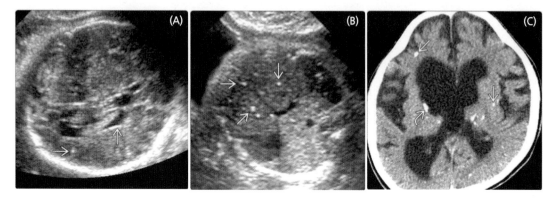

그림 10-18. Toxoplasmosis, (A) Periventricular and intraparenchymal calcifications, (B) Multiple punctate nonshadowing calcifications, (C) Punctate calcifications

④ 수두(varicella)

 a. Intrahepatic and intracranial calcifications

 b. Polyhydramnios due to neurologic impairment of swallowing

 c. Limb hypoplasia, contractures

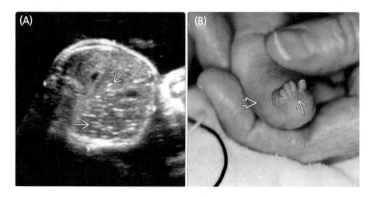

그림 10-19. Varicella, (A) Multiple nonshadowing hepatic calcifications, (B) Limb hypoplasia

2) 얼굴(Face)과 목(Neck)

(1) 입술갈림증(Cleft lip), 입천장갈림증(Cleft palate)

① 입술은 보통 7~8주에 닫히고 입천장은 12주에 닫히는데 이 과정이 정상적으로 이루어지지 않을 때 발생

② 1~2/1,000 in Asia population

③ 초음파 소견

    a. Cleft lip

      - Complete cleft lip : Cleft extends to naris

      - Incomplete cleft lip : Cleft does not extend to naris

      - Cleft palate seen with both complete and incomplete cleft lip : Involves alveolar ridge (primary palate)

      - Isolated cleft palate (only secondary palate involved) : Intact lip and alveolar ridge

    b. Unilateral Cleft lip + Cleft palate : 가장 흔한 형태

      - Cleft lip + alveolar ridge defect

    c. Unilateral Cleft lip without Cleft palate

      - Cleft lip with intact alveolar ridge

    d. Bilateral Cleft lip/Cleft palate

      - Premaxillary protrusion on profile view

    e. Midline Cleft lip/Cleft palate

    f. Isolated Cleft palate (secondary palate)

      - Highly associated with hypognathia

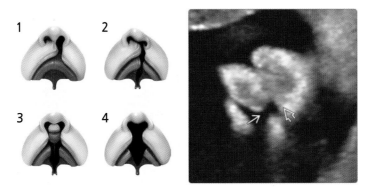

그림 10-20. Cleft lip & Cleft palate (1) CL without CP, (2) Unilateral CL + CP, (3) Bilateral CL + CP, (4) Midline CL/CP

(2) 소하학증(Micrognathia)

   ① Sagittal plane에서 검사

   ② 연하 장애가 있을 수 있으며 polyhydramnios 가능

   ③ 다양한 염색체 이상 및 증후군과 연관

   ④ 타 장기 이상에 대한 평가 및 염색체 검사의 적응증

   ⑤ 초음파 소견

     - Jaw index <21

     - Polyhydramnios

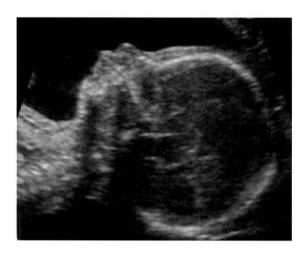

그림 10-21. 소하학증(Micrognathia)

(3) 림프물주머니(Cystic hygroma)

   ① 림프계의 선천성 기형

   ② 목 뒤쪽의 큰 다발성 낭종(multiseptated fluid-filled sac)

   ③ 림프계와 정맥계의 연결이상으로 머리로부터의 림프액이 목정맥(jugular vein)으로 유입되지 못하여 목림프 주머니속으로 고여서 발생

   ④ 초음파 소견

     a. Large nuchal multiseptated fluid-filled mass

     b. Cystic hygroma ± hydrops

     c. Aneuploidy in 2/3 fetuses with 2nd-trimester cystic hygroma

     d. 1st-trimester cystic hygroma : Nuchal translucency↑ + septations

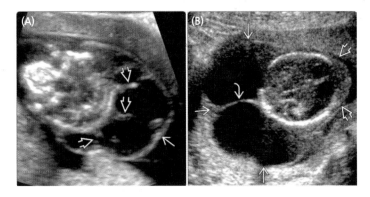

그림 10-22. 림프물주머니(Cystic hygroma)

⑤ 염색체 이상의 빈도

    a. 50% 이하에서 60% 이상까지 다양

    b. 터너증후군(45,X) : 가장 흔함(75%)

    c. 세염색체 증후군(21, 18, 13) 및 모자이크 비배수체(mosaic aneuploidy) 등과 연관

⑥ 검사

    a. 염색체 검사(karyotyping)

    b. 정밀 초음파(detailed ultrasonography)

      - 심초음파 검사 및 동반 기형 유무를 관찰

      - 정기적인 초음파 검사로 종괴의 크기 변화와 태아수종 발생 여부를 평가

⑦ 예후

    a. 좋은 예후를 보이는 경우

      - Normal karyotype & cardiac anatomy

      - Spontaneous resolution

    b. 나쁜 예후를 보이는 경우

      - 다발성 병변

      - Large, multiseptated sac

      - 염색체 이상, 다른 기형이 있는 경우

      - 피부 두께가 두꺼운 경우

      - 전후 흉벽의 hydrops가 있는 경우

3) 염색체 이상

(1) 다운증후군(Down syndrome, trisomy 21)

    ① Nuchal translucency↑ : 가장 초기에 볼 수 있는 소견

② Nasal bone hypoplasia

③ AVSD

④ Duodenal obstruction

⑤ Minor sign : clinodactyly, sandal gap, short long bone, mild renal pelvic dilatation, hyperechoic bowel

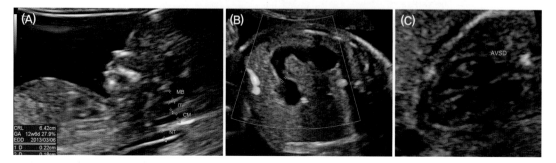

그림 10-23. 다운증후군(Down syndrome), (A) Nuchal translucency ↑, (B) Duodenal obstruction, (C) AVSD

(2) 에드워드증후군(Edwards syndrome, trisomy 18)

① Nuchal translucency↑, absent nasal bone + other anomalies

② Cardiac defects, omphalocele, diaphragmatic hernia, spina bifida, brain anomalies, musculoskel-etal anomalies

③ Clenched hands and overlapping index finger

④ Choroid plexus cysts (CPCs), single umbilical artery (SUA), strawberry-shaped calvarium

⑤ Fetal growth restriction (FGR)

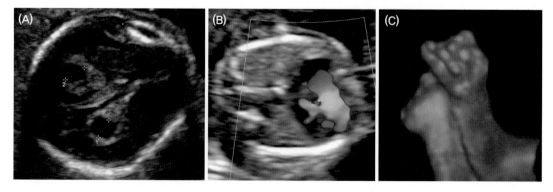

그림 10-24. 에드워드증후군(Edwards syndrome), (A) Choroid plexus cysts, (B) VSD, (C) Clenched hands

(3) 파타우증후군(Patau syndrome, trisomy 13)

  ① Holoprosencephaly

  ② Cardiac defects : Hypoplastic left heart + intracardiac echogenic focus

  ③ Enlarged echogenic kidneys

  ④ Postaxial polydactyly

  ⑤ Fetal growth restriction (FGR)

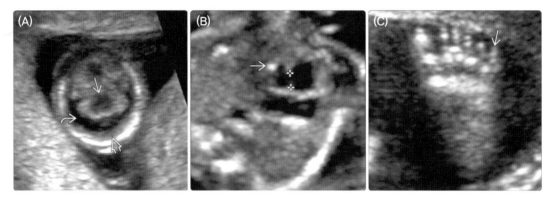

그림 10-25. 파타우증후군(Patau syndrome), (A) Holoprosencephaly, (B) Large VSD, (C) Polydactyly

4) 가슴(Thorax)

  (1) 정상 구조물

    ① 폐(lung)

      a. 대칭적이고 중간 정도의 균일한 음영(homogeneous in echotexture)

      b. 가슴의 사방 단면도(4 chamber view)에서 잘 보임

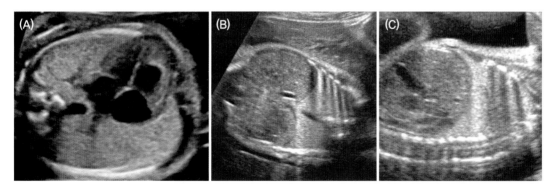

그림 10-26. 폐(Lung), (A) 4 chamber view, (B) Coronal view, (C) Sagittal view

② 가슴샘(thymus)

    a. 종격동이나, 삼혈관 단면도(3 vessel view)에서 이 혈관들과 흉골(sternum) 사이에 관찰

    b. 약간 둥글고 균일하게 보이는, 상대적으로 저음영의 구조물(homogeneous structure)

    c. 임신 주수에 따른 음영의 차이

      - 임신 27주 이전 : 고음영(hyperechoic)

      - 임신 27주 이후 : 저음영(hypoechoic)

    d. 가슴샘이 관찰되지 않거나 작을 때 연관된 질환

      - DiGeorge syndrome (22q11.2 deletion)

      - 연골무형성증(Achondroplasia)

      - 심한 면역 결핍증

      - 급성기 질환(Acute illness)

      - 알코올에 노출된 경우

      - 융모양막염(Chorioamnionitis)-

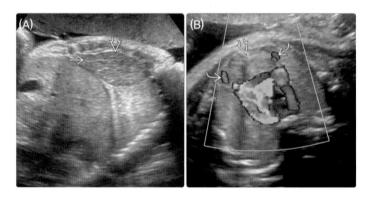

그림 10-27. 가슴샘(Thymus), (A) Hypoechoic solid chest mass, (B) Thymus between internal mammary arteries

③ 횡격막(diaphragm)

    a. 폐와 간, 비장 사이의 매끈한 저음영의 근육층 경계

    b. Thin, arched, hypoechoic band

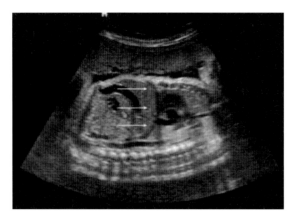

그림 10-28. 횡격막(Diaphragm)

④ 정맥관(ductus venosus)

    a. Trumpet 모양으로 생긴 작은 정맥

    b. 좁은 입구를 통해 umbilical sinus로부터 hepatic vein과 IVC로 연결

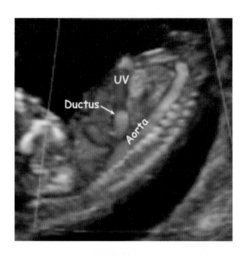

그림 10-29. 정맥관(Ductus venosus)

⑤ 가슴 구조물의 정상 위치

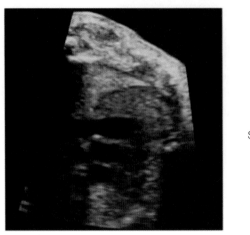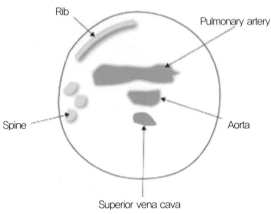

그림 10-30. 가슴 구조물의 정상 위치

(2) 선천성 폐기도기형(Congenital pulmonary airway malformation, CPAM)

 ① 종말 세기관지(terminal bronchiole)의 증식을 특징으로 하는 과오종(hamartoma) 또는 형성이상(dysplasia)성 폐 병변

 ② 선천성 낭성샘모양기형(Congenital cystic adenomatoid malformation, CCAM)의 새로운 용어

 ③ 특징

  a. 일반적으로 편측성이며, 주로 하나의 엽(lobe)이나 절(segment)을 포함

  b. 세기관지(bronchiole)의 과성장

  c. 대부분 정상적인 기관지(trachiobronchial tree)와 연결

  d. 병변이 크면 종격 전위(mediastinal shift)나 흉수, 태아수종(hydrops) 및 폐형성 저하증으로 인한 양수과다증(polyhydramnios) 발생 가능

  e. 추적 관찰 중에 자연적으로 퇴축되어 작아지기도 하나, 태아수종 동반 시 예후가 불량

 ④ 초음파 소견

  a. Microcystic

   - Cysts <5 mm

   - Solid-appearing mass

  b. Macrocystic

   - One or more cysts ≥5 mm

   - Complex cystic mass

  c. 폐 기저부(lung base)에서 흔함

  d. 심장(heart)이 치우쳐져 보임

e. 폐동맥(pulmonary artery)에서 혈류 공급을 받고, 폐정맥(pulmonary vein)으로 배액됨

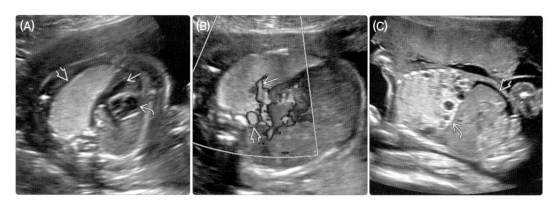

그림 10-31. 선천성 폐기도 기형(CPAM), (A) Large, uniformly echogenic lung mass, (B) Vascular supply from pulmonary artery, (C) Mixed cystic and solid mass, flattened diaphragm, ascites

(3) 폐분리증(Pulmonary sequestration)

① 기관지폐앞창자(bronchopulmonary foregut) 기형으로 정상적인 기관-기관지나무로부터 분리된 기능이 없는 폐 실질

② 흉부 대동맥이나 복부 대동맥과 같은 체순환에 의해 혈액 공급을 받음

③ 병리학적 구분

　　a. 엽내형(intralobar type)

　　　- 빈도 : 75%

　　　- 산전에 진단되지 않으면 출생 후 2세까지 증상이 드물어 다양한 연령에서 발견 가능

　　　- 동반 기형 : 10%

　　　- 정상 허파와 흉막을 공유

　　b. 엽외형(extralobar type)

　　　- 빈도 : 25% (태아에서는 intralobar type 보다 흔함)

　　　- 주로 좌측(90%) 폐의 하부에 발생

　　　- 동반 기형 : 50% (선천성 횡격막 탈출증, 중복식도, 기도-식도 누공, 선천성 심기형 등)

④ 초음파 소견

　　a. 엽 모양이나 삼각형의 경계가 잘 구분되는 균질한 에코의 종괴(Homogeneously echogenic, triangular lesion adjacent to diaphragm)

　　b. 주로 좌측(90%) 폐의 하부와 횡격막 사이(supradiaphragmatic)에서 발생

　　c. 대동맥(aorta)에서 종괴로 유입되는 공급혈관(feeding vessels)이 중요한 소견

　　d. 기타 : 흉막 삼출액(pleural effusion), 종격동의 이동(mediastinal shift), 태아수종(hydrops), 양수과다증(polyhydramnios), 횡격막 탈장(diaphragmatic hernia)

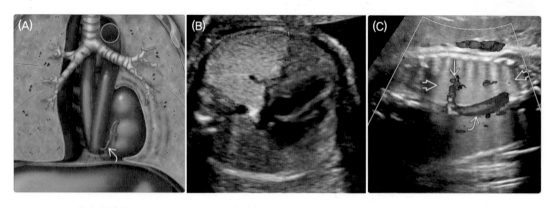

그림 10-32. 폐분리증(Pulmonary sequestration), (A) Extralobar sequestration, (B) Homogeneously echogenic, triangular lesion, (C) Feeding vessel from aorta

⑤ 예후

    a. 산전 진단된 폐분리증의 약 50~75% 정도는 임신 중 자연적으로 크기가 줄어들어 예후는 좋은 편

    b. Tension hydrothorax : 가장 중요한 예후 인자

      - Leakage from ectatic lymphatics

      - Torsion of sequestered segment

      - May progress to generalized hydrops from cardiovascular compression

    c. 태아수종(hydrops)을 동반하는 경우 예후가 나쁨

(4) 선천성 횡격막 탈장(Congenital diaphragmatic hernia)   ,

  ① 횡격막의 구멍을 통하여 복강 내 장기가 가슴 안으로 밀려들어온 것

  ② 원인 : Pleuroperitoneal membrane의 불완전한 융합

  ③ 호발 부위 : 좌측(75%), 우측(10%), 양측(5%)

  ④ 빈도

    a. 1/3,000~5,000 births

    b. 남아와 여아에서 비슷함

    c. 50% 이상에서 구조적 또는 염색체 이상이 동반

  ⑤ 초음파 소견

    a. 심장이 위나 장에 밀려 흉부 중앙이나 우측으로 밀려남

    b. 복강 내에 위 음영(stomach bubble)이 없음

    c. 복부 둘레가 임신 주수에 비해 작음

    d. 태아의 흉부에서 보이는 장의 연동 운동(가장 중요한 소견)

e. 양수과다증이 흔함(75%)

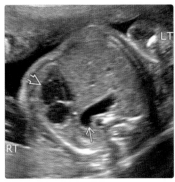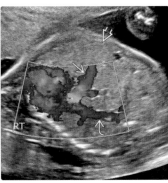

그림 10-33. 선천성 횡격막 탈장(Congenital diaphragmatic hernia)

⑥ 처치 및 예후

　　a. 1/2 정도에서 다른 기형이나 염색체 이상과 동반되므로 정밀 초음파(detailed ultrasonog-
　　　raphy) 및 염색체 검사(karyotyping) 시행

　　b. 폐형성저하증의 정도와 다른 기형의 동반 여부가 중요

　　c. 불량한 예후 인자

　　　- 크기가 큰 경우

　　　- 조기에 진단된 경우(24주 이하)

　　　- 간이 탈장 된 경우

　　　- 반대쪽 폐가 밀려 작은 경우

　　　- 동반 기형이 존재하는 경우

　　　- 양측성인 경우

(5) 갑상샘종(Goiter)

　① 태아의 목 앞쪽에 위치한 균일한 음영의 종괴

　② 원인 : 갑상샘(thyroid)의 발생부전

　　　- 자가면역 항체(autoimmune antibody)

　　　- 갑상샘기능항진증으로 항갑상샘 약을 투여받는 산모

　　　- 갑상샘호르몬 형성부전

　　　- 요오드 결핍

　③ 식도나 기도를 압박하여 양수과다증, 목의 과신장, 난산 등을 초래

　④ 초음파 소견

　　a. 태아의 목 앞쪽에 위치한 균일한 음영(homogeneous echogenicity)의 종괴

b. 갑상샘의 윤곽(contour)과 형태(morphology)

c. Axial view가 관찰에 가장 좋음

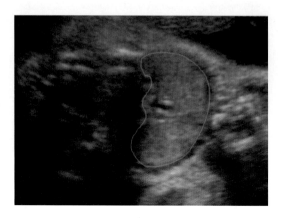

그림 10-34. **태아 갑상샘**(Thyroid)

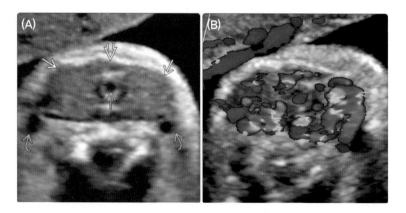

그림 10-35. **갑상샘종**(Goiter), (A) Enlarged right and left thyroid lobes, (B) Hypervascular state

(6) 흉수(Pleural effusion)

① 흉막 공간에 수액이 고이는 것

② 10,000~15,000 임신당 1명에서 발생하는 드문 질환

③ 종류와 원인

    a. 일차성 태아 흉수증(Primary fetal hydrothorax)

      - 유미흉증(chylothorax) : 흉막강 내에 임파액이 고이는 것

      - 흉곽관(thoracic duct)의 폐쇄

    b. 이차성 태아 흉수증(Secondary fetal hydrothorax)

      - 비면역성 태아수종(nonimmune hydrops fetalis)

- 흉부 종괴(lesions compressing lungs) : CPAM, BPS, CDH
- 후부요도판막(posterior urethral valve)
- 자궁내 태아 감염(infections) : Adenovirus
- 염색체 이상 : 다운증후군, 터너증후군, Noonan증후군

④ 초음파 소견

    a. 심장이 아닌 폐 주변의 수액층

    b. 폐가 흉수에 떠있는 양상(wing-like appearance)

    c. Large pleural effusion → circumferential pressure on lungs → lungs collapse centrally → angel wing appearance

⑤ 처치

    a. 정밀 초음파(detailed ultrasonography)

    b. 염색체 검사(karyotyping)

    c. 바이러스 감염 검사(Laboratory tests for viral infections)

    d. Rh typing with Ab screening

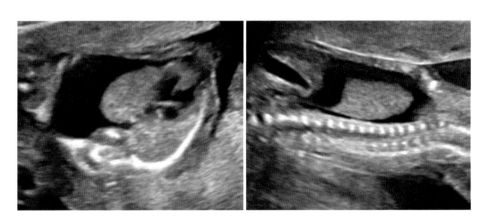

그림 10-36. 흉수(Pleural effusion)

5) 심장(Heart)

(1) 정상 구조물

① 위치 : 전방 좌측 사분면에서 중앙선 바로 왼쪽 옆에 위치

② 가슴의 1/4~1/3 차지

③ 사방 단면도(four chambers view)

    a. 심장의 위치, 축, 크기, 박동수 등을 확인

    b. 늑골하 사방 단면도(subcostal four chambers view) : 심실의 수축, 심방 중격 및 심실 중격을 확인

      c. 심첨 사방 단면도(apical four chambers view) : 심축 및 심장의 크기 측정, 방실 판막의 개폐 등을 확인

      d. 사방 단면도(4 chamber view)에서 진단하기 어려운 질환

         - 완전 대혈관전위(transposition of great arteries, TGA)

         - 팔로4징(tetralogy of Fallot, TOF)

         - 심실중격결손(ventricular septal defect, VSD)

         - 대동맥축착(coarctation of aorta, CoA)

         - 하대정맥단절(interruption of IVC)

         - 대동맥협착(aortic stenosis)

         - 폐동맥판협착(pulmonary stenosis)

④ 삼혈관 단면도(3 vessel view)

      a. 왼쪽 앞에서 오른쪽 뒤 방향으로 폐동맥, 대동맥, 상대정맥의 순서로 보임

      b. 가슴샘(thymus) : 삼혈관 전방에 폐의 음영보다 약간 에코가 적고 균일한 양상

⑤ 좌심실유출로 단면도(left ventricular outflow tract view)

      a. 좌심방, 승모판, 좌심실, 대동맥 판막과 대동맥을 관찰

      b. 심실 중격 결손 유무를 확인

⑥ 우심실유출로 단면도(right ventricular outflow tract view)

      a. 우심실에서 폐동맥판막을 지나 폐동맥을 지나는 혈류를 확인

      b. 좌심실 유출로와 우심실 유출로는 X 모양을 이루어야 정상

⑦ M mode 심초음파(echocardiography)

      a. 태아 부정맥 및 심실벽 기능 평가에 유용

      b. Atrial & ventricular waveform의 구별된 측정을 포함한 arrhythmia의 정확한 특징을 확인할 수 있음

⑧ 정상 심장의 초음파 소견

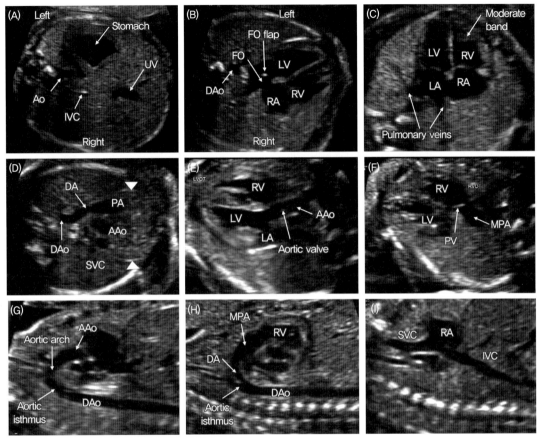

정상 태아의 심장 평가. (A) 상복부, (B) 늑골하 사방단면도, (C) 심첨 사방단면도, (D) 세혈관단면도 및 흉선(화살표머리), (E) 좌심실 유출로단면도, (F) 우심실유출로단면도, (G) 대동맥궁, (H) 동맥관궁, (I) 상대정맥과 하대정맥

그림 10-37. 정상 심장의 구조물

(2) 태아 심초음파(fetal echocardiography)의 적응증

　① 기본 초음파 검사에서 심장 이상이 의심될 경우

　② 기형 유발 인자에 노출된 경우

　③ 부모 또는 형제에서 심장의 이상이 있는 경우

　④ 다른 기형이 있는 경우(extracardiac anomaly)

　⑤ 임신 전 진단된 인슐린 의존형 당뇨병

　⑥ 태아 심장 부정맥

　⑦ 태아 심장 기형을 포함하는 유전증후군이 의심되는 경우

　⑧ 임신 제1삼분기에 증가된 nuchal translucency를 보였지만 정상 핵형인 경우

(3) 방실중격결손(Atrioventricular septal defect, AVSD)

① 심장내막 융기(endocardial cushion)가 적절히 융합되지 못함으로 인해 발생

② 염색체 이상 및 여러 증후군과 연관

    a. 염색체 이상 : 다운증후군(trisomy 21)이 약 60% 차지

    b. 관련 기형 : CoA, TOF, DORV, TGA, PS, asplenia & polysplenia syndromes

③ 종류

완전 방실중격결손(Complete AVSD)	부분 방실중격결손(Incomplete AVSD)
– 삼첨판과 승모판이 분리되어 있지 않고 공통 판막의 형태 – 방실판막륜 : 1개 – VSD (+) – Primum ASD (+)	– 삼첨판과 승모판이 분리되어 있는 형태 – 방실판막륜 : 2개 – VSD (−) – Primum ASD (+)

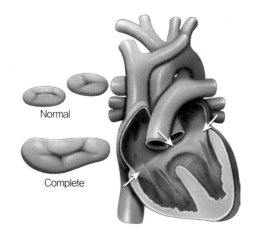

그림 10-38. 방실중격결손(AVSD)

④ 초음파 소견

    a. 4 chamber view에서 보이는 심장 중앙의 빈 공간(missing crux) : 삼첨판과 승모판으로 분리되지 않고 하나로 열리기 때문

    b. 수축기에 단일 AV 판막(single AV valve)이 만드는 심장을 가로지르는 일직선(straight line) : 삼첨판과 승모판의 기시부 위치가 같기 때문, 정상 심장에서는 삼첨판이 승모판보다 심첨부(apex)에 더 가까움

    c. Primum atrial septum과 inlet ventricular septum의 결손

    d. 좌심실유출로(LVOT)의 gooseneck deformity : pseudo-overriding aorta

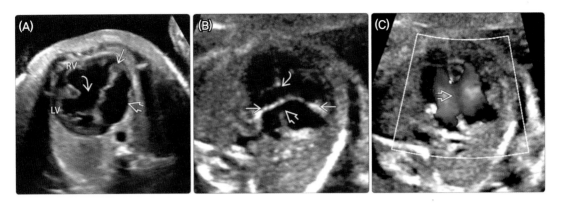

그림 10-39. 방실중격결손(AVSD), (A) Large VSD, No atrial septum, Single valve (B) Balanced AVSD with a single common AV valve, (C) Blood filling the entire AVSD

⑤ 처치

　　a. 정밀 초음파(detailed ultrasonography) 및 염색체 검사(karyotyping) 시행

　　b. 치료 : 모든 AVSD는 수술 시행

　　　- 완전 방실중격결손 : Pulmonary hypertension이 심해 생후 3~6개월 안에 수술

　　　- 부분 방실중격결손 : Large ASD와 비슷함, 1~2세 정도에 수술

(4) 삼첨판폐쇄(Tricuspid atresia)

　① 기능을 하는 삼첨판이 없는 것(absent functional tricuspid valve)

　② 우심방과 우심실의 연결이 안되고, 삼첨판 위치에 두꺼운 섬유성 고음영 띠가 존재

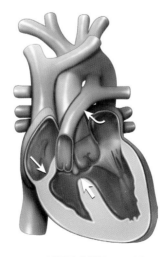

그림 10-40. 삼첨판폐쇄(Tricuspid atresia)

③ 초음파 소견

　a. 4 chamber view에서 보이는 작은 우심실(small right ventricle)과 판 형태의 삼첨판(plate-like tricuspid valve)

　b. 심방(atrium)의 우좌단락(right to left shunt)

　c. 심실중격결손(VSD)이 대개 나타남

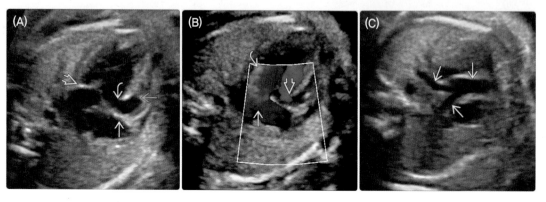

그림 10-41. 삼첨판폐쇄(Tricuspid atresia), (A) Normal mitral valve, VSD & hypoplastic right ventricle, (B) ASD를 지나는 right-to-left 혈류와 VSD 혈류, (C) Main and branch pulmonary arteries arising from the right ventricle

④ 예후

　a. 20%에서 다른 심장 기형이 동반

　b. 치료하지 않으면 1년 이내에 90%가 사망

　c. 불량한 예후 인자

　　- 염색체 이상이 있는 경우

　　- 체외순환을 통한 산소공급(extracorporeal membrane oxygenation)을 받는 경우

(5) 동맥간증(Truncus arteriosus)

① Single vessel (truncus) arises from heart - Gives rise to aorta and pulmonary arteries

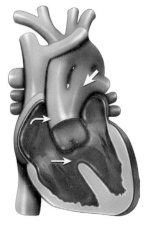

그림 10-42. 동맥간증(Truncus arteriosus)

② 초음파 소견

 a. Single truncal valve with 1~5 cusps : May cause stenosis ± regurgitation

 b. Ventricular septal defect (VSD)

 c. Right-sided aortic arch in 21-36%

 d. Interrupted aortic arch in 10-19%

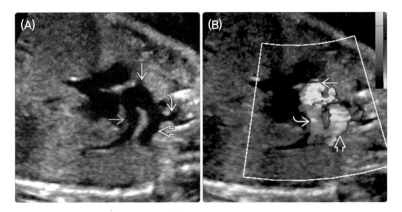

그림 10-43. 동맥간증(Truncus arteriosus), (A) Single great vessel에서 분지하는 pulmonary artery와 aorta, (B) Mild flow turbulence at the truncal valve with laminar flow into the aortic arch and pulmonary artery

③ 처치

 a. 정밀 초음파(detailed ultrasonography)

 b. 염색체 검사(karyotyping) & FISH : 염색체 이상(10%), CATCH22(35%) 양성

(6) Ebstein anomaly

 ① 삼첨판(tricuspid valve) 중 주로 중격엽(septal leaflet)과 후엽(posterior leaflet)이 우심실 첨부 쪽으로 내려가 붙어있는 이상(apical downward displacement into right ventricle)

 ② 전엽(anterior leaflet)은 대부분 정상으로 제자리에 붙어있으나 매우 크고 늘어나 있어 돛모양 (sail-like)으로 관찰됨

 ③ 우심실(right ventricle)의 심방화(atrialization)로 우심실의 기능적 크기 감소

 ④ 대부분 단독으로 발생하지만, 염색체 이상과 연관성이 있고, 임신 초기 리튬(lithium) 복용과 도 관련이 있음

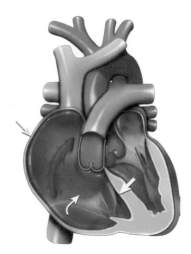

그림 10-44. Ebstein anomaly

⑤ 초음파 소견

 a. 우심방의 확대에 의한 심장비대(cardiomegaly)

 b. 중격엽(septal leaflet)과 후엽(posterior leaflet)이 우심실 첨부 쪽으로 내려가 위치함

 c. 돛모양의 전엽(sail-like anterior leaflet)

 d. 삼첨판 역류(tricuspid regurgitation) : valve dysplasia + leaflet malposition

 e. 우심실의 기능적 크기 감소(small functional RV)

 f. 작은 폐동맥(small pulmonary artery)

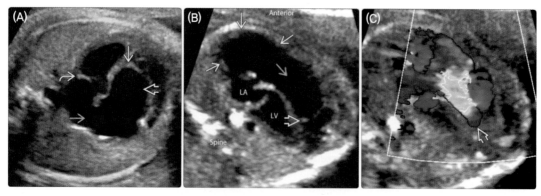

그림 10-45. Ebstein anomaly, (A) Right atrial enlargement, (B) Tricuspid valve dysplasia, leaflet malposition, (C) Tricuspid regurgitation

⑥ 처치
   a. 정밀 초음파(detailed ultrasonography)
   b. 염색체 검사(karyotyping)

(7) 폐동맥협착(Pulmonary stenosis, PS)
   ① 폐동맥 판막(pulmonary valve)에서 우심실 유출로(right ventricular outflow)가 좁아진 것
   ② 좁아진 폐동맥 판막을 통과하는 제트류로 인하여 늘어난 주폐동맥을 관찰 가능
   ③ 종류
      a. 판부협착(valvular stenosis)
         - 가장 흔한 유형
         - 폐동맥 판막의 첨판(pulmonary cusps)이 두꺼워지고 어느 정도 융합되어 발생
         - 단독 혹은 누두부협착(infundibular stenosis)과 동반되어 발생
         - Noonan's syndrome, 선천성 풍진증후군, 팔로4징과 같은 복잡 심기형에서 주로 발견
      b. 판하부협착(subvalvular stenosis, infundibular stenosis)
         - 우심실 근섬유의 비대로 인해 누두부협착(infundibular stenosis)이 발생
         - 팔로4징과 흔히 동반되며 단독 발생은 드묾
      c. 판상부협착(supravalvular stenosis)
         - 공통 폐동맥(common pulmonary trunk)이나 공통 폐동맥보다 원위부에 발생한 협착

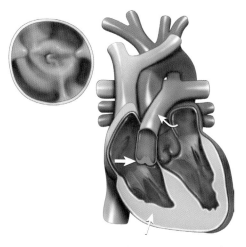

그림 10-46. 폐동맥협착(Pulmonary stenosis)

④ 초음파 소견

    a. 두껍고 변형된 폐동맥 판막의 돔과 같은 움직임(thick and doming pulmonary valve)

    b. 폐동맥의 협착 후 확장(post-stenotic dilatation)

    c. 크기가 작고 두꺼운 벽을 가진 우심실(hypoplastic and hypertrophied right ventricle)

    d. 삼첨판 역류(tricuspid regurgitation)가 동반될 수 있고, 우심방이 커짐

    e. 도플러상 폐동맥의 혈류 속도 증가(turbulent flow at the pulmonary valve)와 동맥관에서의 역류

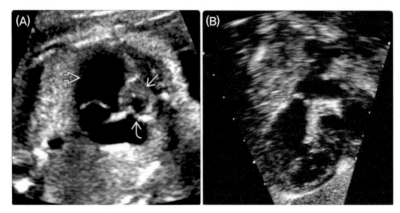

그림 10-47. 폐동맥협착(Pulmonary stenosis), (A) Hypoplastic and hypertrophied right ventricle, (B) Thick and doming pulmonary valve

(8) 폐동맥폐쇄(Pulmonary atresia, PA)

    ① 우심실과 폐 사이에 직접 혈류 연결이 없음(no antegrade flow across pulmonary valve)

    ② 종류

        a. 심실중격결손이 없는 경우(PA with intact ventricular septum subtype)

          - 삼첨판과 우심실이 제대로 발달이 안되고, 폐동맥 혈류 순환은 동맥관을 통해 공급받아서 비교적 잘 발달되어 있는 경우

        b. 심실중격결손이 동반된 경우(PA with ventricular septal defect subtype)

          - 팔로4징형 폐동맥폐쇄

          - 커다란 동맥하부 심실중격결손(subaortic VSD)를 통한 혈류로 우심실이 큰 경우 많음

    ③ 초음파 소견

        a. 심실중격결손이 없는 경우(PA with intact ventricular septum subtype)

          - 4 chamber view에서 작고 발달이 안되어 있는 우심실

          - 벽은 두껍고 수축이 잘 안되는 우심실(hypertrophy of right ventricle)

- 도플러상 삼첨판 역류(tricuspid regurgitation)가 관찰되고, 폐동맥을 지나는 혈류가 없으
며 동맥관에서 역류(reversed flow in the ductus arteriosus)가 관찰됨
- 우심실(right ventricle)에서 관상동맥으로 누루(coronary cameral fistula)가 보임

b. 심실중격결손이 동반된 경우(PA with ventricular septal defect subtype)
- 4 chamber view에서 우심실의 크기는 다양
- 도플러상 삼첨판 역류가 관찰되고, 폐동맥의 크기가 작으며 지나는 혈류가 없음

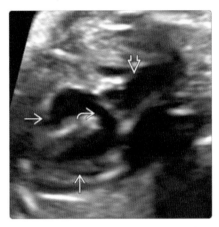

그림 10-48. 심실중격결손이 동반된 폐동맥폐쇄(PA with VSD)

(9) 대동맥협착(Aortic stenosis, AS)
① 선천적으로 좌심실에서 대동맥으로 혈액이 유출되는 통로인 좌심실 유출로(LVOT)가 좁아
진 경우
② 좌심실 비대와 심한 경우 좌심실의 확장 및 심실기능 저하 발생
③ 종류
a. 대동맥 판막 하부협착(subvalvar aortic stenosis)
b. 대동맥 판막 협착(valvar aortic stenosis)
c. 대동맥 판막 상부협착(supravalvar aortic stenosis)

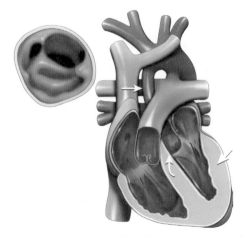

그림 10-49. 대동맥협착(Aortic stenosis)

② 초음파 소견

    a. 좌심실(left ventricle) 또는 대동맥(aorta)의 확장(enlargement)이나 형성부전(hypoplasia)이 있는 경우 의심

    b. 대동맥 판막 하부협착(subvalvar aortic stenosis)

       - Muscular : Asymmetric septal hypertrophy

       - Fibrous : Membrane present from ventricular septum to mitral valve leaflet

    c. 대동맥 판막 협착(valvar aortic stenosis)

       - Thickened aortic valve leaflets

       - Valve often bicuspid (difficult to see in fetus)

    d. 대동맥 판막 상부협착(supravalvar aortic stenosis)

       - Typical ridge at sinotubular junction

       - Hourglass appearance to proximal ascending aorta

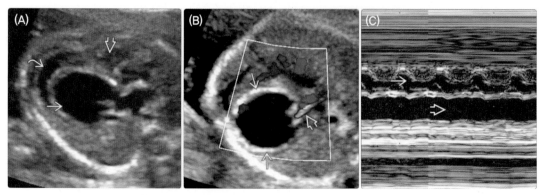

그림 10-50. 대동맥협착(Aortic stenosis), (A) Dilated left ventricle & pericardial effusion, (B) Endocardial fibrosis/fibroelastosis in the septum, (C) Right ventricle with normal function and a left ventricle with minimal contractility

(10) 좌심형성부전증후군(Hypoplastic left heart syndrome, HLHS)

① 승모판, 좌심실, 대동맥판, 상행 대동맥의 다양한 정도의 좌측심장 형성부전과 협착 또는 폐쇄를 가진 모든 선천성 심장기형

　a. 승모판과 대동맥판이 모두 폐쇄되어 좌심방과 좌심실 간의 교통이 없으며, 좌심실이 거의 없는 형태

　b. 승모판 형성이상이 있지만 열리기는 하고, 대동맥관은 폐쇄되어 있으며, 약하게 수축하는 좌심실이 관찰되는 형태

② 좌심실이 정상기능을 하지 못하여 우심실에서 체순환과 폐순환을 모두 담당

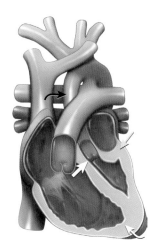

그림 10-51. **좌심형성부전증후군**(Hypoplastic left heart syndrome)

③ 초음파 소견

　a. 4 chamber view에서 아주 작고 수축이 거의 없는 좌심실(small, hypocontractile left ventricle) : 가장 중요한 소견

　b. 심첨부(apex)를 거의 우심실(right ventricle)이 차지

　c. 대동맥 유출로를 관찰하기 어렵고, 상대적으로 확장된 폐동맥

　d. 난원공을 통한 혈류의 흐름이 좌심방에서 우심방으로 역전(left to right shunt across foramen ovale)

　e. 대동맥궁에서의 특징적인 혈류의 역위(retrograde filling of aortic arch)

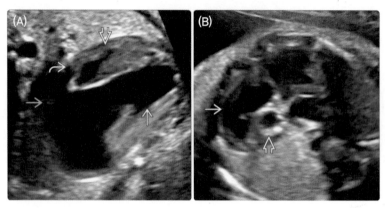

그림 10-52. 좌심형성부전증후군(HLHS), (A) Large right ventricle and hypoplastic left ventricle, (B) Large right ventricle and a very small left ventricle

(11) 팔로4징(Tetralogy of Fallot, TOF)
　① 정의 : 네가지 병변이 동반된 심기형
　　　a. 심실중격결손(ventricular septal defect)
　　　b. 대동맥 기승(overriding aorta) : 대동맥이 좌심실과 우심실에 걸쳐져 있는 것
　　　c. 폐동맥협착(pulmonary stenosis)
　　　d. 우심실 비대(right ventricle hypertrophy)

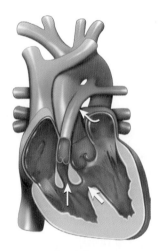

그림 10-53. 팔로4징(Tetralogy of Fallot)

② 초음파 소견

    a. 4 chamber view에서 특징적인 소견이 없어 정상으로 보일 수 있음

    b. 3 vessel view에서 대동맥(aorta)의 크기가 폐동맥(pulmonary artery)보다 크고, 정상보다 앞쪽에 위치

    c. 큰 심실중격결손(large perimembranous VSD)과 대동맥 기승(overriding aorta)

    d. 우심실 유출로 협착(RVOT obstruction) : 임신 후반기로 갈수록 잘 보임

    e. 우심실 비대(right ventricle hypertrophy) : 임신 중 확인할 수 없음

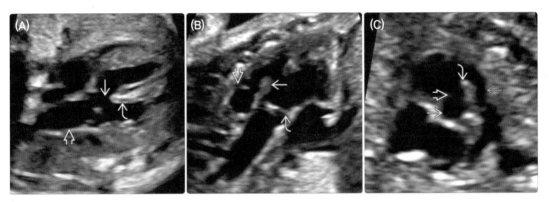

그림 10-54. 팔로4징(Tetralogy of Fallot), (A) Overriding aorta, (B) Anterior deviation of the infundibulum into RVOT, (C) Large VSD and anterior/superior deviation of the infundibulum

③ 처치 및 예후

    a. 가장 흔한 청색증형 선천성 심장병(cyanotic congenital heart disease)

    b. 염색체 이상(chromosomal abnormality)이 흔함

      - Trisomy 21 (TOF with AVSD)

      - Trisomy 18, 13

      - 22q11 deletion syndrome

    c. 진단되면 수술을 고려

      - 증상이 있는 경우 : 연령과 상관 없이 시행

      - 증상이 없는 경우 : 생후 6개월 전에 완전교정술 시행

(12) 대혈관전위(Transposition of the great arteries, TGA)

① 정의

　　a. 완전 대혈관전위(complete TGA)

　　　　- Ventriculoarterial discordance

　　　　- Right atrium → Right ventricle → Aorta

　　　　- Left atrium → Left ventricle → Pulmonary artery

　　　　- 체순환과 폐순환이 따로 형성된 질환으로, 혈역학적으로 완전히 분리되어 있음

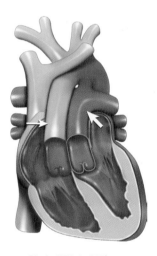

그림 10-55. 완전 대혈관전위(complete TGA)

　　b. 수정 대혈관전위(congenitally corrected TGA)

　　　　- Atrioventricular and Ventriculoarterial discordance

　　　　- Right atrium → Left ventricle → Pulmonary artery

　　　　- Left atrium → Right ventricle → Aorta

② 초음파 소견

　　a. 4 chamber view는 대부분 정상

　　b. 3 vessel view에서 대동맥(aorta)이 폐동맥(pulmonary artery) 앞에 위치

　　c. 심실유출로 단면도(ventricular outflow tract view)에서 양대혈관이 평행(parallel fashion)으로 주행 : 가장 중요한 소견

　　d. 대동맥이 앞쪽의 우심실에서 기시하기 때문에 대동맥궁이 넓어짐(wide sweeping of aortic arch)

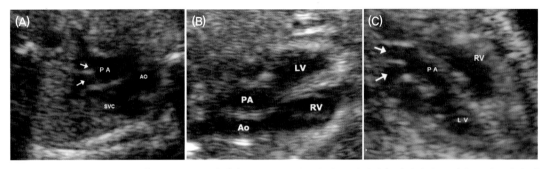

그림 10-56. 완전 대혈관전위(complete TGA), (A) 대동맥이 폐동맥 앞에 위치, (B) 평행하게 주행하는 대동맥과 폐동맥, (C) 좌심실에서 연결된 폐동맥

(13) 심장딴곳증(Ectopia cordis)

   ① 태아 심장이 완전히 또는 부분적으로 흉강(thoracic cavity) 밖에 있는 매우 드문 기형

   ② 초음파 소견

      a. 비정상 위치(abnormal location)에서 보이는 심장 : 가장 중요한 진단 소견

      b. 임신 제1삼분기의 진단 소견

         - 목덜미 투명대(nuchal translucency)의 증가

         - 흉강(thoracic cavity) 바깥쪽에서 관찰되는 심박동 : 도플러가 유용

         - 저형성 폐(hypoplastic lungs)

      c. 주요 기형(major malformations)과 관련

         - 칸트렐씨 증후군(pentalogy of Cantrell)

         - 몸줄기기형(body stalk anomaly)

         - 양막띠증후군(amniotic band syndrome)

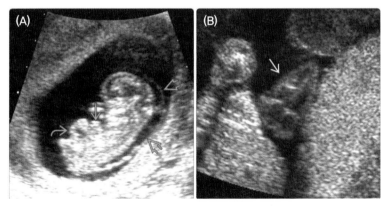

그림 10-57. 심장딴곳증(Ectopia cordis), (A) Cystic hygroma, omphalocele, ectopia cordis, (B) 완전히 흉강 밖에 있는 심장

(14) 심장 횡문근종(Cardiac rhabdomyoma)

① 소아에서 가장 흔한 원발성의 양성 평활근(benign smooth muscle tumor) 심장 종양

② 초음파 소견

    a. 경계가 분명한 고음영의 심장 내 덩어리(well-defined, hyperechoic, intracardiac mass)

    b. 좌심실(left ventricle)에 영향을 미침

    c. 부정맥(arrhythmia) 또는 유출로 폐쇄(outflow tract obstruction)로 인해 수종(hydrops)이 발생할 수 있음

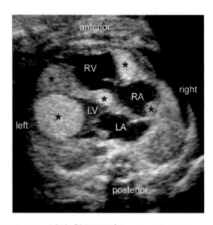

그림 10-58. 심장 횡문근종(Cardiac rhabdomyoma)

(15) 심낭 삼출(Pericardial effusion)

① 정상적으로도 측면 방향의 4 chamber view에서 심낭 삼출이 관찰될 수 있음

② 비정상 소견 : >2 mm

③ 1개의 심실벽(ventricular wall)에만 있는 소량의 물은 정상 소견

④ 심방(atria)과 심실(ventricles)의 주변을 둘러싸고 있는 경우에는 비정상 소견

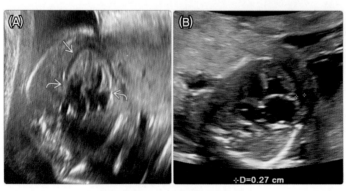

그림 10-59. 심낭 삼출(Pericardial effusion), (A) AV valves를 넘지 않는 fluid level, (B) AV valves를 넘어선 fluid level

6) 복부(Abdomen) 및 비뇨기계(Urinary system)

(1) 정상 구조물

① 식도(esophagus)

　a. 정상적으로 태아 식도는 목, 흉부, 기도 뒤쪽으로 2 또는 4개의 고음영 에코성 라인으로 관찰됨

　b. 양수를 삼킬 때 관 모양(fluid-filled tubular structure)으로 관찰되나, 대부분 허탈 되어 있어 잘 보이지 않음

② 위(stomach)

　a. 좌측 상복부에서 물이 차 있는 낭성 구조물(fluid-filled structure)로 보임

　b. 임신 11주에는 모든 태아에서 관찰되어야 함

　c. 비정상적인 초음파 소견

위가 잘 보이지 않는 경우	위가 비정상적인 위치에 있는 경우
– 기관식도 누공(tracheoesophageal fistula) – 식도 폐쇄(esophageal atresia) – 횡격막 탈장(diaphragmatic hernia) – 복벽 결손(abdominal wall defects) – 삼킴이 어려운 신경학적 이상	– 비정상적인 구조물 때문에 밀려나는 경우 　(횡격막 탈장, 횡격막하 폐분리증, 부신종양) – 좌우바뀜증(situs inversus) – 우위증(dextrogastria) – 폐형성저하증(pulmonary hypoplasia)

③ 십이지장(duodenum)

　a. 두 개의 근접하고 있는 에코성 라인으로 관찰됨

　b. 물이 십이지장으로 들어가는 것이 간헐적으로 나타날 수 있지만 지속적이면 안됨

　c. 십이지장이 확장되어 있는 경우 병적 질환의 가능성이 증가

④ 소장(small bowel)

　a. 복부 중앙 및 하복부에서 덩어리 모양의 증가된 에코성 음영으로 관찰됨

　b. 정상적으로 소장은 초음파상 직경 7 mm를 넘지 않아야 함

⑤ 대장(large bowel, colon)

　a. 복부 주변의 저에코성 음영으로 관찰됨

　b. 직장은 임신 제3삼분기에 중앙 시상면(midsagittal plane)에서 방광 뒤쪽에 저에코성 음영의 낭성 구조로 관찰됨

　c. 정상적으로 초음파상 대장은 23 mm를, 직장은 20 mm를 넘지 않아야 함

⑥ 항문(anus)

　a. 초음파 횡단면에서 가운데 점막의 고음영(hyperechoic mucosa), 항문괄약근의 두꺼운 저음영(thick, hypoechoic sphincter)으로 관찰됨

　b. "fried egg", "doughnut", "target" appearance

⑦ 간(liver)
  a. 태아의 우측에서 횡격막 아래쪽에서 약간의 에코를 나타내는 균질한 패턴(homogeneous pattern)의 전형적인 비대칭 고형 구조물
  b. 탯줄정맥(umbilical vein)은 비스듬히 간으로 들어가서 간 내에서는 좌측 간문맥(left portal vein), 우측 간문맥(right portal vein), 그리고 정맥관(ductus venosus), 이렇게 세 갈래로 나뉘고 정맥관(ductus venosus)은 하대정맥(IVC)으로 이어짐
⑧ 담낭(gallbladder)
  a. 횡단면에서 간의 우엽(right lobe)과 좌엽(left lobe) 사이에 액체가 차있는 타원형 또는 눈물방울 모양
  b. 임신 14주 이전에는 관찰이 안되고, 14주 이후 관찰 가능
  c. 임신 18~20주까지 안보이면 양수검사를 시행
⑨ 비장(spleen)
  a. 임신 20주 이후 위장 뒤쪽에서 균질한 패턴(homogeneous pattern)의 고형 구조물로 관찰 가능
  b. "inverted comma" appearance.
  c. 크기가 증가하면서 둥글게 되고 계란모양처럼 변함
⑩ 췌장(pancreas)
  a. 일반적인 산과 초음파에서 췌장을 확인하기 어려움
  b. 간혹 신장이 보이는 횡단면에서 위, 담낭, 탯줄정맥, 신장 사이에서 관찰 가능
⑪ 신장(kidney)
  a. 빠르면 임신 14주에 관찰 가능하며 18주에는 잘 보임
  b. 임신에 따라 길이는 증가하지만 신장의 둘레는 복부 둘레에 비해 0.28~0.3으로 비교적 일정
⑫ 방광(bladder)
  a. 임신 제2삼분기에는 방광 관찰 가능
  b. 소변의 생산 속도
    - 임신 20주 : 5 mL/hr
    - 임신 40주 : 50 mL/hr
  c. 정상 태아는 20~45분마다 방광을 비움
  d. 태아의 신장 기능을 평가하는 데에 있어 양수의 양은 매우 중요
    - 요로 장애는 양수과소증을 초래
    - 양수의 양이 정상이면 적어도 한쪽 신장의 기능은 정상
  e. 임신 16~20주 이전에는 신장 기능이 없더라도 양수의 양이 정상일 수 있지만 그 이후의 양수량은 소변량에 많이 좌우됨

⑬ 정상 복부와 비뇨기계의 초음파 소견

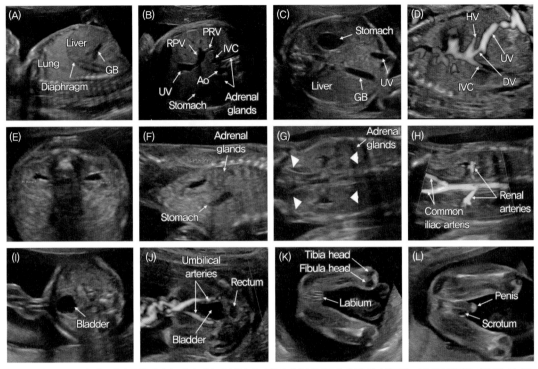

정상 태아의 복부 및 비뇨기계 초음파. (A) 태아 가슴과 복부의 시상면, (B) 복부둘레 측정 시 사용하는 상복부 단면도, (C) 위, 간, 담낭 및 제대정맥, (D) 제대정맥, 간정맥, 정맥관 및 하대정맥 도플러, (E) 정상 콩팥 및 신우, (F) 콩팥 및 부신의 시상면, (G) 콩팥의 관상면, (H) 색 도플러로 양측 콩팥동맥 확인, (I) 탯줄과 방광, (J) 색 도플러로 제대동맥 확인, (K) 여성 생식기, (L) 남성 생식기

그림 10-60. 정상 복부와 비뇨기계의 구조물

(2) 식도폐쇄(Esophageal atresia)

① 빈도 : 1/3,000 live births

② 특징

    a. 산전에 진단이 어려움

    b. 1/2 이상에서 다른 기형을 동반하며 심장 기형이 가장 많음

    c. VACTERL association in 30% : vertebral, anorectal, cardiac, tracheoesophageal, renal, limb

    d. 위험인자 : 산모의 당뇨(maternal diabetes)

③ 유형과 빈도

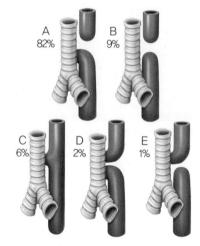

그림 10-61. 식도폐쇄의 5가지 유형과 빈도 구조물

④ 초음파 소견

    a. 위장이 작거나 없음(Small or absent stomach bubble)

    b. 양수과다증(polyhydramnios) : 대개 24주 이후 나타남

    c. Blind-ending pouch : 식도의 끝이 안 보이는 소견

    d. 태아성장제한(fetal growth restriction) : 장에서의 흡수가 감소되어 나타난 결과

    e. 단일탯줄동맥(single umbilical artery) : 식도무형성의 가능성을 보이는 표시

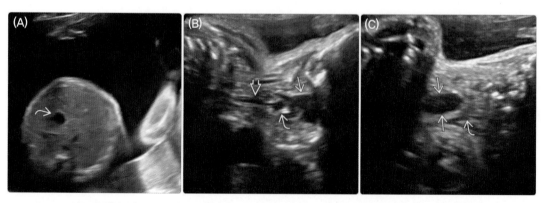

그림 10-62. **식도폐쇄**(Esophageal atresia), (A) Small stomach bubble, (B) Normal fluid filled hypopharynx, epiglottis, proximal trachea, (C) Blind-ending pouch

⑤ 처치 및 예후

　　a. 정밀 초음파(detailed ultrasonography), 염색체 검사(karyotyping)

　　b. 치명적인 선천성 기형의 동반이 없다면 예후는 매우 양호

(3) 샘창자폐쇄(Duodenal atresia)

① 빈도 : 1/10,000 live births

② 부분적 또는 완전한 폐색으로 인한 정상적인 샘창자의 관 형성 부족으로 발생

③ 특징

　　a. 임신 24주 이전에는 진단이 어려움

　　b. 약 40~50%에서 다른 주요 기형을 동반 : 척추, 심장, 위장관기형 등

　　c. 다운증후군이 20~50%에서 동반

④ 초음파 소견

　　a. 쌍기포징후(double-bubble sign) : 확장된 위와 샘창자에 의한 소견

　　b. 양수과다증(polyhydramnios) : 임신 후반기에 약 40%에서 동반

　　c. 위의 연동항진(hyperperistalsis of stomach)을 볼 수 있음

　　d. 샘창자에 차 있는 물은 항상 비정상 소견

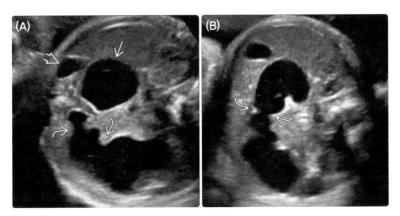

그림 10-63. 샘창자폐쇄(Duodenal atresia), (A) Double-bubble sign, (B) Stomach with the dilated duodenum via an open pylorus

⑤ 처치 및 예후

　　a. 정밀 초음파(detailed ultrasonography), 염색체 검사(karyotyping) 시행

　　b. 동반 기형이 없는 경우 예후가 좋음

　　c. 심한 담관기형을 동반한 경우 높은 신생아 사망률을 보임

(4) 공장 및 회장폐쇄(Jejunal & Ileal atresia)

① 중간창자의 폐쇄 또는 회전 시 공급혈관의 비틀림으로 인한 허혈성 손상이 원인

② 유형

 a. Type I : 내강 속의 격막으로 인한 이차적인 폐쇄

 b. Type II : 섬유끈에 의해 두 개의 막힌 창자가 연결되어 있는 형태

 c. Type IIIa : 장간막의 틈에 의해 창자가 두 부분으로 완전히 분리된 형태

 d. Type IIIb : Apple-peel appearance

 e. Type IV : 다수의 부위에 장폐쇄가 발생한 형태

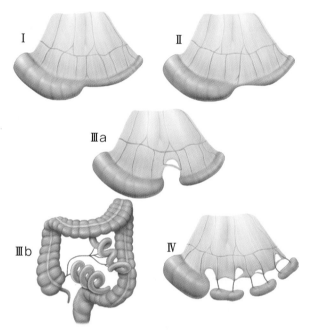

그림 10-64. 공회장패쇄(Jejunoileal atresia)의 유형

③ 초음파 소견

 a. 복부 중간에서 확장된 장(임신 25주 이후 소장 지름 >7 mm)

  - 정상 소장의 지름(normal small bowel diameter) <7 mm

  - Triple bubble for proximal jejunal atresia

  - Sausage-shaped bowel loops

 b. 증가된 연동운동(hyperperistalsis)

 c. 고음영의 장벽(echogenic bowel)

 d. 양수과다증(polyhydramnios)

 e. 장 내 석회화(bowel contents commonly echogenic) : 태변 장폐색

f. 공장폐쇄(jejunal atresia)와 회장폐쇄(ileal atresia)의 초음파 비교

	공장(Jejunum)	회장(Ileum)
위치(site)	다수(frequently multiple)	단독(usually single)
장(bowel)	고리들이 현저하게 확장 (greater bowel dilatation) 대부분 복부 측면에 존재 샘창자 확장이 흔함	일부의 고리들이 조금 확장 (less distensible)
위장(stomach)	확장(enlarged stomach)	정상
천공(perforation)	드묾	흔함
복수(ascites)	매우 드묾	흔함
복부석회화(abd. calcification)	흔함	흔함
연관 이상	양수과다증(polyhydramnios) 태아성장제한(fetal growth restriction)	드묾

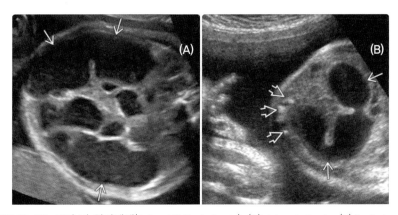

그림 10-65. 공장 및 회장폐쇄(Jejunal & Ileal atresia), (A) Jejunal atresia, (B) Ileal atresia

④ 초음파 검사 시 확인 순서

   a. Fetal growth → Polyhydramnios → Increasing bowel dilatation → Perforation

   b. 항문폐쇄의 확인을 위해 직장과 항문의 초음파 소견을 확인해야 함

   c. 장의 확장이 안 보일 수도 있어 산전 진단이 쉽지 않아 대부분 출생 후에 진단

(5) 장염전(Volvulus)

① 창자간막 동맥(mesenteric artery) 주변으로 장관이 꼬여 장의 내강과 혈관 줄기가 모두 폐쇄되는 것

② 초음파 소견

    a. 장의 확장(dilated bowel) : "whirlpool", "coffee bean" sign

    b. 경색, 괴사, 출혈로 인한 고음영 내벽(echogenic intraluminal contents)

    c. 복수(ascites)

    d. 경색된 장은 연동운동이 없음(loss of peristalsis)

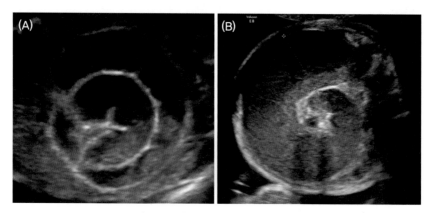

그림 10-66. 장염전(Volvulus), (A) Whirlpool sign, (B) Coffee bean sign

(6) 배벽갈림증(Gastroschisis)

① 복벽의 외측벽이 임신 6주에 닫히지 못하여 결손이 발생하여 장관이 탈장 되는 것

② 특징

    a. 배꼽의 우측에 호발

    b. 낭은 없으며 장관은 두꺼운 염증성 삼출물로 덮여 있음

    c. 염색체 이상과 관련이 적음

    d. 동반 이상 : 장관 이상(jejunal atresia), 발육 부전

    e. 예후는 좋으며 적어도 90%에서 생존

③ 초음파 소견

    a. 복강 밖으로 나온 다수의 장 고리(multiple bowel loops)

    b. 탈장된 장은 막에 싸여 있지 않음(no covering membrane)

    c. 장은 허혈성 손상, 부종, 확장 등에 의해 섬유성 침착(fibrinous deposit), 장막성 침착(serosal deposit)이 덮여 있고, 연동저하(hypoperistalsis), 폐쇄(atresia)를 보임

d. 소장과 대장만이 탯줄 우측으로 탈장되며, 간이 탈출되는 경우는 드묾

e. 양수과다증이 동반될 수 있으나 양수과소증(oligohydramnios)이 더 흔함

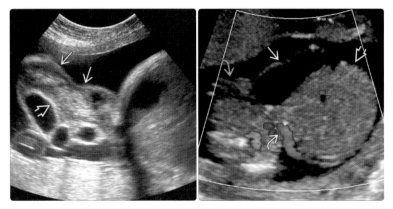

그림 10-67. 배벽갈림증(Gastroschisis)

(7) 배꼽탈출증(Omphalocele)

① 외측주름의 융합장애로 중앙 복벽 결손에 의해 탯줄내로 복부 내용물이 탈장 되는 것

② 특징

    a. Umbilical ring의 결손으로 양막과 복막으로만 이루어진 낭이 튀어나오며 안에 복강 내 장기를 포함

    b. 진단된 경우 염색체 검사를 포함한 자세한 검사가 필요 : 50% 이상에서 홀배수체 및 기타 주기형 동반

    c. 예후 인자

      - 동반된 기형의 정도(가장 중요)

      - 결손의 크기

③ 초음파 소견

    a. 중앙 전복벽에서 돌출된 막(membrane)으로 덮힌 매끄러운 덩어리

      - Omphalocele membrane = Peritoneum + Amnion

      - 내용물 : 간(liver), 소장(small bowel)

    b. 탯줄(umbilical cord)이 막으로 들어감(항상 중앙은 아님)

    c. 복수(ascites)가 흔히 동반됨

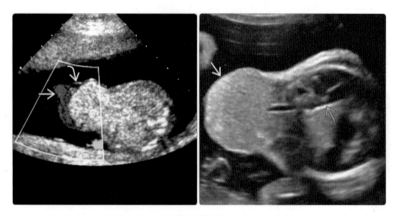

그림 10-68. 배꼽탈출증(Omphalocele)

(8) 몸줄기 기형(Body stalk anomaly)

① 전복벽 결손 중 가장 심한 형태로 심한 복벽 결손이 있으면서 뒤창자(hindgut)의 발달이상이 동반되고 탯줄이 발달되지 못함

② 복벽이 전혀 형성되지 않아 복강 내 구조물이 밖으로 나와 있고, 척추가 휘어지고 꺾임

③ 초음파 소견

    a. 복벽 결손(large thoracoabdominal wall defect)

    b. 척추의 심한 측만곡(scoliosis prominent feature)이 동반

    c. 탯줄이 없거나 매우 짧음(absent or very short umbilical cord)

    d. 하지 기형(limb defects)이 흔함

    e. 임신 제2, 3삼분기의 양수과소증(oligohydramnios)

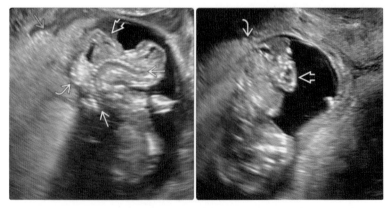

그림 10-69. 몸줄기 기형(Body stalk anomaly)

(9) 신장 무형성증(Renal agenesis)

　① 신장 발생 초기 요관싹(ureteric bud)의 발달 실패로 인해 일측성 또는 양측성으로 발생

　② 빈도 및 예후

　　a. 한쪽 신장만 없는 경우(unilateral renal agenesis) : 1/500～1/1,300의 빈도, 예후는 양호

　　b. 양쪽 신장이 없는 경우(bilateral renal agenesis) : 1/4,000의 빈도, 예후가 치명적

　③ 특징

　　a. 심한 양수과소증(oligohydramnios), 폐형성저하증(pulmonary hypoplasia)

　　b. 좌측 신장이 없는 경우가 더 흔함

　　c. 단일탯줄동맥(single umbilical artery), VACTERL association 확인이 필요

　④ 초음파 소견

　　a. 양수과소증(oligohydramnios)

　　b. 신장과 방광이 보이지 않음

　　　- 신장동맥이 보이지 않음(absent renal artery)

　　　- 남아있는 신장의 보상적 비대(compensatory hypertrophy)

　　c. 장두증(dolichocephaly)

　　d. 작은 흉곽(small thorax)

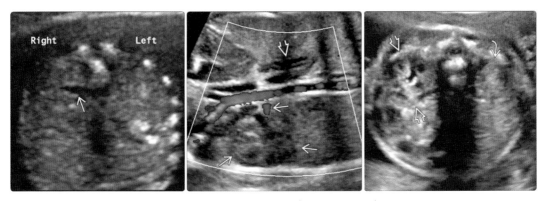

그림 10-70. 신장 무형성증(Renal agenesis)

(10) 포터증후군(Potter sequence)

　① 여러 원인에 의해 심한 양수과소증이 발생하고 이차적으로 태아가 압박을 당하여 여러 기형이 나타나는 것

　② 특징

　　a. 폐형성저하증(pulmonary hypoplasia)

　　b. 안면 이상(납작한 코, 낮게 위치한 귀, 들어간 턱, 두드러진 눈밑 주름, 넓은 눈 간격)

c. 사지 형태의 이상(사지 구축, clubbed hands and feet)

d. VACTERL association 확인이 필요

③ 초음파 소견

a. 양수과소증(oligohydramnios)

b. 신장 무형성(renal agenesis)

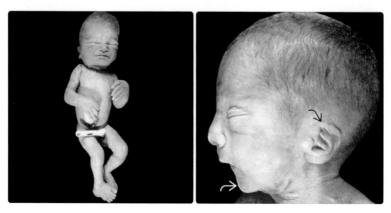

그림 10-71. **포터증후군(Potter sequence)**

(11) 다낭신장질환(Polycystic kidney disease, PCKD)

① 보통염색체 열성(autosomal recessive) 다낭신장질환(ARPKD, Potter type I)

a. 특징

- PKHD1 유전자의 돌연변이에 의한 것으로 생각

- 수질의 집합관이 수많은 작은 낭종으로 변형되는 것으로 피질은 상대적으로 보존됨

- 양측성으로 발생하며 좌우 서로 유사한 형태를 보임

- 간섬유증(hepatic fibrosis)과 동반됨

- 신장의 기능이 거의 없음

b. 초음파 소견

- 양측 모두 크기가 증가된 고음영의 신장(enlarged hyperechoic kidneys)

- 신장의 둘레(피질)는 중심부에 비해 상대적으로 저음영

- 방광이 잘 보이지 않음

- 심한 양수과소증(oligohydramnios)

c. 예후

- 폐형성부전(pulmonary hypoplasia)으로 호흡부전이 발생하여 치명적

- 생존 태아의 대부분에서 고혈압 발생

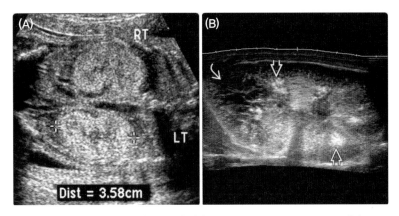

그림 10-72. 보통염색체 열성 다낭신장질환(ARPKD), (A) Large, echogenic kidneys, (B) echogenic pyramids and focal, upper pole tubular ectasia

② 보통염색체 우성(autosomal dominant) 다낭신장질환(ADPKD, Potter type III)

  a. 특징

    - PKD1, PKD2, PKD3 유전자의 변형에 의한 것으로 생각

    - 비교적 흔하게 발견되고, 50%에서는 가족력이 없음

    - 신장의 피질과 수질에 모두 다양한 크기의 낭종이 나타남

    - 신장, 비장, 췌장에서도 낭종이 관찰됨

    - 뇌혈관동맥류(intracranial aneurysm), 심장판막결손, 탈장 등이 동반될 수 있음

  b. 초음파 소견

    - 신장의 음영이 간(liver)의 음영과 비슷하게 증가

    - 신장과 수질의 차이가 뚜렷함

    - 신장의 크기는 약간 증가하지만 ARPKD보다는 작은 정도

    - 양수량은 정상

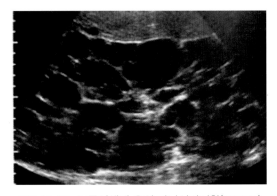

그림 10-73. 보통염색체 우성 다낭신장질환(ADPKD)

c. 예후
- 20~30대까지 무증상인 경우가 많음
- 30~40대에 낭종이 나타나면서 신부전이 발생할 수 있음

(12) 다낭이형성신장(Multicystic dysplastic kidney, MCDK)

① 특징

a. 배아기에 요관막 상피세포의 이상분화(upregulated proliferation) 및 중간엽세포의 과도한 세포자멸사(apoptosis)로 발생

b. Noncommunicating cysts + dysplastic renal tissue

c. 기능이 없는 신장(nonfunctioning kidney)

d. 신생아 복부 종괴의 가장 많은 원인을 차지

② 초음파 소견

a. 연결되지 않은 다양한 크기의 수많은 낭종(multiple noncommunicating cysts)

b. 대개 일측성이고, 신장의 크기가 커지지만 정상적인 수질과 피질이 보이지 않음

c. 도플러상 신동맥은 작거나 관찰되지 않음

d. 정상 양수량

e. 5~40%에서 반대편 신장에 다낭이형성신장이 아닌 기형(non-MCDK anomaly)이 존재

f. Potter type II
- 20%의 양측성 다낭이형성신장(bilateral MCDK)
- 심한 양수과소증(oligohydramnios) 또는 무양수증(anhydramnios)
- 폐형성저하증(pulmonary hypoplasia)

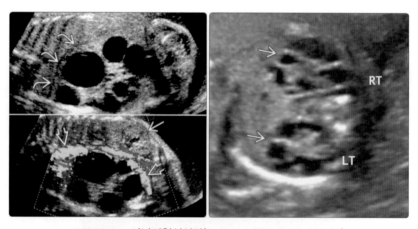

그림 10-74. 다낭이형성신장(Multicystic dysplastic kidney)

③ 예후

    a. 정상 신장으로 회복되지 않음

    b. 동반 기형이 예후에 중요

    c. 일측성은 예후가 양호하지만 양측성은 예후가 나쁨

    d. 양측성의 경우 염색체 검사를 시행

    e. 신절제술(nephrectomy)을 시행하지는 않음

(13) 중복신장(Renal duplication)

① 신장 및 요관이 이중으로 발생하여 생긴 기형

② 특징

    a. 증상 없이 지내는 경우가 많음

    b. 신생아의 신장기능 감소, 반복적인 요로 감염이 나타날 수 있음

    c. 신장 하부에서 기원한 요관은 역류가 흔히 발생하고, 신장 상부에서 기원한 요관은 폐쇄가 흔히 발생

    d. 양측성인 경우는 20% 정도

    e. 요관 낭종은 위쪽 신장과 연결된 요관에서 주로 나타나고 여아에서 흔함

③ 초음파 소견

    a. 비대칭적인 신장 크기(asymmetric renal size)

    b. 신우의 확장 정도가 신장 위쪽과 아래쪽이 서로 다르게 나타남

    c. 요관 확장과 방광 내 이소성 요관낭종(ectopic ureterocele)이 관찰됨

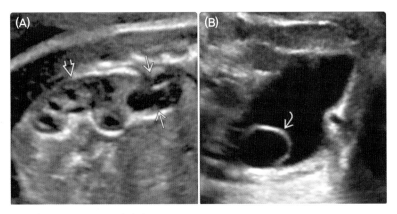

그림 10-75. 중복신장(Renal duplication), (A) Cystic dysplasia from chronic upper pole obstruction, (B) Ectopic ureterocele in bladder

(14) 신우요관이행부폐쇄(Ureteropelvic junction obstruction)

　① 임상적 의의가 있는 신생아 수신증의 가장 흔한 원인

　② 특징

　　a. 좌측 신장에서 더 자주 발생 : 약 2배

　　b. 대부분 일측성 : 약 90%

　③ 초음파 소견

　　a. 신우(pelvis)와 신배(calyceal)의 확장이 신우요관이행부(ureteropelvic junction)에서 갑자기 끝남

　　b. 요관, 방광, 양수량은 정상(normal ureters, bladder, amniotic fluid level)

　　c. 병변이 진행됨에 따라 신장의 피질은 얇아지고 음영이 증가

　　d. 신장의 크기가 커짐(enlarged kidney)

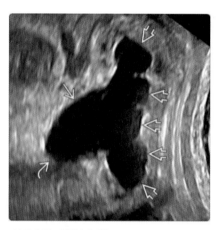

그림 10-76. 신우요관이행부폐쇄(Ureteropelvic junction obstruction)

(15) 후부요도판막(Posterior urethral valve)

　① 후부요도에 얇은 막이 존재하여 방광출구폐쇄(bladder outlet obstruction)를 일으키는 질환

　② 남아에서 호발

　③ 초음파 소견

　　a. 방광이 크고 방광벽은 두꺼워짐(>2 mm)

　　b. 방광과 근위 요도의 확장으로 열쇠구멍모양(keyhole appearance)을 보임

　　c. Hydronephrosis, hydroureter

　　d. 요관이 파열되면 복수, 신주위뇨종(perinephric urinoma)이 보일 수 있음

　　e. 양수과소증(Oligohydramnios)

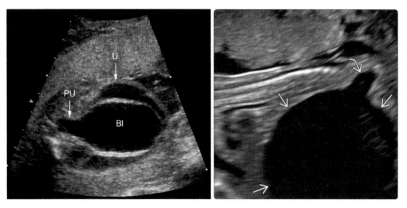

그림 10-77. 후부요도판막(Posterior urethral valve)

④ 예후

    a. 임신 초기에 발생하면 Prune-belly syndrome으로 진행

    b. 자연 소실이 될 수 있으므로 지켜볼 수 있음

    c. 양수가 없거나 신장 이형성(dysplasia)이 있으면 예후가 나쁨

(16) 복수(Ascites)

① 원인

    a. 흔한 원인 : Pseudoascites, hydrops, bowel perforation

    b. 덜 흔한 원인 : Urinary ascites, infection, arrhythmia

② 초음파 소견

    a. Anechoic fluid abdomen

    b. Outlines intraperitoneal structures

    c. Must distinguish from pseudoascites

    d. Discovery of ascites requires work up for etiology

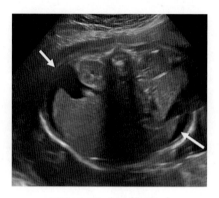

그림 10-78. 복수(Ascites)

(17) 태변복막염(Meconium peritonitis)

① 태아 장의 천공(bowel perforation)으로 sterile chemical peritonitis가 유발된 것

② 초음파 소견

a. 초기에는 약간의 확장된 장(mildly dilated bowel)이 보일 수 있음

- Underlying atresia (s), volvulus, intussusception, meconium ileus

- 임신 중 점차 진행되는 양상

b. 천공 발생 시 복수(ascites)가 유일하게 관찰되는 소견

c. 태변복막염(meconium peritonitis)의 징후

- Intraperitoneal calcifications

- Meconium pseudocyst

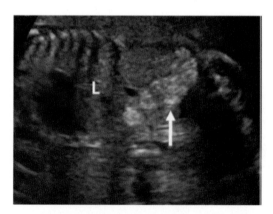

그림 10-79. 태변복막염(Meconium peritonitis)

7) 근골격계(Skeletal system)

(1) 정상 구조물

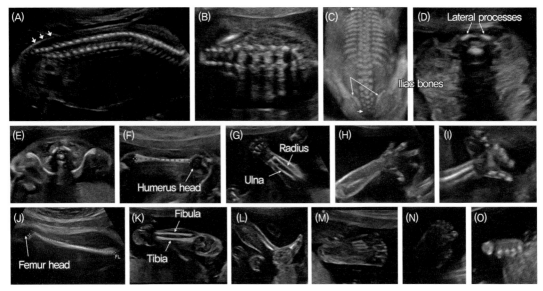

정상 태아의 근골격계 초음파. (A) 척추 시상면, (B) 척추 관상면, (C) 척추 입체 초음파 소견, (D) 척추 횡단면, (E) 쇄골, (F) 상완골, (G) 척골, 요골, 손목과 손등, (H) 손가락, (I) 손가락, (J) 대퇴골, (K) 경골과 비골, (L) 발바닥, (M) 발가락, (N) 발가락, (O) 정강이, 발목 및 발

그림 10-80. 정상 근골격계 구조물

(2) 치사성 이형성증(Thanatophoric dysplasia)

① Chondrocyte가 감소 또는 존재하지 않아서 발생하는 연골 내 골화 장애, 골 형성 장애가 발생하는 치명적인 질환

② 특성

    a. 치명적인 골격계 이상 중 가장 흔함

    b. 아버지의 나이가 많을 때 증가

    c. 보통염색체 우성(autosomal dominant) 유전자형

③ 초음파 소견

    a. Thanatophoric dysplasia type I

      - Long bones severely affected

      - Micromelia

      - Prominent bowing

      - Telephone receiver femur

      - Normal ossification

- No evidence of fractures

- Macrocephalic, relatively normal-shaped skull

b. Thanatophoric dysplasia type II

- Kleeblattschädel (cloverleaf) skull

- Femurs longer, less curved

- Platyspondyly less marked

- Other findings similar to TD type I

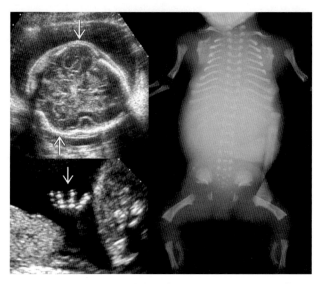

그림 10-81. 치사성 이형성증(Thanatophoric dysplasia)

(3) 불완전 골형성증(Osteogenesis imperfecta)

① 아교질의 결손에 의해 다양한 임상적, 유전학적 장애를 보이는 질환으로 특히 뼈가 매우 잘 부서지는 성향

② 비정상 골화 및 여러 곳에서 골절이 쉽게 발생

③ 초음파 소견

a. Micromelia

b. Generalized decrease in ossification

c. Multiple fractures in utero

d. Ribs with "beaded" appearance due to fractures

e. Bones with irregular angulation due to fractures

f. Visualization of brain by ultrasound due to under occified calvarium

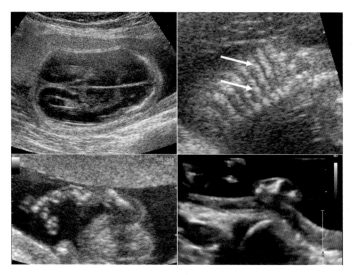

그림 10-82. 불완전 골형성증(Osteogenesis imperfecta)

(4) 곤봉발(Club foot)
　① 선천적인 발목 관절 이상
　② 초음파 소견
　　　a. Long bones of foot lie in same plane as tibia and fibula
　　　b. Foot turned inward
　　　c. Foot plantar flexed and short

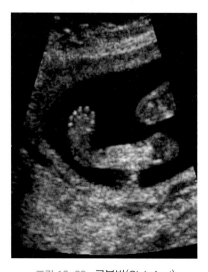

그림 10-83. 곤봉발(Club foot)

8) 태반(Placenta)

(1) 전치태반(Placenta previa)

① 특성

  a. 임신 중기에 내구(internal os)를 덮고 있는 태반 중 약 40%는 분만 시까지 전치태반으로 지속

  b. 임신 제2, 3삼분기 초에 내구(internal os)를 덮지 않고 가까이 위치한 태반은 자궁저부(fundus)로 이동할 가능성이 높음

  c. 임신 30주 이전에 초음파로 확인된 전치태반의 지속 빈도는 5% 미만

② 초음파 소견

  a. 완전 전치태반(total placental previa) : 내구(internal os)를 태반이 완전히 덮는 경우

  b. 부분 전치태반(partial placental previa) : 내구(internal os)를 태반이 부분적으로 덮는 경우

  c. 변연 전치태반(marginal placental previa) : 태반의 끝부분이 내구(internal os) 변연에 위치하는 경우

  d. 하위태반(low lying placenta previa) : 태반이 자궁하부에 붙어있으나 끝부분이 내구(internal os)에 닿지 않은 경우

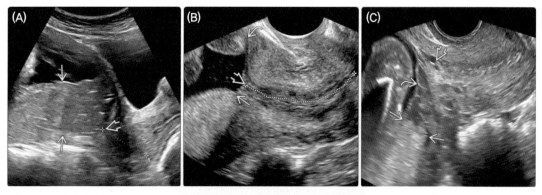

그림 10-84. 전치태반(Placenta previa), (A) Posterior placenta covering the internal os, (B) Low lying placenta, (C) Marginal sinus previa

(2) 태반 융모막혈관종(Placental chorioangioma)

① 융모막판 아래 모세혈관에 기원하는 혈관종

② 초음파 소견

  a. 태아측에 보이는 경계가 명확한 태반 내 종괴(well-defined mass)

  b. 대개 저음영(hypoechoic)이고, 혈류 분포가 증가

  c. Heterogeneous if hemorrhage, infarction or degenerating

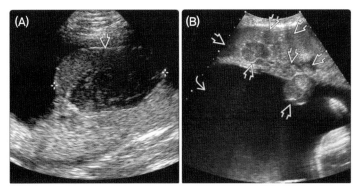

그림 10-85. 태반 융모막혈관종(Placental chorioangioma)

(3) 탯줄 양막부착(Velamentous insertion)

① 탯줄이 태반의 가장자리에 있는 양막 부위에 부착된 경우

② 초음파 소견

    a. Umbilical cord insertion on membranes

    b. Cord vessels are dilated

    c. Vessels separated at cord insertion site

    d. Color Doppler best for diagnosis

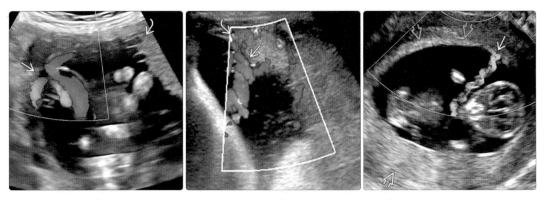

그림 10-86. 탯줄 양막부착(Velamentous insertion)

(4) 목덜미 탯줄(Nuchal cord)

① 탯줄이 태아의 목덜미를 감고있는 것

② 초음파 소견

    a. Persisting structure wrapped around the fetal neck with color flow present on Doppler interrogation

b. Appearance of a small dent or impression due to compression of the fetal neck may also be present

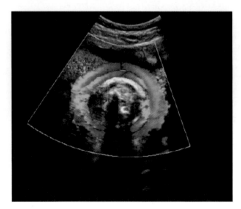

그림 10-87. 목덜미 탯줄(Nuchal cord)

(5) 단일탯줄동맥(Single umbilical artery)
① 탯줄이 동맥 1개, 정맥 1개로 이루어진 경우
② 초음파 소견
    a. Free loop of cord with 2 vessels
    b. Within fetal pelvis
      - SUA travels around bladder
      - Inserts into right or left iliac artery
    c. SUA is larger than normal UA
    d. Seen best on cross section

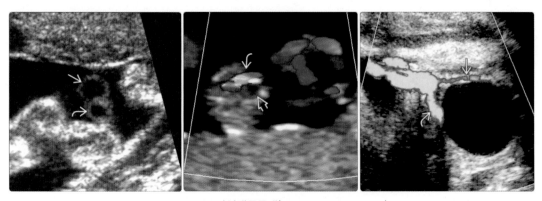

그림 10-88. 단일탯줄동맥(Single umbilical artery)

(6) 탯줄 탈출(Cord prolapse)

① 탯줄이 자궁밖으로 나오는 경우

② 초음파 소견

　a. 탯줄(umbilical cord)이 cervical canal, lower uterine segment에서 관찰

　b. 색 도플러(color doppler)가 확진에 유용

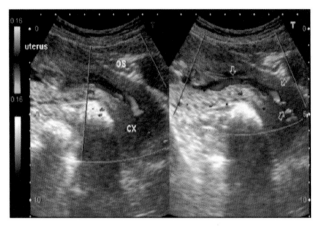

그림 10-89. 탯줄 탈출(Cord prolapse)

1 정상 양수량(Normal amnionic fluid volume)

1) 양수의 생리학(Physiology)

(1) 양수의 생성

① 임신 초기

a. 체강액(coelomic fluid)

- 임신 7주경부터 생성되기 시작하여 10주경 최대

- 임신 12~14주 사이에 양막과 융모막이 합쳐지면서 없어짐

b. 양수(amnionic fluid)

- 태반의 태아측 표면, 양막의 모체측 부분으로부터 이동, 배아의 표피에서 분비되면서 생성

- 임신 8~11주경부터 태아의 소변이 생성되지만 임신 제1삼분기에는 양수량의 일부에 해당

② 임신 중기

a. 태아의 소변량이 증가하여 양수에 들어가게 되고 태아의 폐에서 체액이 분비되어 양수로 포함됨

b. 태아가 양수를 삼킬 수 있게 됨

③ 임신 후기

a. 태아의 소변과 폐에서 체액 분비를 통해서 양수가 생성되고 태아가 삼키거나 막 내 이동을 통해 흡수됨

b. 임신 후반기 태아의 일일 평균 양수 생성량과 흡수량

Pathway	Effect on volume	Daily volume (mL/day)
태아 소변(urination)	생성(production)	800~1,200
태아 삼킴(swallowing)	흡수(resorption)	500~1,000
태아 폐 체액 분비(lung fluid secretion)	생성(production)	170
막 내 통로(intramembranous pathway)	흡수(resorption)	200~400
막 경유 통로(transmembranous pathway)	흡수(resorption)	10

(2) 양수량

① 양수량의 조절 기전

　　a. 임신 초기에는 양막강 내의 수분은 세포외액(extracellular fluid) 성분과 비슷

　　b. 임신 전반기 동안 수분 및 소분자가 양막과 태아 피부를 통해 이동

　　c. 임신 제2삼분기 동안에 태아는 소변을 보고(urinate), 양수를 마시며(swallow), 흡입(inspire)하는데 이에 이상이 있으면 양수량의 이상 발생

② 정상 양수량

　　a. 임신 10주 : 약 30 mL

　　b. 임신 16주 : 약 200 mL

　　c. 임신 제3삼분기 중반 : 약 800 mL

　　d. 임신 36주까지 1 L 정도로 증가하고, 이후 약간 감소함

(3) 양수의 기능

① 모체의 배에 대한 외력으로부터 태아를 보호

② 태아와 자궁 사이의 탯줄이 눌리는 것을 방지

③ 감염에 대한 방어 작용

④ 태아를 위한 체액과 영양분의 저장소 역할

⑤ 태아의 폐와 근골격계 및 위장관계의 정상적인 발달에 필요한 공간, 체액 등을 제공

⑥ 태아의 체온 조절

2) 양수량의 측정(Measurement of amnionic fluid)

(1) 단일 최대 양수 포켓(Single deepest pocket, SDP)

① 탯줄과 태아의 몸을 제외하고 가장 깊은 하나의 양수 포켓을 찾아 깊이를 측정

② 분류

　　a. 정상 범위 : 2~8 cm

b. 양수과소증(oligohydramnios) : 2 cm 미만

c. 양수과다증(hydramnios) : 8 cm 초과

(2) 양수지수(Amnionic fluid index, AFI)

① 자궁을 네 부분으로 나누어 각 부분의 가장 깊은 곳을 측정한 후 값을 더한 것

② 분류

a. 정상 범위 : 5~24 cm

b. 양수과소증(oligohydramnios) : 5 cm 미만

c. 양수과다증(hydramnios) : 24 cm 초과

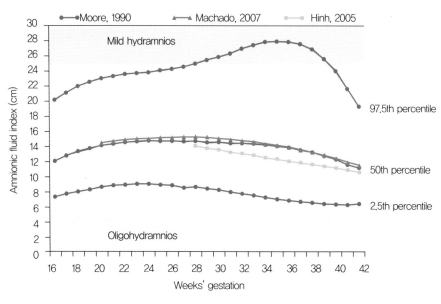

그림 11-1. 임신 주수에 따른 양수지수(AFI)

(3) 쌍둥이 임신에서 양수량 측정

① 단일 최대 양수 포켓 측정이 가장 간단하고 흔하게 사용되는 방법

② 양수지수를 측정할 수도 있음

③ 정상, 양수과다증, 양수과소증의 기준은 단태 임신과 동일

2 양수량의 이상(Abnormalities of amnionic fluid volume)

1) 양수과다증(Hydramnios, Polyhydramnios)

(1) 정의

① 양수의 양 : 2,000 mL 이상

② 양수지수(AFI) : 24 cm 이상

③ 단일 최대 양수 포켓(SDP) : 8 cm 초과

④ 분류

	AFI (cm)	SDP (cm)	빈도 및 특징
경증 양수과다증 (Mild hydramnios)	25~29.9	8~9.9	가장 흔한 형태 전체의 약 65%를 차지 대부분 원인 미상의 특발성(idiopathic)
중등도 양수과다증 (Moderate hydramnios)	30~34.9	10~11.9	전체의 약 20%를 차지
중증 양수과다증 (Severe hydramnios)	≥35	≥12	전체의 약 15%를 차지 중등도 이상의 심한 양수과다의 경우 90%에서 원인이 확인되며 이중 반은 태아 기형에 기인

(2) 원인

① 원인 불명이 50~60%를 차지

② 30~40%는 태아 기형, 모체 당뇨, 다태 임신, 태아 감염, 태아 빈혈과 관계 있음

③ 양수과다증을 잘 동반하는 경우

    a. 태아 기형 : 특히 중추신경계와 위장관의 기형

      - 무뇌증(anencephaly), 척추이분증(spina bifida)

        • 노출된 뇌막(meninges)에서 수분이 이동

        • Arginine, vasopressin 분비 이상

        • 노출된 cerebrospinal center의 자극에 의한 과도한 소변 배출

      - 식도폐쇄(esophageal atresia), 샘창자폐쇄(duodenal atresia) : 양수를 마시지 못함

      - 횡격막 탈장(diaphragmatic hernia)

      - 심장 비대(cardiac hypertrophy)

      - 입술갈림증(cleft lip)과 입천장갈림증(cleft palate)

    b. 산모의 당뇨병(maternal diabetes) : 모체 고혈당으로 인한 태아 고혈당이 osmotic diuresis 를 초래

    c. 면역성 및 비면역성 태아수종(fetal hydrops) : 심장의 고박출량(high cardiac output)

d. 일란성 쌍태아 수혈증후군(TTTS) : 한쪽이 순환의 많은 부분을 차지하게 되면, 그 태아에서 심장 비대와 함께 소변량이 증가

(3) 증상

① 자궁이 과도하게 커지면서 주위 장기를 눌러 증상 발생

    a. 호흡곤란(dyspnea) : 폐의 압박

    b. 부종(edema) : 주요 정맥의 압박, 하지 및 외음부에 발생

    c. 요감소(oliguria) : 요관의 압박

② 만성 양수과다증의 경우 증세가 점차 발생하기 때문에 산모가 잘 견딤

③ 급성 양수과다증의 경우

    a. 통증이 심한 경우가 많음

    b. 만성형보다 발생이 빠름(임신 16~20주경)

    c. 임신 28주 이전에 진통이 오는 경우가 많음

(4) 검사 및 진단

① 진찰 : 자궁이 크고, 태아를 잘 만질 수 없음

② 청진 : 태아 심음을 듣기 어려움

③ 경구당부하 검사법(oral glucose tolerance test, OGTT)

④ 감염 확인 : TORCH

⑤ 초음파

    a. 태아의 기형을 확인하고 동반 기형에 따라 염색체 검사도 시행

    b. 복수, 거대 난소 낭종 등과 감별

    c. 태아와 자궁벽 사이에 커다란 echo-free space 확인

⑥ 태아 빈혈(fetal anemia)이 의심되는 경우

    a. 모체혈액형, Rh type, Ab 유무, Kleihauer-Betke test(fetomaternal hemorrhage) 확인

    b. Middle cerebral artery peak systolic velocity 측정

(5) 예후

① 특발성이며 경증인 양수과다증은 주산기 예후가 양호

② 태아의 합병증

    a. 태아 기형 및 염색체 이상, 주산기 사망

    b. 조산(preterm birth)

    c. 거대아(macrosomia), 자궁 내 태아성장제한(intrauterine growth restriction)

d. 비정상 태위(malpresentation), 탯줄 탈출(cord prolapse)

③ 산모의 합병증

  a. 호흡곤란(dyspnea)

  b. 비정상 태위에 의한 수술적 분만의 위험 증가

  c. 조기양막파수(premature rupture of membranes), 태반조기박리(placental abruption)

  d. 자궁기능장애(uterine dysfunction), 자궁이완증(uterine atony)

  e. 산후 출혈(postpartum hemorrhage)

(6) 치료

① 치료 원칙

  a. 심하지 않으면 치료는 필요 없음

  b. 호흡곤란, 복통이 심하거나 걷기가 어려울 때에는 입원을 시키지만 양수를 약간씩 제거하는 것 이외에는 별다른 치료가 없음

  c. 이뇨제 투여 및 수분, 염분의 제한 : 효과 없음

② 치료 방법

  a. 양수천자(amniocentesis)

    - 산모의 불편을 감소시키기 위해 시행

    - 시간당 500 mL 정도, 한번에 1,500~2,000 mL 제거

     • 한번에 많이 제거하면 진통을 유발할 수도 있음

     • 자궁의 크기가 충분히 감소하는 동시에 산모가 편안함을 느끼고, 태반조기박리의 위험을 줄일 수 있음

  b. 양막파수(rupture of membranes)

    - 자궁경부를 통하여 양막을 파열하는 방법

    - 단점 : 탯줄 탈출, 태반조기박리의 위험성 증가

  c. 인도메타신(indomethacin)

    - Prostaglandin 합성 억제제

    - 작용

     • 폐 체액(fetal lung liquid) 생산의 감소 또는 흡수의 촉진

     • 태아의 소변량 감소

     • 태아막(fetal membrane)을 통한 양수의 이동 증가

    - 용량

     • Indomethacin 25 mg을 6시간마다 경구 투여

     • 2~3일 후에도 양수량이 감소하지 않으면 1.5~3 mg/kg/day까지 천천히 증량

     • 양수량이 감소하거나 증가하지 않으면 천천히 감량

- 동맥관(ductus arteriosus) 조기폐쇄의 위험성
  - 임신 주수가 증가할수록 동맥관 조기폐쇄의 위험성이 증가
  - 가역적이므로 약물 중단 후 24시간 정도면 수축이 없어짐

2) 양수과소증(Oligohydramnios)

(1) 정의

① 양수지수(AFI) : 5 cm 미만

② 단일 최대 양수 포켓(SDP) : 2 cm 미만

③ 대부분의 특발성 양수과다증이 양호한 예후를 보이는 것과 달리 양수과소증은 불량한 예후와 관련이 많음

(2) 원인

태아측 원인	모체측 원인	태반측 원인	약물 원인
양막파수 지연임신 과숙임신 태아성장제한 염색체 이상 태아 기형 태아 사망	자궁태반관류 저하 만성 고혈압 전자간증 신장질환	태반조기박리 쌍태아 수혈증후군 태반경색	ACE inhibitors Angiotensin-receptor blockers NSAIDs

(3) 조기 발생 양수과소증(Early onset oligohydramnios)

① 임신 제2삼분기 초부터 양수가 적은 경우

② 원인

  a. 태아 기형(소변 생성의 장애), 자궁태반관류 저하 : 존재 시 예후가 나쁨

  b. 양막파수(ruptured membranes)가 없는지 확인

(4) 임신 중기 이후 양수과소증(Oligohydramnios after midpregnancy)

① 임신 제2삼분기 후반에서 제3삼분기부터 양수가 적은 경우

② 원인

  a. 자궁태반관류 저하(uteroplacental insufficiency)

    - 태아성장제한, 태반 이상, 전자간증, 혈관질환에서 나타나는 양수과소증의 원인

    - 태반관류 감소 → 태아 신장혈류 감소 → 소변량 감소 → 양수량 감소

  b. 약물(medications)

    - Renin-angiotensin system을 차단하는 약물과 관련됨

- Angiotensin-converting enzyme(ACE) inhibitors, Angiotensin-receptor blockers
  - 태아 저혈압, 신장혈류 감소, 신장 허혈, anuric renal failure 유발
  - 태아 두개골형성저하 및 사지 구축(limb contractures) 발생 가능성
- Nonsteroidal antiinflammatory drugs (NSAIDs)
  - 동맥관(ductus arteriosus) 조기폐쇄, 소변 생산의 감소와 연관
  - 신생아에서 사용 시 급성 및 만성 신부전(acute and chronic renal insufficiency)이 발생할 수 있음

c. 지연임신(Postterm pregnancy)

(5) 양수과소증을 유발하는 선천성 기형(Congenital anomalies)

① 태아가 소변 생성을 못하는 경우(absent fetal urine production)

a. Bilateral renal agenesis

b. Bilateral multicystic dysplastic kidney

c. Unilateral renal agenesis with contralateral multicystic dysplastic kidney

d. Infantile form of autosomal recessive polycystic kidney disease

② 태아의 방광 출구 막힘(fetal bladder outlet obstruction)

a. Posterior urethral valves

b. Urethral atresia or stenosis

c. Megacystis microcolon intestinal hypoperistalsis syndrome

③ 복합적인 비뇨생기기계 이상(complex fetal genitourinary abnormalities)

a. Persistent cloaca

b. Sirenomelia

(6) 예후

① 발생 시기에 따른 예후 : 이른 시기에 발생할수록 예후가 좋지 않음

a. 임신 제1삼분기

- 유산의 위험이 높음

- 초음파 검사로 양수량의 변화, 태아 심박동 등의 추적 관찰 필요

b. 임신 제2삼분기

- 조산, 근골격계 기형, 폐형성저하증 등이 발생

- 초음파 검사로 양수량의 변화, 태아 성장과 안녕상태 등의 확인 필요

c. 임신 제3삼분기

- 정상적으로 임신 36주 이후에는 양수의 양이 감소

- 양수지수가 적을수록 정상인 산모보다 태아 기형의 발생이 흔함

- 태아 기형이 없더라도 증가하는 위험성
  - 태아성장제한
  - 탯줄 압박, 태아절박가사 : Variable or Prolonged deceleration
  - 제왕절개술 : 약 5배 증가
  - 태변 착색, 태변 흡인 : 분만 중 태변 착색이 있더라도 전자태아감시에 이상이 없는 경우에는 특별한 처치가 필요 없음
② 근골격계의 발달 이상 : 기형, 신체 결함
  a. 양막띠증후군(amniotic band syndrome) : 양막과 태아가 유착되어 나타나며, 심한 경우 신체의 절단이 발생할 수 있음
  b. 선천적 자세 기형(congenital postural deformities) : 자궁에 의해 눌려 발생하는 근골격계 이상
③ 폐형성저하증(pulmonary hypoplasia)
  a. 발생 기전
    - 태아의 호흡운동이 없고, 흉부 압박으로 인한 폐 확장(expansion)의 장애
    - 폐 조직을 채우고 있어야할 체액(fluid)이 유지되지 못하여 폐형성저하증 발생
  b. 임신 주수에 따른 예후
    - 임신 23주 이전에 발생한 양수과소증 : 심한 폐형성저하증 발생
    - 임신 24주 이후에 양막파수로 발생한 양수과소증 : 폐형성저하증이 발생하지 않음

(7) 치료
  ① 양수과소증과 태아성장제한을 보이는 임신에서 유병률 및 사망률이 증가하므로 철저한 태아 감시가 필수
  ② 수액 공급(maternal hydration)
    a. 산모와 태아에 이상이나 기형이 없는 양수과소증(isolated oligohydramnios)에 효과적
    b. 구강 또는 정맥 내 수액 공급은 양수량의 증가와 연관
    c. 저장성의 수액(hypotonic fluid)을 공급하였을 때 양수량의 증가에 효과적
      - 혈관 내 공간(intravascular space)과 세포 내 공간(intracellular space) 간에 오스몰 농도(osmolarity)의 차이가 발생
      - 혈관 내 공간에서 세포 내 및 간질성 공간(interstitial space)으로 체액이 이동하면서 양수량을 교정
      - 산모와 태아 간에 생리적인 항상성(physiologic homeostasis)을 유지
    d. 양수량의 증가가 임신의 예후를 향상시킬 수 있는지는 아직 명확하지 않음

③ 양수주입술(amnioinfusion)

    a. Intrauterine pressure catheter를 통해 생리식염수를 주입

    b. 목적

      - 진통 중 탯줄 압박에 의한 변이성 태아심박동감소(variable or prolonged deceleration)를 완화

      - 진한 태변을 희석하거나 씻어냄

    c. 양수과소증의 표준치료가 아님

    d. 태변흡인증후군, 제왕절개술, 낮은 Apgar 점수를 감소시키는지는 못함

(8) 경계성 양수과소증(Borderline oligohydramnios)

① 양수지수(AFI) : 5~8 cm (<5 percentile)

② 임신 24~34주 사이의 경계성 양수과소증 산모

    a. 조산, 제왕절개술, 태아성장제한 등의 빈도 증가

    b. 고혈압, 사산, 신생아 사망 등은 차이가 없음

③ 적절한 검사나 분만 등에 대한 연구가 아직 부족

1 기형학(Teratology)

1) 잠재적 기형유발물질의 평가

(1) 기형유발물질(Teratogens)

① 태아에게 노출되어 형태적, 기능적으로 영구적인 변형을 유발시키는 물질 또는 인자

② 기형유발물질(teratogens)에 의한 기형은 출생 시 기형의 10% 차지

③ 약물에 의한 기형은 1% 미만

④ 선천적 결함의 원인을 알 수 없는 경우가 가장 많음

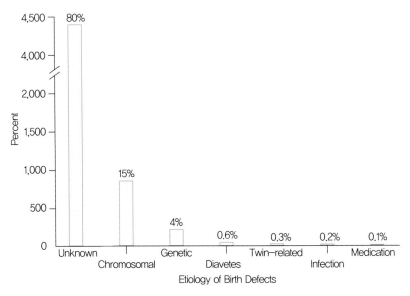

그림 12-1. 선천적 결함의 원인

(2) 기형학의 기본원리(Basic principles of Teratology)

① 기형발생의 감수성(susceptibility)은 태아의 유전형에 의존함

② 기형발생의 감수성은 노출시기가 태아의 발달단계 중 어느 시기인지에 따라 달라짐

    a. 착상 전기(preimplantation period)

      - 임신 4주 이전 : 정상 월경 시작부터 수정 후 착상까지의 기간

      - "All or None" 시기 : 환경적 인자에 의해서 세포손상이 크면 세포의 사멸(cell death)이 일어나지만 세포손상이 작다면 보상이 가능하여 정상적인 발달이 가능한 시기

    b. 배아기(embryonic period)

      - 임신 4~10주

      - 장기가 형성(organogenesis)되는 시기로서 가장 중요한 시기

      - 특정 시기에 특정 약물에 노출된 경우 특정 기형이 발생하는 시기

    c. 태아기(fetal period)

      - 임신 10주부터 출생까지

      - 기능적 성장을 하는 시기

      - 기형유발물질에 의해서 기형이 유발되지는 않지만 알코올 같은 신경기형물질에 의해서 지능저하나 행동장애를 유발할 수 있음

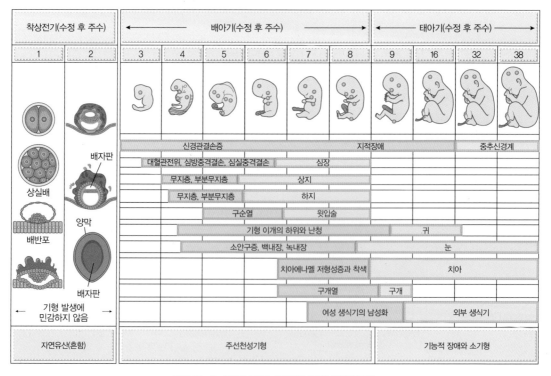

그림 12-2. 배아 기간 동안의 조직 발생시기

③ 기형유발물질이 발달 세포와 조직에 비정상적 발달을 일으키는 것은 특정한 기전(specific mechanism)에 따름

④ 기형유발물질이 발달 세포에 영향을 미치는 것은 물질의 특성에 의존함

    a. 화학적 기형유발물질(chemical teratogens)

      - 발생하고 있는 배아나 태아의 조직에 영향을 미치기 위해서는 태반을 통과해야 함

      - 태반의 통과에 영향을 미치는 요인

        • 물질의 분자량의 크기(molecular size)

        • 지질용해도(lipid solubility)

        • 분자의 이온화(electrical charge)

        • 단백질 결합 및 다른 분자와의 결합(protein binding & storage)

    b. 물리적 기형유발물질(physical teratogens) : 태반 통과와 상관없음

⑤ 비정상 발달의 4가지 표현형 : 사망(death), 기형(malformation), 성장지연(growth retardation), 기능적 손상(functional deficit)

⑥ 이상 발달의 표현형들은 무영향(no-effect)부터 완전 치사까지 노출 용량에 따라 빈도와 정도가 다름

    a. 형유발물질이 기형을 유발하기 위해서는 용량(dose)이 역치(threshold) 수준에 도달해야 함

    b. 역치 수준 보다 낮은 용량에 노출 시에는 손상을 입지 않지만 역치수준 보다 높은 용량에 노출 시에는 손상이 발생

(3) 인간의 기형유발물질(Human teratogen)

  ① 특징적 기형이나 증후군이 파악되고, 결정적 시기(critical time)에 노출이 있어야 하며, 적어도 2개 이상의 역학 연구에서 노출과 기형발생의 연관성이 일관성 있게 나타나야 함

  ② 동물실험에서 기형유발성이 나타나는 것이 중요

(4) 기형유발물질과 태아독성물질의 종류

Selected Teratogens and Fetotoxic agents		
Acitretin	Efavirenz	Phenobarbital
Alcohol	Fluconazole	Phenytoin
Ambrisentan	Isotretinoin	Radioactive iodine
ACE inhibitors	Lamotrigine	Ribavirin
Angiotensin–receptor blockers	Lead	Tamoxifen
Androgens	Leflunomide	Tetracycline
Bexarotene	Lenalidomide	Thalidomide
Bosentan	Lithium	Tobacco
Carbamazepine	Macitentan	Toluene
Chloramphenicol	Methimazole	Topiramate
Cocaine	Mercury	Trastuzumab
Corticosteroids	Methotrexate	Tretinoin
Cyclophosphamide	Misoprostol	Valproic acid
Danazol	Mycophenolate	Warfarin
Diethylstilbestrol (DES)	Paroxetine	

2) 약물에 대한 FDA의 분류

(1) FDA의 분류

Category	특징
Category A	사람을 대상으로 한 연구에서 태아에 위험이 없다고 입증된 약물
Category B	동물 시험 결과 동물의 태아에 대한 독성은 없었으나, 사람을 대상으로 한 연구는 없는 약물, 또는 동물 시험 결과 태아에 대한 위험성이 나타났지만 임부를 대상으로 한 조절된 임상 시험에서는 태아에 대한 위험성이 나타나지 않은 약물
Category C	동물실험 결과 태아에 대한 위험성이 나타났으나 사람을 대상으로 한 연구는 없고, 약물의 이득이 위험성보다 크다고 인정되는 약물, 또는 유용한 동물 시험 및 임상 시험이 시행되지 않은 약물
Category D	태아 위험의 증거는 있으나, 약물의 이득이 위험보다 큰 약물
Category X	태아에 대한 위험이 있고, 약물의 이득보다 위험이 큰 약물
Category N	임신 중 등급이 분류되지 않은 약물

(2) Pregnancy and Lactation Labeling Rule (PLLR)

① 임신의 경우에 포함되어 제공되는 정보

    a. Pregnancy registry : 이와 관련한 사람에서의 자료 여부와 이에 기반한 근거자료 제공을 권장하기 위함

    b. Risk summary : 특정 약물의 위험률을 기형발생의 일반적 발생률 3~5%에 비교하여 몇 배나 기형이 발생하는지 그리고 유산의 일반적 발생률 15~20%에 비교해서 얼마나 증가하

는지에 관한 정보를 제공

c. Clinical considerations : 처방과 관련된 정보제공으로 처방에 따른 어떤 위험요인이 있는지
제공

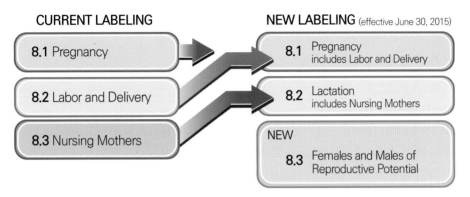

CURRENT LABELING

- **8.1** Pregnancy
- **8.2** Labor and Delivery
- **8.3** Nursing Mothers

NEW LABELING (effective June 30, 2015)

- **8.1** Pregnancy
  includes Labor and Delivery
- **8.2** Lactation
  includes Nursing Mothers
- NEW
  8.3 Females and Males of
  Reproductive Potential

그림 12-3. Pregnancy and Lactation Labeling Rule(PLLR)

② 기존의 범주에 익숙해 있는 의료인들과 임신부들에게 혼란을 가져올 수 있음

(3) 모유수유 시 약물의 위험 평가하는 분류(Lactation risk category)

① L1 : Safest

a. 영아에서 어떠한 부작용 없이 많은 수의 수유부가 사용했던 약물

b. Controlled studies에서 영아에 대한 위험이 있다는 것을 밝히는 데 실패하였고, 영아를 해
롭게 할 가능성이 없거나 약물이 영아의 경구로 생체 이용(oral bioavailable) 되지 않는 경
우

② L2 : Safer

a. 영아에서 어떠한 부작용 없이 제한된 수의 모유수유부에서 연구되었던 약물

b. 모유수유부에서 약물의 사용에 따른 알려진 위험이 거의 없는 경우

③ L3 : Moderately safe

a. 모유수유부에서 controlled studies가 없으며, 영아에서 부작용의 가능성이 있으나 단지 사
소하고 생명에 위협을 줄 만한 부작용이 나타나지 않는 경우

b. 약물은 영아에 대한 가능한 위험을 정당화할 만한 이익이 있을 때만 처방되어야 함

④ L4 : Possibly hazardous

a. 영아에 대한 위험의 증거가 있거나 모유량 감소에 대한 위험이 있는 약

b. 수유부에서 사용 시의 이익은 영아에 대한 위험에도 불구하고 받아들여질 만한 경우

⑤ L5 : Contraindication

　　a. 수유부의 연구에서 영아에 심각한 위험이 있는 약물이거나 영아에 대한 심각한 손상을 줄 수 있는 약물

　　b. 수유부에서 이 약물의 사용 시의 위험이 얻는 이득보다 현저하게 커서 금기

3) 기형발생의 유전적, 생리학적 기전

(1) 엽산 대사의 단절(Disruption of folic acid metabolism)

① 엽산의 역할

　　a. Methionine의 생산에 필수적

　　b. Methionine의 역할

　　　- RNA, DNA 생산의 co-factor로 작용

　　　- 단백, 지질, myelin의 methylation에 필요

② 엽산 대사의 이상으로 인하여 발생하는 질환

　　a. 신경관결손(neural tube defect)

　　b. 심장 기형

　　c. 입술갈림증(cleft lip), 입천장갈림증(cleft palate)

　　d. 다운증후군(Down syndrome)

③ 엽산의 흡수를 방해하고, 길항제(antagonist)로 작용하는 약물들

　　a. Hydantoin

　　b. Carbamazepine

　　c. Valproic acid

　　d. Phenobarbital

(2) 태아의 유전자 구성(Fetal genetic composition)

① Multifactorial anomaly는 특정 유전자와 환경적 요인의 복합 작용으로 발생

② Methylene tetrahydrofolate reductase (MTHFR 677C) gene mutation

　　a. Neural tube defect 및 다른 기형과 관련

　　b. 기형은 이 유전자의 변형 뿐만 아니라 산모의 부적절한 엽산 복용과도 관련됨

③ 흡연과 isolated cleft palate와 관련되지만 이런 경우에도 TGF-1 (transforming growth factor-1) gene polymorphism과도 관련

(3) 부체의 노출(Paternal exposures)

① 정의 : 배우자의 임신 전 또는 임신 중에 노출되는 것

② 알코올, 흡연, 항암 치료, 방사선 치료, 직장 내 노출, 처방되는 약물 등이 포함

③ 수정 전 부체 매개의 생식독성(reproductive toxicity)의 기전

   a. 정액 내 약물에 기인하는 비유전적 기전

   b. 유전자 돌연변이나 염색체 이상과 관련된 유전적 기전

   c. 게놈 각인(genomic imprinting)이나 DNA 메틸화에 의한 유전자 발현이상과 관련된 후성 유전학적(epigenetic) 기전

④ 임신 중에 남성이 복용하는 약물이 정액을 통해서 전달되는 양은 아주 소량이며 태아에게 전달되어 기형을 일으킬 가능성은 낮음

⑤ 항암제와 방사선은 치료 동안 정자 형성에 영향을 미치며 대부분은 치료 후 정상으로 회복 (치료가 끝난 후 적어도 3개월 후 임신을 하도록 권함)

⑥ 인간에서 수은, 납, 솔벤트, 살충제, 마취 가스, 탄화수소(hydrocarbon) 등과 같은 물질에 노출된 남성의 경우 초기 유산과 관련된다는 보고가 있음

(4) 기형발생 물질의 노출과 상담

① 약물의 노출이 없을 때도 주선천성 기형의 발생 기본위험도가 3% 정도

② 임신부의 약물 노출에 따른 상담 시 주의가 필요한 내용

   a. 임신부의 약물 노출에 대한 정보 제공 및 상담 시 임신부나 가족이 쉽게 이해할 수 있는 언어로 제공

   b. 약물의 상대 위험도보다는 구체적 위험도를 제시하고 임신의 노출 시기가 고려되어야 함

   c. 약물의 위험도를 긍정적인 입장에서 제공하고, 인지 및 지능 등의 장기적 연구결과의 부재에 따른 한계에 대한 설명이 필요

2 기형발생 물질(Teratogens)

1) 기형유발물질과 영향

Drugs

ACE inhibitors	Intrauterine growth retardation, fetal death, oligohydramnios, neonatal anuria, hypoplasia calvaria
Aminoglycosides Streptomycin Dihydrostreptomycin kanamycin	Hearing deficit
Androgen hormones	Masculinization of female fetuses
Antiepileptics (AED) Phenytoin Valproic acid Carbamazepine Trimethadion Phenobarbital Lamotrigine Topiramate	 Phenytoin or AED syndrome, distal phalanges hypoplasia Spina bifida, AED syndrome, lower IQ Intrauterine growth retardation, spina bifida Fetal trimethadion syndrome Fetal phenobarbital syndrome Cleft lip and palate Cleft lip and/ or cleft palate
Antineoplastics Folic acid antagonists (Aminopterin, Methotrexate)	Spontaneous abortion, fetal death, specific syndrome
Antimetabolites (Azauridine, Cytarabine, 5-Fluorouracil, 6-Mercaptopurine)	Limb defects, renal defects, central nervous system defects
Alchilant agents (Busulfan, Clorambucil, Cyclophophamide)	Limbs defects, renal defects, central nervous system defects
Antithyroids Iodide, I^{131} Methimazole	 Goiter with hypo- or hyperthyroidism Scalp defects
Bexarotene	Eye and ear anomalies, cleft palate, incomplete ossification
Corticosteroids	Oral clefts
Diethylstilbestrol	Vaginal adenocarcinoma, vaginal adenosis, utero-vaginal defects, female infertility, testicular defects, male infertility
Efavirenz	CNS abnormalities
Fluconazole	Congenital malformation resembling Antley-Bixler syndrome in high dose
Leflunomide Lenalidomide	Hydrocephalus, eye anomalies, skeletal abnormalities, embryo death Analogue of thalidomide

Lithium carbonate	Congenital heart defects, Ebstein's anomaly
Misoprostol	Transverse Limb defects, Moebius sequence
Mycophenolate	Spontaneous abortion, ear abnormalities
Non— steroidal	Premature closure ductus arteriosus
Antinflammatory Analgesics (NSAIDs)	
Penicillamine	Cutis laxa
Paroxetine	ASD, VSD , Neonatal behavioral syndrome, Persistent pulmonary hypertension of the newborn
Retinoids (Isotretinoin, Acitretin, Etretinate, Tretinoin)	Microtia, hydrocephalus, encephalocele, mental retardation, conotruncal heart defects
Ribavirin	skull, palate, eye, skeleton, and gastrointestinal abnormalities
Tamoxifen	DES—like syndrome
Thalidomide	Phocomelia and specific syndrome
Tetracyclines	Dental staining
Warfarin,Coumarin derivatives	Nasal hypoplasia, Condrodisplasia punctata

Chemicals

Alcohol	Feto—alcohol syndrome
Cocaine	Abruptio placentae, Disruptive defects
Methyl mercury	Minamata disease
Lead	Mental retardation
Physical agents	
Cigarette smoke	Intrauterine growth retardation
Ionizing radiations (high doses, at least$>$5 rad)	Central nervous system defects, Microcephaly, skeletal defects, mental retardation

Biological agents (embryofetal infections)

Rubella	Cataracts, sensorineural deafness, congenital heart disease (Rubeolic syndrome), intrauterine growth retardation, retinopathy, panencephalitis, endocrinopathies
Cytomegalovirus	Central nervous defects, mental retardation, oculo—auditory lesions, hepatosplenomegaly, thrombocytopenia, chorioretinitis, pneumonitis, intrauterine growth retardation, hearing deficit
Varicella—Zoster	Microcephaly, cerebellar and cortical atrophy, ocular defects, cutaneous and musculoskeletal defects

Toxoplasmosis	Intrauterine growth retardation, icterus, hepatosplenomegaly, thrombocytopenia, mental retardation, hydrocephalus, microcephalus, chorioretinitis, cerebral calcifications
Venezuelan Equine Encephalitis	Spontaneous abortion, destruction of the cerebral cortex (hydroanencephaly), microphthalmia
Maternal diseases	
Pregestational diabetes	Increased incidence of congenital defects, congenital heart defects, caudal dysplasia or caudal regression syndrome
Phenylketonuria	Spontaneous abortion, microcephaly, mental retardation, intrauterine growth retardation
Iodine deficiency Thyroid diseases with antibodies	Growth retardation, mental retardation Hypothyroidism
Virilizing tumors Pheochromocytoma	Masculinization of female fetuses Spontaneous abortion
Autoimmune connective tissue disorder(SLE)	Congenital heart block

2) 기형유발물질(Teratogens)

(1) 알코올(Alcohol)

① Ethanol, ethylalcohol : 강력한 기형유발물질

② 태아 알코올스펙트럼장애(fetal alcohol spectrum disorders, FASDs)

　　a. 임신 중 산모의 알코올 섭취로 인해 태아에게 발생할 수 있는 모든 질환을 포함하는 넓은 의미의 용어

　　b. 발생률 : 출생아 100명당 1명

③ 태아 알코올증후군(fetal alcohol syndrome)

　　a. 가장 심한 형태의 태아 알코올스펙트럼장애

　　b. 발생률 : 출생아 1,000명당 1명

　　c. 특징

　　　- 안면 기형

　　　　• 짧은 안검열(short palpebral fissures)

　　　　• 길고 편평한 인중(smooth or flattened philtrum)

　　　　• 얇은 윗입술(thin vermillion of upper lip)

　　　- 출생 전 또는 후의 성장제한(키나 몸무게가 10 백분위수 이하)

- 중추신경계의 이상
  - 두위가 10 백분위수 미만의 뇌성장저하
  - 구조적인 뇌기형
  - 지능저하
- 뇌, 심장, 척추 이상
- 감각 이상
- 뇌성마비, 간질

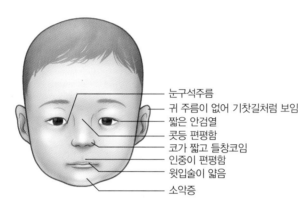

눈구석주름
귀 주름이 없어 기찻길처럼 보임
짧은 안검열
콧등 편평함
코가 짧고 들창코임
인중이 편평함
윗입술이 얇음
소악증

그림 12-4. 태아 알코올증후군 환아의 특징적 모습

④ 용량 효과(dose effects)
    a. 어느 정도 섭취까지는 안전하다는 역치량(threshold dose)이 알려진 바 없음
    b. 역치량(threshold dose)의 개인간 다양성을 고려해야 함
    c. 태아 알코올증후군이 발생하는 알코올의 역치량을 잘 알지 못함
    d. 적은 양의 알코올도 임신 중 허용하면 안됨

(2) 항경련제(Anticonvulsant medications)
① 특징
    a. 간질 때문에 항경련제를 복용하는 경우 간질이 없는 정상 여성보다 주요 기형발생 위험률
       이 2~3배 높은 4~8%로 증가
    b. 단일 제제로 간질을 치료하는 경우 치료받지 않은 간질 환자와 비교하면 기형발생률에서
       차이를 보이지 않음
    c. 간질로 인해 불가피하게 항경련제를 복용해야 하는 경우라면 임신 전에 가능한 태아에게
       문제가 적은 약물을 선택하여 최소량으로 사용하여야 함

② Phenytoin

    a. Vit. K dependent coagulation factor deficiency

    b. Fetal hydantoin syndrome

       - 두개안면기형(craniofacial anomalies)

       - 손, 발가락 말단부 형성부전(fingernail hypoplasia)

       - 성장 장애(growth deficiency)

       - 정신지체(developmental delay)

       - 심장 기형(cardiac defects)

       - 입술갈림증(Cleft lip), 입천장갈림증(Cleft palate)

    c. 임신 중 phenytoin에 노출 시 10%에서 이러한 증후군이 발생

③ Carbamazepine

    a. 임신 중 선택할 수 있는 약

    b. 기형발생 위험을 크게 증가시키지 않으면서 인지 및 신경 발달에 있어서도 대조군과 비교하여 차이가 적은 것으로 밝혀져 있음

    c. Fetal hydantoin syndrome, spina bifida : 1~2%

④ Trimethadione, Paramethadione

    a. High potential teratogenicity

    b. Petit mal seizure에서 사용

⑤ Valproic acid

    a. 가장 우려되는 약물

    b. Fetal valproate syndrome

       - 신경관결손

       - 심장이나 얼굴, 머리, 손, 발가락, 비뇨생식기계 기형

    c. Neural-tube defects, clefts, skeletal abnormalities, developmental delay

       - 1~2% with monotherapy

       - 9~12% with polytherapy

    d. 신경 발달의 저하를 막기 위해서는 valproic acid와의 중복치료(polytherapy)를 반드시 삼가고, phenytoin과 phenobarbital의 사용을 피하도록 권고

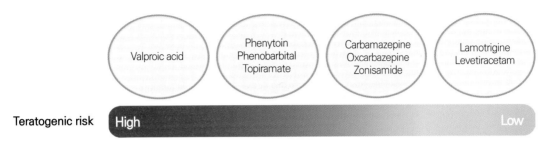

그림 12-5. 항경련제의 기형발생에 대한 상대적 위험도

(3) 항고혈압제(Antihypertensive drugs)

① 메틸도파(methyldopa)

   a. 만성 고혈압 임신에서 가장 널리 사용되는 약물

   b. 분명한 기형발생의 증가를 보이지 않으며 장기적인 면에서도 성장 또는 인지장애를 일으 키지 않음

② 베타차단제(beta blocker)

   a. 약물 : propranolol, atenolol 등

   b. 동물실험과 사람에서의 경험을 근거로 기형발생을 증가시키는 것으로 보이지는 않음

   c. 자궁 내 태아성장제한(intrauterine growth restriction)과 관련이 있음

③ 칼슘채널차단제(Calcium channel blocker)

   a. 임신 중 사용가능한 치료제

   b. Nifedipine : 태아에 대한 부작용 없음

   c. Verapamil

     - 자궁혈류를 감소시켜 임신 제1삼분기에서 limb defect 유발

     - Fetal cardiac depression & arrest 유발

④ 안지오텐신 전환효소억제제(angiotensin converting enzyme inhibitors, ACE inhibitors), 안지 오텐신 II 수용체차단제(angiotensin receptor blockers, ARB)

   a. 약물

     - ACE inhibitor : enalapril, captopril 등

     - ARB : losartan, irbesartan 등

b. 임신 제2삼분기에 노출 시 태아의 신장과 순환계에 영향을 미침

> 태아의 저혈압(hypotension), 관류저하(hypoperfusion), 무뇨증(anuria)
>
> ↓
>
> 양수과소증(oligohydramnios), 태아성장제한(fetal growth restriction)
>
> ↓
>
> 폐형성저하증(pulmonary hypoplasia), 사지 구축(limb contractures), 사망

　　c. 임신 제1삼분기에 노출 시 구조적 기형발생의 증가는 확실하지 않음

　⑤ Sodium nitroprusside : 태아의 간(liver)에 시안화물(cyanide) 축적

　⑥ Clonidine : 태아에 대한 부작용 없음

　⑦ Hydralazine : 임신 후반기에 태아에 대한 부작용 없음

(4) 비스테로이드성 항염증약물(NSAIDs) 및 진통제(Analgesics)

　① 전반적으로 선천성기형과는 큰 연관관계가 없는 것으로 보고됨

　② 임신 초기 이 약물의 복용이 유산을 증가시킨다는 보고가 있어 난임 또는 습관성 유산의 경우에는 임신 초기에 사용을 금하는 것이 좋음

　③ 아스피린(aspirin)

　　a. 임신 중 장기간 복용한 경우 지연 임신이 증가

　　b. 자궁수축을 감소시킨 것이 원인

　　c. 항인지질증후군(anti-phospholipid syndrome)의 치료 또는 임신중독증의 예방을 위해 사용되는 저용량(81 mg/day)의 아스피린의 경우 태아에 대한 부작용이 없어 사용 가능

　④ 아세트아미노펜(acetaminophen)

　　a. 일반적인 치료용량 범위 내의 사용은 임신 중 전 기간에 걸쳐 가장 많이 추천

　　b. 장기간 복용 시 소아기에 천식 발생이 증가, 주의력결핍과다활동장애(attention deficit hyperactivity disorder, ADHD)의 위험이 있다고 보고되지만 좀 더 많은 연구가 필요

　⑤ 인도메타신(indomethacin)

　　a. 강력한 prostaglandin 합성억제제

　　b. 분만이 가까운 임신 후반기 사용 시 위험성

　　　- 동맥관을 조기 폐쇄시켜 신생아의 폐동맥 고혈압을 유발할 수 있음

　　　- 태아의 신장기능에 영향을 미치고 소변량을 감소시켜 양수과소증을 유발할 수 있음

　⑥ Opioid

　　a. 종류 : meperidine, morphine, codeine

　　b. 태아에게 안전함

⑦ 편두통 약제

　　a. Ergotamine : 기형유발 가능성이 있으나 확립된 의견이 없음

　　b. Sumatriptan : 자궁 혈관에 작용하지 않으며 태아 기형을 유발하지 않음

(5) 항생제(Antimicrobials) 및 항진균제(Antifungals)

① 항생제(antimicrobials)

　　a. 안전한 약제

　　　- Penicillin : 임신 중 사용할 수 있는 가장 안전한 항생제

　　　- Cephalosporin : 안전

　　　- Erythromycin : 기형유발 없음

　　　- Azithromycin : 폐렴, chlamydial cervicitis의 치료제로 사용, 안전

　　　- Clindamycin : 비교적 안전

　　　- Vancomycin : 모체의 신독성(nephrotoxicity), 이독성(ototoxicity)을 유발하기도 하나 태아에는 기형유발 없음

　　　- Aztreonam : aminoglycoside의 대용으로 사용, renal, ototoxicity 없음

　　　- Imipenem : aerobic, anaerobic organism에 효과, 인간에서의 충분한 연구는 없으나 동물 실험에서는 기형유발 없음

　　　- Chloramphenicol : 조산아에서 대량 사용 시 gray baby syndrome 유발, 그러나 태아 기형은 유발하지 않음

　　　- Nitrofurantoin : 임신 중 요로 감염에 사용, 안전

　　　- Quinolone : 기형 보고 없음

　　　- 항결핵제(rifampin, isoniazid, ethambutol) : 기형의 빈도를 증가시키지 않음

　　b. 안전하지 않은 약제

　　　- 아미노글리코사이드(aminoglycoside)

　　　　• 스트렙토마이신(streptomycin) : 출생 후 이독성(ototoxicity)이 보고됨

　　　　• 겐타마이신(gentamicin) : 비경구적으로 투여한 경우 기형발생이 증가하지 않았음

　　　- 테트라사이클린(tetracycline)

　　　　• 임신 제1삼분기 노출 시 주요 기형발생의 증가는 없었음

　　　　• 임신 25주 이후 복용 시 치아의 석회화로 인해 출생 이후 아기의 치아 변색(yellow-brown discoloration), 골성장지연을 유발

　　　　• 치아 변색은 영구적인 변화이나 골성장지연은 투약을 중단하면 회복

　　　- 시프로플록사신(ciprofloxacin)

　　　　• 광범위 항균작용을 갖고 있는 퀴놀론(Quinolone)계 항생제

　　　　• 동물실험에서 연골, 관절병증 등이 보고되어 임신기간 동안 피할 것을 권함

- 설파제(sulfonamide) : 조산아에서 분만 가까이 사용 시 고빌리루빈혈증(hyperbilirubine-mia) 발생 가능
② 항진균제(antifungals)
  a. 플루코나졸(fluconazole)
    - 임신 제1삼분기에 대부분 노출되는 등 장기간 400~800 mg/day의 고용량에 노출된 경우 앤틀리-빅슬러 증후군(Antley-Bixler syndrome)과 비슷한 형태의 선천성 기형을 유발
    - 칸디다성 질염 등에 일반적으로 흔히 쓰이는 용법인 일회성, 150 mg의 저용량에 노출 시에는 선천성 기형발생의 증가와는 관련이 없음
  b. 이트라코나졸(itraconazole) : 대단위 연구에서 기형유발이 없다고 함
③ 항바이러스제(antivirals)
  a. Zidovudine : 임신 제1삼분기에 투여된 산모에서 기형의 증가 없음
  b. Acyclovir : 기형유발 없음
  c. Amantadine : 인간에서의 검사는 없으나 동물에서 고용량 투여 시 기형유발 보고됨
  d. Interferon : 동물에서 기형 가능성 있으나 사람에서는 발생 유무가 알려진 바 없음
  e. Ribavirin : 동물실험에서 수두증(hydrocephalus), 사지 기형(limb abnormality) 유발
④ 항기생충제(antiparasitics)
  a. Metronidazole : 임신 제1삼분기에 투여 시 기형유발 없음
  b. Lindane : 사면발이(pediculosis pubis), 옴(scabies)의 치료에 사용, 안전
  c. Mebendazole : 구충제, 기형 증가가 보고된 바 없음

(6) 항히스타민제(Antihistamine)
  ① 임신 중 비교적 안전
  ② Chlorpheniramine 등 대부분의 약제는 기형과 연관이 없음
  ③ Brompheniramine 및 terfenadine은 임신 중 사용을 자제하는 것이 좋음

(7) 항암제(Antineoplastic agents)
  ① Cyclophosphamide
    a. Alkylating agent로서 임신 초에 노출 시 기형유발
    b. 가장 흔한 기형 : 손가락 또는 발가락이 없거나 발육 부전
    c. 기타 기형 : cleft palate, single coronary artery, imperforate anus, FGR with microcephaly
    d. 임신 제2, 3삼분기에는 사용 가능
  ② 메토트렉세이트(methotrexate)
    a. 엽산길항제로 작용하여 배아와 융모조직에 독성을 일으킴
    b. 임신 초기 노출 시 여러 연구에서 중추신경계기형, 사지 기형(limb abnormality), 'clover-

leaf' skull, wide nasal bridge, low-set ears, micrognathia 등의 특징적인 기형이 나타나며 발달장애, 지능저하가 보고됨

③ 타목시펜(tamoxifen)

　　a. DES-like syndrome 유발

　　b. Impaired growth, carcinogenic in rats and mice

(8) 호르몬(Hormones)

① 외부 생식기(external genitalia)

　　a. 임신 9주까지 태아의 외성기는 bipotential

　　b. 임신 9~14주 사이에 고환은 androgen을 분비하여 남성 성기로 발전하고 난소에서는 androgen을 분비하지 않기 때문에 여성 성기로 발전하여 20주에 완성

　　c. 임신 7주까지는 외부 호르몬에 의하여 성기가 영향을 받지 않음

　　d. 임신 7~20주 사이에 여성 생식기는 외부 호르몬에 민감하여 androgen에 노출되면 완전히 남성화가 될 수도 있음

② 피임약(oral contraceptives) : 임신 초기에 임신인 줄 모르고 피임약을 계속 복용하는 경우가 있지만 최근 연구에서는 피임약이 태아에게 무해하다고 보고됨

③ 다나졸(danazol)

　　a. Ethinyl testosterone derivative (weak androgenic activity)

　　b. Immune thrombocytopenic purpura (ITP), migraine headaches, premenstrual syndrome, and some breast diseases 등의 치료에 사용

　　c. 위험성

　　　- 남성화(virilization) : 40%에서 발생

　　　- Dose-related pattern of clitoromegaly, fused labia, and urogenital sinus malformation, most of which required surgical correction.

④ Diethylstilbestrol (DES)

　　a. Prenatal exposure : 15~22세 vaginal adenocarcinoma 발생 위험 증가

　　b. Structural and functional abnormality 증가

　　　- Excess cervical eversion으로 ectopic vaginal gland epithelium 증가

　　　- VAIN & CIN 발생률 2배 증가

　　　- 2/3에서 uterine abnormality 발생 증가

　　　　• Hypoplastic T-shape cavity, cervical collars, hood, septa, coxcomb, withered fallopian tubes

　　　　• EM thickness 감소

　　　　• Uterine perfusion 감소

- 1/4에서 cervix, vagina의 structural anomaly

(9) 면역억제제(Immunosuppressants)

① Azathioprine : 기형을 유발하지 않는 것으로 보임

② Cyclosporine : 태아에게 안전한 것으로 평가

③ Corticosteroids : 임신 제1삼분기에 systemic corticosteroid를 사용한 경우는 category D에 해당하며, 그 외의 경우에는 중대한 기형발생 위험은 없는 것으로 보임

④ Mycophenolate mofetil : category D

(10) 정신과 약물(Psychiatric medications)

① 벤조디아제핀(benzodiazepine)

  a. Diazepam

    - 동물실험에서 구개열(cleft palate), 사지 기형(limb malformation) 발생

    - 사람에서의 기형 유무는 확립되지 않았으나 현재는 영향이 없는 것으로 생각됨

  b. Lorazepam, midazolam : 일시적인 진정작용(transient sedation) 이외의 태아 부작용은 없음

  c. 분만에 임박해서까지 만성 복용된 경우 신생아에서 낮은 Apgar 점수, 저체온증, 불안, 과다근육긴장증, 근육긴장저하, 호흡곤란, 진전 등의 중독 또는 신생아금단증후군(neonatal abstinence syndrome)이 나타날 수 있어서 주의가 필요

② 항우울제(antidepressant drugs)

  a. 선택적 세로토닌재흡수억제제(Selective Serotonin and Norepinephrine Reuptake Inhibitors, SSRI)

    - 종류 : fluoxetine, paroxetine, sertraline, citalopram, escitalopram, fluvoxamine

    - 대부분의 연구에서 이들은 주요기형발생과 큰 관련이 없다고 보고됨

    - Paroxetine

      • 임신 제1삼분기에 노출 시 심실중격결손 등의 심장기형이 증가한다고 보고

      • 임신 제1삼분기에 노출 시 임신 20주경 태아 심장정밀초음파를 반드시 시행

      • ACOG는 2012년부터 임신 중 복용을 금함

    - Fluoxetine

      • 임신 20주 이후에 복용한 경우 출생 후 신생아에게서 안절부절, 흥분, 수유장애 등의 금단증상, 그리고 드물게 지속성 폐고혈압이 발생하는 등 심각한 폐질환을 유발할 수 있으므로 각별한 주의가 필요

③ 리튬(lithium)

  a. 조울증의 치료에 사용되며 비노출군에 비해 전체적인 기형발생이 2배로 증가함이 보고됨.

b. 연관 기형 : 엡스타인기형(ebstein's anomaly), 대동맥축착(coarctation of aorta) 등

c. 임신 제2, 3삼분기에도 지속적으로 복용 시 모체분만 아니라 태아에서도 갑상샘종이 발생할 수 있음

d. 출생 직전 사용 시 신생아에게 리튬에 대한 독성이 발생 : 부정맥, 근긴장도 저하, 호흡곤란, 수유곤란 등

e. 임신 중에 꼭 필요하면 적어도 임신 6~8주 사이는 중단하고, 조울증의 증상이 심하여 임신 후반기에 복용을 중단할 수 없다면 분만 직전 24~48시간만이라도 복용을 중단하고 출산 후에 다시 복용을 시작하면 신생아와 산모의 증상을 모두 감소시킬 수 있음

④ MAO (monoamine oxidase) inhibitor

a. Anesthetic agent와 함께 life threatening hyperthermic crisis 가능

b. 부작용 때문에 임신 중 사용하지 않도록 권장됨

(11) 피부과 치료제

① Vitamin A

a. 자연에 있는 두 가지 형태의 vitamin A

- β-carotene
  - Provitamin A의 precursor
  - Birth defects를 일으키지 않음
- Retinol
  - Performed vitamin A
  - Animal liver에서 많이 발견

b. 자연에 있는 vitamin A가 기형을 유발하지 않는 것으로 보이나 1일 허용 용량(5000 IU) 이상은 피하도록 함

② 이소트레티노인(isotretinoin)

a. Vitamin A isomers

b. 여드름(cystic acne)의 치료제

c. 강력한 기형유발물질 중 하나

- 주로 임신 제1삼분기 노출과 관련
- 중추신경계(CNS), 두개(cranium), 안면(face), 뇌(brain), 흉선(thymus), 사지(limb), 심혈관(heart) 계통의 선천성 기형발생을 증가

d. 반감기는 약 50시간이며 마지막 투여 후 10일 이내에 대부분 체외로 배설됨

e. 최소한 임신 시도 1개월 전에는 사용을 중단해야 함

③ 에트레티네이트(etretinate), 아시트레틴(acitretin)

a. Vitamin A isomers

b. 건선(psoriasis)의 치료제로 레티노이드 계통 약물 : acitretin이 etretinate의 대사물질

c. 레티노이드배아병증(retinoid embryopathy) : 신경발달지연, 중추신경계이상, 망막, 시신경 이상, 두개안면기형, 흉선과 심장이상 등이 관찰

d. 반감기는 120일이고 복용 시에는 철저한 피임이 권유되며 이 약을 중단한 지 약 3년 경과 후 임신을 시도하는 것을 권고

④ 트레티노인(tretinoin)

a. Acne vulgaris의 치료제

b. 겔(gel) 형태는 기형을 유발하지 않음

c. 백혈병에 사용하는 경구용 제제는 기형유발 가능

(12) 탈리도마이드(Thalidomide)

① 항불안제(anxiolytics), 진정제(sedative drugs)

② 임신 시 노출된 경우의 20%에서 기형이 발생

③ Mesodermal layer structure 손상 : limb reduction deformities, ear, cardiovascular system, bowel musculature

(13) 항응고제(Anticoagulant)

① 와파린(warfarin)

a. 분자량이 낮아서 쉽게 태반을 통과

b. 노출 시기에 따라 다른 결함이 발생

- 임신 초기 : 태아 와파린증후군(fetal warfarin syndrome) 발생

• 원인 : Coagulation protein과 osteocalcin의 post-translational carboxylation을 억제

• 골격계이상, 코형성저하증, 연골, 관절 등의 골격이상, 안구이상, 청각장애, 자궁 내 성장지연, 심장기형 등·

- 임신 제2, 3삼분기 : 항응고효과를 유발, 출혈에 의한 조직 반흔이 발생

• Dorsal midline central nervous system dysplasia : agenesis of the corpus callosum, Dandy-Walker malformation

• Ventral midline dysplasia : microphthalmia, optic atrophy, blindness

• 발달장애, 정신지체

c. 임신 전 기간에 걸쳐 복용하지 말 것을 권고하지만 하루 5 mg 미만의 저용량에서는 태아 합병증의 가능성이 적어 임신 제2삼분기에 동안 사용을 하기도 함

d. 분만 2~4주 전에는 분만 전후 출혈 감소를 위해 헤파린으로 바꾸고 분만 12시간 전에는 헤파린 또한 중지해야 함

② 헤파린(heparin)

   a. 분자량이 커서 태반을 통과하지 않음 : 3,000~30,000 daltons

   b. 임신 중 우선적인 항응고제로 사용

   c. 태아에게 기형유발의 보고가 없음

   d. 빈도는 드물지만 모체의 골감소증, 혈소판감소증을 일으킬 수 있다는 보고도 있음

(14) 항갑상선제(Antithyroid drug)

  ① 약물 : 프로필티오우라실(propylthiouracil, PTU), 메티마졸(methimazole)

  ② 두가지 약물 모두 태반 통과 가능

  ③ 임신 중 사용 시 위험은 두 성분에서 매우 적은 편이어서 모두 임신 중 사용 가능

   a. Methimazole이 항갑상선 작용이 좀 더 강하고 기형발생의 정도가 조금 더 증가

   b. Propylthiouracil의 장기 사용 시 간독성에 대한 우려

   c. 임신 제1삼분기에는 propylthiouracil, 임신 제2삼분기에는 methimazole 사용

  ④ 태아, 신생아에서 갑상선기능저하증, 갑상샘종 발생 가능성이 있어 임신 중 가능한 최소용량으로 복용

(15) 기분전환제(Recreational drugs)

  ① 암페타민(amphetamine)

   a. 고용량에서 동물에 기형유발

   b. 인간에서는 기형이 보고된 바 없음

  ② 코카인(cocaine)

   a. 강력한 기형유발물질

   b. 혈관 수축 및 혈압 상승 작용

   c. 위험성

    - 태반조기박리(placental abruption) : 가장 흔함

    - 사산(stillbirth)

    - Myocardial infarction, arrhythmia, aortic rupture, stroke, seizure, bowel ischemia, hyperthermia, sudden death

    - Skull defects, cutis aplasia, porencephaly, ileal atresia, heart anomaly, brain infarction (periventricular leukomalacia) 등

    - 인지 장애의 위험이 증가하며 발육 장애의 위험이 2배 증가

  ③ 마약(opiates, narcotics)

   a. Methadone

    - 동물실험에서 중추신경계 기형유발

- 인간에서는 신생아 금단 증상

b. Heroin

- 신생아 금단 증상으로 과다활동, 경련, 설사, 발열, 수면장애, 호흡곤란 등 발생 가능
- 기형의 발생과는 관련이 없는 것으로 보고되고 있음

(16) 흡연(Tobacco)

① 기형유발물질 : nicotine, cotinine, cyanide, thiocyanate, carbon monoxide, cadmium, lead

② 혈관 수축(local vasoconstrictor) 작용

③ 위험성

산모에 대한 영향	태아에 대한 영향
태아성장제한(fetal growth restriction)	수두증(hydrocephaly)
조산(preterm birth)	소뇌증(microcephaly)
전치태반(placenta previa)	배꼽탈출증(omphalocele)
태반조기박리(placenta abruption)	배벽갈림증(gastroschisis)
자연 유산(spontaneous abortion)	입술 및 입천장갈림증(cleft lip & palate)
	손의 기형(hand abnormality)
• 임신성 고혈압(gestational hypertension)은 감소	영아돌연사증후군(sudden infant death syndrome)
	소아기 천식(childhood asthma)과 비만(obesity)

(17) 카페인(Caffeine)

① 하루 150~300 mg 이내의 섭취는 태아에게 별다른 영향을 미치지 않을 것으로 추정

② 임신부에 대한 역학 조사에서는 자연 유산이 1.36배, 성장지연이 1.5배 증가한다는 보고가 있음

(18) 한약, 생약(Herbal remedies)

① 동식물 또는 광물에서 채취된 것으로 다양한 성분으로 이루어져 있음

② 한방약에 대한 발생 독성학 관련 연구는 거의 없어 안전성을 평가하기 어려움

③ 자궁수축을 일으키는 것으로 밝혀진 성분들 : 천궁, 현호색, 홍화, 당귀, 결명자, 지각 등

④ 유산과 관련된 성분들 : 박하, 목단피, 금은화, 반하, 위령선, 강황 등

CHAPTER 13

유전학(Genetics)

1 염색체 이상(Chromosomal abnormalities)

1) 표준 명명법(Standard nomenclature)

(1) 약자 표기법

① 정상 염색체

a. 23쌍으로 46개 : 22쌍의 상동 염색체와 1쌍의 성염색체로 구성

b. 염색체 arm의 기호

- 단완부(short arm) : p

- 장완부(long arm) : q

② 염색체의 수적 이상 : 이수성(aneuploidy) 또는 홀배수체

a. 세염색체(trisomy) : 염색체 하나가 더 많은 경우

b. 일염색체(monosomy) : 염색체 하나가 적은 경우

③ 염색체의 핵형(karyotyping) 표기

a. 표기 순서 : 총 염색체 개수, 성염색체, 염색체의 구조적 변형

b. 염색체핵형의 표기 약자와 의미

약자	의미	약자	의미
cen	centromere	inv	inversion
chi	chimera	mos	mosaic
del	deletion	r	ring chromosome
der	derivative chromosome	rcp	reciprocal
dic	dicentric	rec	recombinant chromosome
dup	duplication	rob	robertsonian translocation
fra	fragile	s	satellite
i	isochromosome	t	translocation
ins	insertion	ter	terminal

(2) 비정상 핵형의 표기

① 47,XY,+21 : 21번 염색체가 3개인 다운증후군 남자

② 47,XX,+21/46,XX : 정상 세포군을 포함한 다운증후군을 가진 모자익형으로, 정상은 항상 마지막에 표기

③ 46,XX,dup(5)(p14p15.3) : 5번 염색체의 단완 14와 15.3부위가 중복된 여성

④ 46,XY,del(5)(p13) : 5번 염색체가 13번 밴드에서 단완의 끝까지 결실된 남성

⑤ 45,XY,der(13;14)(q10;q10) : 13번 염색체의 장완 10부위와 14번 염색체 장완 10부위가 융합되어 총 45개의 염색체를 갖는 로버트슨전위형의 남성

⑥ 46,XY,t(11;22)(q23;q11.2) : 11번 염색체의 장완 23부위와 22번 염색체의 장완 11.2부위에서 균형 상호전위가 일어난 남성

⑦ 46,XX,inv(9)(p11q12) : 9번 염색체가 단완 11부위와 장완 12부위가 역위 되었으며, 여기서는 절단점(break point)이 두 개이지만 같은 염색체 이므로 ";"을 사용하지 않음

⑧ 46,X,r(X)(p22.1q27) : X 염색체 하나는 정상이고 다른 한 개는 단완 22.1부위와 장완 27부위에서 절단이 일어나고 연결되어 환모양의 X 염색체를 갖는 여성

⑨ 46,X,i(X)(q10) : X 염색체 하나는 정상이고 다른 한 개는 장완의 등완 염색체를 갖는 여성

(3) 유전 질환의 종류와 출생 결함

① 출생 결함의 기전에 따른 분류

  a. 기형(malformation) : 비정상적인 유전자에 의한 결함

  b. 변형(deformation) : 유전적으로 정상이지만 자궁의 환경에 의한 물리적 힘으로 인해 비정상적 모양으로 발달한 것

  c. 파열(disruption) : 유전적으로 정상이지만 특정 손상에 의해 변형된 것

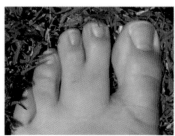 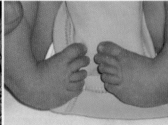 

기형(malformation)　　　변형(deformation)　　　파열(disruption)

그림 13-1. 출생 결함의 기전에 따른 분류

② 복합적인 구조적 결함이나 발달 이상의 분류

　　a. 증후군(syndrome) : 같은 원인에 의한 여러 결함의 집합

　　b. 서열(sequence) : 순서적 결함

　　c. 연관(association) : 원인이 같지는 않으나 특정한 결함이 동시에 자주 보이는 것

(4) 염색체 이상(chromosomal abnormality)의 유병률

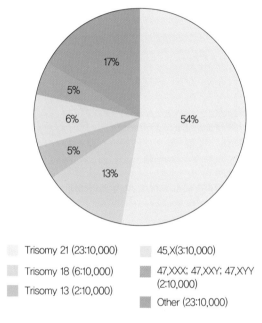

Trisomy 21 (23:10,000)	45,X(3:10,000)
Trisomy 18 (6:10,000)	47,XXX; 47,XXY; 47,XYY (2:10,000)
Trisomy 13 (2:10,000)	Other (23:10,000)

그림 13-2. 염색체 이상의 유병률과 상대적 비율

2) 염색체 수의 이상(Abnormality of chromosome number)

(1) 보통염색체 세염색체(Autosomal trisomy)

① 원인

　　a. 대부분 감수분열 시 비분리(nondisjunction) 현상에 의해 발생

　　b. 13, 18, 21 세염색체 증후군만이 임신 말기까지 생존 가능

　　c. 산모의 나이가 많을수록 증가(특히 35세 이후)

　　　- 난모세포(oocyte) : 태생기부터 배란 직전까지 감수분열(meiosis) 1기의 전기(prophase) 상태로 존재

　　　- 난모세포가 노화되면 염색체 정렬을 유지하고 있는 교차점(chiasmata)이 약화

- 배란 시 감수분열기의 비분리(nondisjunction) 현상으로 인해 두 개의 염색체를 갖는 생식세포(gamete)가 생성되고, 수정을 하면 세염색체(trisomy)를 형성
- 일염색체(monosomy)는 거의 생존이 불가능하여 착상기간 동안 사망

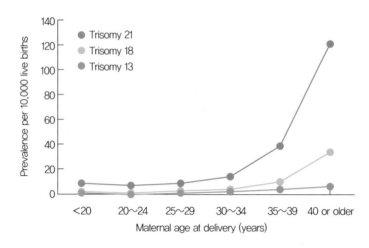

그림 13-3. 산모의 분만 시 나이에 따른 보통염색체 세염색체의 유병률

② 21 세염색체 증후군(Trisomy 21 syndrome, Down syndrome)

a. 빈도 : 신생아 700~1,000명당 1명

b. 원인

- 어머니쪽의 21번 염색체의 비분리 현상(maternal nondisjunction) : 약 95% 차지
- 비분리 현상의 75%는 감수분열 I 기, 25%는 감수분열 II 기에 발생

c. 특징

- 가장 흔한 세염색체 이상
- 산모의 나이가 많을수록 발생 증가

d. 핵형(karyotype)

- Trisomy 21(47,XY,+21) : 95%, 가장 흔한 형태

\- 나머지 : 전위(translocation), 섞임증(mosaicism)

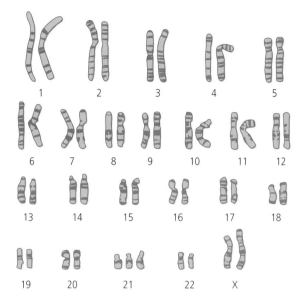

그림 13-4. Trisomy 21의 핵형(karyotype)

e. 주요 기형 및 외형적 특징

주요 기형(Major anomaly)

- 심장 기형(50%) : 심내막완충결손(endocardial cushion defect), VSD, AVSD
- 위장관 폐색(G-I atresia, duodenal atresia)
- 아동기 백혈병(neonatal or childhood leukemia)
- 갑상선 질환(thyroid disease)
- 수두증(hydrocephaly)
- 지능 장애(IQ 35~70) : 21번 염색체의 21q22.12~22.2 지역이 관련

외형적 특징(Characteristic features)

- 편평한 후두부와 작은 머리
- 혀를 내미는 증상
- 내안각주름(epicanthal folds)
- 치켜져 올라간 눈꼬리
- 편평한 코
- 홍채반점(Brushfield spots)

- 근긴장도 저하(hypotonia)
- 목덜미에 처진 피부
- 짧은 손가락
- 일자 손금(single palmar crease)
- 새끼 손가락의 가운데 마디가 없거나 안쪽으로 굽음
- 샌들 모양의 엄지 발가락(sandal-toe gap)

f. 재발 위험

- 부모의 염색체가 정상인 경우 : 약 1%이고, 임신부 나이가 많은 경우 나이에 따른 다운 증후군 위험률과 같음
- 로버트슨전위(Robertsonian translocation)가 있는 경우
  - 다운증후군의 발생은 임신부의 연령과 무관
  - 어머니의 염색체에 전위가 있는 경우 : 10~15%
  - 아버지의 염색체에 전위가 있는 경우 : 1~2.5%
- 부모가 보인자인 경우
  - 재발률이 높기 때문에 부모의 염색체 검사가 필요
  - 착상전유전진단(PGD)을 통해 다운증후군을 예방할 수 있음
- 다운증후군 여성 : 임신이 가능하지만 1/3에서 다시 다운증후군 아이를 가짐

③ 18 세염색체 증후군(Trisomy 18 syndrome, Edward syndrome)

a. 빈도 : 확인된 임신(낙태, 사산 포함)의 2,000명당 1명, 신생아 6,600명당 1명

b. 특징

- 산모의 나이가 많을수록 발생 증가
- 대부분 임신 10주부터 임신 말기 사이에 사망
- 신생아의 50% 이상이 첫 1주 내에 사망, 1년 생존율은 약 2%
- 여아(females)에게서 3~4배 더 흔하게 발생

c. 주요 기형 및 외형적 특징

주요 기형(Major anomaly)

- 심장 기형(90%) : VSD, ASD, 동맥관개존증
- Cerebellar vermis agenesis
- Choroid plexus cysts
- 수막척수탈출증(meningomyelocele)
- 횡격막 탈장(diaphragmatic hernia)
- 배꼽탈출증(omphalocele)
- 항문폐쇄(imperforate anus)
- 신장 기형(renal anomaly) : Horseshoe kidney

외형적 특징(Characteristic features)

- 돌출된 후두부와 작은 머리, "strawberry-shaped" cranium
- 외이 결함(malformed auricles) : posteriorly rotated and malformed ears
- 작은 턱(micrognathia)
- Clenched hand : 주먹 쥔 손에서 집게손가락이 가운데 손가락 위를, 새끼손가락이 넷째 손가락위에 덮고 있는 경우
- Rocker-bottom feet, clubbed feet
- 태아성장제한(fetal growth restriction) : 평균 출생체중 <2,500 g

---

④ 13 세염색체 증후군(Trisomy 13 syndrome, Patau syndrome)

    a. 빈도 : 확인된 임신(낙태, 사산 포함)의 5,000명당 1명, 신생아 12,000명당 1명

    b. 특징

       - 산모의 나이가 많을수록 발생 증가

       - 대부분 자궁 내에서 사망

    c. 핵형(karyotype)

       - 대부분 세염색체 질환

       - 로버트슨전위 형태(20%) : der(13;14)(q10;q10)

    d. 주요 기형 및 외형적 특징

주요 기형(Major anomaly)	
• 완전전뇌증(holoprosencephaly) : 2/3에서 발생 • 심장 기형(90%) • Neural-tube defects : 뇌탈출증(encephalocele)	• 요골무형성증(radial aplasia) • 배꼽탈출증(omphalocele) • 다낭성 신장(cystic renal dysplasia)
외형적 특징(Characteristic features)	
• 소두증(microcephaly) • 양안단축증(hypotelorism) • 소안구증(microphthalmia) • 입술 및 입천장갈림증(cleft lip & palate)	• 코의 이상(nasal abnormalities) • 다지증(polydactyly) • Rocker-bottom feet

    e. 산모의 전자간증(preeclampsia) 위험도가 증가 : 임신 제2삼분기 이후까지 생존하는 tri-somy 13의 50% 이상에서 hyperplacentosis와 preeclampsia 발생

(2) 일염색체(Monosomy)

  ① 감수분열 시 비분리(nondisjunction) 현상에 의해 발생

  ② 비분리현상이 일어나면 2개의 염색체를 갖는 생식세포(disomic gamete)와 염색체를 받지 않은 생식세포(nullisomic gamete)가 같은 수로 만들어지나, 실제로 일염색체(monosomy)와 모체의 나이와의 연관성은 밝혀진 바 없음

  ③ 일염색체는 거의 생존이 불가능하여 착상기간동안 사망

  ④ 터너증후군(Turner syndrome) : 유일하게 생존 가능한 일염색체로 임신 초기 3개월 내 유산의 20%를 차지하며, 소수만이 출산까지 생존

(3) 다배수성(Polyploidy)

  ① 대부분 임신 초기에 유산

  ② 삼배수체(triploidy)

    a. 3 haploid sets (69 chromosomes)로 구성

b. 원인

- 2/3은 한 개의 난자에 두 개의 정자가 수정되어 발생

- 1/3은 감수분열 오류에 의해 두배수체 생식세포(diploid gamete)와 수정되어 발생

c. 추가된 염색체의 유래에 따른 표현형

- 부계로부터 유래된 경우(diandric triploidy)

• 부분 포상기태(partial molar pregnancy) : 태반이 비정상적으로 크거나 낭포를 형성

• 임신 초기의 유산율이 매우 높음

• 임신 중기의 심한 전자간증

- 모계로부터 유래한 경우(digynic triploidy)

• 정상적인 모양의 태반

• 태아의 비대칭성장제한(asymmetrical growth restriction)

(4) 아버지의 영향(Paternal effect)

① 이수성(aneuploidy)과 아버지 나이(paternal age)에는 연관 관계가 없음

② 아버지 연령 40세 이상 시 자발적 유전자변이(spontaneous genetic mutations)가 증가

a. 보통염색체 우성질환(autosomal dominant disorder), X 연관성 보인자(X-linked carrier) 발생 증가

b. 단일유전자변이(single nucleotide polymorphisms) 증가

c. 세포질내정자주입(ICSI) : 염색체 이상의 빈도 증가, Y 염색체 결손(deletion) 위험 증가

d. 보통 임신 초기에 유산됨

③ 아버지 나이 증가에 따라 증가하는 질환과 관련 변이유전자

관련 변이유전자(mutation gene)	증가하는 질환
Fibroblast growth factor receptor 2 (FGFR2)	Craniosynostosis syndromes (Apert, Crouzon, and Pfeiffer syndromes)
Fibroblast growth factor receptor 3 (FGFR3)	Achondroplasia Thanatophoric dysplasia Osteogenesis imperfecta
RET proto-oncogene	Endocrine neoplasia syndromes

3) 성염색체의 이상(Sex chromosome abnormality)

(1) 45,X (Turner syndrome, 터너증후군)

① 빈도 : 여자 신생아 2,500명당 1명

② 원인

a. 산모의 나이와 발생은 관계가 없음

b. 누락된 X 염색체는 아버지의 성염색체 전이 실패가 80%를 차지

③ 특징

    a. 유산 조직에서 보이는 가장 흔한 염색체 수적 이상(aneuploidy)

    b. 생존 가능한 유일한 일염색체(monosomy) 이상

       - 터너증후군 임신의 1% 미만만이 살아있는 신생아를 분만

       - 임신 초기 유산의 20%를 차지(대부분 임신 3개월 내 유산됨)

    c. 표현형(phenotype)

염색체 이상	핵형(karyotyping)	비율
Monosomy X	45,X	50%
Mosaicism	45,X/46,XX or 45,X/46,XY	25%
Isochromosome X	46,X,i(Xq)	15%

    d. X 염색체의 영향

       - 장완(long arm)의 결손 : 흔적 난소(streak ovary)와 무월경을 유발

       - 단완(short arm)의 결손 : 작은 키를 유발

④ 주요 기형 및 외형적 특징

주요 기형(Major anomaly)

- 갑상샘기능저하증(hypothyroidism)
- 말굽콩팥(horseshoe kidney)
- 정상 지능지수
- 심장기형(대동맥축착, 이첨판 대동맥 판막)
- 난소부전(ovarian dysgenesis)

외형적 특징(Characteristic features)

임신 중 특징
- 림프물주머니(cystic hygroma)
- 태아수종(hydrops fetalis)
- 태아 사망

출생 후 특징
- 작은 키(140 cm 정도)
- 손발의 림프부종(lymphedema)
- 물갈퀴목(webbed neck) − cystic hygroma의 후유증
- 방패가슴(양쪽 유두의 폭과 가슴이 넓음)
- 낮은 두발선

⑤ 난소부전(ovarian dysgenesis)의 치료

    a. 조기 발견하여 사춘기 전까지 장기간 호르몬치료(estrogen 보충)를 시행 하면 키나 외부 생식기의 성장을 보임

    b. 대부분 불임이지만 난자를 제공받을 경우 불임시술로 임신이 가능

    c. Y 염색체가 있는 mosaicism은 예방적 생식샘제거(prophylactic bilateral gonadectomy)가 필요

(2) 47,XXY (Klinefelter syndrome, 클라인펠터증후군)

① 빈도 : 남자 신생아 600명당 1명(가장 흔한 성염색체 이상)

② 원인

    a. 추가된 X 염색체는 50%의 확률로 동일하게 아버지 또는 어머니에게서 유래

    b. 아버지와 어머니의 나이와 관련이 없음

③ 주요 기형 및 외형적 특징

주요 기형(Major anomaly)	외형적 특징(Characteristic features)
• 정상 외모(phenotypically normal) • 정상적인 사춘기 발달 • 성선발생장애(gonadal dysgenesis) • 남성화 장애 및 불임(고환 위축, 무정자증 등) • 정상 지능, 일부 발달장애	• 큰 키(taller than average) • 여성형 유방(gynecomastia) • 유환관증(eunuchoidism) • 비만이 흔함

④ 지능

    a. 일반적으로 지능은 정상(평균 IQ 95)

    b. 평균에서 약간 낮은 평균 정도의 지능을 보이고, 많은 수에서 경한 정도의 발달장애와 언어장애, 신경성 혹은 학습장애가 나타남

⑤ 남성화 장애의 치료 : 청소년기부터 테스토스테론(testosterone) 보충 시행

(3) 47,XXX (Triple X syndrome, 삼중X증후군)

① 빈도 : 여자 신생아 1,000명당 1명

② 원인

    a. 추가된 X 염색체는 90% 이상이 어머니에서 유래

    b. 산모의 나이와 약하게 관련(weakly associated)이 있음

③ 주요 기형 및 외형적 특징

주요 기형(Major anomaly)	외형적 특징(Characteristic features)
• 정상 외모 • 정상 사춘기 발달 • 정상 생식력 • 경한 정도의 지능저하 및 학습장애(클라인펠터증후군과 유사)	• 큰 키(tall stature) • 두눈먼거리증(hypertelorism) • 내안각주름(epicanthal folds) • 척추뒤옆굽음증(kyphoscoliosis) • 측만지증(clinodactyly) • 근긴장도 저하(hypotonia)

④ 지능

    a. 1/3 이상이 학습장애로 진단받고, 1/2 이상이 주의력결핍장애를 가지고 있으며, 전체적인 인지점수가 낮은 범위를 보임(클라인펠터증후군과 유사)

    b. 두 개 이상의 추가 X 염색체를 가지는 경우 출생 시 신체 기형과 정신지체를 보임

(4) 47,XYY (Jacobs syndrome, 야콥증후군)

① 빈도 : 남자 신생아 1,000명당 1명

② 특징

주요 기형(Major anomaly)	외형적 특징(Characteristic features)
• 정상 외모 • 정상 사춘기 발달 • 정상 생식력 • 기형이 증가하지 않음 • 정상 지능(주의력결핍장애, 자폐증 증가)	• 큰 키(tall stature) • 큰 머리(macrocephaly) • 근긴장도 저하(hypotonia) • 떨림(tremor) • 두눈먼거리증(hypertelorism) • 측만지증(clinodactyly)

③ 지능

    a. 정상 지능

    b. 지능 평균이 형제, 자매의 지능지수 보다 약간 낮은 경향이 있어 학습 및 언어 능력 장애가 있을 수 있음

    c. 여러 개의 X, Y 염색체를 갖는 경우에는 출생 시 심한 신체 기형과 정신지체를 보임

④ 범죄나 폭력적 행동과 연관이 없음

4) 염색체의 구조적 이상(Abnormality of chromosome structure)

  (1) 염색체 결손(Chromosomal Deletions)

    ① 정의

        a. 같은 염색체 내에 2개 부위의 절단점(breakpoint)에 의하여 염색체의 일부분이 없어진 경우

        b. 대부분의 결손은 감수분열 시기에 상동염색체(homologous chromosome)가 짝을 이룰 때 생기는 중심맞추기 이상(malalignment)이나 불일치(mismatching)현상에 의해 발생

        c. 두 개의 염색체가 적절하게 정렬되지 않으면, 정렬되지 않은 고리(loop)는 결손됨

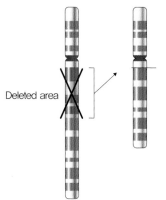

Deleted area

Before deletion   After deletion

그림 13-5. 염색체 결손(Chromosomal Deletions)

② 결손(deletion)

   a. 4p 결손(deletion 4p)

     - 4번 염색체 단완의 부분 결손(4p16.3)

     - Wolf-Hirchhorn 증후군(Wolf-Hirchhorn syndrome)

     - 결손된 염색체의 80%는 아버지에서 유래

     - 태아성장제한(fetal growth restriction), 근긴장도 저하(hypotonia), 독특한 얼굴 기형, 정신지체, 다지증(polydactyly), 심장 기형 등을 동반

     - 대부분 심한 발작을 일으키며 소아기까지 생존하는 경우는 드묾

   b. 5p 결손(deletion 5p)

     - 5번 염색체 단완의 부분 결손(5p15.2-15.3)

     - 고양이울음증후군(Cri du chat syndrome)

     - 비정상적인 후두 발달에 의한 고양이 울음과 비슷한 특징적인 울음소리

     - 소두증(microcephaly), 성장제한(growth restriction), 근긴장도 저하(hypotonia), 심한 정신지체 동반

     - 대부분 성인기까지 생존

③ 미세결손(microdeletion)

   a. 22q 미세결손증후군(22q microdeletion syndrome)

     - 22번 염색체 22q11.2의 미세결손에 의한 질환

     - 같은 염색체 위치의 결손과 관련된 2개의 극단적인 형태

       • Shprintzen 증후군(velo-cardio-facial 증후군) : 입천장갈림 샛길, 입천장인두기능부전(veloparyngeal incompetence), 돌출된 코, 심장 결함, 학습 장애, 작은 키

       • DiGeorge 증후군 : 가슴샘 형성저하 또는 무형성증(thymic hypoplasia or aplasia), 부갑상샘 형성저하 또는 무형성증, 대동맥활 결함(aortic arch malformations), 짧은 안검틈새(short palpebral fissures), 짧은 인중과 작은 턱, 귀의 결함

     - 팔로4징(TOF) 등의 뿔줄기 기형(conotruncal anomaly)이 임신 중 진단된 경우 시행

       • 태아의 염색체 검사(karyotyping)

       • 형광제자리부합법(fluorescent in situ hybridization)

   b. Prader-Willi 증후군 & Angelman 증후군

     - 동일한 15q11-q13부위의 결실로 발생하지만 다른 임상 양상을 보이는 두가지 질환

     - Prader-Willi 증후군

       • 아버지 유래의 염색체 결실

       • 비만, 근긴장도 저하, 정신지체, 생식샘기능저하(hypogonadotrophic hypogonadism), 작은 키와 손과 발이 특징

- Angelman 증후군
  - 어머니 유래의 염색체 결실
  - 간질, 근긴장도 저하, 간질, 정신지체, 운동실조(ataxia), 행복한 꼭두각시(happy pup-pet)로 불리는 발작적 웃음이 특징
- c. Smith-Magenis 증후군(Smith-Magenis syndrome)
  - 17p11.2 부위의 결실
  - 작은 코, 처진 귀, 난청, 학습 및 행동 장애, 수면 장애 등이 특징

(2) 염색체 전위(Chromosomal Translocations)

① 상호전위(reciprocal translocations)

a. 두 개의 다른 염색체에서 절단(break)이 생긴 후 서로 자리바꿈을 한 상태
  - 유도된 염색체(derivative, der) : 재배열 된 염색체
  - 균형전위(balanced translocation) : 염색체 양의 증감이 없는 경우

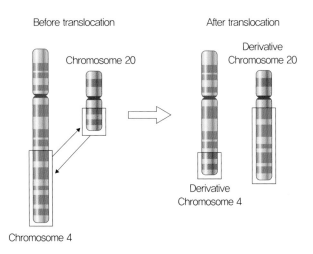

그림 13-6. **염색체 상호전위**(Reciprocal translocations)

b. 균형전위 보인자(balanced translocation carrier)
  - 유전자 기능은 영향을 받지 않고 정상 표현형을 보이는 경우
  - 비정상 자손이 생길 수 있는 불균형 생식세포를 만들 수 있음
  - 부모 중 한명이 염색체 전위를 나타내면 피임 수술을 권함
c. 전위 보인자는 습관성 유산이나 기형 출산(5~30%)의 위험이 있으므로 매 임신 시 마다 산전진단 또는 착상전유전진단(PGD)을 받아야 함

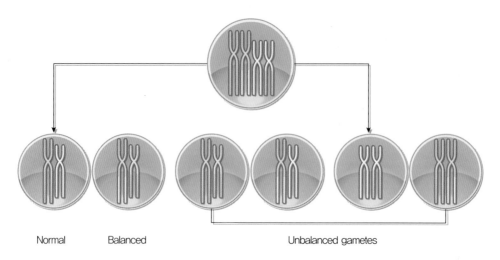

Normal   Balanced   Unbalanced gametes

그림 13-7. 상호전위(Reciprocal translocations)의 생식세포

② 로버트슨전위(Robertsonian translocations)

    a. 두 개의 끝곁매듭 염색체(acrocentric chromosome)들 장완이 중심절에서 결합된 형태

      - 끝곁매듭 염색체 : 염색체 13, 14, 15, 21, 22

      - 중심절 부위에서의 결합으로 인해 한쪽 중심절과 염색체 단완의 위성체 부위(satellite regions)를 잃게 됨

      - 습관성 유산의 원인 중 약 5% 미만을 차지

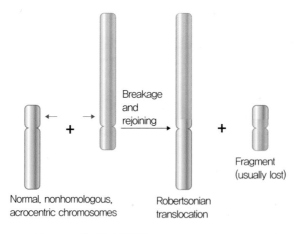

그림 13-8. 로버트슨전위(Robertsonian translocations)

b. 로버트슨전위 보인자(Robertsonian translocation carrier)
- 45개의 염색체를 가짐
- 생식력 장애(reproductive difficulty) 발생
c. 같은 염색체 쌍이 결합된 전위(homologous Robertsonian translocation)를 가진 보인자
- 불균형전위된 생식세포만을 형성
- 세염색체 또는 일염색체만을 형성하지만 일염색체는 모두 유산됨
d. 같은 염색체 결합이 아닌 경우(nonhomologous Robertsonian translocation)
- 6개의 가능한 생식세포 중의 4가지가 비정상(66%)
- 비정상 생식세포는 임신 초기에 유산됨
- 비정상의 자손이 발생할 경험적 발생률
  • 어머니가 보인자 : 10~15%
  • 아버지가 보인자 : 2~3%
- 매 임신 시마다 산전진단이 필요
e. 전위 세염색체(translocation trisomy)의 태아 또는 신생아가 진단되면, 부모의 염색체 검사
(karyotyping)를 시행

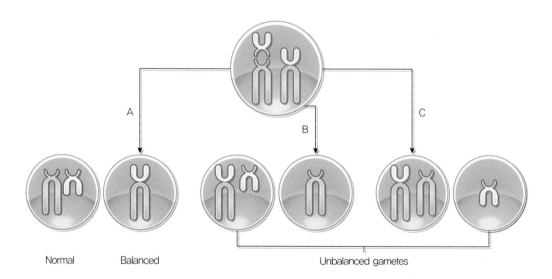

그림 13-9. 로버트슨전위(Robertsonian translocations)의 생식세포

(3) 등완염색체(Isochromosome)

① 단완부(p arm)나 장완부(q arm) 중 한쪽이 소실되고 남은 쪽이 거울상으로 복제된 형태

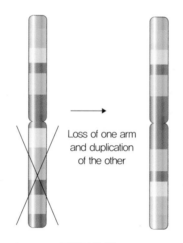

그림 13-10. 등완염색체(Isochromosome)

② 원인

    a. 제 2 감수분열(meiosis) 시기에 동원체가 종단 분리가 되지 못하고 횡단 분리가 되어 발생

    b. 로버트슨전위가 되어 발생

③ i(Xq) : 터너증후군의 15%에서 발견되는 가장 흔한 형태

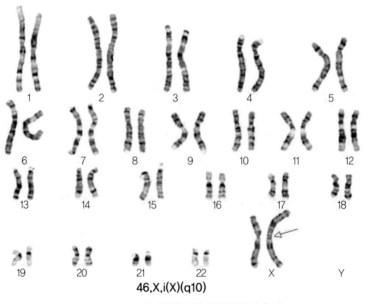

그림 13-11. 터너증후군의 등완염색체 i(Xq)

(4) 염색체 역전(Chromosomal inversions)

① 한 염색체에 두 개의 절단점이 생기고 중간 유전물질의 방향이 바뀔 때 발생

　　a. 유전 물질의 손실이나 중복(duplication)이 없음

　　b. 재배열(rearrangement)로 인한 유전자 기능의 변화 발생 가능

② 중심절편측역전(paracentric inversion)

　　a. 한쪽 팔(arm)에서만 역전(inversion)이 일어나고 중심절은 역전된 부분에 포함되지 않음

　　b. 중심절편측역전의 보인자

　　　- 정상 또는 균형된 생식세포를 만들거나 아주 비정상적이어서 수정이 불가능한 생식세 포를 만듦

　　　- 불임의 문제가 있기는 하지만 비정상의 자손의 위험률은 매우 낮음

inv(6)(q11q21)

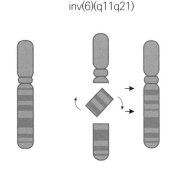

그림 13-12. 중심절편측역전(Paracentric inversion)

③ 중심절포함역전(pericentric inversion)

　　a. 절단점이 한 염색체의 각 팔(arm)에 존재하고, 역전된 유전물질은 중심절을 포함

　　b. 중심절포함역전의 보인자

　　　- 감수분열 시기에 염색체의 정렬(alignment)에 문제를 일으켜 비정상 생식세포를 만들기 때문에 비정상 자손을 낳을 위험률이 높음

　　　- 가장 흔한 형태 : inv(9)(p11q12)

　　　　• 9번 염색체의 뭉친 염색질(heterochromatin) 부위의 중심절포함역전

　　　　• 임상적 영향이 없는 정상 범위의 변이(normal variant)

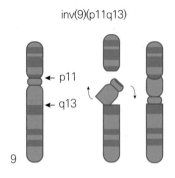

inv(9)(p11q13)

← p11

← q13

9

그림 13-13. 중심절포함역전(Pericentric inversion)

(5) 고리 염색체(Ring chromosome)

① 염색체의 양쪽 끝에 결손이 있을 때 양 끝이 결합되어 고리(ring)를 형성

    a. 고리 염색체는 돌연변이에 의해 생기거나 보인자 부모로부터 유전될 수 있음

    b. 결손이 중요한 부위에 있으면, 비정상 표현형을 나타냄

② 종말체(telomeres)

    a. 염색체의 끝 부분에 위치한 핵단백질 복합체(nucleoprotein complex)

    b. 염색체 끝 부위의 보호, 복제(replication), 안정의 기능

③ 감수분열 시기

    a. 고리 염색체는 정상적인 정렬을 방해해서 비정상 생식세포를 형성

    b. 세포분열을 방해하기 때문에 많은 조직에서 비정상적인 성장의 원인이 됨

    c. 작은 체구, 정상 범위에서부터 경한 정도의 정신지체를 보임

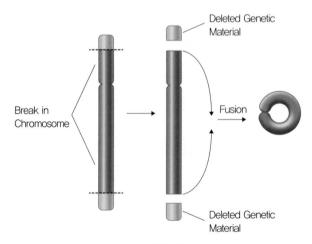

Deleted Genetic
Material

Break in
Chromosome

Fusion

Deleted Genetic
Material

그림 13-14. 고리 염색체(Ring chromosome)

(6) 염색체 섞임증(Chromosomal Mosaicism)

① 한 개체에서 두 개 이상의 세포유전학적으로 구별되는 세포주(cell lines)가 있는 경우

② 태반국한 섞임증(confined placental mosaicism)

  a. 정의

    - 태아와 태반의 핵형이 다른 경우

    - 세염색체가 체세포분열을 하면서 태아가 될 세포들에서는 추가 염색체가 결손되지만 태반이 될 세포에서는 세염색체를 가지고 있는 경우

  b. 빈도 : 융모막세포의 약 1~2%에서 발견

  c. 원인

    - 태반으로 될 세포의 일부 또는 전체에서 초기 체세포분열 시 비분리현상의 결과로 발생

    - 감수분열 오류로 생긴 세염색체에서 부분적인 교정이 일어나서 발생

  d. 세포유전학적으로 이상이 있는 태아의 생존에 중요한 역할

③ 생식샘 섞임증(gonadal mosaicism)

  a. 정의 : 생식선에만 제한된 섞임증

  b. 원인 : 체세포분열의 이상이 생식선으로 될 세포에서만 발생하여 비정상의 세포군을 형성

  c. 가족력이 전혀 없는 가계의 자손에서 같은 질병이 재발될 때 의심할 수 있음

5) 염색체 검사법(Genetic tests)

(1) 세포유전학적 분석(Cytogenetic analysis)

① 배양세포를 염색체가 최고로 농축되는 세포분열 중기(metaphase)에 표본을 제작한 후, 여러 가지 염색법을 실시하여 광학현미경이나 형광현미경을 이용하여 핵형분석(karyotype analysis)을 하는 방법

② 띠염색법(banding)

  a. 염색체의 수적 이상이나 구조적 이상을 진단하기 위해서 가장 많이 사용되는 염색법

  b. 염색체의 길이를 따라 희고 검은 띠가 차례로 나타나는 방법

  c. 5~10 million base pairs (Mb) 크기의 염색체 구조를 확인 가능

  d. 고해상도 염색법(high resolution banding) : 염색체의 길이가 중기보다 길어져 있는 전기(prophase)와 전중기(prometaphase)의 염색체를 이용하여 기존의 방법으로 보이지 않던 염색체 이상의 진단이 가능

(2) 형광제자리부합법(Fluorescent in situ hybridization, FISH)

① 특정 DNA에 형광물질을 결합시켜 염색체 상의 위치를 확인하는 방법

② 이용

  a. 세염색체 증후군 같이 염색체 개수가 증가된 경우의 진단

　　b. 미세결손(microdeletion)의 진단

③ 대개 24~48시간 내에 결과를 확인할 수 있어서 흔한 염색체 수적 이상에 대해 빠르게 결과를 제공

④ 고해상도 염색법(High-resolution banding)보다도 더 미세한 1 million base pairs (1 Mb) 정도로 작은 결실도 진단이 가능

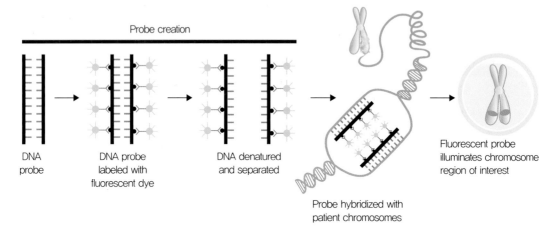

Probe creation

DNA probe

DNA probe labeled with fluorescent dye

DNA denatured and separated

Probe hybridized with patient chromosomes

Fluorescent probe illuminates chromosome region of interest

그림 13-15. 형광제자리부합법(Fluorescent in situ hybridization)

(3) 마이크로어레이 검사(Chromosomal Microarray Analysis, CMA)

① 이용

　　a. 염색체의 수적 이상과 미세결손과 중복의 확인

　　b. 유전자 복제수변이(copy number variants, CNVs)에 대한 이상 유무 확인

② 적응증

　　a. 태아초음파 검사에서 태아의 구조적 기형이 발견된 경우

　　b. 태아의 심장기형, 뇌기형, 입술갈림증, 다발성 기형이 있는 경우

③ 보통 세포 배양과정 없이 3~5일 내에 바로 결과를 확인할 수 있고, 양수 세포의 배양이 필요한 경우에는 10~14일이 소요

④ CMA에 사용되는 chip

　　a. 단일유전자변이(single nucleotide polymorphisms, SNPs)

　　　- 칩 안에 이미 알려진 단일유전자변이(SNPs)를 포함하는 DNA 변이 가닥(sequence variants)이 있고 형광표지 된 태아 DNA가 이와 결합할 때 발현하는 형광신호의 강도로 유전자 복제변이수(Copy number variation)를 확인

　　　- 유전자복제수변이, 이수성(aneuploidy), 불균형전위(unbalanced translocation), 미세결손과 미세중복 등 유전자 양의 증감 확인 가능

- 균형전위(balanced translocation)는 진단할 수 없음
b. 비교게놈혼성화법(comparative genomic hybridization, CGH)
- 양수천자와 융모막융모생검으로 얻은 태아 DNA에 형광표지자를 부착시키고 chip의 DNA와 결합시킴
- 정상 대조군의 DNA에 다른 색의 형광표지자를 부착시키고 chip의 DNA와 결합시킴
- 양측 chip의 형광성 점들의 발현 정도를 비교

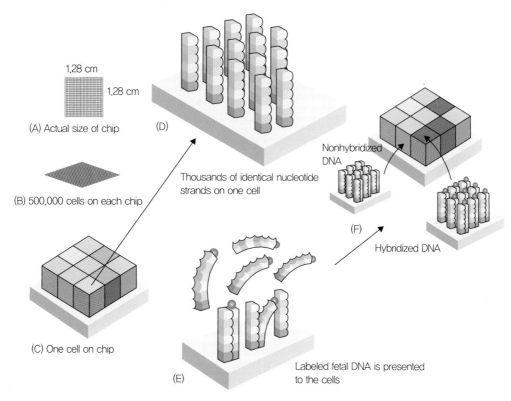

그림 13-16. 마이크로어레이 검사(Chromosomal Microarray Analysis)

(4) 전장유전체분석(Whole Genome Sequencing)과 전장엑솜분석(Whole Exome Sequencing)
① 전장유전체분석(Whole Genome Sequencing, WGS)
a. 유전정보가 없는 인트론(intron)과 유전정보가 있는 엑슨(exon)을 포함하여 전체 염색체를 분석하는 것
b. 인트론의 해석은 임상적 의의를 밝히기 힘들고 검사비용도 많이 소요됨
c. 유전정보를 가진 엑슨(exon)을 분석하는 전장엑솜분석(Whole Exome Sequencing, WES)의 임상적인 활용도가 더 좋음
② 유전적 이상이 의심되는 다발성 기형을 가진 태아의 염색체검사에서 이상소견을 발견하지

못하면 WES 검사를 권유

③ 태아와 부모의 유전체 검사를 동시에 실행해야 가장 효과적

(5) 모체 혈장 내 세포유리 DNA

① 세포유리 DNA (cell-free DNA, cfDNA)

　　a. 산모의 혈장 내 존재하는 200 base pair 이하의 작은 DNA 조각으로 태반에서 유래

　　b. 임신 9~10주 이후 산모의 혈액에서 검출 가능

　　c. 임신부의 혈장 내 전체 세포유리 DNA (total circulating cell-free DNA)의 약 10% 차지

　　d. 태아세포를 산모세포와 분리

　　　　- Density gradient or protein separation technique

　　　　- Fluorescence activated cell sorting

　　　　- Magnetic activated cell sorting

　　e. Nucleated red blood cell

　　　　- 가장 쉽게 분리 가능

　　　　- 비침습적 산전 진단에서 가장 이상적으로 사용되는 태아 세포

　　　　- FISH를 이용한 염색체 검사(karyotyping)와 유전질환의 확인 가능

　　　　- 민감도(sensitivity)는 염색체 이상이 있는 경우 더 높음

② 태아 DNA 선별검사

　　a. 방법 : NIPT (Non-Invasive Prenatal Testing, cf-DNA Testing)

　　b. 원리

　　　　- 산모의 혈액 속에 있는 태아 DNA의 양적 차이를 정상군과 비교하여 분석하는 방법

　　　　- 수백만 개의 DNA 조각들을 동시에 분석하여 예상치보다 증가된 특정 염색체의 DNA 조각의 비율을 확인하여 염색체 수의 이상을 예측

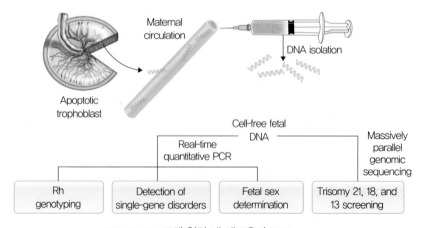

그림 13-17. 모체 혈장 내 세포유리 DNA

c. 적용 범위

　- 단일 유전자 질환의 유무와 염색체 수적 이상의 위험성 판단

　　• 비침습적인 산전 선별 검사(noninvasive prenatal testing)로 사용

　　• DNA의 미세한 양적 차이를 감지할 수 있는 차세대 염기서열 분석법(next generation sequencing)의 적용을 통해 임신 초기부터 이용 가능

　　• 산전 선별검사로 이용 : 상염색체 수적 이상의 낮은 위양성률과 높은 질환 검출률

　- 태아의 성별, RhD 혈액형 등의 확인

d. 장점

　- 모체혈청선별검사에 비해 높은 검출률

　- 높은 다운증후군 검출률 : 약 99%

　- 다운증후군(trisomy 21), 에드워드증후군(trisomy 18), 파타우증후군(trisomy 13)에 대해 0.5% 미만의 낮은 위양성률과 98%의 높은 질환 검출률을 나타냄

e. 단점 : 고위험군으로 나온 경우 반드시 유전 상담과 침습적산전진단 검사가 필요

f. 미국 산부인과학회의 권고안(ACOG, 2012)

　- 35세 이상 고령 산모

　- 태아 초음파 검사에서 이상 소견이 발견된 산모

　- 모체혈청선별검사에서 고위험군 산모

　- 염색체의 수적 이상이 있는 태아를 임신했던 산모

　- 21번 또는 13번 염색체의 균형 로버슨전좌(balanced robertsonian translocation)를 지닌 산모

2　유전 양상(Modes of Inheritance)

1) 단일유전자질환(Monogenic disorder, Mendelian disorder)

　(1) 보통염색체 우성유전(Autosomal Dominant inheritance)

　　① 돌연변이 유전자(mutant gene)가 하나만 있어도 표현형(phenotype)이 나타남

　　② 수직 전파(vertical transmission)

　　　a. 세대를 거르지 않고 모든 세대에서 보임

　　　b. 부부의 한 쪽은 정상이고 한 쪽은 비정상인 경우, 자녀의 50%에서 질환이 발생

　　　c. 질환이 생긴 자녀의 자손 50%에서 이환

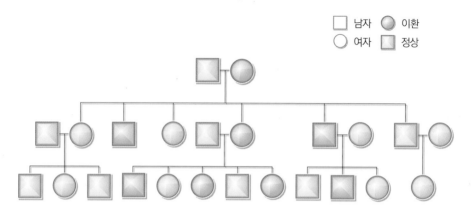

□ 남자 ◯ 이환
◯ 여자 □ 정상

그림 13-18. 보통염색체 우성유전(Autosomal Dominant inheritance)의 가계도

③ 대표적인 질환

- 연골무형성증(achondroplasia)
- 급성 간헐적 포르피린증(acute intermittent porphyria)
- 성인형 다낭신장질환(adult polycystic kidney disease)
- BRCA1, BRCA2 유방암(BRCA1 and BACA2 breast cancer)
- 가족성 고콜레스테롤혈증(familial hypercholesterolemia)
- 헌팅턴 무도병(Huntington chorea)
- 마판증후군(Marfan syndrome)
- 근긴장성 이영양증(myotonic dystrophy)
- 신경섬유종증(neurofibromatosis)
- 골형성부전증(osteogenesis imperfecta tarda)
- 결절성 경화증(tuberous sclerosis)

(2) 보통염색체 열성유전(Autosomal Recessive inheritance)

① 돌연변이 유전자(mutant gene) 두 개가 있을 때 표현형(phenotype)이 나타남

② 수평 전파(horizontal transmission)

a. 한 세대에서만 질환이 나타날 수 있음

b. 부모 모두 보인자인 이접합체(heterozygous)일 때 자녀에게 질환이 나타날 위험은 25%, 50%는 보인자, 25%는 정상

c. 배우자 중 한 사람이 보인자인 이접합체인 경우에는 자녀에게 질환이 나타나지 않음

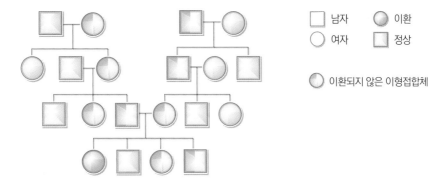

그림 13-19. 보통염색체 열성유전(Autosomal Recessive inheritance)의 가계도

③ 대부분의 효소결핍질환은 열성으로 유전

④ 대표적인 질환

- 백색증(albinism)
- 낭성섬유증(cystic fibrosis)
- 고쉐병(Gaucher's disease)
- 유전성난청(deafness)
- 페닐케톤뇨증(phenylketonuria)
- 겸상세포빈혈(sickle-cell anemia)
- 윌슨병(Wilson's disease)
- 선천성부신과형성(congenital adrenal hyperplasia)

(3) X 연관성 우성유전(X-linked Dominant inheritance)

① 이접합체(heterozygous) 어머니에게서 50%의 확률로 딸에게 이환

② 아들의 경우 대부분 치명적으로 나타남

② 대표적인 질환 : 비타민D 저항성구루병(vitamin-D-resistant rickets), 색소실소증(incontinentia pigmenti), 국한성 피부저형성증(focal dermal hypoplasia) 등

(4) X 연관성 열성유전(X-linked Recessive inheritance)

① X 연관성 질환의 대부분은 열성유전

② 사선 전파(oblique transmission)

　　a. 주로 남자에게만 발생 - 남자는 반접합(hemizygous) 상태이므로 어머니가 보인자일때 아들의 50%에서 질환이 발생

　　b. 여자가 보인자(carrier)로서 이접합체(heterozygous)인 경우에는 정상으로 보임

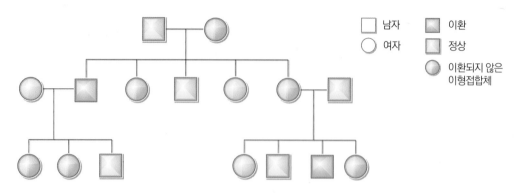

☐ 남자	▨ 이환
○ 여자	▨ 정상
	◑ 이환되지 않은 이형접합체

그림 13-20. X 연관성 열성유전(X-linked Recessive inheritance)의 가계도

③ 대표적인 질환 : 색맹(color blindness), 요붕증(diabetes insipidus), 혈우병(hemophilia), 고환여성화(testicular feminization), 근이영양증(Duchenne muscular dystrophy) 등

(5) 삼핵산반복질환(Trinucleotide repeat disorder)

① 유약 X 증후군(Fragile X syndrome)

　a. 원인

　　- X 염색체(Xq27.3)에 위치한 FMR1(fragile X mental retardation 1) 유전자의 cytosine-guanine-guanine (CGG) 삼중자 반복수(triplet repeats)가 비정상적으로 증가하여 질환을 초래

　　- 반복수의 증가로 크기가 커지면 FMR1 유전자는 메틸화(methylation)되고 불활성화되어 FMR1 단백질 생성을 중단

　　- 메틸화(methylation) : 유전체 내의 CpG dinucleotide의 cytosine에 작용하여 transcription을 방해하는 기전

　b. 빈도 : 남자에서 더 흔함

　　- 남자 3,600명당 1명

　　- 여자 4,000~6,000명당 1명

　c. 정신지체의 주요 원인

　　- 유전성 정신지체(familial mental retardation)의 가장 흔한 원인

　　- 다운증후군 다음으로 흔한 정신지체의 원인

　　- 남자에서 지능저하가 더 심함(평균 IQ 35~45)

　d. 자폐증(autism), 대화와 언어장애, 주의력결핍과다활동장애(ADHD) 등이 나타남

e. 신체적 특징

   - 길고 좁은 얼굴에 큰 턱과 돌출된 귀

   - 결합조직 이상(connective tissue abnormality)

   - 큰고환증(macroorchidism)

   - 나이가 들면서 신체적 특징들은 현저해짐

f. CGG 삼중자 반복수와 메틸화의 정도에 따른 구분

그룹(Gropus)	CGG 반복수
정상(unaffected)	<45
중간(intermediate, grey zone)	45~54
초기 변이(premutation)	55~200
완전 변이(full mutation)	>200

g. 초기 변이(premutation)을 갖는 어머니의 유전자가 자손으로 전달되는 경우 감수분열 동안 반복수의 팽창이 잘 발생하여 자손에서 완전 변이(full mutation)로 나타날 수 있음

h. 선별 검사의 적응증

   - 정신지체의 가족력

   - 원인 불명의 발달 지체

   - 자폐증(autism)

i. 산전 진단 방법

   - Southern blot analysis, 중합효소연쇄반응(PCR) : CGG 반복수와 메틸화의 상태를 진단

   - 융모막융모생검(chorionic villus sampling) 결과 완전변이의 반복수가 보이는 경우 융모막세포에서는 메틸화 상태를 결정하기가 어렵기 때문에 양수검사(amniocentesis)를 재시행하여 메틸화의 상태를 정확히 확인하는 것이 필요

② 근육긴장퇴행위축(myotonic dystrophy)

a. 원인 : 9번 염색체 장완의 cytosine-thymine-guanine (CTG) 삼중자 반복수 증가

b. 반복수에 따라 다른 증상을 보임

   - 약 100 반복수 : 가벼운 안면근육 위축, 전측 대머리, 백내장 등의 경한 증상

   - 1,000 이상의 반복수 : 근육 위축과 심근병증, 정신지체, 내분비 이상, 비정상 안면, 백내장 등의 완전한 근육긴장퇴행위축 증상

   - 10 kb의 증가를 보이는 선천성 근육긴장퇴행위축 신생아 : 근육긴장도 저하, 안면근육 위축, 울음과 젖을 빠는 횟수의 감소, 호흡 불충분 등으로 성인까지의 생존이 힘듦

c. 발병한 가계에서 세대가 거듭될수록 증상 발현의 나이가 빨라지고, 증상도 더 심해짐

③ 헌팅턴병(Huntington disease)

    a. 원인 : 4번 염색체의 cytosine-adenine- guanine (CAG) 삼중자 반복수 증가

    - 정상인 : 10~35 반복수

    - 환자 : 36~121 반복수

    b. 약 40세에 진행성 무도증, 운동 완만, 경축(rigidity), 지능의 진행성 악화 증세를 보임

    c. 반복수와 발병 시기는 높은 상관관계를 가짐

    d. 부계에서 유전될 때 더욱 불안전함

(6) 각인(Imprinting)

① 부모로부터 유래된 두 염색체의 유전자들 중 한쪽 염색체의 유전자들만 발현되는 것

    a. 유전자의 불활성을 통한 표현형은 유전되는 부모의 성에 의해 결정

    b. 후생유전학적 조절(epigenetic control)을 통해 유전자의 발현에 영향을 미침

② 같은 유전자의 결손에 의하지만 아버지로부터 전달받은 15번 염색체의 미세결손은 Prader-Willi syndrome을 일으키나, Angelman syndrome은 어머니로부터 유래한 염색체의 미세결손으로 유발

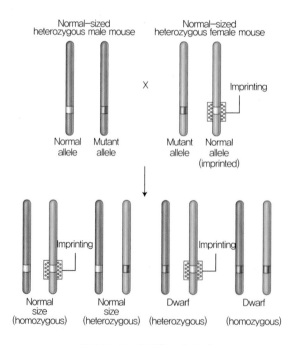

그림 13-21. 각인(Imprinting)

2) 다인자성 유전(Multifactorial inheritance)

(1) 정의

① 다유전자 성향(Polygenic traits) : 여러 유전자들의 복합적인 효과에 의해 결정되는 것

② 다인자성 성향(Multifactorial traits) : 여러 유전자들과 환경요인에 의해 결정되는 것

③ 대다수의 유전 성향은 다유전자 성향 또는 다인자성 성향

    a. 질환이 Mendelian 유전양식을 따르지는 않지만 가족 내에서 발생빈도가 증가

    b. 일란성 쌍둥이(monozygotic twins)에서 동일하게 나타나지 않을 수 있음

    c. 이란성 쌍둥이보다 일란성 쌍둥이에서 질환 빈도가 더 일치함

(2) 역치 성향(Threshold traits)

① 역치(threshold)를 넘어서야 어떤 형질을 보이는 경우

② All or None 현상(all or none phenomenon)

    a. 표현형 이상(phenotypic abnormality)이 증상을 보이거나 전혀 보이지 않는 경향

    b. 질환 경향(liability)의 여러 요인이 연속적으로 분포하며 이러한 분포의 극단에서 역치를
넘어선 경우에만 그 성향이나 결함을 나타냄

③ 대표적인 질환 : 구순열과 구개열, 위문 협착증 등

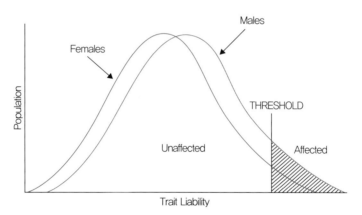

그림 13-22. 역치 성향(Threshold traits)

(3) 심장 결함(Cardiac defects)

① 가장 많은 선천성 질환 : 신생아 1,000명당 8명

② 100개 이상의 유전자가 심혈관계의 발생에 관여하고, 이들은 전사 요소, 세포의 단백, 단백
수용체를 생산

③ 부모가 심장 결함이 있는 경우 발생 위험도 증가

    a. 어머니가 심장 기형이 있는 경우 : 5~6% 증가

b. 아버지가 심장 기형이 있는 경우 : 2~3% 증가

(4) 신경관결손(Neural tube defects)

① 심장 결함 다음으로 가장 흔한 선천성 구조적 이상

② 다양한 원인에 의해 발생 : 고체온증, 고혈당증, 기형유발물질에의 노출, 인종, 가족력, 태아 성별, 다양한 유전자의 영향 등

③ 특정 결함이 특정 위험인자와 연관되는 것은 많은 유전자가 신경관 발달에 관여함을 시사

　　a. 고체온증 : 무뇌아

　　b. 현성 당뇨병 : 두개 및 경흉부 결함

　　c. 발프로산에 노출된 경우 : 요천추부 결함

④ 엽산을 복용하지 않거나 비정상적 엽산 대사도 원인 요소로 작용

CHAPTER 14

산전 진단(Prenatal Diagnosis)

1 산전선별검사(Prenatal screening test)

1) 산전 진단(Prenatal diagnosis)

(1) 산전 진단의 종류

① 산전선별검사(prenatal screening test) : 목표 질환의 고위험군 여부 및 위험 정도를 알아보는 검사

② 산전침습적진단검사(prenatal invasive diagnostic test) : 태아의 검체를 이용하여 염색체 검사 등의 유전자 검사를 시행하여 태아의 이상을 진단하는 방법

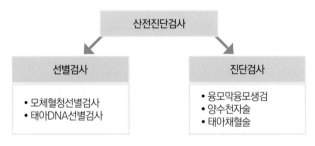

그림 14-1. 산전 진단(Prenatal diagnosis)

(2) 태아 염색체 선별검사와 진단검사

	선별검사		진단검사
	모체혈청선별검사	**태아DNA선별검사(NIPT)**	**침습적진단검사**
검사 개요	태아 혹은 태반 유래의 단백질 분석	임신부 혈장 내의 태아 DNA 분석	융모막융모, 양수, 태아조직에서 태아 염색체 분석
채취 방법	임신부 혈액 채취	임신부 혈액 채취	침습적 시술
검사 시기	통합선별검사, 순차적검사 – 1차 : 임신 11~13주 – 2차 : 임신 15~22주 쿼드검사 : 임신 15~22주	임신 10주 이후	융모막융모생검 : 임신 11~13주 양수천자 : 임신 15주 이후 태아채혈술 : 임신 20주 이후 태아조직검사
검사 질환	13, 18, 21 Trisomy, NTD	13, 18, 21 Trisomy, NTD 성염색체의 수적 이상	염색체의 수적, 구조적 이상
다운증후군 발견율	쿼드검사 : 81% 통합선별검사 : 94~96%	98~99%	99.9%
위양성률	5%	0.5% 이하	거의 없음
제한점	고위험 결과 시, 태아DNA선별검사 또는 침습적진단검사 시행	고위험 결과 시, 침습적진단검사 시행	시술로 인한 유산 위험률

2) 태아 신경관결손 선별검사(Neural tube defects screening test)

(1) 알파태아단백(α-Fetoprotein, AFP)

① 임신 초에는 난황낭(yolk sac), 후기에는 태아 위장관(GI tract)과 간(liver)에서 생성

② 농도

    a. 태아 혈청과 양수 내의 AFP는 임신 13주에 최고, 그 후 급격히 감소

    b. 산모 혈청에서는 임신 12주 이후에 꾸준히 증가, 임신 36~38주에 최고치 도달

    c. 피부 결손이 있는 개방형 체벽 결함(open body wall defect)의 경우 더 많은 양의 AFP가 양수로 빠져나오게 되고 결국 산모의 혈청에서도 증가를 보임

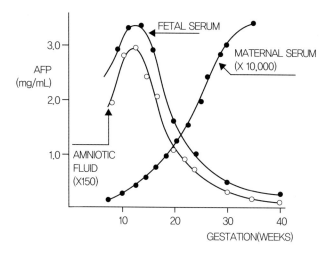

그림 14-2. 임신 주수에 따른 알파태아단백(AFP)의 농도

(2) 모체혈청 알파태아단백(Maternal serum α-Fetoprotein, MSAFP)

① 태아 신경관결손의 선별검사로 사용

② 검사 시기

a. 임신 15~20주(임신 16~18주가 가장 민감도가 높음)

b. 측정 단위 : ng/mL

c. 보고값 : 해당 임신 주수 중앙치의 몇 배 인지로 표시(Multiples of the Median, MoM)

- 상한 기준치 : 2.0 MoM

- 고위험군 기준치 : 2.5 MoM (쌍태임신의 고위험 기준치 : 3.5 MoM)

- 무뇌증의 진단율은 90%, 척추이분증의 진단율은 80%

- MSAFP의 증가에 비례하여 태아 이상이 증가

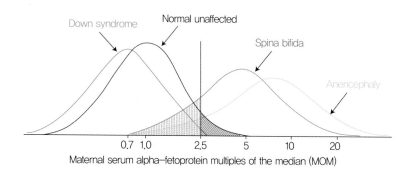

그림 14-3. 모체혈청 알파태아단백(MSAFP)의 MoM과 질환의 관계

③ 모체혈청 알파태아단백(MSAFP)의 수치가 증가 또는 감소하는 경우

MSAFP 증가	MSAFP 감소
Underestimated gestational age	Overestimated gestational age
Multifetal gestation	Obesity
Fetal death	Diabetes
Neural tube defect	Trisomy 21 (Down syndrome)
Gastroschisis, Omphalocele	Trisomy 18 (Edward syndrome)
Cystic hygroma	Gestational trophoblastic diseases
Esophageal or intestinal obstruction	Fetal death
Liver necrosis	
Renal anomalies : polycystic kidneys, renal agenesis, congenital nephrosis, urinary tract obstruction	
Cloacal exstrophy	
Osteogenesis imperfecta	
Sacrococcygeal teratoma	
Congenital skin abnormality	
Pilonidal cyst	
Chorioangioma of placenta	
Placenta intervillous thrombosis	
Placental abruption	
Oligohydramnios	
Preeclampsia	
Fetal growth restriction	
Maternal hepatoma or teratoma	

④ 모체혈청 알파태아단백(MSAFP)의 평가 알고리즘

    a. 2.0 MoM 이상으로 상승된 경우

       - 기본 초음파(standard ultrasonography)

       - 정확한 임신 주수, 태아의 생존 여부, 태아 수 등을 확인

       - 필요시 MSAFP 수치의 재계산

    b. 2.5 MoM 이상으로 상승된 경우 : 신경관결손 진단을 위한 검사를 시행

       - 정밀 초음파(targeted ultrasonography)

         • 우선적으로 시행하는 검사

         • 초음파 해상도의 발달로 신경관결손의 대부분이 초음파 검사만으로도 진단 가능

         • 초음파 검사상 정상소견을 보이는 경우에는 양수 내 AFP 측정을 위한 양수천자가 필요하지 않음

       - 양수천자(amniocentesis) : 초음파를 통한 진단율이 특히 22주 이전엔 100%에 훨씬 못 미치므로 양수천자를 하라고 권하는 경우도 있음

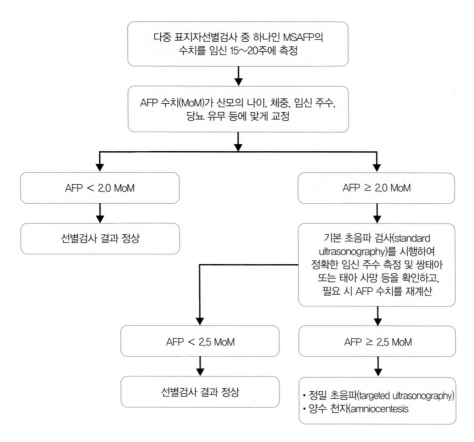

그림 14-4. 모체혈청 알파태아단백(MSAFP)의 평가 알고리즘

3) 모체혈청선별검사(Maternal serum screening test)

(1) 임신 제1삼분기 선별검사(First trimester aneuploidy screening test)

① 목덜미투명대(nuchal translucency, NT)

   a. 태아의 머리엉덩길이(CRL)가 45~84 mm 시기에 측정

   b. 기준(ACOG, 2016) : ≥3.0 mm or ≥99 percentile of gestational age (CRL)

   c. 대한모체태아의학회의 권고 사항(대한모체태아의학회, 2019)

시기	소견 및 검사
임신 제1삼분기	초음파검사 이상소견(NT 증가, Cystic hygroma, 다른 명확한 이상소견 등) ↓ 침습적진단검사(태아 염색체 이상 확인) 정밀 초음파(태아 구조적 기형 확인)

	NT 증가, Cystic hygroma 등이 관찰되었지만 정상 태아 염색체가 확인된 산모
임신 제2삼분기	↓
	정밀 초음파, 심장 초음파
	태아 염색체검사로 발견되지 않는 유전질환 가능성 및 주산기 위험성 설명

② 병합선별검사(combined screening test)

    a. 시기 : 임신 11~14주 사이

    b. 태아 목덜미투명대와 두 가지 혈청 물질을 함께 검사하여 분석하는 방법

      - 모체혈청 물질 : hCG (human chorionic gonadotropin), PAPP-A (pregnancy associated plasma protein A)

      - 임신 제1삼분기 정밀 초음파 : 목덜미투명대(nuchal translucency)

    c. 검사 결과

      - 다운증후군 : hCG 2.0 MoM 이상으로 증가, PAPP-A 0.5 MoM 이하로 감소

      - 에드워드증후군, 파타우증후군 : hCG, PAPP-A 모두 감소

(2) 임신 제2삼분기 선별검사(Second trimester aneuploidy screening test)

    ① 시기 : 임신 16~18주(가장 적절, 15~22주도 가능)

    ② 검사

      a. 삼중표지물질검사(triple test) : AFP, hCG, uE3 (unconjugated estriol)

      b. 사중표지물질검사(quad test) : AFP, hCG, uE3, inhibin-A

      c. 초음파 검사 : 임신 주수의 확인

    ③ 검사 결과

      a. 다운증후군 : AFP, uE3 감소, hCG, inhibin-A 증가

      b. 에드워드증후군 : hCG, MSAFP 감소, uE3 감소

    ④ 임신 제1삼분기에 염색체 선별검사를 시행하지 않았거나, 임신 제2삼분기에 임신을 처음 알게 된 경우에 사중표지물질검사(quad test)를 시행

(3) 임신 제1, 2삼분기 병합검사

    ① 통합선별검사(integrated screening test)

      a. 구성

        - 임신 11~14주 : 태아 목덜미투명대(NT), hCG, PAPP-A

        - 임신 15~22주 : 사중표지물질검사(AFP, hCG, uE3, inhibin-A)

      b. 두가지 검사를 시행한 후 검사 항목을 통합 분석하여 다운증후군의 위험도를 계산

c. 다운증후군 발견율이 94~96%로 가장 효과적

d. 결과를 임신 제2삼분기까지 기다려야 하는 단점

② 순차적검사(sequential screening test)

    a. 계단식 순차적검사(stepwise sequential test)

      - 제1삼분기 선별검사 결과를 저위험군과 고위험군으로 분류

      - 저위험군 : 제2삼분기 선별검사를 시행

      - 고위험군 : 침습적진단검사(invasive diagnostic test)를 시행

    b. 분할식 순차적검사(contingent sequential test)

      - 제1삼분기 선별검사 결과를 저위험, 중간위험, 고위험군으로 분류

      - 저위험군 : 추가 검사를 시행하지 않음

      - 중간위험군 : 제2삼분기 선별검사를 시행하고 최종 결과는 제1,2삼분기 선별검사를 통합 분석하여 다운증후군의 위험도를 계산

      - 고위험군 : 침습적진단검사를 시행

      - 중간위험군이나 고위험군에서 추가 검사로 태아DNA선별검사도 고려 가능

(4) 선별검사의 종류에 따른 다운증후군 발견율

Strategy	Analytes	Detection Rate
First-trimester screen	NT, PAPP-A, hCG or free β-hCG	79~87%
NT (First trimester)	NT	64~70%
Triple test	MSAFP, hCG or free β-hCG, uE3	60~69%
Quadruple (Quad) test	MSAFP, hCG or free β-hCG, uE3, inh-A	67~81%
Integrated screen	First-trimester screen & Quad test - results withheld until Quad test completed	94~96%
Stepwise sequential screen	First-trimester screen & Quad test - 1% offered diagnostic test after first trimester screen - 99% proceed to Quad test, results withheld until Quad test completed	90~95%
Contingent sequential screen	First-trimester screen & Quad test - 1% offered diagnostic test after first-trimester screen - 15% proceed to Quad test, results withheld until Quad test completed - 84% have no additional test after first-trimester screen	88~94%

(5) 쌍태임신에서 모체혈청선별검사

① 다운증후군 위험도는 태아의 숫자와 접합성(zygosity)에 영향을 받음

② 임신부의 나이로 위험도 평가 시

    a. 일란성 쌍태임신부 : 단태임신부와 동일한 다운증후군 위험도

    b. 이란성 쌍태임신부 : 각각의 태아가 갖는 다운증후군 위험도를 합쳐서 평가해야 하므로 단태임신부보다 높은 다운증후군 위험도

③ 모든 모체혈청선별검사는 쌍태임신에서 단태임신보다 정확성이 낮음

④ 다태임신에서 일측태아가 사망 혹은 기형이 발견된 경우에는 모체혈청선별검사가 부정확할 수 있음

(6) 모체혈청선별검사 후 상담

① 저위험군

    a. 선별 가능한 해당 염색체 질환에 대한 위험도가 낮아지는 것을 의미하는 것이지 정상임을 의미하는 것은 아님

    b. 임신 제1삼분기 모체혈청선별검사와 제2삼분기 모체혈청선별검사를 독립적으로 시행하는 것은 위양성이 증가하므로 권하지 않음(ACOG, 2016)

② 고위험군

    a. 선별 가능한 해당 염색체 질환에 대한 위험도가 높아지는 것을 의미하는 것이지 염색체 이상을 의미하는 것은 아님

    b. 임신부에게 해당하는 모체혈청선별검사의 정확도를 알려주고 그 다음 고려해야 할 검사방법들의 장단점을 자세히 설명해야 함

    c. 태아DNA선별검사 혹은 침습적진단검사에 대한 상담을 시행

4) 세포유리 DNA 선별검사(Cell-free DNA screening test)

(1) 태아DNA선별검사의 방법 및 검사대상

① 세포유리 DNA(Cell-free DNA)

    a. 배아에서 유래한 태반세포인 영양막세포(trophoblast)의 자가세포사멸(apoptosis)과 괴사(necrosis) 시 발생하여 임신 기간 동안 모체의 순환계에 존재

    b. 200 base pair 이하의 작은 DNA 조각

    c. 임신 4주부터 임신부의 혈액에서 나타나기 시작, 임신 10주 이후에는 임신부 혈장 내에 존재하는 전체 세포유리 DNA(total cell-free DNA)의 약 10~15% 정도를 차지

    d. 세포유리 태아DNA는 태아의 상태를 조기에 확인할 수 있는 효과적인 자원

② 적용 범위

    a. 단일 유전자 질환의 유무와 염색체 수적 이상의 위험성 판단

- 비침습적인 산전선별검사(noninvasive prenatal testing)로 사용
- DNA의 미세한 양적 차이를 감지할 수 있는 차세대 염기서열 분석법(next generation sequencing)의 적용을 통해 임신 초기부터 이용 가능
  b. 태아의 성별, RhD 혈액형 등의 확인
③ 단점
  a. 태아의 질환 위험성을 조기에 판단하기 위한 선별검사
  b. 고위험군으로 나온 경우에는 반드시 유전 상담과 침습적산전진단검사가 필요
  c. 저위험군 임신부에게 가장 적절한 검사는 모체혈청선별검사
④ 태아DNA선별검사 권고 대상(ACOG, 2017)
  a. 분만 시 만 35세 이상의 고령 임신부
  b. 제1삼분기 혹은 제2삼분기 모체혈청선별검사에서 양성(positive) 소견
    - 초음파검사에서 염색체의 수적 이상(aneuploidy) 소견이 있는 경우
    - 이전 임신에서 보통염색체 세염색체(autosomal trisomy)가 있었던 경우
    - 21 또는 13 염색체를 포함한 balanced Robertsonian translocation이 있는 경우

(2) 태아DNA선별검사의 정확도
① 다운증후군(trisomy 21), 에드워드증후군(trisomy 18), 파타우증후군(trisomy 13)에 대하여 높은 민감도와 특이도
② 주요 염색체 이상에 대한 위양성율은 약 1%
③ 성염색체의 수적 이상 발견율은 90% 이상이며 위양성율은 약 1%
④ 미세결실에 대한 선별검사로 하는 것은 추천하지 않음

(3) 검사 후 결과 상담
① 저위험군
  a. 선별하는 해당 염색체의 위험도가 낮아진다는 것이지 태아의 염색체가 모두 정상이라는 것을 의미하는 것이 아님
  b. 초음파상 부수 소견(soft signs, minor markers)이 단독으로 확인된 경우 : 정상변이로 간주하고 침습적진단검사를 권유하지 않음
  c. 초음파상 주요 구조적 기형이 있는 경우 : 반드시 침습적진단검사를 권유
② 고위험군
  a. 염색체 이상의 확진을 위한 침습적진단검사에 대한 상담이 반드시 필요함
  b. 고위험군에 대한 권고 사항(대한모체태아의학회, 2019)
    - 태아 염색체 이상을 확인하기 위한 침습적진단검사를 권고
    - 침습적진단검사 없이 비가역적인 산과적 처치를 하지 않도록 권고

③ No call

    a. 태아DNA선별검사를 시행하였으나 결과를 보고하기 어려운 경우(검사 결과를 보고하거나 해석할 수 없는 검사 실패를 의미)

    b. 원인

      - 검체 채취나 운송과정의 문제

      - DNA 추출, 증폭이나 시퀀싱의 문제

      - 낮은 태아 분율(fetal fraction)

      - 비만 임신부

      - 이른 임신 주수에 검사를 시행

    c. 염색체 이상의 위험도가 높아질 수 있음을 고려해야 함

    d. 재검보다는 정밀초음파검사와 침습적진단검사를 받을 것을 권유

5) 초음파 선별검사(Sonographic screening)

(1) 주요 구조적 이상 소견(Major anomaly)

① 초음파검사에서 태아의 주요 구조적 기형이 진단된 경우

    a. 표적기형 초음파(targeted ultrasonography)를 시행

    b. 진단을 할 수 있는 방법은 아니지만 추가 소견이 확인되면 이수성의 위험성이 더욱 증가

② 산전침습적진단검사로 세포유전학적인 핵형 검사(karyotyping)를 시행

    a. 염색체 마이크로어레이(chromosomal microarray analysis) : 가장 먼저 사용되는 방법으로 해상도가 높아 최근 많이 사용

    b. 세포유리 DNA (Cell-free DNA)를 포함한 이수성 선별검사(aneuploidy screening)는 주요 구조적 이상 소견이 진단된 이후에는 추천되지 않음

(2) 부수소견(Minor markers)

① 부수소견(Minor markers)

    a. 태아의 기형 소견이라기보다는 정상 변이형(normal variants)

    b. 염색체의 수적 이상이나 다른 기형이 동반되지 않는다면 태아의 예후에 영향을 미치지 않음

② 빈도

    a. 정상 임신의 최소 10% 정도

    b. 주로 임신 15~22주 사이에 의미 있게 발견

③ 다운증후군과 연관된 초음파 부수소견과 유병률(prevalence), 우도비(likelihood ratio)

초음파 부수소견	정상 임신에서 유병률	양성 시 우도비	음성 시 우도비
목덜미 비후(Nuchal fold thickening)	0.5%	11~17	0.8
신우확장증(Renal pelvis dilation)	2.0~2.2%	1.5~1.9	0.9
심장 내 에코(Echogenic intracardiac focus)	3.8~3.9%	1.4~2.8	0.8
음영발생 장(Echogenic bowel)	0.5~0.7%	6.1~6.7	0.9
대퇴골 단축(Short femur)	3.7~3.9%	1.2~2.7	0.8
상완골 단축(Short humerus)	0.4%	5.1~7.5	0.7
하나의 부수소견이 있을 때	10.0~11.3%	1.9~2.0	
두가지 부수소견이 있을 때	1.6~2.0%	6.2~9.7	
세가지 이상의 부수소견이 있을 때	0.1~0.3%	80~115	

6) 유전질환의 보인자 선별검사(Carrier screening for Genetic disorder)

(1) 유전선별검사(Genetic screening)

① 증상이 없는 개인이 특정 유전질환과 관련된 변이를 가지고 있는지를 알아보는 유전검사

　　a. 주로 열성 유전질환에 대한 보인자 선별검사(carrier screening)에 적용

　　b. 의미있는 유전정보를 제공함으로써 앞으로의 임신 계획에 도움을 주기위해 시행

② 종류

　　a. 민족 특이 유전선별검사(ethnic-based screening)

　　b. 민족 공통 유전선별검사(pan-ethnic screening)

　　c. 확대 보인자 선별검사(expanded carrier screening)

(2) 낭성 섬유증(Cystic fibrosis)

① 낭포성 섬유증 막횡단전도조절유전자(CFTR)의 돌연변이로 인해 발생

　　a. 보통염색체 열성(autosomal recessive) 유전질환

　　b. 주로 폐와 소화기관 등 여러 장기에 영향을 미치는 질환

② 보인자(carrier screening)

　　a. 일차, 이차 친족 중 환자가 있거나 부부가 모두 백인(Caucasian)인 경우에 고려

　　b. 다른 인종의 경우에는 낭성 섬유증 보인자의 빈도와 환자의 빈도가 상대적으로 낮으므로 원하는 부부에서만 선별검사를 할 수 있음

　　c. 낭성 섬유증은 열성 유전질환이기 때문에, 양쪽 부모가 보인자이고 태아가 질환을 유발하는 유전자를 유전 받은 경우에 환자가 됨

③ 태아 검사

   a. 양쪽 부모가 모두 보인자라면 태아가 부모로부터 돌연변이가 있는 유전자를 물려받았는 지 검사

   b. 예후는 폐질환 여부에 따라 다르며, 유전자와 표현형의 관련이 적은 편이어서 폐질환 정 도를 예측하기 어려운 경우가 많음

④ 국내 보인자 선별검사의 고려 대상은 아님

(3) 척수성 근위축(Spinal Muscular Atrophy)

① 5번 염색체의 생존운동신경원(SMN) 유전자의 돌연변이로 인해 발생

   a. 상염색체 열성 질환

   b. 척수와 뇌간의 운동신경세포 손상으로 근육이 점차적으로 위축되는 신경근육계 희귀 유 전질환

② 척수성 근위축에 대한 선별검사를 모든 임신을 고려하는 또는 현재 임신 중인 여성에게 권 장(ACOG, 2017)

(4) 혈색소이상증(Hemoglobinopathies)

① 단일 유전질환

   a. 적혈구의 이상으로 발생하는 혈액 관련 질환

   b. 낫적혈구(sickle-cell)질환 : 가장 흔한 질환

② 전체혈구검사(complete blood count) : 혈색소이상증을 감별하고, 임신부의 빈혈 여부를 판단 하기 위하여 반드시 시행

(5) 유약 X 증후군(Fragile X syndrome)

① FMR1 유전자의 CGG 삼중자 반복수(triplet repeats)가 비정상적 증가로 인해 발생

   a. X 연관성 열성유전(X-linked Recessive inheritance)

   b. 원인이 밝혀진 유전성 지능지체의 가장 흔한 원인 질환

② 보인자 선별검사(carrier screening)

   a. 지적능력저하의 가족력이 있는 임신 중 또는 임신을 준비 중인 여성

   b. 유약 X 증후군의 가족력이 있는 경우

   c. 원인불명의 조기 폐경 또는 난포자극호르몬(FSH)이 증가된 여성

2 산전진단검사(Prenatal diagnostic procedures)와 착상전검사(Preimplantation testing)

1) 산전침습적진단검사(Prenatal invasive diagnostic test)
   (1) 양수천자(Amniocentesis)
      ① 검사 시기 : 임신 15~20주
      ② 검사 목적
         a. 유전질환 진단
            - 마이크로어레이 검사(CMA) : 복제수의 증가 또는 손실을 확인, 3~5일 소요
            - 염색체 분석(karyotype analysis) : 이수성의 확인, 7~10일 소요
            - 형광제자리부합법(FISH) : 특정 염색체 또는 염색체 영역의 증가, 손실을 확인, 24~48시간 소요
         b. 선천성 감염 확인
         c. 동종면역 진단
         d. 폐성숙 평가
      ③ 적응증
         a. 35세 이상의 임산부
         b. 염색체 이상 태아 분만의 과거력
         c. 부모 중 염색체 이상이 있는 경우
         d. 가까운 친척 중 다운증후군이나 다른 염색체 이상이 있는 경우
         e. 3번 이상의 자연 유산 과거력
         f. 심각한 X 연관성 열성유전(X-linked recessive inheritance) 질환의 위험성이 있는 임신에서 태아의 성별을 확인할 때
         g. 심각한 장애의 위험이 있는 임신에서 생화학적 연구를 위해
         h. 정기 선별검사상 산모의 혈청 AFP가 비정상적으로 높을 때
      ④ 시술 방법
         a. 초음파 유도하에 20~22 gauge 바늘을 피부에 수직으로 삽입하여 태반, 탯줄 및 태아를 피하여 양막을 천자
         b. 채취한 양수의 첫 1~2 mL는 모체세포가 섞여 있을 수 있어 검사에서 제외
         c. 약 20~30 mL의 양수를 태아의 세포유전학 검사나 염색체 마이크로어레이 검사를 위해 채취한 후 바늘을 제거
         d. 시술 후 자궁을 찌른 부위에 출혈은 없는지 관찰하고 임신부에게 태아의 심박동을 확인시켜 줌
         e. 쌍태임신에서 시술 시
            - 첫 번째 임신낭 시술 후 바늘을 제거하기 전에 소량의 인디고카민(Indigo carmine dye)

을 주입하여, 두 번째 임신낭 시술 시 첫 번째 임신낭과 구분함

- Methylene blue는 용혈성 빈혈, methemoglobinemia, 장 폐쇄를 유발할 수 있어 금기

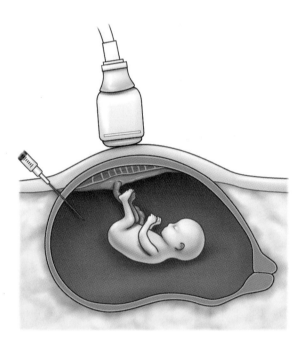

그림 14-5. 양수천자(Amniocentesis)

⑤ 합병증

    a. 바늘에 의한 태아의 손상(fetal trauma)

    b. 감염(infection), 융모양막염(chorioamnionitis)

    c. 유산(abortion) 및 태아 소실(fetal loss)

    d. 조기진통(preterm labor), 조기양막파수(premature rupture of membranes)

    e. 태반 천공(perforation of placenta)

      - Fetomaternal hemorrhage : 동종 면역 유발

      - 양수천자 후 Rh D 음성 비감작 임신부에서는 시술 후 72시간 안에 항D면역글로블린

       (anti-D Ig) 투여

⑥ 소량의 태아 혈액(fetal blood)이 양수 내에 있을 때

    a. 양수 내 AFP가 증가할 수 있고, 이때 acetylcholinesterase 측정이 감별에 도움

    b. 태아 세포의 배양에 방해

    c. 태아의 예후와는 무관

⑦ 조기 양수천자(Early amniocentesis)

    a. 임신 11~14주에 시행하는 양수천자

    b. 권고되지 않는 시술

       - 양막이 자궁벽과 융합되기 전에 시행하므로 임신낭 천자가 어려움

       - 다른 침습적 방법에 비해 시술 관련 합병증 증가 : 곤봉발(club foot), 태아 소실 등

       - 세포배양 실패율이 높아 추가 침습적 시술이 필요한 경우가 증가

(2) 융모막융모생검(Chorionic villus sampling, CVS)

    ① 검사 시기 : 임신 10~13주

    ② 검사 목적

      a. 생화학 및 분자 진단

      b. 유전자 수준의 유전 질환을 진단

    ③ 적응증 : 양수 또는 태반조직을 요구하는 일부 분석을 제외하고는 양수천자와 동일

    ④ 시술 방법

      a. 자궁경부 또는 복부를 경유하여 융모(chorionic frondosum)를 채취

      b. 초음파를 이용하여 카테터 혹은 바늘이 초기 태반 안으로 잘 접근하는지 확인하고 융모를 흡인하여 채취

      c. 결과까지 6~8일 정도 소요

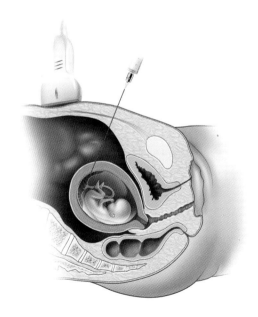

그림 14-6. 융모막융모생검(Chorionic villus sampling)

⑤ 금기증

    a. 질 출혈

    b. 생식기 감염

    c. 자궁의 전굴 또는 후굴이 과도한 경우

    d. 자궁의 접근을 어렵게 하거나, 선명한 초음파 영상을 방해하는 신체조건을 가진 경우

    e. Rh D 음성 비감작 임신부에서는 시술 후 72시간 안에 항D면역글로블린(anti-D Ig) 투여

⑥ 장점 및 단점

    a. 장점

       - 결과를 임신 초기에 알 수 있어 조기에 임신 관리가 가능

       - 모든 태아에서 산전 진단이 가능

       - 치료적 유산을 쉽고 안전하게 시행 가능

    b. 단점

       - AFP 측정은 불가능

       - 검체의 2%에서 염색체 섞임증(mosaicism)이 발생 : 진성태아섞임증(true fetal mosa-icism)과 태반에만 존재하는 태반국한성섞임증의 감별을 위한 양수천자가 필요함

⑦ 합병증

    a. 융모막융모생검 이후 전체적인 태아 소실율은 임신중기 양수천자보다 높음

       - 시술과 관련 없이 임신 초기와 중기 사이에 발생할 수 있는 유산율 때문

       - 임신 9주 이전에 시행하는 경우, 태아 소실 및 기형의 위험도가 증가

    b. 사지변형 결함 : 임신 10주 이후에 시행할 경우 기본 발생률과 동일

(3) 태아채혈술(Fetal blood sampling)

  ① 검사 시기 : 임신 20주 이후

  ② 같은 시술

    a. 탯줄천자(cordocentesis)

    b. 경피제대혈채취(percutaneous umbilical cord blood sampling, PUBS)

  ③ 검사 목적

    a. 적혈구와 혈소판 동종면역(isoimmunization)의 진단과 치료

       - 태아 빈혈의 평가 및 적혈구 수혈

       - 혈소판 동종면역 평가와 치료

    b. 태아 염색체 검사, 대사와 혈액학적 연구, 산염기 분석, 바이러스 배양, PCR 등 : 최근 양수천자와 융모막융모생검의 유전자 검사법의 발달로 태아채혈술의 필요성이 감소

  ④ 시술 방법

    a. 초음파를 보며 탯줄정맥의 태반 삽입부위에서 22~23 gauge 바늘로 혈액을 채취

b. 탯줄동맥천자는 혈관수축과 태아 서맥이 발생할 수 있으므로 피해야 함

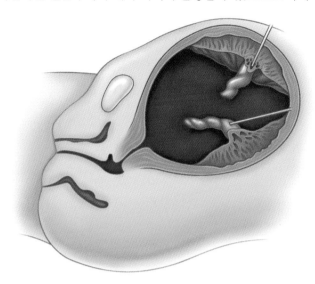

그림 14-7. 태아채혈술(Fetal blood sampling)

⑤ 합병증 : 양수천자와 유사

  a. 탯줄혈관 출혈(cord vessel bleeding) : 가장 흔함

  b. 탯줄 혈종(hematoma)

  c. 태아-모체 출혈(feto-maternal hemorrhage)

  d. 태아 서맥(fetal bradycardia)

  e. 유산(pregnancy loss)

⑥ 태아 혈액과 산모 혈액의 감별에 사용하는 검사

  a. Kleihauer-betke test

  b. Alkali denaturation test (Apt test) : 태아 혈색소(fetal hemoglobin)와 성인 혈색소(adult he-moglobin)의 알칼리의 감수성의 차이를 바탕으로 두 혈색소를 구별하는 방법

  c. Ii blood group system : I antigen은 성인 RBC, i antigen은 태아 RBC에서 나타남

  d. 혈액 도말검사(blood smear examination) : 태아 RBC는 megaloblastic, hypochromic, irregular shape

  e. 태아혈액의 특성

    - Hb F가 Hb A 보다 많음, 출생 시 약 70~80%

    - Hematocrit (Hct) 53%

    - Mean cell volume (MCV) >110 fl/cell

    - Mean cell hemoglobin (MCH) 30~42 pg

    - Mean cell hemoglobin concentration (MCHC) 33g/dL - 성인과 비슷함

2) 착상전유전검사(Preimplantation genetic testing, PGT)

(1) 착상전유전검사의 용어
① 착상전유전선별검사(preimplantation genetic screening, PGS) : 질환의 선별검사
② 착상전유전진단(preimplantation genetic diagnosis, PGD) : 질환의 진단 목적 검사

(2) 착상전유전검사의 방법
① 체외수정 시술
    a. 착상전유전검사를 위해서는 체외수정 시술이 필수적
    b. 세포질내정자주입(ICSI)로 수정 : 다른 세포의 유전물질의 혼입을 방지하기 위함
② 배아생검
    a. 극체 생검(polar body biopsy)
       - 발달하는 난자가 모계의 유전질환에 이환되었는지 확인하는 방법
       - 첫 번째와 두 번째 극체는 일반적으로 제1, 2 감수분열 이후에 생성되고, 극체 생검 자체가 난자의 발달에 영향을 미치지 않음
       - 모계에서 유래되는 유전질환만을 확인 가능
    b. 할구 생검(blastomere biopsy)
       - 배아를 3일 배양한 상태인 6~8세포기에서 세포 1개를 분석하는 방법
       - 현재까지 가장 많이 사용되는 방법
       - 모계와 부계의 유전질환의 이환 여부를 모두 확인 가능
       - 단점
          • 진단을 위해 1~2개의 세포만 이용해야 함
          • 체세포분열 시 비분리현상(mitotic non-disjunction)으로 인한 섞임증(mosaicism)을 완벽하게 배제할 수 없음

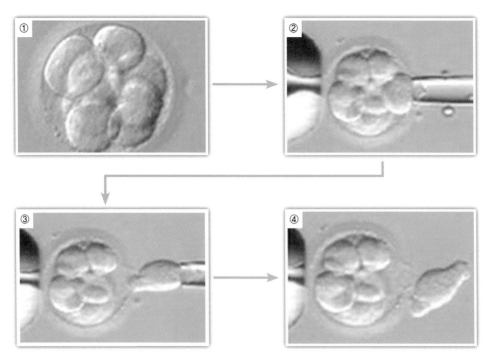

그림 14-8. 할구 생검(Blastomere biopsy)

c. 영양세포외배엽 생검(tropectoderm biopsy)
- 5~6일 배양한 배반포(blastocyst)에서 5~7개의 세포를 이용하여 분석하는 방법
- 여러 개의 세포를 진단에 이용하기 때문에 좀 더 정확한 진단이 가능
- 최근 5일 배양의 성공률이 증가하면서 많이 시행되는 방법
- 영양세포외배엽은 배아 발달 시 태반으로 발달하기 때문에 배아 자체의 발달에 영향을 미치지 않음
- 단점
  • 5~6일 배양이 이루어져야만 시행 가능
  • 채취 주기에 이식을 진행하지 못하고 다음 주기에 냉동배아이식을 진행해야 함
③ 배아 이식 : 선별된 배아를 이식

태아 질환(Fetal Disorders)

1 태아 빈혈(Fetal anemia)

1) 태아 빈혈의 원인

태아 빈혈의 분류		원인
면역성	적혈구 동종면역 (RBC alloimmunization)	Rh 혈액형(D, c, C, e, E) 그 외의 혈액형(Kell, duffy, Kidd 등)
비면역성	선천성 감염 (congenital infection)	파르보바이러스 B-19(Parvovirus B-19) 거대세포바이러스(Cytomegalovirus) 톡소포자충증(Toxoplasmosis) 매독(Syphilis)
	유전성 빈혈 (inherited anemias)	알파-지중해빈혈(α-thalassemia) G6PD 효소결핍(G6PD deficiency) 피브르산염키나아제 결핍(pyruvate kinase deficiency)
	골수 질환 (bone-marrow disorder)	판코니 빈혈(Fanconi anemia) 선천성 형성부전 빈혈(congenital hypoplastic anemia)
	조혈성 악성 질환 (hematopoietic malignancies)	선천성 백혈병(congenital leukemia) 일과성 골수증식성 질환(transient myeloproliferative disorder)
	태아/태반 종양 (fetal/placental tumors) 혈관 기형 (vascular malformation) 기타 태반 질환 (other placental pathology)	천미골기형종(sacrococcygeal teratoma) 간혈관종(liver hemangioma) 간모세포종(hepatoblastoma) 미만성 신생아 혈관종증(diffuse neonatal hemangiomatosis) 태아/태반 동정맥기형(fetal/placental AV malformation) 태반 중간엽 이형성증(placental mesenchymal dysplasia)
	태아-모체 출혈 (fetomaternal hemorrhage)	태반 박리(placental abruption) 외상(trauma)
	드문 유전 질환 (rare genetic disorders)	리소솜축적질환(lysosomal storage disorders) 신생아 혈색소증(neonatal hemochromatosis)
	일란성 태반형성의 합병증 (complications of monochorionic placentation)	쌍둥이 빈혈-적혈구증가증 현상(TAPS) 일측태아사망(cotwin demise)

(1) 적혈구 동종면역(Red cell alloimmunization)

① 태아 빈혈의 가장 흔한 원인

② 임신 제1삼분기부터 태반에서 일어나는 태아-모체 출혈(fetomaternal hemorrhage)에 의해 태아적혈구에 대한 항체가 생성되고, 이 항체는 IgG로서 태반을 통과하여 태아적혈구를 파괴하며 용혈이 발생

③ 진단 : 초음파 검사, 탯줄천자

④ 적혈구 동종면역이 흔하지 않은 이유

    a. 부적합 적혈구 항원의 낮은 유병률

    b. 태아 항원 또는 모체 항체의 불충분한 태반 통과

    c. 태아-모체간의 ABO 부적합으로 면역반응이 일어나기 전 태아적혈구가 빠르게 제거

    d. 항원 및 모체의 반응이 다양

(2) 파르보바이러스 B-19 (Parvovirus B-19)

① 적혈구전구세포를 침범, 파괴함으로써 적혈구 생성을 억제해 태아 빈혈을 유발

② 감염 시 임신 주수에 따른 증상

    a. 임신 18~20주 이전 감염 시

      - 주로 자궁 내 태아사망 발생

      - 태아가 작아서 감염에 의한 빈혈이 치명적

    b. 임신 20~28주 사이 감염 시

      - 주로 태아수종 발생

      - 태아사망 감소 이유 : 태아의 혈액량이 많아지고, 태아적혈구의 수명이 짧기 때문

③ 진단

    a. Parvovirus B-19 특이 IgM, IgG 항체 검출

    b. 초음파 검사 및 중대뇌동맥-최대수축기속도(MCA-PSV) 측정

(3) 알파-지중해빈혈(α-thalassemia)

① α-globin chain 결함으로 발생

② 동남아시아에서 발생하는 태아수종의 가장 흔한 원인

③ 증상 : 심비대, 복수, 태아수종, 태아성장제한, 사지 기형, 자궁 내 사망, 신생아 사망

④ 진단 : 융모막융모생검(CVS), 양수천자 후 중합효소연쇄반응(PCR)

⑤ 최근 다문화가정의 증가로 우리나라에서도 발생 증가

⑥ 자궁 내 수혈로 생존율이 향상

(4) 태아와 태반 종양(Fetal & placental tumors)

① 태반 혈관종(chorioangioma)

    a. 태아 빈혈과 관련이 있는 가장 흔한 양성 태반 종양

    b. 종양이 4 cm 이상인 경우 태아수종, 양수과다증, 조기진통, 자궁 내 성장지연, 전자간증을 일으킬 수 있음

② 천미골기형종(sacrococcygeal teratoma)

    a. 태아수종 발생 원인

      - 종양 내 출혈과 적혈구 소비로 인해 태아 빈혈

      - 이차성 고박출성 심부전(high-output cardiac failure)

    b. 거울증후군(mirror syndrome) 발생 가능

(5) 태아-모체 출혈(fetomaternal hemorrhage, FMH)

① 모체의 순환에서 태아의 혈액이 30 mL 이상 나타나는 것

② 대량 태아-모체 출혈(large FMH)의 혈액 손실량 : 80~150 mL 또는 > 20 mL/kg

③ 위험인자 : 역아 외회전술, 복부 외상, 태반조기박리, 전치태반, 자궁 내 태아사망, 제왕절개, 태반의 용수제거술, 양수천자 등

④ 태아로부터 모체로의 대량 출혈을 진단하는 방법

    a. Kleihauer-Betke (KB) test

    b. 유세포 분석(flow cytometry)

    c. 고성능 액체 크로마토그래피(high performance liquid chromatography)

(6) 일란성 태반형성의 합병증(Complications of monochorionic placentation)

① 단일융모막쌍둥이(monochorionic twin) : 하나의 태반으로 태아-모체 간 순환을 공유

② 쌍둥이간 수혈증후군(twin-twin transfusion syndrome, TTTS)

    a. 단일융모막이양막(monochorionic diamniotic, MCDA) 쌍둥이의 15%에서 나타남

    b. 쌍둥이 간의 태반혈관문합, 태아의 체액, 생화학적, 혈류역학적 변화 등의 복합적인 병인으로 인해 발생

    c. 진단 : 단일융모막태반(monochorionic placenta)을 가진 쌍둥이에서 초음파상 작은 태아에서는 양수과소증(양수의 최대 수직 깊이가 2 cm 이하), 큰 태아에서는 양수과다증(최대 수직 깊이가 8 cm 이상)을 보이는 경우

③ 쌍둥이 빈혈-적혈구증가증 현상(twin anemia-polycythemia sequence, TAPS)

    a. 양수량의 차이는 보이지 않으면서 만성적인 태아 간 수혈로 인해 혈색소의 차이만 보이는 것

b. 태반의 혈관문합

- 작은 단방향의 동맥-정맥 문합(unidirectional arteriovenous anastomoses)이 흔함
- 공여자(donor)와 수혈자(recipient) 간에 천천히 수혈이 이루어져 결국 큰 혈색소 차이가 생김

c. 진단

- 양수량의 차이가 없어 산전에는 중대뇌동맥-최대수축기속도(MCA-PSV) 측정을 이용
- MCA-PSV 불일치 : 공여자(donor) > 1.5 MoM, 수혈자(recipient) < 0.8 MoM
- 단일융모막 쌍둥이에서 TAPS의 선별을 위해 임신 20주부터 MCA-PSV의 측정을 권고

④ 일태아 사망(one fetal demise)

a. 급성 혈역학적 불균형으로 인해 단일융모막 태반의 태반문합을 통해 생존 태아로부터 사망한 태아로 대량의 혈액이 이동

b. 자궁 내 수혈

- 빈혈 교정 가능
- 신생아의 신경 발달에 대한 영향은 아직 불확실

2) 태아 빈혈의 검사

(1) 산모와 태아의 검사

대상	검사
산모	상세한 가족력과 임신력(인종, 혈연, 유전성 질환, 감염 노출, 외상) CBC, 혈액형, 간접쿰스검사(indirect Coombs test) Kleihauer–Betke test, 유세포 분석(flow cytometry), 헤모글로빈 전기영동 혈청학적 검사(Parvovirus B19 IgG와 IgM, CMV IgG와 IgM, Toxoplasmosis IgG와 IgM, 매독검사) 태아/태반 초음파 및 MCA–PSV 도플러
태아	태아 혈액 채취 : 혈액형, CBC, 헤모글로빈/적혈구용적률, 혈소판수, 망상적혈구수, 총빌리루빈, 직접쿰스검사(direct Coombs test), CMV or Parvovirus B-19 중합효소연쇄반응(PCR) 검사 정현파 태아 심박수 확인을 위한 비수축 검사
드문 원인	혈액학 및 유전학 자문 부모 혈색소 고성능 액체 크로마토그래피 및 적혈구 효소 분석법 태아 말초혈액 도말검사, 헤모글로빈 전기영동, 염색체 취약성 연구

(2) 초음파 검사

① 정확한 임신 주수의 확인
② 태아 성장과 상태를 관찰

③ 태아 빈혈을 확인하는 초음파 소견

    a. 태반의 두께(placental thickness)

    b. 탯줄정맥의 지름(umbilical vein diameter)

    c. 간과 비장의 크기(hepatic & splenic size)

    d. 양수량(amnionic fluid)

    e. 태아수종(fetal hydrops) : 복수(ascites), 흉수(pleural effusion), 피부 부종(skin edema)

양상		초음파 소견
일반 양상		빈혈의 이차적 원인에 대한 평가 MCA-PSV >1.5 MoM 태반비대(placentomegaly), 태아수종(fetal hydrops), 복수(ascites), 간비장비대(hepatosplenomegaly)
특정 양상	알파-지중해성 빈혈 (α-thalassemia)	태반 두께 : >2SD(임신 주수 평균) 또는 >18 mm(임신 12~15주) 또는 >30 mm(임신 18~21주) 심비대 : 심흉곽비 >0.5(임신 18주 이전) 또는 >0.52(임신 18주 이후) 복수(ascites)
	선천성 감염 (Congenital infection)	태반비대, 간비장비대(hepatosplenomegaly), 고음영 장 (echogenic bowel), 간 석회화(liver calcification), 심실비대 (ventriculomegaly), 두개 내 석회화(intracranial calcification), 성장지연(FGR)
	쌍둥이 빈혈-적혈구증 가증 현상(TAPS)	MCA-PSV 불일치 : 공여자(donor)>1.5 MoM, 수혈자(recipient) <0.8 MoM 태반 음영의 불일치(discordant placental echogenicity) 수혈자의 간에서 starry sky 양상

(3) 중대뇌동맥(Middle cerebral artery, MCA) 도플러

    ① 중대뇌동맥-최고수축기속도(middle cerebral artery-peak systolic velocity, MCA-PSV)

        a. 태아 빈혈을 알 수 있는 비교적 정확한 비침습적 지표

        b. 임신 16~18주부터 매주 측정

        c. 측정 부위

          - 트랜스듀서에서 가장 근접한 부위의 중대뇌동맥(MCA)을 찾아 도플러를 경동맥사이펀
           (carotid siphon)의 근위부쪽 중대뇌동맥에 위치시켜 측정

          - 경동맥사이펀에서 먼 중대뇌동맥은 최고 속도가 감소하기 때문에 정확성이 떨어짐

          - 도플러빔과 혈관 사이의 주사각이 0°에 가까워야 정확한 측정치를 얻을 수 있음

          - 태아가 안정 상태일때 측정

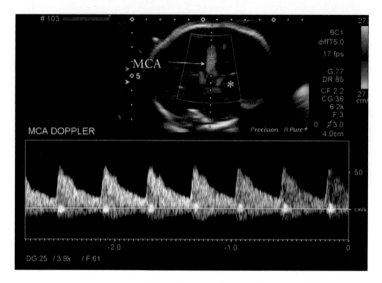

그림 15-1. 중대뇌동맥-최대수축기속도(MCA-PSV)

② 임신 주수에 따른 중대뇌동맥-최대수축기속도(MCA-PSV)의 측정

    a. 세 번 연속 일주일에 한 번 도플러를 측정

    b. MCA-PSV가 1.5 MoM보다 작으면 세 번 측정한 값 사이의 기울기를 계산

    c. 기울기가 1.95 보다 작으면 10~14일 간격으로 도플러 시행

    d. 기울기가 1.95 이상이면 7일 간격으로 도플러 시행

    e. MCA-PSV가 적어도 1.5 MoM 이상이고 태아 빈혈에 합당한 초음파 소견이 있으면 자궁
       내 수혈을 준비한 상태에서 탯줄천자를 통한 태아 혈액을 채취

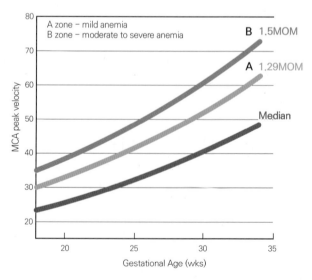

그림 15-2. 임신 주수에 따른 중대뇌동맥-최대수축기속도(MCA-PSV)

(4) 태아채혈술(Fetal blood sampling, FBS)

① MCA-PSV가 1.5 MoM 이상이면서 지속적으로 증가하는 추세인 경우 고려

② 방법 : 초음파 유도 하 탯줄천자(cordocentesis) 시행

③ 검사 : 적혈구용적률, 직접쿰스검사(direct Coombs test), 망상적혈구수(reticulocyte count), 태아 혈액형, 총빌리루빈수치 등

④ 장점

    a. 태아 혈색소(Hb)와 빌리루빈의 수치를 정확히 측정 가능

    b. 즉시 태아 수혈(fetal transfusion) 가능

3) 태아 빈혈의 치료

(1) 자궁 내 수혈(Intrauterine transfusion, IUT)

① 시행 기준

    a. 태아 적혈구용적률(hematocrit, Hct) <30%

    b. 혈색소(Hb) <10 g/L

② 시술 부위

    a. 태반 삽입부위에서 천자하는 것이 가장 좋음

    b. 태아에 가까울수록 태아서맥 유발 가능

③ 수혈 방법

    a. 탯줄혈관 내로 직접적인 수혈 시행

    b. 적혈구용적률 목표 : 50~65%가 되도록 시행

④ 복강 내 수혈 : 탯줄접근이 어렵거나, 탯줄정맥이 너무 좁아서 바늘이 쉽게 들어갈 수 없는 시기인 임신 제2삼분기 초의 심각한 조기 용혈성 빈혈에 사용

⑤ 혈관 내 수혈과 복강 내 수혈의 병합요법 : 복강 내 주입된 혈액이 서서히 흡수되면서 태아의 적혈구용적률을 안정적으로 유지하는 장점

(2) 자궁 내 수혈의 예후

① 혈관 내 수혈을 하면서 태아수종 태아의 생존률이 증가하였으며 치료와 관련하여 부작용의 빈도도 높지 않았음

② 신경학적 후유증 및 발달장애를 낮춤

③ 신경학적 발달장애를 예측하는 위험인자 : 태아수종, 자궁 내 수혈의 횟수, 신생아 이환율(morbidity) 등

2 적혈구 동종면역(Red cell alloimmunization)

1) 정의 및 분류

(1) 정의

① 적혈구 동종면역(Red cell alloimmunization) : 산모의 적혈구 항원(antigen) 중에서 특정 항원이 결여되어 있는 경우, 수혈 또는 태아의 적혈구 항원이 과거 분만과정이나 유산으로 인해서 모체에 동종면역성 감작으로 인한 항체를 형성하는 것

② 적혈구 동종면역성 질환 : 항체 중 일부의 불완전 항체(IgG)가 주산기에 다시 태반을 통해 태아에게 넘어가 적혈구 표면의 항체에 부착하여 용혈을 일으키게 되어 빈혈과 황달, 자궁 내 태아 사망에 이르게까지 하는 것

(2) CDE (Rh) 혈액형 부적합성

① CDE 혈액형

　　a. c, C, D, e, E의 다섯 개의 적혈구 항원으로 구성

　　b. d 항원은 발견되지 않음

　　c. D 항원이 없는 경우 : Rh(-) 또는 D 음성(D-negative)

② CDE 항원(CDE antigens)

　　a. 특징

　　　- 다른 혈액형과는 독립적으로 유전

　　　- 성별 간 차이가 없음

　　　- 인종 간 차이가 있음 : RhD 음성이 에스키모인, 아메리카원주민(native Americans), 일본인, 중국인은 1% 이내, 코카서스인(Caucasian) 약 13%, 바스크인(Basque) 약 30%

　　b. 모든 산모에게 적혈구 D 항원과 불규칙항체(irregular antibody) 검사를 시행

　　　- D 음성인 사람은 극소량의 태아적혈구에 한 번의 노출로도 면역반응이 형성

　　　- D 항원보다 면역원성이 낮지만 C, c, E, e 항원도 태아적혈모구증 유발 가능

(3) ABO 혈액형 부적합성

① 신생아 용혈성 질환의 가장 흔한 원인

② 모든 영아의 약 20%가 ABO 혈액형 부적합을 보이지만 5%에서만 임상적으로 영향을 받고, 이때 발생하는 빈혈도 일반적으로 경증(mild)

③ ABO 부적합성 특징

　　a. 첫 아이에서부터 나타날 수 있음

　　　- 임신 전이라도 대부분의 O형 산모는 유사 항원을 갖는 박테리아(bacteria)에 노출되어 항-A(anti-A), 항-B(anti-B) 항체를 보유하고 있기 때문

b. ABO 동종면역은 다음 임신에서 더 진행하거나 심해지지 않음

　- 항-A(anti-A), 항-B(anti-B)는 IgM으로 태반을 통과하지 못해 태아적혈구에 접근하지 못함

　- 태아적혈구는 성인적혈구에 비해 항원부위(antigenic site)가 적어 면역성이 약함

2) 진단

(1) 산모 항체검사(Maternal antibody test)

① 산모가 RhD에 감작된 경우

　a. 가장 먼저 산모의 항체 역가를 측정

　b. IgM 항체는 태반을 통과하지 못하기 때문에 IgM 항체를 측정하는 것은 의미가 없음

② 간접쿰스검사(indirect Coombs test)

　a. 동종면역의 정도를 평가하는 인간항글로불린 역가검사(human anti-globulin titer test)

　b. 산모의 IgG 반응을 측정하는 방법

　c. 역가치

　　- 양성 응집반응(agglutination)을 보인 마지막 희석배율의 수

　　- 역가가 16이라는 것은 1:16으로 희석했다는 의미

　d. 임계역가(critical titer)

　　- 심각한 용혈성 질환(severe hemolytic disease)이 발생할 수 있는 역가치

　　- 이 수치 이상의 역가치를 보이면 주의 깊은 태아감시(fetal surveillance)가 필요

　　- 검사실마다 다르지만 대개 1:16이 기준

(2) 부성 접합성(Paternal zygosity)

① RhD 음성인 산모와 RhD 양성인 아버지인 경우 부성 접합성의 확인은 확인한다면 추가적인 검사 방향을 결정하는데 도움이 됨

② 부성 접합성이 이형접합자(heterozygous)인 경우

　a. 태아혈액형의 유전형(genotype)을 확인

　b. 태아는 50%로 RhD 음성이고, 이 경우 산모나 태아에게 추가적인 검사나 치료는 필요하지 않음

(3) 태아유전형 검사(Fetal genotyping test)

① 검체 채취방법

　a. 양수천자(amniocentesis)

　b. 세포유리 DNA (Cell-free DNA)

      c. 융모막융모생검(CVS) : 태아-모체 출혈(fetomaternal hemorrhage)의 위험이 더 높고 동종
        면역(alloimmunization)이 악화되기 때문에 권장되지 않음
  ② RhD 유전자가 위치하는 특정 엑손(exon) 부위에 대한 RT-PCR을 시행
      a. RhD 유전자가 증폭되는 경우 : RhD 양성 태아
      b. RhD 유전자가 증폭되지 않는 경우 : RhD 음성 태아, 말초혈액 내 세포유리 DNA가 없는
        경우

(4) 양수 내 빌리루빈 흡광도 검사(Amniotic fluid spectral analysis)
  ① 면역반응에 의해 용혈이 일어나면 빌리루빈(bilirubin) 생성이 증가
      a. 양수 내 빌리루빈의 양은 용혈 정도와 상관관계를 보임
      b. 간접적으로 태아 빈혈의 정도를 예측 가능
  ② 분광 측정(spectrophotometry)
      a. 양수 내 빌리루빈 농도를 450nm 파장에서 측정하여 ΔOD_{450}으로 나타냄
      b. 양수검사로 태아상태를 감시할 때에는 10일 혹은 2주의 간격으로 ΔOD_{450}값을 계속 검사
  ③ Liley 그래프
      a. 적용 시기 : 임신 24~42주
      b. 검사 결과
        - Zone 1 : 이환 되지 않은 태아, 향후 경증 질환의 가능성
        - Zone 2 : 중등도 또는 중증의 상태, 반복적 검사 필요
          • Lower zone 2 : Hb 11.0~13.9 g/dL
          • Upper zone 2 : Hb 8.0~10.9 g/dL
        - Zone 3 : Hb 8.0 미만의 심한 질환, 이환 된 태아로서 7~10일 내 사망 가능하므로 수혈이
          나 즉각적 분만 실시

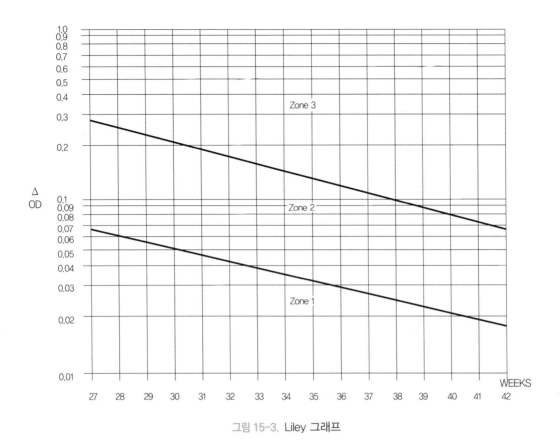

그림 15-3. Liley 그래프

④ Queenan 그래프

　　a. 적용 시기 : 임신 14주부터 적용 가능

　　b. 심하게 이환 된 태아(7 g/dL 이상의 혈색소 결손)를 가려낼 수 있음

　　c. 검사 결과

　　　- Rh 음성(unaffected)

　　　- 불확정 영역(indeterminate) : 임신 중기의 정상적인 고빌리루빈 농도 때문에 나타남

　　　- Rh 양성(affected)

　　　- 자궁 내 사망위험(intrauterine death risk) : 태아 상태 확인, 태아채혈술, 조기분만 필요

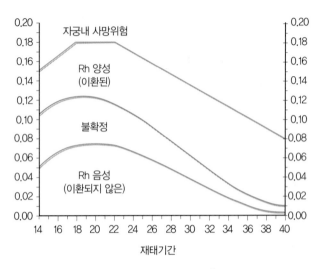

그림 15-4. Queenan 그래프

⑤ 검사 결과의 의미

    a. ΔOD_{450}값이 감소하는 곡선 : 이환 되지 않은 태아, RhD 음성 태아

    b. ΔOD_{450}값이 고원(plateau) 또는 증가하는 곡선 : 활성 용혈 상태(적극적인 상태 확인과 태아채혈술, 조기분만이 필요할 수 있음)

    c. 탯줄천자(cordocentesis)를 이용한 태아 혈액검사가 필요한 경우

       - ΔOD_{450}값이 증가하거나 일정하게 고원(plateau)을 유지하여 zone 2의 80th percentile에 도달한 경우

       - Queenan 그래프의 자궁 내 수혈영역(intrauterine transfusion zone)에 도달한 경우

       - 임신 25주 이전에 심한 빈혈이 의심되는 경우

(5) 중대뇌동맥 도플러(MCA doppler)

    ① 중대뇌동맥-최고수축기속도(MCA-PSV)를 측정

    ② 태아 빈혈을 알 수 있는 비교적 정확한 비침습적 지표

3) 관리

(1) 동종면역의 가능성이 있는 임신

    ① 산모의 첫 산전 진찰에서 혈액형(ABO, Rh) 검사 시행

    ② Rh 음성으로 확인되면 산모의 간접쿰스검사(indirect Coombs test) 실시

    ③ 산모에서 D 항체가 확인되면 IgG, IgM 유무 확인(IgM 항체는 태반을 통과 못함)

    ④ 결과에 따라 처음 이환 된 임신 또는 이전에 이환 된 임신에 맞춰 관리

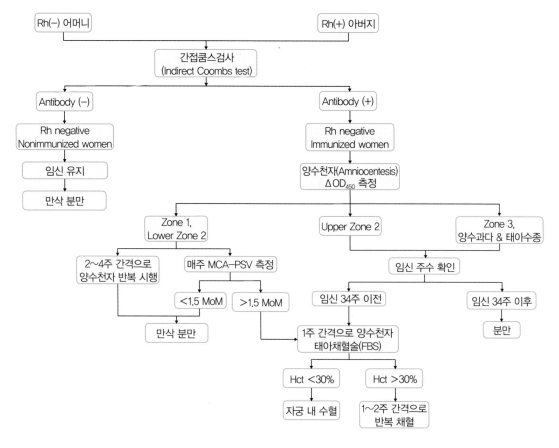

그림 15-5. 동종면역 가능성이 있는 임신의 추적관리

2) 처음 이환 된 임신

① 산모의 항체선별검진에서 태아와 신생아의 용혈성질환을 일으키는 항체가 발견되면 항체의 양을 측정하기 위한 역가검사를 시행

② 항체역가가 임계역가(critical titer) 미만인 경우 역가검사 시행 주기

  a. 임신 24주까지 4주 간격으로 시행

  b. 임신 24주 이후부터 2주 간격으로 시행

③ 부성 접합성(paternal zygosity) 확인

  a. RhD 양성인 경우 : DNA검사를 시행하고 다른 항원에 대한 검사를 위해서는 혈청학적 검사를 시행

    - 동형접합자(homozygous) : 태아 항원이 양성이므로 태아 혈액검사가 필요 없음

    - 이형접합자(heterozygous) : 태아 RhD 상태 확인을 위한 세포유리 DNA (Cell-free DNA) 검사, 다른 적혈구항원인 경우는 임신 15주 이후에 양수천자를 시행

  b. RhD 음성인 경우 : 추가 검사가 필요하지 않음

④ 중대뇌동맥-최고수축기속도(MCA-PSV) 측정

  a. 태아 항원이 양성인 경우 임신 24주 경부터 1~2주 간격으로 시행

  b. MCA-PSV >1.5 MoM

    - 중등도 이상의 빈혈을 의미

    - 태아 적혈구용적률(Hct) 확인과 자궁 내 수혈을 위한 탯줄천자의 적응증

    - 적혈구용적률이 30% 이하면 자궁 내 수혈 시행

⑤ 임신 32주부터는 비수축검사(NST)나 생물리학적검사(BPP)를 시행

⑥ 임신 38주에는 유도분만을 시도

(3) 이전에 이환 된 태아나 영아가 있는 경우

① 동종면역에 의한 용혈성질환을 관리할 수 있는 3차병원으로 이송

② 세포유리 DNA(Cell-free DNA)검사 또는 양수천자를 통해 태아의 항원을 확인

③ 태아 항원이 양성인 경우 중대뇌동맥-최고수축기속도(MCA-PSV)를 임신 16주부터 1~2주 간격으로 측정

④ 대부분 자궁 내 수혈이 필요함

  a. ΔOD_{450}값이 Queenan곡선의 자궁 내 수혈 구간으로 진입하는 경우

  b. MCA-PSV >1.5 MoM

⑤ 자궁 내 수혈이 필요하지 않은 경우에는 처음 이환 된 임신과 동일하게 관리

(4) 분만 시기

① 임신 35주까지 자궁 내 수혈을 시행하고 임신 37~38주에 분만을 시행

② 분만 전 7~10일 간 경구용 페노바비탈(phenobarbital)을 산모에게 투여

  a. 태아 간의 성숙을 촉진시킴으로써 빌리루빈 대사를 활성화

  b. 분만 후 고빌리루빈혈증에 의한 신생아 교환수혈의 빈도를 감소

4) 태아와 신생아 RhD 용혈성 질환의 예방

(1) 제제

① Rho (D) immune globulin (RhIG) : 인체로부터 분리한 다클론성(polyclonal) 항체

② 상품명 : RhoGAM, WinRho, Rhophylac 등

(2) 투여 방법

① 원리 : RhD 음성인 모체가 RhD 양성인 태아적혈구에 감작되기 전에 RhIG를 투여하여 모체 혈류로 들어오는 태아적혈구를 제거하도록 함

② 투여량 : RhIG 300 μg or 1500 IU, 근육주사(IM)

    a. 태아전혈 30 mL 또는 태아적혈구 15 mL의 태아-모체 출혈에 의한 감작을 예방

    b. 산전 동종면역의 발생을 2%에서 0.1%로 감소시킴

    c. 분만 시 30 mL 이상의 태아-모체 출혈이 있으면 2 vial의 RhIG가 필요

    d. RhD 음성 산모의 분만 시 과도한 출혈에 대한 선별검사

      - 로제트검사(rosette test) 음성 : 표준 용량으로 충분

      - 로제트검사(rosette test) 양성 : Kleihauer-Betke test 또는 유세포 분석(flow cytometry)을 통한 태아세포분석을 실시

③ 투여 시기 : RhD 음성, 감작 되지 않은 산모에서 예방적 투여

    a. 임신 28주 경 및 신생아가 RhD 양성을 보이면 분만 72시간 이내

    b. 태아-모체 출혈(fetal-maternal hemorrhage)이 의심되는 경우

    c. 유산, 포상기태 치료, 자궁외임신 치료, 양수천자 시

    d. 자궁출혈이 있는 경우

    e. 수혈 : 적혈구, 백혈구, 혈장성분 등의 성분수혈 시

3 태아수종(Hydrops fetalis)

1) 면역성 태아수종(Immune hydrops fetalis)

(1) 태아수종(hydrops fetalis)

① 태아나 신생아의 전신적 부종으로 두 곳 이상의 신체 부위(복강, 흉막공간, 심장막 공간, 피부 등)에 액체가 고여 있는 것

② 발생 빈도

    a. 면역성 태아수종 : 10% 정도

    b. 비면역성 태아수종 : 76~87%

(2) 면역성 태아수종(Immune hydrops)의 병태생리

① 태아적혈구 항원에 대한 항체가 산모에게 형성되어 이 항체가 태반을 통과하여 태아에게 가면 태아적혈구는 용혈이 생기고 이로 인해 빈혈이 발생하면서 나타남

② 증상

    a. 간기능 부전 : 보상을 위한 간과 비장에서 골수외조혈(extramedullary hematopoiesis)의 과도한 증가

    b. 심장 비대, 폐 출혈 유발 가능

    c. 부종(edema) : 태아의 흉곽, 복강, 피부, 태반의 부종이 관찰되고, 물가슴증(hydrothorax)이

매우 심하면 폐형성저하증 유발 가능

③ 병태생리 : 아직 확실하게 알려져 있지 않음

　　a. 저알부민혈증(hypoalbuminemia) : 간에서 조혈기능이 증가하여 알부민 생성의 저하

　　b. 저산소증에 의한 모세혈관 내피세포의 투과성 증가

　　c. 용혈로 인한 철분의 과부하는 자유 라디칼(free radical)을 생성하여 혈관 내피세포의 손상을 초래

　　d. 중심정맥압 증가로 인한 림프관의 막힘

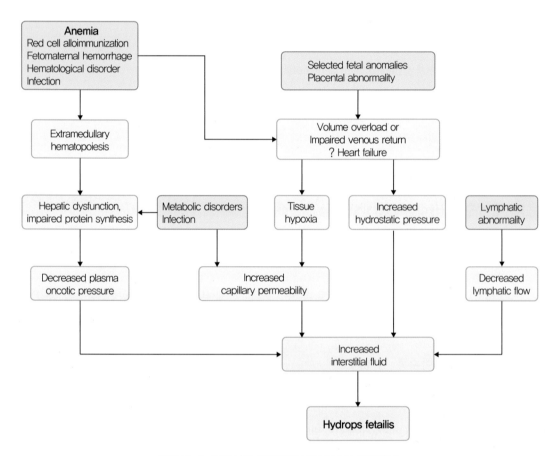

그림 15-6. 면역성과 비면역성 태아수종의 병태생리

2) 비면역성 태아수종(Nonimmune hydrops fetalis)

(1) 원인

① 심혈관계 이상

　a. 선천성 심장질환

　　- 다인자적 원인에 의한 가장 흔한 단일기형

　　- 종류 : 선천성 심장차단(congenital heart block), 심실중격결손(ventricular septal defect), 심방중격결손(atrial septal defect), 방실관결손(atrioventricular canal defect), 좌심형성부전(hypoplastic left heart), 단심실(single ventricle), 폐동맥판막기능부전(pulmonary valve insufficiency), Ebstein anomaly, 팔로4징(Tetralogy of Fallot)

　　- 태아수종이 있는 경우 심장의 구조적 이상이 발견되면 예후는 매우 나쁨

　　- 태아 심장기형이 있는 경우 염색체 검사가 필요함

　b. 부정맥

　　- 빈맥 또는 서맥이 원인

　　- 빈맥과 관계된 태아수종은 다른 원인에 의한 부정맥에 비해 예후가 좋음

　　- 태아 부정맥에 의한 태아수종이 나타나면 태아 치료의 대상이 되며 대부분 태아상실성 빈맥을 호전시킬 수 있음

　c. 그 밖의 원인 : 난원공 조기폐쇄, 동맥관 조기폐쇄, 심장종양, 감염에 의한 심근염

② 염색체 이상

　a. 터너증후군(Turner syndrome, 45,X)

　　- 가장 흔하게 보이는 염색체 이상

　　- 태아수종의 원인 : 림프물주머니(cystic hygroma)와 대동맥축착(coarctation of aorta)

　b. 그 밖의 염색체 이상 : 21 세염색체(trisomy 21), 18 세염색체(trisomy 18), 13 세염색체(trisomy 13), 삼배수체(triploidy) 등

③ 쌍둥이

　a. 쌍둥이가 일란성(monozygotic)이 아니면 태아수종의 원인은 쌍둥이 임신과 관계가 없을 가능성이 많음

　b. 쌍둥이간 수혈증후군(twin-twin transfusion syndrome)

　　- 태아수종은 공여자(donor) 혹은 수혈자(recipient) 모두에서 나타날 수 있음

　　- 공여자(donor) : 만성 빈혈에 의한 태아수종

　　- 수혈자(recipient) : 심혈관계 과부하와 울혈성심부전에 의한 태아수종

　　- 내시경적 레이저수술이 양수감압술보다 결과가 더 좋음

　c. 무심장쌍둥이(acardiac twin syndrome)

④ 선천성 감염

    a. 원인 : 파르보바이러스(parvovirus), 매독(syphilis), 거대세포바이러스(cytomegalovirus), 톡소포자충증(toxoplasmosis), 풍진(rubella), 장바이러스(enterovirus), 대상포진(varicella zoster), 단순헤르페스(herpes simplex), 콕사키바이러스(coxsackievirus), 리스테리아증(listeriosis), 렙토스피라병(leptospirosis), Chagas병, Lyme병

    b. 감염 후 태아의 빈혈이 중요한 역할을 할 것이라 생각

⑤ 흉부질환

    a. 선천성 낭성샘모양기형(Congenital cystic adenomatoid malformation)

      - 흉곽 내 압력을 증가시켜 정맥환류를 막고 심혈관 혈류역학의 변화를 일으켜 태아수종 발생

      - 약물 치료 : 산모에게 스테로이드 투여(침습적 치료 전 태아수종의 자연호전을 기대)

      - 침습적 치료 : 흉강천자(thoracentesis), 흉강양막강션트(thoracoamnionic shunting), 레이저치료(laser therapy), 경화요법(sclerosing therapy)

    b. 그 밖의 원인 : 횡격막 탈장, 폐 또는 가슴의 종괴, 폐분리증, 유미흉(chylothorax)

⑥ 그 외의 원인들

    a. 선천적인 대사 이상 : 리소솜축적병(lysosomal storage disease), Gaucher병, GM1 강글리오시드증(GM1 gangliosidosis), 점액다당류증(mucopolysaccharidosis), Tay-Sachs병 등

    b. 빈혈 : 지중해빈혈(thalassemia), 태아모체간출혈, 선천성백혈병, G6PD 효소결핍 등

    c. 약물 : 인도메타신(indomethacin)

    d. 여러가지 골격계기형, 유전적증후군, 비뇨기계기형, 복부질환 등

(2) 진단을 위한 검사

	진단을 위한 검사	가능한 원인
모체	간접쿰스검사(indirect Coombs test) 전체혈구계산(CBC) 헤모글로빈 전기영동(Hb electrophoresis) 화학검사(예: Gaucher병, Tay-Sachs병) Kleihauer-Betke 검사 매독 및 TORCH 역가 초음파 검사(정밀 초음파) 태아 심초음파 검사(도플러, M-mode 포함) 경구 당부하 검사	면역성 태아수종 가능성 혈액질환 알파-지중해빈혈(α-thalassemia) 태아적혈구세포 효소결핍의 가능성 태아-모체간 출혈 태아 감염 태아수종 확인 및 평가, 상태임신, 기형 유무 선천성 심장 결손, 태아 빈혈, 심장의 리듬 이상 모체 당뇨
양수천자	태아 염색체 검사(karyotyping) 양수배양 알파태아단백(α-Fetoprotein, AFP)	염색체 이상 거대세포바이러스 감염 선천성 콩팥증, 천미골 기형종

태아혈액 (탯줄천자)	특이적인 대사 검사 빠른 염색체 검사 배양검사, 혈청검사(특이 IgM) 태아 혈장 알부민 전체혈구계산, 혈소판수치, 아미노전이효소수 　치, 혈액가스분석	Gaucher병, Tay-Sachs병 등 염색체 또는 대사이상 자궁 내 감염 저알부민혈증 태아 빈혈, 혈소판 감소증

(3) 치료

① 발생 원인에 따라 다름

② 태아가 생존할 수 있을 정도로 성숙했으면 분만을 시행

③ 태아가 미숙한 경우에는 태아가 생존할 수 있을 때까지 태아 감시 및 태아 폐 성숙을 위한 노력을 하면서 기대 치료(expectant management) 시행

(4) 산모의 합병증

① 거울증후군(mirror syndrome)

　　a. 태아수종을 임신한 산모에게 보존적 치료를 할 때 나타남

　　b. 원인 : 비대하고 수포성으로 변한 태반(swollen hydropic placenta) 내부의 혈관 변화

　　c. 태아와 마찬가지로 산모에서도 심한 부종을 동반한 전자간증(preeclampsia) 발생

　　d. 대부분의 경우에서 치료 방법은 없으며 분만이 필요

　　e. 임신 경과 중 태아수종이 사라지면 산모의 증상도 사라지게 되어 만삭 분만이 가능

② 증가하는 산모 합병증

　　a. 양수과다증(hydramnios) : 조기진통, 자궁이완증 등의 합병증 유발

　　b. 임신성 고혈압, 임신성 당뇨, 심한 빈혈, 출생 손상, 태반 만출장애

　　c. 산후 출혈, 잔류 태반 : 분만 후에 과도하게 확장된 자궁이 갑자기 감압되어 자궁이완증 발생

CHAPTER 16

태아 치료(Fetal therapy)

1 내과적 태아치료(Medical therapy)

1) 심장 부정맥(Fetal cardiac arrhythmia)

(1) 태아 심박동 장애(Fetal cardiac rhythm disturbances)

① 태아 부정맥

a. 특징 : 대부분이 예후가 양호한 상실성(supraventricular), 심실성(ventricular), 조기수축 (premature beats)으로 대개 임신 말기나 출생 후 며칠 내에 자연 소실됨

b. 임상적으로 중요한 경우 : 지속적인 상실성빈맥으로 이어지는 기외수축(extrasystoles)

c. 심박수에 따른 구분

- 빈맥성 부정맥(tachyarrhythmias) : >180 bpm
- 서맥성 부정맥(bradyarrhythmia) : <110 bpm

② 자궁수축과 관련없이 발생하는 태아 심박동 이상소견

심박동수	임상 양상
불규칙 리듬	심방조기수축(premature atrial contraction)
	심실조기수축(premature ventricular contraction)
빈맥 >160 bpm	상실성빈맥(supraventricular tachycardia)
	심방조동(atrial flutter)
	동성빈맥(sinus tachycardia)
	심실성빈맥(ventricular tachycardia)
서맥 <120 bpm	완전방실차단(complete atrioventricular block)
	동성서맥(sinus bradycardia)

(2) 상실성빈맥(Supraventricular tachycardia, SVT)

① 심방심실 부경로(accessory atrioventricular pathway)가 있어서 유발되는 회귀성 빈맥(reentrant tachycardia)

② 특징적인 소견

    a. 기외수축(extrasystoles)으로 인해 태아 심박수가 1:1 방실일치(atrioventricular concordance)를 보이며 180~300 bpm으로 갑자기 증가했다가 소실됨

    b. 평균 심박수 : 200~240 bpm

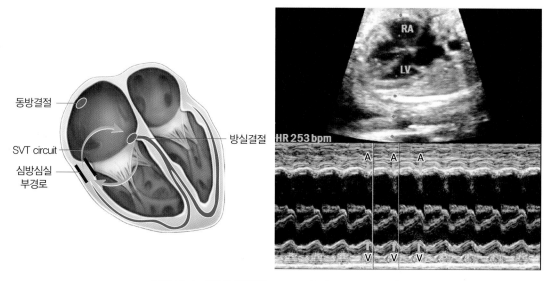

그림 16-1. 상실성빈맥(Supraventricular tachycardia)

③ 치료의 적응증 : 임신 24주 미만의 태아에서 이런 1:1 방실일치의 SVT가 분당 240~260회 지속적으로 나타나거나 태아 수종이 동반된 경우

④ 치료 : 항부정맥약제를 모체가 복용하여 태반 통과 효과를 기대

    a. Digoxin

      - 가장 많이 사용되는 치료제

      - 1~2 mg의 부하량을 정맥 주입 또는 경구 투여 후 0.5~1 mg을 경구 투여

    b. Flecainide, Amiodarone

      - Digoxin이 효과가 없는 경우 추가

      - flecainide를 매 12시간마다 100~200 mg 경구 투여

(3) 심방조동(Atrial flutter)

① 삼첨판(tricuspid valve)륜을 따라 삼첨판륜과 하대정맥 사이에 있는 협부(cavotricuspid isth-mus, CTI)를 포함하는 우심방 내에 국한된 회귀 회로에서 전기가 지속적으로 심방 내를 돌게 되어 심방이 빨리 뛰는 부정맥

② 특징적인 소견

　　a. 심방이 분당 300~500 bpm 정도로 빠르게 수축하는 상태로 다양한 방실차단(대부분 2:1)이 존재하여 심실 속도는 정상 이하에서 약 250 bpm까지 다양함

　　b. 상실성빈맥과 심실 수축 횟수가 유사하기 때문에 심방 수축의 확인이 진단에 필수적

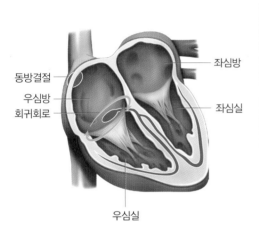

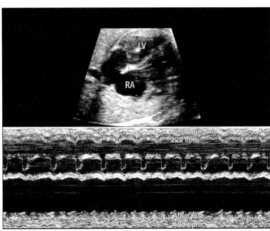

그림 16-2. 심방조동(Atrial flutter)

③ 치료(상실성빈맥의 경우와 같은 방법)

　　a. Digoxin : 태아수종을 동반한 경우 사용

　　b. Flecainide : Digoxin이 효과가 없는 경우 추가

(4) 완전방실차단(Complete atrioventricular block)

① 심방과 심실의 경계 조직에 자극이 전혀 전달되지 않는 방실차단

　　a. 구조는 정상이면서 산모의 자가 면역질환과 관계된 경우

　　b. 선천성 복합 심질환이 동반된 경우

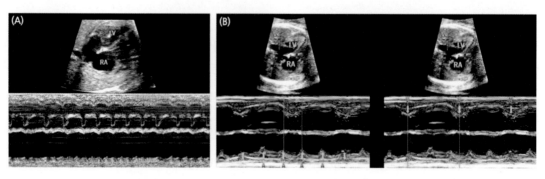

그림 16-3. 완전방실차단, (A) 심방 수축 132 bpm, (B) 심방과 심실의 독립적인 수축

② 태아 치료의 적응증 : 정상 구조를 가지고 있으면서 7~10일 간 지속적으로 완전방실차단이
관찰되면서 태아수종이 발생한 경우

③ 치료

    a. β-adrenergic agonist

      - 종류 : Ritodrine, terbutaline 등

      - 심박동을 증가시킬 수 있으나, 태아수종이 교정되지는 않음

    b. Betamethasone, dexamethasone : 산모의 anti-Ro, anti-La 수치가 높은 경우 투여 고려

2) 갑상샘질환(Thyroid disease)

(1) 태아 갑상샘종(Goiter)

  ① 갑상샘종(goiter)

    a. 태아의 목 앞쪽에 균일한 음영의 종괴로 관찰

    b. 발견 시 태아 갑상샘기능항진증 또는 갑상샘기능저하증의 판단이 필수적

    c. 태아에 대한 영향

      - 식도나 기도를 압박하여 양수과다증, 목의 과신장, 난산 등을 초래

      - 적절한 시기에 치료하지 않을 경우 출생 후 정신지체나 운동장애 유발 가능

  ② 태아 갑상샘 기능이상 진단 : 양수천자 또는 탯줄천자로 태아 TSH, free T3, free T4 측정

  ③ 치료의 목표 : 생리적 이상소견의 교정과 갑상샘종의 크기 감소

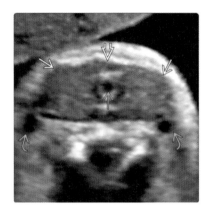

그림 16-4. 태아 갑상샘종(Goiter)

(2) 태아 갑상샘중독증(Fetal thyrotoxicosis)

① 원인 : Graves disease 산모의 IgG 갑상선자극 면역글로불린이 태반을 통과하여 발생

② 태아에 미치는 영향 : 갑상샘종, 빈맥, 성장제한, 양수과다, 심부전, 태아수종 등

③ 진단 : 태아채혈술(fetal blood sampling)

④ 치료

    a. 산모의 항갑상샘 치료(antithyroid treatment) : PTU

    b. 치료 중 산모의 갑상샘기능저하증 발생 시 levothyroxine 보충

(3) 태아 갑상샘저하증(Fetal hypothyroidism)

① 원인

    a. 갑상샘의 발생부전

    b. 산모의 갑상샘항진증 약물 치료(methimazole, propylthiouracil)

    c. 갑상샘호르몬 형성부전 또는 요오드 결핍 : 갑상샘호르몬이 감소하거나 생성이 차단되면
       갑상샘자극호르몬이 상승하게 되며, 이는 태아의 갑상샘종을 형성

② 태아 갑상샘종 갑상샘저하증이 미치는 영향 : 양수과다증, 목의 과신전, 골성숙의 지연

③ 산모가 항갑상샘 약물 복용 시 산모는 약물을 중단하고, 양수 내 levothyroxine 주입

2 수술적 태아치료(Surgical therapy)

1) 경피적 시술(Percutaneous procedures)

(1) 태아 단락술(Shunt therapy)

① 태아 체부 내의 낭성 부위에서 양수 내로 배액하는 시술

② 시술 도구

　　a. 이중 바구니모양 카테터(double basket shaped catheter)

　　b. 이중 J모양 카테터(double J catheter)

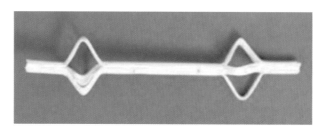

그림 16-5. 이중 바구니모양 카테터

③ 적응증

　　a. 후부요도판막증후군(posterior urethral valve syndrome)

　　b. 요도폐쇄(urethral obstruction)

　　c. 양측성 수신증과 같은 비뇨기계질환과 흉수(hydrothorax)

　　d. 낭성샘모양기형(CCAM)과 같은 태아 흉강 내 체액점유병변

　　e. 태아수종과 태변복막염(meconium peritonitis)으로 유발된 중증도의 복수 및 소변으로 인한 중증도의 복수

(2) 고주파융해술(Radiofrequency ablation, RFA)

① 병소를 바늘로 찌른 후 라디오파를 발생시켜 주변의 조직을 열로 응고시킴으로써 치료하는 방법

② 적응증

　　a. 쌍태아 역동맥관류연쇄(twin reversed arterial perfusion sequence, TRAP)

　　b. 단일융모막 쌍태아(monochorionic twins)의 한쪽 태아에 심각한 기형이 있는 경우

　　c. 천미골기형종(sacrococcygeal teratoma)

　　d. 융모막혈관종(chorioangioma)

2) 태아수술(Fetal surgery)

(1) 태아경수술(Fetoscopic surgery)

① 영상 장치가 있는 가는 관을 자궁에 삽입하여 태아의 모양을 직접 관찰하거나, 태아의 기형을 치료하기 위한 기술

② 이용 범위

    a. 진단 목적 : 태아의 형태적 기형을 직접 확인하거나 태아의 피부, 근육, 간 등의 조직검사에 이용

    b. 치료 목적 : 다양한 선천성 질환의 치료에 이용

③ 적응증과 치료법

적응증	치료법
쌍태아 수혈증후군 (twin-twin transfusion syndrome, TTTS) 천미골기형종 (sacrococcygeal teratoma)	태아경하 선택적 레이저응고술 (laser of placental anastomoses)
선천성 횡격막 탈장 (congenital diaphragmatic hernia)	태아내시경하 기관폐쇄술 (fetal endoscopic tracheal occlusion, FETO)
하부 요로계 폐쇄 (lower urinary tract obstruction)	태아방광경하 레이저응고술 (cystoscopic laser)

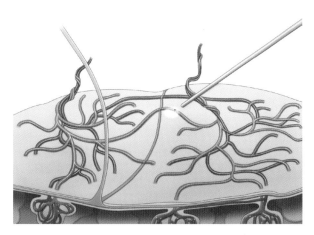

그림 16-6. 태아경하 레이저응고술

(2) 개복 태아수술(Open fetal surgery)

① 수술 방법

    a. 산모의 개복은 하횡절개(low transverse)로 이루어지며 복벽직근과 근을 필요한 만큼 횡으

로 또는 수직으로 분리

b. 초음파를 통해 태반의 위치를 확인하고 표시해 두어 자궁절개 시 태반의 손상이나 출혈이 없도록 해야 함

c. 특수 고안한 자궁 스태플러를 사용하여 자궁절개 시 발생하는 출혈을 최소화

d. 태아는 필요한 부분의 몸만 노출시켜 노출 부위를 최소화

e. 수술 중에 따뜻한 식염수를 주입하여 태아를 잠기게 하고, 태아 수술 후에는 다시 자궁 안으로 태아를 복원시킨 후, 절개한 부위의 자궁을 봉합하고 fibrin glue를 도포

f. 수술 후 초음파 추적관찰과 자궁수축에 대한 집중관찰이 필요하며 적절한 자궁수축억제제를 투여하여 조기진통을 예방하는 것이 중요

② 수술 후 합병증

a. 복벽과 자궁 그리고 태반에서 발생하는 출혈

b. 양막의 파열 - 융모양막염, 양막분리(membrane separation) 및 자궁수축

③ 적응증

a. 수막척수탈출증(myelomeningocele)

b. 낭성샘모양기형(congenital cystic adenomatoid malformation, CCAM)

c. 외엽형 폐분리증(extralobar pulmonary sequestration)

d. 천미골기형종(sacrococcygeal teratoma)

3 태아 치료의 요약 정리

내과적 태아치료	병태생리	치료 및 근거
태아 갑상샘저하증 (Fetal hypothyroidism)	갑상샘호르몬의 감소 또는 생성 차단으로 인해 갑상샘자극호르몬이 상승되어 태아 갑상샘종 (goiter) 유발	양수 내 thyroxine 주입 및 산모의 thyroxine 복용
상실성빈맥 (Supraventricular tachycardia)	심방심실 부경로(accessory AV pathway)가 있어서 유발되는 회귀성 빈맥	Digoxin, flecainide, amiodarone 등의 항부정맥약제를 산모가 복용하여 태반 통과 효과를 기대
심방조동 (Atrial flutter)	삼첨판륜을 따라 삼첨판륜과 하대정맥 사이에 있는 협부를 포함하는 우심방 내에 국한된 회귀 회로에서 전기가 지속적으로 심방 내를 돌게 되어 심방이 빨리 뛰는 부정맥	
완전 방실차단 (Complete AV block)	구조는 정상이면서 산모의 자가 면역질환과 관계된 경우, 선천성 복합 심질환이 동반된 경우	β-adrenergic agonist(ritodrine, terbutaline 등으로 심박동을 증가시킬 수 있으나, 태아수종이 교정되지는 않음) Betamethasone, dexamethasone(산모의 anti-Ro, anti-La 수치가 높은 경우 투여 고려)

수술적 태아치료	병태생리		치료 및 근거
후부요도판막증후군 (Post. urethral valve syndrome)	하부요로폐쇄로 인해 발생하며 거대방광과 양수과소증을 유발	태아 단락술 (Shunt therapy)	방광과 양막강 내의 우회로를 만들어서 신기능 손상을 방지하고, 양수과소증으로 인한 이차적 폐기능부전 방지
태아흉수 (Pleural effusion)			폐형성부전 예방과 태아 심기능 향상을 도모
태아복수 (Ascites)			복수로 인한 횡격막 상승을 방지함으로써 폐형성부전을 방지
낭성샘모양기형 (CCAM)			폐형성부전을 예방하고 주변 장기 눌림 현상을 완화
쌍태아 역동맥관류연쇄 (TRAP sequence)	펌프 쌍태아(pump twin)의 고박출심부전(high-output heart failure)을 초래	고주파융해술 (RFA)	펌프 쌍태아의 심부전 방지와 신경학적 손상 및 태아사망을 방지
일측 쌍태아의 선천성기형 (Discordant anomaly)			일측 쌍태아의 치명적 기형으로 인한 양측 쌍태아의 자궁 내 사망을 방지할 수 있고, 일측 쌍태아의 자궁내 사망으로 인한 생존 쌍태아의 신경학적 손상 등을 방지
쌍태아 수혈증후군 (TTTS) 일측 쌍태아의 자궁내발육지연 (Selective IUGR)			일측 쌍태아의 심각한 자궁 내 발육지연으로 인한 사망 시 발생하는 생존 쌍태아 자궁 내 사망 및 신경학적 손상을 방지
천미골기형종 (Sacrococcygeal teratoma)	동정맥 단락(AV shunting)으로 인한 고박출심부전과, 종양에 인접한 구조물들의 해부학적 기능적 손상을 초래		종양 자체 또는 혈관단락으로 인해 야기되는 기능적 이상을 감소
쌍태아 수혈증후군 (TTTS)		태아경 (Fetoscopy)	태아경하 선택적 레이저응고술을 통해 태반혈관문합을 차단함으로써 양측쌍태아의 균형적 발달과 생존을 도모
선천성 횡격막탈장 (Diaphragmatic hernia)	복부장기가 흉강으로 탈장되어 폐형성부전과 폐고혈압 등을 야기		태아경을 이용하여 태아 기도를 폐쇄시킴으로써 폐 용적을 증가시켜 폐형성부전 방지와 폐고혈압 감소를 도모
하부요로계 폐쇄 (Lower urinary tract obstruction)	하부요로폐쇄로 인해 발생하며 거대방광과 양수과소증을 유발		폐쇄된 부위를 뚫어줌으로써 신기능 손상을 방지하고, 양수과소증으로 인한 이차적 폐기능부전 방지

CHAPTER 17

태아 검사(Fetal Assessment)

1 태아의 신체적인 활동성을 기반으로 하는 검사

1) 태동(Fetal movement)

(1) 정상 임신에서의 태동

① 태동(fetal movement)

   a. 태아 생존의 신호이며 태아의 중추신경계 발달 및 기능을 간접적으로 반영

   b. 규칙적인 태동은 태아의 안녕을 반영하는 것으로 간주할 수 있음

② 초음파상 태동의 관찰

   a. 임신 7~8주경부터 관찰되며, 뒤이어 척추의 굴곡과 신전 및 수동적인 사지의 움직임이 나타남

   b. 임신 12~13주면 태아의 손이 얼굴이나 입을 향해 움직임

   c. 임신 14주경에는 각각의 사지의 운동이 관찰

③ 산모의 태동 감지

   a. 보통 임신 18~20주경부터 태동을 감지하며 경산부는 16주경 감지하기도 함

   b. 임신 20~30주에 태동은 점차 조직화되고 휴식과 활동이 반복되는 주기성을 나타냄

④ 태아의 활동상태

Stage	태아의 활동
제1상태(stage 1F)	고요한 수면상태(quiet sleep) 태아의 움직임이나 안구의 운동이 없음 태아 심박수는 좁은 진폭으로 진동하는 양상
제2상태(stage 2F)	활동성 수면기(active sleep) 혹은 빠른 눈운동(rapid eye movement, REM) 반복적인 몸통 및 사지의 움직임과 지속적인 안구 움직임이 관찰 태아 심박수의 진동 폭이 커짐
제3상태(stage 3F)	신체의 움직임이 없으면서 지속적인 안구의 움직임이 나타남 태아 심박수의 증가가 없음 만삭 이전에는 거의 관찰되지 않음
제4상태(state 4F)	영아의 각성상태(awake state) 만삭에 가까운 태아에서 제1, 2상태에 비하여 낮은 빈도로 관찰 수의적인 큰 운동이 관찰되고, 태아 심박수가 크게 증가

⑤ 태아 활동의 특징

    a. 임신부의 수면-각성 주기와 독립적으로 나타남

    b. 임신이 진행되면 약한 움직임은 감소하고 대신 강한 움직임이 증가하다가 만삭에는 다시 감소(태동의 최고조는 임신 32주경)

    c. 태동의 증가는 임신 36주까지 지속

    d. 양수량 및 자궁 내 공간의 감소로 인해 임신이 진행될수록 약한 움직임 감소

    e. 태아는 대부분의 시간을 제1, 2상태로 지냄

    f. 제1상태와 결합된 비수축검사의 무반응성은 길게는 2시간까지도 나타날 수 있음

(2) 태동의 감소

① 태동 감소

    a. 흔히 태아사망 전에 선행 되지만 모든 경우에 태아사망이 임박했다는 의미는 아님

    b. 많은 요인들에 의해 태동의 감소가 발생 가능

    c. 갑작스럽게 태동 감소를 호소하는 경우 태아에 대한 평가를 하는 것이 좋음

② 태동의 감소에 영향을 미치는 요인

모체측 요인	태아측 요인
임신부의 활동성(자세, 직업)	태아의 수면
임신부의 정서적 불안	자궁내 성장 지연
진정제 복용	저산소증
음주	태아 빈혈
갑상선 기능저하증	태아 기형
양수감소증 혹은 양수과다증	중추신경계, 근골격계 이상

(3) 태동의 평가

① 태동의 평가 방법

a. 자궁수축력측정기(tocodynamometer)

b. 실시간 초음파 검사(real time USG) : 생물리학계수에 이용되는 매우 객관적인 지표

c. 산모의 주관적 인지

② 임신부의 주관적 인지를 정량화한 태동의 평가

a. 임신부를 옆으로 눕힌 자세에서 태동에 집중하여 2시간 동안 횟수를 측정하게 하고 10회의 태동을 인지하면 정상으로 간주하는 방법

b. 산모가 일상적인 생활을 하면서 12시간 동안 최소 10회의 태동을 인지하는 경우 정상으로 평가하는 방법

c. 일주일에 3회, 각 1시간씩 태동을 측정하게 하여 이전에 측정된 태동의 빈도와 비교하여 같거나 증가하면 안심할 수 있는 것으로 평가하는 방법

③ 태동의 감소가 인지된 경우 반드시 태아의 상태를 평가해야 함

a. 비수축검사 : 가장 먼저 사용되는 방법

b. 필요에 따라 초음파검사, 생물리학계수 및 도플러검사 등을 이용

2) 태아 호흡(Fetal breathing)

(1) 태아 호흡의 특징

① 임신 20~21주경이면 규칙적인 양상을 보이기 시작

② 호흡 운동의 2가지 유형

a. 헐떡임(한숨) : 1~4회/min.

b. 불규칙한 호흡 : 최대 240회/min.

③ 역설적 흉곽 운동(paradoxical chest wall movement)

a. 횡격막과 복강 내 구조물이 아래로 이동하면서 흉곽은 안쪽으로 함요(collapse)됨

b. 정상 신생아나 성인에서 흡기 때 흉곽이 확장하는 것과는 반대되는 양상

Inspiration   Expiration

그림 17-1. 역설적 흉곽 운동(Paradoxical chest wall movement)

(2) 태아의 호흡 운동의 하루변이

   ① 임신부의 아침식사 후에 태아의 호흡 운동 시간이 증가

   ② 낮에는 감소하다가 19~24시 사이에 최저에 이름

   ③ 임신부의 수면시간인 4~7시 사이에 태아의 호흡 운동 시간이 증가

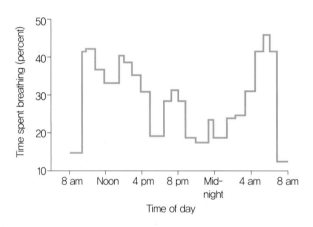

그림 17-2. 임신 38~39주 태아의 호흡 운동의 하루변이(diurnal variation)

(3) 태아의 호흡 운동에 영향을 미치는 요소

   ① 저산소증(hypoxia)   ⑥ 양수천자(amniocentesis)

   ② 고요한 수면상태(제1상태)   ⑦ 임박한 조기진통(impending preterm labor)

   ③ 저혈당증(hypoglycemia)   ⑧ 임신 주수 : 주수가 증가할수록 호흡 운동이 증가

   ④ 소리 자극(sound stimulus)   ⑨ 태아의 심박동(fetal heart rate)

   ⑤ 흡연(smoking)

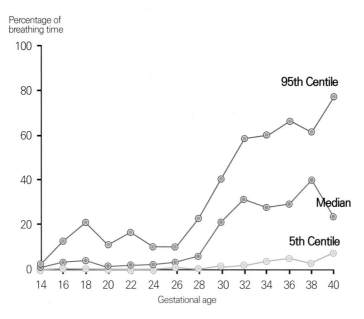

그림 17-3. 임신 주수에 따른 태아의 호흡 운동 발견 비율

2 태아의 심박수 감시를 기반으로 하는 검사

1) 수축자극검사(Contraction stress test, CST)

(1) 검사의 원리

① 옥시토신 유발 검사(oxytocin challenge test)라고도 하며, 자궁수축에 따른 태아 심장박동의 변화를 관찰하는 검사 방법

② 기전

　a. 자궁이 수축되면 자궁근육 속을 주행하는 혈관이 압박을 받게 되고 혈류공급이 차단

　b. 낮아진 태아 동맥 내 산소 농도에 의한 일시적 고혈압으로 태아 서맥이 유발

　c. 기저에 태반기능저하로 인해 산소공급이 충분하지 못한 태아에서 자궁수축을 유발시키면 일시적인 산소공급 저하로 늦은 감속(late deceleration) 양상의 심박수 변화 발생

　d. 양수과소증이 동반된 태아의 경우는 탯줄의 압박으로 인한 다양 감속(variable deceleration) 양상의 심박수 변화 발생

③ 임신 제3삼분기에 태아의 안녕상태가 의심될 때 수축자극검사를 시행할 수 있으며, 검사가 음성이면 일주일마다 반복

(2) 검사 방법

① 임신부가 약간 옆으로 누운 자세에서 태아의 심박수와 자궁수축을 동시에 기록

② 기초 자궁수축력과 심박수를 15~30분 동안 측정

    a. 10분 동안에 40초 이상 지속되는 수축이 3회 이상 있는 경우는 결과를 바로 판정

    b. 자연 수축이 없으면 옥시토신(oxytocin) 주입 또는 유두 자극으로 자궁수축을 유발

       - Oxytocin 0.5 mU/min.로 정맥주사, 자궁수축이 10분 동안에 3회가 될 때까지 20분 단위로 정주 속도를 늘림

       - 유두 자극은 임신부로 하여금 옷을 입은 채로 한쪽 유두를 2분가량 문지른 뒤 5분 정도 휴식하고 자궁수축이 일어날 때까지 위 같은 방법을 반복

③ 자궁 밖에서 측정하는 자궁수축은 실제적으로 자궁 내 압력이 측정되지는 않지만, 수축의 시작이나, 최대 수축기, 수축의 소실 등은 비교적 정확히 알 수 있음

(3) 검사 결과의 판정

① 음성(negative) : 늦은 감속(late deceleration) 혹은 의미 있는 다양 감속(significant variable deceleration)이 없음

② 양성(positive) : 자궁수축의 50% 이상에서 반복적인 늦은 감속(late deceleration)이 있음(수축 빈도가 10분에 3회 미만이라도)

③ 불확실-의심(equivocal-suspicious) : 간헐적 늦은 감속(intermittent late deceleration) 또는 의미 있는 다양 감속(significant variable deceleration)

④ 불확실-과수축(equivocal-hyperstimulatory) : 자궁수축 사이의 간격이 2분 미만이거나 수축이 90초 이상 지속되면서 발생한 태아 심박수 감속(fetal heart rate decelerations)

⑤ 불충분(unsatisfactory) : 자궁수축의 빈도가 10분에 3회 미만 또는 해석 불가능한 기록

(4) 검사의 한계

① 수축자극검사의 금기증

    a. 질식분만의 금기증

    b. 조기 진통 또는 조산의 고위험군 : 양수과다증, 쌍태임신, 조기양막파수

    c. 자궁출혈의 위험 : 전치태반

    d. 자궁파열의 위험성이 있는 경우

② 이 검사에서 음성일 경우 태아가 안녕상태임을 반영하는 유용한 지표

③ 위양성률은 30%로 태반기능부전이 없으나 있다고 오인할 확률은 높음

(5) 검사의 적용

① 분만 중 태아 감시와 거의 비슷한 결과를 보임

② 수축자극검사가 양성인 경우 태아가 분만진통의 스트레스에 더 취약할 수 있어 분만 중 세심한 관찰이 필요함
③ 최근에는 수축자극검사보다는 다른 검사들(비수축검사와 생물리학계수 등)로 태아의 안녕상태를 평가

2) 비수축검사(Nonstress test, NST)

(1) 정의
① 태동이 있을 때 태아 심박수가 적절하게 증가하는지 검사하여 태아의 건강상태를 평가하는 방법
② 현재 태아안녕평가의 일차적인 검사로 가장 널리 사용되고 있는 검사

(2) 검사의 원리
① 검사의 전제 : 산혈증이나 신경학적으로 이상이 없는 태아의 경우 태아의 운동과 더불어 심박수가 일시적으로 가속됨
② 박동 대 박동 변이(beat-to-beat variability)
　a. 태아의 심박수가 자율신경계의 영향을 받아 수시로 변화하는 것
　b. 태아의 자율신경계가 정상적으로 기능을 하고 있다는 좋은 지표
　c. 중추신경계의 성숙이 완성되는 임신 32주 이상에서 볼 수 있음
　d. 임신 주수가 증가함에 따라, 태아 심박수의 가속을 동반한 태동의 비율과, 태아 심박수 가속의 정도가 증가

(3) 검사 방법
① 임신부가 약간 옆으로 기울여 누운 자세 혹은 세미파울러(semi-Fowler) 자세에서 외부 탐촉자를 이용하여 태아의 심박수를 측정하여 기록
② 태아의 심박수가 기저선(baseline)으로부터 적어도 분당 15회 이상으로 상승하여 15초 이상 지속되는 가속이 있는지 관찰하며, 최소한 20분 이상 시행
③ 20분 간 무반응성인 경우 수면주기를 고려해 20분 간 검사를 더 지속

(4) 검사 결과의 판정
① 정상 : 반응성 비수축검사(reactive nonstress test)
　a. 20분의 검사 기간 중에 임신부의 태동 인지와 상관없이 고점이 15 bpm 이상으로 15초 이상 지속되는 태아 심박수의 가속이 2회 이상 있는 경우(ACOG, 2016)
　b. 임신 주수에 의한 구분(NICHD, 2008)
　　- 32주 미만 : 고점이 10 bpm 이상으로 10초 이상 지속되는 경우

- 32주 이상 : 고점이 15 bpm 이상으로 15초 이상 지속되는 경우

c. 미숙아인 경우는 건강한 태아에서도 무반응성으로 나오는 경우가 많음

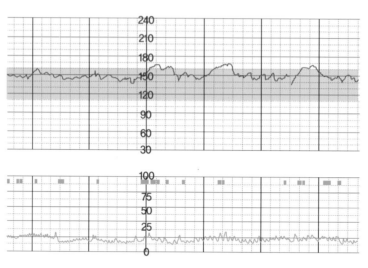

그림 17-4. 반응성 비수축검사(reactive nonstress test)

② 비정상 : 무반응성 비수축검사(nonreactive nonstress test)

a. 태아 수면 주기를 고려하여 40분 이상 관찰하여도 태아 심박수의 가속이 없는 경우

b. 무반응성이 나타나는 경우

- 가장 흔한 경우 : 태아의 수면주기(fetal sleep cycles)

- 장기간 지속되는 경우 : 태아의 산혈증, 저산소증, 태아의 미성숙, 산모의 약물에 의한 중추신경계 억제(진정제, 황산마그네슘), 흡연 등

- 무반응성의 위양성도는 50~60% 정도로 높음

- 감별 방법 : 음향자극검사, 수축자극검사, 생물리학계수, 도플러 등 추가 검사 시행

③ 종말 심박자궁수축도(terminal cardiotocogram)

a. 검사 양상

- 기저선의 진동폭이 5 bpm 미만

- 가속이 없는 심박수(absent acceleration)

- 자연적으로 발생한 자궁수축으로 늦은 감속(late deceleration)이 발생

b. 주산기에 매우 불량한 예후를 보이는 태아 심박수의 형태

c. 반드시 추가 검사를 통해 위험도 및 분만의 필요성에 대한 평가가 필요

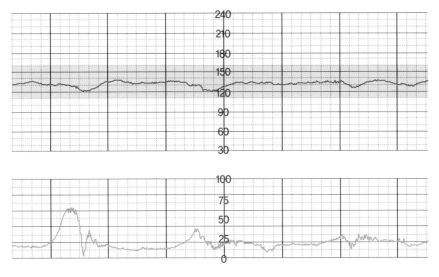

그림 17-5. 무반응성 비수축검사(nonreactive nonstress test)

(5) 검사 간격

① 일반적으로 주당 1회 실시

② 고위험군 또는 태아 안녕상태가 의심스러울 경우에는 주당 2회 이상 실시(ACOG, 2016)

 a. 지연임신(postterm pregnancy)

 b. 다태아 임신(multifetal pregnancy)

 c. 임신 전 당뇨(pregestational diabetes), 제1형 당뇨(type I DM)

 d. 태아성장제한(fetal growth restriction)

 e. 임신성 고혈압(gestational hypertension), 전자간증(preeclampsia)

(6) 비수축검사 중 발생하는 감속(decelerations)

① 태아 심박수의 감속(deceleration)이 나타나면 태아 상태가 좋지 않은 경우가 있으므로 주의해서 관찰해야 함

② 반복적이지 않은 30초 이하의 짧은 다양 감속(variable deceleration)은 문제가 되지 않음

③ 20분에 3회 이상의 반복적인 다양 감속(variable deceleration)의 경우 태아절박가사(fetal distress)에 의한 제왕절개 빈도가 증가

④ 1분 이상의 감속(deceleration)이 있으면 예후는 더욱 나쁨

(7) 위음성(False-normal) 비수축검사

① 1주일 이내의 태아 사망을 기준으로 비수축검사는 수축검사나 생물리학계수에 비하여 높은 위음성도를 보임

② 위음성 비수축검사의 원인

    a. 지연임신(postterm pregnancy) : 가장 흔한 원인

    b. 태변 흡인(meconium aspiration) : 가장 흔한 부검 소견

    c. 태반조기박리, 탯줄의 이상 : 급성 가사(acute asphyxia) 상황

    d. 자궁 내 태아성장제한, 양수과소증, 중증 거대아에 동반한 대사이상질환 등 : 위음성도가 매우 높게 증가할 수 있음

③ 비수축검사가 급성 가사(acute asphyxia)를 배제하기에는 부적절함

④ 고위험군에서는 산전 태아안녕평가에 있어 비수축검사를 단독으로 시행하지 말고, 다른 검사 방법들과 병합하여 사용

3) 음향자극검사(Acoustic stimulation test)

(1) 검사의 원리

① 외적 진동성 음향자극은 태아에게 놀람반사(startle reflex)를 일으켜 태아의 반응성을 증가시키고 무반응성 비수축검사의 빈도를 효과적으로 감소시킴

② 비수축검사에 병용 시 검사 시간을 줄이고, 위양성(false-nonreactive)의 빈도가 감소

③ 태아의 반응이 일어나는 시기

    a. 진동에 대한 반응성 : 임신 22~24주경

    b. 소리에 대한 반응 : 임신 24~28주경

(2) 검사 방법

① 비수축검사에 병용하여 음향자극검사를 시행할 때에는 인공후두를 임신부의 복부에 대고 약 1~2초간 음향자극을 가함

② 태아 심박수의 가속이 나타날 때까지 자극의 기간을 3초까지 서서히 늘이며 3회까지 반복하여 시행(ACOG, 2016)

(3) 검사 결과의 판정

① 양성 반응 : 음향자극에 뒤따르는 태아 심음의 가속

② 음향자극 후에 뒤따르는 비수축검사의 반응성 결과는 음향자극 없이 나타난 비수축검사의 반응성과 같이 해석

③ 음향자극 후에도 무반응성을 보이는 경우에는 음향자극 없이 나타난 비수축검사의 무반응성에 비하여 주산기 예후는 더 나쁠 것으로 생각

3 초음파를 기반으로 하는 검사

1) 생물리학계수(Biophysical profile)

(1) 정의 및 방법

① 초음파로 양수량, 태아 호흡 및 운동 등을 관찰하여 초음파를 이용한 태아안녕평가와 비수축검사를 통합한 산전 태아안녕평가 지표

② 5가지 요소를 검사함으로써 위양성 및 위음성을 줄임

③ 검사 방법

    a. 소요 시간 : 30~60분

    b. 비수축검사(NST)와 실시간 초음파가 필요

④ 검사 시기

    a. 대부분 30주 이상에서 시행하고 정상 점수일 경우 일주일 간격으로 시행을 권고

    b. 고위험군에서는 개별화하여 적용

(2) 검사의 구성 요소와 평가 기준

① 생물리학계수(biophysical profile)의 구성 요소와 평가 기준

구성 요소	2점	0점
비수축검사 (nonstress test)	20~40분 간 관찰 시, 분당 15회 이상, 15초 이상 지속되는 태아 심박수 증가가 2회 이상 있을 때	태아 심박수 증가가 없거나 1회 있을 때
태아 호흡 (fetal breathing)	30분 간 관찰 시, 30초 이상 지속되는 율동성 호흡 운동이 1회 이상 있을 때	30초 미만으로 지속되는 호흡 운동이 있을 때
태아 운동 (fetal movement)	30분 간 관찰 시, 3회 이상의 몸통 혹은 사지의 구별된 움직임이 있을 때	3회 미만의 움직임이 있을 때
태아 긴장성 (fetal tone)	30분 간 관찰 시, 사지를 뻗었다가 구부리는 운동이 1회 이상 있을 때	펴고, 구부리는 운동이 없을 때
양수량 (amnionic fluid volume)	서로 수직인 두 평면에서 각각 최소 2 cm가 넘는 양수 포켓이 있을 때 (2x2 cm pocket)	가장 큰 양수 포켓이 수직으로 2 cm 이하일 때

② 태아의 상태를 반영하는 표지자

    a. 급성 표지자(acute marker)

        - 저산소증 및 산증에 민감한 태아 중추신경계에 의해 조절

        - 종류 : 태아 심박수, 태아 호흡, 태아 운동

    b. 만성 표지자(chronic marker)

        - 태아의 산-염기 상태에 영향을 받지 않는 만성적 상태를 반영

        - 종류 : 양수량

③ 태아가사(fetal asphyxia) 시 생물리학계수의 소실 순서

    a. 태아 심박수 → 태아 호흡 → 태아 운동 → 태아 긴장성 → 양수량

    b. 태아 심박수는 태아 저산소증 상태에서 가장 먼저 비정상 소견을 보임

④ 생물리학계수에 영향을 미치는 인자

    a. 저산소증이나 산증

    b. 임신 주수, 스테로이드 또는 황산마그네슘 투여, 진통, 초음파 검사 시 탐촉자 압력 등

(3) 검사 결과의 판정 및 처치

① 생물리학계수(biophysical profile)의 판정 및 처치 권고안

생물리학계수 점수	판정	처치
10	정상, 비가사 상태	산과 처치 필요 없음, 1주 후 재검 (당뇨와 과숙임신 시는 1주에 2회)
8/10(정상 양수량) 8/8(비수축검사 안함)	정상, 비가사 상태	산과 처치 필요 없음 계획대로 검사 반복
8/10(양수과소증)	만성 태아가사 의심	분만
6	태아가사 가능성	양수량이 비정상이면 분만 양수량이 정상이면, 36주 이후이고 자궁경부가 양호하 면 분만 재검 시 6 이하면 분만 재검 시 6 초과면, 관찰 및 재검
4	태아가사 가능성 높음	당일 재검하여 6 이하면 분만
0~2	태아가사 거의 확실	분만

② 양수량이 정상인 경우

    a. 8 또는 10점 : 정상 상태로 향후 일주일 동안 태아가 사망할 확률은 극히 낮음

    b. 6점 : 불확실한 상태로 각각 개별화하여 평가해야 하는데, 바로 분만이 가능한 상황이 아

      닐 경우는 다시 재검사를 시행하여 재평가해야 함

    c. 4점 이하 : 태아가사를 의심할 수 있는 상황으로 분만을 심각하게 고려

③ 양수량이 감소된 경우 : 합산한 점수와 상관없이 추가적인 평가가 필요

(4) 수정 생물리학계수(Modified biophysical profile)

① 비수축검사와 양수지수(AFI) 측정만을 일주일에 2회 시행하는 것

② 특징

    a. 검사 시간 : 약 10분

    b. 양수지수(AFI) 5 cm 이하를 비정상으로 판정

③ 두가지 항목만 선택된 이유

    a. 비수축검사 : 급성기 태아 산소포화도와 산-염기 균형을 반영

    b. 양수량 : 만성 태아가사가 될 경우 혈액의 분포가 뇌, 심장 등과 같은 주요기관으로 가고 신장으로의 혈류는 감소하여 태아 소변량이 감소하므로 만성적인 태반기능을 반영

③ 효용성

    a. 일차 태아안녕 선별검사로 사용 가능

      - 시간과 노력이 적게 들면서 위음성률이 낮고, 위양성률은 낮은 검사

      - 다른 평가 방법처럼 태아안녕을 예측할 수 있는 유용한 검사로 인정됨(ACOG, 2012)

    b. 비정상 결과를 보일 경우 완전 생물리학계수를 시행

(5) 양수과소증(Oligohydramnios)으로 인한 중재적 분만의 시기

① 양수과소증의 기준

    a. 단일 최대양수포켓(SDP) ≤2 cm

    b. 양수지수(AFI) ≤5 cm

② 두 가지 기준 중 단일 최대양수포켓(SDP)이 수직으로 2 cm 이하를 기준으로 하는 것이 주산기 예후를 악화시키지 않으면서 불필요한 중재적 시술을 줄일 수 있음

③ 양수과소증에서 증가하는 위험성

    a. 주산기 사망률

    b. 자궁 내 태아성장제한

    c. 유도분만 및 제왕절개술 빈도

    d. 태변흡입증후군

    e. 신생아 사망률

④ 양수과소증으로 인한 중재적 분만의 시기를 결정하기 위해서는 임신 주수 및 임신부와 태아의 임상적 상태에 대한 고려가 필요

⑤ 다른 문제가 없으면서 양수과소증이 지속되는 경우 임신 36~37주 사이에 분만을 권유

3) 도플러 파형(Doppler velocimetry)

(1) 혈류 속도의 파형 분석(Waveform analysis of blood velocity)

① 탯줄동맥 혈류 파형의 특징

    a. 일반적인 동맥에서 도플러 파형의 특징은 수축기 속도는 높지만 이완기 혈류는 아주 낮거나 없음

    b. 정상 탯줄동맥에서는 임신 후반기부터 지속적인 이완기 혈류 파형이 나타남

    c. 탯줄동맥은 임신 주수가 증가할수록 저항지수(resistance index, RI)가 감소하므로 태반의 병변을 조기에 예측 가능

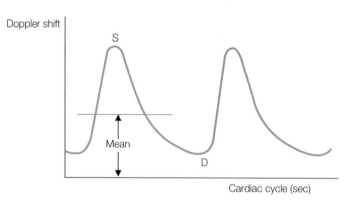

그림 17-6. 임신 후반기 정상 탯줄동맥에서의 혈류 파형

② 탯줄정맥 혈류 파형의 특징 : 파동적이기 보다 지속적으로 흐르는 혈류 파형
③ 수축기-이완기 비율(Systolic-Diastolic ratio, S/D ratio)
    a. 임신부의 자궁동맥 혹은 태아의 탯줄동맥에서 측정
    b. 임신 주수가 지속됨에 따라서 값은 점차 감소

(2) 탯줄동맥 도플러 파형(Umbilical artery doppler velocimetry, UADV)
    ① 탯줄동맥 도플러 파형은 태반 혈류의 저항을 반영
    ② 비수축검사와 생물리학계수가 포함된 산전 태아안녕평가와 함께 자궁 내 태아성장제한을
        평가하는 표준검사법(ACOG, 2015)
    ③ 탯줄동맥 도플러 파형의 비정상 소견(abnormal UADV S/D ratio)
        a. 임신 주수의 95백분위수를 넘는 경우
        b. 이완기 혈류가 없거나(absent) 또는 역류(reversed) 된 경우
          - 태반융모(placental villi)의 혈관형성 저하로 인해 발생
          - 태아성장제한의 심한 경우에 나타남

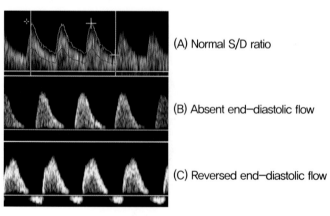

그림 17-7. 탯줄동맥 도플러 파형

CHAPTER **18**

유산(Abortion)

1 자연 유산(Spontaneous abortion)

1) 정의

(1) 유산(Abortion)

① 유산

a. 태아가 생존이 가능한 시기 이전에 임신이 종결되는 것

b. 제태 연령 20주 이전 혹은 태아가 500 g 미만일 경우에 임신이 종결되는 것

② 자연 유산(spontaneous abortion) : 의학적 시술을 시행하지 않은 상태에서 임신 20주 이전에 임신이 종결되는 것

③ 고사난자(blighted ovum) : 임신낭에 태아가 없는 것

④ 생존 한계(threshold of viability at Parkland hospital)

a. 임신 23주까지는 제왕절개술을 시행하지 않음

b. 임신 24주에 태아예상체중이 750 g 이상으로 추정되지 않으면 제왕절개술을 시행하지 않음

⑤ 유산의 진단

a. 혈액 hCG를 임신 초기에 연속으로 측정하여 자연 유산을 확인

b. 초음파를 사용하여 임신낭, 배아 또는 태아, 난황, 태아 심박동 여부를 확인

(2) 미국산부인과학회의 정의(ACOG, 2017)

① 초기 임신 종결(early pregnancy loss) : 임신 12주 6일 내에 심박동이 없는 배아 또는 태아가 있는 임신낭 또는 비어 있는 임신낭

② 알 수 없는 위치의 임신(pregnancy of unknown location, PUL)

a. hCG 검사를 통해 임신을 확인했으나 자궁 안에 임신낭이 보이지 않는 경우

b. 분류 : definite ectopic pregnancy, probable ectopic, PUL, probable IUP, definite IUP

2) 임신 제1삼분기 자연 유산(First trimester spontaneous abortion)

(1) 빈도

① 임신을 준비하는 남녀의 4명 중 1명에서 발생

② 임신 5~20주에서 11~22% 정도 발생, 임신 초기에는 더 높음

③ 자연 유산의 80% 이상이 임신 첫 12주 이내에 발생

    a. 최소한 약 반수에서 염색체 이상이 원인

    b. 유산이 일어나는 시기가 빠를수록 염색체 이상에 의한 유산의 발생 가능성이 증가

④ 임산부의 나이가 증가할수록 유산이 증가 : 36~40세 사이는 30%, 41~45세 사이는 50%

⑤ 임신이 착상 전이나 다음 생리 전에 종결되므로 이를 생리양이 많거나 생리가 늦어지는 것으로 오인하는 경우가 많음

(2) 진단

① 임신 제1삼분기에 질 출혈이 있을 경우 시행해야 하는 검사

    a. 문진과 진찰

    b. 혈액 검사 : CBC, ABO/Rh, 혈청 hCG, 임질과 클라미디아 검사

    c. 질 분비물의 액상도말 검사

    d. 자연 유산의 초음파 검사 진단

자연 유산의 확실한 진단

7 mm 이상의 머리엉덩길이와 심박동 없음

25 mm 이상의 태아주머니와 배아 없음

난황주머니가 없는 태아주머니 확인 후 2주 이상 지나서도 심박동 있는 배아가 보이지 않는 경우

난황주머니가 있는 태아주머니 확인 후 11일 이상 지나서도 심박동 있는 배아가 보이지 않는 경우

자연 유산이 의심되나 진단적 한계

심박동이 없는 7 mm 이내의 머리엉덩길이

배아가 없는 평균 16~24 mm 태아주머니

배아가 없는 태아주머니 확인 후 7~13일 이상 지나서도 심박동 있는 배아가 보이지 않는 경우

난황주머니가 있는 태아주머니 확인 후 7~10일 이상 지나서도 심박동 있는 배아가 보이지 않는 경우

마지막 생리시작일 이후로 6주 이상 지나도 배아가 보이지 않는 경우

빈 양막(난황주머니 옆으로 양막이 있고 배아가 보이지 않음)

큰 난황주머니(≥7 mm)

배아의 크기에 비해 작은 태아주머니(머리엉덩길이와 태아주머니 평균 직경 차이가 5 mm 이내)

---

    e. Parkland Hospital의 진단 기준

      - Blighted ovum (anembryonic gestation) : MSD ≥20 mm + no Embryo

      - Embryonic death : CRL ≥10 mm + no FHB

f. 미국영상의학회(American College of Radiology)의 진단 기준

   - MSD ≥25 mm and no Embryo

   - CRL ≥7 mm and no FHB

② 초음파 검사에서 자궁 내에 임신낭이 보이지 않을 경우

  a. 정확한 임신 주수 다시 확인

  b. 질 출혈 동반 시 완전 유산의 소견일 수도 있으나 자궁외임신을 완전히 배제해야만 진단이 가능

  c. hCG 1,500~2,000 mIU/mL인 경우 자궁 내 임신낭이 보이지 않으면 자궁외임신 고려

③ 초음파상 태아 심박동을 확인한 경우 자연 유산의 위험도는 50%에서 30%로 감소

(3) 원인

① 태아측 요인(Fetal factors)

  a. 유산에서의 염색체 소견

Chromosomal studies	Incidence rage (%)
Embryonic	~50
Euploid	
46,XY and 46,XX	45~55
Aneuploid	
Autosomal trisomy	22~32
Monosomy X(45,X)	5~20
Triploidy	6~8
Tetraploidy	2~4
Structural anomaly	2
Anembryonic(Blighted ovum)	~50

  b. 유전적 요인(genetic causes)

   - 초기 자연 유산의 약 50~60%는 염색체 이상이 원인

   - 염색체 이상의 95%는 모체측, 약 5%는 부체측의 생식자발생 이상(gametogenesis errors)이 그 원인으로 알려져 있음

  c. 비정배수체 유산(aneuploid abortion)

   - 보통염색체 세염색체(autosomal trisomy)

    • 임신 제1삼분기의 유산 원인 중 가장 흔함

    • 산모의 나이 증가와 연관

    • 발생 원인 : 유리된 염색체의 비분리(nondisjunction), 모계 또는 부계 염색체의 균형전위(balanced translocation), 균형역전(balanced inversion)

- 유산아에서 세염색체의 빈도는 16, 22, 21, 15, 13, 2, 14번 염색체 순서로 발생하고, 이 7가지 염색체가 세염색체증에 의한 유산의 70%를 차지
  - 일염색체 X (45,X)
- 주로 아버지의 성염색체 전이 실패로 인해 발생하는 흔한 염색체 이상
- 대개 유산되고 드물게 생존하여 터너증후군(Turner syndrome)의 여아에서 나타남
  - 다배수체(polyploidy)
- 흔히 태반의 수종성 퇴화를 동반
- 불완전 포상기태에서 16번 염색체의 삼배수체 또는 삼염색체 태아에서 발견
- 태아는 보통 초기에 유산되고, 이 시기를 지난 태아에서는 대부분 기형이 발생
- 사배수체(tetraploidy) : 생존아는 드물며 대부분 초기에 유산

d. 정배수체 유산(euploid abortion)
  - 비정배수체 유산의 3/4이 임신 8주 전에 발생
  - 정배수체 유산은 임신 13주 경에 가장 많고, 모체 연령이 35세 이상인 경우 빈발

e. 염색체의 구조적 이상(chromosomal structural abnormalities)
  - 초기 자연 유산의 원인 : 전위(translocation), 역전(inversion)
  - 부모 염색체의 균형 전위(balanced translocation) : 염색체 이상으로 인한 유산의 가장 많은 원인
  - 2회 이상 자연 유산 부부에서 전체적인 염색체 이상의 빈도는 5.3~33.3% 정도

② 모체측 요인(Maternal factors)

a. 감염
  - 산모의 전신적 감염은 혈행 전파를 통해 태반과 태아로 전달되거나 산모의 혈역학 장애로 인해 자연 유산의 원인이 될 수 있음
  - 바이러스 감염 : Cytomegalovirus, Herpes simplex virus 1, 2, Parvovirus B19, Enterovirus, Adenovirus, Varicella zoster virus
  - 세균 감염
- 급성 탈락막 염증을 발생시켜 자연 유산을 유발
- Chlamydia trachomatis : 특정 세균 단백질과의 면역학 반응으로 자연 유산을 유발

b. 만성 질환
  - 염증 매개체가 원인
- 조절되지 않는 당뇨, 비만, 갑상선 질환, 염증성 장질환, 루프스는 자연 유산이 증가
- 만성 고혈압은 유산의 위험을 의미 있게 증가시키지는 않음
  - 갑상샘 기능저하증
- 갑상샘 항체는 자연 유산과 연관이 있음

- 갑상샘 기능이 정상이지만 갑상샘 과산화효소(Thyroid peroxidase, TPO) 항체가 있거나 Thyroglobulin 항체가 있는 경우 2~5배 정도 자연 유산이 증가
- 갑상샘 항체를 가지면서 갑상샘자극호르몬(TSH)이 2.5 mIU/L 초과하는 경우 5배 이상 자연 유산 빈도가 증가
- 조절되지 않는 당뇨
  - 인슐린의존성 당뇨병이 있는 경우, 자연 유산과 주요 선천성 기형이 모두 증가
  - 임신 초기 혈당조절 정도에 따라 위험도가 좌우됨
- 암
  - 방사선치료와 항암요법은 자연 유산이 증가
  - 임신 초기에 methotrexate에 노출된 후 임신을 유지하는 경우 자연 유산의 위험성 증가

c. 황체호르몬(progesterone) 결핍증
  - 황체기 결함(luteal phase defect)
    - 황체호르몬 분비가 원활하지 않으면 유산율이 증가
    - 빈도 : 불임 여성에서 5~10%, 반복 유산 여성에서 10~15%
    - 진단 : 프로게스테론 최대치가 9 ng/mL 이하이거나, 자궁내막생검(endometrial biopsy) 소견이 월경주기와 3일 이상 차이가 있을 경우가 2회 연속인 경우
  - 초음파 검사에서 난포 발육이 정상이고 에스트로겐 분비도 정상일 경우 프로게스테론의 투여가 권장
  - 임신 8~10주 이전에 난소종양 등과 같은 이유로 황체(corpus luteum)가 제거될 경우는 프로게스테론을 보충

d. 영양
  - 단일 영양소의 섭취부족 또는 전체 영양소에 대한 중등도의 섭취부족 등이 유산의 원인이 된다는 증거는 없음
  - 임신 전 저체중이나 임신 초기의 오심 및 구토, 체중감소 등은 유산과는 관련 없음
  - 비만은 자연 유산 빈도가 증가

e. 약물복용 및 환경요인
  - 흡연(smoking) : 흡연은 자연 유산을 증가시킴
  - 음주(alcohol) : 임신 8주 이내에 잦은 음주는 자연 유산과 태아기형을 증가시킴
  - 카페인(caffeine) : 적당한 커피 섭취는 유산 위험과 관련성이 적으나, 중등도(200 mg) 이상 카페인 섭취의 결과는 불분명함(ACOG, 2016)
  - 방사선 조사(X-irradiation) : 많은 양의 방사선에 노출되었을 경우 유산과 연관되지만, 진단적으로 시행하는 단일 방사선 촬영의 경우 유산을 일으키지 않음
  - 피임(contraceptives) : 경구피임약, 살정제 등은 유산과 관계 없음

- 직업환경독소(environmental toxins) : Bisphenol A, phthalates, polychlorinated biphenyls, DDT는 자연 유산 증가

f. 면역학적 이상

- 자가면역요인(autoimmune factor)

• 항인지질항체(antiphopholipid antibody) : 루푸스항응고인자(lupus anticoagulant, LAC), 항카디오리핀항체(anticardiolipin antibody, ACA), 항베타당단백 I 항체(anti-β2-glycoprotein I antibody)가 중요

• 이러한 항체가 높으면서 초기 유산 경험이 있는 경우 약 70%는 재발성 유산 발생

- 동종면역요인(alloimmune factor)

• 타인에 대한 면역반응으로 최근 습관성 유산의 주요 원인

• 습관성 유산이 있었던 환자에서의 임신 예후를 평가할 수는 없음

g. 노화 생식세포 : 수정 전에 여성 생식기 내에서 생식세포가 노화될 경우 유산이 증가

h. 수술

- 임신 초기에 시행한 개복수술과 다양한 마취방법이 유산을 증가시키지 않음

- 난소 종양 및 유경근종(pedunculated myomas)의 제거 시에는 일반적으로 임신에 영향이 없으나 복막염 시에는 유산율이 증가

- 임신 초기에 황체낭종 또는 황체낭종이 있는 난소를 제거하는 경우 임신 10주 이전이면 황체호르몬 보충 필요

i. 신체적 손상 : 유산에 직접적인 영향은 없음

j. 해부학적 이상 : 선천성 자궁 기형, 자궁근종, 자궁내막 유착, 자궁경부무력증 등은 유산이 증가

③ 부체측 요인(Paternal factors)

a. 부체측 나이 증가가 자연 유산의 원인이 될 수 있음

- 25세를 기준으로 5년마다 자연 유산의 위험도가 증가

- 정자 내(Spermatozoa)의 염색체의 이상이 원인

b. 불임 남성 정액의 40%에서 아데노바이러스(adenovirus) 또는 단순포진(herpes simplex) 바이러스가 발견

④ 자연 유산의 위험인자

자연 유산의 위험인자
• 고령 임신(고령 배우자 포함) • 음주, 과량의 카페인 섭취, 흡연, 코카인 중독 • 흡입마취제(N$_2$O 등), 자궁내피임장치(IUD) 사용 • 분만 후 3~6개월 내 임신한 경우 • 이전의 자연 유산, 여러 번의 인공 임신중절 경험 • 자궁기형 : 선천성 기형, 유착, 자궁근종 • 산모의 만성질환 : 조절이 안되는 당뇨, 복강질환, 자가면역질환(특히 항지질항체 증후군) • 산모의 감염 : Cytomegalovirus, Herpes simplex virus 1, 2, Parvovirus B19, Enterovirus, Adenovirus, Varicella zoster virus, Chlamydia trachomatis • 약물 복용 : misoprostol, cytotec, retinol, methotrexate, NSAIDs • 독소 노출 : 비소, 에틸렌글리콜, 이황화탄소, 폴리우레탄, 중금속, 유기용매

(4) 자연 유산의 종류

① 절박 유산(threatened abortion)

    a. 임신 20주 이전에 자궁경부로부터 출혈이나 출혈성 질 분비물이 동반되는 경우

       - 약 20~25%의 임신부에서 임신 20주 이전에 출혈을 경험

       - 이중 50%는 자연 유산으로 진행

    b. 증가하는 위험성

Maternal risk	Perinatal risk
Placenta previa	Preterm ruptured membranes
Placental abruption	Preterm birth
Manual removal of placenta	Low birthweight infant
Cesarean delivery	Fetal growth restriction
	Fetal and neonatal death
	기형아 빈도는 증가하지 않음

    c. 증상

       - 질 출혈로 시작되어 몇 시간 또는 며칠 후 복통이 발생

       - 하복통과 질 출혈을 동시에 호소하는 경우에서 자연 유산 발생이 증가

d. 감별 진단

임신 초기 출혈의 원인	증상
생리적 현상	월경 예정일 근처의 약간의 출혈
자궁경부의 용종 자궁경부의 탈락막 반응	임신 초기에 발생하는 출혈의 흔한 원인으로 하복통이나 지속적인 하부요통이 동반되지 않음
융모아래 혈종 (subchorionic hematoma)	초음파에서 자궁벽과 융모사이에 혈종이 관찰되고, 출혈이 동반되거나 동반되지 않을 수 있음
자궁외임신 (Ectopic pregnancy)	질 출혈과 하복통이 있고, 혈액이나 소변 검사로 임신을 확인하였으나 초음파상 임신낭을 확인할 수 없음
난소 염전 (Ovarian torsion)	강도가 매우 심하고 지속적인 양상의 통증이 특징이고, 부분적인 염전이 발생한 경우에는 간헐적인 통증이 발생
다른 형태의 유산	유산 형태에 따른 임신 부산물의 배출, 자궁경부의 개대 등

e. 진단

- 질 초음파 검사 : 임신낭 확인

- 혈청 β-hCG 연속적 측정

- 48시간 동안 53~66% 이상 증가하지 않으면, 예후 불량

- 임신낭이 보이면서 hCG ≤1,000 mIU/mL이면 임신 지속 가능성 희박

- 프로게스테론(progesterone)

- 정상 임신과 자궁외임신 등의 비정상 임신의 예후 측정에 이용

- Progesterone <5 ng/mL 경우 생존 태아의 자궁내임신의 가능성 희박

f. 치료

- 효과적인 치료방법은 없음

- 절대 안정은 절박 유산의 결과를 변화시키지 못함

- 아세트아미노펜(acetaminophen)에 기초한 통증치료

- 프로게스테론(progesterone) 치료가 자연 유산의 감소에 효과가 있음

- 출혈이 지속되거나 심한 경우에 혈색소(hemoglobin) 및 혈구용적(hematocrit) 확인

- 출혈이 심해 빈혈(anemia)이나 저혈량증(hypovolemia) 유발 시 임신 부산물 제거

② 불가피 유산(inevitable abortion)

a. 임신 부산물의 배출 없이 자궁경부가 열리고 양막이 파열된 경우로 유산이 거의 불가피한 경우

b. 증상

- 질경 검사에서 자궁경부로부터 액체가 새어 나옴

- 대부분의 경우 자궁수축이 시작되고 임신 부산물이 배출되거나 감염이 될 수 있음

c. 위험인자 : 이전 조기양막파수, 임신 제2삼분기 분만의 과거력, 흡연

d. 진단

- 현미경상 자궁경부 점액의 도말의 가지 모양(ferning pattern) 확인

- pH 7 이상의 질 분비물

- 초음파 검사에서 양수과소증

- Placental alpha microglobulin-1이나 insulin growth factor binding protein-1을 확인

e. 치료

- 복통과 출혈이 없을 때

• 생리적으로 양막과 융모막 사이의 액체가 흘러나오는 경우가 있으므로, 출혈이나 발열, 통증이 없이 발생한 갑작스러운 분비물이 발생하면 48시간 경과 관찰

• 이후에 추가로 액체가 배출되지 않고 출혈이나 통증, 발열이 발생하지 않는다면 일상 생활로 재개를 고려해 볼 수 있음

- 기대 요법 결정 시

• 일주일 정도 시간을 끌기 위한 항생제(group B streptococcus 예방을 위한 항생제)

• 태아 폐성숙을 위한 스테로이드

• 뇌 보호를 위한 마그네슘

• 자궁수축억제제 고려

- 출혈이나 통증 발열을 수반하는 액체의 배출이 발생 시 : 소파술(D&C)을 고려

③ 완전 유산(complete abortion)과 불완전 유산(incomplete abortion)

a. 질 초음파 검사로 수태산물의 잔존 여부를 확인하여 감별

- 완전 유산(complete abortion) : 태반이 자궁에서 완전히 떨어져 자궁 밖으로 배출되고 자궁경부는 닫혀 있는 경우

- 불완전 유산(incomplete abortion) : 자궁경부가 열려 있고 출혈이 있으며, 태아나 태반이 자궁에서 떨어져 있으나 자궁 내에 존재하거나 자궁경부를 통해 일부 배출된 경우

b. 임상적으로 안정된 경우에는 기대 요법을 적용

c. 수태산물이 부분적으로 남아 있는 경우의 치료

- 소파술(D&C)

• 수태물을 쉽게 제거 가능(95~100%의 성공률)

• 임신 주수가 상당히 진행된 경우나 출혈이 많은 경우에는 즉시 소파술을 시행

• 발열이 있는 경우에도 적절한 항생제를 사용한다면 소파술의 금기증은 아님

- 약물 요법

• Prostaglandin E1 (PGE1) : Misoprostol (Cytotec)

• 경구 Misoprostol 600 μg 사용을 권고(ACOG, 2009)

• 질식 800 μg 또는 설하 400 μg

- 기대 요법이나 약물 요법은 과도한 질 출혈을 예측하기 어려움

④ 계류 유산(missed abortion)

  a. 자궁경부가 닫혀 있는 상태로 수일에서 수 주 동안 사망한 임신 산물이 자궁 내에 남아 있는 경우

  b. 증상

    - 태아 사망 후에는 질 출혈이나 절박 유산과 비슷한 증상

    - 특별한 증상이 없을 수 있음

  c. 진단 : 초음파를 통해 배아, 태아의 사망 혹은 무배아 임신을 확인

  d. 치료

    - 자궁 내 태아가 사망한 이후 치료는 다른 유산과 비슷함

    - 자연 유산의 종류가 치료 방법을 결정하는 데 중요한 요인

⑤ 패혈성 유산(septic abortion)

  a. 중증의 치명적인 감염이 유산에 동반되는 것

  b. 증상 : 주로 자궁염(metritis) 형태로 발생하지만, 간혹 자궁주위염(parametritis), 복막염(peritonitis), 패혈증(septicemia) 등도 발생

  c. 원인균

    - 대부분 정상 질 내 세균총(normal vaginal flora) 중 일부

    - 혐기성균(anaerobic bacteria)이 2/3를 차지 : Coliforms가 가장 흔함

    - Group A Streptococcus : 괴사 감염과 독성쇼크증후군(toxic shock syndrome) 유발

      • 모세혈관의 심각한 내피 세포 손상

      • 저혈압, 심한 백혈구 증가증, 혈액 농축

  d. 치료

    - 입원하여 광범위 항생제를 투여

    - 잔유물이 있다면 흡입 소파술(suction curettage) 시행

    - 대부분은 하루 이틀 내에 반응하며, 열이 없다면 퇴원(후속 경구 항생제는 필요 없음)

    - 쇼크에 대한 치료 : 수액, 스테로이드, 도파민, 산소 공급, 헤파린 등

⑥ 자연 유산의 정리

분류	증상	조직의 배출	자궁경부	치료
절박 유산 (Threatened abortion)	질 출혈 하복부 통증(±)	없음	닫힘	초음파 및 hCG 추적 관찰 Progesterone Acetaminophen
불가피 유산 (Inevitable abortion)	질 출혈 하복부 통증 물 같은 분비물	없음	열림	기대 요법 소파술(D&C)
완전 유산 (Complete abortion)	질 출혈 하복부 통증	완전한 배출	닫힘	초음파 추적관찰
불완전 유산 (Incomplete abortion)	질 출혈 하복부 통증	일부 배출	열림	소파술(D&C) 기대 요법 약물요법(PGE1)
계류 유산 (Missed abortion)	특별한 증상 없음 질 출혈이 있을 수 있음	없음	닫힘	자연 유산의 종류에 따름
고사난자 (Blighted ovum)	특별한 증상 없음 질 출혈, 하복부 통증이 있 을 수 있음	없음	닫힘	소파술(D&C)

3) 반복 유산(Recurrent miscarriage)

(1) 정의

① 20주 이전의 혹은 500 g 미만의 태아가 3회 이상 연속적으로 자연 유산되는 경우

 a. 일차성 반복 유산 : 생존아를 분만한 적 없이 여러 번의 자연 유산을 경험한 경우

 b. 이차성 반복 유산 : 한 번의 생존아 출산 후에 여러 번의 자연 유산을 경험하는 경우

② 대부분 배아기 혹은 초기 태아기에 일어나며, 소수에서 14주 이후에 발생

③ 두 번의 연속적 유산이 일어난 후 다음 임신에서 자연 유산이 일어날 확률은 약 30%

④ 6번의 자연 유산이 되었다고 할지라도 다음 번에 성공적으로 임신을 할 가능성은 50%

(2) 원인

① 부모의 염색체 이상(parental chromosomal abnormalities)

 a. 전체 반복 유산의 2~4% 차지

  - 상호전위(reciprocal translocation) : 가장 흔한 염색체 이상

  - 로버트슨전위(Robertsonian translocation) : 두번째로 흔한 염색체 이상

 b. 치료 및 예방이 가장 어려움

 c. 반복 유산 부부의 착상전유전진단(preimplantation genetic diagnosis, PGD)

- 비정상 염색체을 가진 부부는 체외수정(IVF) 후 시행
- 염색체가 정상인 부부에서는 권장되지 않음

d. 가족력이 없거나 이전에 만삭 분만을 한 과거력이 있다고 해서 부모의 염색체 이상을 배제할 수 없음

② 해부학적 요인(anatomical factors)

a. 전체 반복 유산의 15% 차지

b. 후천성 자궁 기형(acquired uterine anomaly)

- 자궁내막유착(uterine adhesions), Asherman syndrome
  - 자궁내막 기저층의 손상으로 발생
  - 자궁난관조영술 또는 식염수주입 초음파 검사 상 여러 곳의 채워지지 않는 부위(multiple filling defects)가 관찰
  - 자궁경하 유착박리술(hysteroscopic adhesiolysis) 시행

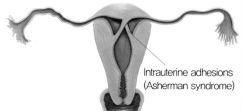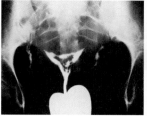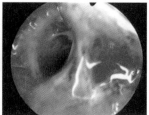

그림 18-1. 자궁내막유착(Uterine adhesions)

- 자궁근종(uterine leiomyomas)
  - 태반 착상 위치에 있을 경우 유산 유발 가능
  - 점막하근종(submucosal myoma)이 있는 반복 유산 여성에서는 근종절제술 고려

c. 선천성 자궁 기형(congenital uterine anomaly)

- 뮐러관 기형(Müllerian duct abnormalities)
- 단각자궁(unicornuate), 두뿔자궁(bicornuate), 중격자궁(septate uterus)

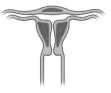

단각자궁(Unicornuate)　두뿔자궁(Bicornuate)　중격자궁(Septate uterus)

그림 18-2. 반복 유산을 유발하는 선천성 자궁 기형

③ 면역학적 요인(immunological factors)

    a. 반복 유산의 과거력이 있으면서 자가 항체의 수치가 높을 경우 유산 재발율이 높음

    b. 항인지질항체증후군(antiphospholipid antibody syndrome, APAS)

임상 소견

Obstetrics :
    임신 10주 이후 1회 이상의 원인불명의 유산(태아 외형은 육안 또는 초음파 소견에서 정상)
    or 자간증, 중증 전자간증 혹은 태반기능부전으로 인한 임신 34주 이전의 1회 이상의 조기분만
    or 임신 10주 이전 3회 이상 원인불명의 반복 유산(부모는 해부학적, 내분비학적, 세포유전학적 정상)

Vascular :
    1회 이상의 정맥, 동맥, 혹은 작은 혈관 내 혈전증(영상의학검사나 조직검사로 확인된 혈전증만 해당하고, 조직검사에서 혈관벽의 염증소견이 없어야 함)

검사 소견

루푸스항응고인자(lupus anticoagulant) : 12주 이상의 간격으로 2회 이상 양성
항카디오리핀항체(anticardiolipin antibody) IgG 또는 IgM : 12주 이상의 간격으로 2회 이상 중간 이상의 역가로 양성
항베타당단백 I 항체(Anti-β2-glycoprotein I) IgG 또는 IgM : 12주 이상의 간격으로 2회 이상 양성

진단 기준 : 기술된 한 개 이상의 임상 소견과 한 개 이상의 검사 소견

    - 항인지질항체증후군에 대한 검사 적응증

- 반복 유산
- 원인불명의 제2, 3삼분기 유산
- 중증 전자간증의 이른 발병
- 원인불명의 태아성장제한
- 동정맥 혈전증

- 자가면역질환 또는 결합조직질환
- 매독 혈청 검사상 위양성 소견
- 응고시간 지연
- 자가항체 검사 양성

– 항인지질항체증후군의 치료

혈전증의 과거력이 없는 여성

반복적인 임신 초기 유산
저용량 아스피린(60~80 mg/day, PO) 단독요법
    or
미분획화 헤파린(unfractionated heparin) 병용요법
    제1삼분기에 12시간마다 5,000~7,500 U 또는
    저분자량 헤파린(LMWH) : 보통 예방적인 용량, enoxaparin 40 mg/day

기존 태아사망 또는 중증 전자간증이나 중증 태반부전으로 인해 조기분만
저용량 아스피린(60~80 mg/day, PO)
    and
미분획화 헤파린(unfractionated heparin)
    제1삼분기에 12시간마다 5,000~7,500 U + 제2, 3삼분기에 12시간마다 10,000 U 또는
    aPTT가 정상의 1.5배로 유지되도록 8~12시간마다 투여 또는
    저분자량 헤파린(LMWH) : 보통 예방적인 용량, enoxaparin 40 mg/day

혈전증의 과거력이 있는 여성

저용량 아스피린(60~80 mg/day, PO)
    and
미분획화 헤파린(unfractionated heparin)
    치료범위 내 aPTT 또는 항 Xa 활성도의 유지를 위해 8~12시간마다 투여
    저분자량 헤파린(치료범위 용량) : enoxaparin 1 mg/kg 12시간마다, dalteparin 200 U/kg 12시간마다

- 저용량 아스피린(low dose aspirin)의 산과적 적응증
  - 반복되는 심한 태아성장제한(severe fetal growth restriction)
  - 전자간증(preeclampsia), 자간증(eclampsia)
  - 항인지질항체증후군(antiphospholipid antibody syndrome)에서의 반복 유산

c. 동종면역 요인(alloimmune factor)
  - 타인에 대한 면역반응
  - 진단
    - 부모 각각에서 사람백혈구항원(human leukocyte antigen, HLA)의 비교
    - 항부성항체(antipaternal antibody) 검사 : 모성 혈청에서 부성 백혈구에 대한 세포독성 항체(cytotoxic antibodies)의 검출
    - 부모 림프구 혼합반응검사(mixed lymphocyte reaction)를 통한 모성 혈청 내의 차단 인자(blocking factors) 또는 차단 항체(blocking antibody) 검사
  - 치료
    - Husband›s lymphocyte infusion
    - Leukocyte & erythrocyte rich blood transfusion
    - Immunoglobulin

④ 내분비적 요인(endocrine factors)

    a. 전체 반복 유산의 8~12% 차지

    b. 프로게스테론 부족(progesterone deficiency)

      - 황체기 결함(luteal phase defect), 다낭성난소증후군(polycystic ovarian syndrome)

      - 치료

        • 프로게스테론 보충요법(임신 8주 정도까지)

        • hCG 투여

        • Clomiphene 배란유도

        • hMG/hCG 배란유도

    c. 조절되지 않는 당뇨(uncontrolled diabetes mellitus)

    d. 갑상샘기능저하증(overt hypothyroidism), 심한 요오드 결핍(severe iodine deficiency)

(3) 진단

과거력

1. 정보가 있다면 배아전, 배아 또는 태아 사망의 주수나 유형 확인(임신 10주 이전의 유산이 가장 흔함)
2. 항인지질항체 증후군이 의심되는 경우(혈전, 태아 사망, 자가면역 질환과 혈소판감소증을 동반)
3. 자궁 구조적 기형의 과거력 확인(조기진통이나 태아 위치이상의 과거력이 있는 경우)
4. 기존의 선천성 기형이 있는 태아 또는 현재 아이 유무(부모의 염색체 이상의 가능성을 시사)
5. 갑상선 질환 또는 당뇨병 과거력

이학적 검사

1. 자궁이나 자궁경부의 이상 확인을 위한 내진검사
2. 갑상선질환 또는 당뇨병 검사

검사 항목

필수 검사
1. 부모의 염색체 검사(chromosome analysis)
2. 루푸스 항응고인자(lupus anticoagulant)
3. 항카디오리핀 항체(anticardiolipin antibody)
4. 항베타당단백 I 항체(anti-β2-glycoprotein I antibody)

도움이 되는 검사
1. 초음파자궁경(sonohysterography)
2. 자궁난관조영술(hysterosalpingography)
3. 자궁내막생검(endometrial biopsy)
4. 프로게스테론 수치 확인
5. 수태산물의 염색체 검사
6. 임상적이거나 과거력에 따른 다른 혈액 검사(예 : thyrotropin 측정, 당뇨 선별검사)

4) 임신 중기 유산(Midtrimester abortion)

(1) 정의 및 발생률

① 임신 중기 유산(midtrimester abortion) : 임신 제1삼분기 이후부터 임신 20주 이전 혹은 태아가 500 g 미만일 경우에 임신이 종결되는 것

② 발생률

    a. 임신 제1삼분기 이후 1.5~3% 정도로 전보다 더 낮아짐

    b. 임신 16주 이후에는 1% 정도로 감소

(2) 임신 중기 유산의 원인

태아 기형	자궁 결함
Chromosomal Structural	Congenital Leiomyomas Incompetent cervix
태반 원인	**산모 질환**
Abruption, previa Defective spiral artery transformation Chorioamnionitis	Autoimmune Infections Metabolic

5) 자궁경부부전증(Cervical insufficiency)

(1) 정의

① 같은 명칭 : 자궁경부무력증(cervical incompetence), incompetent int. os of cervix (IIOC)

② 임신 제2삼분기에 진통없이 자궁경부가 개대 및 소실되는 상태(painless cervical dilatation in the second trimester)

③ 자궁경부 적격능력(cervical competence) : 임신 동안 수태물을 임신 말기 및 분만까지 자궁 내에 유지하는 능력

(2) 빈도

① 모든 임신의 0.05~2%에서 발생

② 조산의 10%, 임신 제2삼분기 태아 손실의 15% 정도를 차지

③ 적절한 치료를 하지 않으면 다음 임신에서도 같은 결과가 반복

(3) 임신 중 자궁경부

① 정상 자궁경부의 임신 중 변화

    a. 임신 30주까지는 안정 상태를 유지하고, 이후로는 조금씩 짧아지는 양상

    b. 임신 중 자궁경부의 평균 길이(초산부와 다분만부 포함)

        - 임신 14~22주 사이 : 35~40 mm

        - 임신 24~28주 사이 : 35 mm

        - 만삭 시 : 대략 30 mm

② 자궁경부무력증의 원인 : 자궁경부-협부 부위의 신장 강도(tensile strength) 결함

(4) 위험인자

선천적 인자	후천적 인자
콜라겐 이상(예: Ehlers–Danlos) 자궁 기형 태아의 자궁 내 Diethylstilbestrol (DES) 노출	자궁경부 열상 또는 분만 후 손상 자궁경부 손상 　자궁경부 개대 및 소파술 　유산 　자궁경부 원추절제술 　자궁경 이전 임신 제2삼분기 유산 또는 조산

(5) 임상 증상

① 임신 제2삼분기(대개 임신 16~28주 사이)에 별다른 증상이 없이 자궁경부가 열림

② 대부분 임상적으로 전형적인 증상은 없음

③ 요통, 골반통, 배변감, 질 압박감, 생리통 유사 통증, 질 출혈, 점액질 같은 질 분비물 등이 동반될 수 있음

(6) 진단

① 질경 검사

　a. 양막의 돌출과 핑크빛 분비물

　b. 조기양막파수 여부를 반드시 확인

　c. 내진상 자궁경부가 닫혀 있어도 자궁내구(internal os)의 소실과 개대가 있을 수 있음

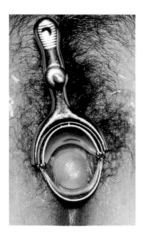

그림 18-3. 자궁경부의 개대 및 양막 돌출

② 초음파 검사

    a. 짧아진 자궁경부 길이 : 2.5 cm 미만

    b. 자궁경부의 깔대기변화(funneling) : 자궁내구로 양막이 3 mm 이상 내려 온 경우

    c. 질 부위로의 양막 돌출

    d. 자궁경부 자극검사 양성 : 자궁저부(fundus)를 눌러 압력을 가해 자궁경부의 길이가 2 mm 이상 짧아지거나 깔대기변화가 나타나면 자궁경부의 조기 연화가 일어난 것으로 양성으로 진단

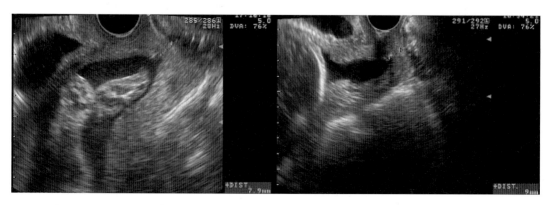

그림 18-4. 자궁경부무력증의 짧아진 자궁경부 길이

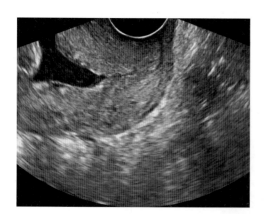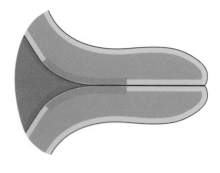

그림 18-5. 자궁경부의 깔대기변화(funneling)

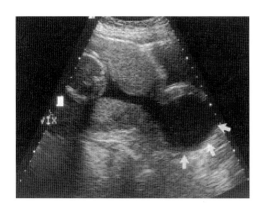
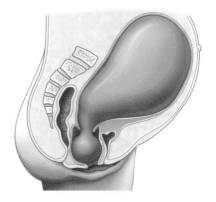

그림 18-6. 질 부위로의 양막 돌출

(A)
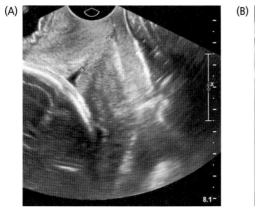

(B)
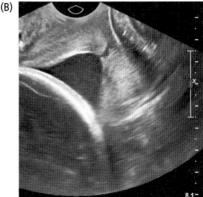

그림 18-7. 자궁경부 자극검사, (A) 자궁저부에 압력을 주기 전, (B) 자궁저부에 압력을 가한 후 발생한 자궁경부의 깔대기변화

③ 초음파 검사 시 주의 사항

    a. 임신 시 자궁경부의 방광 효과

       - 팽만 된 방광에 의해 자궁 하부가 눌리면 자궁경부가 실제보다 길게 측정됨

       - 질 초음파보다 복부 초음파에서 자궁경부 길이가 평균 5 mm 정도 더 길게 측정됨

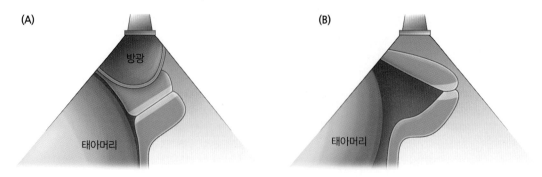

그림 18-8. 임신 시 자궁경부의 방광 효과

b. 자궁경부 길이 측정 방법
- 산모의 방광을 비운 후 검사
- 자궁경부가 화면의 3분의 2 정도를 차지
- 자궁내구(internal os)와 자궁외구(external os)가 동시에 명확히 보여야 하며, 자궁경부의 앞과 뒤의 두께가 동일
- 자궁내구와 자궁외구 사이의 길이를 3번 측정하여 가장 짧은 값을 최종 결과로 기록

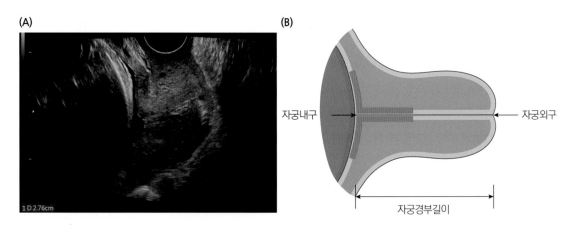

그림 18-9. 자궁경부의 길이 측정

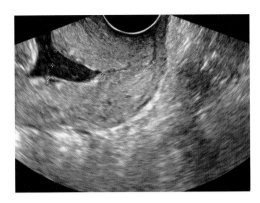
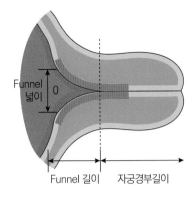

그림 18-10. 깔대기변화가 있는 자궁경부의 길이 측정

c. 만삭 임신의 분만 동안의 자궁경부의 길이 변화와 자궁내구 개대 변화와의 관계
  - 만삭 분만 시 자궁경부 상부의 모양 변화 순서 : T → Y → V → U
  - 조산 시에도 비슷한 변화가 발생

그림 18-11. 자궁경부의 길이 변화와 자궁내구 개대 변화와의 관계

(7) 질식 자궁경부원형결찰술(Vaginal cerclage)
  ① 시행 시기 및 적응증에 따른 분류
    a. 산과력에 근거한 원형결찰술(history-indicated cerclage) : 과거 산과력에서 3회 이상의 조기 조산 또는 임신 제2삼분기 유산의 병력이 있는 경우 임신 12~14주 사이에 시행
    b. 자궁경부길이에 근거한 원형결찰술(ultrasound-indicated cerclage) : 자연조산 과거력이 있는 단태아 임신부에서 임신 24주 이전에 자궁경부 길이가 짧아졌을 때(25 mm 미만) 시행
    c. 이학적 검사에 근거한 원형결찰술(physical examination-indicated cerclage) : 골반 내진 또는 질경 검사에서 자궁경부 개대가 발생하거나 양막의 질 내 돌출이 있는 경우 시행
  ② 미국산부인과학회(1995)에서는 시행 시기를 임신 28주 이전으로 권장하지만 대부분 임신 24주 이후에는 태아 생존 가능성이 있고 수술에 의한 이점이 적어 잘 시행하지 않음

③ 조산 병력이 없지만 초음파 검사로 확인된 짧은 자궁경부의 산모에서는 자궁경부원형결찰
술 대신 프로게스테론 치료(progesterone therapy)를 시행

④ 금기증 및 합병증

금기증	합병증
자궁 내 감염	자궁 내 감염
양막파수	양막파수
진행되는 진통	조기진통
질 출혈	자궁 및 자궁경부 손상
자궁 내 태아사망	
심각한 태아 기형	

⑤ 자궁경부원형결찰술 시행 전과 후의 관리

    a. 시행 전 관리

      - 초음파 검사 : 임신 주수, 태아의 상태, 기형 유무를 확인

      - 양수천자

        • 자궁 내 감염 여부의 확인

        • Glucose 15 mg/dL 미만이거나 그람 염색 또는 배양 검사에서 양성인 경우에는 원형결
찰술을 시행하지 않음

    b. 시행 후 관리

      - 실의 제거 시기

        • 조기양막파수나 조기진통이 발생할 경우 : 즉시 제거

        • 특별한 합병증 없는 경우 : 임신 36주에 제거

      - 초음파 검사

        • 원형결찰술의 시술 위치 확인, 자궁경부의 길이 관찰

        • 실 위 부분의 자궁경부인 자궁경부 상부(upper cervix)가 10 mm 이하로 짧아진 경우
조산의 위험이 증가

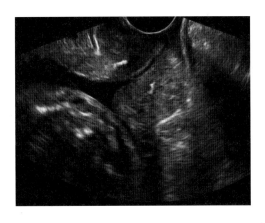
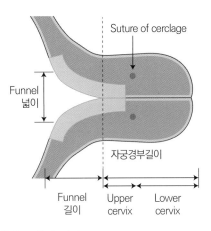

그림 18-12. 원형결찰술 시행 후 초음파 검사

⑥ 수술 방법

　a. 맥도날드 원형결찰술(McDonald cerclage) : 봉합사가 자궁내구(internal os)의 가까운 주변
　　을 4~6회 봉합하면서 통과하여 결과적으로 자궁경부를 원형으로 돌려 묶는 방법

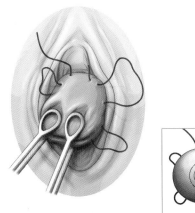

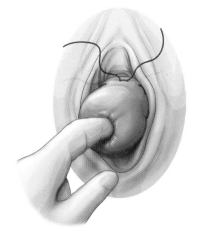

그림 18-13. 맥도날드 원형결찰술(McDonald cerclage)

　b. 쉬로드카 원형결찰술(Shirodkar cerclage) : 자궁경부 전후면 점막의 일부를 절개하여 박리
　　한 후 봉합사가 자궁경부 점막의 아래로 통과하여 자궁경부를 원형으로 돌려 묶는 방법
　　(봉합사의 질 내 노출이 없음)

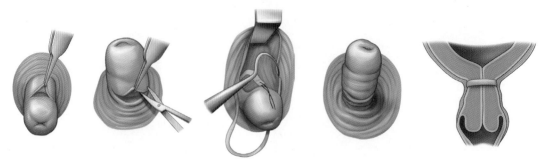

그림 18-14. 쉬로드카 원형결찰술(Shirodkar cerclage)

c. 변형된 쉬로드카 원형결찰술(modified Shirodkar cerclage) : 자궁경부 전면의 점막 일부만 절개하여 박리한 후 봉합사가 자궁경부 점막의 아래를 통과하여 자궁경부 후면으로 나오면서 자궁경부를 원형으로 돌려 묶는 방법(봉합사가 질 후면에 노출)

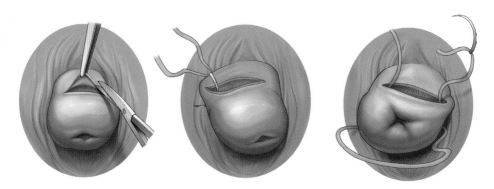

그림 18-15. 변형된 쉬로드카 원형결찰술(Modified Shirodkar cerclage)

⑦ 사용 실
  a. 1 or 2 nylon or polypropylene monofilament suture
  b. 5 mm Mersilene tape
⑧ 응급 원형결찰술(rescue cerclage)
  a. 자궁경부의 소실과 개대가 되어있고, 양막 돌출이 동반되어 있을 때 시행
  b. 팽윤된 양막을 자궁 안으로 밀어 넣는 방법
    - 트렌델렌버그 위치(trendelenburg position) 방법
    - 방광 내 식염수 투입
    - 30 cc 폴리카테터 삽입

　　　　- 스폰지집게(sponge forcep)를 이용하여 자궁강으로 밀어 넣는 방법

　　　　- 치료적 양수천자를 이용한 양수감압술

　　c. 성공률은 50% 전후로 자궁 내 감염이 가장 중요

(8) 복식 자궁경부원형결찰술(Transabdominal cerclage)

① 질식 자궁경부원형결찰술이 실패한 경우 또는 자궁경부가 파손이나 열상으로 지나치게 짧아 질식 수술이 불가능한 경우 등에 시행

② 수술 종류

　　a. 복식 자궁경협부원형결찰술(transabdominal cervicoisthmic cerclage)

　　b. 복강경 자궁경협부원형결찰술(laparoscopic transabdominal cervicoisthmic cerclage)

③ 수술 방법 : 자궁동맥과 정맥 안쪽의 무혈관 공간에서 광인대 후면으로 구멍을 뚫고 봉합사를 자궁천골인대 기시부위 위로 나오게 하여 매듭짓는 방법

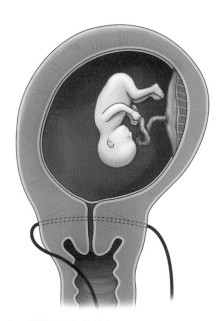

그림 18-16. 복식 자궁경협부원형결찰술(Transabdominal cervicoisthmic cerclage)

2 인공 유산(Induced abortion)

1) 인공 유산의 분류

(1) 치료적 유산(Therapeutic abortion)

① 정의 : 의학적, 법의학적 적응증에 의한 인공유산

② 적응증

    a. 산모가 심장 감압술 후에도 지속적인 심장질환, 진행된 고혈압 혈관질환, 침윤성 자궁경부암인 경우와 같은 산모의 생명 및 건강에 의한 의학적 적응증

    b. 태아에게 심각한 신체적, 정신적 이상에 의한 의학적 적응증

    c. 강간이나 근친상간 등의 법의학적 적응증

③ 인공 임신중절과 관련된 우리나라의 모자보건법

형법 제269조(낙태)

① 부녀가 약물 기타 방법으로 낙태한 때에는 1년 이하의 징역 또는 200만원 이하의 벌금에 처한다.

② 부녀의 촉탁 또는 승낙을 받아 낙태하게 한 자도 제1항의 형과 같다.

형법 제270조(의사 등의 낙태, 부동의 낙태)

① 의사, 한의사, 조산사, 약제사 또는 약종상이 부녀의 촉탁 또는 승낙을 받아 낙태하게 한 때에는 2년 이하의 징역에 처한다.

모자보건법 제14조(인공임신중절수술의 허용한계)(전문개정 2009.1.7.)

① 의사는 다음 각 호의 어느 하나에 해당되는 경우에만 본인과 배우자(사실상의 혼인관계에 있는 사람을 포함한다. 이하 같다)의 동의를 받아 인공임신중절수술을 할 수 있다.

가. 본인이나 배우자가 대통령령으로 정하는 우생학적 또는 유전학적 정신장애나 신체질환이 있는 경우

나. 본인이나 배우자가 대통령령으로 정하는 전염성 질환이 있는 경우

다. 강간 또는 준강간에 의하여 임신된 경우

라. 법률상 혼인할 수 없는 혈족 또는 인척 간에 임신된 경우

마. 임신의 지속이 보건의학적 이유로 모체의 건강을 심각하게 해치고 있거나 해칠 우려가 있는 경우

모자보건법 제28조(형법의 적용배제)(전문개정 2009.1.7.)

이 법에 따른 인공임신중절수술을 받은 자와 수술을 한 자는 형법 제269조 제1항, 제2항 및 제270조 제1항에도 불구하고 처벌하지 아니한다.

모자보건법 시행령 제 15조(인공임신중절수술의 허용한계)(전문개정 2009.7.7.)

① 법 제14조에 따른 인공임신중절수술은 임신 24주일 이내인 사람만 할 수 있다.

② 법 제14조 제1항 제1호에 따라 인공임신중절수술을 할 수 있는 우생학적 또는 유전학적 정신장애나 신체질환은 연골무형성증, 낭성섬유증 및 그 밖의 유전성 질환으로서 그 질환이 태아에 미치는 위험성이 높은 질환으로 한다.

③ 법 제14조 제1항 제2호에 따라 인공임신중절수술을 할 수 있는 전염성 질환은 풍진, 톡소플라즈마증 및 그 밖에 의학적으로 태아에 미치는 위험성이 높은 전염성 질환으로 한다.

---

(2) 선택적 유산(Elective abortion)

① 정의 : 사회적 적응증 및 선택결정 요구에 의한 여성 권리적 측면의 적응증에 의한 인공유산

② 오늘날 대부분의 유산이 이 범주에 속함

2) 유산의 치료법

(1) 자궁경부 개대 및 소파술(Dilatation and Curettage, D&C)

① 정의

a. 자궁경부 개대 및 소파술(D&C) : 자궁경부를 먼저 개대시킨 후, 자궁 내의 임신 산물을 소파술(sharp curettage)로만 제거하는 방법

b. 진공흡입술(vacuum aspiration) : 진공을 이용하여 임신 산물을 흡입하는 방법으로 suction dilation and curettage 또는 suction curettage라고도 함

② 시기

a. 임신 14~15주 전에 시행

b. 임신 제1삼분기 이후에 시행하면 자궁천공, 자궁경부 열상, 출혈, 태아 또는 태반 조직의 불완전제거 및 감염 등의 합병증이 증가

③ 방법

a. 자궁경부의 개대(dilatation of cervix)

- 흡습성 자궁경부 확장물(hygroscopic dilators, osmotic dilators)

• 자궁경부를 확장함으로써 발생할 수 있는 외상을 최소화하기 위해 자궁경부를 서서히 넓혀주는 기구

• 라미나리아 삽입 후 마음이 바뀌어 제거 후 임신을 유지하는 경우 : 17예 중 14예는 만삭 분만, 2예는 조산, 1예는 2주 후 자연 유산 되었으며, 감염으로 인한 합병증은 없었음

• 종류 : 라미나리아(laminaria), 딜라판-S(dilapan-S)

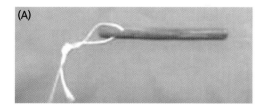

그림 18-17. 흡습성 자궁경부 확장물, (A) Laminaria, (B) Dilapan-S

- 프로스타글란딘(prostaglandin)
  - 프로스타글란딘 제제를 질 후구개(posterior vaginal fornix)에 삽입
  - 흡습성 자궁경부 확장물과 동일 혹은 우수한 확장 효과가 있으며 삽입 시의 통증을 줄일 수 있으며 부작용은 비슷함
  - Misoprostol 400 μg을 수술 3~4시간 전 질 내 삽입 또는 Mifepristone 200 mg을 수술 24~48시간 전 경구 투여

b. 흡입 소파술(suction curettage)
  - 자궁의 크기와 방향을 확인 후 자궁경부를 소독하고 전구개(ant. fornix)를 갈고리당기개(tenaculum)로 잡음
  - 통증 감소를 위한 처치
    - 정맥 또는 경구로 진정제나 진통제를 투여
    - 1% 또는 2%의 리도카인 용액으로 자궁경부 양측을 국소마취
    - 1% 리도카인 5 mL를 자궁경부의 12, 3, 6, 9시 방향에 국소마취
  - 개대가 불충분하다면 Hegar 개대기 등을 이용
  - 자궁천공을 주의하면서 자궁 내 잔류조직이 남지 않게 시술

c. 태반 조직의 확인
  - Saline test : 흡입된 내용물에서 혈액 성분을 제거한 후 식염수와 함께 투명한 플라스틱 통에 넣은 후 밝은 빛으로 비추어 흡입된 태반을 확인
  - 태반 조직은 육안적으로 부드럽고 복슬복슬한 솜털 같은 양상

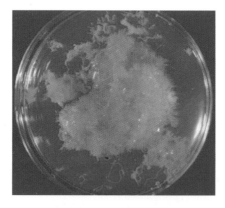

그림 18-18. 태반 조직

④ 합병증 : 자궁천공, 자궁경부무력증, 자궁내막유착, 중증 소모성응고병증, 감염, 마취 합병증 등

⑤ 개복술복수술(laparotomy)의 적응증

    a. 심각한 자궁질환이 있어서 자궁적출술을 하려는 경우

    b. 자궁절개술과 함께 난관 결찰술을 같이 하려는 경우

    c. 임신 중기에 약물을 이용한 임신중절술이 실패한 경우

(2) 다른 수술적 유산법

① 자궁경부 개대 및 제거술(dilatation and evacuation, D&E) : 자궁경부를 폭넓게 개대시킨 뒤 태아를 기계적으로 분쇄시킨 이후 태아조직을 제거하고, 태아가 완전히 제거된 후에 흡입소파술로 남은 태반과 잔류조직을 제거하는 방법

② 자궁경부 개대 및 적출술(dilatation and extraction, D&X) : D&E와 비슷하나 태아의 몸이 자궁경부를 통하여 분만된 후 자궁경부를 통하여 자궁 안에 남아 있는 태아의 두개 내 조직을 흡입술로 제거한 후 태아를 제거하는 방법

(3) 약물적 유산(Medical abortion)

① 임신 초기 유산

    a. 약물적 유산의 용법(ACOG, 2016)

용법	성공률	장단점	사용가능 주수
Mifepristone, 600 mg 경구투여 + Misoprostol, 400 μg 48시간 후 경구투여 (FDA 공인)	92%	복용 후 4시간 동안 병원에서 관찰	임신 7주 (49일까지)
Mifepristone, 200 mg 경구투여 + Misoprostol, 800 μg 24~48시간 후 질식(볼 또는 설하)투여 (Alternative evidence-based regimen)	95~99%	Mifepristone, 600 mg orally + Misoprostol, 400 μg orally 용법과 비교 1. 더 효과적 2. 수태산물이 배출되기까지 시간이 짧음 3. 부작용이 적음 4. 질내 삽입이 필요함	임신 9주 (63일까지)
Methotrexate, 50 mg/m² 근주 혹은 질식투여 + Misoprostol, 800 μg 3~7일 후 질식투여	92~96%	Mifepristone-Misoprostol 용법과 비교 1. 20~30%에서 수태산물 배출까지 시간이 더 걸림 2. 약물 비용이 더 싸다.	임신 7주 (49일까지)
Misoprostol, 800 μg 질식 또는 설하투여 3시간 간격으로 3회까지 반복 투여 (질식의 경우 12시간까지 간격조절 가능)	84~85%	1. 다른 용법에 비해 부작용이 많다. 2. 약물 비용이 더 싸다.	임신 9주 (63일까지)

b. 약물적 유산의 금기증

- 약물 알레르기

- 자궁내피임장치(IUD)

- 심각한 빈혈

- 응고장애 또는 항응고제의 복용

- 활동성 간질환, 심혈관 질환, 조절되지 않는 발작질환과 같은 심각한 내과적 질환

- 부신 질환이 있거나 glucocorticoid 치료가 필요한 환자(misoprostol은 glucocorticoid의 작용을 저하시킬 수 있음)

② 임신 제2삼분기 유산

a. 프로스타글란딘 E1(PGE1)

- 약물 : 미소프로스톨(misoprostol)

- 미소프로스톨(misoprostol)의 용법

제1삼분기	제2삼분기	제3삼분기
자궁경부숙화 　시술 3시간 전 400 μg 질식투여	인공유산 　400 μg 3시간마다 질식투여 　(최대 5회)	자궁 내 태아사망(27~43주) 　24~50 μg 4시간마다 질식투여 　(최대 6회)
인공유산 　800 μg 12시간마다 질식투여 　(최대 3회)	자궁내 태아사망 　13~17주 : 200 μg 6시간마다 　질식투여(최대 4회) 　18~26주 : 100 μg 6시간마다 　질식투여(최대 4회)	유도분만 　25 μg 4시간마다 질식투여(최대 6회) 　또는 　20 μg 2시간마다 경구투여(최대 12회)
계류유산 　800 μg 3시간마다 질식투여(최대 2회) 또는 600 μg 3시간마다 설하투여(최대 2회)		산후출혈 예방 　600 μg 경구 단독투여
불완전유산 　600 μg 경구 단독투여		산후출혈 치료 　600 μg 경구 단독투여

b. 프로스타글란딘 E2 (PGE2)

- 질 후구개(posterior vaginal fornix)로 20 mg 프로스타글란딘 E2를 삽입

- 효과적인 면이나 부작용에 있어서 미소프로스톨과 비슷

- 부작용 : 구토, 고열 및 설사

- 부작용 예방을 위한 방법 : 메토클로프라마이드(metoclopramide)와 같은 구토 방지제, 아세트아미노펜(acetaminophen) 등과 같은 해열제, 디페녹실레이트(diphenoxylate)/아트로핀(atropine) 등과 같은 지사제 등을 함께 사용

c. 옥시토신(oxytocin)

- 투여 방법 : 50 units의 옥시토신을 생리식염수 500 mL에 혼합하여 3시간 동안 정맥투여하고 1시간 옥시토신 투여를 중단하고 지켜보는 동안 유산이 이루어지지 않으면 옥시토신을 50 units씩 증량하여 최대 300 units까지를 같은 방법으로 투여

- 옥시토신의 부작용인 저나트륨혈증과 수분중독을 피하기 위해서는 생리식염수와 같은 등장액에 옥시토신을 혼합하고, 지나친 정맥 내 주사를 피해야 함

(4) 인공 유산의 결과

① 모성사망(maternal mortality)

  a. 임신 초기 2개월 이내에 시행할 경우 모성 사망률은 10만건당 1건 미만

  b. 임신 8주 이후부터는 제태 연령이 2주씩 증가할 때마다 약 2배씩 증가

② 향후 임신에 대한 영향

  a. 불임이나 자궁외임신을 증가시키지 않음

  b. 수술적 유산 이후 조산의 빈도가 약 1.5배 정도 증가하며, 유산 횟수에 따라 이 위험도는 더 증가

  c. 여러 번의 소파술(sharp curettage)은 향후 임신의 전치태반 빈도를 증가시킴

  d. 다음 임신에 미치는 영향이 수술적이나 약물적 유산과 같은 방법에 따라 달라지지는 않음

③ 유산 이후 배란의 회복

  a. 배란은 유산 이후 빠르면 첫 8일에 시작하며 평균은 첫 3주 정도에 회복

  b. 임신을 예방하고자 한다면 유산 직후부터 효과적인 피임법이 시작되어야 함

  c. 유산 후 3개월 이내의 임신도 3개월 이후와 비교하여 차이가 없음

CHAPTER 19

자궁외임신(Ectopic pregnancy)

1 서론

1) 병인론

(1) 정의

① 자궁외임신 : 배아가 자궁강(uterine cavity) 이외의 부위에 착상되는 것

② 자궁경부 임신과 간질부 임신은 해부학적으로 자궁이지만 자궁강 내부가 아니므로 자궁외임신에 포함

(2) 빈도

① 일반적으로 2% 이상(계속 증가하는 추세)

② 자궁외임신이 증가되는 이유

   a. 난관 감염 및 손상(골반염, 성전파성 질환)

   b. 난관 수술(이전 자궁외임신, 난관성형술, 난관결찰술 등) 증가

   c. 보조 생식술(assisted reproductive technology) 증가

   d. 진단 기법의 발달에 의해 과거에는 자연적으로 흡수되어 모르고 지나쳤을 자궁외임신의 진단

   e. 기타 : 수술의 과거력, 흡연, 자궁내막증 등도 약간의 관련이 있음

2) 발생 부위

(1) 난관 임신(Tubal pregnancy)

① 통계

   a. 선진국 : 자궁외임신의 95%가 난관 임신

   b. 국내 : 89~93%가 난관 임신

② 난관 내 부위별 발생 빈도

    a. 팽대부(ampulla) : 70%

    b. 협부(isthmic) : 12%

    c. 채부(fimbrial) : 11%

    d. 간질부(interstitial) : 2%

(2) 난관 이외의 자궁외임신

① 난관이외 부위의 자궁외임신 발생 빈도는 약 5% 정도

② 발생 부위

    a. 난소 임신(ovarian pregnancy) : 3%

    b. 복강 임신(abdominal pregnancy) : 1%

    c. 자궁경부 임신(cervical pregnancy) : 1% 미만

(3) 복합성 임신(Heterotopic pregnancy)

① 동시에 두 곳 이상에 임신이 된 경우

② 자궁내임신과 난관 임신의 동반이 가장 흔함

③ 과거에는 드물었지만 체외수정에서 여러 개의 배아를 이식하기 때문에 증가 추세

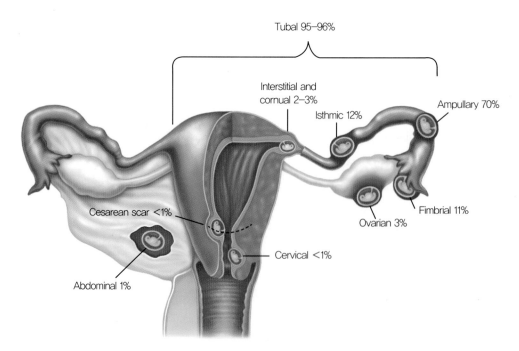

그림 19-1. 자궁외임신의 발생 부위 및 빈도

2 난관 임신(Tubal pregnancy)

1) 병인론

(1) 위험인자

① 이전 자궁외임신

    a. 자궁외임신의 가장 중요한 위험인자

    b. 재발 위험률 : 첫 번째 자궁외임신 후 10~15%, 두 번째 자궁외임신 후 30%

② 난관 손상

    a. 난관 수술 : 난관결찰술, 난관복원술, 난관성형술

    b. 난관 주변의 유착

      - 난관염, 자궁내막증, 충수염, 골반 수술 등

      - *Chlamydia* : 가장 중요한 원인균

③ 보조생식술(ART) : 난관의 이상보다는 배아가 난관으로 역류해서 발생

④ 피임의 실패

    a. Tubal sterilization, copper IUD, progestin-releasing IUD, progestin-only contraceptives

    b. 피임은 임신 기회가 감소되므로 절대적인 자궁외임신 빈도는 감소하지만 피임에 실패하면 자궁외임신의 상대적 빈도는 증가

⑤ 흡연 : 난관의 섬모 운동(ciliary movement)를 저해

(2) 위험인자에 따른 상대적 위험도

위험인자(Risk factors)	Relative risk
Previous ectopic pregnancy	3~13
Tubal corrective surgery	4
Tubal sterilization	9
Intrauterine device	1~4.2
Documented tubal pathology	3.8~21
Infertility	2.5~3
Assisted reproductive technology	2~8
Previous genital infection	2~4
Chlamydia	2
Salpingitis	1.5~6.2
Smoking	1.7~4
Prior abortion	0.6~3
Multiple sexual partners	1.6~3.5
Prior cesarean delivery	1~2.1

2) 예후

(1) 난관 유산(Tubal abortion)

① 난관 임신이 자연 유산되는 것

② 팽대부(ampulla)에서 흔함

③ 자연 퇴화(spontaneous regression) : 태반 분리가 완벽히 되어 난관채(fimbriae)를 통해 태아 조직이 복강 내로 배출되고 출혈이 멈추며 증상이 사라지는 것

(2) 난관 파열(Tubal rupture)

① 주로 임신 8주 전후에 발생

② 자발적으로 파열되거나 성관계나 내진을 통한 외상으로 파열되기도 함

③ 파열 시 심한 출혈이 발생되며, 복통과 저혈압 증상이 나타남

④ 임신 제1삼분기의 산모 사망의 가장 흔한 원인

⑤ 복합성 임신(heterotopic pregnancy) 가능성을 생각해야 함

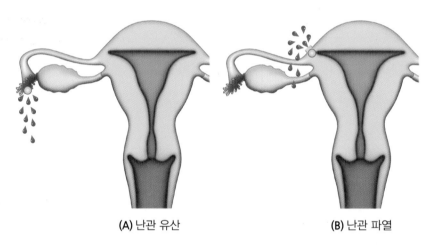

(A) 난관 유산   **(B)** 난관 파열

그림 19-2. 난관 임신의 예후

3) 임상 증상

(1) 증상 및 징후

① 임상적 특징이 다양하고, 초기에는 증상이 없음

② 전형적인 세가지 증상(classic triad)

     a. 생리 지연(delayed menstruation)

     b. 질 출혈(vaginal bleeding, spotting)

c. 복부와 골반 통증(abdominal and pelvic pain)

  - 파열 전에는 없을 수 있음

  - 한쪽에서 갑작스럽게 나타나는 찌르는 듯한, 혹은 찢어지는 듯한 하복부 통증

  - 자궁경부를 움직일 때의 압통, 어깨와 등까지 방사통이 있는 경우 혈복강 의심

③ 기타 증상 : 어지럼증, 혈압감소, 맥박상승

  a. 자궁의 크기 증가 : 태반호르몬 때문에 첫 3개월은 정상 임신처럼 커질 수 있음

  b. 체온 상승 : 38℃ 정도 상승 가능하지만 이 이상은 감염이 없이는 드묾

  c. 골반 종괴(pelvic mass) : 약 20%에서 골반 종괴가 만져짐

  d. 파열 시 혈압 감소, 맥박 상승, 어지럼증 등이 나타날 수 있음

(2) 감별 진단

① 골반염(pelvic inflammatory disease)

② 난관염(salpingitis)

③ 절박 유산(threatened abortion)

④ 난소 염전(ovarian torsion)

⑤ 급성 충수염(acute appendicitis)

⑥ 소화기 질환(e.g. 위장염)

⑦ 자궁내장치(IUD)

⑧ 기능성 자궁출혈(DUB)

⑨ 황체 낭종(corpus luteum cyst)

⑩ 요로 감염, 결석

4) 진단

(1) 자궁외임신의 진단 알고리즘

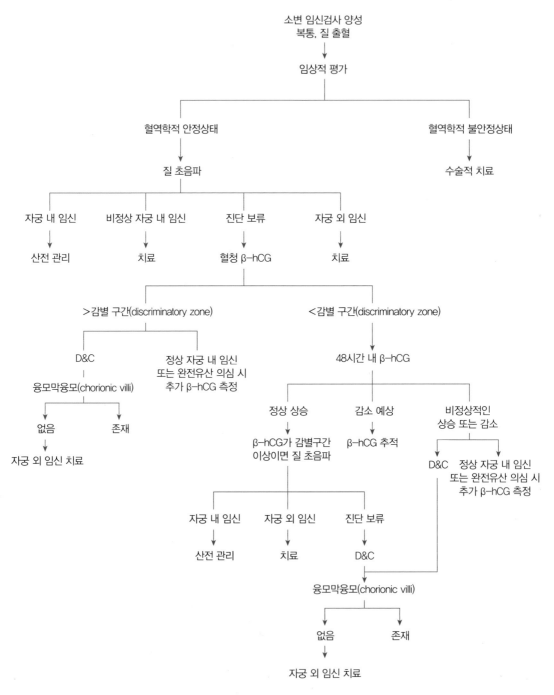

그림 19-3. 자궁외임신의 진단 알고리즘

(2) Beta-human chorionic gonadotropin (β-hCG)

① 임신 확인 검사

　　a. hCG의 beta subunit에 대한 ELISA (enzyme-linked immunosorbent assay)를 사용

　　b. 소변은 20~25 mIU/mL 이상, 혈청은 ≤5 mIU/mL에서 검출 가능

② 소변 임신검사(urinary pregnancy tests)

　　a. 무월경 및 임신 의심 시 가장 먼저 시행

　　b. 자궁외임신의 99%에서 양성으로 확인

　　c. 20일 잠복기(20 days window period) : 소변 임신검사 양성이 나온 후 초음파에서 임신낭이 보이기까지의 기간

③ 혈청 β-hCG 측정

　　a. 정상 임신

　　　- 배가 시간(doubling time)이 거의 일정 : log 그래프에서 선형 증가를 나타냄

　　　- 48시간 이후 최소 66%, 일반적으로 100% 증가

　　b. 연속적인 β-hCG 측정

　　　- 48시간 후 감소 : 유산되는 과정

　　　- 48시간 후 66% 이상 증가 : 정상 임신의 가능성이 높음

　　　- 48시간 후 66% 이하의 증가 혹은 안정기(plateau) : 자궁외임신 혹은 유산의 가능성이 높지만 정상 임신의 15%에서도 48시간 후 66% 이하의 증가가 나타남

(3) 프로게스테론(Progesterone)

① 혈청 progesterone 측정

　　a. 25 ng/mL 이상 : 대부분 정상 임신

　　b. 5 ng/mL 이하 : 대부분 생존 불가능한 임신

② 자궁외임신의 수치 : 10~25 ng/mL

(4) 초음파 검사

① 질 초음파상 구조물이 보이는 시기

　　a. 임신낭(gestational sac) : 임신 4~5주

　　b. 난황(yolk sac), 심박동이 있는 태아 : 임신 5~6주

　　c. 복부 초음파는 조금 더 늦게 보임

② 감별 구간(discriminatory zone)

　　a. 정상 임신이라면 반드시 질 초음파로 임신낭의 확인이 가능한 β-hCG의 수치

　　　- 기준 : 보통 ≥1,500~2,000 mIU/mL

　　　- 감별구간 이상의 수치이면서 초음파상 임신낭이 보이지 않으면 자궁외임신의 가능성

이 매우 높음

  - 초음파상 자궁강에는 임신낭이 없고 자궁 부속기에 임신낭이 보이면 확진이 가능

b. 임신낭이 보여야하는 β-hCG 수치

  - 질 초음파 : ≥1,500 mIU/mL

  - 복부 초음파 : ≥6,500 mIU/mL

③ 자궁강에 임신낭이 보이지 않는 경우의 β-hCG 수치에 따른 처치

  a. 1,500~2,000 mIU/mL 이하인 경우

   - 정상 자궁내임신, 유산, 자궁외임신 등 모든 경우가 가능

   - 48시간 뒤 β-hCG와 초음파 재검사 시행

  b. 1,500~2,000 mIU/mL 이상인 경우

   - 자궁외임신의 가능성이 높음

   - 이 경우에는 자궁외임신으로 간주하고 내과적 치료를 하거나 진단 및 치료 목적의 복강
     경 또는 추적관찰을 시행

④ 자궁외임신의 거짓임신낭(pseudogestational sac)

  a. 괴사된 탈락막과 자궁근층 사이에 피가 고여 임신낭처럼 관찰되는 것

  b. 경계가 불분명하고 불규칙한 모양을 나타냄

  c. 난황(yolk sac)의 유무로 임신낭과 감별

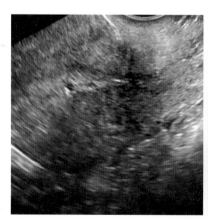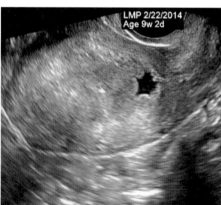

그림 19-4. **자궁외임신의 거짓임신낭(pseudogestational sac)**

⑤ 난관 임신(tubal pregnancy)의 초음파 소견

  a. 자궁내막은 탈락막 형성으로 두꺼워져 있으나 임신낭이 자궁강 내에 존재하지 않음

  b. 부속기 고리(adnexal ring) : 자궁 부속기에 1~3 cm 정도의 저반향성 둥근 모양의 중간 영
     역과 이를 둘러싼 고반향성 영양막 경계(hyperechoic ring)와 근층의 모양으로 관찰

c. 낮은 교류저항의 도플러 파형을 보이거나 덩이 주위로 고리 모양의 색 도플러 소견(vascular ring)이 보임

d. 황체(corpus luteum)와의 차이점

	자궁외임신	황체(corpus luteum)
위치	나팔관과 근층의 중앙	난소의 가장자리
도플러	황체에 비하여 덜 풍부한 동심성 혈류 영양막세포 주위의 낮은 교류저항을 지닌 혈류가 관찰	풍부한 동심성 혈류

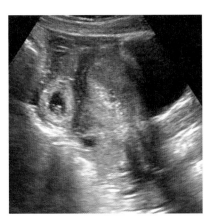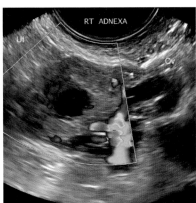

그림 19-5. 난관 임신(tubal pregnancy)

(5) 더글라스와천자(Culdocentesis)

① 자궁외임신이 파열되었을 때 혈복강(hemoperitoneum)을 확인하기 위한 방법

② 판독

    a. 양성(positive) : 응고되지 않은 혈액이 흡인되는 경우

    b. 음성(negative) : 장액성 액체

    c. 불분명(non-diagnostic) : 오래된 혈전, 혈액성 액체

③ 단점

    a. 소량의 복강내 액체는 정상에서도 관찰됨

    b. 자궁외임신의 70~90%가 혈복강으로 나오지만 환자의 50%만이 난관 파열 상태

    c. 자궁외임신의 10~20% 정도는 더글라스와천자로 진단이 안됨

④ 금기 : 심한 후굴 자궁, 더글라스와에 종괴가 있는 경우

⑤ 더글라스와천자에서 출혈을 보일 수 있는 경우

    a. 자궁외임신(ectopic pregnancy)

    b. 출혈성 황체 낭종(hemorrhagic corpus luteum)

c. 자궁강 내 혈액의 난관 역류

d. 이전에 더글라스와천자 시도했던 경우

e. 다른 복강 내 출혈을 유발할 수 있는 질환

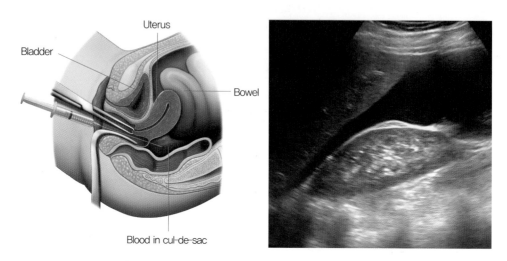

그림 19-6. 더글라스와천자(Culdocentesis)

(6) 외과적 진단법

　① 자궁내막 샘플링(endometrial sampling)

　　a. 초음파 검사로 임신의 위치가 확인되지 않고 태아가 생존할 수 없을 경우에 시행

　　b. 적응증

　　　- Progesterone <5 ng/mL

　　　- β-hCG가 정상적인 상승을 보이지 않을 때(<2,000 mIU/mL)

　　　- 질 초음파에서 자궁 내 임신낭이 보이지 않음

　　c. 식염수 검사(saline test) : 소파술로 얻어진 조직을 식염수에 띄워보면 탈락막 조직은 뜨지 않고, 융모는 특유의 모양(레이스, 해초잎 모양, lacy frond appearance)을 나타냄

　② 복강경(laparoscopy)

　　a. 장점

　　　- 자궁외임신의 확진 및 치료가 동시에 가능

　　　- 자궁외임신에 치료적 유산 유발약물 직접 주사 가능

　　b. 단점 : 파열되지 않은 초기 자궁외임신이 보이지 않을 수 있음

　③ 개복술(laparotomy) : 혈역학적으로 불안정하거나 복강경을 할 수 없는 경우 시행

5) 치료

(1) 외과적 치료

① 수술의 원칙

　a. 쇼크 상태가 아니라면 복강경(laparoscopy) 수술이 원칙

　b. 복강경(laparoscopy) 수술의 장점

　　- 비용 저렴하고 회복 시간이 짧음

　　- 임신의 예후는 비슷함

　c. 난관을 절제하거나 보존한 경우 향후 임신에서 다시 자궁외임신이 될 확률은 비슷함

② 난관절제술(salpingectomy)

　a. 파열 되거나 또는 되지 않은 자궁외임신 모두에 시행 가능

　b. 적응증

　　- 불임의 과거력

　　- 임신력 보존을 원하지 않을 때

　　- 같은 곳에 2번 이상 자궁외임신이 되었을 때

　　- 난관 손상이 심할 때

　　- 조절되지 않는 출혈이 있을 때

③ 난관개구술(salpingostomy)

　a. 난관을 절개하고 안에 있는 임신 조직을 제거

　b. 파열이 안 된 경우, 향후 임신을 원하는 경우에 시행

　c. 적응증

　　- 자궁외임신낭 크기 <2 cm

　　- 난관의 원위부(distal) 1/3 부위에 위치

　d. 영양막(trophoblast)이 남아있을 수 있으므로 β-hCG 추적관찰 필요

④ 난관절개술(salpingotomy)

⑤ 부분 절제(segmental resection) 및 문합술(anastomosis)

⑥ 난관채배출술(fimbrial evacuation)

(2) 내과적 치료

① 약제 : Methotrexate (MTX)

② 작용 기전 : 엽산 길항제(folic acid antagonist)로서 DNA 합성을 억제

③ 적응증

　a. 자궁외임신이 확진 되거나 강하게 의심되는 경우

　b. 난관 파열이 되지 않은 경우

　c. 혈역학적 안정상태(hemodynamically stable) : 혈색소 및 간과 신장 기능 정상

  d. 자궁외임신낭(ectopic mass) 크기 ≤3.5 cm

  e. 태아 심장박동(fetal cardiac activity)이 없는 경우

④ Single dose MTX 치료의 성공 예상 지표 : 초기 혈청 β-hCG 수치

  a. 수치가 낮을수록 실패율 감소

초기 혈청 β–hCG (mIU/mL)	실패율
<1,000	1.5%
1,000~2,000	5.6%
2,000~5,000	3.8%
5,000~10,000	14.3%

  b. 초기 혈청 β-hCG 값이 치료의 성공에 필요한 약물 용량의 지표는 아님

⑤ 내과적 치료의 금기증(ASRM, 2013)

절대 금기증(Absolute contraindications)	상대 금기증(Relative contraindications)
정상 자궁내임신 혈역학적으로 불안정한 경우 자궁외임신의 파열 모유 수유 면역결핍 상태 중등도에서 중증의 빈혈, 백혈구 감소증, 혈소판 감소증 Methotrexate에 대한 과민반응 활동성 폐 질환 활동성 위 궤양 임상적으로 중요한 간 또는 신장의 기능장애	자궁외임신낭 크기>4 cm 태아 심장박동이 보이는 경우 내과적 치료의 추적관찰이 어려운 경우 초기 β–hCG 농도가 높은 경우 (>5,000 mIU/mL) 수혈을 거부하는 경우

⑥ Methotrexate 치료 요법(ASRM, 2013)

	1회 요법(Single dose regimen)	다회 요법(Multidose regimen)
약물 투여	1회 (필요 시 반복)	혈청 β–hCG가 15% 감소할 때까지 두 약물을 최대 4회 투여

약물 투여량
  Methotrexate
  Leucovorin
	
	50 mg/m² x BSA (1일)
	NA
		
		1 mg/kg (1, 3, 5, 7일)
		0.1 mg/kg (2, 4, 6, 8일)

혈청 β–hCG 측정	1(기준치), 4, 7일	1(기준치), 3, 5, 7일
추가 투여의 기준	혈청 β–hCG가 4일에서 7일까지 15% 이상 감소하지 않은 경우 혈청 β–hCG가 매주 추적검사 상 15% 이상 감소하지 않은 경우	혈청 β–hCG의 감소가 15% 미만이면 추가 투여 후 48시간 간격으로 다시 측정하여 이전의 값과 비교 15% 이상 감소할 때까지 최대 4회 투여
추적관찰	혈청 β–hCG의 15% 감소가 나타나면, 더이상 검출되지 않을 때까지 매주 측정	

⑦ Methotrexate 치료 시 체크리스트 및 환자 지침

의사의 체크리스트

혈청 β-hCG 수치 확인
전체혈구계산(CBC with differential), 간기능검사(liver function tests), 크레아티닌(creatinine), 혈액형, 항체 검사(antibody screen)
환자가 Rh-negative인 경우 RhoGAM 투여
4 cm 미만의 파열되지 않은 자궁외임신 확인(상대적 금기 사항)
환자에게 정보에 입각한 동의 얻기
적혈구용적률(hematocrit) 30% 미만인 경우 FeSO4 325 mg 하루 2회 처방
4일과 7일에 추적검사 예약

환자 지침

혈청 β-hCG가 검출되지 않을 때까지 알코올, 엽산 함유 종합 비타민제, NSAID 사용, 성관계를 금지
다음과 같은 경우 병원에 내원할 것
　　지속되거나 심한 질 출혈이 있을 때
　　지속되거나 심한 통증이 있을 때(치료 후 처음 10~14일 동안의 하복부 및 골반 통증은 정상)

⑧ 부작용 : 백혈구 감소증, 혈소판 감소증, 골수 억제, 구강염, 설사 등
⑨ 치료 후 적어도 2개월간은 임신하지 않도록 권유

(3) 기타 치료법

① Actinomycin

　　a. 5일 요법

　　b. 적응증 : MTX 치료 실패 시

② 직접 주사(direct injection)

　　a. 난관천자술(salpingocentesis)로 MTX 주사

　　b. 복강경으로 PGF2 α 주사

　　c. 고삼투압 포도당(hyperosmolar glucose) 주사

　　d. KCl 주사

(4) 기대 요법

① 매우 초기의 난관 임신에서 안정되거나 떨어지는 β-hCG 수치를 보이는 경우

② 자궁외임신낭 크기 <3 cm & β-hCG <1,500 mIU/mL

③ 복강 내 출혈이나 파열이 없어야 함

6) 합병증 및 예후

(1) 지속 영양막(Persistent trophoblast)

① 정의 : 보존적 수술을 받은 환자에서 영양막 조직이 남아있는 경우

② 위험인자

   a. 수술 유형에 따른 위험도

     - 난관채배출술(fimbrial evacuation) > 난관절개술(salpingotomy) > 난관개구술(salpingostomy) > 난관절제술(salpingectomy)

   b. 자궁외임신낭이 작고, 임신 초기에 시행할수록 위험성 증가

     - 초기 β-hCG <3,000 mIU/mL

     - 무월경 7주 이내

     - 자궁외임신낭의 크기 <2 cm

③ 남아있는 영양막에서의 출혈이 가장 심각한 합병증

④ 진단

   a. 수술 후 1일째 β-hCG 수치가 수술 전 수치의 50% 미만으로 감소

   b. β-hCG 수치가 지속적으로 유지되거나 상승하면 치료가 필요

⑤ 치료

   a. 난관 파열이 없는 경우 : Methotrexate 1회 요법(single dose regimen)

   b. 난관 파열 및 출혈이 있는 경우 : 난관절제술(salpingectomy), 반복 난관개구술(salpingostomy) 등의 외과적 치료 시행

(2) 만성 자궁외임신(Chronic ectopic pregnancy)

① 자연 치유, 기대 요법 동안에 완전히 흡수되지 않은 임신 상태

② 증상 : 통증, 질 출혈, 발열, 부속기 종괴

③ 치료 : 난관절제술(salpingectomy)

(3) 자궁외임신 후 다음 임신의 예후

① 정상 임신(50~80%)

② 난관 임신(10~25%) : 10배 정도 확률 증가

③ 불임

1) 간질부 임신(Interstitial pregnancy)

(1) 병인론

① 수정란이 난관 근위부(proximal tubal segment)와 자궁 사이 연결 부분에 착상한 경우

② 자궁각 임신(cornual pregnancy) : 간질부 임신과 혼용되지만 원래는 뮐러관 기형의 흔적 자궁뿔 임신(rudimentary horn pregnancy)을 설명하는 것으로 잘못된 표현임

③ 진단되지 않을 시 무월경 8~16주경 파열되고, 다량의 심각한 출혈 유발

    a. 간질부는 난소동맥과 자궁동맥이 문합을 이루는 풍부한 혈관 밀집조직 부위

    b. 임신낭이 자궁근층으로 보호되어 다른 부위의 난관 임신보다 더 오래 지속됨

④ 사망률이 2.5%로 난관 임신의 0.14%에 비해 약 15배

(2) 위험인자

① 이전의 동측 난관절제술(previous ipsilateral salpingectomy) : 특징적 위험인자

② 난관 임신의 위험인자와 유사 : 이전 자궁외임신, 난관 수술, 보조생식술(ART), 골반염, 난관염, 피임 실패, 흡연 등

(3) 진단

① 초기에는 정상 임신과 감별진단이 어려워 임상 증상, β-hCG, 초음파로 진단을 시도

② 초음파 소견

    a. 자궁강(uterine cavity) 내에 임신낭이 존재하지 않음

    b. 임신낭이 자궁강의 가장 바깥부분에서 1 cm 이상 떨어진 곳에서 관찰

    c. 임신낭을 둘러싼 얇은(<5 mm) 자궁근층

    d. 사이질 선(interstitial line) : 자궁강의 가장 바깥부위와 임신낭 사이에 관찰되는 고반향성 선(echogenic line)

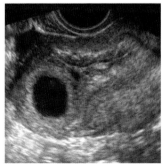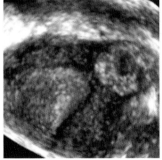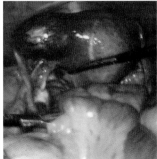

그림 19-7. 간질부 임신(interstitial pregnancy)

(4) 치료

① Methotrexate (MTX)

a. 조기 발견 되어 환자의 상태가 혈역학적으로 양호하고 향후 임신을 원하는 경우 사용

b. 1회 요법, 다회 요법

② 초음파 또는 복강경 감시하 소파술

③ 외과적 치료 : 자궁각절제술(cornual resection), 자궁각절개술(cornuostomy)

a. 수술 중 자궁근층에 바소프레신 주사 : 혈액 손실 감소

b. 수술 마무리 시 자궁근층의 결손부위 복원수술(myometrial repair) 필요

c. 수술 후 잔여 영양막 확인을 위한 β-hCG 추적관찰

2) 제왕절개 반흔 임신(Cesarean scar pregnancy)

(1) 병인론

① 수정란이 이전의 제왕절개 흉터의 자궁근층 안에 착상한 경우

② 발생기전은 유착태반(placenta accreta)과 유사

③ 심각한 출혈 유발 가능

(2) 진단

① 무통성 질 출혈(painless vaginal bleeding)

② 이전 제왕절개의 과거력(횟수가 많아질수록 더 위험)

③ 초음파 소견

a. 자궁강(uterine cavity) 및 자궁경관(cervical canal)에 임신낭이 보이지 않음

b. 자궁의 장축 절단면에서 자궁경관 협부의 앞쪽 부위에 결손이 관찰됨

c. 자궁경관의 앞쪽 부위에 임신낭이 존재

d. 제왕절개 반흔 위치 혹은 그 주변의 뚜렷한 혈관 형성

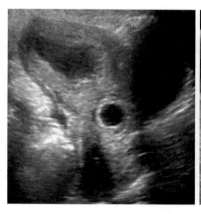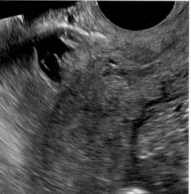

그림 19-8. 제왕절개 반흔 임신(cesarean scar pregnancy)

(3) 치료

① 외과적 치료 : 조절되지 않는 심한 출혈이 있는 경우 사용

　　a. 자궁절제술(hysterectomy) : 더 이상 임신을 원하지 않는 여성에서의 첫번째 치료 방법

　　b. 시험적 개복술(exploratory laparotomy)

② Methotrexate (MTX)

　　a. 가임력 보존을 위해 전신 또는 국소적으로 사용

　　b. 초음파 감시하 소파술, 자궁경하 제거술, 자궁경부절제술 등과 같이 사용되기도 함

③ 기타 처치

　　a. 자궁동맥색전술(uterine artery embolism) : 출혈 위험을 줄이기 위해 수술 전 또는 후 시행

　　b. Foley balloon catheter

3) 자궁경부 임신(Cervical pregnancy)

(1) 병인론

① 수정란이 자궁내구(internal os) 아래에서 자궁경부의 점막에 착상한 경우

② 빈도 : 전체 임신의 약 1% 미만

③ 무통성 질 출혈(painless vaginal bleeding) : 90%에서 나타나고, 1/3은 대량 출혈 발생

(2) 위험인자

① 이전의 자궁소파술(70%) : 자궁경부 임신의 가장 흔한 원인

② 자궁내막유착(uterine adhesions)

③ 시험관 시술(ART)

④ 이전 제왕절개술

⑤ 자궁근종

(3) 진단

① 임상적 진단

　　a. 자궁체부가 상대적으로 커진 자궁경부보다 작음

　　b. 자궁외구(external os)가 자연 유산보다 더 일찍 열림

　　c. 푸른색 또는 보라색의 자궁경부 병변이 관찰됨

　　d. 자궁경부를 건드렸을 때 심한 출혈이 발생

　　e. 자궁소파술을 시행하여 조직검사를 했을 때 태반조직이 없음

② 초음파 소견

　　a. 자궁강(uterine cavity) 내에 임신낭이 존재하지 않음

b. 자궁경관(cervical canal)이 풍선처럼 부풀어 있는 모래시계 형태의 자궁 모양

c. 자궁경관 내에 임신낭 또는 태반 조직의 존재

d. 자궁경부의 자궁내구(internal os)가 닫혀 있음

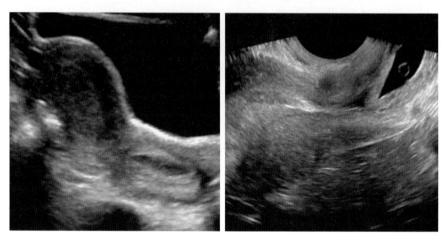

그림 19-9. 자궁경부 임신(cervical pregnancy)

(4) 치료

① Methotrexate (MTX)

a. 혈역학적으로 안정적인 환자에서의 일차 치료

b. 태아 심장박동이 없는 경우 : 1회 요법, 다회 요법, 임신낭 내 직접 주입

c. 태아 심장박동이 있는 경우 : 다회 요법 + 양수 내/태아 내 KCl 주사

d. 화학색전술(chemoembolization) : MTX + 자궁동맥색전술(uterine artery embolism)

② 외과적 치료

a. 자궁경부 소파술(cervical curettage) : 소파술 전 자궁동맥색전술, 자궁경부 바소프레신 주사, 자궁경부원형결찰술(cerclage) 등을 미리 시행

b. 자궁절제술(hysterectomy) : 출혈이 조절되지 않을 경우 시행

③ 기타 처치

a. 자궁동맥색전술(uterine artery embolism)

b. 자궁경부 내 26F Foley catheter 삽입 후 30 mL 풍선술

4) 복강 임신(Abdominal pregnancy)

(1) 병인론

① 수정란이 복강(peritoneal cavity)에 착상한 경우

② 대부분 초기 난관 파열이나 유산 후 재착상에 의해 이차적으로 발생한 것으로 생각됨

③ 증상이 없거나 모호하여 진단이 어려움

(2) 진단

① 모체혈청 알파태아단백(maternal serum α-Fetoprotein)이 증가

② 비정상 태향(fetal presentation) 또는 자궁경부의 위치 변화

③ 초음파 소견

    a. 이상적인 조건이라도 복강 임신을 놓치기 쉬움

    b. 양수과소증이 흔하지만 비특이적 소견임

    c. 태아가 자궁과 떨어져 있거나 골반안에서 이상한 위치에 있음

    d. 태아와 산모의 앞복벽, 방광 사이에 자궁벽이 얇음

    e. 태반이 자궁밖에 위치하거나, 임신낭 주위를 장이 둘러싸고 있음

④ MRI : 의심되는 초음파 소견의 경우 확진을 위해 사용

⑤ CT : MRI 보다 진단에 좋지만 태아 방사선 노출 문제로 사용이 제한적

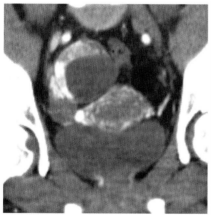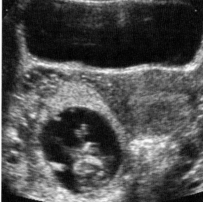

그림 19-10. 복강 임신(abdominal pregnancy)

(3) 치료

① 임신이 진행된 후 진단된 경우 개복술이 일차 치료

    a. 태아의 분만과 출혈을 유발하지 않고 태반을 분리하는 것이 목표

    b. 불필요한 탐색을 줄이고, 가능하면 태반을 담당하는 혈관을 가장 먼저 결찰

② 기대 요법은 갑작스럽고 위험한 출혈 유발 가능

(4) 예후

① 모성 사망률이 매우 높지만 최근 20년 간 5% 정도로 감소

② 태아 기형 및 변형 : 약 20%

5) 난소 임신(Ovarian pregnancy)

(1) 병인론

① 수정란이 난포 내 또는 난소 표면에 착상한 경우

② 위험인자는 난관 임신과 유사

(2) 진단

① 임상기준

a. 동측(ipsilateral) 난관은 이상이 없고 난소와 명확히 구별됨

b. 자궁외임신이 난소를 차지하고 있음

c. 자궁외임신은 자궁과 자궁난소인대에 의해 연결

d. 조직검사상 난소조직이 태반조직들과 같이 보임

② 초음파 소견

a. 혈청 β-hCG 1,000 mIU/mL 이상이면서 질 초음파상 비어 있는 자궁강

b. 난소에서 출혈, 융모막융모 혹은 비전형적인 낭포 소견이 수술 소견으로 확진

c. 정상 난관 소견

d. 난소 병변 치료 후 혈청 β-hCG가 검출되지 않음

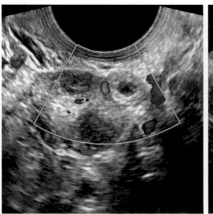
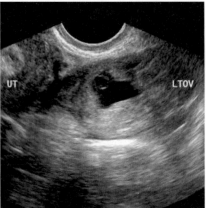

그림 19-11. 난소 임신(ovarian pregnancy)

(3) 치료

① 난소부분절제술(ovarian wedge resection)

② 난소 낭종절제술(ovarian cystectomy)

③ 난소절제술(ovariectomy) : 병변이 큰 경우

④ 복강경 레이져(laser ablation by laparoscopy)

⑤ Methotrexate (MTX) : 파열되지 않은 경우

6) 복합성 임신(Heterotopic pregnancy)

(1) 병인론

① 정상 자궁 내 임신과 자궁외임신이 공존하는 경우

② 증상

a. 자궁 내 임신이 확인된 상태에서 갑자기 발생한 질 출혈과 심한 하복부 통증

b. 초음파 검사상 자궁 내 임신이 확인되면 자궁외임신을 간과할 수 있어 진단이 지연되는 경우가 많음

③ 위험인자 : 보조생식술(ART)

(2) 진단

① 연속적인 혈청 β-hCG 측정 : 정상 자궁 내 임신으로 수치가 적절하게 상승하므로 도움이 되지 않음

② 초음파 소견

a. 자궁 내 정상 임신 확인

b. 자궁 밖에서 저반향성 둥근 모양의 중간 영역과 이를 둘러싼 고반향성 영양막 경계(hyperechoic ring) 및 도플러상 동심성 혈류가 관찰됨

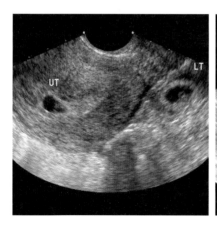
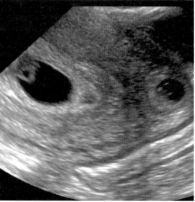

그림 19-12. 복합성 임신(heterotopic pregnancy)

(3) 치료
   ① 수술로 자궁외임신 부위를 제거
     a. 수술 후 정상 임신 유지 가능
     b. 자연 유산 비율이 증가하고 약 1/3에서 발생
   ② 자궁외임신 부위에 KCl 주사

1) 분만과 관련된 장기와 호르몬

  (1) 자궁(Uterus)

    ① 자궁근육(myometrium)

      a. 결체조직(connective tissue)에 둘러싸인 평활근(smooth muscle) 다발로 구성

      b. 세포는 방추형 모양, 길이는 300~600 μm, 콜라겐(collagen)과 엘라스틴(elastin)을 포함하는 세포외바탕질(extracellular matrix)의 형태로 구성

      c. 수축에 대한 장점

        - 횡문근(striated muscle)에 비하여 더 적은 에너지로 더 큰 수축력 발생

        - 내부에는 자궁내막, 외부에는 장막상피가 있어 자궁을 보호하고, 수축하는 근육이 장력을 발생시키도록 도와줌

    ② 탈락막(decidua)

      a. 자궁내막이 임신 호르몬에 의해 변형된 것

      b. 간질세포(stromal cell)와 모체면역세포(maternal immune cell)로 구성

      c. 임신 중 염증신호를 억제하는 면역조절기능을 통해 임신을 유지하는 역할

      d. 임신 말기에 염증반응억제가 감소하면 분만진통이 시작

    ③ 자궁경부(cervix)

      a. 비임신 때는 단단하고 닫혀 있으나, 임신 후반에는 쉽게 팽창되어 입술 정도의 경도

      b. 임신 중 역할

        - 외부로부터 여성생식기의 감염을 차단

        - 태아 성장으로 인한 압력 증가에도 경부의 기능 유지

        - 분만 준비를 위한 세포외바탕질(extracellular matrix)의 변화를 통한 조직 순응도 증가

(2) 태반(Placenta)

① 태반의 임신 중 역할

a. 산모와 태아 사이의 영양분과 노폐물 교환

b. 임신 유지 및 분만 개시에 관여하는 스테로이드 호르몬, 성장 인자 및 기타 매개체의 주요 공급원

② 태아막(fetal membrane)

a. 양막(amnion), 융모막(chorion), 인접한 탈락막(decidua)으로 구성

b. 시기 적절하지 않은 분만 개시로부터 보호하기 위한 보호막 역할

③ 양막(amnion)

a. 막이 찢어지거나 터지는 것을 막는 장력에 가장 중요한 역할

b. 혈관이 없고, 모체로부터 백혈구, 미생물 및 종양세포의 침투를 막아줌

c. 선택적 투과성이 있어서 양수 내 성분이 모체 및 자궁에 해가 되는 것을 막아줌

d. 몇 가지 펩티드와 프로스타글란딘이 합성되며, 자궁의 이완과 수축에 관여

　- 임신 후반기에는 양막에서 프로스타글란딘의 합성이 증가

　- 양막 내의 phospholipase A2와 prostaglandin H synthase 2 (PGHS-2)의 활동성이 증가

　- 양수 내 프로스타글란딘은 주로 양막에서 생성

④ 융모막(chorion)

a. 양막과 같이 방어조직으로 면역학적 수용성(immune tolerance)을 보유

b. 자궁수축물질을 분해 시키는 prostaglandin dehydrogenase (PGDH), oxytocinase, enkephalinase 등의 다양한 효소들을 생성

c. Prostaglandin dehydrogenase (PGDH)

　- 양막에서 만들어진 프로스타글란딘을 활성화시켜 통과를 차단

　- 프로스타글란딘은 주로 양수 내로 분비되고 융모막의 통과는 제한됨

　- 분만진통 중 PGDH는 감소하여 양막 파열과 자궁수축을 유발

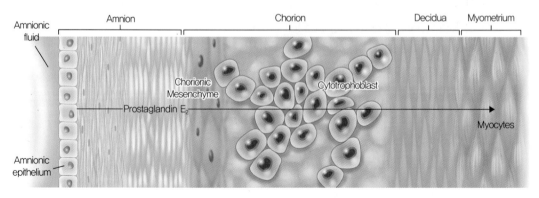

그림 20-1. 융모막의 역할

⑤ 탈락막(decidua)

    a. 탈락막 활성화의 시기가 불분명하지만 분만 개시에 있어 중요한 역할을 함

    b. 탈락막에서 생산되는 자궁수축물질은 인접한 자궁근육층에 작용하여 분만진통을 유발

(3) 성 호르몬(Sex steroid hormone)

① 에스트로겐(estrogen)

    a. 진통을 시작하게 하는 역할

    b. 에스트로겐의 정확한 역할에 대해서는 아직 잘 알려지지 않음

    c. 프로게스테론 반응성을 증가시켜서 자궁 무활동(uterine quiescence) 상태를 유지

    d. 임신 후반기에 자궁 활성화와 자궁경부의 숙화를 도움

② 프로게스테론(progesterone)

    a. 진통을 억제하는 역할

    b. 자궁수축관련단백질 생산을 억제하여 자궁 무활동(uterine quiescence) 상태를 유지

    c. 절대적인 농도보다는 에스트로겐과의 비율이 더 중요

(4) 프로스타글란딘(Prostaglandin)

① 자궁의 수축, 이완, 염증에서 중요한 역할

② 합성 경로

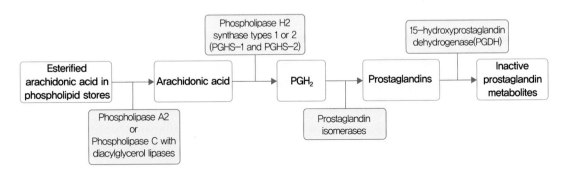

그림 20-2. 프로스타글란딘(prostaglandin)의 합성 경로

③ 프로스타글란딘의 활성화 형태 : PGE_2, $PGF_{2\alpha}$, PGI_2

④ 15-hydroxyprostaglandin dehydrogenase (PGDH) : 임신 중 자궁과 자궁경부에서 증가하여 프로스타글란딘을 빠르게 비활성화 시킴

2) 분만의 단계(Phase of parturition)

(1) 분만의 4단계

① 임신기간 동안 자궁의 휴지(quiescence)와 조직적인 자궁수축 사이의 균형으로 유지되고 이 균형이 깨지게 되면 분만진통(labor)이 발생

② 분만의 단계(phase of parturition)

분만진통	Phase 1 휴지기	Phase 2 휴지기	Phase 3 진통기	Phase 4 산욕기
	분만의 서막	진통의 준비	진통의 진행	분만 회복
	수축 무반응성, 자궁경부 연화	진통을 위한 자궁의 준비, 자궁경부 숙화	자궁 수축, 자궁 경부 확장, 태아 및 태반 만출 (1st, 2nd, 3rd 분만진통 단계)	자궁 퇴축, 자궁경부 회복, 모유 수유
	임신	분만의 시작	진통의 시작	분만 가임능력 회복

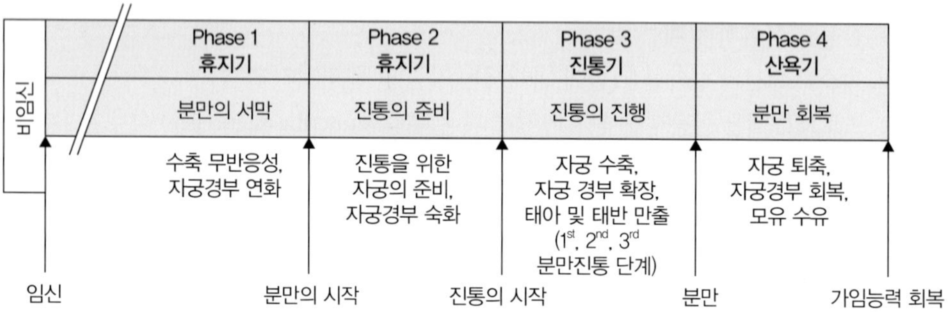

그림 20-3. 분만의 단계(phase of parturition)

③ 진통기(Phase 3)를 구성하고 있는 분만진통의 단계(stages of labor)와 혼동해서는 안 됨

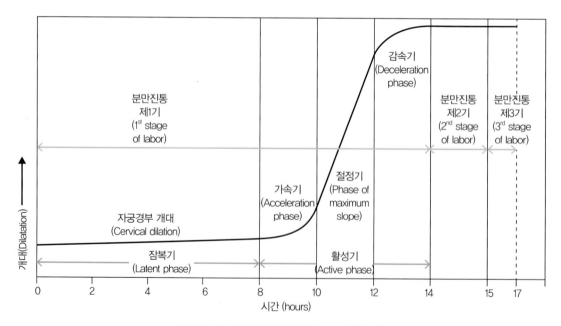

그림 20-4. 분만진통의 단계(stages of labor)

(2) 분만 단계를 조절하는 주요 인자

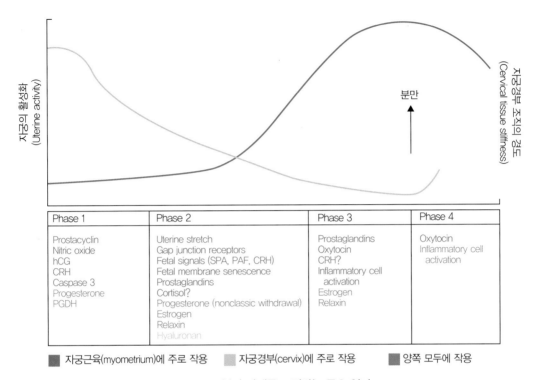

Phase 1	Phase 2	Phase 3	Phase 4

Prostacyclin
Nitric oxide
hCG
CRH
Caspase 3
Progesterone
PGDH
	Uterine stretch
	Gap junction receptors
	Fetal signals (SPA, PAF, CRH)
	Fetal membrane senescence
	Prostaglandins
	Cortisol?
	Progesterone (nonclassic withdrawal)
	Estrogen
	Relaxin
	Hyaluronan
		Prostaglandins
		Oxytocin
		CRH?
		Inflammatory cell
		  activation
		Estrogen
		Relaxin
			Oxytocin
			Inflammatory cell
			  activation

■ 자궁근육(myometrium)에 주로 작용　■ 자궁경부(cervix)에 주로 작용　■ 양쪽 모두에 작용

그림 20-5. 분만 단계를 조절하는 주요 인자

2　휴지기(Phase 1)

1) 특징 및 변화

(1) 시기
　① 마지막 월경의 첫날부터 자궁이 활성화되기 전까지의 기간
　② 임신 전체의 90% 이상을 차지

(2) 자궁(Uterus)
　① 태아 성장을 수용하고 자궁수축에 대비하기 위해 크기와 혈관의 광범위한 변화가 시작
　　a. 임신 초반 : 자궁근육의 세포수 증가 후 세포 크기가 증가되고, 림프절과 혈관도 증가
　　b. 임신 후반 : 자궁체부가 늘어나고 얇아짐

② 자궁근육의 무반응성(myometrial unresponsiveness)

    a. 분만의 단계 중 phase 1에서부터 시작되어 임신 말기 가까이까지 지속

    b. 저강도 자궁수축이 느껴지지만 일반적으로 자궁경부 확장을 유발하지 않음

    c. Braxton Hicks 수축 : 매우 낮은 강도의 불규칙적이고 순간적인 수축

③ 자궁경부(cervix)

    a. 자궁경부의 변화는 phase 1에서부터 시작

    b. 조직 순응도(tissue compliance)가 증가하지만 단단하고 유연성이 없는 상태

    c. 자궁경부 연화(cervical softening)

       - 증가된 혈관, 세포의 비대와 증식, 세포외바탕질(extracellular matrix)의 점진적인 구성 및 구조적 변화로 인해 발생

       - 콜라겐의 양은 임신이 진행되는 동안 감소하나 섬유소는 증가

    d. 자궁경부 확장 및 분만에 관여하는 유전자가 억제됨

(3) 탈락막(Decidua)

① 프로스타글란딘(prostaglandin) 합성 억제

    a. 자궁 무활동(uterine quiescence) 상태를 유지를 위함

    b. 특히 $PGF_{2\alpha}$의 현저한 감소

② 태아 보호를 위한 면역학적 수용성(immune tolerance) 환경 조성

    a. 탈락막 기질세포(decidual stromal cell) : T 세포를 끌어들이는 능력을 감소시켜 태아 항원(fetal antigens)이 모체 면역반응을 유도하지 않도록 함

    b. 염증성 케모카인 유전자(inflammatory chemokine gene)의 후성적 침묵에 의해 나타남

2) 자궁근육의 조절

(1) 이완(Relaxation)과 수축(Contraction)

① 자궁근육의 특징

    a. 어떤 신경학적 혹은 호르몬의 자극이 없어도 스스로 활성화되는 평활근

    b. 골격근과 유사하게 근육을 수축시키기 위해서는 굵은 미세섬유(filament)와 가는 미세섬유가 서로 활성화되어 결합해야 함

② 자궁 무활동(uterine quiescence)을 유지하는 요소

    a. 평활근 세포질 내 Ca^{2+} 농도의 감소

    b. 세포막의 이온통로(ion-channel) 조절

    c. 소포체 스트레스 반응(endoplasmic reticulum stress response) 활성화

    d. 자궁수축물질의 분해

③ 자궁수축(uterine contraction)을 유발하는 요소

    a. 미오신(myosin)과 액틴(actin)의 상호작용 증가

    b. 자궁근육세포의 흥분성 증가

    c. 동시 수축을 발달시키는 세포 내 교류의 촉진

(2) 미오신(Myosin)과 액틴(Actin)의 상호작용

① 자궁근육의 수축 기전

    a. 평활근 세포질 내의 Ca^{2+} 농도 증가

    b. Calcium-Calmodulin-MLCK (myosin light chain kinase) 복합체의 형성

    c. Myosin light chains의 인산화(phosphorylation)

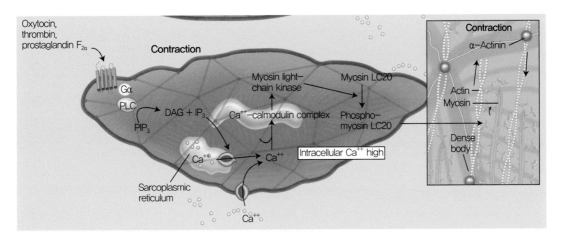

그림 20-6. 자궁근육의 수축 기전

② 자궁근육의 이완 기전

    a. 평활근 세포질 내의 Ca^{2+} 농도 감소

    b. Calcium-Calmodulin-MLCK (myosin light chain kinase) 복합체의 불활성화

    c. 인산분해효소(phosphatase)에 의한 myosin light chains의 탈인산화(dephosphorylation)

    d. 일반적으로 세포내에 cAMP, cGMP를 증가시키는 물질은 자궁근육을 이완시킴

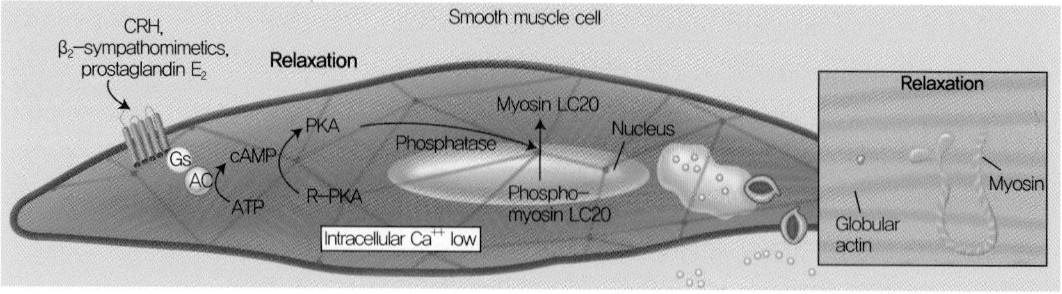

그림 20-7. 자궁근육의 이완 기전

(3) 세포표면 수용체(Cell surface receptors)

① 수용체의 종류 : G-단백질계열(G-protein-linked), 이온통로계열(ion channel-linked), 효소계열(enzyme-linked)

② 수용체에 작용하는 물질 : 신경펩티드(neuropeptide), 호르몬(hormones), 오타코이드(autacoids)

③ 수용체에 작용하는 기전

    a. 모체 혈청으로부터 오는 내분비(endocrine) : estrogen, progesterone

    b. 주변 조직이나 세포에서 오는 주변분비(paracrine) : relaxin, CRH, PGDH, oxytocinase

    c. 평활근 근육세포에서 직접 합성하는 자가분비(autocrine) : PGE_2, PGI_2

(4) 자궁근육의 틈새이음(Gap junction)

① 세포사이에 교류를 효과적으로 하게 하는 통로

② 근육의 수축과 이완의 조절에 관여하며, 전기, 이온 및 대사교류가 이루어짐

③ Connexin 단백질로 구성된 두 개의 connexons로 구성

④ 4개의 코넥신(connexin) 26, 40, 43, 45이 존재

    a. Connexin 43은 비임신 시에 비해 임신 시 증가, 분만진통 시 더욱 증가

    b. 프로게스테론(progesterone) : Connexin 43의 합성을 억제

    c. 에스트로겐(estrogen) : Connexin 43의 합성을 촉진

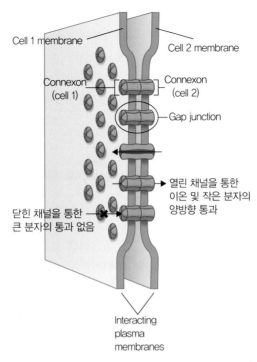

Cell 1 membrane

Cell 2 membrane

Connexon
(cell 1)

Connexon
(cell 2)

Gap junction

열린 채널을 통한
이온 및 작은 분자의
양방향 통과

닫힌 채널을 통한
큰 분자의 통과 없음

Interacting
plasma
membranes

그림 20-8. 자궁근육의 틈새이음(gap junction)

(5) G-단백질 결합 수용체(G-protein coupled receptors)

① β-adrenoreceptors : Adenylyl cyclase와 cAMP 증가, 자궁근육 이완

② LH & hCG receptors : Adenyl cyclase 증가, 자궁근육의 틈새이음 감소, 수축 감소

③ Relaxin : 치골인대 신장, 자궁경부 연화, 질과 자궁근육의 이완

④ CRH (Corticotropin-releasing hormone) : 임신 기간 대부분 동안 자궁근육의 무활동을 촉진
하지만 분만이 시작되면 자궁근육의 수축을 도움

⑤ Prostaglandins

a. PGE_2, PGD_2, PGI_2 : 혈관평활근의 이완

b. PGE_2 : 저농도에서는 이완 유지, 고농도에서는 수축 유발

⑥ ANP, BNP & cGMP

a. ANP, BNP : 세포 내 cGMP 증가 유도

b. Nitric oxide : Guanylyl cyclase와 cGMP 증가, 평활근 이완 유지

(6) 자궁수축물질의 분해 가속

① Phase 1에 증가, 임신 후반기에 감소

② PG와 PGDH, endothelin과 enkephalinase, oxytocin과 oxytocinase 등

3 준비기(Phase 2)

1) 특징

(1) 시기

① 휴지기가 끝나고 비동시적으로 발생하던 자궁수축이 협조적으로 발생하게 되는 시기

② 임신 후반기, 임신 마지막 6~8주 동안의 시기

③ 자궁경부와 자궁체부에 여러 변화 초래

④ Phase 2와 관련된 변화가 조기진통 또는 지연분만을 유발할 수 있음

(2) 프로게스테론 퇴축(Progesterone withdrawal)

① 인간의 분만에서는 태반 만출 이후에 프로게스테론 퇴축이 나타남

    a. 인간에서 프로게스테론 활성을 억제시키는 특유의 방법이 존재

    b. 혈중 프로게스테론의 수치가 높음에도 불구하고 프로게스테론 퇴축이 가능

    c. 기능적 프로게스테론 퇴축(functional progesterone withdrawal)의 기전

      - 세포의 핵이나 막에서 프로게스테론 수용체(PR-A, PR-B, PR-C)의 발현 변화

      - 수용체 기능에 직접적으로 영향을 미치는 coactivator와 corepressor의 발현 변화를 통한 프로게스테론 수용체 활동의 변화

      - 스테로이드 효소나 자연적인 길항제에 의한 직접적인 프로게스테론 불활성화

      - 프로게스테론 대사효소 및 전사인자의 microRNA 조절

② Mifepristone (RU-486)

    a. 프로게스테론 수용체 길항제(progesterone receptor antagonist)

    b. 자궁경부를 부드럽고 얇게 해주며 자궁수축물질에 대한 자궁근육의 감수성이 증가

    c. 임신 초반 사용 시 유산을 일으키지만, 임신 후반 사용 시 분만을 유도하지는 못함

③ 조산의 병력을 가진 임신부에게 예방적인 목적으로 프로게스테론이 포함되어 있는 주사제나 질좌약 사용은 임상적 지침으로 현재 사용이 권장

2) 자궁의 변화

(1) 자궁체부와 자궁경부

① 한 장기이지만 임신 중 서로 다르게 반응

② 진통 전과 진통 시작 시 변화

	자궁경부(Cervix)	자궁체부(body of uterus)
진통 전	견고성을 유지	확장되면서도 무반응성을 유지
진통 시작	숙화(ripening)되고 개대(dilation)됨	수축력이 있는 상태로 변함

(2) 자궁근육의 변화

① 수축관련단백질(contraction associated protein, CAPs)

　　a. 자궁수축을 조절하는 중요한 단백질

　　b. 자궁근육의 옥시토신 수용체의 증가 및 자궁근육세포 사이의 틈새이음(gap junction)을 형성하여 수축신호를 체계적으로 전달

　　c. 자궁의 과민성 및 자궁수축물질에 대한 반응성을 증가시킴

② 자궁 하절부가 형성되어 태아의 선진부가 골반 입구로 하강

　　a. 산모의 배 모양이 변하고 애기가 쳐졌다는 느낌을 호소

　　b. 자궁저부의 높이(height of fundus) 감소

③ 만삭의 자궁하부에서 HoxA13 유전자 발현이 증가되어 수축관련단백질(CAPs) 발현 및 국소 수축이 증가

④ 옥시토신 수용체(oxytocin receptors)

　　a. Phase 2 동안 자궁근육 내 옥시토신 수용체의 수가 50배 이상 증가

　　　- 옥시토신에 대한 자궁수축의 반응성이 증가

　　　- 분만지연은 수용체 증가의 지연과 관련

　　b. 자궁근육세포 내의 옥시토신 수용체 발현 조절

　　　- Estradiol (E2) : 옥시토신 수용체 증가

　　　- Progesterone : 옥시토신 수용체 감소, 수용체의 옥시토신 활성화 억제

　　c. 자궁내막과 만삭의 탈락막에도 존재하며 프로스타글란딘의 생성을 촉진

　　d. 양막과 탈락막 조직에도 소량 존재

(3) 자궁경부 숙화(Cervical ripening)

① 연화(softening)에서 숙화(ripening)로의 전환은 분만 몇 주 또는 며칠 전에 시작

② 임신 중 증가되었던 섬유소의 재배치

　　a. Glycosaminoglycan : 자궁경부의 경도에 영향을 미치는 성분

　　b. Glycosaminoglycan의 변화로 hyaluronic acid가 증가하고 dermatan sulfate가 감소하여 조직에 수분이 증가

③ 염증성 변화(inflammatory changes)

　　a. 자궁근육의 수축과 상관없는 염증반응과 비슷한 변화

　　b. Cytokine과 백혈구 증가로 콜라겐의 파괴가 촉진

④ 유도분만을 위한 자궁경부의 숙화

　　a. 자궁경부에 직접 PGE_2와 $PGF_{2\alpha}$를 넣음

　　b. 임상적으로 유용한 방법

3) 분만 시작에 대한 태아의 역할

(1) 자궁의 신전(Uterine stretch)

① 자궁근육의 신전은 connexin 43, 옥시토신 수용체, gastrin-releasing peptide의 발현을 증가시킴

② 조기진통 위험성의 증가

  a. 쌍태임신 > 단태임신

  b. 양수과다증 > 정상 양수량

(2) 태아 내분비고리(Fetal endocrine cascades)

① 태아 부신(adrenal gland)

  a. 출생 시 성인의 무게와 같게 되고 인접한 태아 콩팥과 크기가 비슷함

  b. 분만 직전 스테로이드의 생성

    - 100~200 mg/day (성인 30~40 mg/day)

    - Cortisol, DHEA-S (dehydroepiandrosterone sulfate) 수치는 임신 마지막 주에 증가

② 코르티코트로핀분비호르몬(corticotropin-releasing hormone, CRH)

  a. 산모 및 태아의 시상하부에서 분비되는 CRH와 동일한 CRH가 태반에서 비교적 많은 양이 합성됨

  b. CRH 생성 자극

    - 시상하부 : glucocorticoid 음성 되먹임(negative feedback)

    - 태반 : 태아 cortisol

  c. CRH 수치 변화

    - 산모의 혈장 CRH : 임신 초기에 낮았다가, 임신 마지막 12주 동안 급격하게 증가하고, 분만 당시에 최고치가 되며, 분만 후에 감소

    - 양수의 CRH : 산모의 혈장 CRH와 비슷하게 임신 말기에 증가

  d. CRH-결합 단백질(CRH-binding protein, CRH-BP)

    - 임신 중 거의 모든 산모 순환 CRH에 결합하여 비활성화 시킴

    - 임신 후기에는 산모 혈장과 양수 모두에서 CRH-BP가 감소하여 이용 가능한 CRH가 증가

  e. 태아가 스트레스를 받는 상태

    - 주로 태반에서의 생성이 증가하여 태아 혈장, 양수 및 산모 혈장에서 CRH 농도가 정상 임신보다 모두 증가

    - 태반 CRH의 과도한 분비는 태아 cortisol 합성을 증가시킴

③ 태아 시상하부-뇌하수체-부신-태반 축(fetal hypothalamic-pituitary-adrenal-placental axis)

  a. 이 축의 활성화는 정상 분만의 중요한 요소

b. 조기에 활성화되면 조기진통 유발

c. 태반에서 분비되는 태반 CRH가 분만에서 중요한 역할

④ 태아 부신에 대한 태반 CRH의 역할

    a. 태아 뇌하수체에서 분비되는 부신겉질자극호르몬(adrenocorticotrophic hormone, ACTH)의 양이 제한되어 있음에도 불구하고 태반 CRH가 태아 부신을 자극하여 DHEA-S와 cortisol 합성을 촉진시킴

    b. 증가된 태아 cortisol은 양성 되먹임을 통해 다시 태반 CRH의 분비를 자극

    c. 증가된 태아 DHEA-S는 모체 estradiol (E2)을 증가시킴

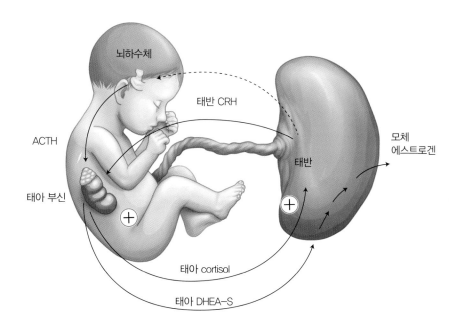

그림 20-9. 태반-태아 부신 내분비고리(placental-fetal adrenal endocrine cascade)

⑤ 분만 시작에 있어 태반 CRH의 역할

    a. 산모 혈장과 양수 모두에서 CRH-BP가 감소하여 이용 가능한 CRH가 증가

    b. 태반 CRH가 태아 cortisol 생산을 증가시키고, 증가된 태아 cortisol이 양성 되먹임(positive feedback)을 통해 다시 태반 CRH 생성을 늘림

    c. 임신 후반에는 CRH, hCG, PTH-rP에 대한 수용체 변화가 일어나며 자궁근육에서 cAMP 형성이 감소되는 대신 세포 내 칼슘이 증가하면서 G-단백질 결합의 변화가 나타남

    d. 자궁근육에서 옥시토신은 CRH 자극에 의한 cAMP의 축적을 감소시키며, CRH는 옥시토신과 $PGF_{2\alpha}$에 대한 자궁수축력을 증가시킴

(3) 태아 기형과 지연분만

① 임산부에서 낮은 에스트로겐 농도를 보이는 태아 기형의 경우 지연분만이 발생

② 태아 기형의 종류 : 무뇌증, 부신발육저하, 태반 sulfatase 결핍증

③ 에스트로겐이 분만 개시에 어떤 역할을 하는지에 대해서는 명확히 알려져 있지 않음

4 진통기(Phase 3)

1) 분만진통 제1기(1st stage of labor : 자궁수축과 자궁경부 소실 및 개대기)

(1) 자궁의 분만진통 수축

① 분만진통의 시작

　　a. 일부 여성에서는 갑자기 시작

　　b. 이슬(bloody show)

　　　- 소량의 피가 섞인 점액성 질 분비물

　　　- 분만 진통이 이미 시작되었거나 수 시간에서 수 일 내로 진통이 시작된다는 신호

② 분만진통 수축 시 통증의 원인

　　a. 근육다발(muscle bundles)이 자궁하부와 자궁경부의 신경절(nerve ganglia)을 압박

　　　- 가장 신빙성이 있는 이론

　　　- 국소마취제를 이용한 자궁경부주위 마취(paracervical block)로 통증이 상당히 완화

　　b. 수축된 자궁근육의 저산소증

　　c. 개대 동안 자궁경부의 신전

　　d. 자궁을 덮고 있는 복막의 신전

③ 분만진통 수축의 특성

　　a. 불수의적이며, 외부의 조절에 영향을 받지 않음

　　b. 경막외 마취(epidural anesthesia)가 수축의 빈도나 강도를 감소시키지 않음

　　c. Ferguson 반사 : 자궁경부를 인위적으로 넓혔을 때 자궁의 수축이 증가

　　d. 자궁경부의 조작, 양막박리(membrane stripping) : 혈액의 $PGF_{2\alpha}$ 상승과 관련

④ 분만진통 수축의 양상

　　a. 간격(interval)

　　　- 분만진통 제1기 초기에는 약 10분 정도, 이후 점차 감소

　　　- 분만진통 제2기에는 약 1분 내외

　　b. 지속시간(duration) : 약 30~90초(평균 1분 정도)

　　c. 강도(intensity)

　　　- 분만진통 동안 다양한 차이를 보임

- 자연적인 분만진통 동안의 양수압은 약 20~60 mmHg(평균 40 mmHg 정도)

(2) 분만진통 시 자궁의 구분

① 기능적 구분

    a. 자궁상부(upper uterine segment) : 능동적 부위

    b. 자궁하부(lower uterine segment), 자궁경부 : 수동적 부위

② 질식분만 시 자궁의 변화

    a. 분만진통 수축 동안 자궁상부는 점차 두꺼워지고 자궁하부는 점차 얇아지면서 확장

    b. 자궁상부의 근육은 수축 후 이완 되더라도 길이가 수축 전으로 돌아가지 않아 자궁 내부 용적이 감소하게 되어 태아를 아래쪽으로 밀어냄

    c. 자궁하부의 근육은 계속 신전되고 확장되면서 자궁경부의 개대도 발생

    d. 분만진통이 진행됨에 따라 자궁상부는 두꺼워지고 자궁하부는 얇아지면서 상하부의 경계부위에 생리적 수축륜(physiologic retraction ring)이 형성

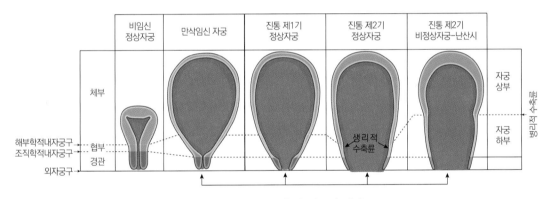

그림 20-10. 질식분만 시 자궁의 변화

③ 자궁 모양의 변화

    a. 수축이 진행될수록 자궁은 5~10 cm 정도 길어지고, 직경은 감소하여 타원형이 됨

    b. 자궁 직경이 감소해 태아 척추가 곧게 펴지고, 태아축압(fetal axis pressure)으로 태아 선진부는 점점 하강

    c. 자궁이 길어져 자궁하부와 자궁경부가 당겨 올라가게 되어 자궁경부의 개대가 촉진

(3) 분만진통에 관여하는 부수적인 힘

① 산모의 복압(intraabdominal pressure)

a. 자궁경부가 완전히 개대된 후 태아의 만출을 위한 가장 중요한 힘

b. 밀어내기(pushing) : 자궁수축과 동시에 변을 볼 때와 마찬가지로 숨을 깊이 들이쉰 다음 숨을 참으면서 아래로 길게 강한 힘을 주는 것

② 자궁경부와 골반바닥(pelvic floor)의 저항 : 자궁수축과 복압에 의한 힘이 산도의 저항을 극복해야만 태아의 만출이 가능

(4) 자궁경부의 변화

① 자궁경부의 소실(cervical effacement)

a. 자궁경부의 길이가 3 cm 정도에서 종이처럼 얇아지는 것

b. 자궁근육의 수축으로 인하여 자궁내구(internal os)가 위쪽의 자궁하부 쪽으로 끌려 올라감에 따라 시작

c. 소실의 초기 동안 자궁외구(external os)는 거의 변화가 없음

d. 분만진통 시작 전부터 자궁근육의 활동이 증가함에 따라 숙화된 자궁경부는 활발한 분만진통이 시작되기 전에 상당한 소실이 일어남

② 자궁경부의 개대(cervical dilation)

a. 자궁경부의 직경이 약 10 cm 정도로 열리는 것

b. 자궁경부는 저항이 적기 때문에 수축 시 원심성의 당기는 힘이 작용하여 열림

c. 양막이 파열된 경우에도 선진부의 직접적인 압력이 비슷한 효과를 나타냄

d. 분만진통 제1기의 자궁경부 개대에 따른 구분

잠복기(Latent phase)	활성기(Active phase)
• 잠복기 기간(duration)은 개인 차이가 많음 • 진정제 투여 시 기간이 길어질 수 있고, 자궁수축제 투여 시 기간이 짧아짐 • 잠복기 기간은 후속 분만진통에 영향이 없음	• 자궁경부 개대 속도에 따른 구분 　가속기(acceleration phase) 　절정기(phase of maximum slope) 　감속기(deceleration phase) • 활성기의 진행양상은 전체 분만진행의 결과를 예견하는 지표

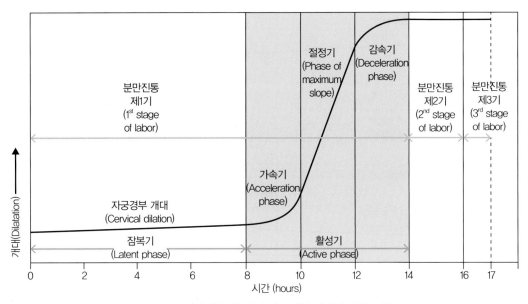

그림 20-11. 분만진통 제1기의 자궁경부 개대에 따른 구분

2) 분만진통 제2기(2nd stage of labor : 태아 하강)

(1) 특징

① 초산모에서 태아 하강은 진통이 시작되기 전 이미 태아 선진부가 골반 내로 진입되어 있어 진통의 말기가 되기 전까지는 하강이 별로 일어나지 않음

② 정상적인 아두 하강 양상은 전형적인 쌍곡선 모양

③ 태아 선진부의 활성 하강은 자궁경부 개대가 된 후 시작

④ 초산모에서 태아 하강 속도의 증가는 개대기의 절정기 중에 나타나고 이 시기에 하강 속도가 최대이며 선진부가 골반바닥(pelvic floor)에 다다를 때까지 유지

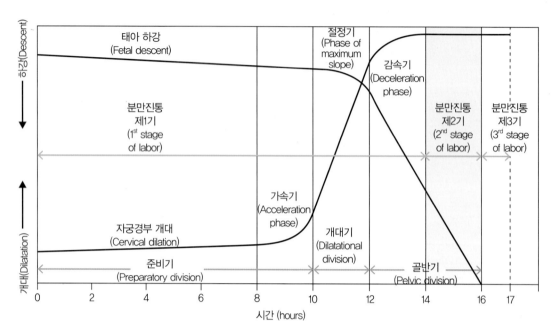

그림 20-12. 분만진통 제2기의 태아 하강

(2) 골반바닥(Pelvic floor)의 변화

① 산도(birth canal)

　a. 골반바닥을 구성하는 여러 조직층에 의해 유지되고, 기능적으로 폐쇄되어 있음

　b. 산도의 구조(골반 내측에서 외측) : 복막(peritoneum) → 복막하 결체조직(subperitoneal connective tissue) → 내골반근막(internal pelvic fascia) → 항문거근 및 미골근(levator ani & coccygeus muscle) → 외골반근막(external pelvic fascia) → 표재성 근육 및 근막(superficial muscles & fascia) → 피하조직(subcutaneous tissue) → 피부(skin)

② 골반바닥(pelvic floor)

　a. 항문거근(levator ani muscle)과 그 상하 표면의 근막(fibromuscular connective tissue)

　　- 골반바닥의 구조물 중 가장 중요

　　- 골반강의 아래쪽을 횡경막처럼 폐쇄시키고, 위쪽 표면은 오목하고 아래쪽은 볼록

　b. 분만진통 제1기 동안의 현저한 변화

　　- 항문거근의 근섬유(levator ani muscle fiber)의 견인

　　- 회음부 중앙 부분의 얇아짐

3) 분만진통 제3기(3rd stage of labor : 태반과 태아막의 만출)

(1) 특징

① 태아 분만 직후 시작되며 태반과 태아막의 만출되는 시기

② 태반 분리의 기전

    a. 자궁은 자궁강(uterine cavity)이 거의 없어지고 단단한 근육 덩어리가 됨

    b. 급격한 자궁 크기의 감소로 태반은 주름지게 되고 탈락막 중 가장 약한 층인 해면층
      (sponge layer)에 균열이 생겨 태반 분리가 일어남

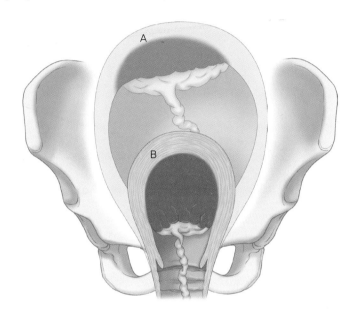

그림 20-13. 태반 분리의 기전

③ 태반이 부착 부위로부터 박리된 후 자궁벽의 압력이 태반 위에 가해지면 태반이 이완된 자
궁 하부나 질 상부를 향하여 미끄러져 내려옴

④ 태반 만출의 기전

    a. Schultze mechanism

      - 태아측 표면이 외음부 쪽으로 먼저 나오게 되는 방법

      - 태반 부착 부위의 출혈은 내번된 양막강 속에서 태반 만출이 완전히 이루어질 때까지
        배출되지 않음

b. Duncan mechanism
- 모체측 표면이 혈액과 함께 먼저 외음부에 나타나게 되는 방법
- 태반 분리가 변연에서부터 시작되어 혈액이 양막과 자궁벽 사이에 고여 있다가 질을 통해 출혈이 보이게 됨

 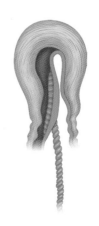

(A) Schultze mechanism　　　(B) Duncan mechanism

그림 20-14. 태반 만출의 기전

(2) 분만진통 제3기의 자궁수축물질(Uterotonin)

① 옥시토신(oxytocin)

a. 뇌하수체 후엽(posterior pituitary gland)에서 분비되는 신경전달물질

b. 임신 후반, 준비기(phase 2) 동안 자궁근육의 옥신토신 수용체가 증가
- 수용체의 증가는 옥시토신에 대한 자궁수축 반응성의 증가와 일치
- 지연임신은 옥시토신 수용체의 증가 지연과 연관

c. 옥시토신이 분만 개시에 관여하는 증거
- 만삭에서 탈락막(decidua)과 자궁근육의 옥시토신 수용체 수 급격한 증가
- 탈락막에서 프로스타글란딘의 분비를 촉진
- 태반, 탈락막, 태아 조직에서 직접 합성

d. 산모의 옥시토신 수치가 증가하는 경우 : 분만진통 제2기, 분만 직후, 모유 수유 중

② 프로스타글란딘(prostaglandins)

a. 진통기(phase 3)에서의 중요한 역할을 하는 증거
- 분만 중 양수, 모체 혈청, 소변에서 프로스타글란딘과 그 대사산물이 증가

- 프로스타글란딘 투여 시 임신의 어느 기간이던 분만진통 유발 가능
- 제2형 프로스타글란딘 H 합성효소억제제(PGHS-2) 투여 시 분만 지연 및 조기진통 억제 가능
- 시험관에서 자궁의 평활근 조직에 프로스타글란딘을 처리하면 근육수축이 유발

b. 태아막과 태반에서도 프로스타글란딘이 생성(PGE_2, PGF_{2a})
- 임신 전체에 걸쳐 양수 내에서 발견
- 태아가 성장함에 따라 양수 내 농도도 증가, 분만진통 시작 시 현저히 증가
- 자궁경부가 개대되면서 전낭(forebag)이 내려올 때 탈락막의 일부가 노출되기 때문

③ 엔도텔린-1(endothelin-1)

    a. 강력한 평활근수축제

    b. 만삭의 자궁근육에서 생성되고, 프로스타글란딘 같은 염증매개물질들의 합성을 유발

④ 안지오텐신 II(angiotensin II)

    a. 자궁에 존재하는 2가지의 안지오텐신 수용체
- AT1 : 임신 여성에서 주로 존재하는 수용체
- AT2 : 비임신 여성에서 주로 존재하는 수용체

    b. 혈장-막 수용체(plasma-membrane receptor)에 결합하여 자궁수축을 유발

    c. 임신 동안 혈관평활근의 AT2 수용체는 반응도가 감소하여 승압 효과가 나타나지 않음

5 산욕기(Phase 4)

1) 특징

(1) 시기

① 임신 중 변화되었던 자궁, 자궁경부 및 골반기관이 비임신 상태로 회복하는 기간

② 분만 후 약 6주 정도

2) 변화

(1) 자궁

① 분만 직후 약 1시간 동안 자궁근육의 지속적인 수축

    a. 큰 자궁 혈관의 직접 압박과 혈전을 생성하여 출혈을 예방

    b. 자궁수축은 자궁수축제(uterotonic agents)에 의해 강화됨

② 자궁 퇴축(uterine involution)과 자궁경부의 회복

    a. 공생 미생물의 침입으로부터 생식계의 감염을 보호

    b. 호르몬 주기에 대한 자궁내막의 반응을 회복

(2) 수유 및 배란

① 초기 산욕기 동안 유선(mammary glands)에서 유즙생성(lactogenesis)이 시작

② 배란(ovulation)

　a. 대개 분만 후 4~6주 후 시작

　b. 모유 수유 기간, 프로락틴 매개 무배란 및 무월경 기간에 따라 차이가 있음

분만진통의 기전(Mechanisms of labor)

1) 분만진통의 3요소(3Ps)

요소	인자
태아 (Passenger)	크기와 숫자 축, 선진부, 자세, 태향 기형 유무
수축력 (Power)	자궁수축의 강도 및 빈도 산모의 복근수축에 따른 밀어내기 자궁바닥근육
산도 (Passage)	골반의 모양이나 크기 산도의 연조직

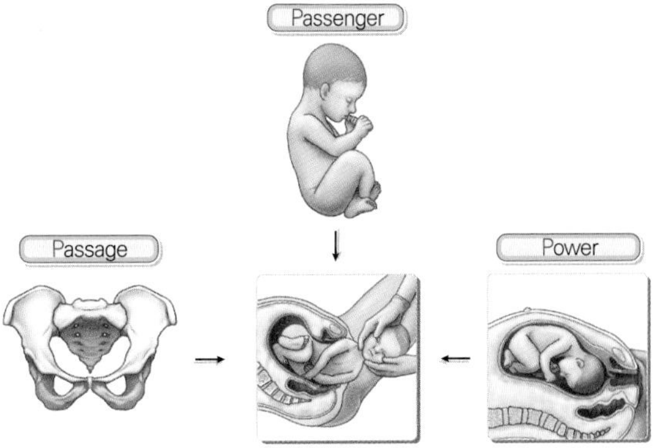

그림 21-1. 분만진통의 3요소(3Ps)

2) 태아 요소

(1) 태축(Fetal lie)

① 태아의 세로축과 모체의 세로축 간의 관계

② 종류

　a. 종축(longitudinal lie)

　　- 임신부 자궁의 세로축과 태아의 세로축이 서로 평행하게 존재하는 경우

　　- 만삭 임신의 99% 이상을 차지

　b. 횡축(transverse lie)

　　- 임신부 자궁의 세로축에 대해 태아의 세로축이 90°의 각도를 이루고 있는 상태

- 질식분만은 불가능, 제왕절개로 분만
- 유발인자 : 복벽이완, 전치태반, 양수과다증, 자궁 기형

c. 사축(oblique lie)

- 임신부 자궁의 세로축에 대해 태아의 세로축이 45° 정도의 각도를 이루고 있는 상태
- 진통 시 종축이나 횡축으로 변하기 때문에 대부분 일시적으로 나타남

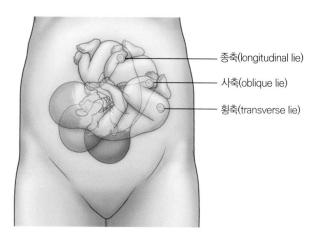

종축(longitudinal lie)
사축(oblique lie)
횡축(transverse lie)

그림 21-2. 태축(Fetal lie)

(2) 태위(Fetal presentation)

① 선진부(presenting part)

a. 산도 내에 가장 먼저 진입하는 태아의 부분 또는 산도와 제일 가깝게 있는 부분
b. 선진부에 따라 태위가 결정
c. 빈도

Presentation	Percent (%)	Incidence
Cephalic	96.8	–
Breech	2.7	1:36
Transverse lie	0.3	1:335
Compound	0.1	1:1,000
Face	0.05	1:2,000
Brow	0.01	1:10,000

② 두위(cephalic presentation)

　　a. 태아의 머리가 선진부인 경우

　　　　- 가장 흔한 태위

　　　　- 전두위와 이마태위는 대개 일시적인 태위로 분만진통이 진행되면 태아의 목 부분이 좀
　　　　　더 굴곡되거나 신전되면서 후두위나 안면위로 전환

　　b. 두정위(vertex presentation), 후두위(occiput presentation)

　　　　- 태아의 머리가 앞으로 깊이 숙여져 태아의 턱이 가슴에 맞닿은 자세

　　　　- 여러 태위들 중 정상 태위라고 불리는 자세

　　　　- 선진부 : 소천문(occipital fontanel)

　　c. 전두위(sinciput presentation)

　　　　- 태아의 머리가 부분적으로 굴곡되어 있는 상태

　　　　- 선진부 : 대천문(anterior fontanel) 또는 전정(bregma)

　　d. 이마태위(brow presentation)

　　　　- 태아의 머리가 부분적으로 신전되어 있는 자세

　　　　- 선진부 : 이마(brow)

　　e. 안면위(face presentation)

　　　　- 태아의 목이 극도로 신전되어 후두와 등이 서로 맞닿는 자세

　　　　- 선진부 : 안면(face)

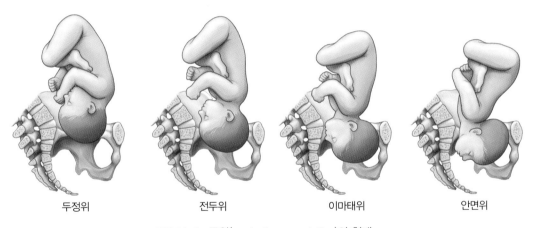

| 두정위 | 전두위 | 이마태위 | 안면위 |

그림 21-3. 두위(cephalic presentation)의 형태

③ 둔위(breech presentation)

　　a. 태아의 엉덩이가 선진부인 경우

　　b. 진둔위(frank breech) : 대퇴는 굴곡되고 무릎은 신전되어 태아의 배 앞쪽으로 두 다리가
　　　곧게 뻗은 자세

c. 완전둔위(complete breech) : 대퇴는 배위로 굴곡되어 배 앞쪽에 있고, 무릎도 굴곡되어 발
이 대퇴 부위에 닿아 있는 자세

d. 불완전둔위(incomplete breech), 족위(footling breech) : 양쪽 대퇴가 굴곡된 상태에서 한쪽
무릎은 신전되었으나 다른 한쪽이 굴곡된 경우나 양쪽 혹은 한쪽 대퇴가 신전되어 선진
부가 한쪽 혹은 양쪽 발인 자세

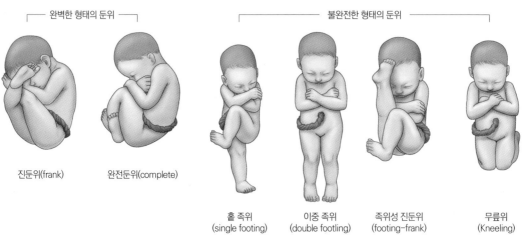

그림 21-4. 둔위(breech presentation)의 형태

④ 견갑위(shoulder presentation) : 태아의 선진부가 어깨인 경우

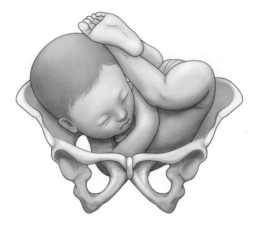

그림 21-5. 우후방 견갑위(right acromiodorsoposterior, RADP)

⑤ 복합위(compound presentation)

    a. 태아의 머리나 엉덩이 등 일반적인 선진부와 함께 빠져나온 태아의 손이나 발이 골반에
       같이 진입하여 선진부를 형성하는 경우

    b. 골반의 크기보다 태아가 작은 조산의 경우에 발생할 가능성이 높음

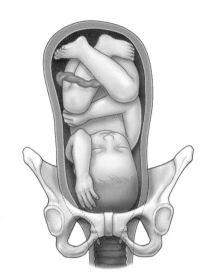

그림 21-6. 복합위(compound presentation)

(3) 태세(Fetal attitude)

① 태아의 자세를 기술한 것

② 태아도 자궁강 모양에 적응하여 머리는 숙이고 몸은 웅크린 자세를 취하는 것이 보통

③ 구분

    a. 볼록형(convex) 혹은 굴곡형(flexed)

    b. 오목형(concave) 혹은 신전형(extended)

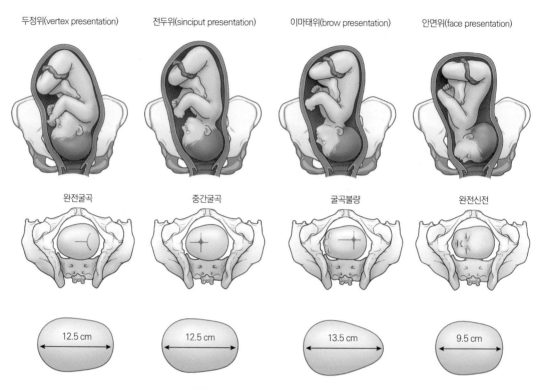

두정위(vertex presentation)　　전두위(sinciput presentation)　　이마태위(brow presentation)　　안면위(face presentation)

완전굴곡　　　　중간굴곡　　　　굴곡불량　　　　완전신전

12.5 cm　　　　12.5 cm　　　　13.5 cm　　　　9.5 cm

그림 21-7. 태세에 따른 태위의 변화 및 태아 머리 직경의 차이

(4) 태향(Fetal position)

① 태아 선진부의 특정 부위와 산도 좌측 혹은 우측면과의 상호관계

② 태향 표시를 위한 태아 선진부의 기준 부위

    a. 두정위(vertex presentation) : 후두(occiput)

    b. 안면위(face presentation) : 턱(mentum, chin)

    c. 둔위(breech presentation) : 엉치뼈(sacrum)

    d. 견갑위(shoulder presentation) : 태아 견봉(acromion)

③ 표기법

    a. 선진부 기준 부위의 방향을 산도를 기준으로 앞(anterior, A), 뒤(posterior, P), 횡(transverse, T)의 3가지로 표시

    b. 횡으로 위치한 경우에는 골반을 기준으로 좌측(left, L) 혹은 우측(right, R)으로 표시

    c. 표기 순서 : 좌(우)-선진부-앞(뒤, 횡)

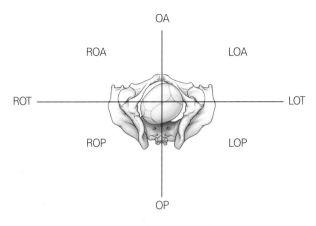

그림 21-8. 태향(fetal position)의 표기법

3) 태아 요소의 진단

(1) 레오폴드 복부촉진법(Leopold maneuver)

① 임신 말기에 간편하게 태축, 태위, 태세, 태향 등 태아의 정보를 얻을 수 있는 방법

② 단계별 촉진 방법 및 의의

단계	촉진 방법 및 의의

제1방법

	– 태축과 선진부의 확인
	– 자궁저부에 위치하는 태아의 부분과 태위 확인
	  • 두정위 : 태아의 둔부가 크고 울퉁불퉁한 부분들로 느껴짐
	  • 둔위 : 태아 머리가 단단하고 자유롭게 움직이거나 뜬 느낌으로 만져짐

제2방법 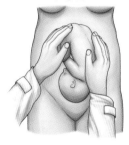	– 태축, 태위, 태향의 확인 – 손바닥을 산모의 배 양쪽에 대고 조심스럽게 누르면서 만져봄 – 한쪽에서는 단단하고 저항감이 있는 태아의 등이 느껴지고 다른 쪽에서는 여러 개의 불규칙하고 움직이는 태아의 사지가 느껴짐

제3방법	– 선진부가 골반 안으로 진입했는지 여부를 확인

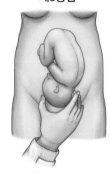

제3방법
– 선진부가 골반 안으로 진입했는지 여부를 확인
– 한 손의 엄지 손가락과 다른 손가락을 이용하여 치골결합 부위 바로 위인 복부의 아랫부분을 확인하여 선진부의 굴곡 정도와 골반과의 관계 확인
  • 만일 진입하지 않은 경우에는 제1방법에서와 같이 선진부가 태아의 어떤 부위인지를 확인 가능
  • 두위인 경우 두부 돌출부위(cephalic prominence)를 만짐으로써 태세도 확인 가능

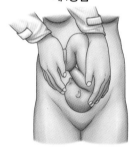

제4방법
– 선진부의 하강 정도 및 태세를 확인
– 검사자가 임신부의 발쪽을 보면서 양 손의 세 손가락을 이용하여 골반 안쪽으로 압력을 가해 봄으로써 선진부의 하강 정도를 확인
– 제3방법의 경우와 같이 두부돌출부위를 확인함으로써 태세도 확인

(2) 내진(Vaginal examination)
　① 내진을 통해 태위, 태세, 태향, 선진부의 하강도를 확인 가능
　② 진단 방법
　　a. 임신부를 골반내진자세(lithotomy position)로 눕힌 후 진찰이 익숙한 손에 소독된 장갑을 끼고, 검지와 중지 두 개의 손가락을 질 속에 삽입하여 열린 자궁경부를 통하여 선진부를 확인
　　b. 두정위인 경우에 검사자의 손가락을 질의 뒤쪽으로 향하게 한 후 치골결합부 쪽으로 태아의 머리를 만지면서 훑어 올리며 시상봉합(sagittal suture)의 주행을 확인
　　c. 한 쪽 끝의 천문이 대천문인지 혹은 소천문인지를 확인한 후, 다시 시상봉합을 따라 손가락을 움직여 반대쪽 끝의 천문도 확인
　　d. 태아의 선진부가 골반 내로 내려온 정도(태아 하강도)를 확인

(3) 초음파 검사(Sonography)
　① 비만, 다태아, 양수과다증, 혹은 복벽이 단단한 임신부들의 진단적 어려움을 해결
　② 분만 후기까지 발견하지 못했던 둔위나 견갑위를 조기에 발견하는데 도움을 줌

4) 전방 후두위(Occiput anterior presentation)의 분만 기본운동(Cardinal movements)

(1) 진입(Engagement)

① 태아 머리 선진부의 끝이 골반의 궁둥뼈가시(ischial spine) 위치에 있는 경우 즉, 하강 정도 0 인 경우에 진입이 되었다고 표현

    a. 후두위 : 양쪽마루뼈 지름(biparietal diameter, BPD)이 골반 입구를 통과하는 것

    b. 둔위 : 양쪽대퇴돌기사이 지름(bitrochanteric diameter)이 골반 입구를 통과하는 것

② 대부분의 초산모에서는 진통이 일어나기 전에 태아의 머리가 이미 진입되어 있으나, 경산모 에서는 대부분 진통이 시작된 이후에 진입하기 시작

③ 부유(floating) : 태아 머리의 진입 전 내진 시 머리를 위로 밀면 복부에서 움직이는 것

④ 동고정위(synclitism)와 부동고정위(asynclitism)

동고정위(Synclitism)

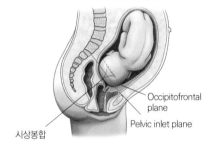

  – 시상봉합이 치골결합(symphysis pubis)과 엉치뼈곶(sacral promontory) 사이의 정중앙을 통과하는 골반 횡경에 일치하는 것

부동고정위(Asynclitism)

앞 부동고정위(anterior asynclitism)

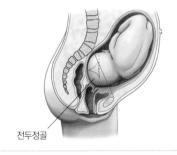

  – 시상봉합이 엉치뼈곶(sacral promontory)을 향해 치우쳐 있는 경우
  – 전두정골(anterior parietal bone)이 만져짐
  – Anterior parietalis가 골반 입구를 먼저 통과

뒤 부동고정위(posterior asynclitism)

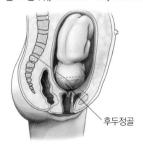

  – 시상봉합이 치골결합을 향해 치우쳐 있는 경우
  – 후두정골(posterior parietal bone)이 만져짐
  – Posterior parietalis가 골반 입구를 먼저 통과

(2) 하강(Descent)

① 분만진통 제1기의 감속기 및 분만진통 제2기에 가장 많은 하강이 이루어짐

    a. 초산모 : 진통 전 이미 하강이 어느 정도 진행되어 있는 상태로, 진통이 시작되면 서서히 하강

    b. 경산모 : 대개 진입과 하강이 동시에 일어남

② 하강을 일으키는 힘

    a. 자궁수축에 의한 양수의 압력

    b. 자궁저부(fundus)가 태아의 엉덩이를 미는 힘

    c. 태아 체부(fetal body)의 신전(extension) 및 펴기(straightening)

    d. 자궁경부의 완전 개대 이후에는 산모의 복근수축에 따른 밀어내기

(3) 굴곡(Flexion)

① 하강이 지속되면 머리의 굴곡이 수동적으로 일어나 태아의 턱이 가슴에 밀착하게 됨

② 뒤통수-이마 직경(occipitofrontal diameter, 12 cm)이 머리의 전후 직경 중 최단인 뒤통수-정수리밑 직경(suboccipitobregmatic diameter, 9.5 cm)으로 대치되어 골반강을 통과하게 되므로 하강이 쉬워짐

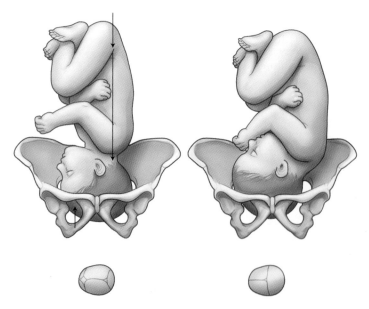

그림 21-9. 분만 중 태아 머리의 굴곡(flexion)

(4) 내회전(Internal rotation)

① 머리가 골반중앙에서 골반 출구에 이르는 하부 골반강에 적응하여 시상봉합이 산모 골반의 전후 직경에 일치하도록 태아의 후두가 점차적으로 원래의 위치에서 치골결합을 향해 전방 회전하는 것

② 굴곡과 같은 기전으로 골반의 모양 및 골반바닥근육에 따라 일어나는 수동적인 운동

(5) 신전(Extension)

① 태아의 머리가 질 입구에 이르면 후두 저부가 치골결합 아래쪽을 통과하고 머리 각도가 직각으로 꺾이듯 위로 향하는 것

② 두가지 힘이 작용하여 태아의 머리는 신전하며 하강

    a. 임신부의 밀어내기에 의한 힘은 태아를 임신부의 후방 즉, 엉치뼈(sacrum) 및 회음부 방향으로 작용

    b. 골반바닥근육 및 치골결합의 저항에 의해 반대 방향인 앞쪽으로 작용

③ 점차 회음부가 팽창되고 질 입구가 확장되면서 태아의 후두(occiput), 전정(bregma), 이마(forehead), 코(nose), 입(mouth), 턱(chin)의 순으로 나옴

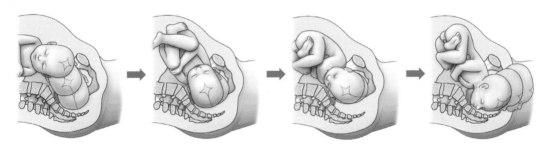

그림 21-10. 좌측방 후두위(LOT)의 분만 기전

(6) 외회전(External rotation)

① 만출된 머리가 내회전이 일어나기 전 원래 태향을 향해 좌측 또는 우측으로 90° 회전하여 돌아가는 것(restitution)

    a. 내회전의 반대 방향

    b. 내회전을 일으킨 힘과 같은 힘에 의해 유발

② 후두는 측방 태향(transverse position)이 되고 어깨의 양견봉 직경(biacromial diameter)이 골반강 전후 직경에 일치하여 위치

(7) 만출(Expulsion)

① 외회전 후 앞쪽 어깨가 치골결합 밑에서 나타나고 곧 반대편 어깨로 인하여 회음부가 팽창됨

② 어깨의 분만이 완료되면 태아의 나머지 부분이 신속히 분만됨

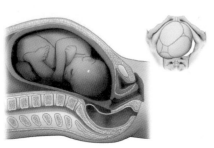

1. 진입(engagement) 전, 태아 머리의 부유(floating) 상태

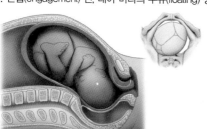

2. 진입(engagement), 하강(descent), 굴곡(flexion)

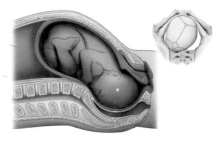

3. 좀더 하강(descent) 후 내회전(internal rotation)

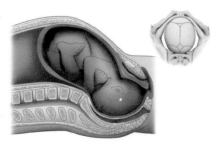

4. 회전(rotation) 완료 후 신전(extension)의 시작

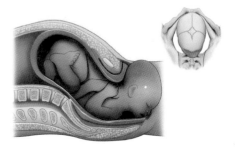

5. 신전(extension) 완료

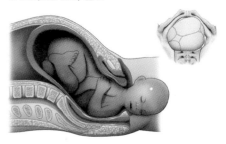

6. 외회전(external rotation) − 회복(restitution)

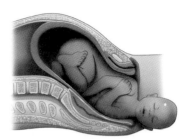

7. 앞쪽 어깨의 분만

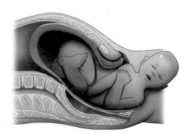

8. 뒤쪽 어깨의 분만

그림 21-11. 좌전방 후두위(LOA)의 분만 기본운동(Cardinal movements)

5) 후방 후두위(Occiput posterior presentation)의 분만

(1) 빈도
① 분만진통 중 약 20%가 후방 후두위(occiput posterior, OP)로 진입
② 후방 후두위(OP)의 빈도가 증가하는 경우
   a. 우후방 후두위(ROP)가 좌후방 후두위(LOP) 보다 좀 더 흔함
   b. 좁은 앞골반(forepevlis)
   c. 앞쪽에 태반이 착상된 경우

(2) 후방 후두위(OP)의 분만 기전
① 내회전 시 후두가 치골결합을 향해 135° 회전
② 다른 것은 전방 또는 측방 후두위 분만 기전과 동일
③ 횡위 정지(transverse arrest) 또는 지속성 후방 후두위(persistent occiput posterior)가 되어 난산(dystocia)과 제왕절개의 원인이 되는 경우(완전한 전방회전이 일어나지 않는 경우)
   a. 상당히 큰 태아
   b. 좋지 않은 자궁수축
   c. 잘못된 머리의 굴곡(flexion)
   d. 경막외마취(epidural anesthesia)

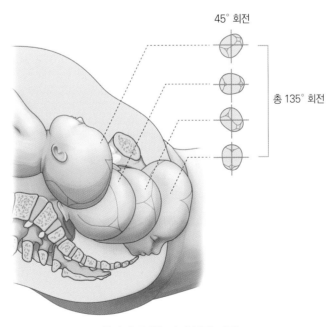

그림 21-12. 후방 후두위(OP)의 분만 기전

6) 태아 머리 형태의 변화

(1) 산류(Caput succedaneum)

① 자궁경부가 완전히 개대되기 전에 머리가 심한 압박을 받아 두피 부분에 부종이 생겨 형성되는 국소적인 종창

② 질 출구가 견고하여 저항이 있을 때 가장 선진부에 발생

    a. 좌측방 후두위(LOT) : 우측 두정골(Right parietal bone)의 상후방에 형성

    b. 우측방 후두위(ROT) : 좌측 두정골(Left parietal bone)의 상후방에 형성

③ 출생 후 자연적으로 크기가 줄어들어서 대개 24~36시간 이내에 완전히 소실됨

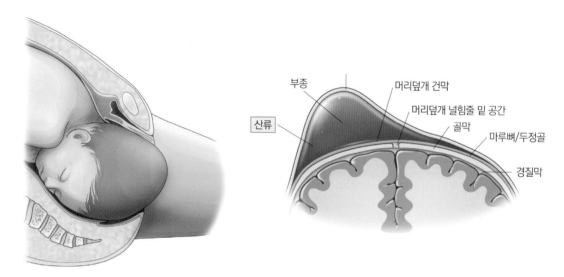

그림 21-13. 산류(Caput succedaneum)

(2) 거푸집 현상(Molding)

① 질식분만 시 임신부의 골반 크기와 형태에 적응하여 머리의 모양이 변화하는 것

② 뒤통수-정수리밑 직경(suboccipitobregmatic diameter)이 0.5~1.0 cm 정도 줄어드는 효과

③ 협골반이 있을 경우에는 거푸집의 발생 정도가 질식분만 가능성의 중요 인자로 작용

1) 정상 분만진통의 특성

(1) 분만진통(Labor)의 정의

① 자궁경부의 명백한 소실(effacement) 및 개대(dilatation)를 유발하는 자궁수축

② 분만진통이 시작되었다고 판단되는 임산부의 입원 기준 : 양막파열이 없다는 전제 아래 통증이 있는 자궁수축과 함께 자궁경부의 3~4 cm 개대

(2) 분만진통의 단계적 분류

① 분만진통 제1기(first stage of labor)

    a. 자궁경부 소실 및 개대기(stage of cervical effacement & dilatation)

    b. 충분한 강도, 빈도 및 지속시간을 가진 규칙적인 자궁수축에 의해 자궁경부의 소실과 개대가 시작될 때부터 자궁경부가 완전히 소실되고 개대되어 태아 머리가 통과할 수 있을 약 10 cm 정도까지의 시기

② 분만진통 제2기(second stage of labor)

    a. 태아 만출기(stage of expulsion of the fetus)

    b. 자궁경부가 완전히 개대된 이후부터 태아가 만출될 때까지의 기간

③ 분만진통 제3기(third stage of labor)

    a. 태반 분리 및 만출기(stage of separation and expulsion of the placenta)

    b. 태아가 만출된 직후부터 태반 및 태아막이 만출될 때까지의 기간

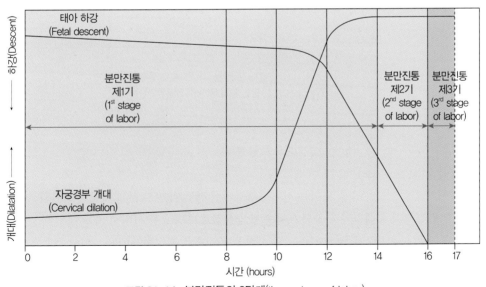

그림 21-14. 분만진통의 3단계(three stage of labor)

2) 분만진통 제1기(First stage of labor)

(1) 분만진통의 기능적 3분류(Three functional division of labor)

① 준비기(preparatory division)

   a. 자궁경부 결합조직의 성분 변화가 생김

   b. 안정제나 마취제에 예민한 시기로 투여 시 진통이 없어질 수 있음

② 개대기(dilatation division)

   a. 자궁경부의 개대가 가장 신속하게 진행

   b. 안정제나 마취제에 영향을 받지 않는 시기

③ 골반기(pelvic division)

   a. 분만 기본운동(cardinal movement)이 일어나는 시기

   b. 임상적으로 개대기와 구별하기 어려움

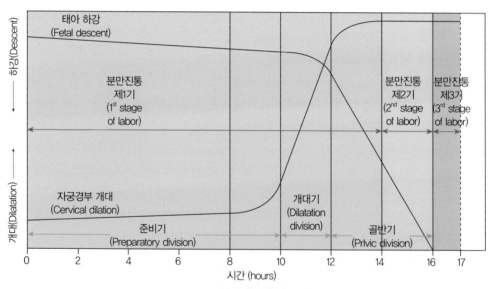

그림 21-15. 분만진통의 기능적 3분류

(2) 자궁경부 개대(Cervical dilation)를 기준으로 한 분류

① 잠복기(latent phase)

   a. 규칙적인 자궁수축을 느끼는 시기로부터 자궁경부가 3~5 cm 개대될 때까지의 시기

   - 분만진통의 활성화가 시작되기 때문에 임상적으로 중요한 시기

   - 최근 활성 분만진통(active labor)의 시작을 6 cm으로 재정의(ACOG, 2016)

   b. 자궁경부의 개대는 신속히 일어나지 않으며, 개인에 따라 차이가 심함

   c. 진정제를 투여할 경우 기간이 길어지고, 자궁수축제를 투여할 경우 기간이 짧아짐

d. 잠복기 지연(prolonged latent phase)
- 잠복기가 비정상적으로 길어지는 것
    - 미분만부(nullipara) : 20시간 이상
    - 다분만부(multipara) : 14시간 이상
- 원인
    - 과도한 안정제 투여, 경막외마취
    - 자궁경부의 소실과 개대가 잘 안되는 불완전한 숙화
    - 가진통을 잠복기로 잘못 판단한 경우
- 임산부나 태아의 예후에 나쁜 영향을 끼치지는 않음

② 활성기(active phase)
a. 활성기의 진행 양상은 전체 분만 진행의 결과를 예견하는 지표
b. 구분

구분	특성
가속기(acceleration phase)	자궁경부 개대가 활발히 시작되어 약 4 cm 정도까지의 시기
절정기(phase of maximal slope)	자궁경부 개대가 4~9 cm 정도까지의 시기 자궁경부 개대가 가장 신속하게 일어나는 시기 분만 진행의 효율성을 판단하는 좋은 척도
감속기(deceleration phase)	자궁경부가 약 9 cm 정도 개대된 이후 그 진행이 둔화되는 시기 태아와 골반의 상호관계(fetopelvic relationship)를 반영

c. 특성

	활성기 시간	자궁경부 개대 속도	태아 하강
미분만부(nullipara)	4.9~11.7 hrs (SD 3.4 hrs)	>1.2~6.8 cm/hr	7~8 cm에서 시작하여 8 cm 이후 최대
다분만부(multipara)		>1.5 cm/hr	

d. 활성기의 이상(active phase abnormalities)
- 미분만부의 25%, 다분만부의 15%에서 발생
- 지연장애(protraction disorder)와 정지장애(arrest disorder)로 구분

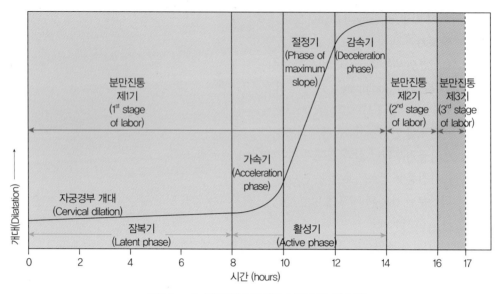

그림 21-16. 자궁경부 개대를 기준으로 한 분류

3) 분만진통 제2기(Second stage of labor)

(1) 특성

① 자궁경부의 완전 개대로 시작하여 태아가 만출되면 끝남

② 임산부는 출산 느낌(bearing down)과 변의를 느낌

③ 자궁수축과 동반되는 만출력은 1.5분간 계속될 수 있으며 1분 미만의 근육이완 이후 다시 수축이 반복됨

④ 골반의 신경이 태아 머리에 눌리면 부분적으로 하지경련이 나타날 수 있으므로, 하지의 위치를 변형시키거나 맛사지를 하여 경련을 풀어주어야 함

⑤ 태아 머리가 질 입구에서 보이면 분만을 준비

(2) 시간

① 평균 시간

    a. 미분만부(nullipara) : 평균 50분(최대 2시간)

    b. 다분만부(multipara) : 평균 20분(최대 1시간)

② 개인에 따른 차이가 다양

    a. 다분만부에서 완전 개대 후 2~3번의 만출시도로 분만이 이루어지기도 함

    b. 협골반, 거대아 임신, 전도마취(conduction analgesia) 및 과도한 안정제로 만출력의 장애가 있는 임산부에서는 비정상적으로 길어질 수 있음

    c. 산모의 비만은 분만진통 제2기의 시간에 영향이 없음

4) 분만진통의 기간

	분만진통 제1기	분만진통 제2기	분만진통 제1, 2기를 합한 평균 시간
미분만부 (nullipara)	약 8시간	약 50분(최대 2시간)	약 9시간 (95% upper limit : 18.5시간)
다분만부 (multipara)	약 5시간	약 20분(최대 1시간)	약 6시간 (95% upper limit : 13.5시간)

– 경막외마취를 하지 않은 산모의 평균 시간

3 분만진통의 관리(Management of labor)

1) 분만진통의 확인

(1) 진성진통(True labor)과 가진통(False labor)의 구분

진성진통(True labor)	가진통(False labor)
– 간격이 규칙적이며 점차 짧아짐	– 간격이 길고 불규칙함
– 강도가 점차 증가	– 강도가 증가되지 않음
– 등(back)과 복부(abdomen)의 불쾌감	– 주로 하복부(lower abdomen) 불쾌감
– 자궁경부 개대를 동반	– 자궁경부 개대가 없음
– 진정제로 완화되지 않음	– 진정제로 완화됨

(2) 진성진통(True labor)의 특징

① 만삭에 자궁수축이 있으면서 양막파열이 있거나 이슬이 비치거나 자궁경부 소실이 완전히 이루어진 경우

② 자궁수축이 있으면서 자궁경부 개대가 3~4 cm 이상 이루어진 경우

③ 양막파열이나 출혈 없이 1시간에 5분 이하 간격의 자궁수축(≥12회/hr)이 있는 경우

2) 입원 시 확인사항(Initial evaluation)

(1) 양막파열(Ruptured membranes)

① 양막파열의 확인이 중요한 이유

    a. 태아 선진부가 골반 내에 고정되어 있지 않다면 탯줄 탈출과 압박의 가능성이 증가

    b. 만삭이거나 만삭에 가까운 시기라면 분만이 곧 일어남

    c. 양막파열 이후 분만이 지연될수록 자궁 내 감염의 위험이 증가

② 양막파열의 진단 방법

   a. 육안적 진단

     - 후방 질원개(posterior fornix)에 고여 있는 양수를 확인

     - 자궁경부로부터의 양수 유출을 확인

   b. 나이트라진 검사(nitrazine test)

     - 정상 질 분비물의 pH 4.5~5.5이나 양수의 pH 7.0~7.5인 점을 이용하는 방법

     - 검사지를 질 내 분비물에 묻혀 표준색상도표와 비교하여 판독하는데 pH 6.5 이상이면 양막파열을 의미

     - 위양성 : 질 내에 혈액이나 정액이 존재하거나 세균성 질염이 있는 경우

     - 위음성 : 유출된 양수량이 미미할 경우

   c. 다른 검사 방법들

     - 양수특이단백을 검출하는 현장검사(point of care testing)

       • Placental alpha microglobulin-1의 검출 : AmniSure

       • insulin growth factor binding protein-1과 alpha-fetoprotein의 검출 : ROM Plus

     - 자궁경부 점액의 양치상화(ferning) 현상을 관찰하는 방법

     - 질 내의 알파태아단백(α-fetoprotein, AFP)을 확인하는 방법

     - 복부 양수천자로 인디고카민(indigocarmine) 등의 색소를 양수 내로 주입한 다음 질 분비물의 색깔 변화를 관찰하는 방법

(2) 자궁경부 검사

① 소실(effacement) : 소실되지 않은 자궁경부(3 cm)와 비교하여 소실된 정도를 %로 표시

② 개대(dilation) : 자궁경부의 평균 직경을 측정하여 표시

③ 위치(position) : 태아 머리에 대한 자궁경부의 위치에 따라 전위(태아머리에 비해 자궁경부가 앞쪽으로 위치), 중위(자궁경부가 가운데에 위치), 후위(자궁경부가 뒤쪽으로 위치)로 표시

④ 경도(consistency) : 부드럽거나 단단하거나 중간으로 표시

⑤ 태아 하강도(station) : 태아 선진부가 궁둥뼈가시(ischial spine) 높이에 있을 때 하강도 0, 질 입구에 도달했을 때 +5로 표시

⑥ 비숍(Bishop) 점수 : 자궁경부의 개대, 소실, 경도, 위치, 하강도를 종합하여 유도분만의 성공 여부를 예측할 수 있음

(3) 기타 검사

① 산모의 혈압, 맥박, 체온, 호흡수를 확인하고 산전 진료기록을 확인

② 입원 시 혈색소(hemoglobin)와 혈장치(hematocrit)를 재측정

③ 필요한 경우 혈액형과 그 외 혈청학적 검사를 시행

④ 산전검사를 받지 않은 경우라면 매독, B형 간염, 에이즈(HIV) 검사를 시행

⑤ 깨끗이 채취된 소변으로 요당 및 요단백을 검사

3) 분만진통 제1기의 관리(Management of first-stage labor)

(1) 분만진통 중 태아의 감시

① 태아 심박동수

　a. 측정 방법 : 청진기, 도플러기기, 전자 태아감시장치

　b. 주의점

　　- 자궁수축 직후에 태아 심박동을 청진

　　- 자궁수축 이후 1분에 100회 미만의 심박동이 있었다면 다음 수축 전에 120~160회로 회복되더라도 태아곤란증을 의심할 수 있음

　　- 태아 심박동자료 만으로는 태아곤란증의 진단은 어려움

　c. 태아 심박동의 측정 간격(ACOG, 2017)

	정상 임산부	고위험 임산부
분만진통 제1기	최소 30분	최소 15분
분만진통 제2기	최소 15분	최소 5분

　　- 자궁수축 직후에 태아 심박동을 측정

　　- 전자 태아감시장치를 이용하여 지속적으로 태아 심박동을 측정하는 경우에도 동일하게 시행

② 자궁수축

　a. 자궁수축의 빈도, 기간 및 강도를 평가하기 위하여 수축시간마다 반복하여 평가

　b. 자궁수축이나 진통만을 보고 분만과정이 좋다고 표현하는 것은 부적절

(2) 분만진통 중 임산부의 감시 및 처치

① 산모의 활력 징후(vital sign)

　a. 혈압, 체온, 맥박, 호흡 : 4시간 간격으로 측정

　b. 1시간마다 체온을 측정해야 하는 경우

　　- 진통 시작 수시간 전에 양막이 파열된 경우

　　- 체온이 약간 상승한 경우

　c. 양막파열이 18시간 이상 된 경우 : GBS 감염 예방을 위해 항생제 투여

② 질 내진

　a. 자궁경부의 상태, 태아 하강도와 선진부의 위치 확인을 위해 2~3시간 간격으로 시행

b. 머리가 진입되지 않은 상태에서 양수가 파열된 경우 즉시 내진하여 탯줄 압박이 있는지 확인하고 다음 수축 동안 태아 심박동 측정

c. 질 입구를 소독한 후 소독된 장갑을 이용
  - 수용성 윤활제를 사용
  - 소독제로 요오드(iodine)나 hexachlorophene을 함유한 약품은 피함

(3) 분만진통 중의 식사

① 정상 임산부에서 물, 얼음, 차, 블랙커피, 탄산음료, 과일주스 등을 먹거나 입술을 촉촉하게 유지시키는 것은 허용
② 흡인 위험이 높은 사람이나 제왕절개 가능성이 높은 산모에게는 제한
③ 제왕절개분만은 수술 6~8시간 전에 고형분을 중단, 2시간 전부터는 액체도 제한함

(4) 정맥 내 수액 투여

① 진통 초기에 정맥으로 수액 공급을 시작하지만 정상 임산부에게 진통제 투여 전까지는 꼭 필요치 않음
② 정맥 내 수액 투여의 장점
  a. 분만 후 자궁수축이 약하거나 예방적 자궁수축제를 투여할 경우 즉시 주입 가능
  b. 분만이 비정상적으로 길어진 경우 임신부의 탈수와 산성화를 막기 위하여 포도당과 염분 및 수액을 60~120 mL/hr 투여 가능

(5) 분만진통 중 임산부의 자세

① 임산부를 진통 초기부터 침대에 눕혀 제한할 필요는 없음
② 정신적, 신체적으로 유용한 안락한 의자가 좋음
③ 침대에서는 가능한 편한 자세를 취하도록 함
④ 반듯이 눕는 앙와위(supine position) 자세는 좋지 않고, 측와위(lateral recumbent position)가 바람직
⑤ 진통 중 산모를 걷도록 하는 것은 진통의 활성화에 해롭지 않음

(6) 양막파열(Rupture of membranes)

① 장점
  a. 진통이 빨라짐
  b. 태변 착색 유무를 조기에 발견 가능
  c. 태아 심박동을 직접적으로 측정하기 위해 태아 두피에 전극 연결 가능
  d. 자궁내압측정카테터의 삽입 가능

② 단점 : 탯줄 탈출, 감염

(7) 방광 기능

① 방광 팽만(bladder distention)

 a. 분만 진행이 저해되고 방광기능 저하 및 감염의 발생 증가

 b. 내진 시마다 치골상부를 만져봐서 방광 충만을 확인

 c. 치골상부에서 방광이 만져지면 배뇨를 시켜보고, 스스로 소변을 보지 못할 때는 간헐적인 도뇨(catheterization)를 시행

 d. 위험인자 : 경막외마취를 시행한 경우, 초산, 옥시토신 유도분만, 회음부 열상, 기계분만, 진통 중 도뇨, 10시간 이상의 진통 등

4) 분만진통 제2기의 관리(Management of second-stage labor)

(1) 태아 심박동수

① 태아 심박동의 측정 간격(ACOG, 2017)

	정상 임산부	고위험 임산부
분만진통 제1기	최소 30분	최소 15분
분만진통 제2기	최소 15분	최소 5분

② 태아 심박동의 감소

 a. 자궁수축과 임산부의 만출력이 있을 때 태아 머리의 압박으로 인해 흔하게 나타남

 b. 자궁수축과 만출 시도 후 태아 심박수가 즉시 회복된다면 분만은 지속

 c. 자궁 내에 발생한 과도한 압력으로 태반 혈류가 감소하여 나타나기도 함

(2) 모체의 만출시도

① 다리를 반정도 구부려야 침대 위에서 밀어내기(push)를 쉽게 할 수 있음

② 자궁수축이 시작되면 한번 심호흡을 한 후 숨을 참고 변을 보기 위해 힘쓰는 것처럼 밑으로 향하여 힘을 가할 수 있게 교육

③ 만출 시도는 태아 머리가 더욱 하강하여 회음부 팽창이 증가될 때 이루어짐

④ 태아의 두피(scalp)가 외음부 개구부(vulvar opening)를 통해 보이는 시기에 분만 준비

(3) 분만 준비

① 등쪽면 골반내진 자세(dorsal lithotomy position)

 a. 분만 시 임신부 자세로서 가장 널리 사용되는 자세

　　b. 골반 출구 직경을 증가시킴

② 다리를 너무 고정대에 맞게 고정시키거나 벌리게 하면 태아 머리에 골반신경이 눌려 하지경
　련이 발생하므로 하지의 위치를 변형시키거나 맛사지를 하여 경련을 풀어주어야 함

③ 수술실에 들어가는 차림으로 준비, 외음부와 회음부를 소독한 다음 분만 부위만 남겨놓고
　소독된 소독포를 덮음

④ 소독된 장갑은 쉽게 뚫어지고 찢어지기 때문에 장갑을 끼기 전에 손을 세심하게 닦음

1 난산(Dystocia)

1) 정의 및 진단

(1) 난산의 정의

① 난산(dystocia) : 정상 분만 과정에서 이상이 생긴 비정상 진통 상태

② 임상적인 표현

    a. 머리-골반 불균형(cephalopelvic disproportion, CPD)

    b. 분만진행 실패(failure to progress, FTP) : 난산을 더 잘 설명하는 용어로 자궁경부 개대가 잘 되지 않거나, 태아 하강이 잘되지 않는 상태를 의미

③ 비정상 분만진통

    a. 지연장애(protraction disorder) : 분만의 진행이 정상보다 느려지는 경우

    b. 정지장애(arrest disorder) : 분만의 진행이 완전히 멈추는 경우

(2) 난산의 원인

① 비정상적인 자궁수축력

② 태아의 자세

③ 산모의 뼈골반(bony pelvis) 이상과 생식기계 연조직(soft tissue) 이상이 태아의 하강에 장애가 될 때

(3) 분만진통 시기별 비정상 진통의 분류

Stage	Phase		Disorders
분만진통 제1기	잠복기 (latent phase)	지연 잠복기 (prolonged latent phase)	
	활성기 (active phase)	지연장애 (protraction disorder)	활성기 자궁경부개대 지연(protracted active phase dilatation) 태아하강 지연(protracted descent)
		정지장애 (arrest disorder)	감속기 지연(prolonged deceleration phase) 자궁경부개대 정지(secondary arrest of dilatation) 태아하강 실패(failure to descent)
분만진통 제2기			태아하강 정지(arrest of descent)

2) 만출력의 이상

(1) 자궁기능장애(Uterine dysfunction)

	저긴장 자궁기능장애 (Hypotonic uterine dysfunction)	고긴장 자궁기능장애 (Hypertonic uterine dysfunction)
정의	자궁수축은 정상적인 변화의 양상 수축력이 미약(15 mmHg 이하)하여 자궁경부를 개대시키기에 불충분한 경우	자궁의 기저강도(basal tone)가 상당히 올라가 있거나 압력경도(pressure gradient)에 장애가 생긴 경우 수축하는 힘은 적당하나 수축의 양상이 불규칙하고 비정상적
원인	동시성(Synchronous) • 원인 불명 • 골반협착(pelvic contraction) • 태아 위치이상(fetal malposition) • 자궁의 과신전 : 쌍태아, 양수과다증 • 자궁경부의 과도한 경도 : 산모의 나이 증가, 미분만부, 자궁경부의 섬유화 • 과도한 진정제 투여	비동시성(Asynchronous) • 자궁중간부의 수축력이 자궁저부보다 높을 때 • 양쪽 각에서 기시하는 전기적 자극이 완전히 부조화를 이루는 경우
특징	초산부 및 경산부 모두에서 관찰됨 진통 기간 중 어느 시점에서나 발생 가능 심하지 않은 통증 임산부가 느끼는 불편감은 미약	주로 초산부의 진통 초기에 나타남 자궁경부가 4 cm 이상 개대되기 전에 나타남 통증이 심함 임산부에서 요통 등의 심한 불쾌감을 초래
치료	Oxytocin 제왕절개분만	통증 경감 : morphine, meperidine 자궁수축억제제 : ritodrine, salbutamol 위 방법으로 실패 시 제왕절개분만

(2) 분만진통 장애(Labor disorders)

① 분만진통 장애의 진단 기준 및 치료 방법

Labor pattern	Diagnostic Criteria		Preferred treatment	Exceptional treatment
	Nulliparas	Multiparas		
Prolongation Disorder				
Prolonged latent phase	>20 hr	>14 hr	Bed rest	Oxytocin or Cesarean delivery for urgent problems
Protraction Disorders				
Protracted active phase dilation	<1.2 cm/hr	<1.5 cm/hr	Expectant and support	Cesarean delivery for CPD
Protracted descent	<1 cm/hr	<2 cm/hr		
Arrest Disorders				
Prolonged deceleration phase	>3 hr	>1 hr	Evaluate for CPD CPD : Cesarean No CPD : Oxytocin	Rest if exhausted Cesarean delivery
Secondary arrest of dilation	>2 hr	>2 hr		
Arrest of descent	>1 hr	>1 hr		
Failure of descent	No descent in deceleration phase or second stage			

② 지연 잠복기(Prolonged latent phase)

    a. 정의 : 잠복기가 지나치게 연장되는 것

      - 미분만부 : 20시간 초과

      - 다분만부 : 14시간 초과

    b. 처치

      - 산모에게 휴식 및 수면을 취하게 함(필요시 진통제 투여)

      - 활성기로 진행하는지 자궁수축이 중단되는지 관찰하고, 태아 상태와 자궁경부 숙화 정
        도를 평가

      - 휴식에도 지연 잠복기가 지속되면 옥시토신 투여나 수술적인 분만도 고려

③ 활성기 장애(active phase disorder)

    a. 지연장애(protraction disorder)

      - 자궁경부 개대와 태아 하강이 활성기의 정상 속도보다 느려진 상태

      - 분만진통 제1기의 지연장애의 종류와 진단

	미분만부(Nullipara)	다분만부(Multipara)
활성기 자궁경부개대 지연(protracted active phase dilatation)	<1.2 cm/hr	<1.5 cm/hr
태아하강 지연(protracted active phase descent)	<1.0 cm/hr	<2.0 cm/hr

b. 정지장애(arrest disorder)
- 2시간 이상의 활성기 진통에도 자궁경부의 개대 또는 태아의 하강이 정지된 상태
- 분만진통 제1기의 정지장애 종류와 진단

	미분만부(Nullipara)	다분만부(Multipara)
감속기 지연(prolonged deceleration phase)	>3 시간	>1 시간
자궁경부개대 정지(secondary arrest of dilatation)	>2 시간	>2 시간
태아하강 정지(arrest of descent)	>1 시간	>1 시간
태아하강 실패(failure to descent)	감속기 또는 분만진통 2기에서 하강이 없는 경우	

- 정지장애 진단을 위한 조건(ACOG, 2013)
  • 잠복기가 확실히 끝나고 활성기에 들어가 있는 상태일 때(자궁경부 개대 ≥4 cm)
  • 자궁수축력이 10분당 200 MVUs 이상이면서 2시간 이상 자궁경부 변화가 없을 때
- 부적절한 자궁수축(inadequate uterine contraction)
  • 자궁수축력이 10분당 180 MVUs 미만인 경우
  • 옥시토신 촉진(augmentation)을 시행
- 지연장애(protraction disorder)와의 감별
  • 정지장애는 진행이 정지되기 전까지 자궁경부의 개대 또는 태아의 하강이 정상
  • 정지장애와 지연장애는 합병될 수 있음
c. 처치
- 머리-골반 불균형(CPD)이 없으면 보존적 요법을 시행하며 관찰
- 제왕절개분만이 필요한 경우
  • 머리-골반 불균형(CPD)이 있는 경우
  • 지연장애 또는 정지장애 진단 후 보존적 요법에도 실패한 경우
  • 안심할 수 없는 태아 심음이 있는 경우
d. 과도한 제왕절개를 줄이기 위한 6 cm 법칙(ACOG, 2016)
- 지연 잠복기(prolonged latent phase)는 제왕절개의 적응증이 아님
- 지연장애(protraction disorder)는 제왕절개술보다 자궁수축력을 평가하면서 분만의 진행을 관찰
- 활성기(active phase) 분만 진행은 자궁경부의 개대 6 cm 부터 적용

- 정지장애(arrest disorder)로 인한 제왕절개는 양막이 파열되고 자궁경부 개대 6 cm 이상
  이면서 4시간 이상 적절한 자궁수축이 있음에도 분만이 진행되지 않거나, 최소 6시간
  이상 옥시토신을 투여해도 반응이 없을 때 고려

④ 분만진통 제2기 하강장애(second stage descent disorders)

　a. 분만진통 제2기의 하강장애 종류와 진단

		미분만부(Nullipara)	다분만부(Multipara)
태아하강 지연(protracted descent)		<1 cm/hr	<2 cm/hr
태아하강 정지(arrest of descent)		2시간 이상 태아의 하강이 없음	
지연된 분만진통 제2기 (prolonged second stage)	부위마취 (−)	>2 시간	>1 시간
	부위마취 (+)	>3 시간	>2 시간

　b. 분만진통 제2기가 길어질 경우의 합병증
　　- 산모 합병증 : 제왕절개술, 수술적 질식분만, 회음부 상처, 산후 출혈, 융모양막염 등
　　- 신생아 사망률이나 이환율은 분만진통 제2기의 시간과 관련성은 없음

　c. 불필요한 초회 제왕절개술을 줄일 수 있는 정지장애에 대한 의견(ACOG, 2016)
　　- 분만진통 제1기의 잠복기와 활성기, 분만진통 제2기에 대한 적절한 시간은 산모와 태아
　　　의 상태가 허락하는 한 길어질 수도 있음
　　- 정지장애를 진단할 때는 적절한 진통과 상태인 경우 적절한 시간이 지날 때까지는 진단
　　　하지 말 것
　　- 적절한 진통
　　　• 자궁경부 6 cm 개대와 양막파수가 동반되었을 때 4시간 이상의 적절한 자궁수축(200
　　　　MVUs 이상)이 있는 경우
　　　• 수축력이 부적절할 때에는 6시간 이상 자궁경부 개대의 변화가 없는 경우
　　- 적절한 시간
　　　• 미분만부 3시간 이상(부위마취를 한 경우 4시간)
　　　• 다분만부 2시간 이상(부위마취를 한 경우 3시간)

(3) 분만진통 시작 시 태아의 하강도

① 분만진통 시작 시기에 태아의 하강도가 높은 경우 난산과 연관됨

② 만삭 미분만부의 활성기 진통 시

　a. 진입된 경우(1/3) : 제왕절개율 5%

　b. 진입되지 않은 경우(2/3) : 제왕절개율 15%

③ 활성기 진통 시작 시 태아 머리가 진입되지 않은 경우

 a. 태아-골반 불균형을 반드시 의미하는 것은 아님

 b. 미산부의 86%에서 질식분만 성공

(4) 자궁수축부전의 위험인자

① 경막외마취(epidural anesthesia)

 a. 분만진통 제1, 2기의 연장

 b. 태아의 하강 속도가 느려짐

 c. 분만 지연, 제왕절개 빈도, 신생아 합병증 등의 증가를 유발하지 않음

② 융모양막염(chorioamnionitis)

 a. 옥시토신 투여 전에 융모양막염이 진단된 경우 분만진행 속도와 제왕절개 빈도의 차이가 없음

 b. 분만진통 후반에 융모양막염이 진단된 경우

  - 40%에서 제왕절개술을 시행

  - 자궁내감염이 분만진통의 지연이나 비정상 진통을 유발하는 것이 아닌 분만진통의 지연의 결과로 융모양막염이 발생하고 자궁수축부전을 유발함

③ 진통 시 산모의 자세

 a. 산모의 자세나 보행이 진통을 향상시킨다는 증거는 없음

 b. 활성기 진통이 시작되면 눕는 것 권장

④ 분만진통 제2기의 산모 자세

 a. 바로 서있는 자세나 앉아있는 자세는 바로누운자세(supine position)나 골반내진자세(lithotomy position)에 비해 분만까지의 소요시간, 진통, 안심할 수 없는 태아 심음, 기구분만의 빈도 등이 감소하지만 분만 후 출혈은 증가

 b. 계속 앉아있는 자세로 분만을 준비하는 경우 총비골신경 신경병증을 유발 가능

⑤ 수중 분만(water immersion)

 a. 따뜻한 물 속에서 이완효과로 인해서 진통이 효과적으로 올 수 있음

 b. 수중 분만의 영향

감소	증가 없음	신생아 합병증
경막외마취	기구분만, 제왕절개분만 자궁감염, 융모양막염 신생아 중환자실(NICU) 입원율	익사, 수인성 감염 저나트륨증 탯줄 파열, 적혈구증가증

3) 만기 조기양막파수(Premature rupture of the membranes at term)

(1) 병인론
① 진통이 시작되기 전에 양막이 파수되는 것
② 만삭 임신의 약 8～10%에서 발생하고, 대부분에서 자연스런 진통이 시작됨
③ 위험성 : 질 내 세균의 상행 감염의 위험성 증가
    a. 기계적 장벽, 자궁경부의 점액, 양수 내 세균증식억제요소 등의 소실
    b. 반복되는 골반 내진 검사

(2) 처치
① 예방적 항생제를 투여하며 유도분만을 하는 경우
    a. B형 연쇄구균의 감염 여부가 밝혀지지 않은 상태에서 양수파막 후 18시간이 경과
    b. 융모양막염이 의심되는 열이 있는 경우
② 유도분만의 시기 및 방법
    a. 조기 양막파수 후 기대요법보다는 입원 후 바로 유도분만을 할 것을 권고
    b. 옥시토신 : 자궁수축이 약하게 오거나 자궁경부 소실이 진행된 경우 사용
    c. 미소프로스톨 : 자궁경부의 소실이나 개대가 빈약할 경우 사용

4) 분만진통의 처치

(1) 분만진통의 적극적 처치
① 적극적 처치요법
    a. 양막파수가 안되어 있는 경우
     - 시간당 1 cm 이상의 자궁경부 개대가 없으면 양막파수 시행
     - 양막파수 2시간 후에도 진행이 부진하면 불충분한 자궁수축으로 진단하여 고용량의 옥시토신을 사용
    b. 양막파수가 되어 있는 경우 : 시간당 1 cm 이상의 자궁경부 개대가 없으면 옥시토신을 사용
② 장점
    a. 옥시토신에 대한 자궁의 반응성이 감소되기 전 고용량을 사용하여 효과를 증대시킴
    b. 진통 시간의 단축, 임산부 열성이환율 감소

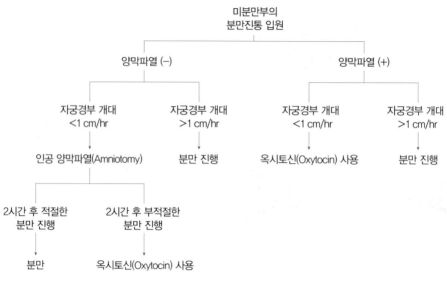

그림 22-1. 적극적 처치요법

(2) 경막외마취(Epidural anesthesia)

① 분만진통의 통증경감을 위해 사용

② 진통시간을 지연시키고 기구분만을 증가시킴

③ 진통 중의 태아의 심박동에 영향을 미치지 않고, 제왕절개의 빈도를 증가시키지 않음

5) 급속 분만진통 및 분만(Precipitous labor and delivery)

(1) 정의

① 분만진통과 분만이 비정상적으로 빠르게 진행되는 것

   a. 진통 시작 후 3시간 이내에 분만이 완료

   b. 급속분만에서의 자궁경부 개대

     - 미분만부 : ≥5 cm/hr

     - 다분만부 : ≥10 cm/hr

② 원인

   a. 산도(birth canal)의 저항이 비정상적으로 낮은 경우

   b. 비정상적으로 강력한 자궁 및 복벽의 수축

   c. 강한 진통 및 통증에 둔감한 경우

③ 처치

   a. 자궁이완제(MgSO₄, terbutaline), 전신마취제(halothane, isoflurane) : 효과적이지 않음

   b. 옥시토신을 사용 중이면 즉시 중단

c. 신생아가 분만대에서 떨어지지 않도록 유의하면서 분만을 진행

(2) 급속분만의 영향

① 산모에 미치는 영향

a. 자궁경부 소실이 잘 되어 있고 골반조직 저항이 낮은 경우 : 합병증이 거의 없음

b. 과도한 자궁수축에 의해 급속분만이 일어난 경우

- 자궁경부, 질과 회음부의 열상, 자궁파수

- 분만 후 자궁이완(uterine atony)에 의한 산후출혈

- 양수색전증

② 태아에 미치는 영향

a. 주산기 이환율 증가 : 강력하고 빈번한 자궁수축으로 인해 자궁으로의 혈류 감소와 이에 따른 태아 저산소증 초래

b. 태아의 두부 손상 : 출입구의 저항에 의해 발생

c. 위팔신경(brachial plexus) 손상

d. 태아의 낙상

2 태아-골반 불균형(Fetopelvic disproportion)

1) 골반 용적(Pelvic capacity)의 이상

(1) 골반 입구(Pelvic inlet)의 협착

① 진단 기준

a. 가장 짧은 전후 직경(shortest AP diameter) <10 cm

b. 가장 긴 내골반 가로 직경(greatest transverse diameter) <12 cm

c. 대각 결합선(diagonal conjugate diameter) <11.5 cm

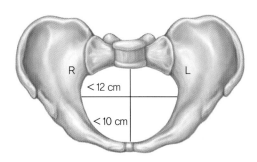

그림 22-2. 골반 입구(Pelvic inlet)

② 증가하는 위험성

    a. 비정상적인 태위 : 안면위(face)와 견갑위(shoulder)의 발생 증가

    b. 탯줄 탈출(cord prolapse) 증가

    c. 초산부 : 진통 시작 이후에도 머리가 골반 입구 상방에 떠있고 한쪽 장골와(iliac fossa) 위에 위치하므로 작은 영향으로 태위가 바뀜

    d. 태아 선진부가 떠있기 때문에 자궁수축에 의한 압력이 자궁경부와 가까운 양막에 직접 가해져 양막이 조기에 파열되고 태아 머리에 의한 자궁경부 및 자궁하부의 압박이 없기 때문에 자궁수축이 비효과적으로 나타나 자궁경부 개대는 지연되거나 중단되어 효과적으로 분만이 일어나지 못함

(2) 중간 골반(Midpelvis)의 협착

① 경계

    a. 치골 결합(symphysis pubis)의 하부에서 궁둥뼈가시(ischial spine)를 통과하여 제 4, 5천골추(sacrum) 경계선에 이르는 면

    b. 횡선(transverse diameter)은 양측 궁둥뼈가시(ischial spine)를 연결한 선으로 전부(fore portion)와 후부(hind portion)를 구분

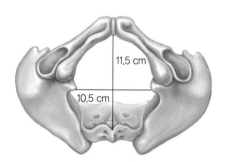

그림 22-3. 중간 골반(Midpelvis)

② 임상적으로 골반 입구의 협착보다 더 많이 발생

③ 진단 기준

    a. 궁둥뼈가시간 직경(interischial spinous diameter, 10.5 cm)과 후방 시상 직경(posterior sagittal diameter, 5 cm)의 합이 13.5 cm 이하인 경우

    b. 궁둥뼈가시간 직경(interischial spinous diameter) 기준

      - 10 cm 미만인 경우 골반협착을 의심

      - 8 cm 미만일 경우 골반협착으로 진단

c. 임상적 골반 계측 후 중간 골반협착을 의심할 수 있는 경우

    - 궁둥뼈가시(ischial spine)가 심하게 돌출

    - 골반 양측면(pelvic side walls)이 볼록한 경우

    - 엉치궁둥뼈 패임(sacrosciatic notch)이 좁은 경우

(3) 바깥 골반(Pelvic outlet)의 협착

  ① 경계 : 궁둥뼈결절사이 직경(intertuberous diameter)이 밑변인 2개의 삼각형으로 나뉨

    a. 전방 삼각형

      - 측면 : 치골가지(pubic rami)

      - 앞쪽의 정점 : 치골결합(symphysis pubis)의 하부

    b. 후방 삼각형

      - 측면 : 골격부가 아님

      - 정점 : 마지막 엉치뼈의 끝

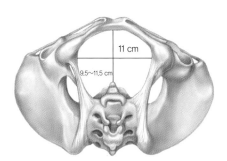

그림 22-4. 바깥 골반(Pelvic outlet)

  ② 진단 기준

    a. 궁둥뼈결절사이 직경(interischial tuberous diameter)이 8 cm 미만인 경우

    b. 만삭 미분만부의 1% 정도에서 발생

  ③ 임상적 소견

    a. 궁둥뼈결절사이 직경이 감소하면 전방 삼각형이 작아져서 분만 시 머리가 후방으로 밀려

      나게 되어 질식분만 여부의 가능성은 후방 삼각형의 크기에 좌우되는데 그중 궁둥뼈결절

      사이 직경과 후방 시상 직경(posterior sagittal diameter)의 크기에 달려 있음

    b. 골반 출구의 협착 자체가 난산의 원인이 되는 경우가 드물고, 중간 골반의 협착과 동반이

      많음

    c. 회음부 열상의 원인이 됨

(4) 골반골절(Pelvic fracture)

① 교통사고 : 가장 흔한 원인

② 미세한 골전위나 잔류 장치가 있다고 해서 반드시 제왕절개분만을 하지는 않음

③ 골반골절의 병력이 있는 경우

    a. 과거 촬영한 방사선 사진을 상세히 판독

    b. 필요 시 임신 말기에 컴퓨터 단층촬영(CT)으로 골반 계측

(5) 골반 크기의 측정

① 임상적 골반측정법(clinical pelvimetry)

② 방사선 골반측정법(X-ray pelvimetry)

    a. 분만 예후에 영향을 미치는 5가지 인자(estimation of pelvic capacity)

      - 뼈골반의 크기와 모양(size & shape of bony pelvis)

      - 태아 머리의 크기(size of fetal head)

      - 자궁수축의 강도(force of uterine contraction)

      - 태아 머리의 변형 능력(moldability of fetal head)

      - 태위와 태향(presentation & position of fetus)

    b. 방사선 골반측정법을 통한 난산의 증가 요인

      - 전후경이 10 cm 미만, 가로 직경이 12 cm 미만인 경우

      - 두 가지 모두 협착된 경우가 한가지만 협착된 경우보다 난산이 많음

③ 컴퓨터 단층촬영(CT)

    a. 좀더 정확하고 쉽게 골반 측정이 가능

    b. 태아에게 미치는 방사선 조사량은 대개 250~1,500 mrad

④ 자기공명 단층촬영(MRI)

    a. 태아에 대한 방사선 조사를 피할 수 있음

    b. 연조직으로 인한 난산의 진단에 도움이 됨

2) 안면위(Face presentation)

(1) 특징

① 태아의 목이 극도로 신전되어 후두와 등이 서로 맞닿는 자세

② 선진부 : 턱(mentum, chin)

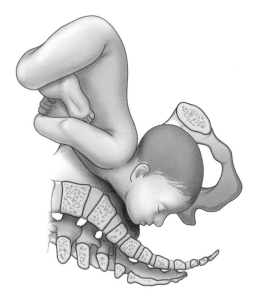

그림 22-5. 안면위(Face presentation)

③ 태향의 종류와 특징

전방 안면위(mentum anterior position)	후방 안면위(mentum posterior position)
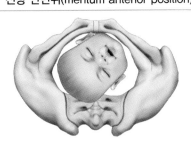	
머리의 굴곡이 가능해 질식분만 가능	이마가 산모의 치골결합에 눌리므로 굴곡이 안 되고 산도를 지날 수 없게 되어 질식분만이 불가능

④ 내진 소견
    a. 내진 시 입과 코, 광대뼈, 안와능선(orbital ridge) 등을 촉진함으로써 진단
    b. 항문을 입으로, 궁둥뼈결절(ischial tuberosity)을 광대뼈로 오인하면 둔위로 잘못 진단

(2) 원인
    ① 골반협착(contracted pelvis) : 골반 입구의 협착이 40% 정도로 가장 많음
    ② 다산 분만력, 태아의 목이 너무 큰 경우, 탯줄이 목을 감고 있는 경우, 무뇌아, 태아가 많이 큰 경우 등

(3) 분만 기전

① 안면위는 골반 입구에서는 거의 관찰되지 않다가, 보통 이마태위(brow presentation)로 하강하는 동안 태아 머리가 과다 신전되면서 안면위로 바뀜

② 두정위에서와 비슷하게 하강하면서 머리가 신전되어 후두가 태아의 등에 닿게 되고 내회전되어 턱이 앞쪽의 치골결합 부위로 돌아 목은 치골결합의 후면에 대하게 되고 얼굴 축은 골반 출구의 전후경에 일치

③ 턱과 입은 치골궁(pubic arch)에 도달할 때까지 하강하여 턱밑 부분으로 치골결합을 누르면서 머리가 굴곡되어 코, 눈, 이마, 후두의 순서대로 분만

④ 머리가 만출되면 후두가 뒤쪽으로 떨어지고 턱이 외회전되어 원래 방향으로 돌아오며 어깨가 만출

⑤ 만약 턱이 후방으로 회전하여 턱이 천골 앞에 위치하게 되면 짧은 태아의 목이 긴 천골 전면을 통과할 수 없어 분만이 중단

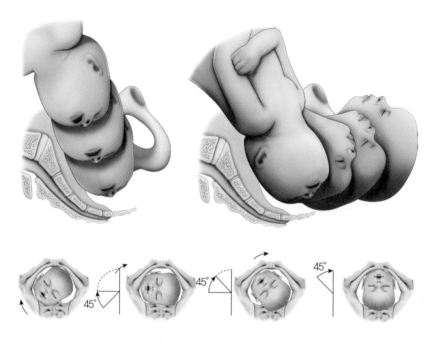

그림 22-6. 안면위의 분만 기본운동

(4) 처치

① 골반협착이 없고 효과적인 분만진통이 있을 경우 성공적인 질식분만이 가능

② 만삭의 안면위는 주로 골반입구의 협착이 흔하기 때문에 제왕절개술을 흔히 시행

3) 이마태위(Brow presentation)

(1) 특징

① 태아의 머리가 부분적으로 신전되어 있는 자세

② 선진부 : 이마(brow)

③ 내진 소견

　a. 만져지는 부위 : 전두봉합(frontal sutures), 대천문, 안와능선, 눈, 코

　b. 만져지지 않는 부위 : 턱, 입

④ 불안정한 상태로 안면위나 두정위로 전환 가능

(2) 원인

① 안면위의 원인과 유사

② 골반협착, 다산 분만력, 태아의 목이 너무 큰 경우, 탯줄이 목을 감고 있는 경우, 무뇌아, 태아가 많이 큰 경우 등

(3) 처치

① 태아가 작거나 골반이 크면 질식분만 가능

② 대부분의 경우 태아 머리의 진입과 정상적인 분만이 힘듦

4) 횡축(Transverse lie)

(1) 특징

① 임신부 자궁의 세로축에 대해 태아의 세로축이 90°의 각도를 이루고 있는 상태

② 사축(oblique lie)

　a. 임신부 자궁의 세로축에 대해 태아의 세로축이 45° 정도의 각도를 이루고 있는 상태

　b. 진통 시 대부분 종축(longitudinal lie)이나 횡축(transverse lie)으로 변함

③ 진단

　a. 진단이 용이하여 시진으로도 진단 가능

　b. 복부가 양 옆으로 넓게 퍼져 보이고, 자궁저부는 낮아 배꼽 바로 위에서 촉지

　c. 태아의 머리와 둔부가 서로 반대측 장골와(iliac fossa)에서 촉지

④ 내진 소견

　a. 분만진통 초기 : 태아의 흉곽 쪽 촉지, 태아의 늑골이 석쇠(gridiron)처럼 촉지

　b. 진행되어 자궁경부가 개대 : 흉곽의 앞, 뒤쪽 반대 방향에서 견갑골과 쇄골이 촉지

⑤ 모성사망의 원인

　a. 자궁파수 : 가장 흔한 원인

　b. 전치태반, 탯줄 탈출, 수술적 처치에 따른 합병증 등

(2) 원인

① 다산 분만력에 의한 복벽 이완

② 조산아, 전치태반

③ 자궁 기형, 양수과다증, 골반협착

(3) 처치

① 분만진통이 오기 전에 태아 외회전술(external version)을 시행해 볼 수 있음

② 만삭에도 횡위가 지속적으로 유지되면 질식분만은 불가능

   a. 분만진통이 시작되면 제왕절개분만

   b. 자궁에 수직절개(vertical incision)를 시행하는 것이 태아 만출에 용이

5) 복합위(Compound presentation)

(1) 특징

① 선진부와 함께 빠져나온 손이나 발이 골반에 같이 진입하여 선진부를 형성하는 상태

② 주산기 사망률(perinatal mortality rate)이 증가 : 조산아, 탯줄 탈출, 분만손상 등

(2) 원인

① 태아가 작아 머리가 골반 입구를 완전히 채우지 못한 경우에 발생

② 조기진통, 조산 등

(3) 처치

① 대부분의 경우 빠져나온 손이나 발이 분만을 방해하지 않으므로 그대로 분만 진행

② 머리를 따라 팔이 빠져나온 경우

   a. 머리가 하강하면서 팔이 올라가는지 관찰

   b. 팔이 머리의 하강을 방해하면 탈출된 손을 조심스럽게 밀어 올리고 자궁저부를 압박하여
      태아 머리를 아래로 누름

③ 탯줄 탈출이 확인되면 제왕절개분만

1) 산모의 합병증

(1) 감염과 출혈

① 양막파수 후 특히 빈번한 자궁내진을 할 경우, 질내 세균이 침습하여 발생

② 심한 경우 산모와 태아의 패혈증을 초래할 수 있고, 산후 골반감염이 더 빈번해짐

③ 분만 후 자궁이완으로 산후출혈이 증가

(2) 자궁파열(Uterine rupture)

① 위험 인자 : 다산모(high parity), 제왕절개 과거력(prior cesarean delivery)

② 병적 수축륜(pathologic retraction ring)

    a. 자궁하부가 심하게 얇아져서 생리적 수축륜이 비정상적으로 치골결합 상방으로 이동하면서 매우 심화되어 나타나는 것

    b. 자궁파열(uterine rupture)이 임박했음을 시사하는 위험 징후

    c. 즉시 제왕절개 분만을 시도해야 함

    d. 원인 : 골반협착, 폐쇄분만(obstructed labor)과 같은 난산, 거대아

(3) 누공 형성(Fistula formation)

① 태아의 선진부가 장시간 골반벽과 골반주변 근육, 신경 및 혈관을 압박하여 혈액순환이 원활하지 못해 골반조직의 변성 및 괴사를 초래하여 발생

② 종류

    a. 방광과 질의 누공

    b. 방광과 자궁경부의 누공

    c. 직장과 질의 누공

(4) 골반바닥 손상(Pelvic floor injury)

① 변실금 : 분만 시 3~6%에서 항문괄약근의 손상이 발생하고, 이중 50%에서 변, 가스 누출이 발생

② 요실금

③ 자궁질탈출증

(5) 하지의 신경계 장애

① 분만진통 제2기의 지연동안 부적당한 다리 위치 때문에 종아리신경(peroneal nerve)이 눌려서 발생

② 대부분의 증상은 분만 후 6개월 이내에 소실

2) 태아의 합병증

(1) 신생아 패혈증

① 난산에 의한 분만 지연으로 발생 빈도 증가

② 양막파수 후 빈번한 내진의 부작용으로 유발

(2) 산류(Caput succedaneum)

① 태아 머리의 선진부가 임신부의 골반 내에서 오랜 시간 눌리게 되어 부종에 의해 발생

② 분만 후 수일 이내에 완전히 없어짐

(3) 태아 머리의 거푸집 현상(Molding)

① 강력한 자궁수축력 때문에 골반 크기와 모양에 따라 태아의 두개골이 봉합선에서 겹쳐지면서 머리 모양이 변형되는 거푸집 현상(molding)이 발생

② 찌그러짐(distortion)이 심해지면 발생하는 문제점

    a. 천막(tentorium)의 찢어짐

    b. 혈관의 열상

    c. 태아 두개내출혈(fetal intracranial hemorrhage)

1) 전자태아감시(Electronic fetal monitoring)

　(1) 자궁내전자태아감시(Internal electronic monitoring)

　　① 직접적인 감시방법(direct monitoring)

　　② 태아의 두피에 나선형 양극전극(bipolar spiral electrode)을 꽂아 태아 심장박동수 측정

　　③ 심장박동측정기(cardiotachometer)가 태아 심전도의 QRS complex 중 R-R wave 사이의 시간 간격을 확인하여 태아 심장박동을 기록

　　④ 정확하지만 양막파열이 필요하고 침윤적인 방법

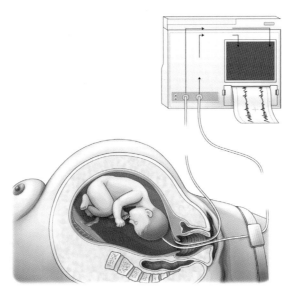

그림 23-1. 전자태아감시장치를 이용한 태아 심장박동수 및 자궁수축의 자궁내측정법

(2) 자궁외전자태아감시(External electronic monitoring)

① 간접적인 감시방법(indirect monitoring)

② 초음파 도플러 원리를 이용하여 태아 심장박동수 측정

③ 침윤적이지 않으나 잡음이 섞일 수 있고 정확하지 않음

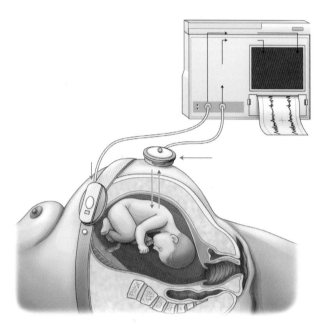

그림 23-2. 전자태아감시장치를 이용한 태아 심장박동수 및 자궁수축의 자궁외측정법

2) 기초 태아심장 활동도(Baseline fetal heart activity)

(1) 태아 심장박동수(Fetal heart rate)

① 임신 제3삼분기의 정상 심장박동수 : 120~160 bpm

  a. 평균 태아 심장박동수는 태아가 성숙하면서 감소

    - 감소하는 이유 : 부교감 신경(parasympathetic nerve, vagus nerve)의 성숙

    - 임신 16주에서 만삭까지 평균 24회(1 bpm/week) 감소

  b. 태아 심장박동수의 의미

    - 정상인 경우 : 산소 공급이 원활하고 안심할 수 있는 태아 상태를 의미

    - 비정상인 경우 : 저산소증 혹은 다른 여러 원인에 의한 이상소견

② 서맥(bradycardia)

a. 기초 태아 심장박동수가 분당 110회 미만인 경우(baseline fetal heart rate <110 bpm)

	심장박동수	의미
경도 태아 서맥 (mild fetal bardycardia)	100~119 bpm	다른 태아 심장박동수의 변화와 함께 나타나지 않는다면 태아의 상태가 나쁘다고 할 수 없음 분만진통 제2기 중 후두위 또는 횡위에서 머리가 산도에 압박되어 나타날 수 있음
중등도 태아 서맥 (moderate fetal bradycardia)	80~100 bpm 3분 이상 지속	80~120 bpm 사이에 변이도가 좋다면 안심할 수 있는 소견
심한 태아 서맥 (severe fetal bradycardia)	<80 bpm 3분 이상 지속	안심할 수 없는 태아 상태

b. 태아 서맥의 원인

- 저산소증

- 선천성 심차단(congenital heart block) 등의 서맥성 부정맥

- 특정 약물(베타 차단제 등)

- 산모의 저체온증 및 심한 신장염

- 태아사망을 초래한 태반조기박리, 심각한 태아 손상

c. 서맥이 확인되면 태아 상태 확인을 위해 실시간 초음파 검사를 시행

③ 빈맥(tachycardia)

a. 기초 태아 심장박동수가 분당 160회를 넘는 경우(baseline fetal heart rate >160 bpm)

	심장박동수
경도 태아 빈맥(mild fetal tachycardia)	161~180 bpm
심한 태아 빈맥(severe fetal tachycardia)	≥181 bpm

b. 태아 빈맥의 원인

- 모체의 발열

  • 융모양막염으로 인한 모체의 발열이 태아 빈맥의 가장 흔한 원인

  • 태아의 대사율 증가에 의한 것으로 태아에 나쁜 영향은 없음

- 태아 심장박동수를 직접 증가시키는 약물의 사용

  • 부교감신경 차단제(parasympathetic inhibiting drug) : atropine, hydroxyzine

  • 베타 교감신경 유사제(sympathomimetic drug) : terbutaline, ritodrine, epinephrine

- 다른 원인들 : 태아 갑상샘기능항진증, 태아 빈혈, 태아 심부전, 빈맥성 부정맥 등

④ 기저선 변동(wandering baseline)

    a. 기초 심장박동수가 불안정하고 분당 120~160회 사이를 반복하는 경우

    b. 신경학적으로 비정상인 태아, preterminal events 시 발생

(2) 박동 대 박동 변이도(Beat-to-Beat variability)

  ① 기초 태아 심장박동수의 변이도(baseline variability)

    a. 단기 변이도와 장기 변이도로 구성

    b. 자율신경계에 의해 조절

    c. 태아 심혈관과 중추신경계 기능의 주요한 지표

    d. 태아 저산소증의 심각성을 판단할 수 있는 가장 유용한 척도로 사용

  ② 단기 변이도(short-term variability)

    a. 태아 심장박동수에서 하나의 박동(R-peak)으로부터 다음 박동으로의 즉각적인 변화

    b. 미세파동(microfluctuation)

    c. 변이도가 없으면 박동 대 박동 변이도가 소실(loss of short-term variability)되었다고 함

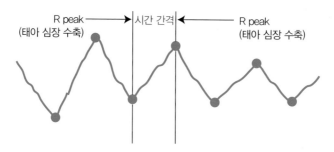

그림 23-3. 단기 박동 대 박동 변이도(short-term beat-to-beat variability)

  ③ 장기 변이도(long-term variability)

    a. 1분 정도 간 나타나는 태아 심장박동수의 주기적인 변화

    b. 거대파동(macrofluctuation)

    c. 정상적인 진동 주기의 빈도 : 1분당 3~5주기(cycles per minute, cpm)

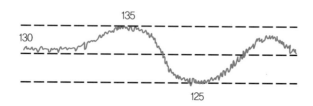

그림 23-4. 장기 박동 대 박동 변이도(long-term beat-to-beat variability)

④ 기초 태아 심장박동수 변이도의 정도

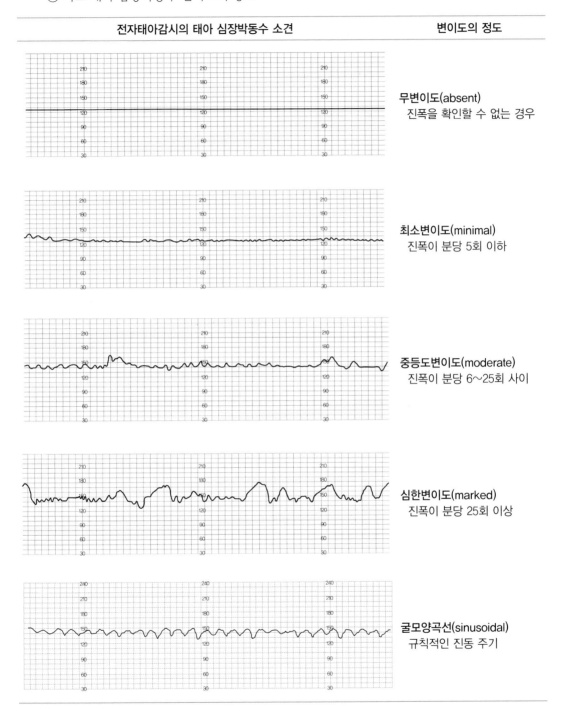

전자태아감시의 태아 심장박동수 소견	변이도의 정도
	무변이도(absent) 진폭을 확인할 수 없는 경우
	최소변이도(minimal) 진폭이 분당 5회 이하
	중등도변이도(moderate) 진폭이 분당 6∼25회 사이
	심한변이도(marked) 진폭이 분당 25회 이상
	굴모양곡선(sinusoidal) 규칙적인 진동 주기

⑤ 기초 태아 심장박동수 변이도의 증가와 감소

    a. 변이도 증가(increased variability)

      - 임신 30주 이후에는 기초 변이도가 활동기에는 증가하고 비활동기에는 감소

      - 기초 태아 심장박동수가 감소하면 변이도 증가

      - 태아 저산소증 초기에는 경도의 태아 저산소증이 발생하여 기초 변이도가 증가

      - Terbutaline : 태아의 빈맥과 변이도 증가

    b. 변이도 감소(decreased variability)

      - 분만 중 진통제나 진정제, 중추신경계 기능저하제 투여 : 가장 흔한 원인

      - 황산마그네슘($MgSO_4$) : 단기 변이도를 감소시키지만 신생아 예후에는 영향 없음

      - 단기 변이도와 장기 변이도의 감소가 함께 나타나는 기초 변이도의 감소가 진폭이 분당 5회 미만으로 나타날 때 태아의 상태는 심각한 문제가 있는 경우가 많음

      - 기초 태아 심장박동수가 증가하면 변이도 감소 : 심장박동수가 증가하면 박동 대 박동 간격이 짧아지면서 생리적인 심혈관 변화가 적어지기 때문

      - 만성태아가사(chronic fetal asphyxia) : 태아 심장박동수 감소 없이 기초 변이도가 분당 5회 미만으로 나타날 때에도 아프가 점수는 낮아짐

    c. 변이도 소실(reduced baseline heart rate variability)

      - 태아 상태가 악화되었음을 나타내는 가장 믿을 수 있는 단독지표

      - 태아의 저산소증보다는 산혈증(acidemia)을 반영

      - 태아 뇌간이나 심장의 기능저하를 일으키는 대사성 산혈증이 있을 때 변이도가 소실되는 현상이 발생

    d. 변이도가 전혀 없는 소견(absent variability)

      - 당뇨병성 케톤산증, 대사성 산혈증 : 태아 뇌간(brain stem)이나 심장의 기능저하를 일으키는 대사성 산혈증이 있을 때에는 변이도가 소실

      - 박동 대 박동 변이도의 소실 : 산혈증을 반영하며 태아상태가 악화되었음을 의미

변이도가 증가하는 경우	변이도가 감소하는 경우	변이도가 소실되는 경우
태아 호흡, 태아가 움직일 때 기초 태아 심장박동수의 감소 임신 주수의 증가 Terbutaline 투여 초기 경도의 태아 저산소증	임신 30주 이후 태아의 비활동 상태 기초 태아 심장박동수의 증가 분만 중 진통제, 진정제, 마취제 투여 황산마그네슘($MgSO_4$) 투여 만성태아가사(chronic fetal asphyxia)	산모 또는 태아의 대사성 산혈증 산모의 당뇨병성 케톤산증 태아의 신경손상

(3) 특수한 경우(Extraordinary type)

  ① 태아 심장 부정맥(fetal cardiac arrhythmia)

    a. 전자태아감시로 태아 부정맥을 먼저 의심할 수 있는 소견 : 기초 태아 심장박동수의 서맥

이나 빈맥이 갑작스런 스파이크로 기록되는 경우

b. 부정맥의 종류 및 원인

- 간헐적인 기초 태아 서맥(intermittent baseline bradycardia) : 선천적 심차단에 의해 흔히 발생

- 완전방실차단(complete A-V block) 같은 전도결함(conduction defect) : 모체의 결체조직 질환과 관련

태아 부정맥의 원인	태아 부정맥의 합병증
심방주기외수축(atrial extrasystole) : 68% 심방빈맥(atrial tachycardia) : 12% 방실차단(A-V block) : 12% 동성서맥(sinus bradycardia) : 5% 심실주기외수축(ventricular extrasystole) : 2.5%	태아수종 : 11% 자궁 내 태아사망 : 2% 염색체 이상 : 1.7%

c. 임신 30~40주 사이의 정상 임신에서 분만 전 태아 서맥(<100 bpm)이나 빈맥(>180 bpm) 이 태아 부정맥과 함께 발생하는 경우

- 빈도 : 약 3% 정도

- 대부분의 상실성부정맥(supraventricular arrhythmia)은 수종(hydrops)에 의한 심부전이 없는 한 분만 중 태아에 큰 영향을 미치지 않음

- 심장의 구조적 결함과 관련이 있는 일부 경우를 제외하면 분만 직후 신생아기에 대부분 저절로 사라짐

d. 분만 전 태아 심장 부정맥 의심 시 심장 초음파와 더불어 초음파에 의한 태아의 해부학적 인 이상을 확인

e. 분만 중 태아 부정맥이 있을 때 태아수종이 합병된 상태가 아니면 제왕절개를 시행한다고 해서 신생아의 상태가 호전되지 않으므로 양수에 태변 착색이 없다면 질식분만을 시행

② 굴모양곡선 태아 심장박동수(sinusoidal fetal heart rates)

a. 태아 저산소증과 강력하게 연관되고, 심한 태아 빈혈의 전조로 나타남

b. 진단 기준

- 기초 태아 심장박동수가 규칙적 진동 주기를 갖는 경우

- 기초 태아 심장박동수는 분당 120~160회 사이, 진동폭은 분당 5~15회 사이

- 장기 변이도 주기는 분당 2~5주기

- 밋밋하고 고정된 단기 변이도를 보임

- 굴모양곡선의 진동이 기초 태아 심장박동수 기준선의 위, 아래에 있을 것

- 태아 심장박동수 증가(acceleration)가 없을 것

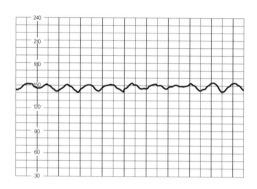

그림 23-5. 굴모양곡선 태아 심장박동수(sinusoidal fetal heart rates)

    c. 원인
- Rh-D 동종면역(RhD-alloimmunization)
- 전치혈관(vasa previa)의 파열
- 심한 태아 빈혈(severe fetal anemia) : 태아-모체 출혈, 쌍둥이간 수혈
- 약물 : meperidine, morphine, alphaprodine, butophanol
- 양막염(amnionitis), 태아가사(fetal asphyxia), 탯줄 폐쇄(umbilical cord occlusion) 등

    d. 위굴모양곡선 태아 심장박동수(pseudosinusoidal fetal heart rate)
- 분만 중에 태아 심장박동수 증가가 주기적으로 나타나 굴모양곡선같이 보이는 경우
- 분만 중 15% 정도에서 나타나고, 일반적으로 태아 손상과 연관되어 있지 않음
- 원인 : 경막외마취와 meperidine 투여 시, 탯줄 압박으로 인한 저산소증 등

3) 주기적 태아심장박동수(Periodic fetal heart rate change)

(1) 태아심장박동수증가(Accelerations)

  ① 태아 심장박동수의 변화 양상

    a. 심장박동수가 기초 태아 심장박동수 수준 이상으로 갑작스런 증가를 보이는 형태

    b. 심장박동수 증가는 시작과 최고점 사이의 시간 간격이 30초 미만으로 갑작스럽게 나타나고, 분당 15회 이상 증가하며, 기초 태아 심장박동수 수준으로 복귀까지 최소 15초 이상, 최대 2분 이하일 때로 정의

    c. 임신 32주 미만일 경우, 분당 10회 이상 증가하며, 최소 10초 이상의 지속기간을 보일 때로 정의

  ② 지속성 태아심장박동수증가(prolonged acceleration)

    a. 심장박동수 증가가 최소 2분 이상, 최대 10분 이하의 지속기간을 갖는 경우로 정의

    b. 증가가 10분 이상 지속되면 기초 태아 심장박동수 수준의 변화로 간주

③ 원인 : 태아 운동, 자궁수축에 의한 자극, 탯줄 압박, 내진 시 태아 자극, 청각 자극 등
④ 심혈관계의 조절 기능이 손상되지 않았음을 나타내는 것으로 태아가 안심할 수 있는 상태임을 시사

(2) 태아심장박동수감소(Deceleration)

① 이른 태아심장박동수감소(early deceleration)

　　a. 태아 심장박동수의 변화 양상

　　　- 자궁수축 시작 시 태아 심장박동수 감소가 나타나고, 심장박동수 감소의 시작, 최저점, 회복이 자궁수축의 시작, 최고치, 종결시기와 일치하는 형태

　　　- 심장박동수 감소는 시작과 최저점 사이의 시간 간격이 30초 이상이고, 분당 30~40회 이상의 감소는 거의 일어나지 않음

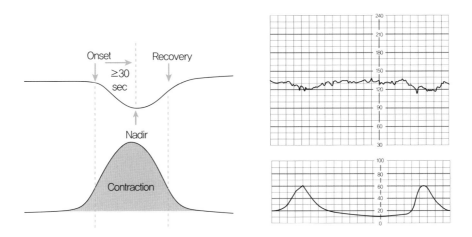

그림 23-6. 이른 태아심장박동수감소(early deceleration)

　　b. 원인

　　　- 자궁수축이 있을 때 태아 머리가 압박되면 태아 심장박동을 조절하는 경막 자극(dural stimulation)으로 미주신경(vagus nerve)이 활성화되어 발생

　　　- 태아 저산소증, 산혈증, 낮은 아프가 점수와는 연관이 없음

　　c. 처치

　　　- 내진을 시행하여 자궁경부의 상태, 선진부, 탯줄 탈출 여부를 확인

　　　- 산모를 옆으로 누인 뒤 감시 시행

　　　- Atropine 투여(vagus nerve 차단)

　　　- 심한 경우, 특히 양수나 태변으로 착색된 경우에는 태아두피혈액 pH 측정

② 늦은 태아심장박동수감소(late deceleration)

　a. 태아 심장박동수의 변화 양상

　　- 자궁수축이 최고에 도달 후 태아 심장박동수 감소가 나타나고, 태아 심장박동수 감소의 시작, 최저치, 회복이 모두 자궁수축의 시작, 최고치, 종결보다 늦게 나타나는 형태

　　- 심장박동수 감소는 시작과 최저점 사이의 시간 간격이 30초 이상이고, 분당 30~40회 이상의 감소는 거의 일어나지 않음

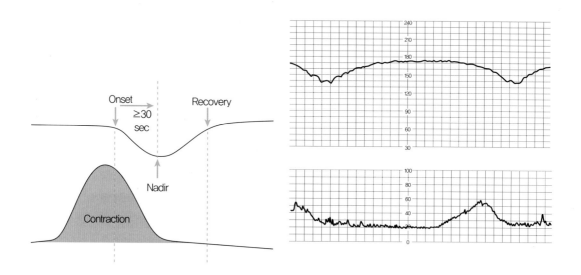

그림 23-7. 늦은 태아심장박동수감소(late deceleration)

　b. 원인

　　- 자궁태반기능저하(uteroplacental insufficiency)에 의해 발생

　　- 가장 흔한 두가지 원인

　　　• 경막외마취에 의한 산모의 저혈압

　　　• 옥시토신 사용으로 인한 과도한 자궁수축

　　- 기타 원인

　　　• 만성태반기능장애를 유발할 수 있는 산모의 질환 : 고혈압, 당뇨, 교원성질환 등

　　　• 태반조기박리(placental abruption)

　c. 지체 시간(lag period)

　　- 자궁수축의 시작에서 늦은 태아심장박동수감소 시작까지의 시간 간격

　　- 태아 심장박동수의 감소를 조절하는 동맥 화학수용체(arterial chemoreceptor)를 자극시킬 수 있는 임계점 이하로 태아의 산소분압을 떨어뜨리는데 필요한 시간

　　- 기초 태아 산소섭취(basal fetal oxygenation) 기능을 반영

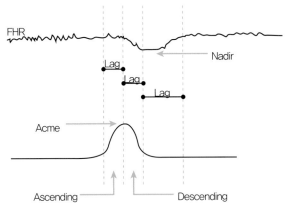

그림 23-8. 지체 시간(lag period)

    d. 처치
- 좌측와위자세(left lateral decubitus position)
- 옥시토신 주입 중단
- 자궁수축억제제 투여로 자궁수축 완화
- 산소 및 수액 공급
- 위 처치에도 불구하고 교정이 되지 않으면 즉시 제왕절개 시행

    e. 태아 저산소증 발생 시 나타나는 소견의 순서
- 늦은 태아심장박동수감소(late deceleration)
- 산혈증(acidemia)
- 변이도 소실(loss of variability)

③ 다양성 태아심장박동수감소(variable deceleration)

    a. 태아 심장박동수의 변화 양상
- 태아 심장박동수의 급격한 감소를 보이고, 감소곡선의 형태와 지속시간, 진동 폭, 자궁수축의 관계가 다양하게 나타나는 형태
- 심장박동수 감소는 시작과 최고점 사이의 시간 간격이 30초 미만으로 갑작스럽게 나타나고, 분당 15회 이상 감소하며, 감소시간은 최소 15초 이상, 최대 2분 이하일 때로 정의
- 분만진통 중 가장 흔하게 나타나는 태아 심장박동수의 감소 양상

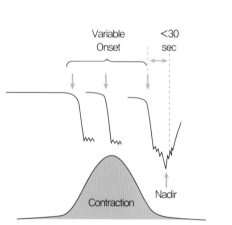
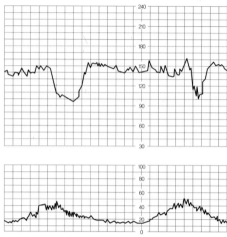

그림 23-9. 다양성 태아심장박동수감소(variable deceleration)

b. 원인 : 탯줄 압박이나 탯줄 내 혈류를 억제하는 요인들이 있을 경우 발생
  - 탯줄이 압박되었을 때, 얇은 벽을 가진 탯줄정맥이 먼저 폐쇄되고 태아로 들어가는 혈류가 억제됨
  - 태아 심장으로 혈액의 되돌아옴이 감소하고 태아의 저혈압 유발
  - 압수용체(baroreceptor)에 의해 심박출량을 유지하기 위해 심장박동수가 증가(이 심장박동수 증가가 다양성 태아심장박동수감소에 선행되는 태아 심장박동수 증가)
  - 탯줄 압박이 계속되어 탯줄동맥까지 폐쇄되면 태아의 전신고혈압이 초래되어 압수용체에 의해 심장박동수가 감소
  - 탯줄 압박이 완화되면 먼저 탯줄동맥이 열리면서 기초 태아 심장박동수 수준으로의 회복이 일어나고 반대의 경로로 나타나는 심장박동수 증가의 '어깨'가 나타남
  - 다양성 태아심장박동수감소는 초기에 저산소증이 아닌 압력의 변화에 따른 반사작용으로 주로 나타나기 때문에 산소포화도의 변화가 없는 태아에서도 정도가 심하고 지속성으로 나타날 수 있음

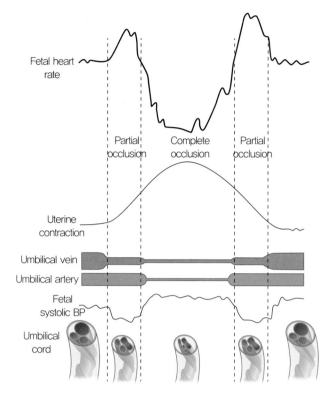

그림 23-10. 부분 및 전체 탯줄 폐쇄의 태아 심장박동수에 대한 영향

c. 호발 인자
  - 양수과소증(oligohydramnios)
  - 짧거나(≤35 cm) 긴(≥80 cm) 탯줄
d. 처치
  - 즉시 내진으로 탯줄 압박 여부를 확인
  - 탯줄 압박 시 즉시 제왕절개 실시
  - 탯줄 압박이 없을 시
    • 산모의 체위를 변경(앙와위이면 측와위로, 측와위이면 반대편 측와위로)
    • 체위 변경 후에도 계속 발생하면 태아두피혈액을 채취하고 pH <7.2로 확인되면 즉시 제왕절개 실시
e. 탯줄 압박(umbilical cord compression)과 관련된 다른 태아 심장박동수 형태
  - Saltatory baseline fetal heart rate
    • 빠르게 반복되는 태아 심장박동수의 증가와 감소
    • 기초 태아 심장박동수가 큰 진동으로 나타남
    • 다른 이상소견이 없으면 나쁜 태아 상태를 의미하지 않음

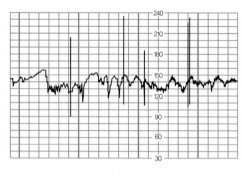

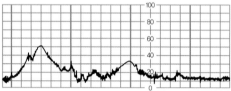

그림 23-11. Saltatory baseline fetal heart rate

- Lambda pattern
  • 증가 뒤에 다양성 태아심장박동수감소(variable deceleration)가 나타나는 형태
  • 분만진통 초기에 나타남
  • 약간의 탯줄 압박이나 신전에 의해 발생
  • 나쁜 태아 상태를 의미하지 않음
④ 지속성 태아심장박동수감소(prolonged deceleration)
  a. 태아 심장박동수의 변화 양상
    - 심장박동수 감소의 시작과 최저점까지 시간이 30초 이하인 급격한 심장박동수 감소가
      나타나고, 최소 분당 15회 이상 감소하며, 감소 시작부터 복귀까지의 시간이 2분 이상,
      10분 이하인 형태
    - 감소가 10분 이상 지속되면 기초 태아 심장박동수 수준의 변화로 간주
    - 저절로 회복되는 지속성 태아심장박동수 감소 뒤에 박동 대 박동 변이도의 소실, 빈맥,
      늦은 태아심장박동수감소가 나타나기도 하며 태아 상태가 회복되면 이러한 소견들도
      사라짐

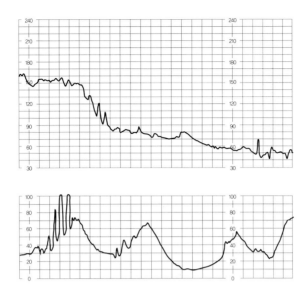

그림 23-12. 지속성 태아심장박동수감소(prolonged deceleration)

　　b. 원인
　　　- 자궁의 과도한 수축(uterine hyperactivity)
　　　- 자궁경부의 내진(cervical examination)
　　　- 탯줄 꼬임(cord entanglement)
　　　- 앙와위(supine position)에 의한 저혈압
　　　- 경막외마취, 척추마취에 따른 저혈압
　　　- 기타 : 태반조기박리, 탯줄 탈출, 탯줄 꼬임, 자간증 경련, 태아두피에 전극의 삽입, 분만
　　　　이 임박한 경우, 모체의 발살바기법
　　c. 처치
　　　- 적절한 처치는 당시의 임상적인 상황에 따라 이루어짐
　　　- 태아 심장박동수 감소의 예측 불가능성을 고려하면 조치가 때때로 불완전할 수 있음

4) 분만진통 제2기의 태아 심장박동수의 양상

(1) 태아 심장박동수 감시의 중요성

① 분만진통 제1기의 태아 심장박동수 감시 : 정상, 비정상 유형을 구별, 파악함으로써 그 중요
　성이 세세하게 연구됨
② 분만진통 제2기의 비정상 태아 심장박동수 유형
　a. 중요성이 아직 불명확하고 심장박동수 양상으로 결과를 예측할 수 없음
　b. 태아 심장박동수 감소에 비하여 일반적으로 아프가 점수나 산성도에 있어서 정상 소견을
　　보이는 경우가 빈번함

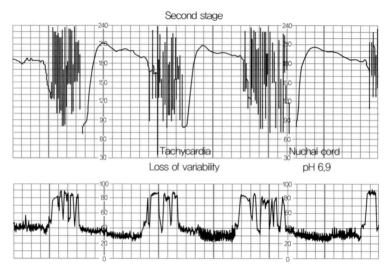

그림 23-13. 분만진통 제2기의 탯줄 압박에 의한 심장박동수 감소와 관련된 빈맥과 변이도 소실

(2) 태아 산혈증과의 관련성

① 태아 산혈증과 관련이 있는 심장박동수 양상

    a. 늦은 태아심장박동수감소(late deceleration)

    b. 분당 70회 이하의 태아 서맥(bradycardia)

    c. 분만진통 제1기에 나타나는 비정상적인 태아 심장박동수

② 태아 산혈증과 관련된 심장박동수 양상이 있는 경우 태아의 안녕을 위협하는 경우가 흔하므로 기타 소견들과 종합적인 판단을 하여 즉각적인 분만 등을 고려해야 함

5) 다른 분만진통 중 건강평가방법

(1) 태아두피혈액채취(Fetal scalp blood sampling)

① 태아의 대사성산혈증, 태아곤란증을 예측할 수 있는 가장 정확한 방법

② 방법

    a. 자궁경부 4~5 cm 이상 개대, 하강도 -1 도달 시 시행

    b. 플라스틱 원추모양의 기구를 질을 통해 태아의 두정부를 향하여 삽입하고, 기다란 관에 부착된 작은 칼날을 이용하여 태아 두피를 가볍게 찌른 후 나오는 혈액을 모세관을 이용하여 채취

    c. 채취량

      - 산성도 검사 : 30 mL

      - pCO_2 검사 : 70~100 mL

③ 적응증 : 혈액학적 이상의 산전 진단, 동종면역, 대사장애, 태아 감염, 태아 염색체 검사, 태아 저산소증의 평가, 태아 치료 등

④ pH에 따른 처치

    a. pH 7.20 이하 : 산혈증과 관련있고, 즉시 반복해서 혈액 채취 하면서 제왕절개 준비

    b. pH 7.20~7.25 : 경계성으로 분류, 30분 내에 다시 측정

    c. pH 7.25 이상 : 경과관찰, 다양성 태아심작박동수감소 지속 시 20~30분마다 검사 반복

⑤ 임상적으로 번거롭고 기술적으로 정확하지 않으며, 환자의 불편함과 반복적인 검사를 요구하는 경우가 많아서 실제로는 매우 드물게 시행

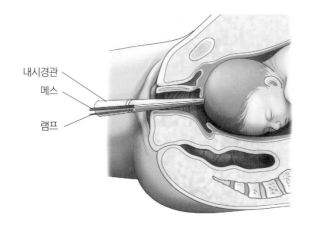

내시경관
메스
램프

그림 23-14. 태아두피혈액채취(fetal scalp blood sampling)

(2) 태아두피자극(Scalp stimulation)

① 태아두피혈액채취의 대체 방법

② 손가락으로 두피를 15초 정도 자극한 뒤 심장박동수가 10 bpm 이상 증가하면 혈액의 pH >7.2을 의미

(3) 음향자극(Vibroacoustic stimulation)

① 태아두피혈액채취의 대체 방법

② 음향자극 후 15초 내에 15초 이상, 15 bpm 이상 증가되면 정상 소견

(4) 태아맥박산소계측(Fetal pulse oximetry)

① 진통 중의 태아산소섭취에 대한 안전하고 정확한 지표

② 양막파수 후 센서를 검사자의 손가락으로 자궁경부를 통과하여 태아의 뺨 부위에 부착시킴

③ 전자태아감시장치가 불안정하거나 고식적 태아감시장치를 신뢰할 수 없을 때 사용

④ 태아의 산소포화도가 30% 이상 : 안심할 수 있는 상태

⑤ 태아의 산소포화도가 30% 미만일 경우 : 산혈증과 관계가 있을 수 있고 이것이 2분 이상 또는 10분 이상 지속될 경우 추가적인 검사와 조치가 필요할 수 있음

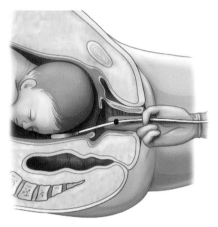

그림 23-15. 태아맥박산소계측(fetal pulse oximetry)

(5) 태아심전도(Fetal electrocardiography)

① 태아 저산소증 악화 시 ST segment & PR interval의 변화 발생

② ST segment 이상이 태아 손상 과정에서 늦게 발생할 수 있음을 고려해야 함

③ 예후를 증진시켜주지는 않음

(6) 자궁내도플러파형(Intrapartum doppler velocimetry)

① 안 좋은 주산기 결과에 대한 낮은 예측 인자 예후

② 인자로 적절하지 않음

2 안심할 수 없는 태아 상태(Nonreassuring fetal status)

1) 정의 및 진단

(1) 정의

① 태아곤란증(fetal distress)

a. 태아 저산소증을 시사하는 심장박동수 소견을 보이는 경우

b. 너무 광범위하고 모호한 표현으로, 양성예측도가 상당히 낮아서 양호한 상태의 영아에서

도 이 같은 소견을 보이는 경우가 많음

② 안심할 수 없는 태아 상태(nonreassuring fetal status, NRFS) : 불명확한 태아곤란증(fetal distress)이라는 말 대신 사용할 수 있는 용어

③ 미국 산부인과학회(ACOG)의 최근 분류

    a. 안심할 수 있는(reassuring) 심장박동수 양상 : 태아가 정상적인 산소 공급을 받고 있다는 의미

    b. 안심할 수 없는(nonreassuring) 심장박동수 양상 : 태아의 저산소증을 시사하며, 현재 혹은 곧 태아가사가 임박하여 태아 손상이나 태아 사망의 위험이 있다는 의미

(2) 3단계 태아 심장박동 해석 체계(ACOG, 2017)

Category I : 정상(Normal)

아래의 모든 기준을 만족시키는 경우
- 기초 심장박동수 : 110~160 bpm
- 기초 심장박동수 변이도 : 중간(moderate)
- 늦은(late) 혹은 다양성(variable) 태아심장박동수감소 : 없음
- 이른 태아심장박동수감소(early deceleration) : 있거나 없음
- 태아심장박동수증가(accelerations) : 있거나 없음

Category II : 중간(Indeterminate)

Category I 혹은 III에 속하지 않는 모든 경우
다음 중 어느 한 가지에 해당하는 경우
- 기초 심장박동수
  - 무변이도(absent)를 동반하지는 않은 태아 서맥(bradycardia)
  - 태아 빈맥(tarchycardia)
- 기초 심장박동수 변이도
  - 최소변이도(minimal)
  - 반복적 태아심장박동수감소(recurrent deceleration)를 동반하지 않는 무변이도(absent)
  - 심한변이도(marked)
- 태아심장박동수증가(accelerations)
  - 자극으로 태아심장박동수증가(accelerations)가 유도되지 않음
- 주기적(periodic) 혹은 간혹(episodic) 발생하는 태아심장박동수감소(deceleration)
  - 최소 혹은 중등도변이도를 동반한 반복적인 다양성 태아심장박동수감소(recurrent variable deceleration)
  - 2분 이상 10분 미만의 지속성 태아심장박동수감소(prolonged deceleration)
  - 중간 기초 변이도를 동반한 반복적인 늦은 태아심장박동수감소(late deceleration)
  - Overshoot 혹은 shoulders를 동반한 다양성 태아심장박동수감소(variable deceleration)

Category III : 비정상(Abnormal)

아래 중 어느 하나에 해당하는 경우
- 무변이도(absent baseline FHR)를 보이면서 다음 중 어느 하나에 해당하는 경우
  - 반복적인 늦은 태아심장박동수감소(recurrent late decelerations)
  - 반복적인 다양성 태아심장박동수감소(recurrent variable decelerations)
  - 태아 서맥(bradycardia)
- 굴모양곡선 양상(sinusoidal pattern)을 보이는 경우

(3) 양수 내 태변(Meconium in the amnionic fluid)

① 태변흡입증후군(meconium aspiration syndrome)

a. 태아의 대장 내용물이 자궁 내로 유출된 결과

b. 양수 내 태변은 전체 분만의 12%에서 볼 수 있으며, 태변흡입증후군은 이러한 신생아의 5%에서 보이고, 이러한 태변흡입증후군을 보이는 경우의 4% 이상에서 사망

c. 예측 불가능하며, 예방할 수 없음

② 자궁 내 태변 유출은 임신 32주 이전에는 거의 없고 대부분 임신 37주 이상에서 발생

a. 임신 주수가 증가할수록 빈도가 증가하여 지연임신(postterm pregnancy)의 경우 약 30%에서 발견

b. 태아 혹은 모체의 스트레스 요인, 즉 저산소증이나 감염 등이 발생했을 때도 발생

③ 태변 유출의 원인

a. 태아의 스트레스 : 저산소증에 의한 장운동 증가와 항문 괄약근의 이완

b. 태아의 성숙과 관련된 정상적인 과정

④ 태변 유출의 영향

a. 16시간 이상 태변에 노출된 경우 탯줄의 궤양, 혈관괴사를 일으킬 수 있고, 태아의 산소화 과정을 저해시킬 수 있음

b. 탯줄정맥을 수축시킬 수 있어 태아-태반의 혈류를 감소시킴

c. 융모양막염 증가

2) 관리

(1) 안심할 수 없는 태아 상태의 처치

① 산모를 측와위로 눕힘

② 자궁과 태반의 혈류 증가를 위해 수액을 늘리고, 안면 마스크로 10 L/min. 산소 공급

③ 자궁수축제 투여를 중지하고 빈수축을 교정

④ 내진 시행

⑤ 경막외마취를 했을 경우 산모의 저혈압을 교정

⑥ 지속적인 태아 심장박동수 감시 시행

⑦ 응급제왕절개술을 대비하고 마취과 및 간호 인력에게 연락을 취함

⑧ 신생아 전공 소아과 의사를 대기시킴

(2) 자궁수축억제제(Tocolytics)

① 자궁의 이완을 위해 사용

a. Terbutaline : 250 μg, 정맥주사 또는 피하주사

b. Nitroglycerin : 60~180 μg

c. Magnesium sulfate

② 분만 중 안심할 수 없는 태아 심장박동 양상(nonreassuring fetal heart rate pattern)을 보일 때 자궁수축억제제의 사용은 근거가 없음(ACOG, 2017)

(3) 양수주입술(Amnioinfusion)

① 미국 산부인과학회(ACOG, 2016)

　a. 반복적인 다양성 태아심장박동수감소(recurrent variable deceleration)가 있을 때 태변 착색과 관계없이 양수주입술을 고려할 수 있음

　b. 태변을 희석시킬 목적으로 양수주입술을 시행하는 것은 권장되지 않음

② 경질양수주입술(transvaginal amnioinfusion)의 적응증 및 방법

　a. 적응증

　　- 다양성 또는 지속성 태아심장박동수감소(variable or prolonged deceleration)의 치료

　　- 양막파수 후 지연으로 발생한 양수과소증의 예방

　　- 진하게 착색된 태변의 희석

　b. 방법 : 따뜻한 생리식염수 500~800 mL 먼저 주입 후 약 3 mL/min. 속도로 지속 주입

③ 양수과소증에서 양수주입술의 이점

　a. 양수과소증에 의해 다양성 태아심장박동수감소가 일어난 경우 자궁내 양수를 보충해줌으로써 다양성 태아심장박동수감소를 줄임

　b. 아프가 점수와 탯줄동맥혈 산성도 수치, 응급 제왕절개 빈도를 감소시킴

3　분만 중 자궁수축(Intrapartum surveillance of uterine activity)

1) 자궁활동도의 양상(Patterns of uterine activity)

(1) 자궁수축의 강도

① 지표 : Montevideo unit(MVUs)

② 자궁의 기초긴장도(baseline tone)수준 이상으로 증가된 자궁수축 강도의 발생을 수은주압(mmHg)으로 표시하여 10분당 나타난 자궁수축 회수를 곱한 수치로 나타낸 것

　a. 10분 동안에 3회의 수축이 있고, 수축 강도가 60 mmHg이면 3×60 = 180 MVUs

　b. 10분 동안 3회의 수축 강도가 각각 60, 70, 70 mmHg이었다면 200 MVUs

(2) 임신 주수에 따른 자궁활동도

① 임신 30주 이전

　a. 자궁활동도(uterine activity)는 비교적 조용함

    b. 이때까지의 자궁수축력은 20 mmHg를 넘지 않음

② 임신 30주 이후

    a. 자궁활동도(uterine activity)가 점차 증가

    b. Braxton Hicks 수축의 강도와 빈도가 증가하는 것과 같음

③ 임신 마지막 수 주 동안에 자궁활동도는 더욱 증가하고 자궁경부는 숙화(ripening)됨

(3) 분만진통 중 자궁활동도

① 임상적인 분만진통

    a. 대부분 자궁활동도가 80~120 MVUs 사이에 이를 때 시작

    b. 전단계와 분만진통 사이에 뚜렷한 경계가 없이 점진적으로 이어짐

② 분만진통 제1기

    a. 자궁수축 강도 : 시작 시 25 mmHg에서 50 mmHg까지 점차 증가

    b. 자궁수축 빈도 : 10분당 3~5회

    c. 자궁 기초긴장도(uterine baseline tone) : 8~12 mmHg

③ 분만진통 제2기

    a. 자궁활동도는 더욱 증가하며, 하강느낌(bearing down) 시 모체 복압에 의해 가중

    b. 자궁수축 강도 : 80~100 mmHg

    c. 자궁수축 빈도 : 10분당 5~6회

    d. 자궁수축 기간 : 초기 활성 분만진통(early active labor)부터 분만진통 제2기 전반에 이르기
       까지 60~80초 정도로 일정하게 유지

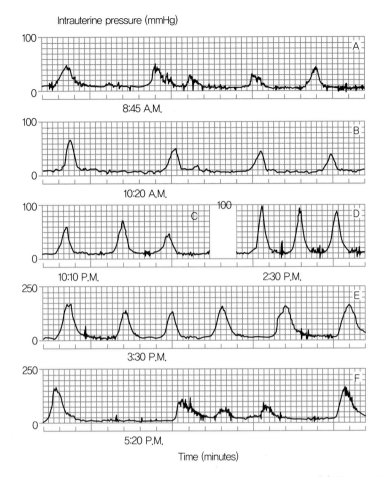

그림 23-16. 자궁내압력(intrauterine pressure), (A) 분만진통 전, (B) 분만진통 초기, (C) 활성 분만진통, (D) 분만진통 후기, (E) 분만 30분 후, (F) 분만 2시간 후

(4) 자궁수축에 대한 용어

① 정의(ACOG, 2017)

    a. 정상 자궁수축 : 10분당 5회 이하의 자궁수축

    b. 빈수축(tachysystole) : 10분당 6회 이상의 자궁수축

    c. 자궁고긴장(hypertonus), 자궁과자극(hyperstimulation), 자궁과수축(hypercontractility) : 더 이상 사용하지 않음

② 자궁수축의 빈도 증가와 신생아 예후와는 연관성이 없음

③ 10분에 6회 이상의 수축은 태아 심장박동수의 감소(deceleration)와 관계가 있음

2) 자궁수축의 근원과 파급(Origin and propagation of contractions)

(1) 분만진통 중 자궁수축

① 수축의 방향

    a. 나팔관 끝부분의 자궁각 유발점(pacemaker)에서 시작

    b. 우측 유발점이 좌측보다 우세하여 수축파의 대부분이 우측에서 시작

    c. 자궁수축 시작부위에서 초당 2 cm의 속도로 탈분극(depolarization)되어 15초 이내에 자궁 전체로 퍼짐

    d. 탈분극파는 자궁경부를 향해 아래로 확산

② 수축력의 강도

    a. 자궁저부(fundus)가 가장 크고, 자궁하부로 가면서 점차 감소

    b. 자궁저부에서 자궁경부로 내려오면서 자궁근육의 두께가 감소하는 것으로 알 수 있음

    c. 자궁 만출력이 아래쪽으로 내려오면서 점차 감소하여 태아를 자궁경부 쪽으로 밀어내고, 자궁경부의 소실(effacement)을 유발

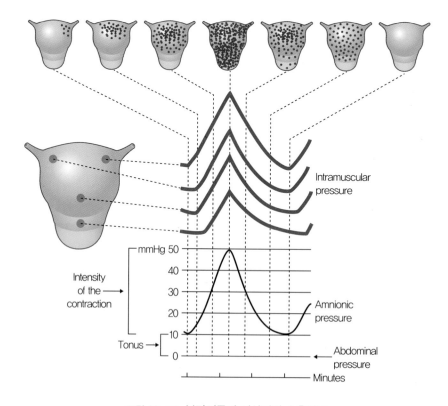

그림 23-17. 분만진통의 정상적인 수축파동

(2) 분만진통 초기의 전형적인 양상

① 부조화(incoordinated) 자궁수축

    a. 수축력이 서로 다른 자궁수축곡선이 인접하여 연속적으로 나타나는 현상

    b. 한쪽 자궁각의 자궁수축 유발점에서 시작된 자궁수축이 동시에 전체 자궁에 파급되지 않고, 반대측 유발점에서 다른 자궁수축이 발생하여 2중의 제2수축파를 형성하기 때문

② 큰 수축파에 이어 발생하는 작은 수축파

    a. 수축강도가 25 mmHg 이하이거나 10분에 2회 이하의 빈도로 나타나는 저긴장(hypotonic) 분만진통에서 관찰되는 분만진통 초기의 전형적인 양상

    b. 이때 분만은 서서히 진행됨

3) 분만 중 자궁수축의 기록

(1) 자궁외기록(External monitoring)

① 방법

    a. 임신부의 자궁저부 근처에 자궁수축력측정기(tocodynamometer)의 탐촉자(tranducer)를 부착시켜 전기적 신호를 기록지에 기록

    b. 기초긴장도(baseline tone)를 15~20 mmHg로 조절 후, 자궁수축이 있을 때 탐촉자에 전달되는 상대강도를 태아 심장박동수의 기록속도에 맞추어 기록

② 장단점

    a. 장점 : 자궁수축의 시작과 끝, 최고점과 10분당 자궁수축 회수를 간편하게 확인

    b. 단점 : 실제 자궁내압을 정확히 측정할 수 없고, 임신부가 수평위로 있으면서 거의 움직이지 않아야 해서 산모의 불편감이 초래되며, 분만의 진행에도 방해가 될 수 있음

(2) 자궁내기록(Internal monitoring)

① 방법

    a. 부드럽고 끝이 열려있거나, 생리식염수로 채워진 풍선이나, 탐촉자가 붙어 있는 플라스틱 유도관을 열려있는 자궁경부를 통해 밀어 넣어 태아 선진부 위쪽 양수 내에 그 끝이 다다르도록 장치한 뒤 도관의 끝을 압력감지기에 연결

    b. 기초긴장도를 15~20 mmHg로 조절한 후 태아 심장박동수 기록 속도에 맞추어 자궁수축의 양상을 기록

② 장단점

    a. 장점 : 실제 자궁내압을 정확히 측정할 수 있음

    b. 단점 : 양막이 파열된 경우만 시행 가능, 태반 손상, 태반조기박리, 자궁천공, 탯줄 압박, 태아 손상, 자궁내감염 등의 위험성

③ 자궁내기록의 상대적 금기증(ACOG, 2017) : 산모의 HIV, herpes simplex, hepatitis B, C

CHAPTER 24

산과마취(Obstetric anesthesia)

1 분만 통증(Labor pain)

1) 분만 통증의 원리

(1) 분만 통증 정도

① 분만 통증의 특징

a. 개개인에 따라 통증을 느끼는 정도가 매우 다름

b. 분만 횟수에 따라서도 차이가 발생

② 통증척도지수(PRI)에 따른 다른 통증과의 비교

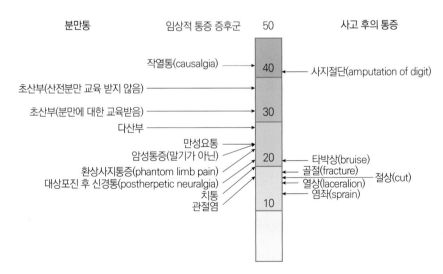

그림 24-1. 통증척도지수(PRI)에 따른 분만 통증과 다른 통증의 비교

(2) 분만 통증 경로

① 분만진통 제1기의 통증

　　a. 자궁에서 오는 내장통증(visceral pain)

　　b. 원인 : 자궁 수축과 동반된 자궁경부 확장

　　c. 경로 : 10~12번째 흉추신경(T10~T12)과 첫 번째 요추신경(L1)을 거쳐 척수(spinal cord)로 전달

　　d. 양상

　　　- 정확히 통증 위치를 말하기 어려움

　　　- 다른 곳에서 통증을 느끼는 연관통을 호소(분만 시 자궁 수축에 의한 요통)

　　　- 자궁수축은 주로 하복부, 허리, 넓적다리 등 신체의 넓은 부분에서 느끼게 되고, 처음에는 통증이 둔한 양상을 보이다가, 수축이 강해질수록 통증의 강도도 증가

② 분만진통 제2기의 통증

　　a. 체성통증(somatic pain)

　　b. 원인 : 태아 머리 하강에 따른 질과 회음부 신장 및 다른 골반 구조물의 압박

　　c. 경로 : 2~4번째 천골신경(S2~S4)에서 유래하는 음부신경(pudendal nerve)에 의해 전달

　　d. 양상

　　　- 날카롭고 찌르는 듯한 특징

　　　- 매우 정확히 질, 직장, 회음부에 국한하여 나타남

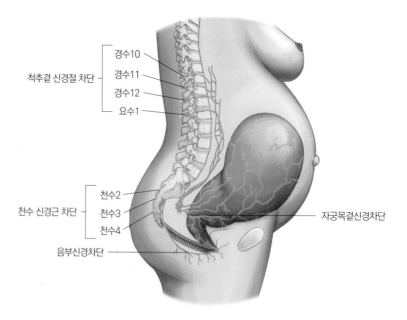

그림 24-2. 분만 통증의 경로

2) 분만 통증의 영향

(1) 분만 경과에 미치는 영향

① 통증의 상반된 작용

    a. 교감신경계의 활성도를 높여 자궁수축억제효과가 있는 카테콜라민 특히, 에피네프린의 혈장 내 농도를 증가시킴

    b. Ferguson 반사와 같은 자극은 상행 척수로를 따라 중뇌까지 신경자극을 일으켜 옥시토신의 분비를 일으킴

② 통증에 의한 자극이 에피네프린과 같은 물질을 분비할지 옥시토신과 같은 물질을 분비할지의 여부는 개인에 따라 다름

(2) 임산부에 미치는 영향

① 심혈관계 및 호흡기계에 미치는 영향

    a. 교감신경계의 활성도 증가

    - 심박출량과 말초혈관의 저항 증가

    - 자궁과 태반 사이의 혈류 감소

    b. 호흡 자극을 통한 과호흡 유발

    - 자궁수축 사이에 보상적 호흡 감소가 발생하고 일시적인 모성 저산소증 및 태아 저산소증이 유발 가능

    - 보조적인 산소 투여가 필요

② 정신적 영향

    a. 진통 및 분만 과정에서 통증을 느끼는 정도는 매우 심한 개인차를 보임

    b. 일반적으로 초산모가 다분만부에 비해 통증 인지의 정도가 높음

    c. 심한 통증을 겪은 임산부에서 출산 후 우울증의 발생빈도, 성적매력에 대한 부정적 사고의 경향이 높아짐

(3) 태아에 미치는 영향

① 통증이 태아에 미치는 직접적인 영향은 없음

② 자궁과 태반 사이의 혈류량에 영향을 미칠 수 있음

    a. 자궁수축의 빈도와 강도

    b. 자궁동맥의 혈관수축 정도

    c. 임산부의 과호흡 및 혈중 산소화 변화로 인한 태반의 혈류 감소

③ 정상적인 자궁-태반 간 혈류를 가진 대부분의 임산부는 이러한 스트레스를 극복 가능

2 분만진통 중의 통증 감소

1) 비경구 약물(Parenteral agents)

(1) 분만 통증을 줄이기 위한 이상적인 진통제의 조건

① 태반의 통과가 적고 일정한 약동학을 나타냄

② 약제의 발현시간이 빠르고, 투여를 중단한 후 회복까지의 시간이 빠름

③ 태아의 항상성 유지 및 자궁수축과 태아 만출력에도 해로운 영향이 없어야 함

(2) 아편유사제(Opioids)

① 분만 중 진통제로 사용되는 아편유사제

약물	용량	발현시간	작용시간
Meperidine	25~50 mg (IV) 50~100 mg (IM)	5~10 min (IV) 30~45 min (IM)	1~2 hour 2~4 hour
Nalbuphine	10~20 mg (IV, IM 동일용량)	2~3 min (IV) 15 min (IM)	3~4 hour
Butorphanol	1~2 mg (IV, IM 동일용량)	5~10 min (IV) 10~30 min (IM)	3~4 hour
Morphine	2~5 mg (IV) 10 mg (IM)	5 min (IV) 30~40 min (IM)	3~4 hour
Fentanyl	25~100 µg (IV)	2~3 min (IV)	30~60 min
Remifentanil	20~25 µg (IV)	2~3 min (IV)	<15 min

② 장점과 단점

    a. 장점 : 특별한 기구 없이 사용할 수 있으며 분만 통증을 어느 정도 감소시킬 수 있음

    b. 단점 : 산모의 구역, 구토, 위배출시간의 지연, 저환기(hypoventilation), 태아 부작용 등

③ 부작용

    a. 산모의 부작용 : 진정, 호흡저하, 구역, 구토, 소양증, 기립성 저혈압

    b. 신생아의 부작용 : 태아 심장박동수의 변화(변이도 소실, 서맥), 신생아 호흡저하

(3) 흡입마취제

① 종류 : Nitrous Oxide

② 분만 통증의 감소 목적으로 사용되지 않음

    a. 자궁평활근을 이완시킴

    b. 통증 감소 효과가 부적절

    c. 산모의 구역, 구토 유발

2) 국소마취제 직접침윤(Local infiltration)

(1) 국소침윤마취

① 분만 진통에는 효과가 없지만 분만 중에 회음절개 전, 분만 후 열상 부위의 봉합 시에 사용되는 안전한 통증 차단 방법

② 사용하는 약물 : 0.5~1% lidocaine

③ 주입하기 전에 주사기를 뒤로 빼서 흡인을 한 후 피가 나오지 않는 것을 확인하고 주입

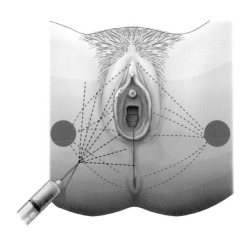

그림 24-3. 분만 중 국소침윤마취

(2) 제왕절개를 위한 국소침윤마취(Local infiltration for cesarean delivery)

① 마취약 : 0.5% lidocaine 70 mL에 epinephrine을 1:200,000 희석

② 방법

    a. 1st injection : 절개할 부위를 따라 피하주사하고 복부가 열리면 피하조직, 근육, 복직근에 주사

    b. 2nd injection

      - 위치 : midaxillary line에서 costal margin과 iliac crest 사이의 중간

      - 마취할 신경 : 10th, 11th, 12th intercostal nerves

    c. 3rd injection

      - 위치 : External inguinal ring

      - 마취할 신경 : genitofemoral & ilioinguinal nerves의 가지

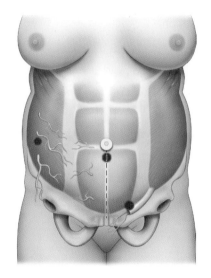

그림 24-4. 제왕절개를 위한 국소침윤마취

3) 부위마취(Regional anesthesia)

  (1) 음부신경 마취(Pudendal nerve block)

    ① 목적 : 통증없이 회음절개술(episiotomy)을 시행

    ② 시술 방법

      a. 관으로 된 가이드를 사용하여 음부신경 근처에 바늘의 끝이 닿도록 유도

      b. 1% lidocaine 1 mL 주사 전에 흡인을 하여 혈관 위치여부를 확인하고 점막에 주입

      c. 바늘이 천골가시인대에 닿을 때까지 밀고 그 곳에 3 mL 주사

      d. 바늘이 인대를 완전히 통과하도록 더 전진시켜 인대 밑 저항이 없는 곳에 3 mL 주사

      e. 바늘을 궁덩뼈가시 바로 위쪽에 삽입한 후 3 mL 주사

      f. 3~4분 이내에 음부신경이 차단되면 질 아래와 외음부 뒤쪽 양측은 통증을 느끼지 못함

      g. 음부신경 마취 전 회음절개술을 시행할 부위 근처의 외음부, 회음부, 질에 직접 1% lido-caine 5~10 mL 주사하면 통증없이 회음절개술 시행 가능

    ③ 합병증

      a. 경련 : 국소마취제의 정맥 주입으로 전신중독증을 일으켜 전신 경련을 초래

        - 경련 조절제 : succinylcholine, thiopental, diazepam

        - 기도 확보와 산소 투여

        - 보존적인 처치가 응급 제왕절개술보다 태아 생존률에 유리함

      b. 혈관 천공에 의한 혈종의 형성

      c. 주사 부위의 염증

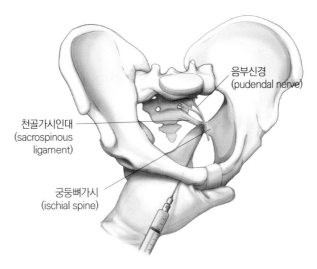

그림 24-5. 음부신경 마취(pudendal nerve block)

(2) 자궁경부주위 마취(Paracervical block)

① 목적 : 음부신경 마취로 차단되지 않는 자궁수축에 의한 통증 경감

② 시술 방법 : 1% lidocaine 5~10 mL를 자궁경부의 3시와 9시 방향에 주입

③ 분만진통 제1기에 우수한 통증 완화 작용

④ 10~70%에서 태아 서맥을 초래할 수 있어 태아가 위태로울 가능성이 있을 때는 사용하면 안됨

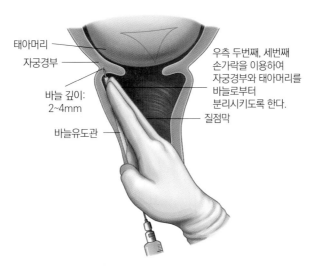

그림 24-6. 자궁경부주위 마취(paracervical block)

4) 신경축마취(Neuraxial analgesia)

(1) 산과 영역에서 흔히 사용되는 마취제

약물	농도(%)	양(mL)	발현	작용시간(min)	사용
Aminoesters					
2-Chloroprocaine	2	10~20	Rapid	30~60	음부신경 마취(pudendal block)
	3	10~20		30~60	제왕절개의 경막외마취
Aminoamides					
Bupivacaine	0.0625~0.125	10~15	Slow	60~90	분만의 경막외마취
	0.75	1.5~2		60~120	제왕절개의 척추마취
Lidocaine	1~1.5	10~20	Rapid	30~60	음부신경 마취(pudendal block)
	1.5~2	5~20		60~90	분만 및 제왕절개의 경막외마취
	5	1.5~2		45~60	소파술의 척추마취, 음부신경 마취
Ropivacaine	0.08~0.2	5~10	Slow	60~90	분만의 경막외마취
	0.5~1	10~30		90~150	제왕절개의 척추마취

(2) 척추마취(Spinal or Subarachnoid anesthesia)

① 경막을 뚫고 지주막하공간(intra-thecal space)에 소량의 국소마취제나 아편유사제를 척수강 내로 일회 주입하는 방법

② 장점

　　a. 진통의 발현이 빠르고 짧은 지속시간, 높은 성공률, 감각신경 차단이 효과적으로 발생

　　b. 분만진통 초기부터 분만 통증을 견디기 힘들어 하는 경우 시행 가능

　　c. 경막외마취를 할 시간적 여유 없이 분만이 상당히 많이 진행되어버린 경우 시행 가능

③ 마취 부위

　　a. 분만진통 제1기 : T10 level(umbilicus level)

　　b. 분만진통 제2기, 수술적 분만 : S2~S4 level(perineal level)

　　c. 제왕절개 : T4 level(xyphoid process level)

④ 합병증

　　a. 저혈압(hypotension)

　　　- 원인 : 교감신경의 차단에 의한 혈관 확장과 심박출량의 감소

　　　- 신경축마취의 가장 흔한 합병증

　　　- 신경축마취 후 앙와위(supine)를 취하지 말아야 하며, 우측 엉덩이에 쐐기를 받히거나 수술대를 좌측으로 약 15° 정도 기울임

- 대처 방법
  - 수액의 공급 : crystalloid 또는 colloid 수액 500~1,000 mL 투여(포도당 수액은 임산부의 고혈당증, 태아의 저혈당증을 유발할 수 있어 사용 안함)
  - 환자의 자세를 좌측와위로 변경(자궁의 좌측 전위)
  - Ephedrine 5~15 mg 이나 phenylephrine을 투여

b. 경막천자 후 두통(postdural puncture headache, PDPH)
  - 원인 : 천자된 경막을 통해 뇌척수액이 흘러나오고, 이로 인해 뇌압이 감소되면 통증에 민감한 조직과 뇌 기관이 자극되어 전두부와 후두부에 통증을 유발
  - 대처 방법
    - 일차적 보존 요법 : 진통제, 수액공급 및 침상안정 등을 24시간 실시
    - 경막외 혈액봉합술(epidural blood patch, EBP) : 보존 요법이 효과 없을 경우 시행

c. 전척추마취(total spinal block)
  - 원인 : 다량의 국소마취제가 척수강내 혹은 경막하공간에 투여되는 경우 발생
  - 증상 : 심한 저혈압, 오심, 구토, 호흡정지, 의식소실, 심한 경우 심정지
  - 대처 방법
    - 기도확보, 산소공급, 호흡보조 그리고 저혈압과 서맥을 교정
    - 기관 내 삽관 및 산소공급과 호흡을 보조하여 적절한 산소화를 유지
    - 두부하강체위와 튜브 커프 압력을 적절히 유지시킴
    - 수액 및 ephedrine, phenylephrine, atropine을 정맥 주사하여 저혈압과 서맥을 교정

d. 경련(convulsion)
  - 원인 : 마취제가 정맥 안으로 주입되거나 혈관부위에서 빨리 흡수될 경우 발생
  - 대처 방법
    - Thiopental sodium이나 diazepam을 정맥 주사
    - 마스크로 호흡을 유지시키면서 산소를 공급

e. 기타 다른 합병증
  - 산모의 발열, 방광 기능 장애, 허리 통증
  - 거미막염(arachnoiditis), 수막염(meningitis), 경막외 또는 척수 혈종
  - 일시적인 신경학적 증상 : 하지나 엉덩이 부분의 통증, 아편제제에 의한 가려움증

⑤ 금기증
  a. 저혈압이나 혈액량이 감소된 경우
  b. 심한 자간증, 혈액응고장애
  c. 마취 부위의 감염
  d. 신경학적 문제가 있는 경우

(3) 경막외마취(Epidural anesthesia)

① 요추부 경막외마취(lumbar epidural analgesia) : 무통분만의 대표적이고 고전적인 방법

② 마취 부위

　　a. 분만진통과 질식분만 : T10~S5 level

　　b. 제왕절개 : T8~S1 level

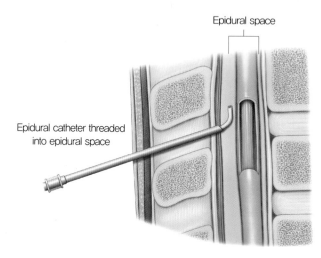

그림 24-7. **경막외마취**(epidural anesthesia)

③ 장점

　　a. 산모의 혈중 카테콜아민(catecholamine) 농도를 감소시켜 탯줄의 혈류량이 증가

　　b. 통증으로 인한 산모의 과호흡-저호흡의 악순환을 완화

　　c. 심장병의 과거력, 전자간증, 고혈압 등이 있는 임산부의 합병증 감소

　　d. 질식분만을 시도하다가 제왕절개술로 이행 시 수술을 위한 마취 방법으로 사용 가능

④ 경막외공간에 국소마취제를 주입하는 방법에 따른 종류

　　a. 경막외간헐적주입법(epidural intermittent infusion)

　　b. 경막외지속주입법(epidural continuous infusion) : 진통 효과를 일정하게 유지할 수 있기 때문에 만족도가 높고 추천되는 진통법

　　c. 경막외자가조절법(patient controlled epidural analgesia, PCEA)

　　　- 임산부가 느끼는 통증에 따라 진통제의 주입을 결정하기 때문에 만족도가 높음

　　　- 주입되는 진통제의 총량을 줄여주어 운동신경 차단과 국소마취제의 부작용을 줄임

⑤ 합병증 : 척추마취의 합병증과 유사

   a. 저혈압

   b. 효과적이지 못한 통증조절

   c. 마취부위가 높거나 전척추마취

   d. 기타 : 산모의 발열, 허리 통증 등

⑥ 금기증

   a. 산모의 저혈압

   b. 산모의 혈액응고장애(혈소판 5~10만/μL 이하)

   c. 저분자량 헤파린(LMW heparin)을 하루에 한 번씩 투여 받는 경우

   d. 치료하지 않은 산모의 패혈증

   e. 바늘 삽입 부위의 피부 감염

   f. 종양에 의해서 뇌압이 상승해 있는 경우

   g. 산모의 질환 : 심한 전자간증, 자간증, 임신부의 폐고혈압이나 대동맥협착

(4) 척추경막외병용마취(Combined spinal-epidural analgesia, CSE)

① 경막외마취를 위한 바늘 안에 아주 가느다란 바늘을 넣어서 척추마취를 하고 경막외공간에 카테터를 두어 지속적인 약물을 주입하는 방법

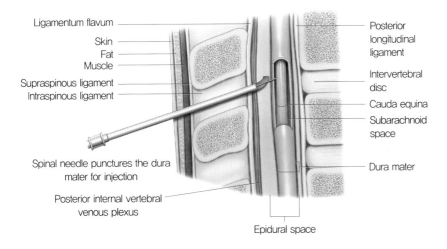

그림 24-8. **척추경막외병용마취**(combined spinal-epidural analgesia)

② 장점 : 제왕절개 분만과 수술 후 통증 조절에 용이

   a. 척추마취를 통한 빠른 마취 효과로 제왕절개술을 시행

   b. 경막외마취를 통한 지속적인 마취 효과로 수술 후 통증을 조절

   c. 척추마취로 감각신경차단 높이가 T4에 이르지 못하는 경우에도 경막외공간 카테터를 통해 국소마취제를 투여하여 원하는 높이까지 차단 높이를 높일 수 있음

5) 전신마취(General anesthesia)

(1) 마취제의 종류

① 흡입 마취제 : N2O, isoflurane, halothane

② 정맥 마취제 : thiopental, ketamine

(2) 합병증

① 흡인성 폐렴(aspiration pneumonia)

   a. 위 내용물의 흡인에 의한 폐렴

   b. 산과마취 사망의 가장 흔한 원인

   c. 예방 방법

     - 마취 전 최소 6~8시간 동안 금식

     - 전신마취의 유도 및 유지하는 동안 위 산도를 낮추는 약물 이용

     - 윤상 연골에 압력을 가해서 식도를 막고 능숙한 기관내삽관을 시행

     - 수술이 끝날 때 임신부가 깨어나면 환자를 옆으로 눕히고 머리를 낮춘 상태에서 삽관한 튜브를 제거

     - 가능하면 부위마취를 이용

   d. 치료

     - 흡입(suction) & 기관지경(bronchoscopy)

       • 가능한 한 많은 흡인 액체를 제거하고, 큰 고형 물질이 흡입되면 기도 폐쇄를 피하기 위해 빨리 기관지경을 시행

       • 폐로 위산을 더욱 퍼지게 하므로 식염수 세척은 금기

     - 산소 공급 & 기계환기(mechanical ventilation)

     - 항생제(antibiotics)

       • 예방 목적의 항생제 투여는 권장되지 않음

       • 임상적으로 감염 발생이 확실히 증명된 경우에 항생제 투여

     - Corticosteroid : 효과 없음

② 삽관의 실패

   a. 위험인자 : 심한 비만

b. 조기 발견 방법

- 맥박산소측정(pulse oximetry)

- 호기말 이산화탄소분압측정(capnography)

③ 각성(awareness)

a. 임산부의 각성은 일반 수술 환자의 각성보다 빈도가 높음

- 태아 억제와 자궁이완을 최소화하기 위해 낮은 용량의 흡입마취제를 투여

- 산모의 증가된 심박출량으로 인해 정맥마취제가 빨리 체내에서 재분배가 일어나서 뇌에서 그 효과가 충분히 나타나지 못함

b. 수술 중 bispectral index(BIS) 수치를 관찰하면서 마취 유지를 하면 각성 빈도를 낮출 수 있음

6) 제왕절개술 후 통증조절

(1) 수술 후 통증 관리

① 목표 : 환자 만족도 증가, 부작용 최소화, 기능 회복, 장기 입원의 예방

② 제왕절개 후 1년 및 2년 동안 지속되는 통증의 발생률 : 약 20 %

(2) 제왕절개술 후 통증관리의 최신 기준(ACOG, 2016)

① 통증조절 약물로 신경축 아편유사제(neuraxial opioids)를 권장하고, 수술 후 acetaminophen과 NSAIDs를 같이 사용하는 것이 유용

② 신경축 아편유사제(neuraxial opioids)

a. 정맥 또는 근육 투여보다 지주막하공간(intrathecal) 또는 경막외(epidural) 투여를 추천

- 진통효과가 크고, 운동신경을 차단하지 않음

- 교감신경차단이 없어 조기보행이 가능하고 모유로의 이행도 적음

b. 약물 : Morphine

- 사용량 : 지주막하공간 0.1~0.15 mg, 경막외공간 2~4 mg

- 24시간 정도 작용 : Fentanyl은 지용성이라 작용시간이 짧음

- 발현에 60분 정도 소요되어 이를 보완하기 위해 fentanyl을 같이 사용하기도 함

c. 충분한 모니터링이 어려운 경우 정맥 투여가 더 나을 수 있음

d. 부작용 : 소양감, 오심, 구토, 지연성 호흡억제 등

③ Transversus abdominis plane(TAP) block

a. 아편유사제를 투여 받지 못한 경우, 전신마취를 한 경우, 신경축마취 후 지속적인 통증이 있는 경우 시행

b. 초음파 유도하 복사근과 복횡근(oblique and transversus abdominis muscles) 사이에 국소마취제를 투여

c. T6~L1 부위의 통증을 조절

④ 비스테로이드성소염진통제(NSAIDs)와 기타 보조진통제

　a. Acetaminophen

　　- 환자가 원할 때 투여하는 것보다 주기적으로 투여하는 것이 효과적

　　- 진통작용이 약하지만 다른 약제와 같이 사용하면 용량과 부작용을 줄일 수 있음

　　- Acetaminophen과 NSAIDs를 같이 사용한다면 아편유사제의 사용이 40% 정도 감소

　b. 기타

　　- Cyclooxygenase-2 inhibitor : clonidine, dexmedetomidine

　　- Nmethyl-D-aspartate (NMDA) receptor antagonist : ketamine

　　- α 2 adrenergic agonists, gabapentin, neostigmine 등

⑤ 경막외자가조절법(patient controlled epidural analgesia, PCEA)

⑥ 정맥내자가조절진통법(patient-controlled analgesia, PCA)

1) 개요

(1) 정의

① 자발적인 분만진통이 시작되기 전에 의학적인 이유 또는 환자나 분만 의사의 편의를 위해 분만진통을 일으키는 것

② 임신 39주 이전은 신생아 이환율을 증가시킬 수 있어 임신 39주 이후에 시행

③ 충분한 설명을 통해 유도분만의 위험성에 대한 정보를 제공하고 이를 바탕으로 한 임신부의 동의를 구한 후에 시행

(2) 적응증 및 금기증

① 유도분만의 적응증

임신의 유지보다 분만이 이득인 경우	선택적 유도분만인 경우
– 진통이 없는 조기양막파수 – 양수과소증(oligohydramnios) – 임신성 고혈압 – 산모의 만성 고혈압, 당뇨 – 지연임신(postterm pregnancy) – 융모양막염(chorioamnionitis) – 안심할 수 없는 태아 상태(nonreassuring fetal status) – 태아성장제한(fetal growth restriction) – 동종면역(alloimmunization) – 자궁 내 태아사망(intrauterine fetal demise)	– 시술자나 환자의 편의 – 고위험 임신부의 경우 충분한 의료 인력이 확보된 상태에서 분만을 하기 위해 – 산모가 특정한 시기에 분만을 원할 때 – 급속분만의 위험이 있는 경우 – 병원으로부터 멀리 떨어져 사는 경우 – 정신 사회적 이유

② 유도분만의 금기증

산모측 요인	태아측 요인
– 고식적인 제왕절개술, 자궁근육층을 포함하는 자궁 수술의 과거력 – 전치태반 또는 전치혈관 – 산모의 협골반 – 활성기 생식기 헤르페스 감염 – 자궁경부암	– 거대아(macrosomia) – 심한 태아수두증(severe hydrocephalus) – 비정상태위(malpresentation) – 안심할 수 없는 태아 상태(nonreassuring fetal status)

(3) 위험성

① 제왕절개술(cesarean section) : 2~3배 증가
② 융모양막염(chorioamnionitis) : 분만촉진을 위한 인공양막파수 시 더욱 증가
③ 자궁파열(uterine rupture)
    a. 옥시토신을 사용할 경우 3배 증가, 프로스타글란딘 사용 시 더욱 증가
    b. 이전 자궁수술 과거력이 있는 경우 자궁경부 숙화를 위해 프로스타글란딘을 사용하지 말 것을 권함(ACOG, 2017)
④ 자궁이완증(uterine atony)에 의한 산후 출혈 : 분만의 유도 및 촉진 시 더 흔하게 발생

(4) 유도분만의 필요조건

① 유도분만을 하기 전에 임산부와 태아의 상태를 평가하고 임신 주수, 태아의 크기와 태위, 골반 검사, 자궁경부검사 등을 시행
② 사용되는 약물과 방법, 과정에 대하여 명시하고 충분한 정보를 제공하여 동의를 구함
③ 유도분만의 성공률을 높이는 요인
    a. 어린 산모의 연령(younger age)
    b. 다산력(multiparity)
    c. BMI <30
    d. 적절한 자궁경부 상태(favorable cervix)
    e. 태아의 체중 <3,500 g

2) 유도분만 전 자궁경부의 숙화(Ripening)

(1) 자궁경부의 적절성(Cervical favorability)

① 자궁경부 상태 혹은 적절성은 유도분만의 성공과 밀접한 관계
② Bishop 점수
    a. 자궁경부 상태를 평가할 수 있는 대표적인 방법
    b. Bishop 채점 방식

	Cervical factor				
Score	Dilatation (cm)	Effacement (%)	Station (−3 to +2)	Consistency	Position
0	Closed	0∼30	−3	Firm	Posterior
1	1∼2	40∼50	−2	Medium	Midposition
2	3∼4	60∼70	−1	Soft	Anterior
3	≥5	≥80	+1, +2		

      c. Bishop 점수에 따른 의미

        - 4점 이하인 경우 : 자궁경부의 숙화가 덜 된 상태(자궁경부 숙화의 적응증)

        - 5∼8점인 경우 : 자궁경부의 숙화가 중간 정도

        - 9점 이상인 경우 : 성공적인 유도분만 예측 가능

      d. 자궁경부의 개대(dilatation) : 분만에 필요한 시간 예측에 가장 좋은 인자

(2) 약물적 방법(Pharmacological technique)

    ① Prostaglandin E_2 (PGE$_2$)

      a. 합성 PGE$_2$: Dinoprostone

        - 자궁경부 숙화를 목적으로 미국 FDA 공인을 받은 Prostaglandin E_2

        - Bishop 점수 향상과 분만 시간을 단축시켰지만 제왕절개 수술률을 낮추지는 못함

	Prostaglandin E_2 Gel	질좌제(local application)
상품명	Prepidil	Propess, Cervidil
형태	Dinoprostone 0.5 mg을 함유한 2.5mL 젤 제제	Dinoprostone 10 mg을 함유한 띠모양
사용 위치	자궁내구 아래의 자궁경부에 주입	질 뒤천장(posterior vaginal fornix)에 삽입
특징	24시간 동안 최대 3회, 6시간 간격으로 사용 가능	0.3 mg/hr로 서서히 약제를 방출 삽입 후 12시간이 지나거나 진통이 시작될 경우 제거

그림 25-1. Cervidil

b. 자궁수축은 대개 투여 1시간 내에 나타나고 처음 4시간 정도에 최고점에 달함

c. 분만진통이 적절하지 않을 경우, 옥시토신을 사용

- PGE$_2$ gel 투여 후 6시간 내지 12시간 후

- 질좌제를 제거하고 최소 30분 후

d. 부작용(ACOG, 2016)

- 자궁의 빈수축(uterine tachysystole)

- 자궁수축과 태아 심장박동을 지속적으로 관찰할 수 있는 분만실에서 사용하여야 함

e. 주의해서 투여해야 하는 경우 : 산모의 양막파수, 녹내장(glaucoma), 천식(asthma)

f. 금기증

- PGE$_2$에 대한 과민반응 과거력

- 태아곤란증 또는 머리-골반 불균형(CPD)

- 설명할 수 없는 질 출혈

- 옥시토신을 투여 중인 경우

- 6회 이상의 만삭 출산력이 있는 경우

- 이전 제왕절개 또는 자궁근육층을 포함하는 수술을 받은 경우

② Prostaglandin E$_1$(PGE$_1$)

a. 합성 prostaglandin E$_1$: Misoprostol(상품명 : cytotec)

- FDA에서 공인된 적응증은 위궤양의 치료

- 비공식적으로 사용되고 있지만 안전성과 효능에 대해 확인되고 사용이 권장됨

b. 자궁경부 숙화 방법

- 질좌제 투여 : 25 μg

- 경구 투여 : 100 μg

- 25 μg 보다 50 μg 용량을 사용했을 때 추가로 oxytocin이 필요한 경우는 적으나 자궁의 빈수축(uterine tachysystole) 위험성은 증가

- 빈수축이 발생하더라도 태아곤란증이나 제왕절개 수술률은 증가하지 않음

c. 임신 중 misoprostol 사용 지침(ACOG, 2016)

- 입원환자를 대상으로 자궁경부의 숙화 또는 진통 유도 목적으로 사용

- 매 3~6시간 간격으로 25 μg을 질내 투여, 매 6시간 간격으로 50 μg 투여

- Oxytocin이 필요하다면 misoprostol을 사용한지 4시간 후에 투여 시작

- 태아 심장박동수 및 자궁수축 상태는 계속적으로 관찰

- 이전 제왕절개 또는 자궁근육층을 포함하는 수술을 받은 경우에는 투여 금지

d. 약물 투여 후 오한과 38℃ 이상의 고열이 발생하면 즉시 질 세척을 하여 약물을 제거해주고 보존적 치료 시행

(3) 물리적 방법(Mechanical techniques)

① 자궁경부 카테터(transcervical catheter)

　　a. Cervical dilatation with balloon catheter : 자궁경부를 통해 카테터(26F) 등을 양막 밖의 공
　　　간에 삽입하고 식염수 30 mL를 주입하여 부풀린 후 아래쪽으로 긴장이 지속되게 하는 방
　　　법

　　b. Extraamnionic saline infusion(EASI) : 양막 밖으로 식염수를 30~40 mL/hr로 지속적 주입
　　　하는 방법

　　c. Bishop 점수의 빠른 증가와 분만시간 단축의 효과를 기대할 수 있음

　　d. 모체와 태아의 감염 위험은 크지 않지만 제왕절개 수술률을 낮추지는 못함

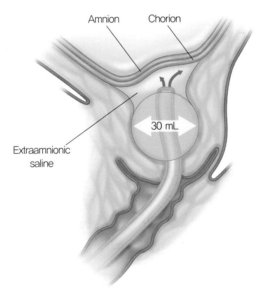

그림 25-2. Extraamnionic saline infusion(EASI)

② 흡습성 자궁경부 확장제(hygroscopic cervical dilator)

　　a. 종류 : 라미나리아(laminaria), 라미셀(lamicel)

　　b. 자궁경부의 숙화를 위해 사용되어 왔으며 초기 임신중절에 효과적

　　c. 수분을 흡수하여 자궁경부에서 점점 팽창되고 융모양막과 탈락막을 분리시켜서 용해소
　　　체(lysosome) 파괴와 프로스타글란딘 분비를 유발하여 자궁경부의 숙화를 유도

　　d. 가격이 저렴한 장점이 있으나 시술하는데 불편함

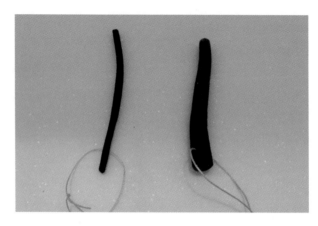

그림 25-3. 라미나리아(laminaria)

2 유도분만과 분만촉진의 방법들(Methods of induction and augmentation)

1) 옥시토신(Oxytocin)

(1) 개요

① 옥시토신의 용도

a. 유도(induction) : 자연진통이 시작되기 전에 자궁수축을 자극

b. 촉진(augmentation) : 자연진통이 미약하여 태아가 골반 내로 하강하지 못하고 자궁경부 개대가 진행되지 못할 때 자궁수축을 자극

c. 많은 경우에서 자궁경부의 숙화(cervical ripening)와 유도분만(labor induction)은 연속임

② 약리학적 특징

a. 옥시토신은 소화효소에 의해서 불활성화 되기 때문에 경구로는 사용할 수 없어 주로 정맥 주사로 이용

b. 혈장 반감기 : 약 3~6분 정도로 짧음

c. 자궁수축이 나타나는 시간 : 투여 후 약 3~5분 정도

d. 평형농도에 이르는 시간 : 약 30~40분

(2) 옥시토신(Oxytocin)의 정맥 투여 방법

① 옥시토신 10~20단위를 lactated Ringer solution 1,000 mL에 섞어 10~20 mU/mL의 농도가 되게 함

② 계속적으로 정확한 양을 주입하기 위하여 주입펌프(infusion pump)를 사용

③ 2~3분 간격으로 150~350 MVUs 정도의 자궁수축이 나타날 때까지 용량을 증가

④ 전자태아감시를 이용하여 자궁수축의 빈도, 강도, 지속시간 및 태아 심장박동수를 주의 깊게 감시

⑤ 약물을 중단해야 하는 경우

    a. 자궁수축이 10분에 6회 이상 또는 15분에 8회 이상 지속

    b. 지속적인 태아 심장박동수의 이상

⑥ 유도분만을 위한 옥시토신 저용량과 고용량 투여법(ACOG, 2016)

요법	시작용량 (mU/min)	증가용량 (mU/min)	간격 (min)
저용량 (low dose)	0.5~1.5	1	15~40
	2	4, 8, 12, 16, 20, 25, 30	15
고용량 (high dose)	4	4	15
	4.5	4.5	15~30
	6	6	20~40

    a. 저용량 옥시토신 투여법

      - 0.5~2 mU/min 용량으로 시작하여 15~40분마다 1~2 mU/min 증량

      - 자궁빈수축 및 이와 관련된 태아 심장박동수의 변화가 나타나는 빈도가 적음

    b. 고용량 옥시토신 투여법

      - 4~6 mU/min 용량으로 시작하여 고농도와 짧은 시간 간격으로 증량

      - 진통 시간이 짧으며 융모양막염의 발생이 적고 제왕절개술의 빈도가 감소

      - 자궁빈수축 및 이와 관련된 태아 심장박동수의 변화가 나타나는 빈도가 증가

⑦ 옥시토신의 최대 용량

    a. 모든 여성에 있어서 적절한 자궁수축을 유도하는 효과적인 최대 용량은 다름

    b. 200 MVUs 미만으로 자궁수축이 불충분하고, 태아상태에 문제가 없으면서 분만이 진행되지 않을 경우 48 mU/min 이상도 위험성이 없다고 알려짐

⑧ 자궁에 대한 반응에 영향을 주는 인자

    a. 자궁의 활동도, 자궁경부의 상태, 임신기간 및 각 개인의 생물학적 차이

    b. 만삭에 가까울수록 반응이 증가 : 옥시토신 수용체가 증가하기 때문

(3) 이점과 위험성

① 제왕절개의 과거력이 있는 경우 옥시토신을 사용하여 숙화 및 유도분만을 하면 자연진통과 비슷한 안정성을 보임(PGE$_1$과 PGE$_2$는 사용하지 않는 것이 안전)

② 항이뇨작용(antidiuretic effect)이 강해서 20 mU/min(30 gtt) 이상 주입 시 신장의 유리수분제거율(free water clearance)이 감소

③ 옥시토신과 다량의 수분을 주입할 때 수분중독(water intoxication)으로 경련, 혼수상태, 사망 등에 이를 수 있으므로 주의가 필요

④ 폐부종(pulmonary edema) 발생 시 옥시토신을 중단하고 이뇨제(diuretics)를 투여

⑤ 고용량으로 장시간 투여하게 될 경우 희석된 용액의 주입 속도를 증가시키기 보다는 농도를 증가시켜 투여함

2) 다른 유도분만과 분만촉진 방법들

(1) Prostaglandin E_1(PGE$_1$)

① 조기양막파수 또는 적절한 자궁경부 산모의 유도분만

  a. 경구 투여 : 100 μg

  b. 질좌제 투여 : 25 μg

② 옥시토신의 정맥 투여와 유사한 효능을 나타냄

③ 높은 용량에서 높은 비율로 자궁의 빈수축이 나타남

④ 유도분만이나 분만촉진이 효과적이지 않으면 옥시토신이 필요

(2) 인공 양막파수(Amniotomy)

① 자궁경부가 부분적으로 확장되고 소실되었을 때 시행하는 효과적인 유도분만 방법

② 시행방법

  a. 선택적 양막파수(elective amniotomy)

    - 자궁경부가 5 cm 정도 개대 되었을 때 시행

    - 자연 분만진통이 가속화되어 1~1.5시간 정도 단축됨

    - 옥시토신의 필요성, 제왕절개 빈도는 증가하지 않고, 나쁜 주산기 영향도 없음

  b. 유도분만을 위한 양막파수(surgical induction)

    - 양막파수 단독 시행의 단점

      • 자궁수축의 시작 시간을 예측할 수 없음

      • 간혹 진통이 시작할 때까지 시간이 오래 걸림

    - 자궁경부가 1~2 cm 개대된 초기에 양막파수를 시행한 경우, 약 5 cm 개대 때 시행하는 것보다 진통시간을 4시간 정도 단축시키지만 융모양막염의 발생은 증가

  c. 분만촉진을 위한 양막파수(amniotomy augmentation)

    - 분만진통이 비정상적으로 느린 경우 시행

    - 활성기 정지장애 시 옥시토신 단독 사용보다 양막파수를 병행하면 분만시간이 단축

    - 융모양막염의 발생은 증가

③ 시행 시 주의사항

  a. 인공 양막파수를 시행하기 전 반드시 태아의 선진부가 머리인지, 자궁경부 근처에 탯줄이

나 태아의 다른 부분이 있는지 확인

b. 시술 중 발생할 수 있는 탯줄 탈출이나 태아 머리의 골반 밖으로의 이탈을 예방하기 위해서 자궁저부와 치골상부를 압박하거나 자궁이 수축하는 동안에 시행

c. 시행 직후 반드시 태아 심박동수, 산모의 상태, 양수의 색깔을 확인

(3) 양막박리(Membrane stripping)

① 집게 손가락을 자궁내구(internal os)에 깊숙이 삽입하여 360°로 두 번을 회전하여 자궁하부와 양막을 분리시키는 방법

② 보편적으로 시행되는 유도분만 방법

③ 탈락막과 주위의 막으로부터 $PGF_{2\alpha}$, 자궁경부로부터 PGE_2의 분비가 증가

④ 안전하며 양막파열, 감염, 출혈의 빈도를 증가시키지 않고, 지연임신 빈도를 감소시킴

3) 유도분만과 분만촉진의 합병증

(1) 자궁빈수축(Uterine tachysystole)

① 10분 동안 6회 이상의 자궁수축이 있는 경우

② 반드시 태아 심장박동수의 이상 여부를 확인해야 함

③ PGE_2 질좌제 투여 후 약 1~5%에서 발생

(2) 수분중독(Water intoxication)

① 저나트륨혈증(hyponatremia)

a. 고용량 옥시토신의 항이뇨작용(antidiuretic effect)

b. 긴 시간동안 많은 양(3 L 이상)의 저장액(hypotonic solution)에 섞어서 고농도(40 mU)로 투여하는 경우 발생

c. 중증 급성 저나트륨혈증의 증상 : 두통, 식욕부전, 오심, 구토, 복통, 기면(lethargy), 늘어짐(drowsiness), 의식 소실, 대경련(grand mal type seizures) 등

② 수분 중독(water intoxication) 발생 시 처치

a. 옥시토신뿐만 아니라 모든 저장액의 투여를 중단

b. 천천히 저나트륨혈증의 교정을 시작(지나치게 빨리 교정 시 위험할 수 있음)

c. 수분 섭취를 제한하고, 증상이 있으면 고장액 식염수(hypertonic saline)를 투여

(3) 저혈압(Hypotension)

① 옥시토신이 정맥 내 대량주입 되면 말초 혈관저항의 감소로 저혈압 발생

② 분만 후 출혈을 멈추게 하기 위한 경우를 제외하고는 반드시 주입펌프를 사용하거나 아주 천천히 주사해야 함

(4) 유도분만 실패

① Bishop 점수가 낮은 경우 유도분만의 실패 가능성이 높음

② 실패를 판단하기 전에 자궁경부 숙화와 분만진통이 시작될 수 있도록 충분한 시간을 기다려야 함

③ 옥시토신이나 프로스타글란딘으로 유도분만을 시행할 때 분만진통의 평균 잠복기

    a. 미분만부(nullipara) : 16시간

    b. 다분만부(multipara) : 12시간

(5) 기타

① 융모양막염(chorioamnionitis)

② 자궁파열(uterine rupture)

1) 전방 후두위(Occiput anterior position)

　(1) 머리의 분만

　　① 태아 머리 출현(crowning)

　　　a. 머리의 최대 장경이 외음부에 감싸인 환상 형태

　　　b. 회음절개를 시행할 수 있는 시기

　　② 회음절개(episiotomy)

　　　a. 회음절개를 시행하지 않는 경우

　　　　- 회음부가 극단적으로 얇아지게 되고, 특히 미분만부의 경우 쉽게 파열점에 도달

　　　　- 항문도 늘어나고, 두드러지게 되어 직장의 전벽이 보이게 됨

　　　　- 요도, 음순 등을 포함한 앞쪽 질벽 열상의 초래 가능성이 증가하여 봉합도 어렵고 통증
　　　　　이 더 심하게 됨

　　　b. 회음절개를 시행한 경우 : 외항문괄약근, 직장 등의 열상 위험이 증가

　　　c. 임산부 또는 분만자세 마다 개별화가 중요하고 모든 질식분만 시 항상 시행하는 것은 아
　　　　님

　　③ 회음 마사지

　　　a. 회음부 열상을 줄이고 머리분만 전 산도를 넓히는 목적으로 시행

　　　b. 회음부 중앙에서 회음부를 양손의 엄지와 다른 손가락으로 잡고 바깥쪽으로 신전을 시키
　　　　는 술기를 반복

　　　c. 산전이나 분만 중 시행된 경우 회음보호에 대한 효과는 없음

④ 리트겐 수기법(Ritgen maneuver)

    a. 시행 시기 : 머리가 외음부와 회음부를 밀어 질개구부가 5 cm 이상 되었을 때 시행

    b. 방법 : 장갑 낀 한 손에 타올을 씌워 항문을 막으면서 꼬리뼈(coccyx)의 바로 앞 회음부를 통하여 태아의 턱을 앞쪽으로 당기며 압박을 주면서 다른 손으로는 두정부에서 위쪽으로 압박을 가함

    c. 의의 : 머리의 신전을 도와 가장 작은 직경으로 분만될 수 있게 함

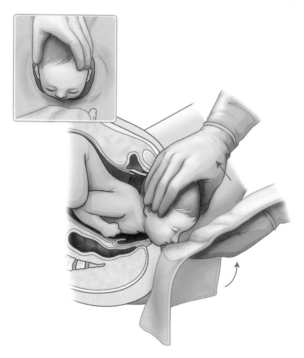

그림 26-1. 변형된 리트겐 수기법(Modified Ritgen maneuver)

(2) 코와 입의 청결

① 머리가 분만되면 양수와 혈액의 흡입을 줄이기 위해서 안면을 빨리 닦아주고, 콧구멍과 입을 흡입기로 흡입

② 최근에는 코와 입의 흡입이 신생아 서맥을 유발할 수 있는 것으로 보고되어 미국 심장학회에서는 태변이 보인다 할지라도 분만 즉시 흡입기로 흡입하는 것을 제한하고 있음

③ 흡인이 필요한 경우

    a. 자연호흡이 방해 받거나 양압호흡이 필요한 신생아에서는 흡입을 시행

    b. 태변이 보이고 신생아가 처져 있을 때에는 기관 삽입 후 기관지 흡입을 시행

(3) 목덜미 탯줄(Nuchal cord)의 처치

① 태아의 목덜미가 탯줄에 의하여 몇 번 감겼는지, 어느 부위가 감겼는지 확인

② 목덜미 탯줄은 분만 시 약 25%에서 나타나며 대개는 위험이 없음

③ 한 개의 목덜미 탯줄이 있다면 대부분은 충분히 헐거워져 있어서 손가락을 사용하면 머리위로 쉽게 벗겨짐

④ 목덜미 탯줄이 목을 너무 세게 조이고 있으면 두개의 겸자를 이용해 탯줄을 자른 후 태아를 즉시 분만

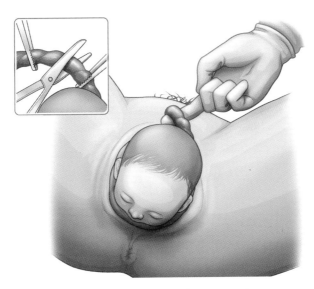

그림 26-2. 목덜미 탯줄(nuchal cord)

(4) 어깨의 분만

① 머리가 만출 된 후 외회전 운동이 일어나면 머리의 양쪽을 두 손으로 잡음

② 앞쪽 어깨가 치골결합 아래에 보일 때까지 부드럽게 전하방으로 당겨 앞쪽 어깨를 분만

③ 앞쪽 어깨 분만 후 다시 상방으로 당겨서 뒤쪽 어깨를 분만

④ 신체 나머지 부분의 분만이 지연될 때는 머리에 중등도 견인과 자궁저부에 중등도 압박을 가함

⑤ 주의사항

　a. 손가락을 겨드랑이에 걸고 당기는 것은 피함 : 상지신경에 외상을 줄 수 있고 일과성 또는 영구적 마비 유발 가능

　b. 견인은 영아의 장축의 방향으로만 시행 : 비스듬히 잡아당기면 목이 휘거나, 상완신경총의 과신전을 야기

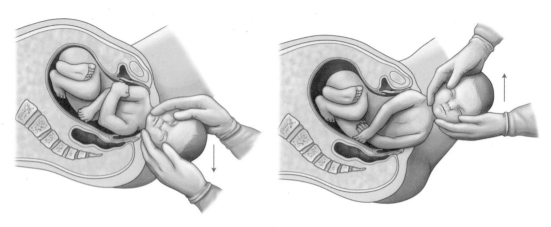

그림 26-3. 태아 어깨의 분만

(5) 탯줄의 결찰

① 탯줄은 태아 복부 6~8 cm 상방에서 겸자로 잡아 두 겸자 사이를 자르고, 복부에서 2~3 cm
떨어진 지점에서 탯줄 결찰(cord clamping)을 시행

② 탯줄 결찰의 시기

a. 정상적인 조건 하에서 탯줄 결찰의 시기는 중요하지 않음

b. 약간의 지연이 주는 영향

- 분만 후 신생아를 질개구부 위치나 또는 약간 아래에 위치하여 최대 60초 동안 지연하
면 철분 저장량과 혈액량이 증가하여 신생아의 빈혈 발생률이 감소하는 효과

- 높은 혈색소가 고빌리루빈혈증을 유발하여 광선치료 기간이 길어질 수도 있음

- 조산아일 경우에 분만 후 30~60초 후에 탯줄 결찰을 하는 것을 권장(ACOG, 2017)

c. 일반적인 탯줄 결찰은 신생아의 기도를 전체적으로 깨끗이 해준 후 시행

d. 질식분만 시에는 질입구 위로, 제왕절개 시에는 임신부 복벽 상방으로 많이 들어올리지
않아야 함

③ 탯줄 혈관의 확인

a. 탯줄 절단면에서 두 개의 두껍고 작은 탯줄 동맥과 한 개의 얇고 넓은 탯줄 정맥을 확인
(2A 1V)

b. 탯줄 동맥이 한 개인 경우(single umbilical artery)에는 약 1/4에서 기타 기형을 동반하기
때문에 각종 기형의 유무를 잘 확인해야 함

(6) 측방 후두위(Occiput transverse position)

① 머리가 골반강 내로 들어갈 때 시상봉합이 골반횡경에 나란하게 위치하는 것

a. 후두위 태아의 약 60% 이상이 측방 후두위

b. 좌측방 후두위(LOT)가 40%, 우측방 후두위(ROT)가 20%

② 골반구조 이상이나 부동고정위(asynclitism)가 없는 경우 일시적으로 나타나 자연적으로 전방 후두위(occiput anterior)로 회전

③ 지속성 측방 후두위(persistent occiput transverse position)

  a. 저장성(hypotonic) 자궁 기능부전이 있다면 옥시토신을 투여하여 진통 촉진을 시도

  b. 산모가 힘을 주지 못하면서 분만이 진행되지 않는다면 수기회전을 시도

  c. 구조적 원인으로 편평(platypelloid)골반, 남성형(android)골반인 경우에는 다른 시도 없이 제왕 절개분만

2) 지속성 후방 후두위(Persistent occiput posterior position, POPP)

(1) 이환율 및 예후

① 전체 만삭의 두위아 중 약 5%에서 발생, 46% 정도에서 질식분만을 성공

② 흔하게 나타나는 경우 : 거대아인 경우, 중간골반의 횡경협착이 있는 경우, 경막외마취, 이전 후방 후두위 분만 등

③ 위험성

  a. 분만진통 제2기가 길어지고 제왕절개나 기구분만 가능성이 증가

  b. 태아분만 후 분만진통 제3, 4기의 실혈 증가 : 심한 질, 산도 열상의 증가 때문

  c. 전방 후두위에 비하여 분만 합병증이 증가

  d. 단기 합병증 증가 : 태아 산증, 분만 손상, 낮은 아프가 점수, 중환자실 입원율 등

(2) 지속성 후방 후두위의 분만

① 골반 출구가 넓고 이전의 질식분만으로 질과 회음부가 이완되어 있다면 신속한 자연분만이 가능

② 산모의 만출 노력이 있을 때 전방후두위아에 비하여 아두로부터 압력이 회음부에 더 심한 정도로 가해지므로 회음부의 깊은 열상을 입을 수 있다

③ 분만 방법

  a. 자연분만이 쉽게 진행되지 않는 경우, 수기회전을 시도

  b. 골반협착이 없고 머리가 골반 내로 진입되었으며 자궁경부가 완전히 개대된 경우 무통마취하에 겸자회전(forcep rotation)을 시도

  c. 위의 두 방법으로 분만이 어려우면 제왕절개술 시행

3) 견갑난산(Shoulder dystocia)

(1) 개요

① 견갑난산(shoulder dystocia)의 정의

  a. 예전 : 태아 머리에서 몸통까지의 분만 시간이 60초를 초과한 경우

　　b. 최근 : 태아 어깨의 분만에 정상적인 하방 견인이 효과적이지 못한 경우(임상적 측면이 강
　　　조)
　② 빈도 : 전체 분만의 1% 정도라고 하며 더 증가하는 추세

(2) 산모와 신생아의 합병증
　① 산모의 합병증 : 자궁이완증, 질 및 자궁경부의 산도 열상에 의한 산후출혈
　② 신생아의 합병증
　　a. 태아-신생아 이환율 및 사망률을 유의하게 증가시킴
　　b. 태아의 신경, 근육, 골격계의 손상이 증가
　　c. 위팔신경마비(brachial plexus injury)
　　　- 분만 시 앞쪽 어깨의 아래쪽 견인에 의해 발생
　　　- Erb-Duchenne 마비
　　　　• C5, C6 손상
　　　　• 어깨는 내전(adduction), 내회전(int. rotation), 팔은 신장(extension), 회내(pronation)한
　　　　　상태로 팔을 움직이지 못함
　　　　• 손상 쪽의 moro, biceps 반사가 소실 또는 감소
　　　- Klumpke 마비
　　　　• C7, 8, T1 손상
　　　　• 손과 손목의 운동이 마비되어 주먹을 쥐지 못하며 파악 반사가 소실
　　　　• T1 교감 신경이 손상되면 동측에 축동, 눈꺼풀 처짐 등의 Horner 증후군이 발생
　　　- 자연 회복을 기다리며 수동운동 등의 재활치료를 통한 구축의 예방이 필요
　　　- 대개 3~6개월 안에 회복되지만 심한 경우 수년이 지나도 회복되지 않을 수 있음
　　d. 쇄골 골절(clavicle fracture)
　　　- 견갑난산과 연관되어 있지만 없어도 발생 가능
　　　- Isolated clavicle fracture : unpredictable, unavoidable, no clinical significance
　　e. 기타 : 상완골 골절(humerus fracture), 대사성 산증, 심폐소생술, 저산소증뇌장애

(3) 예측 및 예방
　① 견갑난산의 위험인자
　　a. 태아 체중의 증가 : 비만, 다산, 과숙, 당뇨병 등의 모체측 요인
　　b. 이전의 견갑난산 과거력
　② 견갑난산에 대한 지침(ACOG, 2017)
　　a. 대부분의 견갑난산은 정확하게 예측되거나 예방할 수 없음
　　b. 거대아가 의심되는 모든 산모에게 선택적 유도분만이나 선택적 제왕절개술을 시행하는

것은 적절하지 않음

　　c. 계획된 제왕절개는 당뇨가 없는 경우 태아예상체중이 5,000 g 이상이거나, 당뇨병 산모인 경우 4,500 g 이상인 경우 고려

(4) 처치

① 목표

　　a. 태아 머리의 분만부터 몸통의 분만까지 시간을 단축

　　b. 태아와 산모의 손상을 최소화

② 견갑난산 시 시도해 볼 수 있는 방법

　　a. 치골상부 압박(suprapubic pressure)

　　　- 치골하부에 꽉 끼인 앞쪽 어깨를 분만하기 위한 방법

　　　- 머리를 아래쪽으로 견인함과 동시에 보조자가 치골상부에 적당한 압력을 가해 치골에 끼인 앞쪽 어깨가 치골 아래로 빠져나옴

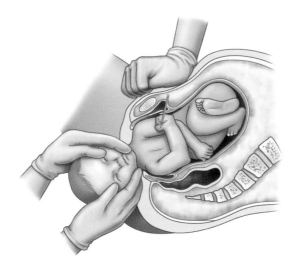

그림 26-4. 치골상부 압박(suprapubic pressure)

　　b. McRoberts 수기법(McRoberts maneuver)

　　　- 산모의 다리를 발걸이에서 풀어서 환자의 배에 닿게 구부리고 보조자는 치골상부에 적당한 압력을 가하는 방법

　　　- 맨 먼저 시도할 수 있는 타당한 방법(ACOG, 2017)

　　　- 엉치뼈(sacrum)가 허리뼈(lumbar vertebrae)에 대해 편평해지고 치골이 산모의 머리 쪽

으로 회전하여 골반 경사각(pelvic inclination)이 감소
- 골반의 용적을 증가시키지 못하지만 골반에 두위가 회전함으로써 꽉 끼인 앞쪽 어깨를
  풀어줄 수 있음

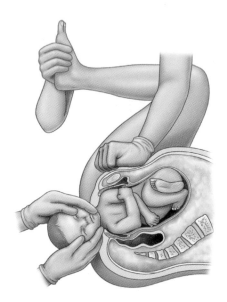

그림 26-5. McRoberts 수기법(McRoberts maneuver)

c. 뒤쪽 어깨 분만법(delivery of posterior shoulder)
   - 태아의 뒤쪽 팔을 가슴 앞으로 쓸어내려 빼면 이후 어깨가 한쪽 방향으로 비스듬히 빠
     져나오게 되어 분만이 가능한 방법
   - 골반의 경사직경(oblique diameter)에 맞춰 어깨대(shoulder girdle)를 회전시키고 앞쪽
     어깨를 분만할 수 있음

(A)   (B)   (C)

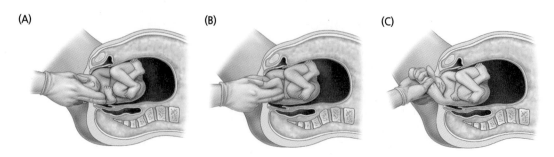

그림 26-6. 뒤쪽 어깨 분만법(delivery of posterior shoulder)

d. Woods 나사 수기법(Woods corkscrew maneuver)
  - 뒤쪽 어깨를 시계방향으로 점진적으로 180° 회전시켜 치골하부에 꽉 끼인 앞쪽 어깨를
    풀어주는 방법

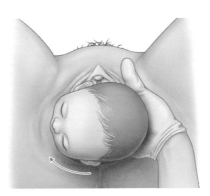

그림 26-7. Woods 나사 수기법(Woods corkscrew maneuver)

e. Rubin 수기법(Rubin maneuver)
  - 태아의 어깨를 태아 가슴 쪽으로 밀어 양쪽 어깨를 앞으로 모아 어깨 사이의 거리를 좁
    아지게 해서 앞쪽 어깨를 분만하는 방법

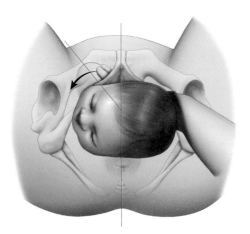

그림 26-8. Rubin 수기법(Rubin maneuver)

f. 올포 수기법(all-fours maneuver, Gaskin maneuver)
- 산모가 두 무릎을 꿇고 엎드린 자세를 하고 시술자는 태아의 머리와 목을 당겨 뒤쪽 어깨를 분만하는 방법

그림 26-9. 올포 수기법(all-fours maneuver)

g. 모든 시도가 실패한 후에 해볼 수 있는 방법
- 뒤쪽 겨드랑이 견인(posterior axilla sling traction)
- 태아의 전방 쇄골 고의 골절(fracture of the anterior clavicle)
- Zavanelli 수기법(Zavanelli maneuver)
- 치골결합절개술(symphysiotomy)
- 쇄골절단술(cleidotomy)

③ 견갑난산의 응급처치 방법
a. 도움을 요청 : 보조자, 마취과와 소아과 의사에게 도움을 요청하고, 조심스럽게 머리의 견인을 시도하며, 방광이 차 있다면 비움
b. 충분한 회음절개를 시행하여 후방의 공간을 확보
c. 가장 먼저 치골상부 압박(suprapubic pressure)을 시도
d. McRoberts 수기법을 시도
e. 이 순서대로 시행하면 대개 성공하지만 안되면 아래 방법들을 시도하거나 반복 시행
f. 뒤쪽 어깨 분만법(delivery of posterior shoulder)을 시도
g. Woods 나사 수기법이나 Rubin 수기법을 시도

    h. 이 외에 의도적인 쇄골 골절과 Zavanelli 수기법 등은 이 모든 시도가 실패한 후에 하도록
      보류

④ 분만 성공과 태아 손상을 줄이는 어떤 한 가지 더 우월한 방법은 없음

2   분만진통 제3기(Third stage of labor)

1) 태반의 분리와 만출

(1) 태반의 분리

① 자궁이 견고하게 수축되어 있고 비정상 자궁출혈이 없는 한 태반이 자연적으로 만출될 때까
   지 기다리는 것이 좋음

② 자궁 마사지는 하지 않는 것이 좋으며 수시로 손을 자궁저부에 올려보아 자궁이 이완되는지
   혹은 분리된 태반 후면에 출혈이 고이는지를 확인

③ 분만 후 자궁은 내용물의 감소에 따라 자연수축이 일어나서 자궁저부가 배꼽 밑에 위치

④ 급격한 자궁 크기의 감소 결과 태반 부착면적도 감소하게 되어 태반이 주름지게 되고 탈락
   막 중 가장 약한 해면층(sponge layer, decidua spongiosa)이 분리됨

⑤ 분리된 태반과 잔여 탈락막 사이에 혈종이 형성되어 태반 분리를 가속화함

⑥ 태반 분리의 징후

   a. 자궁 형태가 구형으로 되고 견고해짐

   b. 간혹 갑작스러운 출혈이 있을 수 있음

   c. 태반이 분리되어 자궁하부와 질 쪽으로 내려오면 그 무게로 인하여 자궁체부가 복부로 불
     쑥 올라옴

   d. 탯줄이 질을 통하여 길게 내려오면 태반의 하강을 의미

(2) 태반의 만출

① 대부분 위에 기술한 태반 분리의 징후들을 보이면서 자연적으로 분리됨

② 자연적인 태반 분리가 일어나기 전에 무리한 힘을 가하면 자궁내번증(uterine inversion) 유발
   가능

③ 태반이 자연적으로 분리되지 않을 경우

   a. 자궁체부에 압박을 가하고 자궁을 임신부의 머리 쪽으로 밀어 올리면서 탯줄을 약간 팽팽
     하게 견인하여 태반을 만출 시킴

   b. 자궁 내에 잔류 양막조직이 남지 않도록 주의하고, 떨어진 부분이 없는지 만출된 태반의
     모체면을 세심하게 확인

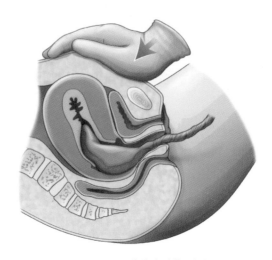

그림 26-10. 태반의 만출 방법

(3) 태반의 용수제거술(Manual removal of placenta)
   ① 태반 만출이 이루어지지 않으면서 급격한 출혈이 동반될 경우 손을 자궁 안으로 넣어서 태
     반을 박리
   ② 출혈이 없는 상태에서 용수제거술 전 관찰 시간의 명확한 기준은 없음
   ③ 태반 만출이 안 되는 여러 원인이 있으므로 무리하게 시도하지 않아야 함
   ④ 용수제거술 후 항생제 사용 여부에 대해서 아직 통일된 의견이 없음(ACOG, 2016)

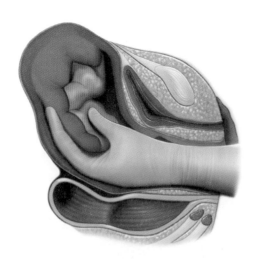

그림 26-11. 태반의 용수제거술(manual removal of placenta)

(4) 분만진통 제4기(Fourth stage of labor)

    ① 분만 직후 약 1시간으로, 자궁수축제를 사용해도 이완성 자궁출혈이 가장 흔한 시기

    ② 자궁수축 여부에 대해서 자주 관찰해야 하며 자궁이완의 징후가 있으면 마사지를 시행

    ③ 분만 후 첫 2시간 동안 매 15분 간격으로 혈압 및 맥박 등을 측정하여 기록하도록 권고 (ACOG, 2017)

2) 분만 후 사용하는 자궁수축제

(1) 옥시토신(Oxytocin)

    ① 정맥 내 주입되는 옥시토신의 반감기 : 약 3~5분 정도

    ② Carbetocin

        a. 지속성 옥시토신 유사체(long-acting oxytocin analogue)

        b. 상품명 : Duratocin, Pabal, Lonactene 등

        c. 제왕절개 중 사용할 수 있고 출혈을 예방하는 데 효과적

    ③ 투여 방법

        a. 생리식염수 1,000 mL에 20 unit (2 mL)을 섞은 후, 태반분만 후에 10 mL/min (200 mU/min) 속도로 몇 분간 투여

        b. 자궁수축이 단단히 촉지되면 주입속도를 1~2 mL/min으로 낮추고 산모를 산후 병실로 옮길 때까지 주입하고, 그 후에 중지

(2) Ergonovine 및 Methylergonovine

    ① 경구, 정주, 근주 등 어느 방법으로 투여하든 강력한 자궁수축제

    ② 수 시간 동안 효과 지속

    ③ 강직성 자궁수축이 이완 없이 일어나기 때문에 산후 출혈의 예방과 치료에 유용

    ④ 분만 전에 사용하면 태아와 임신부에게 위험

    ⑤ 정주로 투여 시 일시적이지만 심한 고혈압 초래

(3) 프로스타글란딘(Prostaglandin)

    ① 분만진통 제3기에 기본적으로 사용하지는 않음

    ② 주로 자궁무력증(uterine atony)에 의한 산후 출혈의 경우 사용

    ③ Misoprostol (PGE1)

        a. 산후출혈 예방에 있어서 옥시토신보다 효과가 적음

        b. 옥시토신이 부족한 경우 misoprostol 600 μg 1정을 경구로 투여

        b. 부작용 : 오한, 발열 등

3 즉각적인 산후 관리(Immediate postpartum care)

1) 산도의 열상(Laceration of birth canal)

열상 정도	손상 범위
1도 열상(First degree laceration) 	• 음순소대(fourchet), 회음부 피부(perineal skin) 및 질 점막 손상 • 하방의 근막이나 근육은 손상되지 않은 경우
2도 열상(Second degree laceration) 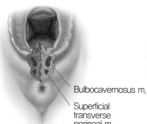 Bulbocavernosus m. Superficial transverse perineal m.	• 1도 열상 + 회음체(perineal body)의 근막과 근육 손상 • 직장괄약근은 침범되지 않은 경우 • 상부로 진행되어 일측 또는 양측의 불규칙한 삼각형의 열상 초래
3도 열상(Third degree laceration) 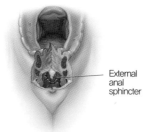 External anal sphincter	• 2도 열상 + 항문괄약근의 열상 • 직장까지 확장되지 않은 경우
4도 열상(Fourth degree laceration) 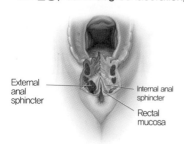 External anal sphincter Internal anal sphincter Rectal mucosa	• 3도 열상 + 직장 점막(rectal mucosa)이 손상되어 직장강(rectal lumen)의 노출 • 요도 열상이 일어나 출혈이 많을 수 있음

2) 회음절개(Episiotomy)

(1) 회음절개의 목적

① 장점

a. 산도의 불규칙한 열상을 예방

b. 바르고 깨끗한 절개이므로 봉합이 쉬움

② 수술 후 통증이 경감되고 치유가 더 빠르다는 과거의 통념은 잘못된 것

③ 회음절개에 대한 권고사항(ACOG, 2016)

a. 회음절개를 통상적으로 사용하지 말 것

b. 다음의 경우에 제한하여 사용할 것을 권유

- 견갑난산, 둔위 분만, 겸자 혹은 흡입분만, 후방 후두위 분만일 때

- 회음절개 없이 분만을 시도하면 회음부 파열이 예상되는 경우

(2) 회음절개의 시기

① 자궁수축 시 머리가 직경 3~4 cm 크기로 보일 때 시행

② 너무 일찍 시행하면 절개와 태아 분만까지의 사이에 창상부위 출혈을 야기

③ 너무 지연되면 회음저부가 과도하게 늘어져 회음절개의 의의가 없어짐

(3) 중앙 회음절개와 내외측 회음절개의 비교

중앙 회음절개(midline episiotomy)	내외측 회음절개(mediolateral episiotomy)
• 음순소대에서 회음체 방향으로 항문외괄약근 전까지 절개	• 음순소대에서 시작하여 정중선에서 60° 좌 또는 우 방향으로 절개
• 봉합이 용이	• 봉합이 어려움
• 치유가 잘 됨	• 치유가 불량한 경우가 더 흔함
• 수술 후 통증이 적음	• 1/3에서 수일간 동통을 호소
• 절개부위의 해부학적 접합이 양호	• 10% 전후에서 절개부위의 해부학적 접합이 불량
• 실혈량을 줄일 수 있음	• 실혈량이 증가
• 성교통의 속발이 드묾	• 성교통이 간혹 동반
• 항문괄약근 및 직장 손상이 증가	• 항문괄약근 손상이 드묾

(4) 회음절개 전, 후의 통증 조절

① 회음절개 전 통증 조절

a. 분만진통 감소를 위한 마취, 양측 음부신경 차단, 1% 리도카인을 이용한 국소마취

b. 리도카인 연고는 회음절개 1시간 전 사용해야 하므로 사용시기를 예측하기 어려움

② 회음절개 후 통증 조절

    a. 음부신경 차단, 얼음 주머니, 온열 램프, 진통제

    b. 리도카인 연고는 통증 조절에 효과 없음

    c. 통증이 지속되거나 심해지는 경우 : 혈종, 연조직염, 골반 농양 등을 확인

3) 열상과 회음절개의 봉합(Laceration and Episiotomy repairs)

  (1) 봉합사의 선택

    ① 봉합사 : 2-0 Vicryl, Chromic catgut

    ② 통증 관리를 위해 봉합 전 국소마취를 시행

    ③ 바늘에 의한 자상을 예방하기 위해 무딘바늘(blunt needle)을 사용

    ④ 연속봉합(continuous suture)이 단절봉합(interrupted suture)보다 회음부 통증이 적음

    ⑤ 빨리 녹는 봉합사일수록 봉합사 제거의 필요 빈도가 낮음

  (2) 중앙 회음절개의 봉합

봉합 순서	봉합 방법
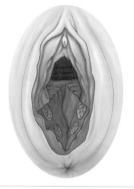	• 회음절개한 부위로 파열된 처녀막륜(hymenal ring)과 회음근육을 확인
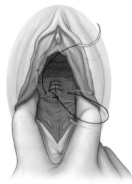	• 2-0나 3-0 흡수사로 질점막과 점막하층을 연속봉합(continuous suture) 시행

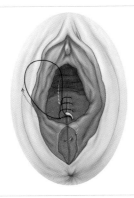

- 처녀막륜(hymenal ring)의 절개면을 재건하고 바늘을 회음부로 이동

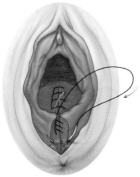

- 절개된 회음부의 근막과 근육을 아랫방향으로 연속봉합 시행

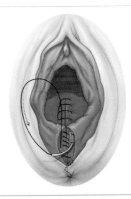

- 아랫방향으로 시행한 연속봉합을 다시 위로 방향을 바꾸어 처녀막륜까지 피부밑봉합으로 연결

(3) 4도 열상의 봉합

봉합 순서	봉합 방법
	• 3-0나 4-0 vicryl을 이용하여 항문직장점막과 점막하층을 0.5 cm 간격으로 연속봉합(continuous suture) 혹은 단절봉합(interrupted suture) 시행
	• 3-0 vicryl로 직장 근육층을 연속 혹은 단절봉합 시행 • 내부 항문괄약근을 반드시 확인하고 봉합
	• 2-0나 3-0 vicryl로 외부 항문괄약근 피막의 아래쪽과 뒤쪽을 먼저 봉합
	• 외부 항문괄약근을 봉합 • 항문괄약근은 8자형 봉합(figure-of-eight stitch) 또는 3~4회 단속봉합(interrupted stich) 시행
	• 외부 항문괄약근 피막의 앞쪽과 위쪽을 봉합 • 이후 회음절개 봉합을 시행 • 봉합 후 일주일 동안 대변 연화제가 필요하고 관장은 금기 • 항생제의 사용이 감염성 합병증을 줄여줌 • 정확하고 완전하게 봉합하더라도 골반저근육의 신경 손상으로 대변 실금이 지속될 수 있음

(3) 회음부 손상의 관리

　① 얼음주머니 사용 : 부종과 통증 감소

　② 따뜻한 좌욕 : 통증 감소와 위생적 효과

　③ Codeine, NSAIDs : 경구 투여가 추천

　④ 3도 이상의 회음 손상 산모는 6주 후 검진 시까지 성관계를 제한

CHAPTER 27

둔위분만(Breech delivery)

1 둔위(Breech presentation)

1) 서론

(1) 둔위의 분류

분류(Classification)	특징
진둔위(frank breech presentation) 	– 가장 흔한 형태 – 양 하지가 고관절에서 굴곡(flexion) – 슬관절은 신전(extension) – 발이 머리 부근에 위치
완전둔위(complete breech presentation) 	– 하지가 고관절에서 굴곡(flexion) – 한쪽 발 혹은 슬관절이 굴곡(flexion)
불완전둔위(incomplete breech presentation) 	– 족위(footling presentation) – 한쪽 혹은 양쪽 고관절이 굴곡되지 않은 상태 – 한쪽 혹은 양쪽 발 또는 무릎이 엉덩이 아래 위치 – 발이나 무릎이 산도 내 최하부에 위치

(2) 진단

① 빈도

　a. 임신 주수가 진행됨에 따라 빈도가 감소

　　- 임신 28주에 확인된 둔위의 빈도는 약 25%

　　- 임신 37주 이후에는 약 3~4%

　　- 분만 전에 대부분 자연적으로 두정위로 전환되는 경우가 많음

　b. 둔위분만 후 두번째의 둔위 재발률은 10%, 세번째 둔위 재발률은 28% 정도

② 위험인자

　a. 조산, 다태아 임신, 둔위분만의 과거력

　b. 양수과다증, 양수과소증, 전치태반

　c. 자궁기형, 골반종양

　d. 태아의 기형 : 수두증(hydrocephaly), 무뇌증(anencephaly)

③ 진단 방법

　a. 복부 진찰(레오폴드 수기법)

　　- 제1수기 : 자궁저부에서 딱딱하고 둥근 태아 머리를 확인

　　- 제2수기 : 복부의 한쪽은 태아의 등이 다른 쪽은 팔, 다리가 촉지

　　- 제3수기 : 진입되지 않은 경우에는 골반 입구 상방에서 움직이는 태아의 엉덩이 촉지

　　- 제4수기 : 진입이 된 경우에는 치골 아래에서 견고한 태아의 엉덩이 촉지

　b. 골반 진찰

　　- 진둔위 : 태아의 양측 궁둥뼈결절(ischial tuberosity), 엉치뼈(sacrum), 항문이 촉지

　　- 불완전둔위 : 태아의 다리가 엉덩이 옆으로 촉지

　c. 영상기법

　　- 초음파 검사 : 태아의 크기, 둔위의 형태, 태아 머리의 굴곡 혹은 신전 여부 등 확인

　　- 단순 X-선 촬영, 컴퓨터 단층촬영(CT), MRI : 골반계측을 시행하여 골반용적을 확인

2) 분만 방법의 결정

(1) 만삭 둔위아(Term breech fetus)

① 준비 사항

　a. 숙련된 수기를 갖춘 시술자

　b. 충분한 골반 크기, 자궁경부의 완전개대

② 저장성 자궁수축(hypotonic uterine contraction)의 경우 자연적으로 분만진행이 되는 것이 성공적인 분만이나 신생아 예후를 더 좋게 함

(2) 미숙 둔위아(Preterm breech fetus)

   ① 임신 24~32주까지의 미숙아 : 제왕절개가 더 유리

   ② 임신 32~37주까지의 미숙아 : 태아예상체중 2,500 g 이상이면 질식분만을 고려

(3) 분만 합병증(Delivery complications)

   ① 모성 이환율 및 사망률(maternal morbidity & mortality)

     a. 제왕절개에 따른 위험은 질식분만에 비하여 모성 사망이 증가하지 않음

     b. 이환율은 대개 산욕열(puerperal fever)에 국한

     c. 질 분만이 이루어지는 경우의 증가하는 위험성

       - 완전히 개대되지 않은 자궁경부의 열상을 초래

       - 회음부나 질 부위에 깊은 열상

       - 산도 내의 수기 조작으로 인한 감염의 기회 증가

       - 자궁근육을 충분히 이완시키기 위한 마취나 약제사용으로 산후출혈이 증가

   ② 주산기 이환율 및 사망률(perinatal morbidity & mortality)

     a. 두정위 태아보다 주산기 사망률이 증가

       - 원인 : 조산, 선천성 기형, 분만 손상, 탯줄 탈출, 분만 지연 등

       - 제왕절개술에 의하여 분만이 이루어지더라도 두위 태아에 비해 계속 증가

     b. 증가하는 태아 손상

       - 상완골, 쇄골, 대퇴골의 골절, 흉쇄유돌근(sternomastoid muscle)의 혈종, 위팔신경 손상, 고환 손상

       - 질식분만 시 가장 손상 받기 쉬운 장기 : 뇌(brain)

     c. 태아 사망 원인

       - 만삭아 : 후속 머리걸림, 대뇌 손상, 출혈, 탯줄 탈출, 태아가사 등

       - 조숙아 : 두개내출혈, 태아가사, 탯줄 탈출 등

(4) 둔위 태아에서 제왕절개술이 유리한 경우(ACOG, 2016)

   ① 의사의 경험 부족

   ② 산모가 제왕절개를 원하는 경우

   ③ 태아예상체중이 큰 경우 : >3,800~4,000 g

   ④ 분만진통 중에 있거나 분만 적응이 되는 건강하고 생존 가능한 미숙아

   ⑤ 심각한 태아성장제한(severe fetal growth restriction)

   ⑥ 질식분만이 어려운 태아기형

   ⑦ 이전의 주산기 사망 또는 분만 손상의 과거력

   ⑧ 불완전둔위(incomplete breech presentation), 족위(footling presentation)인 경우

⑨ 태아 머리의 과신전(hyperextended head)
⑩ 골반협착이나 부적합한 골반형태를 보이는 경우
⑪ 이전 제왕절개의 과거력

2 둔위의 분만(Delivery of breech presentation)

1) 둔위의 진통과 분만

(1) 자연 둔위분만(Spontaneous breech delivery)
① 태아를 받쳐주는 것 외에는 어떠한 견인이나 조작없이 자발적으로 분만되는 것
② 분만 기본운동(cardinal movements)
　a. 둔위 태아의 진입과 하강은 대개 골반 대각선 직경의 하나인 전자간직경(bitrochanteric diameter)에서 이루어짐
　b. 앞쪽 둔부가 뒤쪽 둔부보다 더욱 빨리 하강하고 골반바닥의 저항에 부딪혀 45°의 내회전이 이루어져 앞쪽 둔부가 골반궁(pelvic arch)으로 나오고, 전자간직경이 바깥 골반의 전후직경을 차지
　c. 만약 앞쪽 둔부 대신 뒤쪽 사지가 빠져나오더라도 대부분 치골결합을 향해 회전
　d. 다리와 발은 둔부에 이어 자연적으로 혹은 도움 하에 빠져나옴
　e. 엉덩이 분만 후 어깨가 골반 대각선 중 하나에 이르면 미세한 외회전이 일어남
　f. 등이 앞쪽으로 돌아가고 어깨는 신속히 하강하면서 내회전이 일어서 골반 전후면을 두어깨직경(bisacromial diameter)이 차지
　g. 어깨의 분만 직후, 머리가 가슴 위로 신속히 굴곡되어 골반 대각선의 하나로 진입
　h. 치골결합선 밑으로 목의 후부를 위치시키기 위해 회전을 하고 굴곡된 머리가 분만

(2) 부분 둔위만출(Partial breech extraction)
① 배꼽까지는 자발적으로 분만되지만 몸의 나머지는 시술자의 견인에 의해 분만되는 것
② 분만 방법
　a. 회음부의 충분한 이완이 없다면 모든 둔위분만에서는 회음절개술을 시행해야 함
　b. 엉덩이에서 어깨까지의 분만
　　- 진둔위 분만 시 최소한 배꼽 까지는 외부의 도움없이 분만되지만 외음부가 충분히 이완되지 않았으면 회음절개술이 시행되어야 함
　　- 뒤쪽 엉덩이가 6시 방향으로 회음부를 팽창시키며 분만되고, 이후 앞쪽 엉덩이가 분만되어 엉치뼈 앞쪽 부분으로 외회전이 이루어짐
　　- 탯줄이 아래쪽으로 내려오면서 눌리거나 늘어나서 태아 서맥이 나타날 수 있으나 계속

힘을 주도록 해야 함

- 태아 하강이 계속되면서 다리를 완전히 빼내기 위해서 대퇴골에 평행한 손가락으로 내측다리를 지지하고 외측으로 압력을 가하면 태아 다리를 쉽게 분만할 수 있음
- 다리 분만 후 수건을 이용하여 양쪽 손으로 태아 골반을 잡고 손가락은 태아의 전상좌골능선(anterior superior iliac crests)에 두고 엄지손가락은 엉치뼈 위에 위치함
- 조심스러운 하강 견인과 함께 산모의 만출 노력이 동반되어야 함
- 하강 견인은 왼쪽에서 오른쪽 또는 오른쪽에서 왼쪽으로 태아 골반의 90~180° 정도 회전시켜 견갑골이 보이도록 함

c. 목의 팔(nuchal arm) 처치
   - 팔이 목 뒤로 넘어간 경우 팔꿈치는 굴곡(flexion)되고 어깨는 신전(extension)되어 팔이 머리 뒤에 위치해 골반 입구(pelvic inlet)에 끼임
   - 팔이 산도에 부딪히며 마찰이 생길 수 있게 태아의 등을 180° 정도 돌려주면 팔꿈치가 펴지면서 머리 위나 얼굴에 위치하고 태아의 하강 견인이 가능해짐
   - 이 방법으로 안 되면 손가락을 걸고 당겨서 뺄 수 있으나 골절이 흔히 발생

d. 머리의 분만
   - Mauriceau 수기법(Mauriceau maneuver)
     • 태아 몸을 시술자의 한쪽 손바닥과 팔 위에 얹어 받치면서 태아의 다리 사이에 있게 하고 태아의 몸은 수평을 유지
     • 손가락의 검지와 중지로 상악골(maxilla)을 눌러 상방 및 전방으로 압력을 가하면서 머리를 굴곡 시킴
     • 반대편 손의 두 손가락으로 태아의 목에 걸어서 어깨를 잡아 하후두부(subocciput)가 치골 아래에 나타날 때까지 견인
     • 보조자는 치골상부를 적당히 눌러 주어 머리가 지속적으로 굴곡 되도록 유지

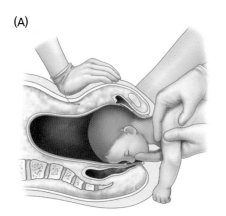 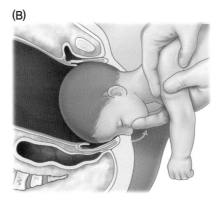

그림 27-1. Mauriceau 수기법, (A) 보조자의 치골상부 압박, (B) 시술자의 상악동 전상방 압박

- 겸자 사용(forcep delivery)
  - Mauriceau 수기법이 쉽게 수행되지 못할 때 사용되는 방법
  - Piper 겸자 혹은 Laufe 겸자를 선택적으로 사용
- 변형 Prague 수기법(modified Prague maneuver)
  - 한 손의 두 손가락으로 등을 아래로 누운 태아의 어깨를 잡고 다른 한 손으로는 다리를 들어 올려 산모의 복부 위로 가게 한 후 머리를 분만하는 방법
  - 태아의 등이 앞쪽으로 회전이 되지 않는 경우 태아의 다리나 골반에 강한 견인을 가하여 회전을 시도해보고 안 되면 활용하는 수기법

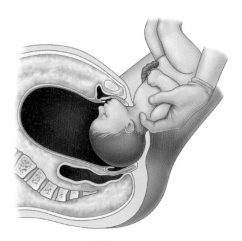

그림 27-2. 변형 Prague 수기법

e. 머리 걸림(head entrapment)의 처치
  - 자궁경부 절개(cervix incision)
    - 후두부 쪽의 자궁경부가 벗겨지지 않으면 시행하는 방법
    - 2시, 10시 방향이 적절하며 방광, 직장, 혈관의 손상을 피하는 다른 위치도 가능
  - Zavanelli 수기법(Zavanelli maneuver)
    - 최후의 수단으로서 질 분만이 되지 않는 둔위 태아에 시행하는 수기법
    - 자궁 안쪽으로 밀어 올려서 제왕절개분만을 하는 방법
  - 치골결합절개술(symphysiotomy)
    - 머리가 분만되지 않는 다른 이유가 없다면 머리-골반 불균형을 의심해야 함
    - 국소마취제 주사 후 치골 사이의 연골과 인대를 수술적으로 분리시켜 넓히는 방법
    - 산모의 심각한 골반 및 요로 손상 가능성이 높아 현재는 잘 사용하지 않는 방법

(3) 완전 둔위만출(Total breech extraction)

① 태아의 몸 전체가 시술자에 의해서 분만되는 것

② 완전둔위 또는 불완전둔위의 만출(complete or incomplete breech extraction)

　　a. 손을 질 속으로 집어넣어 태아의 양 발목을 잡아 질 입구로 꺼냄

　　b. 양 발을 잡는 데 어려움이 있다면 먼저 나온 한쪽 발을 질 내에 두고 같은 방법으로 다른 발을 꺼낸 후 양발을 잡아 동시에 외음부를 통해 끌어당김

　　c. 다리가 빠져나오면 종아리를 잡고 그 다음에 대퇴부를 잡고 당김

　　d. 외음부에 엉덩이가 만출될 때까지 계속 조심스럽게 당김

　　e. 그 다음은 부분 둔위만출(partial breech extraction)의 분만 방법을 따름

③ 진둔위의 만출(frank breech extraction)

　　a. 최소 배꼽 높이까지는 저절로 분만 되도록 하는게 분만도 쉽고 신생아 손상도 적음

　　b. 회음절개를 가한 후 손가락을 태아의 양쪽 서혜부에 놓고 중등도의 힘을 가하여 당김

　　c. 둔위가 점진적으로 회음부를 팽창시키면서 뒤쪽 엉덩이가 보통 6시 방향으로 분만됨

　　d. 그 다음은 부분 둔위만출(partial breech extraction)의 분만 방법을 따름

　　e. 둔부가 중등도의 견인으로 분만이 잘 이루어지지 않는 경우 족위 변경법을 시도

　　　- Pinard 수기법(Pinard maneuver)

　　　　• 산도 내에서 진둔위를 족위(footling breech)로 바꿔보는 방법

　　　　• 한쪽 태아 다리를 따라 두 손가락을 태아의 다리오금(popliteal fossa)까지 집어넣음

　　　　• 대퇴부를 외측으로 밀면 자발적 굴곡이 일어나면서 태아의 발이 손등에 위치

　　　　• 태아의 발을 잡고 아래로 당겨 꺼내고, 반대쪽 발도 같은 방법으로 꺼냄

　　　- 자궁이 강하게 수축할 때는 전신마취, $MgSO_4$, 베타차단제 등을 사용

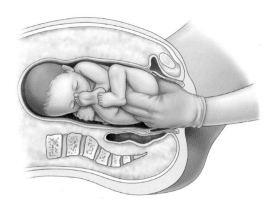

그림 27-3. Pinard 수기법(Pinard maneuver)

2) 태아 회전술(Version procedure)

(1) 개요

① 인위적으로 태위를 바꿔주는 시술

   a. 종축(longitudinal lie)으로 누운 태아의 몸 양쪽 끝을 서로 변경

   b. 횡축(transverse lie)나 사축(oblique) 태아를 종축으로 변경

   c. 오직 복벽을 통해서만 조작이 이루어짐

② 미국산부인과학회의 권고사항

   a. 가능하다면 태아의 둔위를 두위로 바꾸어주는 외회전술을 제공할 것을 권고

   b. 제왕절개 분만률을 낮추는 데 확실히 효과적인 방법

③ 전체 성공률이 약 60% 정도이며, 횡축의 경우 성공률이 더 높음

(2) 외회전술(External cephalic version)

① 시행 시기 : 임신 37주에 도달하고, 진통이 시작되기 전

   - 이 주수 이전에는 자연적으로 두위로 되거나 다시 둔위로 돌아갈 가능성이 있음

   - 즉시 분만을 요하는 조기진통이 오더라도 임신 37주 이후에는 합병증이 심하지 않음

② 금기증

절대적 금기증	상대적 금기증
전치태반(placenta previa) 다태아 임신(multifetal gestation) 최근의 자궁출혈	진통 중인 경우 양수과소증(oligohydramnios) 양막파열(rupture of membranes) 목덜미 탯줄(nuchal cord) 자궁기형(structural uterine abnormalities) 태아성장제한(fetal growth restriction) 이전의 태반조기박리(prior abruption)

③ 성공인자와 성공저하인자

성공인자	성공저하인자
선진부가 진입 되지 않은 경우 다분만부(multiparity) 풍부한 양수량 태아예상체중 2,500~3,000 g 정도 태반이 자궁 후방에 위치(posterior placenta) 비만하지 않은 산모	선진부가 진입 된 경우 단단한 자궁(tense uterus) 양수량이 적은 경우 진통이 시작된 경우 태반이 자궁 전방에 위치(anterior placenta) 산모의 비만 태아 머리를 만지지 못하는 경우 태아 척추의 전방 또는 후방 위치

④ 합병증

    a. 증가 : 태반조기박리, 조기진통, 태아가사 등

    b. 드물게 발생 : 자궁파열, 태아-모체출혈, 동종면역, 양수색전증

    c. 심한 경우 : 태아손상, 태아사망

⑤ 전처치 및 마취

    a. 초음파검사로 태위와 양수량, 태반의 위치, 태아기형 등을 확인

    b. 비수축검사(NST)로 태아상태 확인

    c. Rh-D 음성 산모에게는 면역글로불린을 투여

    d. 응급 제왕절개술을 시행할 준비를 하고, 산모에게 시술 설명 및 동의를 구함

    e. 외회전술을 시행하기 전에 자궁이완제 사용이 권고(ACOG, 2016)

       - 약물 : ritodrine, terbutaline, nifedipine, atosiban, nitroglycerin 등

⑥ 시술 방법

    a. 산모에게 방광을 비우게 함

    b. 양손으로 각각 태아 몸의 위, 아래 양단(pole)을 잡고 태아의 엉덩이를 산모 골반 쪽에서 측부로 이동

    c. 엉덩이를 부드럽게 자궁저부 쪽으로 가게하고 동시에 머리는 산모의 골반 쪽으로 향하게 함

    d. 회전술 동안 심장박동수의 이상소견은 다양하게 나타나지만 대개 일과성임

    e. 시술이 끝난 후 비수축검사가 정상소견을 보일 때까지 비수축검사(NST)를 시행

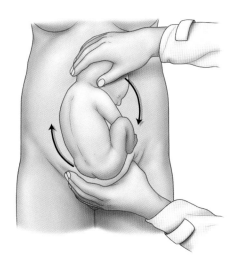

그림 27-4. 외회전술(external cephalic version)

(3) 족위 내회전술(Internal podalic version)

① 시술자의 손을 자궁강 내에 넣어 태아의 다리를 한쪽 또는 양쪽 모두 자궁경부 쪽으로 당겨 주는 수기

② 전신마취로 자궁이 충분히 이완되어 있어야 시행 가능

③ 쌍태아 중 두번째 태아가 횡위이면서 등이 위쪽에 있을 경우 시행

④ 합병증 : 태아와 신생아의 육체적 및 신경학적 손상 초래

CHAPTER 28

수술적 질식분만(Operative vaginal delivery)

1 겸자분만(Forceps delivery)

1) 서론

(1) 겸자의 구조(Design of forceps)

① 2개의 교차되는 가지(branches)로 구성되어 있고 각 가지는 4개 부분으로 구성

  a. 날(blade) : 머리 굴곡(cephalic curve)과 골반 굴곡(pelvic curve)으로 구성

    - 머리 굴곡(cephalic curve) : 태아 머리의 모양에 맞게 구성

    - 골반 굴곡(pelvic curve) : 산도에 맞게 구성

  b. 몸통부분(shank)

  c. 잠금장치(lock) : 소켓형(english lock), 활주형(sliding lock), 나사형(french lock)

  d. 손잡이(handle)

② 분류

  a. 전형적인 겸자 : 주로 견인 기능

    - Simpson 겸자 : 초산부에 흔한 주형된 머리에 사용

    - Elliot 겸자

    - Tucker-Mclean 겸자 : 경산부의 둥근 머리에 주로 사용

  b. 특수 겸자 : 주로 회전 기능

    - Killand 겸자 : 머리의 심횡정지(deep transverse arrest) 시 사용

    - Barton 겸자

    - Piper 겸자 : 둔위 분만에서 머리의 aftercoming을 위하여 사용

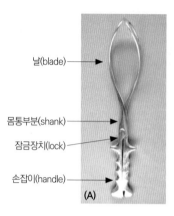

날(blade)

몸통부분(shank)

잠금장치(lock)

손잡이(handle)

(A) (B) (C) (D)

그림 28-1. 겸자의 구조와 종류. (A) Elliot 겸자, (B) Simpson 겸자, (C) Kielland 겸자, (D) Barton 겸자

(2) 겸자분만의 분류(ACOG, 2012)

분류	기준
출구겸자(outlet forceps)	머리의 두피가 질 입구에서 음순을 벌리지 않고도 보임 태아 두개골이 골반바닥에 도달 태아의 시상 봉합은 골반의 전후경에 있거나 좌우 후두전방위 또는 후두후방위 태아 머리는 회음부위에 있음 태아 머리의 회전은 45° 이하
하위겸자(low forceps)	태아 두개골 선진부의 하강도가 2 cm 이상, 골반바닥에 있지 않은 경우 • 회전이 45°이거나 그 미만인 경우(좌 혹은 우 후두전방위를 후두전방위로, 좌 혹은 우 후두후방위를 후두후방위로 회전할 때) • 회전이 45°를 초과하는 경우
중위겸자(mid forceps)	태아 하강도는 0~2 cm 사이
고위겸자(high forceps)	이 분류에는 포함되지 않음

2) 겸자분만의 적응증 및 술기

(1) 겸자분만의 적응증(ACOG, 2012)

모체측 적응증	태아측 적응증

임산부가 지친 경우
분만진통 제2기의 지연
  – 미분만부
  • 부위마취를 했을 때 : ≥3 hrs
  • 부위마취를 안 했을 때 : ≥2 hrs
  – 다분만부
  • 부위마취를 했을 때 : ≥2 hrs
  • 부위마취를 안 했을 때 : ≥1 hr
임산부가 내과적 질환이 있는 경우 분만진통 제2기를
단축시킬 목적(심장질환, 급성 폐부종, 신경학적 문제,
분만 중 감염)
	태아 머리의 골반 진입 후 하강에 실패한 경우
	회전 정지
	태반조기박리
	안심할 수 없는 태아 심박동수(nonreassuring pattern)

(2) 겸자분만의 필요 조건(ACOG, 2012)

① 겸자 사용 전에 동의서를 받아야 함

② 머리-골반 불균형이 없어야 함

③ 태아 머리의 골반 내 완전한 진입(engage)

④ 자궁경부의 완전 개대와 양막의 파막

⑤ 두정위 또는 턱이 전방에 있는 안면위

⑥ 태아 머리 위치(태향)의 정확한 파악

⑦ 태아가 응고장애 질환이나 골탈회(demineralization) 질환이 없어야 함

⑧ 방광을 비워야 함

⑨ 적절한 마취나 진통제를 사용

⑩ 시술자는 겸자 사용에 필요한 지식과 경험, 숙련된 기술이 있어야 하고, 겸자 사용 시 발생할 수 있는 합병증을 다룰 수 있어야 함

(3) 겸자분만의 금기증

① 겸자분만의 조건들을 충족시키지 못한 경우에는 다른 분만법을 고려

    a. 과거에 골반에 외상을 입어 임산부 골반을 제대로 평가할 수 없는 경우

    b. 내진상 골반이 부적절한 경우

    c. 태아 머리의 위치를 잘 모르는 경우

    d. 거대아인 경우

    e. 자궁경부가 완전히 열리지 않은 경우

    f. 다양한 겸자의 종류와 사용법을 잘 몰라서 해를 가져올 수 있는 경우

② 완전 개대 전에 분만이 시급할 때는 제왕절개술을 시행

(4) 겸자분만의 합병증

모체측 손상	태아측 손상
열상(lacerations) 요실금, 변실금, 골반장기탈출증 산후 출혈	겸자자국(forceps marks) 신경손상(nerve injury) 눈손상(ocular injury) 두혈종(cephalhematomas) 두개내출혈(intracranial hemorrhage) 모상건막하/건막하출혈(subgaleal/subaponeurotic hemorrhage)

2 흡입분만(Vacuum extraction)

1) 서론

(1) 분류

① Malmstrom vacuum extractor

a. Metal cup(직경 40~60 mm)

b. 진공 흡입력 : 0.7~0.8 Kg/m^2 까지

② Plastic cup extractor

a. Plastic siliastic cup

b. 위 보다 쉽게 사용 가능하고 열상이 적음

c. 진공 흡입력 : 0.7~0.8 Kg/m^2 까지

(2) 겸자분만에 비해 좋은 점

① 공간을 차지하는 겸자의 날(blade)이 없음

② 태아 머리에 정확히 위치할 수 있음

③ 산모의 연조직에 부딪히지 않고 회전 가능

④ 견인 시 두개 내 압력(intracranial pressure)이 낮음

⑤ 부드러운 컵(cup)은 신생아 두피손상을 감소시킴

2) 흡입분만의 적응증 및 술기

(1) 흡입분만의 적응증(ACOG, 2012)

모체측 적응증	태아측 적응증
임산부가 지친 경우 분만진통 제2기의 지연 – 미분만부 • 부위마취를 했을 때 : ≥3 hrs • 부위마취를 안 했을 때 : ≥2 hrs – 다분만부 • 부위마취를 했을 때 : ≥2 hrs • 부위마취를 안 했을 때 : ≥1 hr 임산부가 내과적 질환이 있는 경우 분만진통 제2기 를 단축시킬 목적(심장질환, 급성 폐부종, 신경학적 문제, 분만 중 감염)	태아 머리의 골반 진입 후 하강에 실패한 경우 회전 정지 태반조기박리 안심할 수 없는 태아 심박동수(nonreassuring pattern)

(2) 흡입분만의 필요 조건(ACOG, 2012)

① 흡입기 사용 전에 동의서를 받아야 함

② 머리-골반 불균형이 없어야 함

③ 태아 머리의 골반 내 완전한 진입(engage)

④ 자궁경부의 완전 개대와 양막의 파막

⑤ 두정위 또는 턱이 전방에 있는 안면위

⑥ 태아 머리 위치(태향)의 정확한 파악

⑦ 태아가 응고장애 질환이나 골탈회(demineralization) 질환이 없어야 함

⑧ 방광을 비워야 함

⑨ 적절한 마취나 진통제를 사용

⑩ 시술자는 흡입기 사용에 필요한 지식과 경험, 숙련된 기술이 있어야 하고, 흡입기 사용 시 발생할 수 있는 합병증을 다룰 수 있어야 함

(3) 흡입분만과 겸자분만의 비교

① 흡입분만과 겸자분만의 적응증, 필요 조건 등은 동일

② 흡입분만이 겸자분만과 다른 점

　a. 태아 위치가 턱이 전방에 있는 안면위인 경우에 흡입분만은 시도하지 않음

　b. 임신 주수가 최소 34주 이상

　c. 최근 태아 두피에서 채혈한 적이 없어야 함

(4) 흡입분만의 금기증

① 안면위, 비두정태위

② 극도의 미숙아(임신 34주 미만), 거대아

③ 태아 혈액응고장애

④ 경험 미숙, 태아의 태향을 확인하기 불가능한 경우, 태아 하강도가 높은 경우

⑤ 최근 두피에서 혈액을 채취한 경우

⑦ 머리-골반 불균형이 의심스러운 경우

(5) 흡입분만의 술기

① 흡입분만을 시행하기에 앞서 흡입기가 잘 작동하는지, 압력 눈금이 500~600 mmHg를 넘지 않는지 확인

② 흡입기가 작동되지 않는 상태에서 컵(cup)의 중앙이 시상봉합(sagittal suture)과 일치하면서 소천문(posterior fontanelle)으로부터 3 cm 전방에 위치하도록 부착

③ 흡입기에 산모의 조직이 끼지 않았는지 확인한 다음 흡입기를 태아의 두피에 밀착시킴

④ 견인은 자궁수축과 동시에 하고, 견인축은 골반의 곡선과 일치하도록 함

⑤ 안전한 정도로 견인을 할 수 있는 최대 시간에 대하여는 아직 정립된 바가 없음

　　a. 대부분의 분만은 4번의 자궁수축 이내에 이루어지는 것이 효과적

　　b. 4번의 시도에도 분만이 이루어지지 않는 경우에는 분만 방법에 대한 재평가 시행

⑥ 하강은 매번 자궁 수축 후에 평가되어야 하며 적절한 술기에도 하강이 이루어지지 않는 것은 머리-골반 불균형의 증거

⑦ 뻥하고 소리가 나며 흡입컵이 빠지는 현상(Pop-offs)은 피해야 하는데, 이러한 현상은 급속한 압박과 감압의 힘을 야기

⑧ 탈착이 2회 혹은 3회 이상이면 흡입분만 시도를 중단하도록 권고

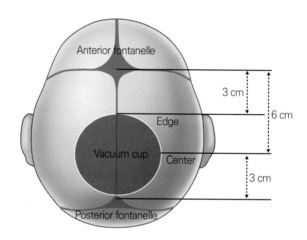

그림 28-2. 진공흡입컵의 부착부위

(6) 흡입분만의 합병증

모체측 손상	태아측 손상
자궁경부 열상 질혈종 3~4도 회음부 열상	두피의 열상과 좌상(가장 흔함) 두혈종(cephalhematoma) 심각한 건막하출혈(subaponeurotic hemorrhage) 두개내출혈, 신생아황달, 결막하출혈, 망막출혈 견갑난산의 고빈도, Erb씨 마비(Erb's palsy) 태아사망

(7) 흡입분만과 겸자분만의 합병증 비교

   ① 겸자분만에서 증가

      a. 모체의 손상, 출혈

      b. 회음부 열상 및 출혈

      c. 신생아 외부 눈손상, 안면신경 손상

   ② 흡입분만에서 더 증가

      a. 태아 손상

      b. 신생아 두혈종, 망막출혈

      c. 신생아 황달

   ③ 신경학적 예후에는 차이가 없음

CHAPTER **29**

제왕절개분만과 산후 자궁절제술
(Cesarean delivery and Peripartum hysterectomy)

---

1 제왕절개분만(Cesarean delivery)

1) 서론

(1) 정의

① 복벽과 자궁벽의 절개(incision)를 통해 태아를 분만하는 것

② 자궁 파열이나 복부 임신 시에 복강으로부터 태아를 제거하는 것은 포함되지 않음

(2) 빈도

① 우리나라의 제왕절개 분만율

    a. 1970년 4.9% → 2001년 40.5% → 2012년 36.9% → 2015년 39.1%

    b. 2001년 최고치 기록 후 점차 감소하다 2015년 이후 다시 증가하는 경향

② 제왕절개 분만율 증가의 원인

    a. 출산 연령의 고령화

    b. 분만 횟수의 감소에 따른 미분만부(nullipara)의 증가

    c. 유도 분만의 증가

    d. 비만 여성의 증가

    e. 대부분의 둔위(breech)를 제왕절개술로 분만

    f. 겸자분만과 흡입분만의 감소

    g. 전자태아감시의 보편화로 태아곤란증의 진단 증가 및 태아심박 이상에 민감하게 반응

    h. 의료소송에 대한 걱정으로 제왕절개 분만 증가

(3) 제왕절개술의 적응증

가장 흔한 적응증	그 밖의 적응증
– 이전 제왕절개 : 반복 제왕절개의 가장 흔한 원인 – 난산(dystocia) : 초회 제왕절개의 가장 흔한 원인 – 태아의 위치 이상 : 둔위 혹은 횡위 – 태아곤란증(fetal distress)	– 자궁근종절제술 같은 자궁수술의 과거력 – 전치태반(placenta previa) – 태아의 안녕이 위협받는 경우 : 탯줄 탈출, HIV 산모, 활동성 생식기 헤르페스

(4) 제왕절개술의 영향

① 모체 사망률과 유병률

모체 사망률	모체 유병률
질식분만보다 증가 – 응급수술한 경우 9배 증가 – 선택적 수술한 경우 3배 증가	질식분만보다 2배 증가 – 즉시 생기는 합병증 : 감염, 출혈, 혈전 색전증 – 마취로 인한 합병증 증가 – 지연 합병증 : 방광, 요관, 장과 같은 주변 장기의 손상 – 비만인 경우 유병률이 급속하게 증가 – 질식분만보다 회복되는 기간이 길어 경제손실 2배 증가

② 제왕절개술에 따른 신생아 분만 손상

  a. 발생 빈도 : 약 1% 정도

  b. 피부 열상(가장 흔함), 두혈종, 쇄골 골절, 위팔신경병증(brachial plexopathy), 두개골 골절, 안면신경마비 등

  c. 신체적 분만 손상의 위험도는 낮지만 더 좋은 신경발달의 예후를 보이는 것은 아님

  d. 신생아 발작과 뇌성마비의 빈도는 감소하지 않음

③ 임산부가 원하여 시행하는 제왕절개술(cesarean delivery on maternal request, CDMR)

  a. 모든 출생의 2.5% 정도 차지

  b. 질식분만 중 골반바닥의 손상을 피하고 태아 손상의 위험 줄이며 진통 중 통증을 피할 수 있기 때문

  c. 주의 사항(ACOG, 2017)

    - 태아 폐성숙이 확인되지 않는 한 선택 제왕절개는 임신 39주 전에 시행하지 않음

    - 반드시 임산부와 보호자에게 다음 임신 시 자궁파열, 반복 제왕절개에 따른 합병증, 전치태반과 유착태반의 위험성이 증가함을 설명

    - 여러 명의 자녀를 원하는 경우 전치태반, 유착태반의 위험 때문에 피함

    - 효과적인 통증 조절을 할 수 없어서 제왕절개술을 시행하면 안 됨

④ 위험성을 감소시키기 위한 방법

  a. 의료인의 교육

b. 제왕절개술 후에 VBAC 시도하도록 권유

c. 난산의 정의에 꼭 맞는 경우에만 수술 시행

2) 수술 전 처치(Preoperative care)

(1) 수술 전 검사

① 혈색소

a. 제왕절개 수술 시 실혈은 보통 1 L 정도

b. 10 g/dL 이상이고 적절한 혈액량과 세포외액을 가진 여성의 경우 별 문제없이 2 L의 출혈을 견딜 수 있음

② 간접쿰스검사(indirect Coombs test) : 양성인 경우 수혈에 적합한 피를 확보

(2) 입원

① 수술 전날 입원

② 수술 전 6~8시간 동안은 고형식 섭취 중단

③ 수술 전 2시간까지는 음료 섭취 가능

④ 수술 전날 밤 : 산모가 불안해하면 진정제 투여

⑤ 전신마취 유도 전 : 제산제 투여로 위산의 흡인으로 인한 폐 손상 최소화

(3) 수술 중과 후의 정맥 수액 요법

① 수액 : Lactated Ringer solution or Crystalloid + 5% Dextrose

② 수술 중이나 수술 직후 1~2 L의 전해질이 포함된 수액을 투여

③ 혈압과 소변 배출량

a. 체내 장기로의 관류를 확인하는 지표

b. 수술 중과 후에 혈압과 소변 배출량을 면밀히 관찰하고 필요 시 추가 수액을 보충

(4) 감염의 예방

① 예방적 항생제

a. 투여 시기 : 수술 시작 전 60분 이내

b. Cefazolin 또는 Ampicillin, 1 g, 1회, 정맥 투여

- 체질량지수(BMI)가 40을 초과하는 비만 여성에게는 2 g을 투여

- 실혈이 1,500 mL 이상이거나 수술이 3시간 이상 길어지면 1회 더 투여

c. MRSA 과거력 산모 : 표준 예방적 항생제에 Vancomycin 1회 추가

d. Penicillin 또는 Cephalosporin 알러지 산모 : 600 mg의 Clindamycin을(비만 여성에게는 900 mg) 정맥 투여 하면서 Amnioglycoside를 체중에 맞게 투여

② 다른 예방법

　　a. 수술 전 산모 복부의 소독 : Chlorhexidine 또는 Povidone-iodine solutions

　　b. 수술 중 정상체온 유지

　　c. 기타 : 혈당 조절, 금연 등

3) 제왕절개술의 수기(Cesarean delivery technique)

(1) 복부절개(Abdominal incision)

① 배꼽밑 정중선 수직절개(infraumbilical midline vertical incision)

　　a. 복부의 정중선을 따라 피부를 배꼽 아래부터 치골의 상단까지 수직으로 절개

　　b. 가장 빨리 개복할 수 있는 복부절개 방법

　　c. 빠른 분만이 필요하거나 비만한 여성에게 유리

② 복부 반월형 가로절개(Pfannenstiel incision)

　　a. 치모선(pubic hairline) 3cm 위쪽 부위에서 피부와 피하조직을 하부 횡곡선형(lower transverse, slightly curvilinear incision)으로 12~15 cm 절개

　　b. 장점

　　　- 미용상으로 다른 절개 방법보다 우수

　　　- 열개(dehiscence)가 생길 위험도에 대해서는 아직 논란 중

　　c. 단점

　　　- 수술 시야가 좁아 자궁과 부속기 등의 노출이 수직절개보다 좋지 못함

　　　- 노출이 좋지 못하면 복직근을 절개하는 Maylard 절개방법으로 공간을 확보해야 함

　　　- 수직절개보다 시간이 많이 걸림

　　　- 같은 방법으로 반복 제왕절개술 시 반흔(scar) 때문에 시간이 더 많이 걸림

(2) 자궁절개(Uterine incision)

① 자궁하부 가로절개(low transverse incision)

　　a. 가장 많이 이용되는 방법

　　b. 장점

　　　- 자궁하부는 얇기 때문에 봉합이 쉽고 출혈량이 적음

　　　- 수축하지 않는 부위여서 다음 임신 시 자궁파열의 가능성이 적음

　　　- 장과 장간막의 유착이 적음

　　c. 주의할 점

　　　- 절개를 옆으로 너무 확장하면 외측단의 자궁 혈관을 손상시켜 심한 출혈 유발

　　　- 더 많은 공간 필요 시 자궁절개선의 중앙에서 상부로 절개를 시행(inverted T incision)

② 자궁하부 수직절개(low vertical incision)

    a. 충분한 공간을 확보할 수 있는 좋은 방법

    b. 가로절개를 할 수 없는 경우 사용

      - 진통이 없어서 자궁하부가 발달되지 않은 경우

      - 태아가 둔위거나 횡위(특히 back down)인 경우

      - 자궁 전면에 위치한 전치태반

    c. 주의할 점

      - 방광 박리가 가로절개보다 더 시행되어 자궁경부, 질, 방광의 손상 가능성 증가

      - 절개 부위의 봉합이 어려움

      - 절개가 상부로 확장된 경우, 출혈량이 많고 다음 임신에서 자궁파열의 가능성 증가

③ 고전적 절개(classic cesarean incision, upper segment vertical incision)

    a. 적응증

      - 자궁하부의 노출이 어려운 경우

        • 침윤성 자궁경부 상피암

        • 자궁하부에 위치한 자궁근종

        • 이전의 수술로 방광이 심하게 유착된 경우

        • 심한 산모의 비만으로 인하여 자궁하부에 절개를 넣기 어려운 경우

      - 태아 쪽 원인

        • 큰 태아가 횡위로 있는 경우(특히 양막파수가 있고 어깨가 산도를 막고 있을 때, 태아 등쪽이 아래로 향하고 있을 때)

        • 태반이 자궁 전면에 위치한 전치태반(특히 placenta accreta)과 동반된 경우

        • 태아가 매우 작고(특히 둔위인 경우) 자궁하부가 아직 얇아지지 않은 경우

    b. 단점

      - 방광의 박리가 필요 없고 복막을 봉합하지 않으나 유착이 더 심함

      - 상부의 두꺼운 근육층으로 절개의 봉합은 어렵고 출혈량이 많음

      - 다음 임신 시 자궁파열의 위험성이 증가하므로 제왕절개를 해야 함

(3) 태아 분만(Delivery of the fetus)

  ① 두정위이면 손을 태아 머리 아래로 넣어 들어올리고 자궁저부에 압력을 가하면서 분만

  ② 머리가 나오면 양수 및 내용물의 흡입을 최소화하기 위해 즉시 입과 코의 흡입을 시행

  ③ 어깨가 나오면 산모에게 oxytocin을 투여하여 자궁수축을 유도

    a. 1 L 용액에 oxytocin 20 unit을 섞어서 정맥으로 10 mL/min. 주입

    b. 자궁수축이 어느 정도 이루어지면 주입 속도를 감소(2~4 mL/min.) 시킴

      - 수축 촉진 필요 시 : 태반박리 전, 후에 methylergonovine 0.2 mg을 자궁근육에 주사

- 분만 후 자궁수축이 충분하지 않을 때
  - 옥시토신 작용제(agonist)인 carbetocin 100 μg, 1회, 정맥 투여
  - Misoprostol 200~800 μg 직장 또는 설하 투여

(4) 태반 만출 및 자궁내부 확인

① 탯줄에 일정한 힘을 가하며 자발적 태반 분만을 기다림(산후 자궁내막염의 위험 감소)
② 태아 분만 후 빨리 자궁저부 마사지를 하면 출혈이 줄고, 태반의 분만이 촉진
③ 태반 분만 후 자궁 안을 살피고 남아있는 막이나 태지, 핏덩어리 등을 제거

(5) 자궁절개선 봉합(Repair of uterine incision)

① 자궁을 복강 밖으로 꺼내고 봉합을 시행하거나 복강에 위치한 채로 시행
　　a. 꺼내고 봉합하는 방법(uterine exteriorization)의 장점
　　　- 자궁이완을 빨리 알아차려서 자궁 마사지가 용이함
　　　- 절개선과 출혈 부위를 명확히 확인할 수 있고, 봉합 및 지혈이 더 쉬움
　　　- 자궁 부속기 부위의 노출이 더 좋아서 병변 여부를 쉽게 확인
　　　- 열성 이환율이나 출혈이 더 증가하지 않음
　　b. 꺼내고 봉합하는 방법(uterine exteriorization)의 단점
　　　- 척추마취 및 경막외마취를 시행한 환자에서 자궁견인에 의한 불편감과 구토 발생
② 자궁절개선의 상하절단면과 양끝의 각 부위에 출혈 유무를 신중히 확인
③ 자궁근층의 봉합
　　a. 봉합사 : 0 또는 1-0 흡수사(chromic catgut, Vicryl)
　　b. 단층 봉합술(one layer suture)
　　　- 한쪽 끝에서 연속잠금봉합(continuous locking suture)으로 반대쪽 끝까지 지속
　　　- 봉합은 자궁전층을 관통해야 함
　　　- 바늘이 자궁근층을 통과하면 다시 빼지 않아야 출혈이 적음
　　c. 복층 봉합술(two layer suture)
　　　- 단층 봉합이 불충분하거나 계속 출혈하면 다시 한번 연속봉합(continuous suture) 하거
　　　　나 8자형봉합(figure of eight stitch) 또는 mattress 봉합(mattress stitch)을 시도
　　　- 두 봉합방법에 따른 다음 임신의 결과는 차이가 없음

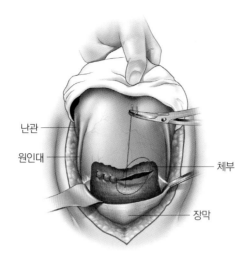

그림 29-1. 자궁근층의 봉합

(6) 고전적 절개선의 봉합(Repair of classic cesarean incision)

　① 봉합사 : 0 또는 1-0 흡수사(chromic catgut, Vicryl)

　② 연속잠금봉합(continuous locking suture)으로 절개면의 내측 절반(inner halves)을 맞추고, 비슷한 방법으로 외측 절반(outer halves)을 한번 더 봉합

　③ 봉합면을 잘 맞추고 봉합사로 인해 자궁근층이 찢어지는 것을 예방하기 위해 보조자는 자궁근층을 중앙으로 압력을 가하면서 모아줌

　④ 자궁장막(serosa)의 가장자리는 연속봉합(continuous suture) 시행

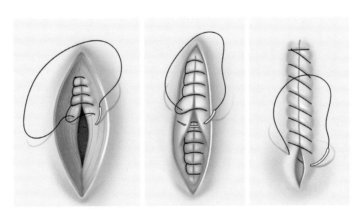

그림 29-2. 고전적 절개선의 봉합

(7) 자궁장막 및 복막 봉합(Repair of uterine serosa and peritoneum)

① 자궁과 방광을 덮고 있었던 장막(serosa)의 모서리를 2-0 chromic catgut으로 연속봉합(continuous suture) 시행

② 장막(serosa)을 봉합하지 않아도 유착을 더 유발하지 않고, 수술 후 장·단기적 합병증에 차이가 없음

③ 복막(peritoneum)을 봉합하지 않은 경우 수술 후 불편감과 진통제 사용의 감소에 대한 일치된 보고는 없음

(8) 복벽 봉합(Closure of abdominal wall)

① 복벽을 층(layer)마다 봉합할 때 출혈 부위를 잘 살피고 지혈에 신경 써야 함

② 복직근(rectus abdominis muscle) : 0 또는 1-0 chromic gut으로 1~2회 8자형봉합

③ 근막(fascia)

   a. 수술 시 반드시 봉합해야 하는 구조물

   b. 0 Vicryl 같은 지연흡수사로 연속비잠금봉합(continuous nonlocking suture)

   c. 감염 위험이 높은 경우 나일론 같은 단섬유(monofilament)로 된 봉합사를 이용

④ 피하지방층(subcutaneous tissue)

   a. 두께가 2 cm 이하의 경우 : 봉합을 시행할 필요가 없음

   b. 두께가 2 cm 초과한 경우 : 장액종(seroma), 혈종 등의 형성을 줄이기 위해 봉합 시행

⑤ 피부(skin)

   a. 4-0 지연흡수사(Monocryl, Vicryl)로 연속적인 피하봉합(running subcuticular stitch) 시행

   b. 다른 방법 : 스테이플(staples), 의료용 접착제(adhesive glue)

4) 수술 후 회복 및 처치

(1) 회복실

① 최소 1시간 간격으로 혈압, 맥박, 질 출혈 여부를 측정

② 자궁저부의 위치를 자주 확인함으로써 자궁수축의 유지를 파악

③ 병실로의 이동 조건 : 산모가 깨어나고, 출혈이 줄면서 혈압이 유지되며, 소변량이 30 mL/hr 이상

④ 통증의 조절

   a. 자가진통조절기(PCA)

    - 모르핀(morphine) 1 mg이 필요에 따라 정맥 투여되고, 6분간의 잠금 간격으로 4시간 동안 최대 30 mg 투여

    - 필요 시 2 mg의 추가 용량으로 최대 2회 투여 가능

　　b. 대체 요법

　　　- 메페리딘(meperidine) 50~75 mg, 3~4시간마다, 근육 주사

　　　- 모르핀(morphine) 10~15 mg, 3~4시간마다, 근육 주사

(2) 병실

　① 활력 징후(vital sign)의 확인

　　a. 병실로 돌아온 후 처음 4시간 동안은 1시간마다 확인

　　b. 이후부터는 4시간 간격으로 확인

　　c. 혈압, 맥박, 체온, 자궁수축 정도, 소변량, 질 출혈량 등을 확인

　② 수액 보충

　　a. Lactated Ringer solution or Crystalloid + 5% Dextrose

　　b. 임신중에 생리적으로 증가된 간질액(extravascular fluid)이 분만 후에 혈관내로 이동하고 배출되기 때문에 수술 중이나 직후에 많은 양의 수액을 투여할 필요는 없음

　　c. 수술 후 첫 24시간 동안 3 L의 수액으로 충분

　③ 소변량

　　a. 30 mL/hr 이하일 경우 환자를 주의 깊게 관찰해야 함

　　b. 요감소(oliguria)의 원인 : 확인하지 못한 출혈, 옥시토신으로 인한 항이뇨작용 등

　④ 요도관(bladder catheter)

　　a. 수술 후 12시간 후 또는 다음날 아침에 제거

　　b. 요도관의 제거 후 방광의 과팽창 없이 스스로 배뇨할 수 있는지 확인해야 함

　⑤ 식이 : 수술 중 문제가 없었으면 물과 고형식은 수술 후 8시간 이후에 섭취 가능

　⑥ 수술 후 조기 보행

　　a. 수술 다음날은 적어도 하루에 2번은 도움을 받더라도 침상 밖으로 나와야 함

　　b. 수술 2일째가 되면 도움 없이 혼자서 보행 가능

　　c. 정맥혈전증, 폐색전증의 위험이 감소

　⑦ 수술 부위의 관리

　　a. 수술 24시간 후 수술용 드레싱을 제거하고 상처 부위를 확인

　　b. Povidone-iodine 피부 소독 : 수술 후 발열성 이환율을 감소시킴

　　c. 정상적인 피부 봉합은 수술 후 4일째 제거 가능

　　d. 비만한 산모처럼 피부 봉합의 분리가 걱정되면 수술 후 7~10일에 제거

　　e. 산욕기 3일째부터 샤워 가능

　　f. 피하 지방이 3 cm 이상인 경우에는 피부 봉합의 분리와 감염의 위험도가 증가

　⑧ 혈액 검사

　　a. 수술 다음날 혈색소 수치를 검사

b. 비정상적인 실혈, 핍뇨, 저혈량 증상이 있으면 더 일찍 혈색소 수치를 검사
⑨ 수유
 a. 수술 당일부터 시작 가능
 b. 모유 수유를 원하지 않으면 유방띠(breast binder)를 사용하여 불편감을 최소화
⑩ 퇴원
 a. 합병증이 없는 경우 수술 후 3~4일째 퇴원 가능
 b. 수술 후 첫 1주 동안 신생아에 대한 처치는 다른 사람의 도움을 받고, 산모는 활동을 많이
  제한하는 것이 바람직

5) 수술 중, 후의 합병증
(1) 수술 중 합병증
① 자궁열상(uterine laceration)
 a. 자궁하부 가로절개 시 발생
 b. 거대아나 두정위인 경우 빈도가 증가
 c. 열상 부위 봉합 시 요관을 결찰하지 않도록 주의
② 방광열상(bladder laceration)
 a. 3-0 지연흡수사를 이용하여 손상된 방광을 각 층별로 연속봉합 시행
 b. 봉합되지 않으면 혈뇨, 요감소, 복통, 장폐색, 복수, 복막염, 열, 요낭종, 누공 등이 발생
③ 장 손상(bowel injury)
 a. 장유착이 있으면 위험성 증가
 b. 소장의 장막(serosa)이 가장 손상 받기 쉬운 부위
④ 기타 합병증 : 자궁이완증, 유착태반 등

(2) 수술 후 합병증
① 자궁내막염(endometritis)
 a. 가장 흔한 제왕절개 후 합병증
 b. 위험인자 : 산모의 나이, 사회경제적 수준, 분만진통 기간, 양막파수 기간, 내진 횟수, 융모
  양막염의 과거력
 c. 예방적 항생제 사용이 자궁내막염 빈도를 줄임
② 상처 감염(wound infection)
 a. 상처 부위의 압통, 충혈, 경화가 있거나 고름 분비물이 있을 때 진단
 b. 상처를 열어 분비물을 배액시키고 균배양 검사를 시행
 c. 죽은 조직을 제거하고 항생제를 사용하며 상처 소독을 자주 시행
③ 골반혈전정맥염(septic pelvic thrombophlebitis)

a. 자궁내막염이나 상처 감염이 있었던 환자에서 발생할 위험성이 증가

b. 발열을 동반한 일측성 동통, 자궁외측의 압통성 종괴가 만져질 경우 감별진단이 필요

④ 위장관계 합병증(GI tract complication)

  a. 흔하지 않은 합병증

  b. 수술 후 지속되는 오심, 구토, 복부 팽만, 장음 소실, 방귀 배출이 되지 않을 때는 장폐쇄증(bowel obstruction)을 의심해야 함

  c. 무운동성 장폐색(ileus)의 치료

    - 경정맥으로 수액 및 전해질을 공급

    - 장폐색이 심한 경우는 nasogastric tube를 이용하여 위(stomach) 감압 시행

    - 10 mg의 비사코딜 좌약을 직장 내에 삽입

⑤ 심부정맥혈전증(deep vein thrombosis)

  a. 일측 하지가 붓고 동통과 압통이 있을 때 의심

  b. 질식분만보다 제왕절개술 후 더 빈번히 발생

⑥ 폐색전증(pulmonary embolism) : 빈맥, 빈호흡, 흉통, 발한 등의 소견이 동반

2 산후 자궁절제술(Postpartum hysterectomy)

1) 서론

(1) 정의 및 위험인자

① 정의

  a. 제왕자궁절제술(cesarean hysterectomy) : 제왕절개 후 바로 자궁절제술을 시행하는 것

  b. 산후 자궁절제술(postpartum hysterectomy) : 질식분만에 이은 자궁절제술과 제왕자궁절제술을 합한 것

② 위험인자

  a. 전치태반

  b. 제왕절개 분만의 과거력

  c. 다태아 임신

  d. 수술적 분만

(2) 적응증

① 유착태반(placenta accreta), 자궁이완증(uterine atony)에 의한 출혈 : 가장 흔한 원인

② 기타 : 자궁파열, 자궁혈관 열상, 자궁근종, 자궁내감염, 자궁경부암 등

2) 수술 기법

(1) 완전 자궁절제술(Total hysterectomy)

① 자궁하부 혹은 자궁경부에서 많은 출혈이 있을 때 적합한 방법

② 질 절단면의 출혈이나 자궁 인접 장기의 손상 위험

③ 비정상 태반 유착이 있는 경우 완전 자궁절제술을 더 많이 시행

(2) 불완전 자궁절제술(Supracervical hysterectomy)

① 인접장기 손상의 위험이 있는 심한 유착이 관찰되는 환자에게 선호되는 방법

② 장점 : 출혈량이 적고 수술시간이 짧으며 입원기간도 짧음

③ 단점 : 자궁경부에서 출혈이 계속되는 경우에는 지혈효과를 기대할 수 없음

(3) 수술 후 합병증

① 높은 이환율 및 사망률을 나타냄

② 응급으로 시행 시 합병증 발생 위험률이 높음

③ 일반적인 자궁절제술에 비해 방광 및 요관 손상, 재수술, 수술 후 출혈, 상처 합병증, 내과적
합병증 등이 더 자주 발생

CHAPTER 30

선행 제왕절개분만(Prior cesarean delivery)

1 제왕절개술 후 질식분만(Vaginal birth after cesarean delivery, VBAC)

1) 서론

(1) 정의

① 제왕절개술 후 질식분만(vaginal birth after cesarean delivery, VBAC) : 제왕절개술 후 분만시도(trial of labor after cesarean, TOLAC)로 질식분만 된 경우

② 1회의 자궁하부 가로절개로 제왕절개술을 받은 임신부는 금기증이 없는 경우에 다음 임신 시 질식분만을 시도하는 것에 대해 상담 받도록 권고(ACOG, 2017)

(2) 제왕절개술 후 질식분만의 성공률

① 성공률 : 대개 60~80%의 성공률

② 영향을 주는 요인

저위험 요인	고위험 요인
가로절개(transverse incision)	고전적 or T형 절개(Classical or T incision)
질식분만의 과거력	이전 자궁파열
적절한 상담	자궁저부 수술(transfundal surgery)
충분한 인력 및 지원의 준비	질식분만 금기증(e.g. : 전치태반)
	환자의 거부
	불충분한 인력 및 지원의 준비

성공률을 높이는 요인	성공률을 낮추는 요인
대학병원에서의 분만 백인(white race) 자연진통(spontaneous labor) 선행 제왕절개의 적응증이 비정상 태위인 경우 1~2회의 이전 가로절개(transverse incision) 선행 제왕절개의 적응증이 반복되지 않은 경우 현재 조산인 경우	미혼모(single mother) 산모의 나이 증가 거대아 산모의 비만 둔위(breech) 다태아 임신(multifetal pregnancy) 전자간증(preeclampsia) 임신 40주 이상인 경우 자궁하부 수직절개(low vertical incision) 이전 절개법을 알 수 없는 경우 다수의 선행 제왕절개 과거력 유도분만(labor induction) 다음 분만까지의 기간이 짧은 경우 내과적 질환(medical disease) 낮은 교육 수준 의료소송에 대한 우려

(3) 제왕절개술 후 질식분만의 위험성

① 산모의 위험성

　　a. 자궁파열, 자궁절제술, 수술 중 손상 증가

　　b. 수혈과 감염의 증가

　　c. 질식분만 실패군에서 성공군보다 모체 유병률이 5배 높음

② 태아의 위험성

　　a. 주산기 및 신생아 사망률 증가

　　b. 유병률의 차이

　　　- 분만시도에서 증가 : 저산소허혈성뇌손상(HIE), 양압환기

　　　- 반복 제왕절개에서 증가 : 신생아일과성빈호흡(TTN), 분만 손상

　　　- 차이 없음 : 5분 아프가 점수, 신생아 집중치료실(NICU)로의 입원

2) 제왕절개술 후 질식분만의 준비

(1) 제왕절개술 후 질식분만의 적응증

① 이전의 자궁절개(prior uterine incision)

　　a. 이전의 자궁절개 방법(ACOG, 2019)

　　　- 한번의 자궁하부 가로절개 수술 : 위험이 가장 낮음

　　　- 자궁저부까지 확장된 이전의 고전적 절개와 T자형 절개 : 가장 위험

　　　- 자궁하부 수직절개(low vertical incision) : 분만시도 가능

b. 이전의 자궁절개 봉합방법 : 한층 또는 두층 봉합 사이의 차이는 없음

c. 이전의 제왕절개 횟수 : 1회와 2회의 차이는 없음

d. 이전 절개부위의 초음파 영상 소견

- 이전의 절개부위의 두께 측정 : 진통시도 시 자궁파열의 예측에 사용

- 자궁하부의 양수에서 방광까지 두께가 <2.0 mm : 자궁파열 11배 증가

- 자궁하부 자궁근층의 두께가 <1.4 mm : 자궁파열 5배 증가

② 이전의 자궁파열, 고전적 절개와 T자형 절개

a. 진통 시 자궁파열 위험 증가

b. 가급적 진통 전, 태아의 폐성숙이 확인되면 반복 제왕절개술 시행

③ 분만 사이의 간격(interdelivery interval)

a. 18개월 미만인 경우가 18개월 이상인 경우보다 자궁파열 위험이 3배 증가

b. 6개월 미만인 경우가 6개월 이상인 경우보다 자궁파열 위험이 3배 증가

c. 6개월과 18개월 비교 시 자궁파열 위험의 의미있는 증가는 없음

④ 질식분만의 과거력

a. 제왕절개술의 전이나 후에 질식 분만의 기왕력이 있는 경우 질식분만의 가능성 증가

b. 자궁파열과 모체 유병률의 위험도 감소

⑤ 선행 제왕절개술의 적응증

a. 둔위인 경우 성공률은 90%, 태아 상태가 나빠서 한 경우 성공률은 80%

b. 분만진통 제2기에 제왕절개를 한 경우 다음 임신의 분만진통 제2기 자궁파열과 연관

⑥ 태아의 크기 : 태아의 크기가 클수록 자궁파열이 증가

⑦ 다태아 임신 : 쌍태아 임신은 자궁파열의 위험성을 증가시키지 않음

⑧ 산모의 비만 : 산모의 몸무게가 증가할수록 질식분만 성공률 감소

⑨ 태아의 사망 : 태아 사망 시 질식분만 시도가 선호됨

(2) 고려해야 할 사항

① 시행 시기

a. 임신 39주 이후에 분만시도를 할 것을 권장

b. 선택적 제왕절개의 시기에 대한 지침(ACOG, 2017)

- 임신 20주 이전에 측정한 초음파로 임신 39주 이상임을 확인

- 태아 심장박동을 Doppler 초음파로 임신 30주 동안 확인

- 혈청 또는 소변의 β-hCG가 양성으로 확인되고 36주 이상이 지난 경우

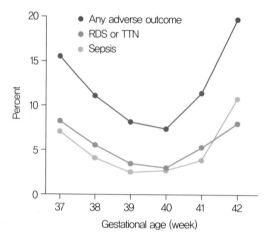

그림 30-1. 반복 제왕절개술의 시행 시기에 따른 신생아 이환율

② 분만진통 중의 관리

　a. 산부인과 의사, 마취과 의사와 수술 팀은 병원 안에서 대기

　b. 자궁파열에 대한 처치의 준비 필요

③ 자궁경부의 숙화 및 분만진통의 자극

　a. PGE_1 (misoprostol) : 금기

　b. Oxytocin, PGE_2 (dinoprostone) : 조심스럽게 사용 가능

　c. Prostaglandin에 이어 oxytocin을 사용하는 경우 자궁파열 위험이 3배 증가

④ 경막외마취(epidural analgesia) : 분만시도 시 안전한 시술(ACOG, 2017)

3) 제왕절개술 후 질식분만 권고안(ACOG, 2019)

(1) 일정하고 좋은 결과를 근거로 한 권고(Level A)

① 한 번의 자궁하부 가로절개(low transverse incision)에 의한 제왕절개술을 받은 대부분의 여성은 분만시도와 제왕절개술 후 질식분만의 대상이고 반드시 그에 대해 상담하여야 함

② 분만시도의 한 부분으로 진통 시 경막외마취는 사용 가능

③ 미소프로스톨(misoprostol)은 제왕절개나 주요 자궁 수술을 받았던 환자에서 임신 제3삼분기의 자궁경부 숙화(ripening)를 위해 사용해선 안됨

(2) 일정하지 않고 제한적인 결과를 근거로 한 권고(Level B)

① 두 번의 자궁하부 가로절개에 의한 제왕절개술을 받은 여성은 분만시도의 대상자로 간주하고, 그에 대해 상담하도록 하는 것이 타당

② 한 번의 자궁하부 가로절개에 의한 제왕절개술을 받은 여성이 쌍둥이를 임신하였을 때 쌍둥

이 자연분만의 대상이 된다면 시도분만의 대상이 될 수 있음

③ 한 번의 자궁하부 가로절개를 한 임신부에서 둔위의 외전향술 시도는 임신부와 신생아가 이 시술과 시도분만의 저위험군일 때 금기가 아님

④ 자궁파열의 고위험군(예: 선행 제왕절개 시 고전적 절개 또는 T형 절개를 한 경우, 자궁파열의 과거력이 있는 경우, 자궁저부의 광범위한 수술을 받은 경우)과 전치태반과 같은 질식분만 금기증이 있는 군은 계획된 분만시도의 일반적인 대상이 아님

⑤ 임신부나 태아의 적응증으로 유도분만 하는 것은 분만시도 시에도 선택할 수 있음

⑥ 선행 제왕절개의 자궁절개 방법을 모르는 경우에도 임상적으로 고전적 절개가 강하게 의심되지 않으면 분만시도는 금기가 아님

(3) 전문가의 의견이나 일차적인 컨센서스에 근거한 권고(Level C)

① 분만시도는 응급분만이 가능한 시설에서 시행되어야 함

② 상담 후 분만시도 또는 반복 제왕절개술의 최종 결정은 주치의와 상의를 한 임산부가 내려야 하고 각각의 득과 실이 토의되어야 하며 상담과 진료 계획에 대한 서류가 의무기록에 포함되어야 함

③ 분만시도는 응급진료가 필요한 합병증에 대한 예측 불가능성 때문에, 가정 출산은 금기

2 자궁파열(Uterine rupture)

1) 서론

(1) 분류

① 자궁파열(uterine rupture)

　　a. 자궁벽의 모든 층이 벌어져 자궁강과 복강이 서로 통하게 된 상태

　　b. 태아 전체나 일부가 복강 내로 빠져 나오게 되고 대개 상당한 출혈이 동반

② 자궁열개(uterine dehiscence)

　　a. 과거 제왕절개 부위가 벌어졌으나 내장 쪽 복막(visceral peritoneum)은 파열 되지 않은 상태

　　b. 태아는 복강 내로 탈출되지 않으며 대개 출혈은 없거나 소량

(2) 진단

① 안심할 수 없는 태아 상태(nonreassuring fetal status, NRFS)

　　a. 태아 심장박동수 이상 : 자궁파열의 진단에 가장 중요한 소견

b. 확인할 수 있는 태아 심장박동수 이상 소견

- 갑작스러운 다양성 태아심장박동수감소(variable deceleration) : 가장 흔한 소견

- 늦은 태아심장박동수감소(late deceleration)

- 태아 서맥(bradycardia)

- 태아 심박동의 소실(undetectable fetal heart tone)

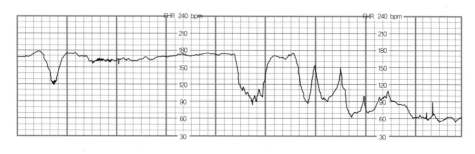

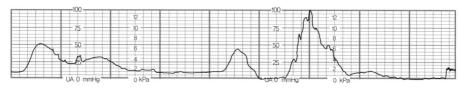

그림 30-2. 자궁파열에서 나타날 수 있는 다양성 태아심장박동수감소(variable deceleration)

② 태아 선진부의 소실

a. 자궁파열로 태아가 복강 내로 빠져나가면 내진에서 태아 선진부를 확인할 수 없음

b. 임신부의 복부 촉진과 함께 내진은 자궁파열의 진단에 도움이 됨

③ 자궁수축의 소실 : 자궁파열에 의해 자궁수축이 소실되는 빈도는 비교적 낮기 때문에 자궁 내압의 측정은 진단에 도움이 되지 않음

④ 복부의 통증 및 압통

a. 복부 통증과 압통이 확실한 경우가 드물어 자궁파열의 진단에는 큰 도움이 되지 않음

b. 진통제 또는 경막외마취 등으로 임신부가 통증을 느끼지 못하는 경우도 존재

⑤ 혈량저하증(hypovolemia) : 자궁파열로 인한 대량 출혈 시 발생

2) 처치 및 예후

(1) 파열된 자궁의 처치

① 출혈이 없는 자궁열개 : 개복술을 시행할 필요는 없음

② 출혈이 있는 자궁파열

a. 자궁절제술이 필요

b. 일부 자궁파열의 경우 봉합 재건술로 자궁을 보전

c. 다음 임신 시 25~33% 정도에서 자궁파열이 재발

(2) 분만시도 시 자궁파열의 예후

① 태아의 예후

    a. 태반의 박리 정도에 의해 좌우

    b. 태아 사망률은 50~75% 정도로 매우 높음

② 산모의 예후

    a. 즉각적이고 적절한 치료를 받는 경우에는 사망하는 경우는 매우 드묾

    b. 치료가 늦어지면 출혈이나 추후 감염으로 사망할 수 있음

1) 신생아의 호흡 전환

(1) 공기 호흡으로의 전환

① 신생아 폐의 통기(lung aeration)

　　a. 위축된 기관의 팽창이 아닌 기관지와 폐포 내액이 공기로 빠르게 대치되는 과정

　　b. 지연 시 신생아일과성빈호흡(transient tachypnea of the newborn) 발생

　　c. 반복적인 호흡에 의하여 점차 더 많은 잔여 공기가 폐 속에 축적되고 더 낮은 압력으로 호흡할 수 있게 되어 대개 다섯 번째 호흡 정도에는 압력-용적곡선(pressure-volume curve)이 정상 성인과 유사해짐

　　d. 폐 통기의 중요성

　　　- 폐의 물리적인 팽창, 산소 분압이 증가하여 폐혈관 저항이 감소

　　　- 우심방 압력은 감소하게 되고 난원공은 기능상 닫힘

　　　- 높아진 산소분압으로 동맥관이 좁아지고 생후 10~15시간 이내에 기능적으로 닫힘

　　e. 제2형 폐포세포(type II pneumocytes)에서 합성되는 계면활성제는 표면장력을 낮추고 폐포 허탈(collapse)을 방지하여 폐의 팽창을 유지

② 탯줄이 결찰되면 좌심실의 전부하가 감소하여 심박출량이 감소하고 서맥이 나타남

(2) 신생아 호흡의 자극

① 분만 시 신생아에 대한 물리적 자극

② 분만 중 태아 흉곽의 압박

　　a. 분만진통 제2기 동안 흉곽 압박에 의해 폐의 기능적 잔류용량(FRC)의 1/4에 해당되는 폐액이 배출

b. 제왕절개술로 출생한 신생아는 질식분만으로 출생한 신생아처럼 빨리 잘 울지만, 생후 첫 6시간 동안 폐 안에 액체는 많고 가스가 적은 경향을 보임

③ 산소의 결핍과 이산화탄소의 축적

2) 분만 직후의 신생아 처치

(1) 즉각적인 처치

① 분만 전과 중에 신생아 안녕상태에 대해 신중하게 고려

② 위험 요인이 있는 경우 신생아 소생술을 실시할 수 있는 의료진이 분만에 참여

③ 신생아의 머리가 분만 되면 즉시 얼굴을 타월로 닦고 입과 코를 흡인

④ 탯줄을 자른 후 즉시 머리를 낮춘 자세로 눕히고, 보온기에서 보온해주며, 열 손실을 최소화하기위해 몸을 닦음

⑤ 만약 호흡이 불규칙하면 기도 분비물을 흡인하고, 발바닥을 가볍게 때리거나 등을 문질러 호흡을 자극

⑥ 계속 호흡을 못하는 경우, 적극적인 소생술을 실시

⑦ 소생술을 예측할 수 있는 인자들

분만 전	분만 시
산모의 당뇨병	응급 제왕절개술
임신성 고혈압	겸자 혹은 진공분만
만성 고혈압	둔위분만 혹은 기타 태아위치이상
태아 빈혈 혹은 동종면역	조기진통
이전 태아 혹은 신생아 사망	급속분만
임신 중·후반기 출혈	융모양막염
산모 감염	지연양막파수(분만 전 >18시간)
산모의 심장, 신장, 폐, 갑상선, 신경학적 질환	지연진통(>24시간)
양수과다증, 양수과소증	지연된 분만진통 제2기(>2시간)
조기양막파수	거대아
태아수종	지속적인 태아 서맥
과숙아	태아 심장박동수 이상
다태아	전신마취
임신 주수와 차이나는 태아 크기	자궁과다자극
약물	분만 4시간 전 마약 투여
산모의 마약복용	양수 내 태변 착색
태아기형 혹은 이상	탯줄탈출
저하된 태아 움직임	태반조기박리
산전진찰을 받지 않은 경우	전치태반
산모 나이 <16세 혹은 >35세	분만 시 과다출혈

(2) 탯줄 결찰(Umbilical cord clamping)

① 태반순환에 문제가 없는 경우

    a. 활발한 만삭아와 소생술이 필요 없는 미숙아는 탯줄 결찰을 30~60초 정도 지연 가능

    b. 탯줄 결찰이 통기까지 지연되면 전환이 더 부드러워지고 심박출량이 감소하지 않음

② 태반순환에 문제가 있는 경우 : 즉시 탯줄 결찰 시행

③ 탯줄 결찰 지연의 장점과 단점

장점		단점
만삭아	미숙아	
출생 시 헤모글로빈 수치 증가 철 결핍성 빈혈 감소 신경학적 발달 향상	혈압과 혈류량 증가 출생 후 수혈 감소 뇌출혈 감소 괴사성 장염 감소	소생술 제공 지연 적혈구 증가 황달

(3) 신생아 환기의 교정 단계

① 마스크 교정

② 아기 머리 재위치

③ 입과 코의 흡인

④ 아기의 입을 열고 마스크를 재조정

⑤ 흡기 압력 증가

⑥ 대체 기도(기관내관 또는 후두 마스크)를 삽입

(4) 양압 환기 및 기관내삽관의 적응증

양압 환기의 적응증	기관내삽관의 적응증
첫 처치 완료 후 시행한 평가에서 호흡하지 않는 경우 헐떡 호흡을 하고 있는 경우 아기의 심박동수가 분당 100회 미만인 경우	지속적인 양압 환기요법이 필요한 경우 Bag이나 mask 환기가 효과 없는 경우 기관 내 흡인이 필요한 경우 횡격막 탈장이 의심되는 경우

(5) 신생아 소생술 지침

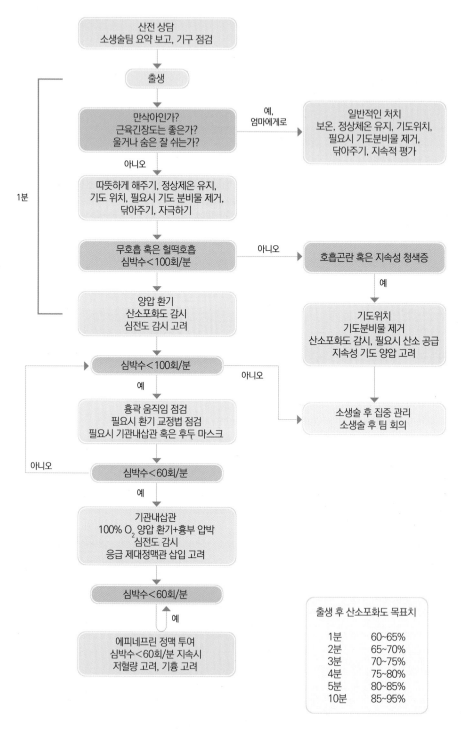

그림 31-1. 신생아 소생술 지침(International Liaison Committee on Resuscitation, 2015)

3) 신생아의 상태 평가

(1) Apgar 점수

① 신생아의 건강 상태를 객관적으로 평가할 수 있는 도구

② 측정 기준

	0	1	2
분당 심박수	없음	<100회	>100회
호흡	없음	느리거나 불규칙적	양호, 울음
근력	늘어져 있음	사지를 약간 굴곡	활발한 움직임
자극에 대한 반응	반응 없음	얼굴을 찡그림	기침 또는 재채기
피부의 색	청색 또는 창백	몸 : 분홍색, 사지 : 청색	전신이 분홍색

③ 측정 시기

    a. 출생 후 1, 5분에 측정

    b. 총점이 7점 미만일 경우 매 5분마다 20분까지 혹은 소생술이 종료될 때까지 측정

③ Apgar 점수의 의의

    a. 1분 Apgar 점수 : 출생 후 응급 소생술의 필요 여부를 결정

      - 7~10점 : Nasopharyngeal suction 이외에 다른 도움을 필요로 하지 않음

      - 4~6점 : Suction, 100% O_2 mask

      - 0~3점 : 즉시 인공호흡 등의 소생술 실시

    b. 5분 Apgar 점수 : 소생술의 효과 및 향후 신경학적 후유증의 유무

      - 7~10점 : 정상

      - 4~6점 : 중등도(추후 신경학적 기능 이상이 생길 고위험의 지표는 아님)

      - 0~3점 : 신경학적 위험도 증가(0.03~1%)

(2) 제대혈의 산-염기 및 혈액 가스 측정

① 제대혈 산도(pH) 및 산-염기 상태

    a. 신생아의 건강을 나타내는 객관적 자료

    b. 분만 직전 자궁 내 태아의 대사 상태를 가장 근사하게 반영

② 제대혈 내 대사성 산혈증이 없을 때는 분만 중 태아곤란증이 없는 것으로 판단 가능

③ 탯줄 혈액의 채취 방법

    a. 분만 직후 신생아에 가까운 부위를 결찰 후 탯줄을 절단

    b. Heparin 처리한 주사기로 1~2 mL의 탯줄 혈액을 채취

(3) 산혈증(Acidemia)

① 태아의 산-염기 생리

a. CO_2의 산화 대사에 의해 탄산(H_2CO_3)과 유기산을 생산하고 태반 순환을 통해 신속하게 이산화탄소를 제거

b. 태반의 기능 저하로 CO_2 제거율이 낮아지게 될 경우 태아 혈액 내 탄산 수치가 상승

② 호흡성 산혈증(respiratory acidemia)

a. 유기산 증가가 동반되지 않는 탄산 수치의 증가로 유발

b. 가장 흔한 원인 : 일과성 탯줄 압박(대부분 태아에게 해롭지 않음)

③ 대사성 산혈증(metabolic acidemia)

a. 정의(ACOG, 2014) : 탯줄동맥의 산도(pH) <7.0, 염기결핍(base deficit) ≥12 mmol/L

b. 심한 대사성 산혈증을 보인 만삭아에서 신경학적 기능 이상의 예측은 어려움

c. 1,000 g 미만의 미숙아에서 나타난 산-염기 불균형은 뇌실 내 출혈 및 장기적인 신경학적 예후와 연관이 있을 수 있음

④ 유기산 농도와 탄산 농도의 증가는 혼합된 호흡성-대사성 산혈증을 유발

(4) 제대혈 가스 분석을 위한 권장 사항

① 제대혈 산혈증 단독으로 신경학적 손상의 정도를 예측하기에는 적합하지 않음

② 제대혈 가스 분석을 시행하는 것이 합리적인 경우

a. 태아곤란증을 보여 제왕절개술을 시행한 경우

b. 비정상 태아 심박동

c. 발열

d. 낮은 5분 아프가 점수

e. 다태 임신

f. 심한 자궁 내 성장제한을 보이는 경우

2 신생아실에서의 관리

1) 기본적 처치

(1) 임신 주수 추정

① 정확한 임신 주수는 신생아의 위험을 예측하는 중요한 척도

② Ballard 평가방법이 사용

a. 6항목의 신경학적 검사와 6항목의 신체 검사로 구성

b. 2주일 이내의 오차로 임신 주수를 추정

신경 근육 성숙도	-1	0	1	2	3	4	5
자세							
각창: 손목각도	>90°	90°	60°	45°	30°	0°	
팔의 되돌아오기 반응		180°	140~180°	110~140°	90~110°	<90°	
오금(슬와) 각도	180°	160°	140°	120°	100°	90°	<90°
스카프 징후							
발뒤꿈치 → 귀 시행							

성숙도

점수	주
-10	20
-5	22
0	24
5	26
10	28
15	30
20	32
25	34
30	36
35	38
40	40
45	42
50	44

육체적 성숙도	-1	0	1	2	3	4	5
피부	끈끈하고, 손상받기 쉬우며, 투명하다	빨갛고 젤리 같으며 반투명하다	매끄럽고 분홍색이며, 세정맥이 잘 보인다	표면의 박리, 정맥이 약간 보인다	갈라지고 창백하며, 정맥이 거의 안 보인다	양피지 같고 깊은 금이 있으며, 정맥은 안 보인다	가죽 같고 금이 있으며, 주름이 잡힌다
솜털	없다	드문드문 있다	많다	점차 줄어든다	없어진 부위가 있다	대부분 없다	-
발바닥(발금)	발뒤꿈치 → 발가락 거리 40~50 mm: -1 <40 mm: -2	>50 mm 발금이 없다	빨간 흔적만 관찰된다	앞부분에 횡선만 관찰된다	앞 2/3 부분에 주름이 관찰된다	발바닥 전체에 주름이 관찰된다	-
유방	없다	거의 없다	편평한 유륜, 젖꼭지(-)	융기되기 시작, 젖꼭지: 1~2 mm	융기된 유륜 젖꼭지: 3~4 mm	정상 유륜 젖꼭지: 5~10 mm	-
눈, 귀	안검-융합 살짝 붙음: -1 꽉 붙음: -2	안검: 열려있다 편평한 귓바퀴, 접힌 상태의 귀	귓바퀴에 약간 굴곡이 생기며 부드럽다. 귀를 접으면 서서히 원상으로 돌아간다	굴곡이 확실하게 있고 부드럽다. 접으면 쉽게 펴진다	딱딱하고 형태가 뚜렷하다. 접은 즉시 펴진다	연골이 두꺼워지고 귀가 딱딱해진다	-
생식기(남)	음낭이 편평하고 표면이 매끈하다	음낭이 비어 있고 주름이 거의 없다	고환은 서혜부에 있고 주름이 거의 없다	고환이 내려오며 주름이 약간 생긴다	고환이 완전히 내려오고 주름이 확실히 생긴다	고환이 음낭 아래 부분에 있고 주름이 깊게 생긴다	-
생식기(여)	음핵이 크며 소음순은 편평하다	음핵이 크며, 작은 소음순이 관찰된다	음핵이 크며 소음순이 커진다	소음순 및 대음순이 모두 관찰된다	대음순이 더 크고 소음순은 작게 보인다	음핵과 소음순은 대음순에 가려진다	-

그림 31-2. 새로운 Ballard score

(2) 피부와 탯줄의 관리

① 피부 관리

    a. 첫 번째 목욕은 체온이 안정화될 때까지 기다리고, 일부러 태지를 제거할 필요는 없음

    b. 욕조에 넣어서 하는 목욕은 배꼽이 떨어져 나간 후(약 생후 1~2주) 시행

② 탯줄 관리

    a. 탯줄에 있는 Wharton jelly는 출생 후부터 조금씩 마르기 시작하여 점차 검은색으로 변해 가고 생후 약 2주 정도에 떨어짐

    b. 공기 중에 노출되어 있을 때 더 빨리 마르므로 덮어 놓는 것은 권장되지 않음

    c. 탯줄을 통하여 황색 포도알균, 대장균, 그룹 B 사슬알균 등의 감염이 잘 발생할 수 있기 때문에 단면을 Triple-dye로 소독하고 이후 1일 1~2회 알코올로 닦아줌

(3) 수유

① 신생아는 특별한 문제가 없다면 출생 직후부터 수유 가능

② 평균 3시간 간격으로 수유

③ 생후 6개월간은 모유수유만 할 것을 권장

(4) 체중감소

① 생후 2~4일에 생리적 체중감소 현상이 나타남

    a. 만삭아 : 출생체중의 약 10% 이내

    b. 미숙아 : 출생체중의 약 15% 이내

② 원인 : 출생 직후 발생하는 세포외액의 감소

③ 출생 초기에 충분한 수유가 힘든 모유수유아에서 더 심하게 생김

(5) 대변과 소변

① 대변

    a. 점액성의 짙은 초록색 태변을 생후 첫 24~36시간 이내에 배출

    b. 장점막세포와 양수에 있던 태아솜털(lanugo), 피부세포 등이 포함

    c. 특징적인 색상은 담즙 색소에서 유발

    d. 생후 첫 수시간 동안 장 내부는 무균 상태이지만 곧 장내세균총으로 집락화

② 소변

    a. 생후 24~48시간까지 억제되어 감소

    b. 이후 이뇨기로 많은 양의 소변이 생성되어 배출

③ 신생아가 대변이나 소변을 보지 못하는 경우 선천성 거대결장증(Hirschsprung disease), 항문막힘증(imperforate anus), 후부요도판막(posterior urethral valve) 등을 의심

(6) 신생아 고빌리루빈혈증(Neonatal hyperbilirubinemia)

① 생후 2~5일 경 신생아의 1/3에서 생리적 황달이 발생

② 간세포의 미성숙으로 비결합빌리루빈(unconjugated bilirubin)이 증가하고 담즙으로 배출이 안되어 발생

③ 미숙아에서 기간도 더 길고 황달도 더 심함

④ 신생아의 나이와 혈중 빌리루빈 농도에 따라 치료법을 선택

(7) 포경 수술(Male circumcision)

① 요로감염, HIV, HPV, herpes 감염을 감소시킴

② 수술의 이점이 위험보다 크기 때문에 건강한 신생아에서 부모의 동의를 얻고 숙련된 의사에 의해 시행할 것을 권고(미국 소아과학회, 2012)

③ 모든 신생아에게 수술을 권장하는 것은 아님

2) 예방적 처치

(1) 안구 감염의 예방

① 임균 감염(Gonococcal infection)

a. 원인균 : *Neisseria gonorrhoeae*

b. 과거 신생아기 실명의 주된 원인

c. 분만 직후 1% 질산은(silver nitrate) 용액 또는 0.5% erythromycin 안연고를 점안

d. 치료받지 않은 임질 산모의 신생아 임균 결막염(gonococcal conjunctivitis) 치료

   - Ceftriaxone 100 mg/kg, 근육(또는 정맥) 주사, 1회

   - 치료 전 임균과 클리미디아에 대한 검사를 시행

② 클라미디아 감염(Chlamydial infection)

a. 산전 선별검사 및 치료가 가장 이상적

   - 감염된 산모의 신생아가 동일한 균에 감염될 가능성은 약 12~25% 정도

   - 예방적 국소안구치료는 클라미디아 결막염(chlamydial conjunctivitis)의 발생을 확실하게 감소시키지 못함

b. 0.5% erythromycin 또는 1% tetracycline 안연고를 점안

③ 예방적 처치 후 닦아내거나 증류수 또는 생리식염수로 씻어내면 안됨

(2) B형 간염 예방

① 모든 신생아에게 출생 직후 B형 간염 예방접종을 하고 1개월 및 6개월 후에 2차, 3차 접종을 실시

② 산모가 B형 간염 표면항원(HBsAg) 양성인 경우

    a. 출생 후 12시간 이내 B형 간염 면역글로불린(HBIG) 및 B형 간염 백신을 동시에 접종

    b. 이후의 B형 간염 접종일정은 동일

(3) 지카바이러스(Zika virus)

① 모기에 물려 전염되는 바이러스

② 대부분의 사람들에게 무증상이지만 심각한 선천적 결함을 유발할 수 있음

③ 최근 발병지역으로 여행을 다녀온 경우 혈청 검사를 시행

④ 임신 중 산모의 감염이 확인되면 신생아는 종합검사, 신경학적검사, 산후 두부초음파, 퇴원 전 신생아청력검사 및 지카바이러스 검사가 필요

(4) 비타민 K (Vitamin K)

① Vitamin K 의존성 출혈성 질환의 예방을 위해 투여

② 생후 1시간 이내에 수용성 vitamin K 0.5~1 mg을 1회 근육 주사

(5) 신생아 선별검사

① 대사이상질환의 선별검사

    a. 현재 국가에서 시행하고 있는 선별검사 : 총 6종(페닐케톤뇨증, 단풍당뇨증, 호모시스틴뇨증, 갈락토스혈증, 갑상샘기능저하증, 부신기능항진증)

    b. 이외에도 약 40여 종의 아미노산, 유기산 및 지방산의 대사장애 등을 미리 검사하는 방법도 사용 중

② 청력검사

    a. 선천성 청력장애의 발생률 : 약 1,000명당 1~3명

    b. 검사 방법

      - 유발이음향방사(evoked otoacoustic emission)

      - AABR (automated auditory brainstem evoked response)

CHAPTER 32

신생아의 질환 및 손상
(Diseases and Injuries of the Newborn)

1 만삭아의 질환(Diseases of the term newborn)

1) 호흡곤란(Respiratory distress)

(1) 호흡곤란증후군(Respiratory distress syndrome)

① 만삭아의 호흡곤란증후군의 원인

    a. 패혈증 증후군을 동반한 주산기 감염

    b. 선택적 제왕절개

    c. 중증 태아가사(severe asphyxia)

② 만삭아에서 발병률이 낮지만 계면활성제 결핍으로 인한 발생이 드물지 않음

③ 위험인자 : 융모양막염, 남성 성별, 백인, 계면활성제 합성 유전자 돌연변이 등

④ 치료 및 관리는 신생아 호흡곤란증후군과 동일

⑤ 호흡곤란증후군이 있는 만삭아의 예후는 원인, 중증도, 치료에 대한 반응에 따라 다름

(2) 태변흡입증후군(Meconium aspiration syndrome)

① 빈도

    a. 전체 분만의 20% 정도에서 흔하게 발생(태변 착색은 전체분만의 10~15%에서 발생)

    b. 주로 만삭아 및 과숙아에서 발생

    c. 임신 34주 미만에서는 드묾

② 양수 내 태변 착색이 있던 신생아의 약 5%에서만 태변흡인증후군이 발생하고 실제로 양수 내 태변 착색이 있었던 경우의 대부분에서는 태변흡인증후군이 발생하지 않음

③ 대부분의 태변 통과는 정상적으로 성숙된 소화기계 성장을 의미

④ 탯줄 압박에 대한 미주신경 자극의 결과인 경우도 있음

⑤ 태아가 자궁에서 태변을 배출하는 기전

　　a. 저산소증으로 인한 항문괄약근 이완

　　b. 탯줄 눌림에 의한 미주신경 자극(vagal stimulation)

　　c. 위장관운동의 미성숙

⑥ 위험인자

　　a. 과숙아 분만(postterm pregnancy)

　　b. 자궁 내 태아성장제한(intrauterine growth restriction, IUGR)

　　c. 양수과소증(oligohydramnios)

⑦ 병태 생리

　　a. 기도 폐쇄

　　b. 계면활성제의 생성 및 기능 저하

　　c. 혈관 수축제 또는 염증성 매개 인자에 의한 화학적 폐렴

　　d. 신생아 지속성 폐고혈압(persistent pulmonary hypertension)에 의한 R-L shunt

⑧ 처치

　　a. 양수 내 태변 착색이 있었던 경우 출생 후 신생아가 쳐져 있는 경우에만 분만 직후 기도 삽
　　　관을 통하여 기도 내 이물질을 흡인할 것을 권장

　　b. 신생아가 활발한 경우에는 기도삽관을 통한 흡인이 필요하지 않고 구강과 비강에 있는 이
　　　물질만 bulb syringe 또는 large bore suction catheter를 이용하여 제거

　　c. 직접 기도흡인이 필요했던 신생아는 증상에 따라 산소 공급, 기계적 환기요법 등을 시행
　　　하고 기타 보존적인 치료를 시행

　　d. 지속적인 신생아 지속성 폐고혈압이 동반되는 경우 NO (nitric oxide) 흡인 치료 시행

⑨ 예방

　　a. 분만 중 흡인(intrapartum suctioning)

　　　- 과거에는 분만 시 신생아의 어깨분만 전 입과 코의 흡입물을 흡입하는 방법이 권장

　　　- 현재 이러한 분만 중 흡인이 태변흡인증후군의 발생을 예방할 수 없음을 확인

　　b. 진통 중 양수주입술(amnioinfusion)

　　　- 태변을 희석시켜 태변흡인증후군의 위험도를 감소시키려는 시도

　　　- 진통 중 양수주입술은 태변흡입증후군의 빈도 및 주산기 사망률을 감소시키지 못함

2) 신생아 뇌병증(Encephalopathy)과 뇌성마비(Cerebral palsy)

(1) 신생아 뇌병증(Neonatal encephalopathy)

① 정의 : 임신 35주 이상의 신생아에서 초기에 발생한 신경학적 기능장애 증후군

② 빈도 : 만삭 신생아 1,000명당 0.27~1.1 정도

③ 증상

    a. 의식 저하 또는 경련 발생

    b. 호흡곤란 증상과 함께 근육긴장도와 신생아반사의 저하

④ 평가

    a. 산모의 병력, 과거력, 주산기요인, 태반 병리, 신생아 경과 등을 확인

    b. 신경학적 영상 검사, 혈액 검사 등도 도움

⑤ 신생아 저산소성허혈뇌병증(hypoxic ischemic encephalopathy, HIE)을 초래하는 분만 전, 후 그리고 분만 시 소견들(ACOG, 2014)

신생아 소견

- 아프가 점수 : 5분과 10분에 <5점
- 탯줄동맥혈 산증 : 산도(pH) <7.0 그리고/혹은 염기결핍(base deficit) ≥12 mmol/L
- 급성 뇌손상을 시사하는 영상 : 저산소성 허혈성 뇌병증에 합당한 MR 혹은 MRS
- 저산소성 허혈성 뇌병증에 합당한 다발성 장기 손상

유발인자의 유형 및 시기

- 분만 전 혹은 분만 동안 즉시 일어난 저산소 혹은 허혈
- 분만 또는 출산기의 태아 심장박동수 양상(fetal heart rate patterns)

    a. 아프가 점수

      - 5분, 10분 아프가 점수가 낮을수록 신경학적 장애의 위험도는 증가

      - 낮은 아프가 점수에는 다른 많은 원인이 있고, 점수가 낮아도 대부분이 뇌성마비로 진행하지 않음

      - 5분 점수가 7점 이상일 때 발생하는 뇌성마비는 주산기의 HIE와는 관련성이 적음

    b. 탯줄동맥혈 검사

      - 낮은 산도와 염기 결핍의 정도가 심하면, HIE로 인한 신생아 뇌병변 가능성이 증가

      - 정도가 심할수록 위험도를 증가시키지만, 산혈증 태아에서 신경학적으로 정상인 경우가 대부분

      - 탯줄동맥 pH ≥7.2 시 이는 HIE와 연관될 가능성이 낮음

    c. 영상 검사

      - MRI, MRS는 HIE 진단에서 시각화하는 가장 좋은 방법

      - 두부초음파나 CT는 만삭아에게서 민감도가 낮음(ACOG, 2014)

      - 생후 첫 24시간 이후에서 정상 MRI나 MRS 결과는 뇌병변의 원인으로 저산소성 허혈을 배제하는 데에 효과적

      - 생후 24~96시간 사이의 MRI는 주산기 뇌손상 시기에 대하여 더 민감

      - 출생 후 7~21일의 MRI는 뇌손상의 정도를 판단할 수 있는 가장 좋은 방법

d. 다발성 장기 손상
- 다발성 장기 손상을 받은 신생아의 임상증상은 HIE와 비슷함
- 신장, 위장관, 간, 심장 손상, 혈액학적 이상 등이며 복합적으로 나타날 수 있음
- 신경학적 손상의 중증도는 이러한 다른 기관의 손상과 항상 연관되지는 않음
e. 파수사고(sentinel event)
- 자궁파열, 중증의 태반조기박리, 탯줄 탈출, 양수색전증 등이 해당
- 파수사고를 제외한 다른 신생아사고의 위험인자 : 이전의 제왕절개, 모성나이 35세 이상, 진한 태변, 융모양막염, 전신마취 등
f. 태아 심장박동수 양상(fetal heart rate patterns)
- Category I 또는 II의 5분 아프가 점수 7점 이상, 정상 탯줄혈액가스분석(±1SD), 혹은 두 가지 모두에 해당한다면 급성 저산소성허혈뇌병증(HIE)과 연관이 없음
- 변이도(variability)가 거의 없거나 소실된 경우, 60분 이상 태아 심박동수의 증가(acceleration) 또는 감소(deceleration)가 없는 경우 태아가 이미 위태로워진 상태임을 암시
⑥ 예방
a. 저체온요법
- 중등도 이상의 저산소성허혈뇌병증(HIE)에서 중증 신경학적 장애 완화와 사망을 예방
- 효과 : 생존율과 신경발달의 향상
b. 적혈구형성인자의 동시 투여 : 저산소증과 허혈로 인한 신생아 대뇌 손상에서 약간의 완화 효과

(2) 뇌성마비(Cerebral palsy)
① 정의
a. 생후 초기에 발생한 비가역적 비진행성의 운동 및 체위장애
b. 경련과 정신지체가 자주 동반
c. 경련과 정신지체가 뇌성마비 없이 주산기 가사와 연관되는 예는 드묾
② 분류
a. 추체로(pyramidal) 뇌성마비
- 강직성 사지마비(spastic quadriplegia) : 정신지체, 간질 등 동반 가능(20%)
- 강직성 하지마비(spastic diplegia) : 미숙아에서 호발(30%)
- 강직성 편마비(spastic hemiplegia)
b. 추체외로(extrapyramidal) 뇌성마비
- 이긴장성(dystonic type)
- 무도, 무정위성(choreoathetoid type)(15%)
c. 혼합형(mixed) 뇌성마비

③ 원인

    a. 조산아와 만삭아의 원인이 다름

    b. 유전적, 생리적, 환경적, 산과적 요인 등의 복합적 원인에 의하여 발생

    c. 많은 경우에서, 분만 중 가사(asphyxia)에 의해 발생하는 것으로 잘못 알려져 있음

④ 빈도

    a. 만성 운동장애 중 가장 흔한 질환

    b. 발생률

      - 1,000명당 2~3명

      - 미숙아 생존률과 제왕절개술의 증가에도 발생률은 기본적으로 변화되지 않은 상태

    c. 유병률

      - 이상이 없는 만삭아는 0.1%, 임신 23~27주에 태어난 아이에서는 약 9.1%

      - 절대적인 숫자에서 미숙아가 비율적으로 훨씬 적기 때문에, 만삭아가 약 절반을 차지

⑤ 위험인자

위험인자	위험도
조산(임신 23~27주 미숙아 출산)	78.9
울음까지 시간 >5분	9.0
태반박리	7.6
양수과다증	6.9
둔위, 안면위, 횡태위	3.8
임신 간 간격 <3개월 혹은 >3년	3.7
태반경색	3.6
자연 미숙아진통	3.4
융모양막염	2.5
낮은 태반 무게	1.2~2
기타 : 호흡곤란증후군, 태변흡입, 응급 제왕절개나 수술적 질식 분만, 저혈당, 임신성 고혈압, 저혈압, 고령 산모, 유전적 요인, 쌍태아, 혈전, 야간분만, 경련, 태아성장제한, 남아와 초산부 등	–

⑥ 뇌성마비를 지닌 소아의 신경학적 영상 소견

    a. 36주 이후에 태어난 뇌성마비 소아의 CT나 MRI 소견 : 정상(33%), 국소적 동맥경색(22%), 뇌 기형(14%), 뇌실주위백색질 손상(12%) 등

    b. 조산한 뇌성마비 소아의 CT나 MRI 소견 : 88%에서 비정상

(3) 지적장애(Intellectual disability)와 발작장애(Seizure disorders)

① 지적장애

    a. 정의 : 뇌성마비를 흔하게 동반하는 장애와 경련질환의 스펙트럼

    b. 단독으로 나타날 경우 주산기 저산소증이 원인이 아님

    c. 가장 흔한 원인 : 염색체 또는 유전자변이, 선천성 기형

② 경련장애

    a. 예측인자 : 대뇌와 비대뇌 기형, 경련의 가족력, 신생아 경련 등

    b. 신생아 뇌병증은 소수에서 경련장애의 원인이 될 수 있음

    c. 뇌병증의 중증도가 경련과 가장 강한 연관관계

(4) 자폐증 스펙트럼장애(Autism spectrum disorders)

① 빈도 : 8세 1,000명의 소아당 14.6명(미국)

② 원인 : 산모의 대사 상태와 연관이 있을 수 있지만 주산기 사건과는 연관없음

3) 혈액학적 이상(Hematological disorders)

(1) 빈혈(Anemia)

① 정의 : 혈색소 또는 적혈구 용적률이 해당 연령 평균치에서 2 표준편차보다 낮은 경우

② 신생아의 혈색소 : 임신 주수에 비례하여 증가

③ 원인

    a. 실혈 : 태반 찢어짐, 태아혈관천공, 두개 내,외 손상, 복강 내 장기의 외상 등

    b. 용혈(hemolysis) : 동종면역빈혈(alloimmune hemolytic anemia)

    c. 생성 감소

(2) 적혈구증가증(Polycythemia)과 과다점도(Hyperviscosity)

① 정의 : 정맥 적혈구용적률(venous hematocrit)이 65% 이상인 경우

② 원인 : 자궁 내 만성 저산소증, 쌍태아간 수혈증후군, 태반과 태아 성장제한, 임신성 당뇨로 인한 거대아, 분만 시 수혈 등

③ 증상

    a. 혈액 점도의 증가와 혈류량 감소로 인해 조직으로 산소 공급이 감소되어 발생

    b. 태아적혈구의 짧은 수명에 의해 고빌리루빈혈증이 흔히 동반

    c. 혈소판 감소증, 저혈당 등

④ 치료

    a. 증상이 없고 hematocrit < 70% : 수액공급을 하며 재검사

    b. 증상이 없고 hematocrit > 70% 또는 증상이 있고 hematocrit > 65% : 부분 교환수혈

(3) 고빌리루빈혈증(Hyperbilirubinemia)

① 황달(jaundice)

    a. 신생아에서 매우 흔한 질환

      - 생후 1주 이내에 만삭아의 약 60%, 미숙아의 약 80%

      - 대부분의 경우 양성 경과를 보임

      - 신경계에 손상을 일으키는 핵황달을 일으킬 수도 있음

    b. 신생아에서 발생하는 황달의 대부분은 혈중 간접 빌리루빈이 증가하여 발생하고, 피부에 침착되어 노란색을 나타냄

② 생리적 황달(physiological jaundice)

    a. 간접 빌리루빈

      - 만삭아에서 출생 시 간접 빌리루빈은 1~3 mg/dL

      - 하루 5 mg/dL 미만으로 증가

      - 생후 2~4일에는 육안으로 관찰할 수 있는 5~6 mg/dL으로 증가

      - 생후 5~7일 사이에 2 mg/dL 이하로 감소

    b. 원인

      - 태아 적혈구가 성인 적혈구에 비해 생존일이 짧아 빌리루빈 생성이 증가

      - 신생아의 간이 아직 포합에 미숙

    c. 생리적 황달의 간접 빌리루빈 농도

      - 만삭아 : ≤12 mg/dL

      - 미숙아 : ≤14 mg/dL

    d. 생리적 황달 이외의 원인을 의심해야 하는 경우

      - 생후 24~36시간 이내에 황달이 발생

      - 혈중 빌리루빈의 증가 속도가 24시간 동안 ≥5 mg/dL

      - 혈중 빌리루빈의 농도가 생리적 황달 범위 이상인 경우

      - 황달의 지속 기간이 10~14일 이상인 경우

③ 모유 황달

    a. 모유수유 중인 신생아가 분유를 먹는 경우보다 빌리루빈의 증가가 더 높고 오래 지속

    b. 원인

      - 모유에 함유된 glucuronidase에 의한 장관순환의 증가

      - 수유 초기 모유가 충분하지 않아 생긴 탈수나 칼로리 섭취 감소

    c. 예방법

      - 출생 후 되도록 빨리 모유 수유를 시작하고 하루 10회 이상 모유 수유를 시행

      - 모자 동실을 통해 밤에도 수유를 시행

④ 핵황달

　　a. 간접 빌리루빈이 혈관-뇌 장벽을 통과 후 뇌세포에 침착되어 생기는 신경학적 증후군

　　b. 초기 증상 : 근력저하, 수유저하, 무기력 등과 같이 패혈증이나 뇌출혈 등과 같은 급성 전신 질환의 증상

　　c. 신경학적 후유증 : 부분 난청이나 경미한 뇌기능 장애로부터 심각한 뇌성마비까지 다양하게 발생

　　d. 핵황달의 간접 빌리루빈 농도

　　　- 만삭아 : ≥20 mg/dL

　　　- 극소저체중출생아 : ≥8~12 mg/dL

　　　- 환아의 상태나 증가 속도 등에 따라 이보다 낮은 농도에서도 발생

　　　- 고빌리루빈혈증에 노출된 시간이 길수록 발생 가능성이 증가

⑤ 황달의 치료

　　a. 목표 : 혈중 간접 빌리루빈 농도를 낮추어 핵황달의 발생을 예방

　　b. 치료 기준

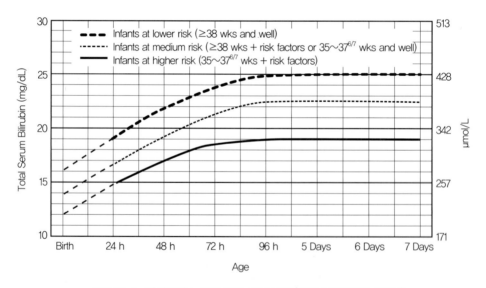

그림 32-1. 빌리루빈 농도에 따른 치료 기준(미국소아과학회, 2004)

　　c. 광선요법

　　　- 파장이 420~470 nm 청록색 빛을 사용

　　　- 피부 내의 독성이 있는 불포합 빌리루빈을 이성체인 4Z,15E-bilirubin으로 광이성화하여 포합을 거치지 않고 담즙을 통하여 배설시키거나 또 다른 이성체인 lumirubin으로 변형시켜 신장으로도 배설

- 최대한 넓은 피부 면적을 포함하는 것이 효과적(잦은 자세 변경이 필요)

  c. 교환 수혈(exchange transfusions)

    - 광선치료에도 불구하고 혈중 간접 빌리루빈 농도를 낮추는 데 실패한 경우 시행

(4) 신생아 출혈성질환(Hemorrhagic disease of the newborn)

① 정의 : 출생 이후 외상없이 발생한 자발적인 출혈

② 대부분 비타민 K 의존성 응고 인자(II, VII, IX, X)와 단백질 C, S의 부족에 의해 발생

③ 출생 후 예방적으로 비타민 K를 주지 않은 신생아에서 생후 2~5일 사이에 발생

④ 지연성 출혈은 모유가 비타민 K를 거의 함유하지 않기 때문에 모유수유 신생아에서 생후 2~12주 사이에 발생

(5) 혈소판감소증(Thrombocytopenia)

① 정의 : 신생아에서 혈소판 수가 150,000/μL 이하인 경우

② 빈도 : 정상 신생아에서 1~2% 정도 발생

③ 원인 : 혈소판 소모 증가, 면역질환, 감염, 약물 또는 유전성 혈소판장애, 선천적인 증후군의 일부, 패혈증, 파보바이러스, 거대세포바이러스, 톡소플라즈마와 같은 감염 등

④ 면역성 혈소판감소증(immune thrombocytopenia)

  a. 항혈소판항체를 가진 산모(ITP, SLE, hypothyroidism 등)에서 항체가 태반을 통과해 태아의 혈소판을 파괴

  b. 빈도

    - 항혈소판항체를 가진 산모는 약 1,000명 임신에 2명 정도

    - 이중 실제 신생아 혈소판감소증을 보이는 경우는 10% 정도

    - 두개 내 출혈과 같은 심각한 후유증을 보이는 경우는 1% 정도

  c. 처치

    - 자가면역질환을 가진 산모의 신생아는 출생 직후 및 24시간에 혈소판수를 측정

    - 혈소판 감소가 확인된 신생아는 혈소판의 수가 정상이 될 때까지 매일 검사를 시행

    - 대개 3~4일간 감소하다가 1주일 경부터 증가하는 양상을 보임

    - 혈소판수가 30,000/μL 이하인 경우 IVIG 투여 시 잘 반응

⑤ 동종면역성 혈소판감소증(alloimmune thrombocytopenia)

  a. 태아가 부계 쪽으로부터 산모가 갖지 않은 혈소판에 대한 항원을 받으면 이에 대한 항체(IgG)가 산모로부터 생성된 후 태반을 통과하여 발병

  b. 적혈구계의 Rh 부적합증과 유사

  c. 흔한 원인 항체 : human platelet antigen-1a (HPA-1a), HPA-5b

2 만삭아의 손상(Injuries of the newborn)

1) 두개손상(Cranial injury)

(1) 두개내출혈(Intracranial hemorrhage)

① 가장 흔한 원인

　a. 만삭아 : 외상

　b. 미숙아 : 저산소증, 허혈증

② 출혈 위치에 따른 구분 : 경질막하(subdural), 경질막외(epidural), 지주막하(subarachnoid)

③ 발생률

　a. 1,000명 분만당 0.2건

　b. Vacuum 분만 시 1:385, forcep 분만 시 1:515, 제왕절개 분만 시 1:1,210

　c. 기구를 이용한 질식분만 감소와 함께 분만 손상에 의한 두개내출혈의 발생률도 감소

④ 증상

　a. 많은 경우에서 두개내출혈은 무증상

　b. 예후는 그 위치와 정도에 따라 다름

　c. 경질막하출혈(subdural hemorrhage)이 가장 흔하지만 신경학적 이상은 드묾

　d. 커다란 혈종은 심각한 후유증을 남길 수 있음

(2) 두개외혈종(Extracranial hematomas)

① 산류(caput succedaneum)

　a. 선진부(Presenting part)에 호발하고, 두정위 출산 후 매우 흔함

　b. 피부와 골막 사이의 체액 부종으로 인해 두피가 국소적으로 부은 상태

　c. 골막 위에 생긴 부종이므로 두개의 봉합선을 넘음

　d. 대부분 특별한 치료는 요하지 않고 수일 내에 자연적으로 호전

　e. 심한 경우 수혈을 요할 때가 있고 후에 고빌리루빈혈증을 일으킬 수 있음

② 두혈종(cephalohematoma)

　a. 전체 출산의 0.4~2.5%에서 발생

　b. 두개골과 골막(periosteum) 사이의 혈관이 파열되면서 혈액이나 혈청이 고인 상태

　c. 측두골(parietal bones) 부위에 호발

　d. 출혈은 한 개의 두개골에 국한되므로 봉합선을 넘지 않음

　e. 대부분 특별한 치료는 요하지 않고 생후 2주~3개월 정도 지속

　　- 조밀하게 부착된 골막이 빠른 크기 증가를 억제

　　- 심한 경우 수혈을 요할 때가 있고 후에 고빌리루빈혈증을 일으킬 수 있음

　　- 약 5%에서 두개골절을 동반하지만 대부분 단순 골절이고 특별한 치료를 요하지는 않

으나 4~6주경 추적 검사를 통해 완치를 확인

　- 크기에 관계없이 절개술 또는 흡인술은 감염의 우려가 있어 금지

　- 감염이 되어 있는 경우 진단 및 치료를 위해 시행하기도 함

③ 산류와 두혈종의 감별진단

	산류(caput succedaneum)	두혈종(cephalohematoma)
원인	두피 압박에 의한 출혈성 부종	두개골 골막하 출혈
두개 봉합선 통과	(+)	(−)
호발 부위	골막 상부, 선진부	골막 하부, 측두골
두개골 골절	(−)	Linear fracture 동반
임상 경과	생후 수일 이내에 사라짐	생후 2주~3개월 정도 지속
출생 후 크기 증가	(−)	(+)
발생 시기	분만 중	분만 몇 시간 후
치료	기대 요법	Skull X-ray, 응고인자 검사, 기대 요법

④ 모상건막하출혈(subgaleal hemorrhage)

　a. 1,000명 분만당 4명의 빈도

　b. 겸자 분만이나 흡입 분만 시 주로 발생

　c. 도출정맥(emissary vein)의 손상에 의해 모상건막과 두개골 사이에 발생

　d. 부위가 넓고 조직이 느슨하여 대량 출혈의 가능성이 높고, 두개골의 골절도 잘 동반

　e. 출혈량이 적은 경우 자연 치유되나 출혈이 심한 경우 수혈 및 수술적인 치료가 필요

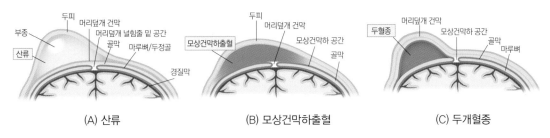

(A) 산류　　　　(B) 모상건막하출혈　　　　(C) 두개혈종

그림 32-2. 신생아 두개외혈종(Extracranial hematomas)

(3) 두개골 골절(Skull fractures)

① 100,000명 분만당 3.7건으로 드물지만 이중 75%는 기구를 이용한 질식분만 시 발생

② 골절 유형 : 선형 골절, 함몰 골절, 후두골 분리(occipital osteodiastasis)

③ 두개내출혈과 연관이 있을 수 있음

2) 말초신경손상(Peripheral nerve injuries)

(1) 위팔신경병증(brachial plexus plexopathy)

① 제5~8 경추신경(C5~8)과 제1 흉추신경(T1)으로 이루는 상완신경총 손상(brachial plexus)의 일부 또는 전체 손상으로 발생

  a. Erb-Duchenne 마비(Erb or Duchenne paralysis)

    - 위팔신경의 상위 신경근(C5, 6)이 손상되어 발생

    - 원인 : 견갑난산을 위한 목의 심한 측면 굴곡(lateral flexion)

    - 위팔신경병증의 90%를 차지

    - 어깨는 내전(adduction), 내회전(internal rotation), 팔은 신장(extension), 회내(pronation) 한 상태로 팔을 움직이지 못함

    - 손상 쪽의 모로반사가 소실 또는 감소

    - 파악 반사(grasping reflex)는 정상

  b. Klumpke 마비(Klumpke paralysis)

    - 위팔신경의 하위 신경근(C7, 8, T1)이 손상되어 발생

    - Erb-Duchenne 마비에 비해 드묾

    - 손과 손목의 운동이 마비되어 주먹을 쥐지 못하며 파악 반사(grasping reflex)가 소실

    - T1 교감 신경이 손상되면 동측에 축동, 눈꺼풀 처짐 등의 Horner 증후군이 발생

② 빈도 : 만삭 분만아 500~1,000명 중 한 명

③ 위험인자

  a. 가장 중요한 인자 : 출생 체중, 둔위 분만, 거대아, 견갑난산

  b. 약 반 수 이상은 아무런 원인 없는 정상적인 분만 후에도 발생 가능

(2) 안면신경마비(Facial paralysis)

① 원인

  a. 출생 시 안면신경의 말초부위 손상

  b. 드물게 선천적으로 안면신경체 형성부전(Möbius syndrome)으로 출생 당시 또는 생후 1~2일째 발생

② 손상된 쪽의 근육이완으로 동측 안면의 전반적인 마비로 동측의 눈이 잘 안감기고 입술이 움직이지 않으며 이마 주름이 지어지지 않음

③ 치료

  a. 특별한 치료는 요하지 않음

  b. 눈이 잘 안 감기는 경우 안대 착용 또는 인공눈물을 자주 투여

c. 대부분 1주일 이내에 호전되기 시작하지만 완전히 회복하는 데 수개월이 소요

d. 90%에서 생후 1년 이내 회복

e. 7~10일 이내에 증상의 변화를 보이지 않는 경우 신경학적 검사를 고려

3) 골절(Fractures)

(1) 쇄골 골절(Clavicular fractures)

① 만삭 분만아 1,000명 중 3~18명에서 발생하는 가장 흔한 골절

② 정상 분만에서 발생을 예측할 수 없으며 예방할 수도 없음

③ 증상

  a. 초기에 증상이 없는 경우도 있음

  b. 손상 부위의 염발음(crepitus) 및 동측 팔의 운동장애와 모로반사 소실

④ 확진 : 단순 방사선 검사

⑤ 예후가 양호하고 대부분 특별한 치료 없이 자연 치유(생후 7~10일이면 가골이 형성)

(2) 상완골 골절(Humeral fractures)

① 장골 골절 중 가장 흔함

② 증상

  a. 쇄골 골절과 유사하여 골절된 팔의 운동장애와 모로반사 소실

  b. 통증과 부종이 동반 가능

③ 치료

  a. 대부분 3~4주간의 고정이 필요

  b. 상완골 원위부의 골단분리가 일어난 경우 수술 시행

3 조산아에서 흔한 질환(Diseases common in the preterm newborn)

1) 신생아 호흡곤란증후군(Respiratory distress syndrome, RDS)

(1) 병태생리

① 폐의 발달 미숙으로 인한 계면활성제(surfactant)의 부족에 의해 발생

  a. 계면활성제(surfactant)

   - 제2형 폐포세포(type II pneumocytes)에서 생산

   - 폐포의 표면장력을 낮추어 폐의 허탈(collapse)을 방지

  b. 폐표면활성제의 부족에 의해 표면장력이 높아지면 폐포를 여는 데 필요한 압력이 증가하여 폐포의 허탈(collapse)이 발생

c. 환기관류장애와 일회 호흡량이 감소하여 저산소증과 고탄산혈증이 발생되며 여러 다른 장기의 합병증을 유발

② 특징 : 말단 세기관지와 폐포에 초자양막형성(fibrin rich protein, cellular debris)

③ 위험인자

　a. 재태기간이 짧을수록, 출생 체중이 작을수록 발생 빈도 증가

　b. 조산아에서 빈발하나 만삭아에서도 가능(패혈증, 태변 흡인 동반 시)

　c. 당뇨 산모의 신생아, 주산기가사, 진통 전의 제왕절개술, 쌍태아 중 두 번째 아이 등

④ 계면활성제, 산전 스테로이드 투여로 현재는 감소 추세

(2) 임상경과

① 특징적인 증상 : 빠른 호흡(tachypnea), 함몰호흡(inspiratory retraction), 청색증, 신음 등

② 흉부 방사선검사 소견

　a. 폐 용적의 감소

　b. 폐포의 허탈로 인한 과립상음영의 ground glass 양상과 공기-기관지 음영(air-broncho-gram)

　c. 심한 경우 심장과 폐의 경계가 불분명해지는 total white-out 양상

③ 저산소증, 고탄산혈증, 산혈증 등이 발생

④ 적절한 치료가 이루어지지 않거나 치료에 반응하지 않는 경우 가스교환부전에 의한 다른 장기의 부전이 발생할 수 있음

⑤ 급성기 사망원인 : 가스교환부전, 기흉, 폐출혈, 뇌실내출혈 등

⑥ 감별진단 : 패혈증, 폐렴, 태변흡입, 기흉, 횡격막 탈장, 심부전, 동맥관개존증(PDA) 등

⑦ 태아의 폐 성숙을 증가시키는 상황

　a. 임신성 고혈압(gestational hypertension)

　b. 갑상샘기능항진증(hyperthyroidism)

　c. 태반경색(placental infarction)

　d. 융모양막염(chorioamnionitis)

　e. 조기양막파수(premature rupture of membranes, PROM)

(3) 치료

① 보존적 치료 : 체온 유지, 수액(초기 수액 제한 치료) 및 영양 공급, 순환 유지(빈혈 치료, 수혈, 혈압 유지), 감염 예방을 시행

② 산소 치료

　a. 비강 또는 삽관 후 지속적양압환기(continuous positive airway pressure, CPAP)

　b. 목표 : PaO_2 50~70 mmHg (SaO_2 91~95%)의 유지

c. 기계적 환기(mechanical ventilation)의 적응증

    - $PaCO_2$ > 55 mmHg 또는 급격한 증가를 보이는 호흡성 산혈증

    - FiO_2를 0.5 이상 유지함에도 불구하고 PaO_2 < 50 mmHg, SaO_2 < 90%

    - 심한 무호흡증

③ 부족한 계면활성제(surfactant)를 기도로 투여

④ 흡입 산화질소(NO) : 폐고혈압증이 동반되는 경우 사용

(4) 합병증

① 급성 합병증 : 공기누출증후군, 기흉, 종격동 기종, 심막 기종, 폐간질성 기흉, 감염, 두개내출혈, 동맥관개존증, 폐고혈압, 파종성혈관내응고 등

② 만성 합병증 : 기관지폐형성이상, 미숙아 망막증, 신경학적 손상

③ 고압(high pressure), 고농도 산소(high concentration O_2)에 의한 합병증

    a. 미숙아 망막증(retinopathy of prematurity)

    b. 기관지폐형성이상(bronchopulmonary dysplasia)

    c. 산소독성폐질환(oxygen toxicity lung disease)

    d. 폐고혈압(pulmonary hypertension)

(5) 예방

① 산전 코르티코스테로이드(antenatal corticosteroids)

    a. 미숙아 출산 전 산모에게 코르티코스테로이드(corticosteroids) 투여

      - 종류 : betamethasone, dexamethasone

      - 효과 : 신생아 호흡곤란증후군, 두개내출혈, 사망률의 감소

    b. 적응증

      - 양막파수 유무에 관계없이 임신 24+0주~33+6주의 임산부들 중 향후 7일 이내 조기분만이 일어날 가능성이 높은 경우

      - 임신 23주 이하에서도 7일 이내에 분만의 가능성이 있는 경우 고려 대상

      - 임신 34+0주~36+6에서도 임상적인 판단에 따라 필요한 경우 투여

    c. 투여 시기

      - 최적의 효과는 투여 후 24시간에서 7일까지 나타남

      - 투여 후 24시간 이내에도 효과가 있는 것으로 알려짐

      - 투여 7일 이후에 통상적인 재투여는 신생아의 뇌용적 감소, 출생체중 감소 및 부신기능부전 등의 이유로 추천되지 않음

      - 임신 34주 미만의 산모에서 일차 투여 후 14일이 경과되었고 앞으로 7일 이내에 분만의 가능성이 있는 경우라면 임상적인 판단에 따라 재투여 가능

② 태아 폐성숙 확인을 위한 양수천자

   a. Lecithin-Sphingomyelin (L/S) ratio

     - 특성

       • 임신 34주 이전 : Lecithin과 sphingomyelin 비율이 비슷

       • 임신 34주 이후 : Lecithin 농도가 상승하기 시작

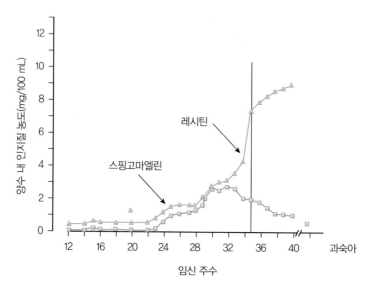

그림 32-3. 임신 중 양수의 lecithin 및 sphingomyelin 농도 변화

   - L/S ratio <2인 경우 호흡곤란증의 위험이 증가

   - 당뇨병이 있는 산모에서 혈당 조절이 잘 안된 경우

     • L/S ratio >2라도 호흡곤란증이 일어날 수 있음

     • 당뇨 임신 시는 phophatidylglycerol 측정을 추천

   - 임신성 고혈압 : L/S ratio가 낮더라도 호흡곤란증이 나타나지 않거나, 경하게 나타남

   - 혈액과 태변에도 lecithin과 sphingomyelin이 존재하며 이들에 오염되는 경우 L/S ratio가 낮게 측정됨

   b. Phosphatidylglycerol 측정

     - 신생아 호흡곤란증후군 예방에 가장 중요한 계면활성제 성분

     - Lecithin과 sphingomyelin의 활성을 증강시킴

     - 혈액, 태변, 질 분비물 등에서 검출되지 않아 오염 시에도 결과에 영향을 주지 않음

     - 양성인 경우 태아의 폐성숙이 되어 있는 것으로 판단

     - 음성이라고 해서 RDS가 발생한다는 증거는 아님

c. 형광성 편광(fluorescence polarization, microviscometry)

- 양수에서 surfactant-albumin ratio를 측정하는 방법(약 30분 소요)

- TDx-FLM test ≥50 : 폐성숙 예측률 100%

- 최근 폐성숙 측정의 일차방법으로 많이 이용

d. Lamella body count

- 빠르고, 간단, 정확한 방법

- L/S ratio, TDx-FLM과 비슷한 정확도

e. 그 외 방법

- Foam stability (shake) test

- Lumadex-FSI (foam stability index) test

- Amniotic fluid absorbance (650 nm wave length에서 optical density 측정)

- Dipalmitoylphosphatidylcholine (DPPC test)

2) 괴사성 장염(Necrotizing enterocolitis)

(1) 병태생리

① 장 점막(mucosal) 혹은 전층(transmural)의 괴사로 인하여 생기는 응급 소화기 질환

② 장의 미성숙, 허혈성 변화, 감염, 패혈증 등이 관여

(2) 빈도

① 90%는 임신기간 36주 미만의 미숙아에서 발생

② 극소저체중출생아의 5~10%에서 발생

③ 만삭아에서도 발생 가능

(3) 임상 증상

① 만삭아들은 주로 일찍(3~10일) 나타나는 반면, 미숙아들은 비교적 늦게(3~4주) 나타남

② 복부 팽만, 혈변, 무호흡증, 서맥, 복부 통증, 위 저류, 아파 보임(septic appearance), 쇼크, 담즙성 구토(bilious emesis), 산증, 기면, 설사, 복부의 봉와직염, 우측 하부의 종괴 등

③ 복부 X선 소견 : 장 마비, 고정된 장음영(fixed bowel loop), 낭성장기종(pneumatosis intestinalis), 문맥 또는 간정맥의 공기, 기복증(pneumoperitoneum) 등

(4) 치료

① Modified Bell's staging criteria에 따라 내과적 치료와 수술적 치료

② Modified Bell's staging criteria

Stage	Systemic signs	Intestinal signs	Radiologic signs	Treatment
I. Suspected				
A	Temperature instability, apnea, bradycardia	Increased pregavage residuals, mild abdominal distention, emesis, guaiac-positive stool	Normal or intestinal dilation, mild ileus	NPO antibiotics x 3 days
B	Same as IA	Bright red blood from rectum	Same as above	Same as IA
II. Definite				
A : Mildly ill	Same as IA	Same as above, plus absent bowel sounds, with or without abdominal tenderness	Intestinal dilation, ileus, pneumatosis intestinalis	NPO antibiotics x 7 to 10 days
B : Moderately ill	Same as I, plus mild metabolic acidosis, mild thrombocytopenia	Same as above, plus absent bowel sounds, definite abdominal tenderness, with or without abdominal cellulitis or right lower quadrant mass	Same as IIA, plus portal venous gas, with or without ascites	NPO antibiotics x 14 days
III. Advanced				
A : Severely ill, bowel intact	Same as IIB, plus hypotension, bradycardia, respiratory acidosis, metabolic acidosis, disseminated intraventricular coagulation, neutropenia	Same as above, plus signs of generalized peritonitis, marked tenderness, and distention of abdomen	Same as IIB, plus definite ascites	NPO antibiotics x 14 days, fluid resuscitation, inotropic support, ventilation therapy, paracentesis
B : Severely ill, bowel perforated	Same as IIIA	Same as IIIA	Same as IIB, plus pneumoperitoneum	Same as IIA, plus surgery

3) 미숙아 망막증(Retinopathy of prematurity, ROP)

(1) 병태생리

① 현재 미국에서 실명의 가장 주된 원인

② 미숙한 망막조직에서 발생하며, 다양한 원인적 요인을 가지는 혈관증식성 망막질환

③ 고산소혈증(hyperoxemia)이 주요 원인

    a. 산소치료를 받은 미숙아와 받지 않은 미숙아에서도 발생

    b. 출생 후에는 산소치료를 받지 않아도 자궁 내 산소 함량에 비해 '상대적' 고산소 상태에

놓이기 때문으로 생각

c. 미숙아 망막증을 일으키지 않고 유지할 수 있는 혈중산소농도는 알려져 있지 않음

④ 혈관내피세포성장인자(vascular endothelial growth factor, VEGF)

a. 정상적인 혈관 신생에서 중요한 역할

b. 미숙아 망막증 발생에 증가된 VEGF가 관여

⑤ 미숙아 망막병의 위험성이 증가하는 경우

a. 적은 임신기간

b. 적은 출생 체중

c. 산소에 대한 노출기간 증가

(2) 검진 대상 및 시기

① 미숙아에서 미숙아 망막증의 검진의 대상

a. 출생 체중 ≤1,500 g

b. 임신기간 ≤32주, 출생 체중 1,500~2,000 g

c. 임신기간 > 32주 중에서 임상적 경과가 불안정하다고 판단될 경우

② 첫 안저 검사 시기 : 임신기간과 출생 후 나이를 이용해서 결정

a. 임신기간 22~27주의 미숙아 : 월경 후 연령(postmenstrual age) 31주경 시행

b. 임신기간 28~32주의 미숙아 : 출생 후 4주경 시행

(3) 치료

① 레이저 수술

② 망막 재접합 치료

③ 항 VEGF 치료

4 뇌질환(Brain disorders)

1) 두개내출혈(Intracranial hemorrhage)

(1) 신생아 두개내출혈(Intracranial hemorrhage)

① 지주막하출혈(subarachnoid hemorrhage) : 조산아에서 더 흔하고 대부분 양성

② 소뇌출혈(cerebella hemorrhage) : 조산아에서 더 자주 발생하며 심각한 후유증의 원인

③ 뇌실내출혈(intraventricular hemorrhage) : 거의 조산아에게서 발생하고, 비교적 흔하며, 심각한 영향을 미칠 수 있음

④ 경질막하출혈(subdural hemorrhage) : 만삭아에서 더 흔하고 심한 후유증의 가능성 있음

⑤ 실질내출혈(intraparenchymal hemorrhage) : 만삭아에서 더 흔하고 다양한 예후를 보임

(2) 뇌실주위-뇌실내출혈(Periventricular-Intraventricular hemorrhage)
① 병태생리
a. 뇌실의 배아기질(germinal matrix) 내에 취약한 모세혈관이 파열되어 뇌실 또는 뇌실주위로 출혈이 발생
b. 발생 빈도와 출혈 정도는 임신 주수, 출생 체중과 반비례
- 임신 주수가 적을수록, 신생아의 체중이 적을수록 증가
- 임신 32주 미만의 조산아에서 15~20% 정도 발생
② 중등도 분류 및 예후

등급	병변의 범위	예후
Grade I	배아기질에 국한된 출혈	90% 이상의 생존율
Grade II	뇌실내출혈	출혈이 없는 대조군과 비교하여 비슷한 3%의 장애율 임신 23~28주의 임신 주수에서는 신경학적 예후가 불량
Grade III	뇌실의 확장을 동반한 뇌실 내 출혈	50% 정도의 생존율
Grade IV	뇌실질까지 확장된 출혈	

③ 위험인자 : 초극소저체중출생아, 산모의 진통, 주산기 가사, 소생술, 기흉, 인공환기, 경련, 고혈압, 뇌혈류를 증가시킬 수 있는 혈관 내 요인 등
④ 예방 및 치료
a. 분만 전후에 저산소증에 빠지지 않게 하는 것이 가장 중요
b. 조산아의 제왕절개 수술이 뇌실내출혈의 발생을 줄이지 않음
c. 진통 유무, 기간 등도 발생 빈도에 영향이 없음
d. 산전 코르티코스테로이드(antenatal corticosteroids) : 임신 24~34주 사이에 사용 시 조산아에서 사망률, 호흡곤란증후군, 뇌실내출혈의 빈도를 감소시킴

2) 뇌실주위백질연화증(Periventricular leukomalacia)
(1) 서론
① 출혈성 혹은 허혈성 경색 이후 뇌의 백질의 심부에 발생하는 낭성 병변
② 조직의 허혈은 국소적 괴사를 일으킨 후 재생이 되지 않고 약간의 신경아교증(gliosis) 소견을 보이면서 무반향 낭(echolucent cysts)으로 나타남
③ 병태생리 : 미숙아 측뇌실 부위의 혈관 발달 미숙, 뇌혈관의 자율조절 기전 미비, free radical, 싸이토카인, glutamate 손상에 취약한 미성숙한 oligodendrocytes 등

(2) 원인

① 뇌실내출혈(intraventricular hemorrhage)

② 허혈(ischemia)

③ 주산기 감염(infection)

(3) 임상증상

① 신경학적 후유 장애 : 뇌성마비, 시력, 청력 및 인지 장애

② 유아기 때 강직성 뇌성마비가 뇌 손상 부위에 따라 다르게 나타남

③ 장기 추적 시 시력, 청력, 인지, 감각 장애 및 경련도 동반될 수 있음

(4) 예방 및 치료법

① 효과적인 치료 방법은 없음

② 저혈압으로 인한 뇌혈류의 감소를 예방

③ 산모의 자궁 내 감염이 의심될 경우 감염으로 인한 cytokine의 분비를 억제하기 위하여 산모에 대한 항생제 치료가 도움이 됨

3) 뇌성마비(Cerebral palsy)

(1) 서론

① 뇌의 이상으로 인한 비진행성이고 만성적인 운동 및 자세의 이상

② 간질과 정신지체가 자주 동반

③ IQ 50 이하의 심한 지능 장애가 25%에서 동반

(2) 원인

① 뇌성마비는 유전적, 환경적, 산부인과적 요인 등의 복합적 원인에 의하여 발생

② 많은 경우에서, 뇌성마비의 원인이 분만 과정 중의 가사(asphyxia)에 의해 발생하는 것으로 잘못 알려져 있음

③ 예방 가능하고 예측할 수 있는 단일 중재 방법은 없음

(3) 빈도

① 약 1,000명 출생아당 3.1명(USA, 2000)

② 이러한 빈도는 1950년대 이후로 변화가 없으며 오히려 약간 증가하는 추세

③ 미숙아 생존률의 증가와 제왕절개술의 증가에도 불구하고 뇌성마비의 발생률은 기본적으로 변화되지 않은 상태

(4) 분류

① 추체로(pyramidal) 뇌성마비

　　a. 강직성 사지마비(spastic quadriplegia): 정신지체, 간질 등 동반 가능(20%)

　　b. 강직성 하지마비(spastic diplegia): 미숙아에서 호발(30%)

　　c. 강직성 편마비(spastic hemiplegia) (30%)

② 추체외로(extrapyramidal) 뇌성마비

　　a. 이긴장성(dystonic type)

　　b. 무도, 무정위성(choreoathetoid type) (15%)

③ 혼합형 Mixed 뇌성마비

(5) 위험인자

주산기 위험인자	임신 전 위험인자
양수과다증	산모의 나이(20세 이하, 35세 이상)
태반박리	초임부
임신 간 간격 <3개월 혹은 >3년	불임 치료의 과거력
자연미숙아진통	자궁 내 태아 사망의 과거력
23~27주 미숙아 출산	낮은 사회 경제적 수준
둔위 혹은 안위, 혹은 횡태위	산모의 질환 : 간질, 당뇨, 갑상선질환, 자가면역질환, 응고 질환
울음까지 시간 >5분	
낮은 태반무게	
태반경색	
융모양막염	

(6) 기타 관련인자

① 자궁 내 태아 심박수 모니터링(electronic fetal heart rate monitoring)

　　a. 주산기의 불량한 합병증을 예방하기 위해 연속 모니터링의 시행

　　b. 전기적 태아 모니터링이 장기적 신경학적 이상의 발생을 감소시키지 않음(ACOG, 2017)

② 아프가 점수

　　a. 다른 합병증을 동반한 낮은 아프가 점수(5분에 0~3점)는 사망률과 뇌성마비의 위험이 증가하지만 합병증 없는 낮은 아프가 점수 자체는 뇌성마비의 고위험과 관련이 없음

　　b. 낮은 아프가 점수는 소생술의 적응증을 판단하는데 도움이 되지만 그 자체로 신경학적 장애를 유발할 만한 저산소증의 증거는 안됨

③ 제대혈 가스분석

　　a. 대사성 산혈증(pH 7.0 이하)이 없으면 의미 있는 자궁 내 저산소증, 가사의 배제 가능

　　b. 제대혈의 산·염기 상태만으로 장기 신경학적 휴유증을 예견할 수 없음

④ 유핵적혈구(nucleated red blood cells)와 림프구(lymphocytes)

  a. 저산소증과 출혈에 대한 반응으로 미성숙 적혈구와 림프구 모두 만삭아의 순환으로 들어옴

  b. 세포들의 정량이 저산소증의 측정으로 제시됐으나 결론이 확립되지 않음

(7) 예방

① Corticosteroid : intraventricular hemorrhage를 감소시킴

② 감염의 예방과 적극적인 치료

③ Magnesium sulfate $(MgSO_4)$

  a. 신경 보호 효과

  b. 산모의 $MgSO_4$가 신생아의 뇌성마비를 줄이는 데 효과가 있음

CHAPTER 33

사산(Stillbirth)

1 병인론

1) 개요

(1) 정의

① 태아 사망(fetal death) : 임신 종결을 위한 인위적인 유도분만의 경우를 제외하고 태아가 분만되었을 때 호흡과 심박동이 없고 탯줄에서 맥동이 없거나 자의적인 근육의 확실한 움직임이 없는 경우(미국건강통계국립센터, 2015)

② 자궁 내 태아사망(intrauterine fetal death)

    a. 사산(stillbirth)이라는 용어와 동일하게 사용

    b. 최근 사산이라는 용어를 선호(ACOG, 2009)

③ 진단기준

    a. ACOG Practice Bulletin (2009)

      - 임신 20주 이후

      - 임신 주수를 모를 때는 태아 체중이 350 g에 도달한 경우

    b. 세계보건기구(World Health Organization, WHO)

      - 임신 28주 이후

      - 우리나라도 임신 28주 이후를 기준으로 선택

(2) 발생빈도

① 전 세계 : 1,000명 출생아당 14.5명

② 우리나라 : 1,000명 출생아당 1.96명

③ 전 세계적 발생률에 비하면 훨씬 낮지만 일본이나 핀란드보다는 높은 편

2) 사산의 원인 및 위험인자

(1) 사산의 원인

태아의 원인	모체의 원인	태반 및 탯줄의 원인
− 선천성 이상 : 염색체 이상, 기형, 대사장애, 유전질환 − 태아성장제한 − 과숙아 − 태아면역성, 비면역성 용혈질환 − 감염 − 다태아	− 사회경제적 빈곤 − 비만 − 고령 산모, 10대 산모 − 사산, 조산, 태아성장제한의 과거력 − 내과적 질환 동반 : 당뇨, 고혈압성질환, 루프스, 신장질환 − 담즙정체, 항인지질증후군, 혈전성향증, 혈액질환, 기타면역질환 − 흡연 − 외상 − 보조생식에 의한 임신	− 태반 경색, 혈전 − 전치태반 − 태반조기박리 − 융모막혈관종(chorioangioma) − 양막염 − 조기양막파수 − 탯줄 합병증 : 탯줄염, 탯줄양막부착, 진짜 매듭(true knot), 목덜미 탯줄(nuchal cord), 탯줄 탈출, 탯줄 꼬임, 혈전증 − 태반 모자익시즘

(2) 태아의 원인

① 선천성 이상

　　a. 원인 : 염색체 이상, 주요 기형, 대사장애, 유전질환 등

　　b. 사산의 6~12%는 선천성 이상과 관련

　　c. 염색체 이상에 의한 사산은 임신 10~20주 사이에 많이 발생

　　d. 흔한 염색체 이상 : monosomy X, trisomy 21, 18, 13

② 자궁 내 태아성장제한(IUGR)

　　a. 기형이 없는 태아에서 사산의 주요한 원인을 차지

　　b. 사산의 발생 빈도가 정상군에 비하여 유의하게 증가

③ 과숙아(지연 임신)

　　a. 임신 주수가 증가할수록 사산의 발생 빈도 증가

　　b. 임신 37주에 사산의 빈도는 2,000명당 1명인 반면, 임신 42주가 되면 500명 중 1명, 임신 43주가 되면 200명에 1명으로 발생 빈도가 증가

④ 태아 용혈성 질환 : 면역성 또는 비면역성

⑤ 감염

　　a. 사산의 9~19%를 차지

　　b. 원인균 : parvovirus B19, Cosackie virus, group B streptococcus, Listeria, E coli, enterococcus, cytomegalovirus, influenza virus, syphilis, toxoplasma, malaria

⑥ 다태아

　　a. 합병증 및 자궁 내 태아성장제한으로 인하여 사산의 빈도가 4배 이상 증가

b. 단일 융모막 쌍태아인 경우가 이융모막 쌍태아에 비하여 위험도가 증가

(3) 모체의 원인

① 사회경제적 빈곤 : 산모의 영양상태가 좋지 못하고 산전 진찰의 부족

② 모체 비만

    a. 산모의 체질량 지수가 증가할수록 사산의 위험도 증가

    b. 비만 자체가 사산의 독립적인 위험 인자

    c. 산모의 비만으로 인한 임신성 당뇨 및 전자간증의 위험도 증가가 요인으로 작용

③ 모체 연령

    a. 모체 연령이 35세 이상인 경우 발생 위험 증가

    b. 모체의 연령이 10대인 경우 발생 위험 증가

④ 이전 임신의 합병증 : 이전 임신에서 사산아, 조산, 태아성장제한, 전자간증과 같은 합병증이 동반된 경우 다음 임신에서 원인 불명의 사산 발생 위험이 증가

⑤ 내과적 질환 : 당뇨병, 고혈압, 루프스, 신장질환, 갑상선질환 등은 사산의 위험도가 증가

(4) 태반 및 탯줄 이상

① 태반 원인(25~35%)

    a. 태반조기박리 : 단일 인자로는 가장 흔한 원인

    b. 다른 주요 원인 : 태반경색, 태아-모체 출혈 등

② 탯줄 원인(10%) : 진짜 매듭 탯줄(true knot cords), 탯줄 얽힘(cord entanglement), 탯줄 과다 꼬임(hypercoiled cord), 목덜미 탯줄(nuchal cords)

---

2 사산의 처치 및 다음 임신의 관리

1) 사산의 임상소견

(1) 임상소견

① 초음파상 태아 심박동의 소실(가장 정확한 진단 방법)

② 임신 초기에 자궁의 크기가 증가하지 않음

③ 임신 후기에 태동의 소실

④ 임신 초기에 머리엉덩길이(CRL)에 비해 양수공간이 많음

⑤ 산모의 체중 증가가 적거나 없음

⑥ 부분적으로 개대된 자궁경부로 찌그러진 태아 머리가 촉지

(2) 사산이 의심되는 방사선 소견

① 두개골의 심한 중첩(Spalding's sign)

② 태아 척추의 심한 굴곡

③ 태아 순환 내에 가스의 존재

2) 사산아에 대한 검사

(1) 원인 규명을 위한 검사

① 가족력 확인, 부검, 태반조직병리검사, 감염균 배양검사, 염색체검사 등

② 경제적인 문제가 동반되므로 부모와 상담을 하고 부모의 동의를 받아야 함

(2) 부검

① 문화적, 종교적 이유로 쉽지 않음

② 덜 침습적인 방법 : 혈액 및 피부 조직검사, 의심되는 부위의 조직검사, 복강경 부검 등

③ 비침습적인 방법 : 태아 전신방사선 촬영, 초음파 및 MRI 등

3) 사산의 분만

(1) 분만 시기

① 임신 주수, 과거 자궁 상처 유무를 고려하여 가능한 빨리 분만

a. 감염 및 혈액응고 장애 등의 2차적 문제의 예방

b. 임신부의 정신적인 스트레스 감소를 위해

② 태아 사망 시 응고 기전의 변화

a. 소모성 혈액응고장애 발생

- 사산아가 4주 이상 자궁 내에 있을 경우 약 25%에서 발생

- 사망한 태아 산물로부터 thromboplastin이 유리되어 유발

b. 저용량 헤파린으로 혈액응고장애 교정

(2) 분만 방법

① 일반적으로 자연적인 진통이 2주 이내에 나타남

② 임신 28주 이전 : 유도 분만 시도

a. 질 내 misoprostol 사용

b. 고농도 oxytocin 주입

③ 임신 28주 이후에는 통상적인 유도 분만 방법에 따라 분만을 시도(ACOG, 2009)

4) 다음 임신을 위한 관리

(1) 임신 전 관리

① 내과적, 산과적 문제에 대하여 상세한 병력을 담당의사에게 제공

② 유전적 질환이 있는 경우는 유전 상담을 시행

③ 성매개질환 및 태아감염 원인균에 대한 검사를 시행

④ 임신 전부터 엽산을 복용

⑤ 적절한 체중을 유지

⑥ 금연, 금주 시행

(2) 임신 중 관리

① 임신 중 체중 증가가 적절하도록 조절

② 술, 담배 및 마약은 절대 금기

③ 당뇨가 있는 경우는 정상 혈당을 유지

④ 임신 제1삼분기의 초음파

    a. 초음파를 이용하여 가능한 정확한 임신 주수를 파악

    b. 염색체 이상에 대한 선별 검사와 태아의 해부학적 구조의 이상 유무를 확인

    c. 주기적으로 태아의 성장 정도를 관찰

    d. 자궁동맥, 탯줄동맥, 중뇌동맥 등 태아 상태를 예측할 수 있는 혈류 도플러를 시행

⑤ 과거 사산 시기 보다 약 1~2주 일찍 또는 임신 32주경 태아안녕평가를 시작

⑥ 태아심음감시장치, 도플러 초음파 등은 태아를 감시하는 데 적절하지만 임신 중에 지속적으로 사용할 수는 없으므로 태아 사망의 예방에 대한 유효성에 논란이 있음

⑦ 임신부가 태동의 감소를 느끼는 것은 사산을 예측하는데 도움이 되지만 예방에는 확실성이 없음(ACOG, 2009)

(3) 분만 시기

① 조기 분만을 하면 미숙아 분만 위험이 따르고, 분만을 늦추면 태아 사망 위험이 증가

② 고위험군의 경우 36주경에, 저위험군의 경우 37~38주경에 분만

③ 39주 이후 1주간의 기대 요법은 오히려 사망 위험도가 증가

④ 태아성장저하가 동반된 경우 37주 이후 분만은 37주 분만보다 사산 위험이 증가하므로, 임신 37~38주에 분만

CHAPTER 34

산욕기(The Puerperium)

1 산욕기 모체의 변화

1) 서론

(1) 산욕기(Puerperium)의 정의

① 분만으로 인한 상처가 완전히 낫고, 자궁이 평상시 상태가 되며, 신체 각 기관이 임신 전 상태로 회복되기까지의 기간

② 대개 분만 후 4~6주간

(2) 임신으로 인한 변화의 회복

① 생리적 변화의 대부분은 분만 후 6주면 회복

② 심혈관계나 정신적인 회복은 수개월이 걸리기도 함

2) 생식기의 복구

(1) 산도(Birth canal)

① 분만 후 질 내경의 넓이는 점차 좁아지나 분만 전의 상태로 회복되지는 않음

② 질 내벽의 주름 : 분만 후 3주경 회복

③ 처녀막 : 여러 조각으로 나누어진 흉터(myritiform caruncles)로 남음

④ 질입구가 늘어나고 지지해주는 구조물이 변화

    a. 자궁 탈출(uterine prolapse) 및 긴장성 요실금 발생 가능

    b. 수술로 교정이 가능하나 아주 증상이 심한 경우가 아니면 가임 기간이 지난 후 수술을 권유

(2) 자궁(Uterus)

① 자궁의 혈관(blood vessels)

    a. 임신 중 혈류 증가를 위해 확장된 혈관들은 유리질변화(hyaline change)에 의해 막히고 흡수되면서 작은 혈관들로 대체

    b. 사소한 흔적은 수년 동안 지속

② 자궁경부(cervix)

    a. 모양의 변화

      - 분만 후 2~3일 : 2~3 cm 정도의 개대

      - 1주일 후 : 구멍은 좁아지고 두꺼워지며 재형성됨

      - 경산부의 자궁경부 : 외자궁경부가 넓고, 영구적으로 남은 열상 부위의 함몰

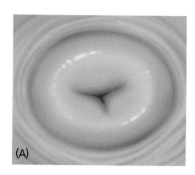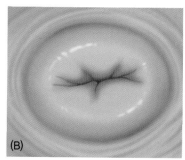

그림 34-1. 미분만부의 자궁경부(A)와 경산부의 자궁경부(B)

    b. 조직학적인 변화

      - 분만 후 4일 : 자궁경부 상피세포의 퇴행(regression)이 시작

      - 분만 전 비정상세포진을 보인 여성의 약 50%는 분만경로와 상관없이 분만 후 퇴행

③ 자궁체부(body)

    a. 자궁 크기의 변화

      - 분만 직후 : 배꼽 아래에 위치, 무게 1,000 g(임신 전 자궁의 약 10배)

      - 분만 후 2주 : 골반 내로 들어감

      - 분만 후 4주 : 임신 전 크기로 회복, 무게 100 g

    b. 세포수의 감소에 의한 것이 아닌 세포크기의 감소로 발생

④ 자궁내막(endometrium)

    a. 스폰지층(spongy layer) : 태반과 융모막이 분리되는 곳

  b. 바닥쪽 탈락막(decidua basalis)

   - 자궁 내에 남아 분만 2~3일에 2개의 층으로 나누어짐

   - 표층 : 괴사되어 산후질분비물(lochia)로 배출

   - 아래층 : 자궁내막샘(endometrial gland)이 남아 있어 새로운 자궁내막을 생성

  c. 자궁내막의 재생

   - 분만 후 7일 : 표층이 상피(epithelium)로 덮임

   - 분만 후 16일 : 증식기 자궁내막(proliferative endometrium)의 형태

   - 전체 자궁내막이 재생되는데 분만 후 약 3주 정도 소요

⑤ 산후질분비물(오로, lochia)

  a. 적혈구, 탈락막, 상피세포, 박테리아들로 구성

  b. 분비양상

   - 분만 후 첫 수일간 : 적색 산후질분비물(lochia rubra)

   - 분만 후 3~4일 : 장액성 산후질분비물(lochia serosa)

   - 분만 후 10일 : 백색 산후질분비물(lochia alba)

  c. 지속기간 : 평균 24~36일

⑥ 산후통(훗배앓이, afterpain)

  a. 초산부 : 지속적으로 자궁이 수축하여 통증을 덜 느낌

  b. 다분만부 : 주기적으로 자궁이 수축하여 심한 통증을 호소

  c. 특징

   - 아기를 많이 낳을수록 심해지는 경향

   - 모유수유를 하는 동안 옥시토신이 분비되어 더욱 심해짐

   - 분만 후 3일에는 통증의 정도가 약해짐

(3) 태반부위의 퇴축(Placental site involution)

 ① 완전 퇴축에 6주 소요

  a. 태반부위 직경의 변화

   - 분만 전 : 약 18 cm

   - 분만 직후 : 약 9 cm

   - 분만 후 2주 : 약 3~4 cm

  b. 이 부위의 자궁내막 재생은 다른 부위에 비해 느리게 일어남

 ② 퇴축부전(subinvolution)

  a. 산후 자궁퇴축의 정지 또는 지연

  b. 증상 : 산후질분비물의 배출기간이 길어지거나 불규칙하며, 때로는 심한 출혈이 동반

　　c. 진단

　　　- 내진(bimanual examination) : 정상 산후 자궁보다 크고 유연한 자궁의 촉진

　　　- 골반 초음파(pelvic sonography) : 잔류태반, 혈관기형 등의 배제에 도움

　　d. 원인 : 태반조직의 잔류, 골반감염

　　e. 치료

　　　- Methylergonovine (Methergine) 0.2 mg, 3~4시간 간격, 24~48시간 투여

　　　- 감염이 원인일 경우 항생제 요법에 잘 반응

　　　　• 주요 원인균 : *Chlamydia trachomatis*

　　　　• 항생제 : doxycycline, azithromycin, ampicillin-clavulanate(augmentin)

③ 후기 산후 출혈(late postpartum hemorrhage)

　　a. 분만 후 24시간에서 12주 사이에 발생하는 출혈

　　b. 원인

　　　- 태반부위의 퇴축부전

　　　- 태반용종(placental polyp) : 태반조직의 잔류 후 괴사 및 섬유소 침착

　　　- 태반부위의 괴사딱지(eschar) 탈락 : 일시적으로 많은 출혈이 발생하지만 특별한 처치를
　　　　하지 않아도 저절로 멈춤

　　　- 자궁동맥의 가성동맥류(pseudoaneurysm)

　　c. 치료

　　　- 자궁수축제 : oxytocin, methylergonovine, prostaglandin analogue

　　　- 소파술(curettage) : 상당한 출혈이 지속되거나, 자궁 내 큰 혈전이 보이는 경우 고려

　　　- 항생제 : 감염이 의심되는 경우 사용

3) 다른 해부학적, 생리학적 변화

(1) 요로계(Urinary tract)

　① 임신 전 상태로 회복되는 기간

　　a. 증가된 사구체 여과율 : 분만 후 2주

　　b. 확장된 요관(ureter)과 신우(renal pelvis) : 분만 후 2~8주

　② 분만 후 방광

　　a. 과팽창, 불완전 배설, 과다 잔뇨

　　b. 진통이 오래 경과하거나 경막외마취를 시행받은 경우 더 많이 발생

　　c. 신생아의 크기나 회음절개와는 상관이 없음

　　d. 예방 및 치료 : 진통 중 혹은 분만 직후 도뇨관 삽입을 통해 방광 충만을 억제

(2) 복막(Peritoneum)과 복벽(Abdominal wall)

① 광인대(broad lig.)와 원인대(round lig.) : 임신 전 상태로 회복에 많은 시간이 걸림

② 분만 후 복벽

    a. 임신 자궁에 의한 피부 탄력섬유(elastic fiber)의 파열과 장기간 팽창에 의해 부드럽고 이완된 상태

    b. 정상으로 회복에 수주일이 걸림

    c. 운동이 회복에 도움이 됨(제왕절개 후 6주 정도 지난 뒤 시작)

    d. 은색선(silvery abdominal striae) : 임신선의 반흔

(3) 혈액(Blood)과 혈액량(Blood volume)

① 임신 중 증가한 혈액량이 임신 전 혈액량으로 회복되는 기간 : 약 1주일

② 심박출량(cardiac output)

    a. 분만 후 24~48시간 동안 증가

    b. 분만 후 10일 정도에 임신 전 상태로 회복

③ 백혈구, 혈소판 : 진통 시와 진통 후에 현저히 증가

④ 혈색소, 혈구용적, 적혈구수 : 분만 전보다 현저하게 감소하면 상당량의 실혈이 있었음을 의미

⑤ 혈액응고성 : 증가

⑥ 산후이뇨작용(postpartum diuresis) : 분만 후 2~5일 사이 시작

4) 유방의 변화와 모유수유

(1) 임신 중 유방의 변화

① 임신 제1삼분기 : 젖샘관 말단이 지방조직 속으로 가지를 치며 빠른 속도로 성장

② 임신 제3삼분기 : 유방실질의 세포증식이 줄고 젖꽈리가 부풀면서 초유가 고이기 시작

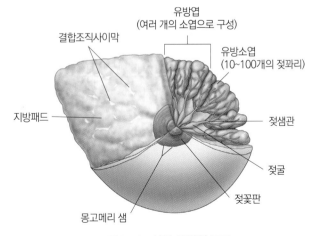

그림 34-2. 성인 유방의 구조

(2) 모유 성분 및 분비량의 변화

① 초유(Colostrum)

a. 분만 직후 황체호르몬 농도가 급격히 감소하면서 임신 중 분화되었던 젖샘으로부터 모유가 분비되기 시작

b. 분만 후 첫 며칠 동안 노란색의 끈적거리는 초유가 분비

c. 성숙유에 비해 면역성분, 무기질 및 아미노산은 풍부한 반면 당과 지방은 적게 포함

   - Immunoglobulin A : 장내 세균으로부터 영아를 보호하는 역할

   - 그 외 면역인자 : complement, macrophage, lymphocyte, lactoferrin, lactoperoxidase, lysozyme

② 1~2주간의 이행성 유즙을 거쳐, 분만 2주 후부터는 성숙유로 전환

③ 첫 24시간 내에는 100 mL 미만의 소량이지만, 4~5일 후면 약 500~750 mL로 증가

④ 임신 전 유방의 크기와 모유 생성량은 상관관계가 없음

(3) 모유 분비와 관련된 호르몬

① 임신 중 젖샘의 발달과 모유 분비에 관련된 호르몬 : progesterone, estrogen, placental lactogen, prolactin, cortisol, insulin

② 분만 전, 후 호르몬의 변화

a. 젖분비호르몬(prolactin)의 유방에 대한 효과가 태반에서 분비되는 황체호르몬(progesterone)에 의해 억제

b. 분만 시 태반이 만출되면 황체호르몬은 급격히 감소하지만 젖분비호르몬은 계속 높은 농도를 유지하므로 출산 후 모유 분비 시작

③ 모유분출반사(milk ejection reflex)

a. 생성된 모유가 분출이 되는 호르몬, 신경, 젖샘 사이의 과정

b. 옥시토신(oxytocin)

   - 젖샘의 근육상피세포와 젖샘관의 수축을 유발

   - 자궁근육의 수축 : 출산 후 출혈 감소, 모유수유 산모의 자궁경련통

   - 시각, 청각, 후각 등의 외부의 간접적인 요소에 영향을 받음

   - 통증, 스트레스, 소음 등에 의해 분비가 억제

c. 젖분비호르몬(prolactin)

   - 아기가 젖꼭지를 빨거나 기계적으로 젖꼭지를 강하게 자극하면 분비

   - 모유가 젖샘관에 고이고 분출되지 않으면 모유 생성이 억제

   - 외부의 간접적인 요소에 영향을 받지 않음

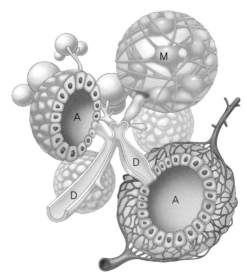

(A) 젖샘 젖샘(alveoli), (M) 근육상피세포(myoepithelial fiber), (D) 젖샘관(duct)

그림 34-3. 젖샘과 젖샘관

(4) 모유수유의 장점

① 모유수유가 아기에 미치는 장점

  a. 가장 이상적인 음식 : 일정한 단백질과 미량원소 함량, 신선하고 무균적, 적당한 온도

  b. 중추신경 발달에 도움 : 풍푸한 콜레스테롤과 DHA

  c. 감염질환의 감소 : 각종 면역물질과 항체를 함유

  d. 비감염성 질환의 발생 감소 : 빈혈, 천식, 습진, 당뇨, 영아돌연사증후군, 비만 등

  e. 영아의 정서적 안정을 높이고 지능과 사회성이 향상

② 모유수유가 산모에 미치는 장점

  a. 아기가 젖을 빨 때

    - 옥시토신(oxytocin) : 자궁수축을 통한 산후 출혈의 예방

    - 젖분비호르몬(prolactin) : 배란 억제, 모성애 자극, 산후우울증 감소

  b. 산후 체중 감소에 도움

  c. 유방암, 난소암의 발생 빈도가 감소

(5) 모유수유의 금기

① 지나친 음주, 약물남용

② HIV 감염

③ 활동성 결핵, 치료하지 않은 결핵

    a. 치료 약을 2주간 복용할 때까지 아기와 격리

    b. 결핵이 모유를 통해 전염되지 않기 때문에 유방이나 피부의 결핵성 유방염이 아닌 경우에 짜낸 모유를 먹이는 것은 무방

    c. 모유수유 시작 전 적절한 결핵 치료를 하면 괜찮음

④ 항암치료, 방사성 의약품

⑤ 모유수유 금기인 약을 복용 중인 경우

⑥ 아기의 갈락토오스혈증(galactosemia)

(6) 모유수유가 가능한 질환

① B형 간염 : 아기에게 출생 24시간 이내에 간염 면역글로불린과 간염 백신을 함께 주사하고 모유수유 가능

② C형 간염, 거대세포바이러스(CMV) : 모유수유 가능

③ 단순포진(HSV) : 유방에 병변이 없으면 수유 전 손을 씻고 모유수유 가능

(7) 유방울혈(Breast engorgement)

① 모유가 생길 때에는 여분의 혈액과 림프액이 유방으로 들어오는데, 모유의 양이 급속도로 증가하거나 적당한 수유가 이루어지지 않을 때 발생

② 증상

    a. 모유 누출(milk leakage), 유방통(breast pain) : 가장 흔함

    b. 분만 후 3~5일에 흔히 발생

    c. 산욕열이 흔하고, 37.8~39℃ 정도 올라가기도 하지만 4~16시간 이상 지속되지는 않음

③ 치료

    a. 초기에는 따뜻한 찜질과 나선형 마사지를 하고, 자주 수유하면 저절로 가라앉음

    b. 편한 브래지어 착용

    c. 통증 시 : 냉찜질, 경구 진통제

    d. 약물을 이용한 모유분비 억제는 추천하지 않음

(8) 다른 수유 중 합병증

① 다발성 유방(polymastia), 다발성 유두(polythelia)

② 유두 균열

    a. 수유 자세와 방법이 잘못되어 발생

    b. 수유 전 모유를 어느 정도 짜내 유두를 부드럽게 한 후 수유를 시작하고, 수유 후에는 유두를 충분히 말림

c. 통증이 심하면 상처가 아물 때까지 젖을 짜서 먹이고 1% 코티손 연고 사용

③ 함몰 유두(inverted nipple)

　　a. 모유가 늘면서 더 안으로 파묻힐 수 있음

　　b. 손가락으로 자극하거나 젖꽃판을 벌려 젖꼭지가 튀어나오도록 시도

　　c. 끈질기게 시도하는 것이 중요

④ 약물을 이용한 모유수유의 억제(lactation inhibition)

　　a. Dopamine agonist (bromocriptine)

　　b. 부작용 : 뇌졸중, 심근경색, 경련, 정신장애 등

2 산욕기 모체의 관리

1) 병원에서의 모체 관리

(1) 분만 후 관리

① 생체징후 확인

　　a. 혈압, 맥박 : 분만 후 첫 2시간 동안 매 15분마다 측정

　　b. 체온 : 첫 8시간 동안 4시간에 한 번 측정, 이후 8시간 간격으로 측정

　　c. 출혈량 점검, 자궁수축 촉지

② 조기 보행

　　a. 분만 후 수 시간 내에 조기 보행이 가능

　　b. 조기 보행의 장점

　　　- 방광장애와 변비의 감소

　　　- 정맥혈전증 및 폐색전증의 예방

　　　- 불안과 우울증 감소

③ 걷기, 계단 오르내리기, 무거운 물건 옮기기, 차타기, 운전, 운동 시작 등은 분만 중의 문제가 없었다면 분만 후 바로 시작 가능

④ 식이 : 자연분만 후 특별히 마취를 하지 않은 이상 음식에는 제한을 두지 않음

(2) 회음부의 관리

① 분만 중 회음부 열상으로 인한 통증

　　a. 소변 보는 것을 방해할 수 있음

　　b. 심한 통증 호소 시 회음부, 질, 직장을 자세히 관찰

　　　- 분만 1일째 : 혈종

　　　- 분만 3~4일째 : 감염

② 회음부의 처치

    a. 환자에게 전방에서 후방으로(회음부에서 항문 쪽으로) 세척하도록 교육

    b. 부종과 통증 관리

       - 얼음 주머니를 분만 후 수시간 동안 사용

       - 분만 24시간 후부터 따뜻한 물로 좌욕

    c. 탈출된 치질 통증 : 대변 연화제, 스테로이드함유 좌제, 국소마취 스프레이, 연고 등

    d. 합병증 없으면 탕목욕 가능

③ 회음절개 부위의 치유 시기 : 분만 후 3주 정도

(3) 방광기능(Bladder function)

① 분만 후 방광 과팽창과 요저류의 원인 및 위험인자

원인	위험인자
− 다량의 정맥 내 수액 공급 − 옥시토신의 항이뇨 효과(antidiuretic effect) − 마취제(local or conduction analgesia) − 광범위한 회음절개, 열창, 혈종으로 인한 통증	− 초산부(primiparity) − 제왕절개분만(cesarean delivery) − 회음부 열상(perineal laceration) − 옥시토신을 이용한 분만 − 수술적 질식분만(operative vaginal delivery) − 분만진통 중 도뇨(catheterization) − 10시간 이상의 분만진통

② 분만 후 4시간 이내에 소변을 보지 못하는 경우

    a. 회음부와 생식기의 혈종 확인

    b. 특별한 원인이 없으면 24시간 동안 도뇨관 유치

    c. 도뇨관 제거 4시간 후 배뇨를 못하면 잔뇨량 측정

       - 200 mL 미만 : 도뇨관 제거, 차후 방광기능을 재검사

       - 200 mL 이상 : 다시 도뇨관을 하루 더 삽입

    d. 2회의 도뇨관 유치에도 배뇨를 못하면 도뇨관을 유치한 채 퇴원하고 1주일 후 재검사

    e. 도뇨관 제거 후에는 단기간의 항생제 치료를 권장

(4) 신경, 근골격계 손상

① 산과 신경병증(obstetrical neuropathy)

    a. 분만 후 발생할 수 있는 신경통 또는 경련성 통증

       - 태아 머리가 골반 안으로 내려오면서 요천골신경총(lumbosacral plexus)의 분지에 압박을 가해 양측 또는 일측 하지로 통증 유발, 보통 심각한 문제를 초래하지 않음

       - 분만 후 통증이 지속되고 외슬와신경(external popliteal nerve)이 지배하는 근육의 마비

가 오는 경우도 있음

b. 빈도

- 전체 분만의 약 1%

- Lateral femoral cutaneous neuropathy (24%), femoral neuropathy (14%)

c. 위험인자 : 미분만부, 분만진통 제2기 지연, Semi-fowler 자세로 장시간 힘을 준 경우

d. 증상 지속기간 : 평균 2개월(2주~18개월까지 다양)

② 치골결합(symphysis pubis) 또는 천장골연골결합(sacroiliac synchondrosis)의 분리

a. 분만 중 치골결합이나 천장골연골결합의 분리가 발생하여 통증 및 운동장애 발생

b. 빈도 : 600~30,000 분만 중 1명

c. 치료

- 보존적 치료

- 측와위 휴식, 골반고정기 착용

- 다음 임신 시 제왕절개 분만 고려(50% 이상에서 다음 분만에서 재발)

(5) 예방접종

① RhD 음성인 감작 되지 않은 산모가 RhD 양성인 태아를 분만하면 72시간 이내에 Rho (D) immune globulin (RhIG) 300 μg 근육주사

② 퇴원 전 예방접종을 시행하는 경우

a. 풍진(rubella), 수두(varicella)에 대한 면역력이 없는 산모

b. 파상풍/디프테리아/백일해 또는 influenza 예방접종을 아직 받지 않은 산모

(6) 피임(Contraception)

① 생리와 배란의 재개

	모유수유를 하지 않는 경우	모유수유를 하는 경우
생리의 재개	분만 후 6~8주(정확히 알기 어려움)	분만 후 2~18개월(개인에 따른 차이가 큼)
배란의 재개	분만 후 7주(5~11주)	생리학적 차이와 모유수유 강도에 따라 다름

② 산욕기 여성의 배란과 생리

a. 정상 생리의 시작으로 배란의 재개를 확인할 수 있음

b. 하루 7회 이상, 각 15분 이상의 수유는 배란을 늦춤

c. 배란은 출혈이 없어도 일어날 수 있음

d. 출혈은 무배란성일 수 있음

e. 모유수유 중인 여성의 임신 가능성은 1년에 약 4% 정도

③ 임신을 원치 않을 경우 피임은 분만 후 3주부터 시작

④ 호르몬제의 모유에 대한 영향

    a. Progestin-only contraceptives (e.g. progestin pills, depot medroxyprogesterone, progestin implants) : 모유의 질이나 양에 영향을 주지 않음

    b. Estrogen-progestin contraceptives : 모유의 양을 감소시킬 수 있으나, 적절한 상황에서 모유 수유 중 사용할 수 있음

(7) 퇴원시기

① 합병증이 없는 질식분만 : 2일 정도 입원

② 합병증이 없는 제왕절개 : 3~4일 정도 입원

③ 퇴원교육

    a. 산후질분비물, 이뇨로 인한 체중감소, 모유 생성을 포함한 산후변화에 대한 설명

    b. 열, 과도한 질 출혈, 통증, 부종, 압통 등에 대한 지침

    c. 지속적인 두통, 호흡곤란, 가슴통증에 대한 조치

2) 가정에서의 모체 관리

(1) 산후우울증(Postpartum depression)

① 발생 시기 : 분만 후 4~6주(분만 직후부터 1년 후까지 언제든지 발생할 수 있음)

② 발생률 : 전체 임신의 8~20%(재발률 70%)

③ 증상 : 우울증의 흔한 증상 + 가족에 대한 사랑이 없어지거나 신생아에 대한 양가감정

④ 원인

    a. 임신 및 분만 중 경험한 흥분과 두려움에 따른 정서적 불안감

    b. 산욕기 초기의 불편감

    c. 수면 부족으로 인한 피로

    d. 퇴원 후 양육에 대한 걱정

    e. 매력 저하에 따른 불안감

⑤ 치료

    a. 가족과 치료진의 위로와 지지 정신요법 : 가장 먼저 시행

    b. 중등도 또는 중증의 우울증 시 정신치료와 함께 항우울제를 사용

(2) 성관계(Coitus)

① 일반적인 원칙

    a. 분만 2주 후, 여성이 원하고 통증이 없으면 가능

    b. 평균적인 시기 : 약 6주 후

② 여성호르몬 저하(hypoestrogenic state)

    a. 여성호르몬이 저하되어 질위축과 건조 발생

    b. 모유수유 중이거나 너무 이른 성관계로 유발 가능

    c. 배란이 시작 될 때까지 지속

    d. 치료 : 에스트로겐 크림, 윤활제

(3) 산후 관리(Follow-up)

  ① 퇴원 후 일상적인 생활 가능

  ② 산욕기 2주 내에 사회로 복귀 가능(질식분만이 제왕절개보다 복귀가 빠름)

  ③ 산욕기 진찰

    a. 분만 후 4~6주 후 시행

    b. 산후부의 이상을 확인하고 피임법을 상담

CHAPTER 35

산욕기 합병증(Puerperal Complications)

1 산욕기 감염(Puerperal infection)

1) 산욕열(Puerperal fever)

(1) 병태생리

① 정의 : 출산 후 첫 24시간을 제외한 10일 이내에 1일 4회 구강으로 측정한 체온이 2일간 38.0℃ 이상인 경우

② 여러가지 감염 및 비감염적 요인들이 산욕열을 유발

    a. 감염 요인 : 생식기, 골반감염

    b. 감염 이외의 요인 : 호흡기 합병증, 신우신염, 유방울혈, 세균성 유방염, 혈전정맥염

    c. 분만 후 지속적인 발열의 대부분의 원인 : 생식기감염(genital tract infection)

(2) 감별진단

① 증상에 따른 감별진단

질환	증상
골반감염(pelvic infection)	분만 후 첫 24시간 이내에 발생하는 39℃ 이상의 고열
유방울혈(breast engorgement)	39℃를 넘지 않고 24시간 이상 지속되지 않는 발열
세균성 유방염	24시간 이상 지속되는 발열과 유방감염 증상
호흡기 합병증 　무기폐(atelectasis) 　흡인성 폐렴(aspiration pneumonia) 　세균성 폐렴(bacterial pneumonia)	 미열, 호흡 곤란, 기운 없음 등의 증상 심한 고열, 다양한 폐잡음(wheezing), 저산소증 등의 증상
신우신염(pyelonephritis)	체온 상승 후 늑골척추각 압통, 오심, 구토 등의 증상
혈전정맥염(thrombophlebitis)	다리의 동통과 종창, 장딴지 근육 압통, 대퇴삼각부 부위의 통증

② 발열이 나타난 시간에 따른 감별진단

　　a. 당일 저녁 : 탈수(dehydration), 대사항진(hypermetabolism)

　　b. 24시간 내 : 무기폐(atelectasis)

　　c. 3~5일 : 폐렴(pneumonia), 요로감염(UTI)

　　d. 5~7일 : 혈전정맥염(thrombophlebitis), 창상감염(wound infection)

2) 자궁감염(Uterine infection)

(1) 산후 자궁감염의 특징

　　① 탈락막과 자궁근층 및 자궁주위의 결합조직을 포함한 감염

　　② 골반연조직염을 동반한 자궁염(metritis with pelvic cellulitis) : 가장 정확한 표현

(2) 원인균

Aerobes
Gram (+) cocci : group A, B, D streptococci, enterococcus, Staphylococcus aureus, Staphylococcus epidermidis Gram (−) bacteria : Escherichia coli, Klebsiella, Proteus Gram−variable : Gardnerella vaginalis
Others
Mycoplasma and Chlamydia, Neisseria gonorrhoeae
Anaerobes
Cocci : Peptostreptococcus and Peptococcus species Others : Clostridium, Bacteroides, Fusobacterium, Mobiluncus

(3) 선행요인

　　① 자궁감염의 발생에 가장 중요한 위험인자 : 분만 방법

　　② 분만 방법에 따른 자궁감염의 고위험군

질식분만	제왕절개분만	기타 위험인자
장시간 진통 or 양막파수 후 분만 빈번한 자궁경부 내진 자궁 내 태아감시장치 양막 내 감염 신생아 합병증 저체중아 조산 사산	장시간 진통 or 양막파수 후 수술 빈번한 자궁경부 내진 자궁 내 태아감시장치	낮은 사회경제계층 인종 간의 차이 빈혈, 영양 장애(확실하지 않음) 낮은 임산부 연령 산모의 비만 하부 생식기의 세균 증식 쌍태아의 제왕절개분만 유도분만 기간이 긴 경우 양수의 태변 착색

(4) 발병기전

① 감염의 발생 부위

　a. 질식분만 : 자궁경부와 질의 열상 부위, 태반부착 부위, 탈락막, 인접한 자궁근층

　b. 제왕절개 : 감염된 수술 부위

② 감염의 발병기전

　a. 자궁경부와 질에 상재하던 세균이 분만 중이나 산욕기에 침입하여 자궁조직으로 침투

　b. 골반 후복막 섬유결합조직의 감염 후 자궁주위조직 연조직염으로 진행

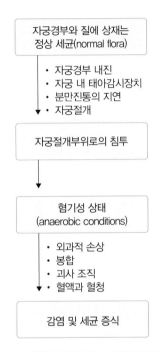

　　그림 35-1. 제왕절개분만 후 자궁감염의 발병기전

(5) 임상경과

① 발열(fever)

　a. 산후 자궁감염의 진단에 있어 가장 중요한 요소

　b. 감염의 정도에 비례, 주로 38~39℃ 이상 발생

　c. 열이 동반된 오한(chill) : 패혈증을 의심하는 소견

② 복부 및 자궁주위조직 부위의 압통(tenderness)

③ 백혈구증가증(leukocytosis)

　a. 15,000~30,000 cells/μL

　b. 초기 산욕기에는 정상적인 백혈구의 증가가 있어 진단에 크게 도움이 되지 않음

④ 악취가 나는 냉

　　a. 감염이 없이도 악취가 나는 오로가 발생하기도 함

　　b. group A β-hemolytic streptococcus 감염일 경우 소량의 악취 없는 오로가 발생

(6) 치료

　① 광범위 항생제(broad-spectrum antibiotics)

　　a. β-lactam계 항생제(cephalosporin계, 광범위 penicillin계)가 많이 이용

　　b. 항생제 투여 후 환자의 90%에서 48~72시간 이내에 증상이 호전

　　c. 최소한 24시간 동안 정상 체온을 보이면 퇴원하며 더 이상의 경구 항생제 요법은 필요하지 않음

　② 항생제의 선택

　　a. 질식분만 후 경증의 자궁염

　　　- 경구 항생제 투여

　　　- 산욕기 감염을 일으키는 흔한 균들에 대한 유효성이 필요

　　　- Ampicillin + Gentamicin

　　b. 중증 감염 or 제왕절개분만 후 감염

　　　- 비경구적 항생제 투여

　　　- 혐기성균에 대한 효과가 있는 항생제가 필요

　　　- Clindamycin + Gentamycin

　　　- Ampicillin : 초기부터 혹은 48~72시간 동안 효과가 없을 때 추가

　　　- Metronidazole + Ampicillin + Aminoglycoside : 대부분의 골반감염균에 효과 발휘

　③ 치료에도 불구하고 지속적 발열이 나타나는 경우

합병증의 발생	기타 원인
자궁주위조직 광범위연조직염(parametrial phlegmon) 수술창상농양(incisional abscess), 골반농양(pelvic abscess) 감염된 혈종(infected hematoma) 패혈성 골반혈전정맥염(septic pelvic thrombophlebitis)	세균의 항생제에 대한 내성 약물로 야기된 발열

(7) 감염의 예방

　① 수술 전 항생제 예방요법(ACOG, 2016)

　　a. 이상적인 예방적 항생제 : Ampicillin 2 g or 1세대 Cephalosporin 같은 단일 제제

　　b. 광범위 항생제나 반복 투여요법은 큰 이점이 없음

　　c. 비만 여성에서는 Cefazolin 3 g 투여가 최적의 농도에 도달

　② 수술 전 피부소독 : Chlorhexidine-Alcohol이 Iodine-Alcohol 보다 감염예방력 우수

③ 무증상 질염의 산전 치료 : 산후 자궁감염을 예방하지 못함

④ 제왕절개 시 태반 만출 : 자연만출이 수기만출보다 감염 감소

⑤ 제왕절개 시 단층 봉합과 두층 봉합의 감염률 차이는 없음

2 골반감염의 합병증(Complications of pelvic infections)

1) 복부 절개 부위의 감염

(1) 창상감염(Wound infection)

① 자궁감염으로 치료받은 여성에서 항생제 치료 실패의 가장 흔한 원인

② 예방적 항생제 투여 시 제왕절개 후 발생률 : 2~10% 정도

③ 위험인자 : 비만, 당뇨병, 스테로이드호르몬 투여, 면역기능저하, 빈혈, 고혈압, 불충분한 지혈로 인한 혈종 등

④ 증상

a. 발열

- 제왕절개수술 후 창상감염 : 수술 후 4일째부터 발생

- 자궁감염이 선행된 경우 : 수술 후 1~2일째부터 발생

b. 국소 부위의 발적, 부종, 고름

⑤ 치료 : 항생제 투여, 외과적 배농, 괴사조직 제거

⑥ 창상열개(wound dehiscence)

a. 근막층(fascial layer)의 파열로 수술실에서의 2차봉합이 필요한 심각한 합병증

b. 수술 후 약 5일째부터 장액성 분비물이 발생

c. 2/3에서 근막의 감염 및 조직의 괴사가 형성

d. 치료 : 열개 부위의 2차봉합(secondary closure)

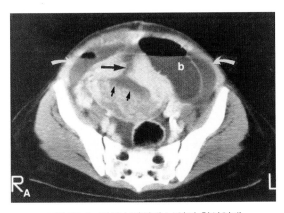

그림 35-2. 자궁수직절개 부위의 창상열개

(2) 괴사근막염(Necrotizing fasciitis)

① 제왕절개, 회음절개, 회음부 열상 부위에 발생하는 심한 조직 괴사가 특징인 드물지만 치명적인 합병증

② 위험인자 : 당뇨병, 비만, 고혈압

③ 감염범위 : 피부, 표재성 및 심부피하조직, 모든 복부골반의 근막층

④ 치료

    a. 광범위 항생제 투여

    b. 괴사조직의 광범위 절제

    c. 광범위 절제 시 넓게 절제된 근막을 덮기 위한 합성망사(synthetic mesh)가 필요

2) 골반의 감염

(1) 난소 농양(Ovarian abscess)

① 산욕기 감염의 합병증으로는 아주 드묾

② 난소의 피막 부위로 세균이 침입하여 발생

③ 일측성(unilateral), 분만 후 1~2주 이내에 발생

④ 농양이 파열되어 복막염을 일으킬 수 있으며, 이 경우 즉각적인 수술이 필요

(2) 복막염(Peritonitis)

① 제왕절개 후 복막염의 원인

    a. 자궁염(metritis) : 특히 자궁절개 부위의 괴사와 열개(dehiscence)가 있는 경우

    b. 제왕절개 중의 우연한 장 손상

② 통증이 심하게 올 수 있으며 마비성 장폐색증의 결과로 심한 장관팽창이 발생

③ 치료

    a. 자궁 내에서 시작하여 복막으로 전파된 경우 : 내과적 치료

    b. 장이나 자궁의 수술 부위에서 시작된 경우 : 외과적 치료

(3) 자궁주위조직 광범위연조직염(Parametrial phlegmon)

① 제왕절개 후 생기는 자궁염(metritis)에서 자궁주위연조직염(parametrial cellulitis)이 악화되어 결절화 될 경우 광인대(broad ligament) 내에 광범위연조직염(phlegmon)을 형성

② 특징

    a. 항생제 정맥주사 치료에도 열이 72시간 이상 지속되는 경우 의심

    b. 일측성(unilateral), 주로 광인대 기저부(base)에 국한되고 양측 골반벽 방향으로 진행

    c. 심한 연조직염은 괴사 및 파열되어 복막염을 유발

③ 진단 : 골반 전산화단층촬영(Pelvic CT)

④ 치료

　　a. 광범위 항생제 정맥주사

　　　- 보통 열은 5~7일 내에 해결

　　　- 염증 결절이 완전히 흡수되기까지 수일~수주일 걸림

　　b. 자궁절개 부위의 괴사가 의심되는 경우 수술을 고려

(4) 골반 농양(Pelvic abscess)

① 항생제 치료에도 자궁주위조직 광범위연조직염(parametrial phlegmon)이 화농되어 서혜부 인대(inguinal ligament) 상부에서 광인대 덩이(broad ligament mass)를 만든 경우

② 복강 내로 농양이 파열되면 치명적 복막염이 발생

③ 치료

　　a. 복부 전방의 농양 : 전산화단층촬영하 주사를 이용한 배농(CT-directed needle drainage)

　　b. 직장질중격의 후방 농양 : 후질벽 절개(posterior colpotomy)를 통한 배농

　　c. 요근 농양(psoas abscess) : 항생제 치료, 경피흡인 배농술(percutaneous drainage)

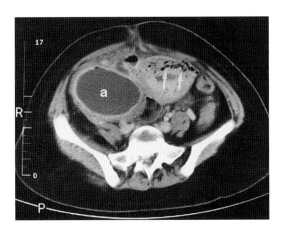

그림 35-3. 자궁절개부위의 괴사를 보여주는 자궁근육의 가스와 우측 광인대 농양

(5) 패혈성 골반혈전정맥염(Septic pelvic thrombophlebitis)

① 발병기전

　　a. 태반부착 부위의 병원균 감염이 자궁정맥에서 혈전을 만들고 혐기성균이 번식

　　b. 자궁상부에서 연결되는 난소정맥도 감염(보통 일측성, 우측에 호발)

　　c. 심한 경우 복부대정맥(vena cava)까지 감염

　　d. 좌측 난소정맥에 생기는 경우 신정맥(renal vein)에도 전파

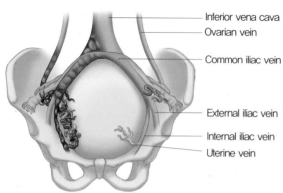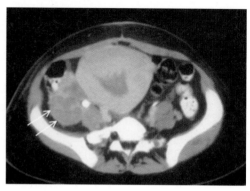

그림 35-4. 패혈성 골반혈전정맥염(septic pelvic thrombophlebitis)

② 증상

    a. 골반감염의 항생제 치료 후 증상 호전이 있으나 지속적인 발열

    b. 분만 후 2, 3일째 하복부 통증이 발생하고, 약간의 오한과 열은 없거나 동반

③ 진단 : 골반 전산화단층촬영(Pelvic CT), 골반 자기공명영상(Pelvic MRI)

④ 치료

    a. 광범위 항생제 치료(중증 감염 or 제왕절개분만 후 감염에 준한 치료)

    b. 헤파린 추가치료나 장기간의 항응고제 사용은 이점이 없음

3) 회음부, 질 및 자궁경부의 감염

(1) 임상경과

① 회음절개 부위의 감염

    a. 회음절개열개(episiotomy dehiscence) : 가장 관련이 많음

    b. 위험인자 : 혈액응고장애, 흡연, 인유두종바이러스(HPV) 감염 등

    c. 증상 : 국소 통증, 배뇨통, 배뇨장애

② 질 열상 부위의 감염

    a. 직접 또는 회음부에서 확산되어 감염

    b. 질점막(epithelium)은 붓고 충혈되며 점차 괴사 되어 떨어짐

    c. 자궁주위 결합조직으로 확산 시 임파선염 발생

③ 자궁경부 열상의 감염

    a. 자궁경부 열상은 흔하지만 감염되는 경우는 드묾

    b. 깊은 자궁경부 열상의 감염 시 임파선염, 자궁주위조직염으로 발전

(2) 치료

① 감염 부위의 배농, 봉합사와 괴사조직 제거, 감염된 창상의 개방

② 광범위 항생제, 진통소염제

    a. 연조직염(cellulitis)만 있는 경우 : 광범위 항생제 치료만으로도 충분

    b. 회음절개열개(episiotomy dehiscence) : 항생제 정맥주사 + 국소 상처관리

③ 상처관리

    a. 좌욕(sitz bath) : 하루에 여러 번 시행

    b. Povidone-iodine으로 하루 2회 소독

④ 2차봉합 : 창상에 감염이나 삼출물이 없고, 표면이 분홍색의 육아조직으로 덮이면 시행

⑤ 수술 후 관리 : 소독, 대변 연화제

4) 독성쇼크증후군(Toxic shock syndrome)

(1) 발병기전

① 급성 발열성 질환

    a. 여러 장기를 침범

    b. 10~15%의 사망률

② 원인균

    a. 황색포도알균(Staphylococcus aureus)

    b. 독성쇼크증후군 독소-1 (toxic shock syndrome toxin-1) : 심한 혈관내막손상을 유발

(2) 증상

① 주요 증상 : 발열, 두통, 혼수, 전신적 발적, 피하부종, 구토, 심한 설사, 혈액농축 등

② 신부전, 간부전, 범발성 혈관내응고증(DIC), 순환계 허탈이 급격히 초래

③ 회복기에 발적이 있었던 부위의 피부가 탈락(desquamation)

(3) 치료

① 모세혈관 내막손상의 회복, 패혈성쇼크에 준한 치료

② 심한 경우 : 다량의 수액보충, 기계적 호흡보조, 신장투석

③ 항생제(staphylococcal and streptococcal coverage)

④ 광범위 괴사조직 제거와 자궁절제술이 필요할 수 있음

5) 유방염(Mastitis)

(1) 병인론

① 유방 실질이 감염(parenchymal infection)되어 발생

② 임상양상

    a. 발병 시기 : 분만 후 7~10일

    b. 증상

       - 대부분 일측성(unilateral) 발생

       - 유방이 심하게 붓고 단단하게 촉지, 고열과 오한, 빈맥

    c. 원인균

       - 황색포도알균(*Staphylococcus aureus*) : 가장 흔함

       - 아기의 코, 인후에서 기원하는 세균이 침입

③ 위험인자 : 수유 시 어려움, 갈라진 유두, 경구용 항생제

④ 유방 울혈과 젖샘관 막힘, 유방염의 비교

	유방 울혈	젖샘관 막힘	유방염
발병 시기	출산 직후, 서서히	젖 먹인 후, 서서히	분만 7~10일 후, 갑자기
부위	양쪽	한쪽	한쪽
종창/발열	전체적	이동성/발열 없음	부분적/고열
통증	전체적	국소적, 약함	국소적, 심함
체온	<38.4℃	<38.4℃	>38.4℃
전신증상	없음	없음	오한, 감기몸살

(2) 처치

① Dicloxacillin 500 mg, 하루 4번, 경구 투여

② Erythromycin : penicillin에 민감한 경우 사용

③ Vancomycin, Clindamycin, Trimethoprim-sulfamethoxazole : MRSA의 경우 사용

④ 임상증상이 호전돼도 10~14일간 치료 유지

⑤ 치료 중 수유를 유지하는 것이 중요(농양 발생이 적음)

(3) 유방 농양(Breast abscess)

① 48~72시간의 유방염 치료에도 증세 호전이 없거나 종물이 만져질 때 의심

② 유방염의 10%에서 합병

③ 진단 : 초음파 검사(sonographic imaging)

④ 치료

    a. 외과적 배농(surgical drainage)

    b. 초음파하 주사를 이용한 배농(sonographically guided needle aspiration)

CHAPTER **36**

임신 중 고혈압 질환
(Hypertensive Disorders in pregnancy)

1   서론

1) 임신 중 고혈압 질환의 분류 및 진단

(1) 만성 고혈압(Chronic hypertension)

① 임신 전 또는 임신 20주 전에 고혈압으로 진단된 경우
(수축기 혈압 ≥140 mmHg 혹은 이완기 혈압 ≥90 mmHg)

② 출산 후 12주 이후에도 고혈압이 지속되는 경우

(2) 임신성 고혈압(Gestational hypertension)

① 임신 20주 이후 처음으로 고혈압 진단 + 단백뇨는 없는 상태
(수축기 혈압 ≥140 mmHg 혹은 이완기 혈압 ≥90 mmHg)

② 출산 후 12주 이내에 정상 혈압으로 회복

(3) 전자간증(Preeclampsia)

① 임신 20주 이후 처음으로 고혈압 진단 + (의미 있는 단백뇨 or 한가지 이상의 증상)

상태	진단기준
Gestational hypertension	임신 20주 이후 처음 진단된 고혈압(BP ≥140/90 mmHg)
Preeclampsia	**고혈압 + (단백뇨 or 한가지 이상의 증상)**
단백뇨(proteinuria)	≥300 mg/24hr Urine protein/creatinine ratio ≥0.3 지속적인 random urine stick +1 이상 or

혈소판감소증	Platelet count <100,000/μL
신장 기능 저하	serum Creatinine level >1.1 mg/dL or 기준의 두 배 이상 상승
간 기능 저하	정상의 두 배 이상 상승한 간수치
중추신경계 증상	두통, 시야장애, 경련
폐부종	

② 전자간증의 중증도

임상소견	비중증(Nonsevere)	중증(Severe)
수축기 혈압(systolic BP)	<160 mmHg	≥160 mmHg
이완기 혈압(diastolic BP)	<110 mmHg	≥110 mmHg
단백뇨(proteinuria)	±	±
두통(headache)	−	+
시야장애(visual disturbance)	−	+
명치(epigastric) 또는 우상복부(RUQ) 통증	−	+
소변 감소(24시간 소변량 ≤500 mL)	−	+
경련(convulsion)	−	+ (자간증)
혈청 creatinine	정상	상승
혈소판감소증(platelet <100,000/μL)	−	+
간 기능 저하(간수치 상승)	경미	현저(두 배 이상)
태아성장제한(fetal growth restriction)	−	+
폐부종(pulmonary edema)	−	+
임신 주수(gestational age)	후기	조기

(4) 자간증(Eclampsia)

① 전자간증이 있던 산모에서 달리 설명할 수 없는 경련(convulsion)이 발생하는 경우

② 자간증의 발작(eclamptic seizures)

　　a. 전신적인 강직성-간대성 경련(generalized tonic-clonic convulsions)

　　b. 진통 전이나 진통 중, 또는 분만 후 아무 때나 발생 가능

(5) 가중합병전자간증(Superimposed preeclampsia on chronic hypertension)

① 임신 전 또는 임신 20주 이전 고혈압 진단 + (의미 있는 단백뇨 or 한가지 이상의 증상)

② 고혈압의 악화인지 가중합병전자간증이 발생한 것인지 판단이 어려운 경우가 많음

　　a. 전자간증에 비하여 이른 임신 주수에서 발병

b. 자궁 내 태아성장제한의 동반이 흔함

2) 임신 중 고혈압 질환의 빈도 및 위험인자

(1) 빈도

① 젊은(young) 여성, 미분만부(nullipara) : 전자간증(preeclampsia) 빈도 증가

② 나이든(older) 여성 : 가중합병전자간증(superimposed preeclampsia) 빈도 증가

③ 전자간증(preeclampsia)의 발생빈도 : 미분만부 3~10%, 다분만부 1.4~4%

④ 인종에 따른 전자간증 발생 빈도 차이 : White 5%, Hispanic 9%, African-American 11%

⑤ 환경적, 사회경제적, 계절별 영향을 받음

(2) 위험인자

① 처음 융모막융모(chorionic villi) 노출 : 미분만부(nulliparity)

② 많은 융모막융모(chorionic villi) 노출 : 다태아, 포상기태(hydatidiform mole)

③ 비만, 당뇨, 신장질환, 심혈관계질환, 결합조직질환의 과거력

④ 유전적으로 임신 중 고혈압이 발생할 가능성이 있는 경우

⑤ 고령 산모(35세 이상), 10대 산모, 환경적 영향(고산지대)

⑥ 흡연(smoking)과 전치태반(placenta previa) : 임신성 고혈압의 빈도를 감소시킴

2 발생 원인 및 기전

1) 발생 원인

(1) 비정상적인 영양막 침투(Abnormal trophoblastic invasion)

① 정상적인 태반의 발달과정

: 영양막세포가 모체의 나선동맥(spiral artery)으로 침투

→ 나선동맥의 평활근 및 내피세포가 영양막세포로 대치

② 전자간증의 비정상적인 영양막 침투

: 불완전한 영양막의 침습

→ 탈락막 내의 혈관까지만 영양막세포가 침투

→ 나선동맥의 생리적 변환 및 확장 실패

→ 자궁태반관류저하(uteroplacental insufficiency)로 융모막사이공간의 산소공급장애

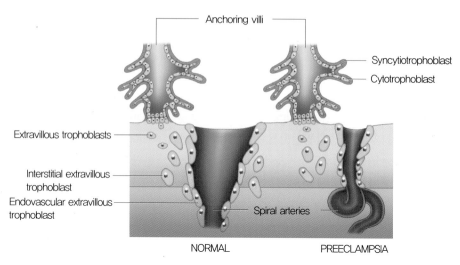

그림 36-1. 모체 나선동맥 내피세포가 영양막세포로 대치되는 과정에서의 차이

(2) 면역학적 요인(Immunological factors)

① 융모막융모(chorionic villi)에 대한 노출

　　a. 처음 노출된 경우(미분만부) : 발생 빈도 증가

　　b. 임신의 과거력이 있는 경우 : 발생 빈도 감소

② 전자간증의 면역학적 요인을 설명하는 가설

　　a. 산모와 태아 간의 동종이식거부반응(allograft rejection)

　　b. 과장된 선천 면역반응(innate immune response)

　　　- T-helper (Th) 1 세포의 반응 항진

　　　- Th 1/2 비(ratio)의 변화로 인한 염증성 시토카인(cytockine) 분비 증가

(3) 혈관내피세포의 활성화(Endothelial cell activation)

① 혈관내피세포의 활성화(activation) 및 기능장애(dysfunction) 유발

　　a. 태반 등에서 유래하는 인자가 모체 혈관으로 분비

　　b. 산화스트레스 증가, 항산화제 감소

② 혈관내피세포 활성화의 효과

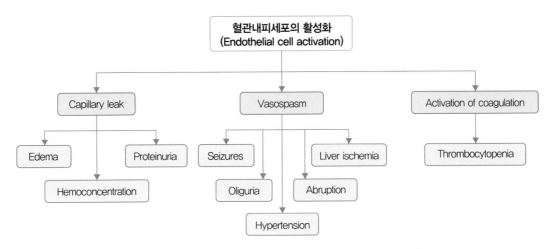

그림 36-2. 혈관내피세포의 활성화(Endothelial cell activation)

(4) 유전학적 요인(Genetic factors)

① 임신 중 전자간증을 경험한 여성의 딸이 임신했을 때 전자간증의 발생 빈도가 증가

② 전자간증 관련 유전자 : MTHFR, factor V 유전자, endothelial nitric oxide 유전자 등

2) 발생기전(Pathogenesis)

(1) 혈관연축(Vasospasm)

① 혈관의 수축으로 혈류 저항이 증가하여 고혈압 유발

② 혈관연축 자체가 혈관내피세포 손상을 유발하고 간질로의 누출을 촉진

③ 혈관연축 및 간질 누출로 인한 혈류 감소로 발생한 주변 조직의 허혈이 괴사, 출혈 및 말단기 관장애를 유발

(2) 혈관내피세포 손상(Endothelial cell injury)

① 전신 혈관내피세포 손상(systemic endothelial cells injury) : 전자간증 발병기전의 중심

② 손상 또는 활성화된 혈관내피세포(injured or activated endothelial cells)

　a. 산화질소(nitric oxide) 생성 감소

　b. 응고의 촉진

　c. 혈압상승물질(vasopressor)에 대한 감수성 증가

(3) 혈압 상승반응 증가(Increased pressor responses)

① 초기 전자간증 산모, 고혈압이 나타날 산모 : Angiotensin II에 대해 증가된 감수성

② 프로스타글란딘(prostaglandin)

　　a. Endothelial prostacyclin (PGI2) 감소, 혈소판의 thromboxane A2 분비 증가

　　b. Angiotensin II에 대한 감수성 증가, 혈관수축 초래

③ 산화질소(nitric oxide)

　　a. L-arginine으로부터 혈관내피세포에서 생산

　　b. 강력한 혈관이완제

　　c. 중증 전자간증의 산화질소 생산 증가는 혈관수축물질 분비 증가의 보상기전으로 생각

④ Endothelin

　　a. 강력한 혈관수축제

　　b. Endothelin-1 : 정상 산모에서는 증가하지 않으나 전자간증에서는 증가

(4) 혈관생성단백질(Angiogenic proteins)과 혈관생성억제단백질(Antiangiogenic proteins)

① Soluble fms-like tyrosine kinase 1 (sFlt-1)

　　a. 혈관내피세포성장인자(vascular endothelial growth factor, VEGF), 태반성장인자(placental growth factor, PlGF)의 수용체인 Flt-1의 변이형 물질

　　b. 주로 태반에서 형성

　　c. 작용 : VEGF에 대한 길항작용 → 혈관생성을 억제(antiangiogenesis), 혈관내피세포의 활성화(endothelial cell activation)

　　d. 전자간증 산모의 혈청에서 증가되어 있고, 전자간증의 중증도와 상관관계 존재

② Soluble endoglin (sEng)

　　a. 베타전환성장인자(transforming growth factor-beta, TGF-β)의 보조수용체인 endoglin의 작용에 길항하는 물질

　　b. 작용

　　　- TGF-β 억제 → 혈관내피세포에서의 산화질소(nitric oxide)에 의한 혈관확장을 억제

　　　- 모세혈관의 형성 억제

　　　- 혈관투과성 증가

　　c. 전자간증 산모의 혈청에서 증가되어 있고, 전자간증의 중증도와 상관관계 존재

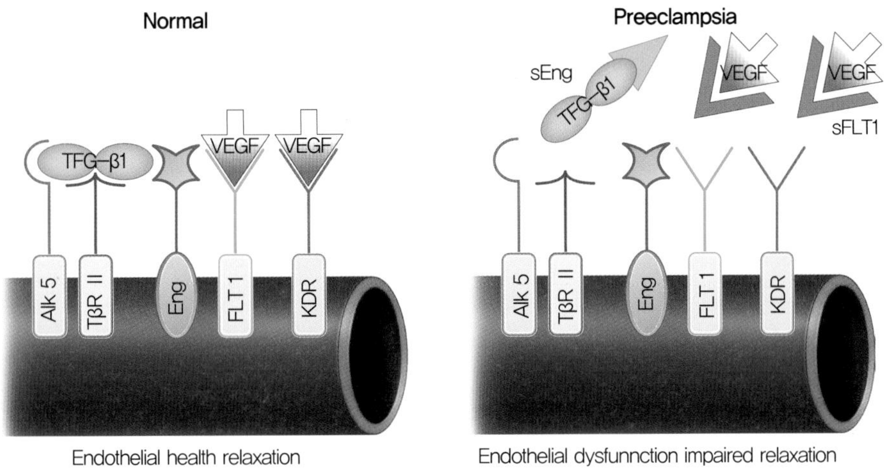

그림 36-3. sFlt-1과 sEng의 수용체차단효과

3 병태생리(Pathophysiology)

1) 심혈관계(Cardiovascular system)

(1) 혈역학적 변화

① 고혈압으로 인한 심장의 후부하(afterload) 증가

② 임신 중 정상적인 혈액용적 증가가 사라져 심장의 전부하(preload) 감소

③ 혈관내피세포 활성화에 의한 혈관투과성의 증가

(2) 심장기능의 변화

① 정상 임신

   a. 임신 전반기의 혈압은 분만 후의 혈압에 비해 낮음

   b. 늘어난 혈액용적으로 심박출량은 임신 전에 비해 약 50% 증가

   c. 혈압이 상승하지 않음 → 말초 혈관저항 감소 때문

② 전자간증

   a. 좌심실의 충만압(filling pressure) 정상

   b. 심박출량은 보통이거나 약간 감소

   c. 전신 혈관저항(systemic vascular resistance) 증가 : 전자간증에서 혈압상승의 주요 기전

   → 심장의 전부하(preload) 감소, 후부하(afterload) 증가

(3) 혈액량

① 혈장량의 증가가 없어서 혈액농축(hemoconcentration) 상태

    a. 비임신 시 혈액용적 3,000 mL에서 정상 임신 시 4,500 mL로 증가

    b. 전자간증에서는 1,500 mL의 상당 부분 또는 전체가 증가되어 있지 않음

    c. 이유 : 전신적인 혈관수축 때문, 혈관투과성의 증가로 인해 더 악화될 수 있음

② 감소된 혈장량을 늘리기 위한 수액 공급에도 잘 반응하지 않음

③ 분만 시의 정상적인 출혈량에도 대단히 민감할 수 있음

(4) 수분과 전해질의 변화

① 부종

    a. 혈관내피세포의 손상으로 인한 세포외액(extracellular fluid, ECF)의 증가

    b. 단백뇨로 인한 혈장삼투압(plasma oncotic pressure)의 감소

② 부종과 예후는 관계가 없음

③ 전해질 농도는 정상 임신과 비슷

2) 혈액응고계(Coagulation system)

(1) 혈소판감소증(Thrombocytopenia)

① 가장 흔히 발견되는 혈액학적 이상

② 혈소판 100,000/μL 이하 : 분만의 적응증

    a. 분만 후 첫날 혈소판 수는 계속 감소할 수 있음

    b. 일반적으로 3~5일 이내에 점진적으로 상승하여 정상 수치에 도달

③ 혈소판수가 적을수록 모체와 태아의 이환율 및 사망률 증가

④ 태아의 혈소판 수 감소는 일어나지 않음

(2) 용혈(Hemolysis)

① Lactate dehydrogenase (LDH) 상승, Haptoglobin 감소

② Microangiopathic hemolysis : schizocytosis, spherocytosis, reticulocytosis 관찰

③ 중증 전자간증에 동반된 간수치 상승, 용혈, 혈소판감소증 : 간세포괴사 의미

(3) 혈액응고의 변화

① 정상 임신과 비교한 혈액응고인자의 변화

증가	감소	동일
Factor VIII consumption Fibrinopeptide A and B Fibrinogen degradation products D-dimers	Antithrombin III Protein C and S	Fibrinogen (태반조기박리 시 증가)

② PT, aPTT, 섬유소원(fibrinogen)의 정기적 혈액검사가 필요하지는 않음

3) 신장(Kidney)

(1) 신장의 변화

① 전자간증에서 발생하는 변화

증가	감소
소변 나트륨 농도(urine sodium concentration) 소변삼투압(urine osmolality) urine:plasma Creatinine ratio 혈장 요산(uric acid), 칼슘(calcium) 농도 심방나트륨이뇨펩티드(atrial natriuretic peptide)	사구체여과율(glomerular filtration rate) 신장혈류량(renal blood flow) 여과분율(filtration fraction) 요산청소분율(fractional urate clearance) 나트륨배설 기능 혈장량(plasma volume) 중심정맥압(central venous pressure) 폐모세혈관쐐기압(pulmonary capillary wedge pressure)

② 신장혈관의 수축 → 사구체여과율과 신장혈류량 감소

    a. 혈장 내 요산(uric acid)의 증가

    b. 소변 Na 농도 증가, 소변 Ca 배출 감소

    c. 소변 감소(oliguria)

    d. 혈장 내 크레아티닌(creatinine) 증가 : 중증 전자간증에서 발생

③ Renin-Angiotensin-Aldosterone 시스템의 저하

④ 사구체모세혈관내피증(glomerular capillary endotheliosis)

    a. 전자간증에서 나타나는 신장의 특징적인 병변

    b. 사구체모세혈관의 부종

    c. 내피세포 아래에 단백질 침착

    d. 창백해 보이는 사구체 : 모세혈관의 내강까지 침범하기 때문

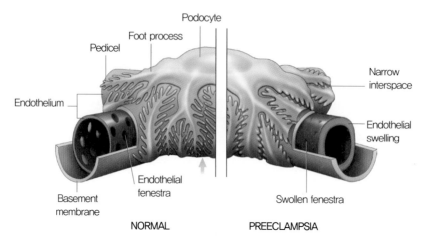

그림 36-4. 전자간증의 사구체내피증(glomerular endotheliosis)

(2) 단백뇨(Proteinuria)

　① 비정상 단백뇨의 정의

　　a. 24시간 소변 단백질의 양 ≥300 mg

　　b. 요단백/크레아티닌비(urine protein/creatinine ratio) ≥0.3

　　c. 무작위 소변검사 상 지속적인 단백수치 30 mg/dL (random urine stick +1) 이상

　② 단백뇨가 없더라도 중증 전자간증으로 진단 가능

(3) 급성신장손상(Acute kidney injury)

　① 급성요세관괴사(acute tubular necrosis) : 저혈량과 저혈압을 동반한 출혈에 의해 유발

　② 비가역적 급성피질괴사(acute cortical necrosis) : 드물게 발생

4) 간(Liver)

(1) 전자간증에 동반된 간손상 증상

　① 우상복부 통증(right upper quadrant pain), 명치 통증(epigastric pain)

　　a. 간병변의 동반을 의미

　　　- 간병변의 원인 : 허혈(infarction)

　　　- 조직학적 특징 : 문맥주위출혈(periportal hemorrhage), 굴모양혈관섬유소침착(sinusoidal fibrin deposition), 세포괴사(cellular necrosis) 등

　　b. 간수치 상승을 확인(증상 수 시간 이후에 나타날 수 있음)

　　c. 산과적 출혈에 의한 저혈압으로 간부전이 유발될 수 있음

② 간수치의 증가

    a. AST (aspartate transaminase), ALT (alanine transaminase) 증가

    b. 분만 후 24~48시간에 최고치

    c. 분만 2~3일 후 정상화되기 시작

    d. 고빌리루빈혈증(hyperbilirubinemia) : 드묾, 급성 임신성지방간 의심

③ 간세포괴사의 확장으로 인한 피막하혈종(subcapsular hematoma)

    a. CT 또는 MRI로 진단

    b. 출혈이 진행되지 않으면 보존적 치료

    c. 수술적 치료 : 간동맥색전술, 개복술, 간이식 등

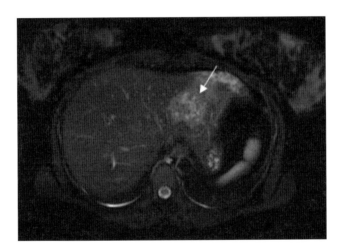

그림 36-5. HELLP증후군 산모에서 발생한 출혈성 간경색(hemorrhagic infarction)의 MRI

(2) HELLP증후군(HELLP syndrome)

  ① 증상

    a. 용혈(Hemolysis)

    b. 간수치 증가(Elevated Liver enzyme)

    c. 혈소판 감소(Low Platelet)

  ② 합병증

    a. 자간증, 태반조기박리, 급성신장손상 등

    b. 심한 경우 : 뇌졸중, 간혈종, 응고장애, 호흡곤란증후군, 패혈증 등

5) 중추신경계

(1) 중추신경계 증상

① 시력장애

a. 시야흐림(blurred vision), 암점(scotoma), 피질맹(cortical blindness)

b. 원인

- 후두엽(occipital lobe) 허혈, 부종

- 망막소동맥(retinal artery) 연축에 의한 맥락막의 허혈, 경색

- 망막박리(retinal detachment)

c. 예후는 좋으며 보통 분만 1주 내에 호전

② 두통

a. 후두골(occipital)보다 전두골(frontal)에 빈발

b. 진통제의 효과가 적음

c. 첫 경련의 전구 증상일 수 있음

③ 뇌부종(cerebral edema) : 졸음증, 혼미, 시력장애, 둔감, 혼수 등의 증상 발생

④ 국소적 신경계증상이 나타나면 곧바로 신경학적 검사 시행

(2) 전자간증의 뇌영상검사

① 전산화단층촬영(computed tomography, CT)

a. 많은 경우에서 비교적 정상적인 소견

b. 비정상 소견 : 뇌부종과 출혈, 국소적인 허혈에 의한 저밀도(hypodense) 소견 등

② 자기공명영상(magnetic resonance image, MRI)

a. 출혈과 부종

b. 후반구(posterior hemisphere)와 분수령(watershed area) 부위에, 혈관연축에 의해 유발된 전반적 허혈이 원인일 것으로 생각되는 병변이 관찰됨

c. 전자간증, 자간증에서 나타나는 시력장애 설명 가능

③ 도플러 초음파 검사 : 말초혈관의 수축이 확실하지 않은 경우도 뇌혈관연축 발생 가능

4 예측(Prediction)과 예방(Prevention)

1) 예측(Prediction)

(1) 혈관저항검사와 태반관류(Vascular resistance testing and Placental perfusion)

① Roll-over test

　　a. 옆으로 누워 있다가 바로 누워 혈압을 재어 20 mmHg 이상 증가하면 양성

　　b. 이러한 경우 임신성 고혈압의 발생 확률이 높아짐

② 자궁동맥 도플러검사(uterine artery doppler velocimetry)

　　a. 전자간증 발생 전 자궁동맥의 혈류 변화를 임신 초기에 감지하는 방법

　　　- 자궁동맥 저항성의 증가

　　　- 박동지수(pulsatility index)의 증가

　　　- 이완기맥박패임(diastolic notch)의 지속

　　b. 예측력

　　　- 이완기맥박패임을 동반한 박동지수의 증가 : 도플러검사 중 가장 좋은 예측력

　　　- 임신 제1삼분기보다는 제2삼분기가 더 예측력이 좋음

　　c. 한계

　　　- 전자간증의 예측에 대한 양성, 음성 우도비가 낮아 예측력의 한계

　　　- 검사자의 숙련도에 따른 결과 편차

　　　- 무작위 임상실험이 부족

　　d. 전자간증 예측을 위해 모든 산모에 자궁동맥 도플러검사를 하는 것은 권고되지 않음

(2) 내분비기능표지자(Endocrine function markers)

① hCG, AFP, estriol, PAPP-A, inhibin A, activin A, placental protein 13, procalcitonin, corticotropin-releasing hormone, A disintegrin, ADAM-12, kisspeptin 등

② 높은 예측력을 보이지는 못함

(3) 신장기능검사(Renal function tests)

① 고요산혈증(hyperuricemia) : 민감도(sensitivity) 0~55%, 특이도(specificity) 77~95%

② 미세알부민뇨(microalbuminuria) : 민감도(sensitivity) 7~90%, 특이도(specificity) 29~97%

(4) 혈관내피세포 기능장애(Endothelial dysfunction)와 산화스트레스(Oxidative stress)

① Fibronectin

　　a. 전자간증 산모 일부에서 증가

　　b. 전자간증의 예측에 유용하지 않음

② 혈액응고체계 활성화(coagulation activation)

    a. 전자간증의 혈소판감소증 및 기능저하로 유발

    b. 미성숙 혈소판 양의 증가가 전자간증에 선행

③ 산화스트레스(oxidative stress)

    a. Lipid peroxide 증가

    b. Antioxidant (vitamin C, E) 활성 감소

④ 혈관생성인자(angiogenetic factors)

    a. VEGF, PlGF : 감소

    b. sFlt-1, sEng : 증가

    c. sFlt-1/PlGF ratio : 전자간증의 예측에 유용

⑤ Free fetal DNA : 전자간증 산모에서 증가

2) 예방(Prevention)

(1) 식이요법과 생활습관 개선

전자간증 발생 감소	효과 없음
규칙적인 운동(regular exercise) 침상안정(bed rest) 칼슘 보충 : 칼슘이 부족한 여성이 아니라면 효과 없음 스타틴(statins)	저염식(low-salt diet) Cardioprotective fatty acids : 생선기름(fish oil) 비타민 C, D, E

(2) 항고혈압제(Antihypertensive drugs)와 항혈소판제(Antithrombotic agents)

① 만성 고혈압 산모의 항고혈압제 복용

    a. 가중합병전자간증 발생을 감소

    b. Rey & Couturier의 고혈압 산모에서 약물치료 적응증

      - Diastolic BP ≥100 mmHg

      - Diastolic BP ≥95 mmHg with left ventricular hypertrophy (LVH)

      - Diastolic BP ≥100 mmHg with nephropathy

② 아스피린(aspirin)

    a. Thromboxane/prostacyclin 불균형 개선

    b. 전자간증의 위험도에 따른 아스피린 사용 권고사항(ACOG, 2018)

      - 고위험군 : 저용량 아스피린(50~150 mg)을 임신 12~28주 사이(16주 이전이 가장 좋음) 복용하기 시작하고 분만 직전까지 복용

      - 중등도 위험인자가 두 개 이상인 경우 : 저용량 아스피린 고려

위험도	위험인자	권고사항
고위험군	전자간증의 병력(특히 나쁜 임신결과와 동반된 경우) 다태아 임신 만성 고혈압 제1, 2형 당뇨병 신장질환 자가면역성질환(전신성 루푸스, 항인지질항체증후군)	하나 이상 있는 경우 아스피린 복용을 권유
중등도위험군	미분만부 비만(체질량지수>30 kg/m²) 전자간증의 가족력(엄마, 자매) 사회경제적 특성(흑인, 낮은 사회경제적지위) 35세 이상 개인의 특성(저체중아, 이전의 나쁜 임신결과, 이전 임신이 10년 이전)	몇 개가 동시에 있는 경우 아스피린 복용을 고려
저위험군	이전의 문제없는 만삭 분만	아스피린 복용을 권고하지 않음

5 전자간증(Preeclampsia)

1) 진단(Diagnosis) 및 평가(Evaluation)

(1) 전자간증의 조기 발견

① 임신 중 고혈압의 조기 진단을 위해 임신 제3삼분기에는 산전 진찰의 빈도를 늘림

    a. 임신 28주까지는 4주에 1회, 36주까지는 2주에 1회, 그 이후는 매주 방문

    b. 매 진찰마다 혈압 측정 및 단백뇨 유무를 확인

    c. 임신 중 고혈압이 의심된다면 산전 진찰을 좀 더 자주 시행

② 전자간증 관련 증상(두통, 시력장애, 상복부 통증 등) 교육

③ 수축기 혈압 ≥140 mmHg 혹은 이완기 혈압 ≥90 mmHg 소견이 새로 발생 시 입원하여 전자간증의 유무를 평가

④ 심하지 않은 임신성 고혈압 및 비중증 전자간증 산모에서 충분한 교육과 잦은 산전 진찰로 외래에서도 안전하게 관리 가능(ACOG, 2013)

(2) 입원 후 검사

① 자세한 신체 진찰을 시행, 매일 두통, 시력장애, 상복부 통증 등을 확인

② 입원 기간 동안 매일 체중 및 소변양을 측정

③ 입원 시 단백뇨 유무를 검사, 최소 2일에 한번씩

④ 4시간 간격으로 앉은 자세에서 혈압을 측정(24:00~06:00 제외)

⑤ 전혈구검사, 간기능검사, 혈장 크레아티닌 등을 측정(측정 빈도는 중증도에 따라 결정)

⑥ 초음파검사로 태아의 크기와 양수의 양, 비수축검사(NST)로 태아 안녕상태를 확인

    a. 태아성장제한이 관찰되면 탯줄동맥 도플러를 확인

    b. 산모가 중증이 아니라면 1주일마다 태아의 상태를 확인

    c. 산모의 상태 악화 시 태아의 상태를 자주 확인

⑦ 적정량의 단백질 섭취와 적절한 열량의 식사가 필요

⑧ 절대적인 침상안정 및 염분을 제한할 필요 없음

2) 처치(Management)

(1) 분만의 고려

① 전자간증의 근본적인 치료 : 분만

    a. 경증의 임신성 고혈압이나 비중증 전자간증 : 만삭 이후 분만을 고려

    b. 중증 전자간증 : 임신 34주가 넘은 경우 보통 분만을 고려

    c. 두통, 시력장애, 상복부 통증은 경련 가능성이 높은 증상, 소변량 감소도 불길한 징후

② 치료의 목적

    a. 경련의 방지

    b. 두개 내 출혈의 예방

    c. 주요 장기의 보호

    d. 건강한 아기의 출산

③ 중증 전자간증의 치료 : 자간증과 동일, 분만까지 고혈압제과 항경련제 투여

④ 입원 후에도 좋아지지 않는 중증 전자간증은 임신부와 태아를 위해 분만을 권유

⑤ 유도분만의 시도

    a. 옥시토신을 사용

    b. 유도 분만 전 자궁경부의 숙화 : 프로스타글란딘, 흡습성 자궁경부 확장제 등

⑥ 제왕절개술의 적응증 : 유도분만 성공 가능성이 낮거나, 실패한 경우

(2) 경증 및 중등도 고혈압의 치료

① 전자간증 모성사망의 가장 주된 이유 : 중증의 고혈압으로 인한 뇌출혈

② 조기 경증 및 중등도 고혈압 산모에서 고혈압 치료의 큰 이점은 없음

(3) 임신연장요법(Expectant management)

① 비중증 전자간증인 경우에만 시도

② 중증 전자간증의 경우 자궁내성장지연과 조기태반박리의 위험성만 증가

③ 임신연장요법 시 모체 및 태아 감시

    a. 산모 : 증상, 혈압, 소변량

　　b. 태아 : 비수축검사(NST), 생물리학계수(BPP), 성장제한 관찰 시 탯줄동맥 도플러

　　c. 비중증 전자간증이 더 이상 악화되지 않으면 임신은 37주까지 유지

④ 임신연장요법을 시행중인 임신 34주 이전 산모의 분만 적응증

태아 폐성숙을 위한 corticosteroid 투여 + 임신부의 상태 안정화 후 분만	태아 폐성숙을 위한 corticosteroid 투여 + 가능하면 48시간 지연 후 분만
조절되지 않는 심한 고혈압 자간증 폐부종 태반조기박리 소모성 혈액응고장애(DIC) 안심할 수 없는 태아 상태 태아 사망	조기양막파수 or 조기진통 혈소판감소증 <100,000/μL 간수치가 정상의 두 배 이상 상승 태아성장제한(fetal growth restriction) 양수과소증 탯줄동맥 이완기말혈류역전(reversed end-diastolic flow) 신장 기능 저하의 악화

⑤ 임신 34주 이전 중증 전자간증의 처치

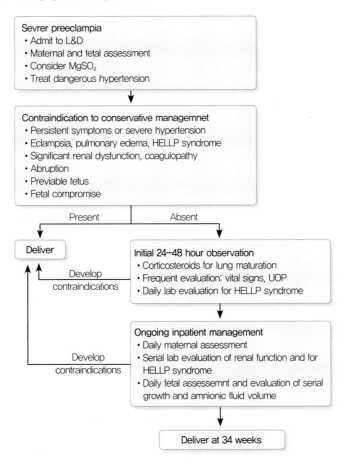

그림 36-6. 임신 34주 미만의 중증 자간전증에 대한 관리 알고리즘

⑥ 글루코코티코이드(glucocorticoid)

    a. 임신 34주 미만의 중증 전자간증 산모에서 신생아 합병증을 줄이기 위해 사용

    b. 태아의 폐성숙 촉진, 신생아 호흡곤란증후군, 뇌실내출혈, 신생아감염 등 감소

    c. 산모의 합병증 증가 없음

(4) HELLP증후군의 개선을 위한 스테로이드의 사용

① Dexamethasone이 HELLP증후군에서 재원기간 및 회복기간의 단축, 혈액검사 이상소견 및 임상증상의 호전, 신부전, 폐부종 등의 합병증 예방에 대한 연구들 → 이득이 없음

② HELLP증후군의 혈소판감소증에서 스테로이드의 사용은 권장되지 않음

6   자간증(Eclampsia)

1) 자간증의 임상소견

(1) 특성

① 모성사망의 주요 원인(선진국 자간증 산모의 사망률 1%)

② 자간증의 경련이 시작되기 전에 전자간증이 선행

③ 임신 제3삼분기에 가장 흔히 발생

④ 임신 제3삼분기의 급격한 체중증가는 가장 처음 경계해야 하는 징후

⑤ 자간증이 발생한 경우 신체 내 거의 모든 장기에 다발성 기능장애가 동반

(2) 경련

① 경련 전 전구증상 : 두통, 시력장애, 상복부 통증 등

② 자간증의 경련 양상

    a. 전신적인 강직성-간대성 경련(generalized tonic-clonic convulsions)

    b. 입가를 씰룩 → 몇 초 후에는 몸 전체가 뻣뻣(15~20초간 지속) → 눈, 입 여닫기 반복 → 얼굴 근육의 수축, 이완 반복 → 근육활동이 점진적으로 작아지다 없어짐 → 혼수상태

③ 경련 후 혼수상태

    a. 혼수상태의 지속시간은 다양

    b. 심한 경우 혼수상태가 다음 경련 시기까지 지속

④ 감별진단

    a. 다른 원인들이 배제될 때까지 경련을 하는 모든 산모는 자간증으로 간주

    b. 간질, 뇌증, 뇌막염, 뇌종양, 신경낭미충증, 양수색전증, 경막천자 후 두통, 뇌혈관류파열, 혈관염, 허혈성뇌질환, 저혈당, 저나트륨혈증 등

(3) 다른 임상증상

① 소변

    a. 단백뇨(proteinuria) : 거의 모든 경우에서 발생

    b. 소변량 : 감소, 때로 무뇨(anuria)

② 폐부종(pulmonary edema)

    a. 경련 후 짧으면 몇시간 뒤 발생

    b. 원인 : 경련 시 위 내용물 흡인으로 발생, 심한 고혈압에 의한 심부전

    c. 다량의 수액 투여 시 악화

③ 고열(high fever) : 중추신경계의 출혈을 의미하는 심각한 징후

④ 시각장애

    a. 원인 : 다양한 정도의 망막박리나 후두엽 허혈, 부종

    b. 예후는 좋아서 1~2주 내에 완전히 회복

⑤ 분만 후 증상의 호전 순서

    a. 분만 후 24시간 내 소변량이 증가(호전의 첫 번째 징후)

    b. 분만 2~3일 후 간수치가 정상화되기 시작

    c. 분만 1주일 후 단백뇨, 부종 사라짐

    d. 분만 1주일 내 시력이 정상으로 회복

    e. 분만 수일~2주 정도 후 혈압의 정상화

(4) 경련 후 분만진통

① 경련에 의한 산모 저산소증과 산증으로 인해 태아 서맥(fetal bradycardia) 발생

    a. 대개 2~10분 내에 회복

    b. 10분 이상 지속 시 태반조기박리, 임박한 분만 등 다른 원인을 고려

② 경련이 안정화되면 분만을 준비

    a. 진통이 없는 경우라도 자궁경부가 충분히 숙화되었다면 유도분만을 고려

    b. 자궁경부가 숙화되어 있지 않다면 $MgSO_4$를 사용하며 제왕절개분만을 시도

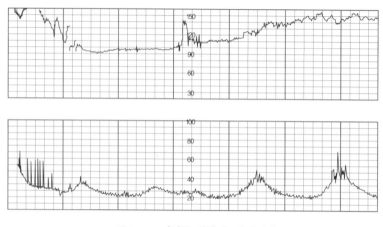

그림 36-7. 자간증 경련 후 태아서맥

2) 처치(Management)

(1) 자간증의 치료원칙

① 마그네슘황산염의 초기 부하량을 정주하여 경련을 조절한 다음 유지량을 계속하여 정주하거나 주기적으로 근주

② 이완기 혈압이 높을 때마다 항고혈압제제를 간헐적 정주나 경구 투여하여 혈압을 조절

③ 이뇨제 사용은 폐부종이 의심되거나 진단된 경우로 제한, 고삼투압제제도 사용을 제한

④ 과도한 수분소실이 있는 상태가 아니라면 지나친 수분 공급을 제한

⑤ 경련 조절 후 분만을 시도

(2) 마그네슘황산염(Magnesium sulfate, $MgSO_4$)

① 약리학

    a. 전자간증 산모에서 경련을 예방하는 가장 주요한 약제

    b. 중증 전자간증 또는 자간증에서의 마그네슘황산염 사용법

지속적 정주법	
초기 부하량	100 mL 용액 내 황산마그네슘 4~6 g을 섞어 15~20분에 걸쳐 정맥주사
유지량	매 시간당 100 mL 용액 내 2 g을 정맥주사(일부에서는 시간당 1 g를 권장)
관찰	주기적으로 심부건반사를 확인 일부에서는 마그네슘 투여 4~6시간 사이 혈청 마그네슘 농도를 확인 후 4~7 mEq/L (4.8~8.4 mg/dL)가 되도록 투여 속도를 조절 혈중 크레아티닌 수치가 1 mg/dL 이상일 경우 혈중 마그네슘 농도를 측정
중지	분만 24시간 경과 후 중단

간헐적 근주법	
초기 부하량	황산마그네슘 20% 용액을 분당 1 g 미만의 속도로 4 g 정맥주사
유지량	50% 황산마그네슘 용액 10 g을 양쪽 엉덩이에 5 g씩 근육주사 만약 15분 후에도 경련이 지속되면, 20% 황산마그네슘 용액을 분당 1 g 미만의 속도로 2 g 정맥주사(체격이 큰 산모라면 4 g까지 천천히 정맥주사) 4시간 간격으로 50% 황산마그네슘 용액으로 5 g 근육주사
관찰	무릎반사, 호흡부전, 소변량 감소(>100 mL/4hr)
중지	분만 24시간 경과 후 중단

　　c. 유지요법은 분만 후 24시간 동안 지속하고, 분만 후 경련이 발생한 경우에는 경련 시작 이후 24시간 동안 유지

　　d. 비경구적으로 투여된 마그네슘은 거의 신장으로 배설
　　　- 반감기 : 4시간 정도
　　　- 사구체여과율 확인을 위한 혈중 크레아티닌 수치 및 소변량을 확인
　　　- 신장기능이 떨어져 있다고 해서 초기 부하량을 줄이지 않음(4 g 표준용량은 안전)
　　　- 혈중 크레아티닌(creatinine) >1.0 mg/dL : 유지량을 절반으로 줄임
　　e. 경련을 예방하는 혈중 마그네슘 수치 : 4~7 mEq/L (4.8~8.4 mg/dL, 2.0~3.5 mmol/L)
　　f. 마그네슘황산염 투여 시 규칙적인 혈중 마그네슘 측정은 권장하지 않음(ACOG, 2013)
② 독성
　　a. 주기적인 심부건반사 및 호흡 확인 : 중추신경계에 영향을 미치기 때문
　　b. 혈중 마그네슘 농도에 따른 독성 발현

증상	농도(mEq/L)
치료 전 정상 농도	<2.0
적정 치료 농도(경련 예방)	4~7
무릎반사 소실	10
호흡 저하(respiratory depression)	≥10
호흡 정지(respiratory arrest)	≥12
심장 정지(cardiac arrest)	≥30

　　c. 해독제
　　　- 글루콘산칼슘(calcium gluconate) or 염화칼슘(calcium chloride) 1 g 정맥주사
　　　- 칼슘의 효과는 지속시간이 짧아 심각한 호흡 저하, 호흡 정지의 경우 즉각 기관내삽관과 인공호흡기의 사용이 필요

③ 자궁에 대한 효과

    a. 고농도의 마그네슘 이온은 자궁수축을 약화

    b. 고농도의 세포 외 마그네슘은 세포 내 마그네슘 농도를 높이면서 자궁근육세포로의 Ca^{2+} 유입을 차단

    c. 용량 의존적 기전으로 8~10 mEq/L 이상일 때 자궁수축에 영향을 미침

④ 태아에 대한 영향

    a. 마그네슘황산염은 바로 태반을 거쳐 태아의 혈중에서 평형을 이룸

    b. 양수에서는 그 양이 적지만, 지속 투여 시 양수 내 농도도 증가

    c. 태아 심박동 : 정상 범위 내에서의 감소, 박동 대 박동 변이도 감소 → 나쁜 영향 없음

    d. 치료 용량에서는 대개 신생아가 처져 있지 않음

    e. 초저체중신생아에서 뇌성마비 예방 효과

7 관리 및 예후

1) 관리

(1) 심한 고혈압의 조절

① 치료권고(ACOG,2017)

    a. 목표 : 수축기 혈압 ≤160 mmHg, 이완기 혈압 ≤110 mmHg

    b. 첫 번째 치료제 : hydralazine, labetalol, nifedipine

② 하이드랄라진(hydralazine)

    a. 직접적인 혈관이완작용을 하는 약물

    b. 초기 5~10 mg 정맥주사 후 충분한 반응이 있을 때까지 15~20분 간격으로 10 mg 추가 투여

      - 충분한 반응 : 수축기 혈압 <160 mmHg & 이완기 혈압 90~110 mmHg

      - 과도한 투여는 자궁태반관류저하로 태아심박동 감소가 발생

      - 두 번째 용량까지 투여에도 조절되지 않으면 labetalol 사용을 권장

    c. 부작용 : 두통과, 상복부 통증, 빈맥 등

③ 라베탈롤(labetalol)

    a. α1, nonselective β-blocker

    b. 초기 20 mg 정맥주사 후 10분 내 효과가 없으면 10분 간격으로 40 mg, 80 mg 투여

    c. 투여에도 조절되지 않으면 hydralazine 사용을 권장

    d. 금기증 : 천식(asthma)

④ 니페디핀(nifedipine)

    a. 칼슘채널 길항제(calcium-channel blocking agent)

b. 초기 10 mg 경구투여 후 필요시 20~30분 간격으로 10~20 mg 추가 경구투여

c. 설하투여(sublingual)는 심각한 저혈압을 초래할 수 있으므로 피함

d. 부작용 : 두통

e. 마그네슘의 효과를 증진시키지 않는 것으로 확인

⑤ 다른 항고혈압 제제들

  a. 칼슘채널 길항제(calcium-channel blocking agent)

    - Verapamil : 시간당 5~10 mg 정주

    - Nimodipine : 정맥주사 또는 경구투여

  b. Nitroprusside

    - Hydralazine, labetalol, nifedipine 등이 효과가 없는 경우만 사용

    - 0.25 µg/kg/min으로 정주를 시작하고 필요에 따라 5 µg/kg/min 까지 증량

    - 사용 4시간 후 태아에 시안화물 독성이 생길 수 있음

  c. 안지오텐신전환효소 억제제(angiotensin converting enzyme inhibitor)

    - 임신 제2, 3삼분기에 투여 시 양수과소증, 태아성장제한, 골기형, 동맥관 열림증, 폐형성 저하증, 호흡곤란 증후군, 지속적인 신생아 저혈압, 신생아 사망 등과 같은 합병증을 유발할 수 있음

    - 임신 초기에 사용되었을 경우 가급적 빨리 중단하면 부작용은 없는 것으로 보임

⑥ 이뇨제(diuretics)

  a. 혈관 내 용적을 더욱 감소시켜 태반관류를 악화

  b. 분만 전에는 폐부종이 의심되거나 진단된 경우에만 사용

(2) 수액 요법

① 수액 투여

  a. Lactated Ringers solution 60~125 mL/hr 정도로 투여

  b. 구토, 설사, 발한, 심한 출혈 등이 없는 한 125 mL/hr(하루 3,000 mL)를 넘지 않음

  c. 과량 투여 시 폐부종, 뇌부종 유발

② 폐부종(pulmonary edema)

  a. 과도한 콜로이드와 크리스탈로이드 정주는 폐부종의 위험 증가

  b. 과도한 수분 손실이 없는 한 수액은 적정 수준으로만 공급

③ 침습적인 혈역동학적검사(invasive hemodynamic monitoring)

  a. 적응증 : 핍뇨, 폐부종이 동반된 전자간증, 중증의 심장병, 신질환, 불응성 고혈압 등

  b. 최근 최소 침습감시방법으로 대체

(3) 마취

① 부분마취와 전신마취 모두 가능

    a. 삽관 시 자극으로 인한 급격한 혈압상승으로 인해 폐부종, 뇌부종, 뇌출혈 발생 가능

    b. 기관내삽관은 자간전증으로 인한 기도부종이 있는 경우 위험(ACOG, 2017)

② 분만진통 중 경막외마취 : 임신성 고혈압이 있는 경우에도 안전하게 사용 가능

(4) 분만 시 혈액 소실

① 중증 전자간증과 자간증은 혈액 소실에 더욱 취약 : 혈장 증가의 부족, 혈액의 농축

② 분만 후 확인

    a. 현저히 떨어지는 혈압 : 과도한 혈액 손실, 혈관수축의 급격한 장애 의심

    b. 요감소(oliguria) : 과도한 혈액 손실 의심, 혈액검사 시행

(5) 지속적인 산후 고혈압

① 일차 항고혈압제(hydralazine, labetalol, nifedipine)의 반복 투여

② Furosemide

    a. 진통 시 경막외마취나 분만, 제왕절개술 전 수액 투여로 중증 전자간증 산모에서 분만 직후 몸무게가 거의 감소하지 않는 경우에 사용하면 혈압 조절에 도움

    b. Nifedipine과 함께 사용 시 고혈압 조절에 효과적

2) 예후

(1) 다음 임신에 대한 영향

① 다음 임신에서 고혈압 관련 합병증 발생 가능성 증가

② 전자간증이 일찍 시작될수록 다음 임신에서 재발할 가능성 증가

③ 고혈압이 재발하지 않더라도 조산, 태아성장제한이 증가

(2) 장기적인 영향

Cardiovascular	Metabolic
Chronic hypertension	Type 2 diabetes
Ischemic heart disease	Metabolic syndrome
Atherosclerosis	Dyslipidemia
Coronary artery calcification	Obesity
Cardiomyopathy	
Thromboembolism	

Neurovascular	Renal
Stroke	Glomerular dysfunction
Retinal detachment	Proteinuria
Diabetic retinopathy	

CHAPTER 37

산과적 출혈(Obstetrical hemorrhage)

1 서론

1) 산과적 출혈(Obstetric hemorrhage)의 정의

(1) 산전 출혈(Antepartum hemorrhage)

① 분만 전에 출혈이 일어나는 경우

② 원인

임신 전반기(20주 이전) 출혈의 원인	임신 전반기 이후 출혈의 원인
유산(abortion) : 가장 흔함 자궁외임신(ectopic pregnancy) 포상기태(hydatidiform mole) 융모암종(choriocarcinoma)	태반조기박리(placenta abruption) 전치태반(placenta previa) 전치혈관(vasa previa)

(2) 산후 출혈(Postpartum hemorrhage)

① 다음 중 한가지에 해당하는 경우로 정의

　a. 분만진통 제3기(Third stage of labor)가 완료된 후 500 mL 이상의 출혈

　b. 질식분만 후 500 mL 이상의 실혈

　c. 제왕절개분만 후 1,000 mL 이상의 실혈

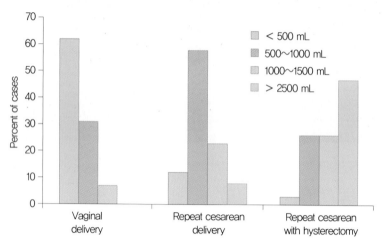

그림 37-1. 분만과 자궁절제술의 실혈량

② 출혈 시기에 따른 분류와 원인

	1차성(조기) 산후 출혈	2차성(만기) 산후 출혈
정의	분만 24시간 이내에 발생한 출혈	분만 후 24시간부터 6~12주 내에 발생한 출혈
원인	자궁이완증(uterine atony) : 80% 잔류태반(retained placenta) 유착태반(placenta accreta) 응고장애(coagulopathy) 자궁뒤집힘(uterine inversion)	태반부착부위 퇴축불완전(abnormal involution) : 가장 흔함 잔류수태산물(retention of placental fragment) 감염(infection) 유전성 응고장애(hereditary coagulopathy)

2) 선행요인 및 모성사망

(1) 선행요인

비정상 태반형성	자궁이완
전치태반 태반조기박리 유착태반 자궁외임신 포상기태	과팽창 자궁(거대아, 다태아, 양수과다증, 혈괴에 의한 팽창) 마취 또는 진통제(할로겐제제, 저혈압이 동반된 전도 진통제) 자궁근층의 허탈(신속한 진통, 연장된 진통, 옥시토신 또는 　　프로스타글란딘으로 자극, 융모양막염) 자궁이완증의 과거력

분만진통과 분만 중 손상	혈액응고장애(다른 요인들을 악화시킴)
회음절개술 합병된 질식분만 하위 또는 중위 겸자분만 제왕절개분만 또는 자궁절제술 자궁파열(이전의 자궁수술, 다산부, 과도한 자극, 　폐쇄된 진통, 자궁 내 조작, 중위겸자회전술)	태반조기박리 장기간 자궁 내 태아사망 양수색전증 식염수로 유발된 유산 혈액 내 내독소에 의한 패혈증 중증 혈액응고장애 다량의 수혈 중증 전자간증, 자간증 선천성 응고장애 항응고제 치료
적은 모체 혈액량	**기타 요인**
작은 여성 임신성 혈액량 증가가 최대로 되지 않는 경우 임신성 혈액량 증가가 제한된 경우(중증 전자간증, 자간증)	비만 인종(native American ethnicity) 이전 산후 출혈의 과거력

(2) 산과적 출혈과 관련된 모성사망의 원인

① 모성사망의 주된 원인 : 고혈압, 감염, 출혈

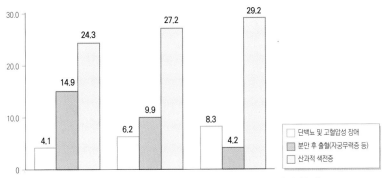

그림 37-2. 한국 주요 모성사망 원인의 구성비 추이

② 산과적 출혈의 원인 순서 : 이완성 출혈, 유착태반, 태반조기박리, 열상 또는 자궁파열, 혈액응고장애, 전치태반

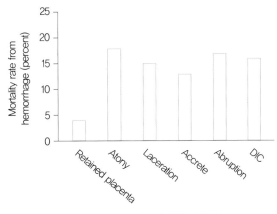

그림 37-3. 산과적 출혈의 원인

2 산전 출혈(Antepartum hemorrhage)

1) 태반조기박리(Placental abruption)

(1) 정의

① 태아 만출 이전 태반이 착상 부위에서 분리되는 현상

② 자궁벽과 태반 사이를 연결하는 혈관들이 터져 태반과 자궁벽 사이에 출혈이 발생

    a. 외출혈(external hemorrhage)

      - 출혈이 융모막과 자궁벽 사이에 있는 공간을 통해 자궁경부로 흘러나오는 경우

      - 은폐성 출혈보다 더 흔함

    b. 은폐성 출혈(concealed hemorrhage)

      - 태반 뒤로 혈액이 유출되는 경우

      - 변연이 자궁벽과 붙어 있는 경우

      - 태반은 완전히 박리되었으나 양막이 자궁벽에 붙어 있는 경우

      - 혈액이 막을 통해 흘러나온 후 양막강 내에 고여 있거나, 아두가 자궁하절부에 밀착되어 혈액이 흘러나올 수 없는 경우

      - 산전진단이 어렵고 출혈량의 정도를 평가하기 어려우며 소모성 혈액응고장애가 동반되는 빈도가 높아 태아와 임산부에게 매우 위험

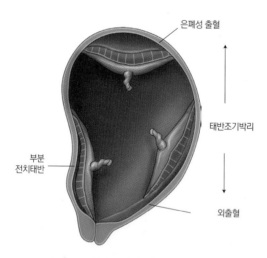

그림 37-4. 태반조기박리(placental abruption)

(2) 병태생리

① 탈락막 기저층 내의 출혈에 의해 시작되며 점차적으로 탈락막이 자궁벽으로부터 분리

② 혈종이 커질수록 주위 태반의 박리, 압박 및 파괴가 발생하여 태반 내 저항이 증가

③ Prostaglandin 분비로 인한 자궁의 과수축으로 태반의 혈류공급 저하 발생

④ 태반 손상으로 증가된 thromboplastin이 모체순환으로 들어가 혈액응고장애 발생

(3) 빈도 및 위험인자

① 빈도 : 0.5~1.8%

    a. 다음 임신 시 재발률 : 5~17%

    b. 모성 사망률 : 1%

    c. 주산기 사망률 : 4.4~67%

② 위험인자

위험인자	상대위험도
태반조기박리 과거력	10~188
나이와 분만력의 증가	1.3~2.3
인종(흑인, 백인 〉 아시아, 라틴아메리카)	
가족력	
전자간증(preeclampsia)	2.1~4.0
만성 고혈압(chronic hypertension)	1.8~3.0
융모양막염(chorioamnionitis)	3.0
조기양막파수(preterm ruptured membranes)	2.4~4.9
다태아 임신(multifetal gestation)	2~8
저체중출생아(low birthweight)	14.0
양수과다증(hydramnios)	2~8
흡연(cigarette smoking)	1.4~1.9
단일탯줄동맥(single umbilical artery)	3.4
코카인(cocaine use)	
자궁근종(uterine leiomyoma)	
무증상 갑상샘기능저하증(subclinical hypothyroidism)	2~3
항갑상선항체(antithyroid antibody) 증가	

(4) 임상소견

① 가장 흔한 증상

    a. 질 출혈(외출혈)

    b. 자궁의 압통(tenderness), 허리통증

    c. 안심할 수 없는 태아 상태(nonreassuring fetal status)

    d. 자궁의 빈번한 수축, 지속적 긴장 항진

② 안심할 수 없는 태아 상태(nonreassuring fetal status)

    a. 태반 박리의 정도와 출혈이 심한 경우 자궁 내 태아 빈혈 및 가사 소견 동반 가능

    b. 원인 : 태반 박리, 산모의 출혈, 태아의 출혈, 자궁의 고긴장

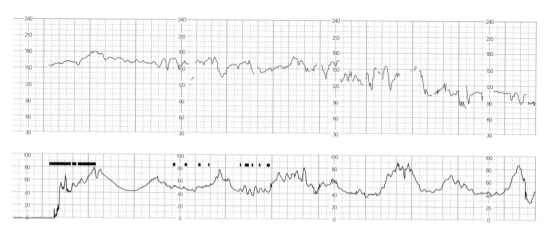

그림 37-5. 태반조기박리의 빈번한 수축과 지속적 긴장 항진 및 태아절박가사

③ 저혈량 쇼크(hypovolemic shock)

　　a. 총 혈액량의 25~30%를 소실할 경우 혈압저하, 빈맥, 산혈증이 발생

　　b. 쇼크는 출혈의 양과 비례하지 않은 경우도 많음

④ 소모성 혈액응고장애(consumptive coagulopathy)

　　a. 중증 태반조기박리가 있는 임신부의 약 30%에서 발생

　　b. 과다출혈로 인한 조직 저산소증과 응고 인자의 모체 혈액 내 유입으로 혈관내피세포 손상 및 혈관 내 응고가 범발성으로 발생

⑤ 자궁태반졸증(uteroplacental apoplexy, Couvelaire uterus)

　　a. 혈관 외로 유출된 혈액이 광범위하게 자궁근층과 장막하로 퍼져 자궁이 붉거나 파랗게 보이는 현상

　　b. 자궁근층의 혈종은 자궁수축을 방해하지 않아 자궁적출의 적응증은 아님

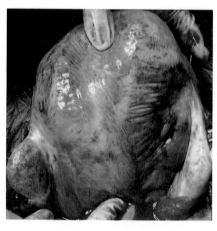

그림 37-6. 자궁태반졸증(Couvelaire uterus)

⑥ 말단장기손상(end organ injury)

   a. 급성 신부전증(acute renal failure)

     - 산과 영역에서 신장의 가장 흔한 급성 손상

     - 과도한 출혈로 인한 신장의 혈류공급장애와 급성 세뇨관 괴사에 의해 발생

     - 적절하고 적극적인 혈액 및 전해질 용액의 보충 필요

     - 단백뇨가 흔히 발생하지만 분만 후 대부분 호전(가역적)

   b. 시한씨증후군(Sheehan syndrome)

     - 심한 분만 중 출혈, 초기 산후출혈에 의해 드물게 발생하는 뇌하수체호르몬 분비장애

     - 증상 : 분만 후 나타나는 수유장애, 무월경, 유방의 위축, 치모와 액모의 손실, 갑상샘기
       능저하증, 부신피질호르몬결핍증 등

     - Brain CT : 비정상적 뇌하수체 모양 및 sella turcica의 전체 혹은 부분적 결손

(5) 진단

① 태반조기박리가 의심된다면 태반조기박리에 준하는 처치를 바로 시행

② 진단이 불확실할 경우 : 초음파 검사

   a. 태반과 자궁벽 사이에 혈종이 있는지 여부를 확인

   b. 초음파 소견

     - Acute hematoma : isoechoic to placenta

     - Subacute hematoma : heterogeneous or hypoechoic to placenta (가장 흔함)

     - Resolving/chronic hematoma : sonolucent

   c. 태반후혈종(retroplacental hematoma)의 진단은 민감도 및 특이도가 낮아 관찰되지 않아도
     가능성을 배제할 수 없음

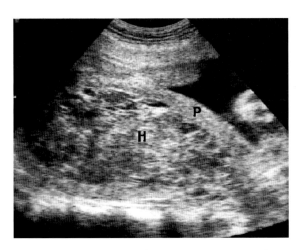

그림 37-7. 태반후혈종(retroplacental hematoma)

(6) 처치

① 활력징후 및 질 출혈 평가

    a. 다량의 질 출혈, 저혈압 및 빈맥을 보이면 우선 출혈량 3배 정도의 정질액을 정주하여 혈압 유지를 위해 노력

    b. 모성사망률의 감소는 분만 시간의 단축보다는 빠르고 충분한 수액요법이 중요

② 혈액검사

    a. 혈색소, 혈소판 수치 및 응고인자 검사를 시행하여 수혈 여부를 평가

    b. 교차교잡검사(cross matching)를 시행하여 적절한 혈액을 준비

    c. 적혈구용적률 30% 이상과 소변량 30 mL/hr 이상 되도록 보충

③ 치료 : 모체와 태아의 상태에 따라 결정

임신연장요법 (Expectant management)	제왕절개분만 (Cesarean delivery)	질식분만 (Vaginal delivery)

태아가 미숙한 경우에만 시행
1. 태아 이상을 보이는 심장박동 양상의 증거가 없음
  – 지속적인 서맥
  – 심한 심장박동수 감소
  – 굴모양곡선(sinusoidal) 심장박동수
2. 임산부의 활력징후가 안정적이면서 출혈이 적음
	소생 가능한 주수의 태아
	질식분만이 임박하지 않은 경우
	준비 안 된(unfavorable) 자궁경부
	질식분만의 금기증
	수술적 분만을 요하는 산과적 합병증
		태아 사망
		소생 불가능한 임신 주수

④ 질식분만 시 처치

    a. 인공 양막파수(amniotomy)의 장점

      - 나선동맥(spiral artery) 압박

      - 태반부착 부위의 출혈 감소

      - 산모에게 thromboplastin 유입 감소

      - 분만 촉진

    b. 옥시토신(oxytocin) 사용 : 규칙적인 자궁수축이 없다면 기본용량 투여

⑤ 기타 처치

    a. Rh 동종면역 : Rh 음성 산모인 경우 산모가 RhD에 감작되지 않도록 RhIG 투여

    b. 자궁수축억제제(tocolytics) : 금기

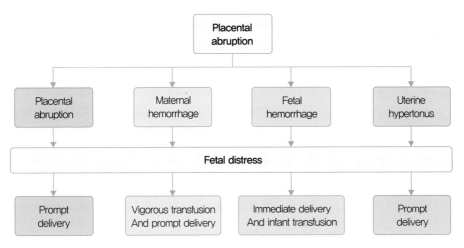

그림 37-8. 태반조기박리로 인한 태아가사의 원인과 치료법

2) 전치태반(Placenta previa)

(1) 정의 및 분류

① 태반이 자궁경부의 내구에 매우 근접해 있거나 덮고 있는 경우

② 분류(NIH, 2014)

    a. 전치태반(placenta previa) : 태반이 자궁내구를 완전 또는 부분적으로 덮고 있는 경우

    b. 하위태반(low-lying placenta) : 태반이 자궁내구로부터 2 cm 이내 위치한 경우

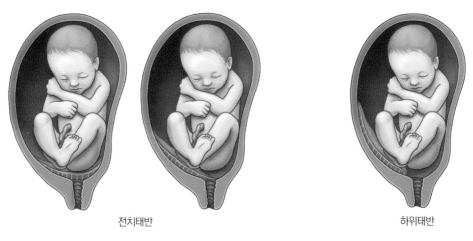

전치태반   하위태반

그림 37-9. 전치태반의 분류

(2) 전치태반의 자연소실
① 임신 초기에 진단된 하위태반의 90%는 임신 3분기에 소실
② 태반의 이동(placental migration)
　　a. 임신 후반으로 갈수록 자궁저부의 혈액순환이 증가하여 태반이 자궁저부 쪽을 향해 자라고 영양공급이 상대적으로 적은 자궁하부의 태반은 영양결핍으로 인해 퇴화 및 위축
　　b. 임신 후반으로 갈수록 자궁하부가 팽창되어 태반과 자궁내구의 거리가 멀어짐
③ 전치태반으로 남을 가능성이 더 높은 경우
　　a. 임신 중반 초음파 검사에서 태반이 자궁내구를 덮고 있는 경우
　　b. 이전에 제왕절개술 과거력이 있는 경우

(3) 빈도 및 위험인자
① 빈도 : 만삭의 임신부 200명당 1명의 빈도
② 위험인자

인구학적 요인	임상적 요인
산모의 나이 증가(만 35세 이상) 다산부(multiparity) 흡연(cigarette smoking) 자궁근종(uterine leiomyoma)	제왕절개술의 과거력(prior cesarean deliveries) Maternal serum alpha-fetoprotein (MSAFP) 수치 증가 보조생식술(ART)을 통한 임신 다태아 임신(multiple pregnancy)

③ 흡연 : 일산화탄소에 의한 저산소증 → 보상을 위한 태반의 비대 및 표면적 증가

(4) 임상소견
① 전형적인 증상 : 통증 없는 출혈(painless bleeding)
　　a. 임신 제2삼분기 말까지는 잘 나타나지 않음
　　b. 자궁하부가 형성되고 내구가 열리면서 태반부착부위가 찢어져 발생
　　c. 처음 발생하는 출혈은 소량으로 시작, 차츰 자주 재발
② 특징
　　a. 태반의 유착(accreta), 감입(increta), 침투(percreta) 발생 : 자궁하부의 잘 발달되지 않은 탈락막에 태반이 부착되기 때문
　　b. 혈액응고장애는 드묾 : thromboplastin이 자궁경관(cervical canal)으로 빠져나가기 때문

(5) 진단
① 초음파 검사
　　a. 태반의 위치를 알 수 있는 가장 간단하고 정확하며 안전한 방법

b. 진단적 정확도 : 질 초음파 > 복부 초음파

c. 방광을 비운 상태에서 시행 : 방광의 과도 팽창으로 자궁하부가 눌려 자궁경부로 오인

d. 위양성을 일으킬 수 있는 경우

    - 임산부의 자세 또는 방광의 과도한 팽창

    - 자궁이 수축한 경우

    - 태반 압박이 있는 경우

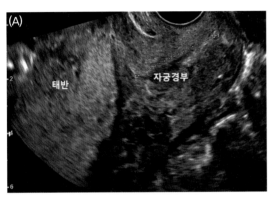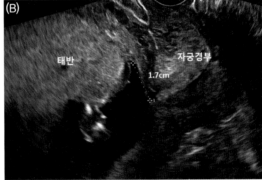

그림 37-10. 전치태반의 초음파 소견, (A) 전치태반, (B) 하위태반

② 내진(cervical digital examination)

    a. 응급 제왕절개수술을 준비하지 않은 상태에서는 절대 금기

    b. 조심스러운 내진도 매우 심한 출혈 유발 가능

③ 자기공명단층촬영(MRI)

    a. 태반의 이상을 진단하는 데 좋은 방법

    b. 근래에 초음파를 대신할 가능성은 적음

(6) 처치

① 경우에 따른 처치

    a. 태아가 미숙아이면서 분만할 필요성이 없는 경우 : 임신연장요법

    b. 미숙아이지만 분만을 해야 할 정도로 심한 출혈을 하는 경우 : 제왕절개

    c. 태아가 성숙한 경우 : 제왕절개

        - 자궁절개는 일반적으로 횡절개를 시행

        - 자궁의 앞쪽에 위치한 완전 전치태반, 태아가 횡위로 있는 경우에는 고전적 종절개로
          제왕절개를 하는 것이 안전

② 임신연장요법(expectant management)을 할 수 있는 조건

    a. 안정적인 임신부 상태

    b. 소량이거나 멈춘 질 출혈

    c. 전자태아감시상 안심할 수 있는 태아 상태 확인

    d. 언제든지 가능한 제왕절개분만

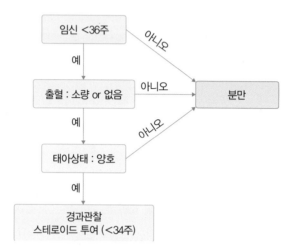

그림 37-11. 질 출혈을 동반한 전치태반 임신부의 단계적 처치

③ 무증상 전치태반 산모의 제왕절개 시행 시기

    a. 권장시기 : 임신 34~38주경

    b. 심각한 감입태반(increta)이 의심되는 경우 임신 34~36주에 시행하는 것을 고려

④ 산후 출혈

    a. 자궁하부는 수축력이 약해 태반착상부위에서 출혈을 많이 할 가능성이 있음

    b. 유착태반(placenta accreta)이 동반된 경우

      - 과다 출혈 가능성 증가

      - 이전 자궁절개 부위 앞에 태반이 위치한 경우 유착태반 및 자궁절제술 가능성 증가

    c. 산모의 활력 징후가 불안정하다면 즉시 자궁절제술 시행

(7) 예후

① 모성 사망 : 최근 수혈과 제왕절개 때문에 감소

② 주산기 사망 증가

    a. 조산 : 주산기 사망의 가장 큰 원인

    b. 태아 기형이 증가(약 2.5배)

3) 전치혈관(Vasa previa)

(1) 정의 및 임상증상

① 태반의 변연부에 삽입된 탯줄로부터 이 막을 따라 부태반(succenturiate placenta)으로 뻗어 있는 태아이행혈관(fetal aberrant vessels)이 자궁내구에 위치해 있는 경우

② 임상증상

    a. 산전에 대부분 무증상

    b. 진통 시 태아의 선진부로 인해 전치혈관이 눌릴 경우 태아 서맥이 발생

    c. 혈관 위치의 양막 파막 시 혈관 파열로 인한 태아출혈로 약 60%에서 태아 사망 발생

    d. 임신 중기 초음파 검사에서 진단된 전치혈관의 15%는 임신 제3삼분기에 자연 소실

(2) 진단

① 산전 진단이 매우 어렵고 진단이 항상 가능하지 않음

② 초음파를 이용해 전치혈관을 확인해야 하는 경우

    a. 이행혈관을 동반하는 태반 기형 : 탯줄 막양부착(velamentous cord insertion), 부태반(succenturiate lobes), 이엽태반(bilobed placenta)

    b. 내진 시 자궁경부 안쪽 양막부위에서 태아 심박동과 일치하는 혈관 박동의 확인

    c. 산전 출혈을 주소로 내원한 산모

(3) 처치

① 전치혈관 산모의 약 1/4에서 조산

    a. 임신 28~32주 사이에 필요에 따라 산전 스테로이드 투여를 고려

    b. 상황에 따라 임신 30~34주 사이에 입원하여 경과관찰도 가능

② 무증상 전치혈관 산모의 제왕절개 시행 시기 : 임신 34~37주경 시행을 권장

③ 응급 제왕절개분만이 필요한 경우

    a. 진통과 동반되어 반복적으로 나타나는 태아 서맥

    b. 양막파열과 동시에 발생한 다량의 질 출혈

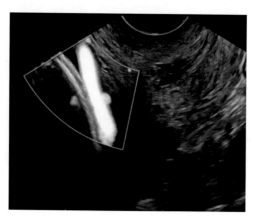

그림 37-12. 전치혈관의 색도플러 초음파 소견

3 산후 출혈(Postpartum hemorrhage)

1) 분만진통 제3기의 처치

(1) 분만진통 제3기

① 태아 분만 후부터 태반 만출이 이뤄지는 시기(대개 30분 이내)

② 분만진통 제3기의 불가피한 출혈

    a. 태반부착부위에서 만출이 완료될 때까지의 출혈

    b. 완전히 수축되지 않은 자궁에서의 출혈

③ 태반 만출 기전에 따른 출혈의 확인

Schultze mechanism	Duncan mechanism
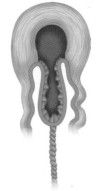	
태반 박리 후 분만될 때까지 출혈이 보이지 않음	출혈이 즉각적으로 보임

④ 자궁수축이 좋지 않은 상태에서 탯줄을 당기면 자궁뒤집힘(uterine inversion) 유발 가능

(2) 태반수기박리술(Manual removal of placenta)

① 적응증 : 신생아 분만 후에도 심한 출혈이 지속되고 태반이 부분적으로 또는 전체적으로 부착 되어있는 경우

② 적절한 진통 조절이나 마취가 필요, 무균적 처치로 시행

③ 시행방법

    a. 한 손은 복벽 위 자궁저부, 다른 한 손은 탯줄을 따라서 자궁 속에 위치

    b. 태반의 가장자리를 확인하고 서서히 자궁에 붙은 태반을 벗겨 분리시킴

    c. 완전히 분리된 후 태반을 잡아 서서히 빼내고 양막은 필요 시 고리집게(ring forcep)로 탈락막에서 조심스럽게 분리시킴

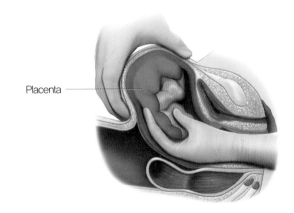

Placenta

그림 37-13. 태반수기박리술

(3) 태반 만출 후의 처치

① 자궁저부를 만져보고 자궁수축을 확인

② 자궁수축이 좋지 않은 경우

    a. 자궁저부를 강하게 마사지

    b. 20 U oxytocin을 1,000 mL 링거액 또는 생리식염수에 혼합 후 분당 10 mL 정맥주사

(4) 잔류태반조직에 의한 출혈

① 만기 산후 출혈의 가장 흔한 원인

② 부태반(succenturiate lobe)으로 인해 발생하는 경우가 많음

③ 예방법 : 만출된 태반을 잘 살펴보고 결손 부분을 확인

④ 치료

    a. 내과적 치료 : 자궁수축제(1st choice)

    b. 외과적 치료 : 소파술(curettage), 자궁경(hysteroscope) 등을 통한 잔류태반 제거

2) 자궁이완증(Uterine atony)

(1) 정의 및 진단

① 태반 만출 후 적절한 자궁수축이 안되어 심한 출혈이 발생하는 경우

② 분만진통 제3기 이후 출혈의 가장 흔한 원인

③ 진단 : 다른 원인에 의한 출혈을 배제하여 진단

    a. 만출된 태반을 확인

    b. 제왕절개 중에는 자궁내부를 직접 확인

    c. 질식분만인 경우

      - 복부 초음파 및 소독장갑 착용 후 자궁 내 손을 넣어 잔류태반 확인

      - 자궁경부 및 질의 열상과 혈종 유무 확인

(2) 위험인자

① 자궁이 큰 경우 : 거대아, 다태아 임신, 양수과다증, 잔류혈괴

② 유도분만

③ 마취제 또는 진통제 : halothane제제, 저혈압이 발생한 전도마취(conduction anesthesia)

④ 비정상적 분만진통 : 급속분만, 분만진통의 지연, 분만촉진, 융모양막염

⑤ 자궁이완증의 과거력

⑥ 임신력 : 초산부(primiparity), 많은 출산력(high parity)

(3) 자궁수축제(Uterotonics)

약제	투여방법	부작용
Oxytocin	10~40 U/L + 생리식염수, 링거 1,000 mL (10 mL/min. 속도로 IV)	희석없이 IV 시 저혈압, 부정맥 많은 양 투여 시 항이뇨효과
Methylergonovine (Methergine)	0.2 mg, 4~6시간 간격, IM or IV	IV 시 중증 고혈압, 조직허혈 유발 금기증 : 고혈압, 전자간증
Prostaglandin $F_{2\alpha}$ (Carboprost tromethamine)	250 μg, IM (15~90분 간격, 최대 8번)	설사, 고혈압, 구토, 발열, 홍조, 빈맥 금기증 : 천식이 있는 환자
Prostaglandin E_2		
Dinoprostone	20 mg, 직장 or 질 내 삽입, 2시간 간격	
Sulprostone	500~1,000 μg + 생리식염수 500 mL (최대 33 μg/min. 속도로 IV)	
Prostaglandin E_1 (Misoprostol)	600~1,000 μg, 직장, 경구, 설하 삽입	

① 옥시토신(oxytocin)

    a. 자궁이완증에서 첫번째로 사용할 수 있는 자궁수축제

    b. 투여방법

      - 자궁근육에 직접 10 U을 주사

      - 10~40 U/L를 생리식염수, 링거 1,000 mL에 섞어 10 mL/min. 정도로 정맥주사

    c. 주의사항

      - 희석하지 않고 정맥투여(undiluted bolus) 시 저혈압, 부정맥을 유발

      - 많은 양을 투여 시 항이뇨효과 유발

② Ergot 유도체(ergot preparations)

    a. Methylergonovine (Methergine) 0.2 mg, 4~6시간 간격, 근육주사

    b. 주의사항

      - 정맥주사 시 중증 고혈압, 조직허혈 유발 가능

      - 금기증 : 고혈압, 전자간증

③ 프로스타글란딘(prostaglandins)

    a. $PGF_{2\alpha}$

      - Carboprost tromethamine : 250 µg을 근육주사(필요시 15~90분 간격, 최대 8번 가능)

      - 부작용 : 설사, 고혈압, 구토, 발열, 홍조, 빈맥 등

      - 주의사항 : 기관지 수축작용이 있으므로 천식이 있는 환자는 금기

    b. PGE_2

      - Dinoprostone : 20 mg, 직장(rectal), 질(vaginal) 삽입, 2시간 간격

      - Sulprostone : 500~1,000 µg을 생리식염수 500 mL 섞어 정맥주사(최대 33 µg/min.)

    c. PGE_1

      - Misoprostol : 600~1,000 µg, 직장(rectal), 경구(oral), 설하(sublingual) 삽입

      - 분만 후 산후출혈 예방은 oxytocin과 ergot 유도체의 투여가 더 효과적

④ 옥시토신 유사체(carbetocin)

    a. 자궁근층의 옥시토신 수용체에 작용하는 약제

    b. 옥시토신보다 지속시간이 길고, 특히 분만진통 제3기 태반 만출 전에 사용하는 적극적 처치 시 산후 출혈의 발생빈도를 감소

(4) 약물에 반응하지 않는 출혈의 단계적 처치

① 두손 자궁압박법(bimanual uterine compression)

    a. 한 손은 질 쪽에서 다른 한 손은 하복부에서 자궁을 압박하는 방법

    b. 초기에 사용 시 자궁무력증에 의한 출혈이 효과적으로 감소

② 도움 요청

③ 수액과 옥시토신 공급을 위한 정맥주사 경로를 최소 두 개 확보, 도뇨관 삽입

④ Crystalloid 수액 공급

⑤ 진통 조절이나 마취 후 손을 넣어 자궁내부의 잔류태반, 근종, 열상, 파열을 확인

⑥ 눈으로 자궁경부와 질의 열상을 확인

⑦ 산모의 상태가 불안정하고 출혈 지속 시 수혈

⑧ 수술적 치료를 고려

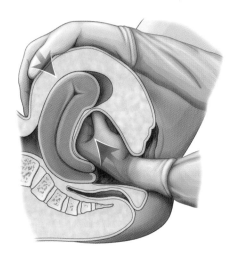

그림 37-14. 두손 자궁압박법(bimanual uterine compression)

(5) 풍선압박지혈술(Balloon tamponade)

① 바크리 산후출혈풍선방법(Bakri postpartum balloon)

a. 수액을 150~500 mL 까지 주입하여 압박에 의해 지혈하는 방법

b. 장점

- 자궁강 내 출혈 여부 및 정도를 확인 가능

- 자궁수축제를 자궁강에 주입하여 자궁수축의 향상 기대 가능

c. 혈관색전술 시행 전 출혈을 줄이기 위해 사용

d. 조직 괴사를 막기위해 12~24시간 후 제거

② 사용 가능한 다른 기구 : 24F 도뇨관, Segstaken-blakemore tube (S-B tube), Rusch balloon

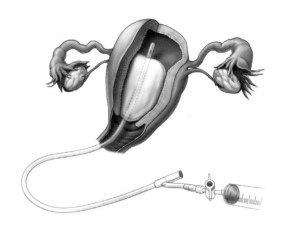

그림 37-15. 바크리 산후출혈풍선방법(Bakri postpartum balloon)

(6) 외과적 치료(Surgical procedures)

① 내과적 처치 및 수기에도 출혈이 지속될 경우 시행

② 자궁을 보존하는 방법 : 자궁압박봉합, 골반혈관 결찰술, 혈관조영 색전술

③ 자궁절제술(hysterectomy)

3) 자궁뒤집힘(Uterine inversion)

(1) 원인 및 위험인자

① 원인

　a. 태반 분만 후 태반이 저절로 떨어지기 전 무리하게 탯줄을 잡아 당겼을 때 발생

　b. 자궁바닥에 무리한 압력을 가하게 되면 가능성이 더 증가

② 위험인자 : 자궁저부 태반부착, 자궁이완증, 태반분리 전 탯줄 당김, 유착태반 스펙트럼

③ 단계 : 불완전 자궁뒤집힘 → 완전 자궁뒤집힘

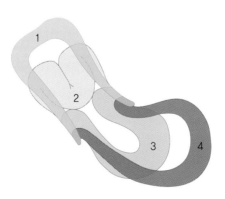

그림 37-16. 자궁뒤집힘의 단계

(2) 진단
　① 임상증상
　　　a. 자궁경부를 통해 보이는 적갈색의 종괴
　　　b. 지속적인 출혈(치명적인 출혈로 인한 사망을 초래 가능)
　　　c. 저혈압
　② 진단방법
　　　a. 자궁저부의 함몰(depression)이나 결함(defect)을 촉진
　　　b. 뒤집힌 자궁을 질 밖에서 확인하거나 질 내에서 촉진

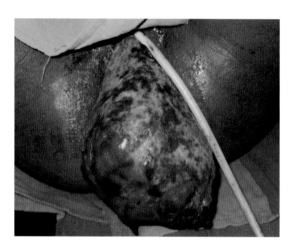

그림 37-17. 자궁뒤집힘(uterine inversion)

(3) 치료
　① 태반 만출 후 자궁수축이 강하게 이루어지기 전인 경우
　　　a. 도수 정복 : 주먹이나 거즈덩이를 잡은 집게(forceps)를 이용하여 위쪽으로 밀어 올려 복원
　　　　시도
　　　b. 자궁천공을 주의

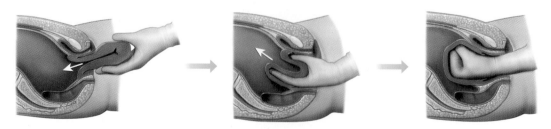

그림 37-18. 자궁뒤집힘의 복원

② 자궁수축 때문에 복원이 어려운 경우

    a. 마취과 의사를 포함한 의료팀을 소집

    b. 적어도 두 개의 정맥주사용 경로와 혈액을 확보

    c. 태반이 분리되지 않았으면, 수액과 마취제 투여 전에는 태반 제거를 시도하지 않음

    d. 태반을 제거한 후에는 자궁수축억제제를 사용하고 복원 시도

    e. 자궁 모양이 정상으로 회복되면 자궁수축억제제를 중단하고 자궁수축제를 투여

③ 복원 시 사용되는 마취제와 자궁수축억제제

마취제	자궁수축억제제	자궁수축제
Rapidly acting halogenated inhalational agent Halothane Enflurane	Ritodrine Terbutaline Magnesium sulfate Nitroglycerin	Oxytocin Methylergonovine

④ 외과적 치료 : 다른 방법의 실패 시 시행

4) 산도 손상(Injuries to the birth canal)

(1) 질외음부 열상(Vulvovaginal laceration)

① 외음부 열상(vulvar laceration)

    a. 깊지 않은 경우 출혈이 많지 않음

    b. 치료 : 단순 관찰 or 봉합

② 회음부 열상(perineal laceration)

    a. 다양한 손상이 발생 : 질 하부 손상 동반, 직장괄약근까지의 손상, 깊은 질벽 손상

    b. 치료 : 회음부 및 질의 근막과 근육을 맞춰서 봉합

③ 질 열상(vaginal laceration)

    a. 대부분 회음부 또는 자궁경부 열상이 동반

    b. 치료

      - 적절한 봉합 시행

      - 요도 인접 부위의 열상 : 상처가 얕고 출혈이 없으면 봉합은 필요 없으나 출혈이 많으면 지혈을 위해 봉합 시행

      - 봉합을 많이 한 경우 배뇨장애 예방을 위해 도뇨관 삽입

    c. 봉합이 필요한 출혈 부위는 없지만, 스며 나오는 출혈이 있는 경우

      - 질 내를 거즈로 메우는 방법을 시도

      - 질 내에 혈액이 고이지 않게 거즈의 꼬리를 질 밖으로 노출

(2) 자궁경부 열상(Cervical laceration)

① 특징

　　a. 단독으로 생기는 경우는 드물고, 심경부 열상(deep cervical tear) 동반이 많음

　　b. 자궁하부 및 자궁동맥의 손상, 복막열상 동반 가능

② 진단

　　a. 조수는 직각 질견인자(right angle retractor)로 노출시키고, 수술자는 고리집게로 자궁경부를 잡고 확인

　　b. 내진 : 열상의 정확한 진단이 어려움

　　c. 수술적 질식분만, 난산 후에는 반드시 자궁경부를 확인

③ 치료

　　a. 출혈이 없는 1~2 cm 정도의 열상 : 경과관찰

　　b. 심경부 열상 : 즉시 봉합

　　　- 자궁경부, 질, 회음부 봉합 시에는 흡수사를 이용

　　　- 과도한 봉합은 자궁경부협착(cervical stenosis) 유발

　　c. 복막천공, 후복막 또는 복막 내 출혈이 약간이라도 의심되면 개복술 시행

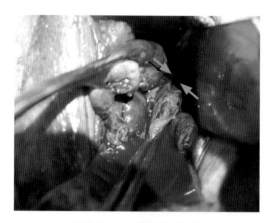

그림 37-19. 자궁경부 열상

5) 산욕기 혈종(Puerperal hematomas)

(1) 회음부 혈종(Perineal hematoma)

① 전·후방 골반삼각(pelvic triangle)의 천근막(superficial fascia)에 있는 혈관 열상으로 발생

② 출혈은 콜레근막(Colle's fascia)과 비뇨생식가로막(urogenital diaphragm)에 국한

③ 증상 : 아급성 출혈, 외음부 통증

④ 치료

　　a. 피부 절개를 충분히 하여 혈종을 제거(열상 혈관을 찾기는 어려움)

b. 혈종 제거 후 빈 공간을 봉합결찰

c. 소독된 큰 거즈로 압박하고 12시간 후 제거

d. 시술 후 24~36시간 도뇨관 유지

(2) 질 혈종(Vaginal hematoma)

① 분만 시 질의 연조직 손상으로 발생

　a. 외음부 혈종보다는 적은 빈도로 발생

　b. 많은 양의 혈액이 고이는 경우는 드묾

② 증상 : 직장 압박감, 질 밖으로의 종괴

③ 치료

　a. 질내 절개를 하여 혈종을 제거(열상 혈관을 찾기는 어려움)

　b. 절개 부위를 봉합할 필요는 없음

　c. 질 메우기로 절개 부위를 압박하고 24시간 내 제거

(3) 후복막강 내 혈종(Retroperitoneal hematoma)

① 내장골동맥(internal iliac artery)에서 기시하는 혈관의 열상으로 발생

　a. 매우 드물지만 심각한 저혈압, 쇼크 전까지는 모를 수 있어 발생하면 치명적

　b. 제왕절개술 때 자궁동맥 결찰이 불완전한 경우, 이전 제왕절개 임신부의 질식분만 시 자궁파열 등으로 발생 가능

② 치료 : 응급개복 수술을 시행하여 양쪽 내장골동맥을 결찰

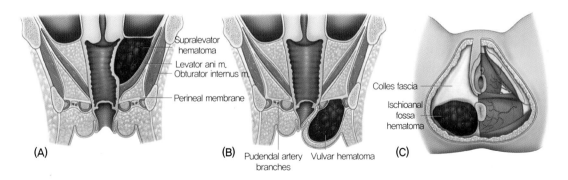

그림 37-20. 산욕기 혈종의 종류

6) 자궁파열(Uterine rupture)

(1) 원인

현 임신 전에 자궁손상 혹은 기형이 존재한 경우	현 임신 동안에 자궁손상 혹은 기형이 발생한 경우
자궁근층을 포함한 수술	**분만 전**
제왕절개술 or 자궁절개술(가장 흔한 원인) 자궁파열의 과거력 자궁근종절제술, 자궁근종용해술 자궁각 임신으로 인한 자궁각절제술 선천성 자궁기형으로 인한 자궁성형술	지속적이고 강한 연속성 자궁수축 분만진통 자극(oxytocin, prostaglandin) 양막내주입(생리식염수, prostaglandin) 자궁내압력측정카테터에 의한 자궁천공 외적 손상 외회전술(external version) 자궁의 과다팽창(양수과다, 다태임신)
동반된 자궁손상	**분만 중**
기구를 이용한 수술적 유산 예리한 또는 둔한 손상(사고, 총상, 칼 등) 이전 임신 시 무증상 자궁파열	내회전술(internal version) 겸자분만 난산(forceps delivery) 둔위 만출 자궁하부 확장시키는 태아기형 분만 시 심한 자궁압력 태반수기박리술
선천적	**후천적**
미발달된 자궁뿔 임신 결합조직 결함(Marfan or Ehlers–Danlos syndrome)	태반유착증후군(Placenta accrete syndrome) 임신융모종양(gestational trophoblastic neoplasia) 자궁선종(adenomyosis) 후굴된 자궁의 감돈

(2) 분류

구분	자궁파열	특징
원인	외상성 자궁파열	외부적 힘이 가해져 자궁이 파열되는 경우
	자연 자궁파열	외부에서 가해지는 힘이 없이 자궁이 파열되는 경우
범위	완전 자궁파열	자궁벽 모든 층이 파열되어 복강과 자궁강이 서로 통하는 경우
	불완전 자궁파열	자궁이나 광인대를 덮고 있는 내장 복막에 의해 복강과 구별되는 경우

(3) 임상소견

① 완전 자궁파열의 증상

    a. 갑자기 발생하는 복통 및 자궁수축의 소실, 저혈량 쇼크, 태아곤란증 등

    b. 복강 내 출혈로 인한 횡격막 자극이 폐·양수색전증을 의심할 정도의 흉부통증 유발

c. 가장 많은 태아 심박동 이상

　- 갑자기 발생한 심각한 태아 심박동 감소

　- 다양성(variable) 태아심장박동수감소를 동반한 안심할 수 없는 태아 심박동 양상

② 불완전 자궁파열의 증상

　a. 대부분 무증상(조기진통, 태반조기박리 등 다른 산과적 응급상황과 비슷한 소견)

　b. 제왕절개수술 중 우연히 자궁수술반흔의 파열을 발견

　c. 진단 : 임상양상에 의존

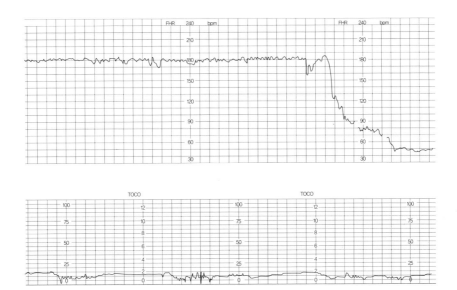

그림 37-21. 자궁파열 시 나타나는 태아 빈맥 후 지속성 태아 심박동 감소

(4) 진단에서 분만까지의 시간

① 태아의 상태는 태반부착부위 온전한 정도에 따라 결정

② 정확한 진단, 즉각적인 수술, 충분한 수혈 및 항생제 투여가 예후에 중요

③ 자궁파열에 의한 모체사망은 드묾

(5) 치료

① 단순 봉합 : 향후 임신을 원하는 경우 시행

② 자궁절제술 : 자연 자궁파열이나 제왕절개술 후 질식분만 시도할 때 발생한 자궁파열은 자궁절제술이 대부분 필요

7) 병적인 태반유착 상태(Morbidly adherent placenta)

(1) 정의

① 탈락막 해면층(decidual sponge layer)의 결함으로 인해 태반이 탈락막 기저층(decidua basalis) 또는 자궁근육에 유착되어 분리되지 않는 경우

② 태반유착증후군(Placenta accrete syndrome) : 최근 표현

③ 위험성

    a. 높은 모성 유병률과 사망률의 원인

    b. 심각한 산후 출혈과 분만 전후 응급 자궁절제술의 주요한 원인

(2) 분류

① 유착태반(placenta accreta) : 태반 융모가 자궁근층에 붙어있는 경우

② 감입태반(placenta increta) : 태반 융모가 자궁근층을 침입한 경우

③ 천공태반(placenta percreta) : 태반 융모가 자궁근층을 천공한 경우

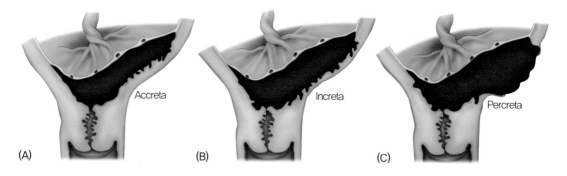

그림 37-22. 병적인 태반유착 상태의 분류

(3) 위험인자

① 전치태반, 이전 제왕절개 분만력 : 가장 중요, 횟수가 증가할수록 유병률 증가

② 산모의 나이 증가

③ 아셔만증후군(Asherman syndrome)

④ 자궁내막절제술의 과거력

⑤ 보조생식술(ART)을 통한 임신

(4) 진단

① 혈액 검사

    a. 모체 혈청 alpha fetoprotein (AFP), β-hCG ≥2.5 MoM

b. 병적인 태반유착 상태의 위험도 증가와 관련성이 있지만 낮은 예측도

② 초음파 검사

　a. 회색조 초음파 지표(Gray scale parameters)

　　- 투명공간의 소실(loss of the clear zone)

　　- 1 mm 미만의 얇은 자궁근층 두께(myometrial thinning)

　　- 태반 내 다수의 태반 방(placenta lacunae)

　　- 방광 후벽의 경계 소실(bladder wall interruption)

　　- 태반 돌출과 외장성 덩이(placental bulge, exophytic mass)

　b. 색도플러 초음파 지표(Color flow doppler parameters)

　　- 태반아래의 혈관과다분포(subplacental hypervascularity)

　　- 자궁방광부위의 혈관과다분포(uterovesical hypervascularity)

　　- 연결 혈관(bridging vessels)

　　- 태반 방 영양혈관(lacunae feeder vessels)

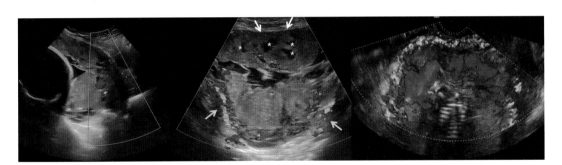

그림 37-23. 초음파 색도플러로 진단된 전치태반을 동반한 감입태반

③ 자기공명단층촬영(MRI)

　a. 초음파 검사에 뒤지지 않는 정확도와 민감도

　b. 자궁 뒤쪽에 위치한 전치태반의 자궁근층 침습 정도 평가에 유용

(5) 처치

① 수술 전 처치

　a. 가능한 수술 전 임신부의 혈색소 수치를 올림

　b. 분만 시기 : 임신 34~37주에 계획된 제왕절개분만 시행

　c. 충분한 치료가 가능한 적절한 의료기관의 선택

② 수술 중 처치

　　a. 수술 전 충분한 정맥주사 경로 및 활력징후의 정밀 관찰을 위해 동맥라인 유지

　　b. 수혈 준비 : 충분한 혈액, 10단위 이상의 농축적혈구, 신선동결혈장 등

　　c. 태반이 분리되지 않는 경우 태반을 자궁에 그대로 놔두고 자궁절제술을 시행

　　d. 복부절개 : 정중선 수직절개(시야 확보와 자궁 모든 부위로 접근 용이)

　　e. 기타 처치법

　　　- 질 내 거즈 충전 : 자궁이 골반 위쪽으로 올라가 요관을 바깥쪽으로 밀어내는 이점

　　　- 요관 스텐트 : 요관 손상으로부터 보호

　　　- 수술 후 자궁동맥 색전술 시행

③ 보존적 요법

　　a. 태반이 떨어지지 않는 경우, 자궁 내에 그대로 두고 보존적 처치 시행

　　b. 자궁동맥 색전술, 자궁동맥 결찰술, 산후 methotrexate 치료 등

　　c. 아직까지 이러한 처치들에 대한 장점이 증명되지 않아 많은 자료와 연구가 필요

4　산과적 혈액응고장애(Obstetrical coagulopathy)

1) 임신 중 소모성 혈액응고장애(Disseminated intravascular coagulopathy, DIC)

　(1) 정의

　　① 임신 중 저섬유소원혈증(hypofibrinogenemia)의 유발로 발생하는 심각한 혈관 내 응고장애

　　② 소모성 응고장애를 촉발시키는 혈액응고전구물질(procoagulant)의 병적 활성에 의해 혈소판 및 혈액응고인자들이 소모되어 발생

　　③ 태반조기박리, 양수색전증 같은 산과적 원인과 다른 여러 질환에 의해서 발생

　(2) 정상적인 임신 중의 혈액응고 항진

　　① 응고인자 I, VII, VIII, IX, X 증가

　　② 혈소판 수는 10% 감소하지만 활성도는 증가

　　③ 플라즈미노젠(plasminogen) 농도는 상당히 증가

　　④ 플라즈민(plasmin) 활성도 감소

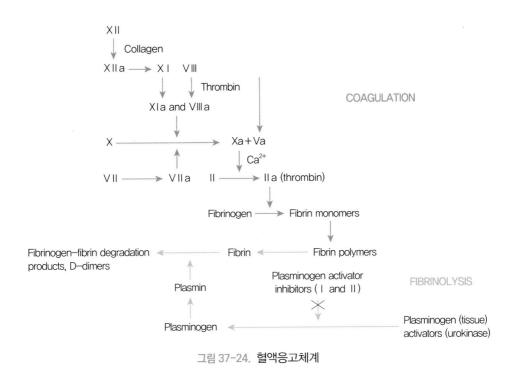

그림 37-24. 혈액응고체계

(3) 비정상적인 임신 중의 혈액응고 항진

① 외인성경로(extrinsic pathway)를 통한 활성화

　　a. 내독소 및 외독소

　　b. 태반박리 때 분비되는 트롬보플라스틴(thromboplastin)

　　c. 점액이나 암세포에 의해 만들어진 단백질분해효소가 응고인자 X를 직접 활성화

② 내인성경로(intrinsic pathway)를 통한 활성화 : 혈관내피세포 손상

(4) 진단

① 임상소견

　　a. 지혈장애 : 약간의 상처에도 과도한 출혈이 있는 경우

　　b. 의심 징후 : 정맥주사부위, 회음부 면도자국의 과도한 출혈, 이유 없는 잇몸의 출혈 등

　　c. 혈소판감소증 : 압박 부위의 자반, 회음절개 또는 회음부 열상에서 지속적인 출혈 등

② 진단을 위한 검사소견

　　a. 저섬유소원혈증(hypofibrinogenemia)

　　b. 섬유소분해산물(fibrinogen degradation products) 증가

　　c. 혈소판감소증(thrombocytopenia)

　　d. 프로트롬빈(prothrombin), 부분 트롬보플라스틴(partial thromboplastin) 시간 지연

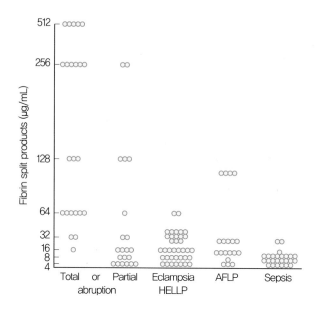

그림 37-25. 소모성 응고장애를 유발하는 산과적 원인에서 섬유소분해산물의 증가

(5) 치료

　① 응고장애 원인의 확인과 즉각적인 제거

　② 탈섬유소화(defibrinization)의 역전

　③ 주요 장기에 적절한 혈액공급을 유지

　　a. 활성화된 응고인자와 혈액 속 fibrinogen-FDP가 세망내피계에 의해 즉시 제거

　　b. 간 및 혈관내피에서 혈액응고 전구물질이 합성

　④ 추천되지 않는 방법(ACOG, 2017)

　　a. 미분획 헤파린(unfractionated heparin)

　　b. 항섬유소제제(antifibrinolytic agents) : Tranexamic acid, Epsilon-aminocaproic acid

2) 소모성 혈액응고장애의 산과적 원인

　(1) 태반조기박리(Placenta abruption)

　　① 산과 영역에서 심각한 소모성 혈액응고장애의 가장 흔한 원인 중 하나

　　② 태반조기박리 환자의 30% 정도에서 발생

　(2) 태아사망(Fetal death)과 지연분만(Delayed delivery)

　　① 태아가 사망한 상태로 임신 지속기간이 오래되면 혈액응고장애 발생 가능

　　② 혈액응고장애는 태아 사망 4주 내에는 거의 발생하지 않음

③ 4주 이상이 되면 약 25%에서 발생

 a. 사망한 태아 또는 태반에서 분비된 트롬보플라스틴(thromboplastin)에 의해 혈청 내 섬유
  소분해산물(FDP)은 증가

 b. 혈소판 수치는 감소하는 경향(심각한 경우는 드묾)

(3) 다태아 임신 시 태아사망(Fetal death in multifetal pregnancy)

 ① 일부 태아가 사망하고 나머지 태아 생존 시 뚜렷한 혈액응고장애의 발생빈도는 낮음

 ② 대부분은 혈관성 문합을 가진 단일 융모막에서 발생

 ③ 살아남은 태아에서 향후 뇌성마비와 뇌신경장애의 위험이 증가

(4) 전자간증, 자간증, HELLP증후군

 ① 혈소판감소증, 혈액 내 섬유소원-섬유소분해산물 생성 정도에 따라 중증 정도가 증가

 ② 분만 후 이러한 임상 양상은 대부분 자연 소실

(5) 양수색전증(Amnionic fluid embolism)

 ① 특징

  a. 전형적인 증상 : 급성 저산소증, 혈역학계 허탈, 혈액응고장애

  b. 예방할 수도, 예측할 수도 없는 산과적 질환

  c. 관련인자

선행요인	위험인자
급속분만 양수의 태변 착색 자궁 또는 골반혈관의 열상 (산모와 태아 간의 액체가 교환될 수 있는 상황)	산모의 나이 증가 지연임신(postterm pregnancy) 유도분만, 분만촉진 자간증(eclampsia) 제왕절개분만 수술적 질식분만(기구분만, 흡입분만) 전치태반, 태반조기박리

 ② 증상 및 진단기준

  a. 임상증상

   - 가장 흔한 증상 : 저혈압, 폐부종, 호흡곤란

   - 매우 극적이고 급격하게 발생

   - 분만이 임박했거나 막 분만한 산모가 갑자기 매우 가쁜 숨을 쉬면서 호흡곤란을 호소하
   고, 경련이나 심폐발작을 일으키며, 소모성 혈액응고장애, 대량 출혈을 보이다가 죽음
   에 이르게 됨

b. 진단기준

- 갑작스럽게 나타난 심폐정지 또는 저혈압과 호흡저하
- 명확한 소모성 혈액응고장애의 확인
- 분만 중 또는 태반 만출 후 30분 이내에 임상증상 발생
- 체온 ≤38℃

③ 병인론

a. 알려진 병인은 없음

b. 과거 양수가 정맥순환을 타고 가서 폐고혈압, 저산소증을 유발한다고 생각

c. 최근 양수색전증이 과민증(anaphylaxis)과 패혈성 혼수와 유사한 면역매개적과정(complement activation)의 결과로 이루어진다는 가설이 제시

④ 처치

a. 산소 공급

- 정상 산소포화를 유지하도록 공급, 맥박산소계측기 사용
- 안면마스크, 의식이 없는 경우 기관내삽관 후 양압의 기계호흡을 시행
- 고농도분획흡기산소(FIO_2) ≥0.6에도 산소포화 부적절 시 호기말양압환기(PEEP) 시행

b. 혈역학 허탈(hemodynamic collapse)의 치료

- 저혈압과 쇼크의 치료를 위해 필요
- 치료목표 : 수축기 혈압 ≥90 mmHg, 소변량 ≥25 mL/hr, 환자의 감각 유지
- 혈액량과 심박출량 유지를 위해 충분한 양의 정질액을 주입
- 종종 심장수축촉진제(digitalization + β-adrenergics)와 승압제(ephedrine, dopamine, dobutamine, norephinephrine)를 같이 투여
- 혈역학적으로 불안정한 환자는 폐동맥에 도관을 삽입 후 관리

c. 혈액응고장애의 치료

- 개인의 상황에 맞게 설정, 응고결함을 반복적으로 검사
- 농축적혈구, 신선동결혈장, 동결침전 및 혈소판을 투여하여 기관관류와 소변량이 유지되도록 하고, 이차적 소모성 혈액응고장애로 인한 출혈이 해결될 때까지 지속

⑤ 예후

a. 모성 사망률

- 61% 정도
- 생존한 많은 환자에서 저산소증으로 인한 영구적인 신경학적인 이상이 발생

b. 신생아 생존율

- 최근 약 79%
- 반수 이상에서 신경학적 이상이 동반

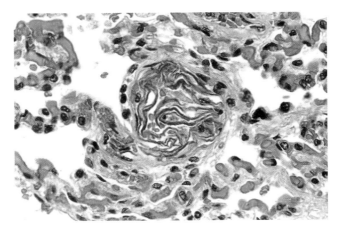

그림 37-26. 양수색전증 산모의 폐동맥에서 확인되는 태아 조직

(6) 패혈증(Sepsis syndrome)

　① 산전 신우염(antepartum pyelonephritis), 산욕기 감염(puerperal infection)

　　a. 원인균 : Escherichia coli

　　b. 혈액응고장애가 심하게 나타나지는 않음

　② 패혈성 유산(septic abortion), 산욕기 감염(puerperal infection)

　　a. 원인균 : Streptococcus pyogenes, Staphylococcus aureus, Clostridium perfringens 등

　　b. 혈관내피세포의 파괴를 매개로 활성화된 단핵세포의 표면에 있는 조직인자를 발현시켜 외인성경로를 활성화

(7) 유산(Abortion)

　① 유발 가능한 경우 : 임신 중기 프로스타글란딘을 이용한 내과적 분만, 기구를 이용한 유산, 고장성 및 요소 용액의 자궁 내 주입에 의한 유산

　② 고장성 용액에 의해 파괴된 조직(태반, 태아, 탈락막)에서 분비된 트롬보플라스틴(thrombo-plastin)이 모체 순환계로 들어가 발생

5 출혈의 처치(Management of hemorrhage)

1) 내과적 치료

　(1) 저혈량 쇼크(Hypovolemic shock)

　　① 출혈 발생의 인지가 가장 중요

　　② 수술전처치, 수술, 마취를 위한 의료진의 투입을 팀별로 즉각적으로 요청

③ 자궁이완증, 생식기 열상, 잔류태반 유무 등을 확인

④ 적어도 두 개의 정맥주사용 경로 확보 후 혈액 및 전해질 용액을 신속하게 투여

⑤ 소변량

    a. 가장 중요한 활력징후 중 하나

    b. 신장 관류량을 반영하며, 이는 주요 장기에 공급되는 혈액량을 반영

    c. 소변량 측정을 위한 도뇨관 삽입

    d. 최소 ≥30 mL/hr 유지, ≥60 mL/hr가 적절

(2) 수액 보충

① 즉각적이고 적절하게 정질액을 투여하여 위축된 혈관 내 용적을 채우는 것으로 시작

② 정질액(crystalloid)

    a. 초기에 용적을 채우는 데 사용

    b. 정질액(crystalloid)의 20%만이 1시간 뒤 혈관 내에 존재

    c. 초기 수액의 주입은 측정 혈액 손실양의 약 3배 이상의 정질액을 투여

(3) 혈액 보충

① 수혈의 기준

    a. 적혈구용적률(hematocrit) <25%, 혈색소(hemoglobin) ≤7 mg/dL : 심박출량 감소 시점

    b. 임상적 측면이 가장 중요

② 산과적 출혈에서 사용되는 혈액

Product	Volume per Unit	Contents per Unit	Effect on hemorrhage
전혈 (Whole blood)	약 500 mL Hct 40%	RBCs, plasma, 600~700 mg of fibrinogen no platelets	Restores blood volume and fibrinogen increases Hct 3~4 volume percent per unit
농축적혈구 (Packed RBC)	약 250 mL + 첨가물 Hct 55~80%	RBCs only no fibrinogen, no platelets	Increases Hct 3~4 volume percent per unit
신선동결혈장 (Fresh-frozen plasma)	약 250 mL 사용 전 30분 해동	Colloid plus 600~700 mg fibrinogen no platelets	Restores circulating volume and fibrinogen
동결침전 (Cryoprecipitate)	약 15 mL 동결	About 200 mg fibrinogen plus other clotting factors nwo platelets	About 3,000~4,000 mg total is needed to restore fibrinogen to 〉 150 mg/dL
혈소판 (Platelet)	약 50 mL 실온에서 보관	One unit raises platelet count about 5,000/L (single-donor apheresis "6-pack" is preferable)	6~10 units usually transfused (single-donor 6-pack preferable)

③ Parkland Hospital의 산과적 대량 출혈 시 수혈 프로토콜

Round No.	pRBC 5 units	FFP 3 units	Plts 6 pack	Cryo 1 unit	rVIIa 2 mg
1	○	○			
2	○	○	○		○
3	○	○		○	
4	○	○	○		○
5	○	○			
6	○	○	○	○	○
7	○	○			
8	○	○	○		○

④ 혈액형 검사와 교차검사(type and screen versus crossmatch) : 수혈 전 시행

⑤ 농축적혈구(packed red blood cells)

    a. 정질액 투여와 함께 산과 출혈의 주된 치료법

    b. 농축적혈구 1단위(unit)

      - 전혈(whole blood)과 동일한 용량의 적혈구 포함

      - 투여 시 적혈구용적률(hematocrit) 3~4 vol% 증가

      - 섬유소원(fibrinogen), 혈소판(platelet)은 없음

⑥ 신선동결혈장(fresh-frozen plasma)

    a. 전혈에서 분리한 혈장을 얼린 것, 사용 시 해동에 약 30분 소요

    b. 섬유소원(fibrinogen)을 포함하여 거의 모든 응고인자가 포함

    c. 혈소판(platelet)은 없음

    d. 적응증

      - 섬유소원(fibrinogen) <150 mg/dL, 비정상 PT 또는 PTT의 출혈 환자

      - 10~15 mL/kg 또는 동결침전(cryoprecipitate) 투여

      - 혈액용적 확장제로 사용할 수 없음

⑦ 동결침전(cryoprecipitate)

    a. 신선동결혈장에서 만들어짐

    b. 많은 양의 factor VIII:C, von Willebrand factor, fibrinogen, factor XIII, fibronectin 함유

    c. 적응증

      - 섬유소원이 매우 낮거나 수술 부위 지속 출혈 시 섬유소원의 가장 이상적인 공급원

      - 전반적인 응고인자 결핍 시 과도한 용량증가가 문제가 되는 경우 또는 특정한 응고인자가 결핍되는 경우에 사용

      - 출혈 중 전체 응고인자의 보충을 위해 신선동결혈장 대신 동결침전을 투여하는 것은 이점이 거의 없음

⑧ 혈소판(platelet)

    a. 적응증 : 혈소판수 ≤50,000/μL인 산과적 출혈 환자

    b. 1단위는 반드시 1명의 공혈자에게서 채취

    c. 공혈자의 혈장은 반드시 수혈자의 적혈구에 적합해야 함

    d. 혈소판 1단위(unit)

       - 한 단위당 50~70 mL의 혈장이 포함

       - 일반적으로 6~10단위 수혈

       - 각 단위는 혈소판수를 5,000/μL 증가

2) 외과적 치료

(1) 골반혈관 결찰술(Pelvic vessel ligation)

① 자궁동맥 결찰술(uterine artery ligation)

    a. 자궁의 주 혈액공급원인 자궁동맥의 상행분지 양쪽을 봉합사로 결찰

    b. 출혈이 지속되면 자궁난소인대의 바로 하방, 자궁저부(fundus) 위치에서 난소와 자궁동맥 합류지점 한쪽 또는 양쪽을 결찰

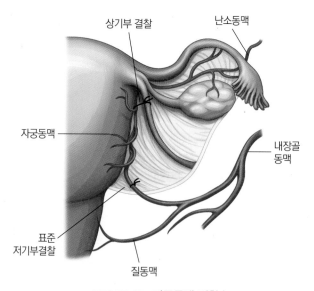

그림 37-27. **자궁동맥 결찰술**

② 내장골동맥 결찰술(internal iliac artery ligation)

    a. 총장골동맥의 내외 장골동맥 분지점에서 5 cm 정도 떨어진 원위부를 결찰

    b. 내장골정맥이 천공되지 않도록 주의

c. 출산 직후 커진 자궁과 울혈된 주위 혈관들 때문에 절반 정도에서만 성공

(2) 자궁압박봉합(Uterine compression suture)

① B-Lynch 압박봉합(B-Lynch compression suture)

　　a. 75 mm 둥근 바늘의 봉합사를 이용하여 전체 자궁의 앞쪽과 뒤쪽 벽을 멜빵모양으로 길게
　　봉합하는 방법

　　b. 변형 방법들도 있고, 다른 방법과 같이 사용 가능

② 지혈봉합(hemostatic multiple square suturing)

　　a. 제왕절개 분만 후 출혈 지속 시 사용

　　b. 출혈 부위를 중심으로 자궁의 앞쪽과 뒤쪽 벽이 서로 마주 붙어 자궁강이 없도록 사각형
　　으로 봉합하는 방법

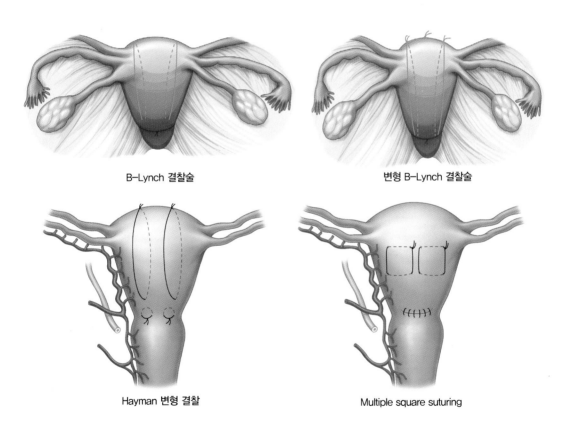

B-Lynch 결찰술　　　　　　　　　　　　변형 B-Lynch 결찰술

Hayman 변형 결찰　　　　　　　　　　Multiple square suturing

그림 37-28. 다양한 자궁압박봉합법

(3) 혈관조영 색전술(Angiographic embolization)

① 영상의학적으로 출혈 혈관을 찾아 gelfoam, coils, glue로 막는 방법

② 적응증

　　a. 활력징후가 안정된 양이 많지 않은 지속적 출혈 시

　　b. 자궁을 보존하고 향후 임신을 원하는 경우

　　c. 산과적 출혈과 자궁절제술 후에도 시도 가능

　　d. 소모성 혈액응고장애가 있는 경우 성공률이 감소

③ 주요 시술 혈관 : 내장골동맥(internal iliac artery), 자궁동맥(uterine artery)

④ 합병증 : 자궁 괴사

(4) 자궁절제술(Hysterectomy)

① 심한 산과적 출혈을 막기 위한 가장 마지막 방법

② 적응증

　　a. 앞의 방법들로 출혈이 멎지 않는 경우

　　b. 환자의 생체 징후가 좋지 않은 경우

CHAPTER 38

조산(Preterm birth)

1 서론

1) 정의

(1) 조산의 정의

① 유산(abortion) : 임신 20주 이하의 태아 만출

② 조산(preterm birth)

a. 임신 기간을 기준으로 하여 완료된 37주 이전(before 37 completed weeks)의 분만

b. 임신 $20^{0/7}$주~$36^{6/7}$주(258일) 까지

조산(Preterm birth)		만삭 출산(Term birth)		
임신 $20^{0/7}$ ~ $36^{6/7}$주		임신 $37^{0/7}$ ~ $41^{6/7}$주		
조기 조산 (Early preterm)	후기 조산 (Late preterm)	조기 만삭 (Early term)	만삭 (Term)	후기 만삭 (Late term)
임신 $33^{6/7}$ 이전	임신 $34^{0/7}$ ~ $36^{6/7}$주	임신 $37^{0/7}$ ~ $38^{6/7}$주	임신 $39^{0/7}$ ~ $40^{6/7}$주	임신 $41^{0/7}$ ~ $41^{6/7}$주
지연 출산(Postterm birth) or 과숙 출산(Prolonged birth)				
임신 $42^{0/7}$주 이상				

③ 완료된 주수(completed weeks) : 완료된 37주 → 임신 $37^{0/7}$주

(2) 출생 시 체중 기준의 신생아 분류

신생아 분류	체중
저출생체중(low birth weight, LBW)	1,500 ~ 2,500 g
초저출생체중(very low birth weight, VLBW)	1,000 ~ 1,500 g
극저출생체중(extremely low birth weight, ELBW)	500 ~ 1,000 g

(3) 크기에 따른 신생아 분류

신생아 분류	백분위
부당중량아(large for gestational age, LGA)	>90th percentile
적정체중아(adequate for gestational age, AGA)	10th~90th percentile
부당경량아(small for gestational age, SGA)	<10th percentile
자궁내성장제한(intrauterine growth restriction)	3~5 percentile

2) 조산의 개괄

  (1) 조산아의 분포와 생존율

    ① 국내 조산율은 꾸준히 증가하는 추세

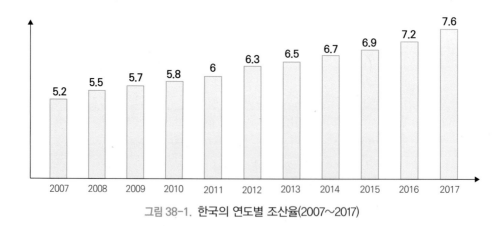

그림 38-1. 한국의 연도별 조산율(2007~2017)

    ② 주산기 의학의 발달로 조산아에 대한 사망률이 감소하는 추세

    ③ 출생 체중이 증가할수록 생존율이 높아짐

    ④ 출생 주수와 체중이 작을수록 성장하면서 신체적, 지적장애가 동반될 가능성 증가

    ⑤ 신생아 이환과 사망은 출생 체중보다 임신 주수(성숙도)가 더 큰 영향

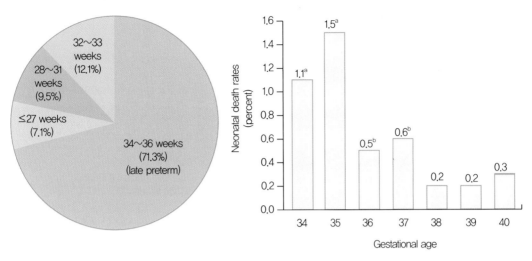

그림 38-2. 2015년 미국의 조산 분포와 신생아 사망률

(2) 생존력의 한계

① 현재 생존력의 한계 : 임신 20~26주 사이

    a. 임신 23주 이전 신생아의 생존율 약 5%

    b. 신경학적 장애가 없는 생존율

       - 임신 22주에 태어난 신생아의 약 1 %

       - 임신 23~24주에 태어난 신생아에서 시간이 지남에 따라 증가

② 조산아의 생존 한계(ACOG. 2002)

    a. 임신 24주 이상으로 정의

    b. 임신 24주 이전에 태어난 영아들은 생존의 가능성이 떨어지며 생존하더라도 약 반에서 정신적 발달, 정신운동 발달, 신경학적 기능, 감각 기능, 의사소통 기능에 장애를 보인다는 사실을 부모에게 주지시킬 것을 권고

③ 생존율을 향상시키기 위한 최소한 조건

    a. 임신 24주 이상

    b. 출생체중 750 g 이상

④ 제왕절개분만의 태아 적응증

    a. 임신 25주 이후 산모에게 시행

    b. 임신 24주에 태아예상체중 750 g 이상이 아니면 제왕절개술을 시행하지 않음

    c. 태아 크기보다는 임신 주수가 관리 지침에 사용

(3) 조산아의 합병증

Organ or System	단기적 문제	장기적 문제
폐 (Pulmonary)	Respiratory distress syndrome Air leak Bronchopulmonary dysplasia Apnea of prematurity	Bronchopulmonary dysplasia Reactive airway disease Asthma
위장관 (Gastrointestinal)	Hyperbilirubinemia Feeding intolerance Necrotizing enterocolitis Growth failure	Failure to thrive Short-bowel syndrome Cholestasis
면역 (Immunological)	Hospital-acquired infection Immune deficiency Perinatal infection	Respiratory syncytial virus infection Bronchiolitis
중추신경 (Central nervous system)	Intraventricular hemorrhage Periventricular leukomalacia Hydrocephalus	Cerebral palsy Hydrocephalus Cerebral atrophy Neurodevelopmental delay Hearing loss
눈 (Ophthalmological)	Retinopathy of prematurity	Blindness Retinal detachment Myopia Strabismus
심혈관 (Cardiovascular)	Hypotension Patent ductus arteriosus Pulmonary hypertension	Pulmonary hypertension Hypertension in adulthood
신장 (Renal)	Water and electrolyte imbalance Acid-base disturbances	Hypertension in adulthood
혈액 (Hematological)	Iatrogenic anemia Need for frequent transfusions Anemia of prematurity	
내분비 (Endocrinological)	Hypoglycemia Transiently low thyroxine levels Cortisol deficiency	Impaired glucose regulation Increased insulin resistance

(4) 후기 조산(Late preterm birth)
　① 후기 조산의 증가
　　a. 전체 조산 중 후기 조산의 비율 : 1998년 74.1% → 2009년 79.5%
　　b. 전체 분만 중 후기 조산의 비율 : 1998년 2.3% → 2009년 3.4%

② 임신 34~36주의 분만

    a. 전체 조산의 75% 차지

    b. 원인의 80% : 원인 불명의 조기진통, 조기양막파수

    c. 임신 34주와 37주 이후에 태어난 경우의 생존율 차이 : 1% 이내

    d. 신생아 유병률 증가 : 약 7배

    e. 호흡기계 유병률, 발달장애 및 학습능력장애, 행동장애, 6세에서의 낮은 지능지수, 주의력 결핍과 연관

③ 임신 34~36주의 후기 조기분만은 모체나 태아에 합당한 적응증이 있을 때에만 시행하도록 권고(ACOG, 2017)

2 조산의 원인

1) 자연적인 조기진통(Spontaneous preterm labor)

(1) 자궁의 확장

① 다태아 임신, 양수과다증 : 조기진통의 위험인자

② 자궁의 확장(distention)

    → 자궁근육의 contraction associated proteins (CAPs) 발현 증가

    → gap-junction proteins (connexin 43), oxytocin receptors, prostaglandin synthase 증가

③ 자궁의 신전(stretch)

    → gastrin-releasing peptides (GRPs) 증가

    → 자궁수축 증가

④ TREK-1 (stretch induced potassium channel)

    a. 임신 중 증가, 분만진통 중 감소

    b. 임신 중 자궁이완에 대한 잠재적인 역할

⑤ 자궁의 과다신전(excessive uterine stretch) : 태반-태아 부신 내분비고리의 조기 활성화

(2) 모체-태아 스트레스

① 스트레스(stress)

    a. 개인의 정상적인 생리적 또는 심리적 기능을 방해하는 상태

    b. 생리적 스트레스 : 영양제한, 비만, 감염, 당뇨 등

    c. 심리적 스트레스 : 인종차별, 아동기 스트레스, 우울증, 외상후스트레스증후군 등

② 태반-태아 부신 내분비고리의 조기 활성화

    a. 산모의 정신적 스트레스에 의한 cortisol 증가가 유발요인이 될 수 있음

b. 태반 CRH가 산모 혈청에서 증가

→ 산모와 태아의 부신 스테로이드 호르몬 생산 증가

→ 자궁 정지(uterine quiescence)의 조기 상실 촉진

c. 산모의 estrogen 수치 조기 상승

→ 자궁 정지를 변화시키고, 자궁경부 숙화(ripening)를 가속화

(3) 자궁경부 기능장애

① 자궁경부 상피장벽(cervical epithelial barrier)

a. 상행감염의 예방에 중요

b. 손상 시 감염 및 조산 증가

② 자궁경부의 구조적 기능 저하

a. 콜라겐 및 탄성섬유의 구성에 필요한 단백질 생성유전자 변이

b. 자궁경부부전증, 조기양막파수, 조산의 위험인자

(4) 감염

① 세균의 자궁 내 조직으로의 접근 방법

a. 모체 감염의 태반통과

b. 나팔관을 통한 감염

c. 질, 자궁경부를 통한 상행감염

② 염증반응(inflammatory response)

a. 세균의 염증 시토카인 분비

b. interleukin (IL-1, IL-6), tumor-necrosis factor (TNF-α), prostaglandins (PGE$_2$, PGF$_2$)

③ 시토카인(cytokine)

a. 각 측면에서만 영향을 미침

- 모체 탈락막(decidua)과 자궁근육에서 생성된 시토카인 → 모체 조직에만 영향

- 양수 내에서 생성된 시토카인 → 양수 내에만 영향

- IL-1β는 양막을 통과

b. 양수의 시토카인

- 단핵식세포(mononuclear phagocytes) 또는 호중구(neutrophils)에 의해 분비

- 양수 내 IL-1β의 양은 백혈구 수, 활성화 상태, 양수 성분에 의해 결정

④ 질의 미생물(vaginal microbiota)

a. 조산과 관련해서 자궁 내에서 발견되는 대부분의 세균은 질에서 기인

b. 자연적인 조기진통 산모에서 발견되는 세균

흔하게 발견되는 세균	빈도가 낮은 세균
Ureaplasma urealyticum	Chlamydia trachomatis
Mycoplasma hominis	Trichomonas sp.
Gardnerella vaginalis	E. coli
Peptostreptococci sp.	group B Streptococcus
Bacteroides sp.	
→ 발병력(virulence)이 낮은 세균	

   c. 출산 시의 임신 주수가 적을수록 임상적 감염과 조직학적 양막염의 강한 관련성

   d. 세균질증(bacterial vaginosis)

    - 자연 유산, 조기진통, 조기양막파수, 융모양막염, 양수 내 감염과 관련

    - 임신 초기 발견 시 더 심하게 발생

   e. 조산과 관련이 없는 감염

    - Trichomonas, Candida, Chlamydia trachomatis

    - 조산 예방을 목적으로 Chlamydia trachomatis, Trichomonas vaginalis에 대한 선별검사와 치료는 추천되지 않음

2) 조기양막파수(Preterm premature rupture of membranes)

 (1) 정의 및 원인

  ① 임신 37주 이전, 분만진통이 있기 전에 양막파수가 일어나는 것

  ② 주요 원인

   a. 자궁 내 감염

   b. 산화스트레스로 인한 DNA 손상

   c. 조기 세포 노화

 (2) 위험인자

  ① 낮은 사회경제적 지위

  ② 체질량지수(body mass index) <19.8

  ③ 영양 결핍

  ④ 흡연

  ⑤ 조기양막파수 과거력은 다음 임신에서 조기양막파수 위험도 증가

3) 조산과 관련이 있는 요인

  (1) 임신 요인(Pregnancy factors)

    ① 절박 유산(threatened abortion)

      a. 임신 초기의 절박 유산은 향후 조산 발생률 증가

      b. 가벼운 출혈과 심한 출혈은 모두 조산, 태반박리 및 임신 24주 이전 유산과 연관

      c. 임신 제2,3삼분기 출혈도 조기양막파수, 조기진통과 연관

    ② 출생 시 태아 기형 : 조산, 저출생체중과 연관

  (2) 생활환경 요인(Lifestyle factors)

    ① 위험성 증가 요인

저출생체중(low birth weight)	조산(preterm birth)
흡연 부적절한 산모의 체중 증가 불법 약물 사용	산모의 심한 비만 또는 저체중 산모의 연령(너무 어리거나 고령) 가난, 빈곤 체구가 작은 산모 비타민 C 결핍 우울증, 불안, 만성 스트레스

    ③ 신체활동

      a. 장시간 노동과 고된 육체 노동 : 조산의 위험성 증가

      b. 정상 체중 산모의 유산소 운동 : 안전, 조산의 위험성 감소

  (3) 유전적 요인(Genetic factors)

    ① 조산의 재발, 가족력과의 연관, 인종적 차이 등

    ② 관련인자

      a. 탈락막(decidua)의 릴랙신(relaxin) 유전자

      b. 태아사립체삼작용단백의 결손(fetal mitochondrial trifunctional protein defect)

      c. IL-1 유전자 복합체

      d. β2-아드레날린수용체

      e. TNF-α 다형성(polymorphism)

  (4) 치주질환(Periodontal disease)

    ① 치주염(periodontitis)

      a. 만성적으로 혐기성 세균에 의한 잇몸 염증

      b. 조산의 위험성 4~7배 증가

② 임신 중 치주염의 치료가 조산의 위험을 줄이지는 못함

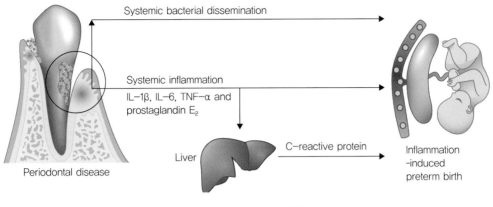

그림 38-3. 치주염의 영향

(5) 임신 사이의 기간

① 임신 사이 기간의 영향(<18개월 또는 >59개월) : 조산 및 부당경량아 위험성 증가

② 임신 간격이 짧은 경우에 대한 연구는 더 필요

(6) 조산의 과거력

① 조산의 가장 중요한 위험인자

    a. 첫째를 조산한 산모는 만삭분만 산모에 비해 조산의 위험성 약 3배 증가

    b. 첫째와 둘째를 조산한 산모는 1/3 이상에서 조산 발생

    c. 조산의 과거력이 있더라도 다음 임신에서 만삭분만을 했다면 그 다음 임신에서 조산의 위험성은 감소

② 조산의 재발에 영향을 주는 인자

    a. 이전 조산의 횟수와 순서

    b. 조산한 임신 주수

③ 이전 임신에 따른 조산의 위험도

첫 번째 출산	두 번째 출산	이후 임신의 조산율(%)	
		국외 연구	국내 연구
조산 (−)		4.4	2.2
조산 (+)		17.2	18.6
조산 (−)	조산 (−)	2.6	1.5
조산 (+)	조산 (−)	5.7	8.3
조산 (−)	조산 (+)	11.1	26.6
조산 (+)	조산 (+)	28.4	25.4

(7) 감염

① 세균질증(bacterial vaginosis)

    a. Lactobacillus predominant vaginal flora가 혐기성 박테리아(Gardnella vaginalis, Mobiluncus species, Mycoplasma hominis)로 대체

    b. 세균질증의 임신 초기 치료 : 조산 예방에 효과가 있다는 연구 결과

② Clindamycin의 임신 초기 투여

    a. 임신 초기 유산 및 조산의 빈도 감소

    b. 경구약과 질크림 중 어떤 것이 효과가 있는지에 대한 연구가 필요

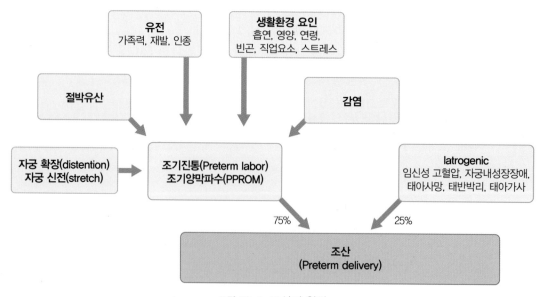

그림 38-4. 조산의 원인

3 조기진통의 진단 및 예방

1) 조기진통의 진단

(1) 증상
① 조산의 위험성이 증가하는 증상
- a. 자궁수축(painful or painless)
- b. 골반 압박감(pelvic pressure)
- c. 생리통 같은 통증(menstrual like cramps)
- d. 물 같은 질 분비물(watery vaginal discharge)
- e. 허리 통증(low back pain)

② 정상 임신에서도 흔하고, 조산이 아주 임박한 경우에 나타나 조산 예측인자로는 부적절

(2) 자궁경부의 변화
① 임신 중반 이후 무증상 자궁경부 개대
- a. 조산의 위험성 증가
- b. 자궁경부 2~3 cm 개대된 산모의 약 25%가 34주 전 분만

② 자궁경부 개대 여부를 안다고 해도 조산 관련 임신 예후에 도움이 되지는 않음

③ 무증상 여성의 산전 자궁경부 검사는 유익하지도 해롭지도 않음

(3) 자궁경부의 길이
① 질식 초음파를 통한 자궁경부 길이의 측정
- a. 조산 예측의 가장 좋은 방법
- b. 특별할 합병증이 없고 안전하며, 임산부에게 비교적 쉬운 검사
- c. 산모의 비만, 자궁경부 위치, 태아의 그림자에 영향을 받지 않음
- d. 임신 16주 이후 시행, 단태아 임신에만 적용(다태아 임신에는 권장되지 않음)

② 임신 14~22주의 자궁경부 길이
- a. 평균 : 평균 35~40 mm
- b. 25 mm 미만(<10 percentile)인 경우
  - 임신 35주 이전의 조산 위험 증가
  - 자궁경부 길이가 짧을수록, 일찍 발생할수록 조산 위험은 더욱 증가

c. 자궁경부 길이에 따른 조산 예측도

	자궁경부 길이	
	≤25 mm	≤30 mm
민감도	27.8%	47.2%
특이도	90.2%	76.2%
양성예측치	18.9%	13.9%
음성예측치	94.1%	94.6%

③ 적응증

    a. 조산의 과거력이 있는 산모에서는 조산 예측의 선별검사로 권장

    b. 저위험군의 산모에게는 권장되지 않음

④ 자궁경부 길이 측정방법(ACOG, 2016)

    a. 산모의 방광을 비운 후 검사

    b. 자궁경부가 화면의 3분의 2 정도를 차지

    c. 자궁내구(internal os)와 자궁외구(external os)가 동시에 명확히 보여야 하며, 자궁경부의 앞과 뒤의 두께가 동일

    d. 자궁내구와 자궁외구 사이의 길이를 3번 측정하여 가장 짧은 값을 최종 결과로 기록

⑤ 자궁경부의 깔대기변화(funneling)

    a. 양막강이 자궁경부 내강으로 돌출되어 있는 상태

    b. 자궁경부 길이 : 자궁내구(internal os) 쪽의 깔때기변화(funneling)를 제외한 최단거리

    c. 임상적 의의

자궁경부 상태		조산에 대한 위험성
자궁경부 길이 중 깔대기변화	<25%	위험성과 관련 없음
	≥25%	위험성 증가
자궁경부 길이 ≥25 mm & 깔대기변화 (+)		위험성 증가와 관련이 명확하지 않음
자궁경부 길이 <25 mm & 깔대기변화 (+)		위험성 매우 증가(더욱 중요한 의미)

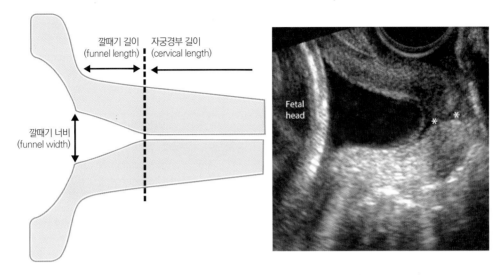

그림 38-5. 자궁경부 길이 측정과 깔때기변화

(4) 태아섬유결합소(Fetal fibronectin)

① 특징

    a. 당단백(glycoprotein)의 일종

    b. 특정 악성 조직, 태아 조직, 태반, 양수 내 존재

    c. 융모막(chorion)에서 생성

    d. 융모간격(intervillous space), 세포영양막세포기둥(cytotrophoblastic cell column), 융모막 주변의 기저탈락막(decidua basalis)에 국한되어 존재

② 역할

    a. 착상과 관련된 세포 간의 유착

    b. 태반을 자궁의 탈락막(decidua)에 부착

③ 산과적 의의

    a. 효소면역측정법(enzyme linked immunosorbent assay)으로 측정

    b. 양성 : ≥50 ng/mL

④ 태아섬유결합소를 조산의 선별검사로 추천하지 않음(ACOG, 2016)

(5) 휴대용 자궁수축검사기(Ambulatory uterine monitoring device)

① 외부 자궁수축측정기(external tocodynamometer)를 복부에 착용

② 기록된 자궁수축 기록이 매일 전송되어 분석

③ 휴대용 자궁수축검사기의 사용이 조산의 발생을 줄이지 못함(ACOG, 2016)

a. 무증상 산모에서 조산을 예측하기 위한 선별검사로 낮은 민감도와 양성예측률

b. 조산 산모와 만삭 출산 산모 사이의 자궁수축 빈도의 차이가 너무 작음

(6) 조기진통의 진단기준

현재 기준	이전 기준
임신 20~37주 사이에 발생 진행성의 자궁경부 변화를 동반한 자궁수축	규칙적인 자궁수축 ≥4회/20분, ≥8회/60분 자궁경부 개대(dilation) ≥1 cm 자궁경부 소실(effacement) ≥80%

2) 조산의 예방

(1) 자궁경부원형결찰술(Cervical cerclage)

① 예방적 자궁경부원형결찰술의 적응증(ACOG, 2016)

고위험군 (아래 조건을 모두 충족)	저위험군
34주 이전의 조산 과거력 자궁경부 길이 <25 mm 임신 24주 이내의 단태아 임신(singleton pregnancy)	자궁경부 길이의 단축 외에 다른 위험이 없는 경우
→ 자궁경부원형결찰술 시행을 권고(ACOG, 2016)	→ 자궁경부원형결찰술이 도움이 되지 않음

② 자궁경부원형결찰술은 자궁경부부전증 산모의 조산 예방에 도움

③ 그 외의 이유로 자궁경부가 짧아진 경우에서는 대부분 효과가 없음

④ 자궁경부부전증(cervical insufficiency)

a. 임신 제2삼분기의 반복되는 유산력, 진통 없는 자궁경부 개대의 과거력이 중요

b. 자궁경부 길이는 이러한 여성에서 이번 임신의 조산 위험인자

c. 자궁경부부전증과 자궁경부 길이의 단축은 다른 질환

⑤ 다태아 임신에서는 자궁경부원형결찰술로 조산의 위험성 증가

a. 자궁경부의 문제보다는 자궁의 확장, 자궁수축 등의 원인이 크기 때문

b. 자궁경부원형결찰술 효과가 상대적으로 적은 것으로 생각

(2) 예방적 프로게스테론

① 프로게스테론 소퇴(progesterone withdrawal)

a. 사람은 분만 동안 산모, 태아 및 양수의 프로게스테론 수치가 계속 상승

b. 분만 시 프로게스테론 수용체의 활동 감소로 기능적 프로게스테론 소퇴 발생

② 17-α hydroxyprogesterone caproate(17-OHP-C)

a. 단태아 임신 중 일부 여성에서 조산 예방을 위해 사용(ACOG, 2016)

b. 250 mg, 1회/wks, 근육주사

c. 적응증 : 조산의 과거력, 초음파상 자궁경부 길이가 짧은 경우

d. 다태아 임신에서는 조산의 예방 효과 없음

③ 프로게스테론 질정(vaginal progesterone)

a. 천연 프로게스테론 100 mg 질정

b. 최근 재발성 조산 예방을 위해 17-OHP-C가 더 효과적임을 확인

④ 모든 임신부의 임신 중기 자궁경부 길이 선별검사 시행은 권고되지 않음(ACOG, 2016)

⑤ 자궁경부 상태에 따른 조산의 예방 효과

자궁경부 상태	효과적인 조산 예방법
자궁경부 길이 <25 mm	자궁경부원형결찰술, 프로게스테론 동등한 효과
자궁경부 길이 <15 mm	자궁경부원형결찰술
자궁경부원형결찰술 시행 후 프로게스테론 추가 투여	추가적인 이득 없음
프로게스테론 투여 중 자궁경부가 짧아지는 경우	자궁경부원형결찰술 + 프로게스테론 지속 투여

4 조기진통의 처치

1) 조기양막파수 임신부의 관리

(1) 진단 및 경과

① 진단방법

종류	방법	감별진단
문진	많은 양의 맑은 액체가 흘러나온 후 적은 양의 액체가 계속 흐른다는 증상을 호소	소변의 누출 매우 많은 양의 질 분비물 혈액성 이슬(bloody show)
시진	질후원개(posterior fornix)에 고인 액체 자궁경부에서 흘러나오는 액체	
Nitrazine test	푸른색으로 변하는 알칼리성 pH는 양수의 존재를 의미 – 임신 중 질내 pH : 4.5~5.5 – 양수의 pH : 7.0~7.5	위양성 : 혈액, 정액, 세균성 질염, 염기성 소독제 위음성 : 미미한 양수량
색소 검사(dye test)	양수천자로 색소(indigo carmine 등)를 주입 후 자궁경부 쪽으로 유출이 되는지 확인	
질 분비물 도말	가지 모양(ferning pattern)의 결정체	
알파태아단백(α-fetoprotein)	질분비물에서 α-fetoprotein을 확인	
Placental α-microglobulin-1 (PAMG-1)	Amnisure® 검사	
Insulin like growth factor binding protein-1 (IGFBP-1) + 알파태아단백(α-fetoprotein)	ROM Plus® 검사	

② 양막파수가 확인되면 초음파로 양수의 양, 선진부의 확인, 임신 주수를 확인
③ 분만진통이 확인될 때까지는 내진(digital examination)을 가급적 피함
  → 질경 혹은 질 초음파를 이용 자궁경부 개대를 확인
④ 자연경과
  a. 임신 24~34주 사이에 조기양막파수 후 분만한 임신부의 주산기 결과
    - 이미 자연적인 진통이 시작(75%)
    - 다른 합병증으로 분만(5%)
    - 48시간 이내 분만(10%)
    - 48시간 이후 분만(7%) : 신생아 사망률 감소
  b. 양막파수에서 분만까지의 기간은 임신 주수와 반비례(임신 주수가 많을수록 분만까지의
    기간이 더 짧음)

(2) 입원

① 입원 치료의 효과가 확실히 증명되지는 않았음
② 입원하여 경과 관찰하는 이유
  a. 대개 일주일 이내에 자연 진통이 발생
  b. 탯줄 탈출 등의 위험성

(3) 적극적 분만과 임신연장요법

① 적극적 분만과 임신연장요법의 가이드라인(ACOG, 2016)
  a. 임신 $24^{0/7}$~$33^{6/7}$주 : 안심할 수 없는 태아 상태(nonreassuring fetal status), 임상적 융모양막
    염, 태반조기박리 등이 없다면 기대요법을 시행
  b. $34^{0/7}$주 이후 : 적극적 분만을 시행
② 임신연장요법의 위험성
  a. 산모의 위험성 : 자궁감염, 패혈증
  b. 태아의 위험성 : 양수과소증에 의한 합병증, 폐형성부전(pulmonary hypoplasia)
③ 임신 26주 이전 양막파수의 예후에 가장 중요한 인자 : 남아 있는 양수량
④ 폐형성부전의 역치값은 임신 23주 정도

(4) 임상적 융모양막염(Clinical chorioamnionitis)

① 양막파수가 지속될수록 감염에 의한 합병증이 증가
② 감염의 증거
  a. 38℃ 이상의 발열 : 가장 신뢰할 만한 진단지표
  b. 임신부의 백혈구증가증(leukocytosis), 임신부의 빈맥, 태아의 빈맥, 악취가 나는 질분비물,

자궁의 압통 등

③ 양수천자(amniocentesis)

    a. 융모양막염이 의심되지만 임상적으로 확진을 할 수 없는 경우 고려

    b. 확진 : 양수의 그람 염색에서 세균과 백혈구가 검출

④ 융모양막염이 진단되면 항생제 치료와 더불어 바로 분만을 시도

⑤ 발생 시 증가하는 태아의 위험 : 패혈증, 신생아호흡곤란증후군, 조기 발작, 뇌실내출혈, 뇌성마비, 뇌실주위백질연화증(periventricular leukomalacia) 등

(5) 항생제 치료

① 항생제 치료의 장점

    a. 임신부와 신생아의 감염 위험 감소(융모양막염이나 신생아 패혈증의 감소)

    b. 조기양막파수와 분만까지의 시간 연장

② 주로 사용되는 항생제 : (Ampicillin or Amoxicillin) + Erythromycin

③ 항생제의 종류와 투여 기간에 대해 일치된 의견이 아직 없음

④ Amoxicillin-Clavulanate : 신생아 괴사성장염의 증가와 연관, 되도록 사용 안함

⑤ 신생아의 group B streptococcus 감염 예방

    a. 산도 내 GBS 감염 산모의 조산 시 신생아 중증감염이 발생하면 이환율과 사망률 증가

    b. 주로 사용되는 항생제 : Penicillin G, Ampicillin

    c. 분만진통이 시작되면 투여를 시작하고 분만 시까지 유지

(6) 태아 폐성숙 촉진을 위한 스테로이드

① 단일 주기의 스테로이드 투여 권고사항(ACOG, 2017)

    a. 조기양막파수된 $24^{0/7} \sim 34^{0/7}$주 사이의 임신부

    b. 7일 이내에 조산의 위험이 있는 $23^{0/7}$주의 임신부

② 단일 주기 투여 약물

    a. Betamethasone 12 mg, 24시간 간격, 2회 근육주사

    b. Dexamethasone 6 mg, 6시간 간격, 4회 근육주사

    c. 구제요법(rescue therapy) : 조산 가능성이 높은 산모에서 이전의 스테로이드 투여가 7일이 지났다면 다시 한 번 더 일회 투여를 시행

③ 효과

    a. 조산과 관련한 주산기 사망률과 이환율을 줄일 수 있는 가장 유용한 치료법

    b. 가장 효과가 좋은 기간 : 투여 후 24시간부터 1주까지

④ 폐성숙의 촉진과 저하

태아의 폐성숙이 촉진되는 경우	스테로이드의 폐성숙 효과가 저하되는 경우
융모양막염(chorioamnionitis) 조기양막파수(preterm rupture of membrane) 태아성장제한(fetal growth restriction) 태반경색(placental infarction) 만성 신장질환(chronic renal disease) 만성 심혈관질환(cardiovascular disease) 임신으로 인한 장기 고혈압 Heroin 중독	1,000 g 미만의 조산아 임신 34주 이후의 분만 약물 투여 후 7일이 지난 경우

(7) 조기양막파수 시 임신 주수에 따른 처치

임신 주수	처치
임신 34주 이상 (≥임신 33$^{1/7}$주)	분만 시도(금기증이 아니라면 유도분만 시도) Group B streptococcus에 대한 예방적 항생제 단일 주기의 스테로이드(스테로이드 사용이 없었던 경우 34$^{0/7}$~36$^{6/7}$주에 고려)
임신 32주~완료된 33주 (임신 31$^{1/7}$~ 33$^{0/7}$주)	임신연장요법(expectant management) Group B streptococcus에 대한 예방적 항생제 항생제 투여 단일 주기의 스테로이드(single corticosteroid course)
임신 24주~완료된 31주 (임신 23$^{1/7}$~31$^{0/7}$주)	임신연장요법(expectant management) Group B streptococcus에 대한 예방적 항생제 항생제 투여 단일 주기의 스테로이드(single corticosteroid course) 자궁수축억제제(tocolytics) : 의견 일치 안 됨 태아 신경보호를 위한 황산마그네슘(magnesium sulfate)
임신 24주 이전 (<임신 23$^{1/7}$주)	임신연장요법 or 유도분만 Group B streptococcus에 대한 예방적 항생제 : 추천되지 않음 단일 주기의 스테로이드 : 투여 고려 자궁수축억제제(tocolytics) : 의견 일치 안 됨 항생제 투여 : 임신 20$^{0/7}$주 이후에는 투여 고려

2) 양막파수가 없는 조기진통 임신부의 관리

(1) 태아를 위한 처치

① 태아 폐성숙 촉진을 위한 스테로이드

    a. 적응증 : 임신 24~34주의 임신부에서 7일 이내에 조산 위험성이 있을 때 투여

    b. Betamethasone 또는 Dexamethasone의 단일 주기 투여

② 태아 신경보호를 위한 황산마그네슘

    a. 분만 직전 황산마그네슘의 투여 : 뇌성마비의 중증도와 발생률 감소

    b. 적응증 : 임신 $24^{0/7} \sim 27^{6/7}$주까지 조산의 위험이 있는 경우

(2) 조기진통 임신부에서 여러가지 처치들의 효과

처치	효과 및 권고사항
양수천자	조기진통 임신부의 양수 내 감염 진단을 위한 보편적 시행은 유용하지 않음
항생제	조기진통 임신부에서 임신기간을 연장하거나, 신생아의 예후를 향상시키기 위한 목적으로 항생제를 사용하지 않음 분만 진행 중인 조기진통 임신부에게 GBS 예방을 위한 항생제 투여는 필요
침상안정	침상안정은 한정된 경우에만 시행, 대부분의 경우 정상적 보행을 권함
자궁경부 페서리	자궁경부 페서리를 연구 목적으로 사용할 것을 권고
수분공급 및 진정	효과 없음
응급 자궁경부원형결찰술	이익을 주는지 아니면 양막파수 및 감염 위험을 증가시키는지 명확하지 않음

(3) 조기진통 치료를 위한 자궁수축억제제

   ① 자궁수축억제제의 금기증(ACOG, 2016)

자궁수축억제제의 금기증
자궁 내 태아사망 생존할 수 없는 기형을 가진 태아 안심할 수 없는 태아 상태(nonreassuring fetal status) 중증 전자간증 또는 자간증 임신부가 출혈로 인해 혈역학적으로 불안정한 경우 융모양막염(chorioamnionitis) 조기양막파수(premature rupture of membranes) 자궁수축억제제에 특이적 금기증이 있는 경우

   ② 베타-아드레날린성 수용체 작용제(β-adrenergic receptor agonist)

    a. 종류 : Ritodrine, Terbutaline

    b. 효능

     - 자궁의 β2-adrenergic receptor에 주로 작용, β1-adrenergic receptor에도 약간씩 작용

     - Adenylate cyclase에 의해 cAMP의 증가를 일으키며, 이는 myosin light chain kinase (MLCK)를 방해해서 자궁수축을 억제

Adrenergic receptor	분포 장기	효과
α1	Vascular smooth muscle	Contraction
	Genitourinary smooth muscle	Contraction
	Intestinal smooth muscle	Relaxation
	Heart	↑ Inotropy and excitability
	Liver	Glycogenolysis and gluconeogenesis
α2	Pancreatic β–cells	↓ Insulin secretion
	Platelets	Aggregation
	Nerve	↓ Norepinephrine release
	Vascular smooth muscle	Contraction
β1	Heart	↑ Chronotropy and inotropy
		↑ AV node conduction velocity
	Renal juxtaglomerular cells	↑ Renin secretion
β2	Smooth muscle	Relaxation
	Liver	Glycogenolysis and gluconeogenesis
	Skeletal muscle	Glycogenolysis and K uptake
β3	Adipose	Lipolysis

   c. 부작용

부작용	주의사항
폐부종(pulmonary edema)	가장 흔한 부작용 촉진인자 : 쌍태아 임신, 베타–아드레날린성 수용체 작용제와 스테로이드의 동시 투여, 24시간 이상 자궁수축억제제 사용, 다량의 정질액(crystalloid)을 함께 정맥주사하는 경우
부정맥 조기결절수축, 조기심실수축 ST depression	심장질환이 있거나 의심되는 경우 이 약을 사용해서는 안 됨
혈당 증가, 케톤산증, 저칼륨혈증	간의 글리코겐 분해(glycogenolysis)가 증가하여 혈당이 상승 스테로이드를 같이 투여하면 더욱 심해짐 당뇨 임신부에서의 자궁수축억제치료 고려 시 다른 약물을 선택
모세혈관 투과성 증가 경한 심계항진, 안면홍조, 흉통 오심, 구토, 흥분 마비성 장폐쇄, 가려움증, 피부염	

   d. 금기증 : 산모의 당뇨, 갑상샘기능항진증, 심장질환
   e. 자궁의 활동성을 신속히 억제하고 분만을 2~7일 동안 늦추는 능력은 가졌지만 신생아에
      대한 증명된 이득은 없음

③ 황산마그네슘(magnesium sulfate)

   a. 효능 : 평활근 수축 시 actin-myosin 상호작용에 필요한 세포 내 자유칼슘농도를 낮추어 칼슘의 경쟁적 길항제로서 작용

   b. 적응증 : 전자간증 치료, 임신 32주 이전의 조산에서 태아의 신경보호, 자궁수축 억제

   c. 부작용

부작용	발생 원인
무릎반사 소실 호흡억제 호흡마비, 심장기능 정지	혈중 농도 10 mEq/L 혈중 농도 ≥10 mEq/L 혈중 농도 ≥12 mEq/L
혈중 칼슘 감소, 인과 부갑상샘호르몬 증가	칼슘의 요중 배설 증가로 유발 골밀도 감소 위험성 증가
태아 혈중 마그네슘 농도 증가	마그네슘 이온이 태반을 신속한 통과
안면홍조, 두통 안구진탕(nystagmus), 오심, 어지럼증 시야흐림(blurred vision), 복시(diplopia) 구강건조, 기면(lethargy)	

④ 프로스타글란딘 생성억제제(prostaglandin inhibitor)

   a. 종류 : Indomethacin, Naproxen, Fenoprofen 등

   b. 효능 : 프로스타글란딘의 합성 억제 또는 장기에 대한 작용 차단으로 자궁수축을 억제

   c. 부작용

산모의 부작용	태아의 부작용
산후출혈 증가, 출혈시간의 연장 위장관계 부작용 두통, 어지럼증, 우울증, 정신병(psychosis)	조기 동맥관(ductus arteriosus) 폐쇄 신생아 폐동맥 고혈압 양수과소증 뇌실내출혈, 괴사성대장염 : 조기진통 원인에 의한 합병증

   d. 금기증 : 약물유발천식(drug-induced asthma), 혈액응고장애, 간질환, 신장질환, 소화성 궤양 등

⑤ 산화질소(nitric oxide)

   a. 효능 : 강력한 평활근 이완제

   b. 경구, 경피, 정맥으로 투여된 산화질소는 다른 자궁수축억제제보다 효과가 적음

   c. 흔한 부작용 : 산모의 저혈압

⑥ 칼슘통로 차단제(calcium channel blocker)

   a. 종류 : Nifedipine

b. 효능 : 평활근의 활동이 세포 내 칼슘농도에 영향을 받으므로 칼슘통로의 차단을 통해 자궁수축을 억제

c. 부작용
- 베타-아드레날린성 수용체 작용제와 마그네슘보다 부작용이 적음
- 안면홍조, 두통, 오심 : 혈관 확장에 의해 유발
- 기타 : 일시적인 빈맥, 저혈압, 혈당 증가, 간독성

d. Magnesium sulfate와 함께 사용했을 경우, nifedipine이 magnesium의 신경근 차단효과를 강화시켜 폐나 심장 기능을 저해할 수 있음

⑦ 아토시반(atosiban)

a. 옥시토신 유사물질(oxytocin-receptor antagonist, ORA)

b. 효능 : 생체 내에서 옥시토신의 경쟁적 길항제로 작용하여 자궁수축을 억제

c. 부작용 : 산모의 부작용이 다른 자궁수축억제제에 비해 탁월하게 적음

⑧ 조기진통에서 자궁수축억제제의 사용 요약

a. 일시적으로 자궁수축을 억제할 수 있지만, 조산을 막지는 못함

b. 산전 스테로이드 사용의 시간을 벌 수는 있지만, 주산기 예후를 향상시키지는 못함

c. 자궁수축억제제를 투여할 때에는 스테로이드와 함께 투여

d. 임신 34주 이후에는 사용하지 않는 것을 추천

(4) 분만진통

① 지속적인 전자태아감시(electronic fetal monitoring) 시행

② 빈맥이 있는 경우(특히 양막파수 시) 패혈증을 의심

③ 진통 중 산혈증(탯줄정맥 pH ≤7.0)이 있으면 신생아 합병증이 증가

④ 신생아의 group B streptococcus 감염 예방 시행

(5) 분만

① 조산아에서 어떤 마취나 진통제를 선택해야 하는지에 대해 명확하게 결정된 것은 없음

② 회음절개술(episiotomy) : 조산아의 머리 손상을 줄이기 위한 충분한 회음절개술 권장

③ 겸자분만(forceps delivery) : 조산아의 머리 보호를 위해 낮은(low) 겸자분만을 시도했지만 큰 이득은 없음

(6) 두개내출혈(Intracranial hemorrhage)의 예방

① 조산아에서 두개내출혈 빈도 증가

② 제왕절개분만이 질식분만보다 더 유리한 것은 아님

CHAPTER 39

지연임신(Postterm pregnancy)

1 서론

1) 정의 및 위험성

(1) 정의

① 지연임신(postterm pregnancy)

    a. 최종 월경일로부터 $42^{0/7}$주(294일) 이상으로 지속되는 임신

    b. 완료된 42주(임신 $42^{0/7}$주) 이상의 임신

② 지연임신(postterm pregnancy), 과숙임신(prolonged pregnancy)이 적절한 표현

③ Postmature : 병적으로 과숙된 임신에서 관찰되는 임상적 소견이 신생아에서 관찰될 때를 지칭

만삭임신 (term pregnancy)			지연임신 (postterm pregnancy)
임신 $37^{0/7} \sim 41^{6/7}$주			임신 $42^{0/7}$주 이상
조기 만삭(Early term)	만삭(Term)	후기 만삭(Late term)	
임신 $37^{0/7} \sim 38^{6/7}$주	임신 $39^{0/7} \sim 40^{6/7}$주	임신 $41^{0/7} \sim 41^{6/7}$주	

(2) 발생빈도

① 2007년부터 2017년까지 국내 발생 빈도는 0.7%에서 0.1%로 지속적으로 감소

② 지연임신이 되기 전 유도분만이나 제왕절개분만을 시행하는 경우가 늘어남

③ 재발 경향 및 가족력 존재

(3) 주산기 사망률(Perinatal mortality)

① 분만 예정일, 특히 임신 42주가 지나면 주산기 사망률이 증가

② 주요 사망 원인

   a. 임신성 고혈압(gestational hypertension)

   b. 머리-골반 불균형에 의한 분만진통 지연(prolonged labor)

   c. 분만 손상(birth injury)

   d. 저산소성허혈뇌병증(hypoxic ischemic encephalopathy)

③ 지연임신과 연관된 산모와 태아의 영향

산모의 영향	태아의 영향
거대아(macrosomia)	사산(stillbirth)
양수과소증(oligohydramnios)	과숙증후군(postmaturity syndrome)
전자간증(preeclampsia)	신생아집중치료실 입원
제왕절개분만(cesarean delivery)	태변 흡인(meconium aspiration)
난산(dystocia)	신생아 경련(neonatal convulsions)
태아위험상태(fetal jeopardy)	저산소성허혈뇌병증(hypoxic ischemic encephalopathy)
견갑난산(shoulder dystocia)	분만 손상(birth injuries)
산후 출혈(postpartum hemorrhage)	소아 비만(childhood obesity)
회음부 열상(perineal lacerations)	

2) 원인 및 진단

(1) 원인

① 대부분 원인을 알 수 없음

② 호발요인

인구학적 요인	인구학적 요인
초임부	무뇌아(anencephaly)
남아 임신	부신 형성부전(adrenal hypoplasia)
비만 여성	X-linked placental sulfatase deficiency
고령 임신	태아 뇌하수체 결손(fetal pituitary gland defects)
백인 여성	자궁경부의 산화질소(nitric oxide) 유리 감소
지연임신의 과거력	→ 정상 임신의 높은 estrogen이 결여된 상황

(2) 임신 주수의 측정

① 임신 14주 이전 시행한 초음파의 머리엉덩길이(CRL)에 의한 분만 예정일의 예측이 가장 정확(ACOG, 2017)

② 최종 월경일(LMP)과 초음파에 의한 분만 예정일이 7일 이상 차이가 날 경우 초음파에 의한 것을 선택

③ 임신 제2,3삼분기에는 초음파에 의한 보정이 태아성장제한으로 인한 차이가 발생할 수 있으

므로 이를 고려하여 결정

④ 초음파를 이용한 임신 주수를 정하는 것이 과숙임신의 진단에 효과적인 경우

    a. 최종 월경일을 정확히 기억하지 못하는 경우

    b. 생리불순 등으로 최종 월경 14일째 배란이 되지 않았을 가능성이 큰 경우

⑤ 초음파에 의한 분만 예정일의 보정

임신주수	측정방법	초음파와 LMP의 분만 예정일 차이
≤8$^{6/7}$주	머리엉덩길이(CRL)	5일 이상
9$^{0/7}$~13$^{6/7}$주		7일 이상
14$^{0/7}$~15$^{6/7}$주	양쪽마루뼈 지름(BPD)	7일 이상
16$^{0/7}$~21$^{6/7}$주	머리 둘레(HC)	10일 이상
22$^{0/7}$~27$^{6/7}$주	복부 둘레(AC)	14일 이상
≥28$^{0/7}$주	대퇴골 길이(FL)	21일 이상

2 병인론

1) 병태생리

(1) 과숙증후군(Postmaturity syndrome)

① 과숙아의 20% 정도에서 나타나는 특징적인 만성 자궁 내 영양결핍 증상

② 원인 : 태반의 기능부전

③ 빈도

    a. 임신 41~43주의 약 10%, 임신 44주의 약 33%

    b. 양수과소증에서 가장 큰 양수의 수직치가 1 cm 미만인 경우에 더욱 증가

④ 특징 및 증가하는 이환율

특징적인 외형	증가하는 이환율
피하조직의 감소 건조하고 주름지고 껍질이 벗겨진 피부 태변 착색 길고 마른 체형 긴 손톱 눈을 뜨고 있거나 각성되어 보이는 얼굴 나이가 들어 보이거나 걱정이 있는 표정	성장 지연 저혈당 적혈구증가증 태변 흡입 신경발달이상

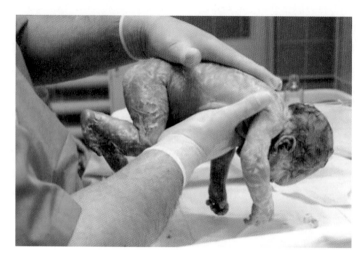

그림 39-1. **과숙증후군**(postmaturity syndrome)

(2) 태반기능장애(Placental dysfunction)

① 태반의 기능

a. 임신 37주에 최고, 이후 쇠퇴

b. 임신 40주 이후 태반의 노화가 급격하게 진행

② 태반기능장애의 증거

a. 태반 세포자멸사(placental apoptosis)가 임신 36~39주에 비해 41~42주에 훨씬 증가

b. 산소 부족으로 인한 탯줄 적혈구생성인자(cord erythropoietin)의 증가가 임신 41주 이후에 의미 있게 증가

(3) 태아절박가사(Fetal distress)와 양수과소증(Oligohydramnios)

① 지연임신에서 나타나는 태아절박가사의 원인

a. 양수과소증으로 인한 탯줄 압박 : 가장 흔한 원인

b. 태변 착색

c. 태변 흡입

② 지연임신에서 나타나는 태아 심박동 소견

a. 지속성 태아심장박동수감소(prolonged deceleration)

b. 다양성 태아심장박동수감소(variable deceleration)

c. Saltatory baseline fetal heart rate

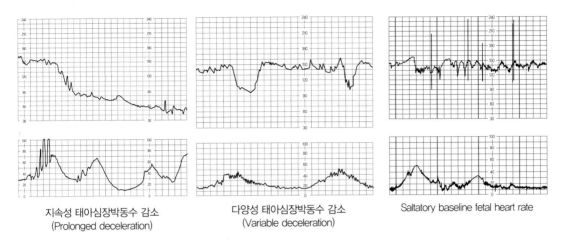

지속성 태아심장박동수 감소
(Prolonged deceleration)

다양성 태아심장박동수 감소
(Variable deceleration)

Saltatory baseline fetal heart rate

그림 39-2. 지연임신에서 나타나는 태아 심박동 소견

(4) 태아성장제한(Fetal growth restriction)

① 지연임신에서 영아의 이환율과 사망률은 성장제한 영아에서 증가

② 사산인 경우 지연임신과 연관이 높으며, 성장제한 영아인 경우가 많음

2) 합병증

(1) 양수과소증(Oligohydramnios)

① 양수량의 감소

    a. 임신 38주 이후부터 감소하기 시작

    b. 지연임신에서 가장 일반적으로 나타나는 소견

    c. 주산기 예후를 예측하는 임상적으로 의미 있는 소견

② 양수과소증의 연관성(ACOG, 2017)

    a. 비정상적인 태아 심박수의 증가

    b. 탯줄 압박

    c. 태변 착색

    d. 탯줄동맥 pH <7.1

    d. 낮은 아프가 점수(5분 아프가 점수 ≤6)

③ 병적인 상황에 의한 양수과소증과 단순히 임신 주수가 진행되어 양수과소증이 동반된 경우를 감별하는 것이 매우 중요

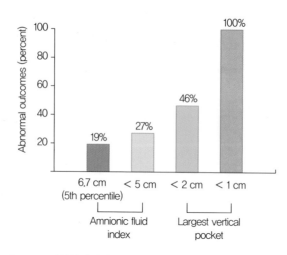

그림 39-3. 지연임신에서 다양한 양수량 예측에 따른 예후의 비교

(2) 거대아(Macrosomia)

　① 지연임신 시 거대아 분만의 빈도 증가

　　a. 출생체중 4,000 g 이상 : 37~41주 8.5% vs 42주 이상 11.2%

　　b. 산모나 태아의 이환율 감소를 위해 시기적절한 유도분만이 필요

　② 거대아의 질식분만(ACOG, 2016)

　　a. 산모가 당뇨병이 없다면 예상태아체중 5,000 g 까지는 질식분만 가능

　　b. 예상태아체중 4,500 g 이상이면서 분만진통 제2기의 지연 또는 태아하강 정지의 경우 제
　　왕절개 시행

3　분만관리

1) 산전 관리(Antepartum management)

　(1) 유도분만 관련 인자

　　① 자궁경부(cervix)

　　　a. 비숍점수 7점 이상의 경우 유도분만 성공률 증가

　　　b. 불리한 자궁경부(unfavorable cervix)

　　　　- 낮은 비숍점수(Bishop score ≤6)

　　　　- 질 초음파상 자궁경부 길이 ≥3 cm

② 양막박리(membrane stripping)

    a. 골반진찰 시 손가락으로 양막을 자궁하부로부터 분리시키는 것

    b. 프로스타글란딘 분비를 촉진시켜 진통을 유발

    c. 통증, 질 출혈, 불규칙한 자궁수축을 초래

    d. 효과가 확실하지 않음

③ 태아선진부 하강도(station)

    a. 하강도는 지연임신의 유도분만 성공 예측에 중요

    b. 하강이 많을수록 성공률 증가

(2) 유도분만(Induction) vs 태아감시(Fetal testing)

① 유도분만의 목적 : 지연임신 시 동반되는 주산기 사망률과 이환율을 감소시키기 위해 문제 발생 전 임신을 종결

② 태아감시 선호 이유 : 유도분만이 주산기 사망의 감소 없이 수술만 증가시킨다는 우려

③ 임신 41주 이후 시작하는 태아평가방법

    a. 임신부가 직접 태동의 횟수를 세는 방법

    b. 비수축검사(nonstress test, NST)

    c. 수축자극검사(contraction stress test, CST)

    d. 생물리학계수(biophysical profile, BPP)

    e. 수정 생물리학계수(modified biophysical profile)

④ 중재 시기(ACOG, 2016)

    a. 불리한 자궁경부(unfavorable cervix)인 경우 기대요법을 할 수 있으나 임신 $41^{0/7} \sim 41^{6/7}$주 사이에 유도분만을 고려

    b. 임신 $42^{0/7} \sim 42^{0/6}$주 사이에 유도분만을 시행해야 주산기 합병증과 사망률이 감소

(3) 지연임신의 치료방침

① 임신 41주 이후에는 주 2~3회 태아감시를 시행

② 고혈압, 태아가사, 태동 감소, 양수과소증 등의 합병증이 발생한 경우 유도분만을 고려

③ 임신 42주 이후에는 유도분만을 시행

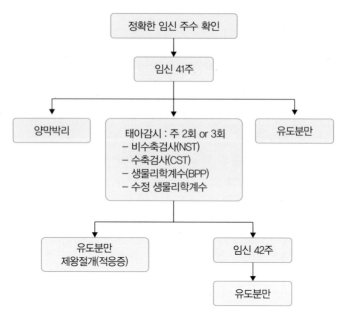

그림 39-4. **지연임신의 치료방침**

2) 분만진통 중 관리(Intrapartum management)

(1) 분만진통의 시작

① 지연임신 태아에게 가장 위험한 시기

② 진통이 시작되면 바로 병원을 방문하여 진통기간 내내 전자태아감시장치를 이용하여 태아 상태를 평가

③ 인공 양막파수(amniotomy)

　　a. 장점 : 태변 착색 여부 확인 가능, 두피전극이나 자궁내압카테터 설치 가능

　　b. 단점 : 양수량의 감소로 탯줄 압박 가능성 증가

(2) 태변 착색의 확인

① 태변흡입증후군으로 인하여 폐기능 장애와 신생아 사망 초래 가능

② 미분만부에서 진통 초기에 높은 점도의 태변 착색 : 바로 제왕절개 분만을 고려

③ 태변이 확인되면 분만 직후 기관내삽관 및 흡인을 해주고, 필요 시 바로 환기 시행

④ 양수주입술(amnioinfusion) : 태변흡입증후군 발생에 영향이 없음

⑤ 머리 분만 후 가슴은 아직 분만되지 않았을 때 인두의 흡인 : 최근에는 추천되지 않음

CHAPTER 40

태아의 성장 이상(Fetal growth disorders)

1 태아성장제한(Fetal growth restriction)

1) 정상적인 태아의 성장

(1) 태아의 성장

① 태아 성장의 3단계

1단계	2단계	3단계
세포증식(hyperplasia)	세포증식(hyperplasia), 세포비대(hypertrophy)	세포비대(hypertrophy)
임신 16주까지	임신 16~32주	임신 32주 이후
세포수의 급격한 증가		태아의 지방과 글리코겐이 축적

② 체중의 증가

임신 15주까지	임신 24주까지	임신 34주까지
하루 5 g	하루 15~20 g	하루 30~35 g

③ 성장에 영향을 주는 요인
   a. 태아의 유전체(genome) : 가장 중요한 요소
   b. 환경적인 요인
   c. 영양 상태 : 영양 공급 및 태반을 통한 전달
   d. 호르몬 : insulin-like growth factor-1 (IGF-1), leptin 등
④ 정상 체중은 인종, 지역(위도)에 따라 다름

(2) 임신 주수에 따른 출생체중

Age(wk)	Percentile				
	5th	10th	50th	90th	95th
24	539	567	680	850	988
25	540	584	765	938	997
26	580	637	872	1080	1180
27	650	719	997	1260	1467
28	740	822	1138	1462	1787
29	841	939	1290	1672	2070
30	952	1068	1455	1883	2294
31	1080	1214	1635	2101	2483
32	1232	1380	1833	2331	2664
33	1414	1573	2053	2579	2861
34	1632	1793	2296	2846	3093
35	1871	2030	2549	3119	3345
36	2117	2270	2797	3380	3594
37	2353	2500	3025	3612	3818
38	2564	2706	3219	3799	3995
39	2737	2877	3374	3941	4125
40	2863	3005	3499	4057	4232
41	2934	3082	3600	4167	4340
42	2941	3099	3686	4290	4474

2) 태아성장제한(Fetal growth restriction)

(1) 정의

① 부당경량아(small for gestational age, SGA)

    a. 출생체중이 해당 임신 주수의 10 백분위수 미만

    b. 부당경량아의 70%는 인종, 부모에 따른 단순히 체질적으로 작은 경우

    c. 3 백분위수 이하인 경우 사망률과 유병율이 유의하게 증가

② 저출생체중(low birth weight, LBW)

    a. 출산 후 계측한 체중이 2,500 g 미만인 경우

    b. 태아성장제한은 저출생체중 부당경량아에서 흔함

(2) 대칭적 및 비대칭적 성장제한

① 대칭적 성장제한과 비대칭적 성장제한의 비교

	대칭적 성장제한 (Symmetrical growth restriction)	비대칭적 성장제한 (Asymmetrical growth restriction)
구분 기준	Head-to-Abdomen circumference ratio(HC/AC)	
신체 계측치	머리둘레가 복부둘레에 비례하여 작음	머리둘레에 비해 복부둘레가 불균형적으로 작음
발생기전	세포의 성장 초기의 전반적인 손상 세포수와 크기가 상대적으로 감소	임신 후기의 손상 세포수가 아닌 세포의 크기 감소
원인	화학물질 노출 바이러스 감염 염색체 이수성(aneuploidy)에 의한 세포 성장 초기의 전반적인 손상	산모의 고혈압으로 인한 태반기능저하 (산모에서 포도당이 잘 전달되지 않고, 간에서 저 장되는 양이 줄어 세포의 크기가 감소)
위험성	불량한 임신결과의 위험성 증가 없음	분만 중, 그리고 신생아 합병증의 위험이 증가 행동장애 발생 증가 뇌 손상 증가, 작은 뇌의 크기
태아 성장	정상적 성장, 유전적으로 결정된 작은 키	비정상적인 성장

② 뇌보호(brain sparing)
a. 뇌에 산소와 영양분을 우선적으로 공급하여 정상적인 뇌와 머리 성장 유지
b. 간 무게에 대한 뇌 무게의 비율
- 일반적인 임신 마지막 12주 동안 약 3:1
- 심각한 성장제한 신생아는 약 5:1 이상 증가

(3) 태반이상(Placental abnormalities)
① 태아성장제한의 원인 중 하나
② 임신 초기 태반형성 결함과 관련된 착상부위장애(implantation site disorders)
a. 태반부착부위의 혈류 감소
b. 비정상적인 영양막 침투(trophoblastic invasion) 초래
③ 태반에서 발현되는 다양한 면역학적 이상이 태아성장제한과 관련
a. 태반의 염증성 반응 증가
b. 태반의 무게 감소 초래

(4) 주산기 사망 및 이환

① 증가하는 위험성

신생아의 위험성	성인에서의 위험성
사산, 신생아 사망	고혈압
신경발달장애	동맥경화
낮은 5분 아프가 점수	제2형 당뇨
호흡곤란	대사장애
괴사성 장염	심장의 구조변화와 기능장애
신생아 패혈증	신기능장애, 만성신질환 및 고혈압과 연관성

② 대부분의 불량한 임신결과는 3 백분위수보다 작은 신생아에서 발생

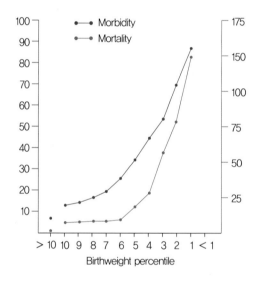

그림 40-1. 출생체중 백분위수와 주산기 사망률과 이환율의 관계

③ 스트레스성 임신과 태아 폐성숙 촉진

    a. 태아성장제한 같은 스트레스성 임신이 태아 폐성숙을 촉진시킨다는 의견

    b. 많은 연구가 진행되었으나 생존 이득을 가져오지는 못한다는 결론

(5) 원인

모체측 원인	태아측 원인	태반측 원인

모체의 혈관질환
  − 자궁과 태반의 혈류량 감소
  − 임신성 고혈압, 당뇨, 만성 신
   장질환, 전신홍반루프스, 항인
   지질항체증후군
만성적인 자궁−태반 저산소증
  − 전자간증, 만성 고혈압, 천식
  − 흡연, 고산지대
모체의 체중 증가 불량
기형발생물질, 중독성 물질의 남용
  − 항암제, 항응고제, 항경련제
  − 흡연, 음주, 헤로인, 코카인
감염
  − 결핵, 매독
  − Toxoplasmosis, Malaria
	세염색체증
	  − Trisomy 18, 13, 16, 21
	  − Turner syndrome
	  − Klinefelter syndrome
	태반 국한성 섞임증(mosaicism)
	선천성 기형
	  − 선천성 심장기형
	  − 배벽갈림증
		만성 태반조기박리
		광범위 경색
		융모막혈관종(chorioangioma)
		주획태반(circumvallate placenta)
		전치태반(placenta previa)
		탯줄의 부착이상
		  − 양막 부착(velamentous
		   insertion)
		  − 가장자리 부착(marginal
		   insertion)

(6) 태아성장제한의 평가

  ① 자궁저부의 높이(uterine fundal height)

    a. 치골 상부부터 자궁저부까지의 길이를 cm로 표시하는 방법

     - 임신 18~30주까지는 임신 주수와 대략 일치

     - 예외 : 임산부의 비만, 자궁근종, 다태임신 등

    b. 임신 주수에 비해 2~3 cm 이상 작으면 부적절한 태아성장을 의심

    c. 단점 : 자궁 내 성장제한의 선별검사로서 과학적 근거가 부족

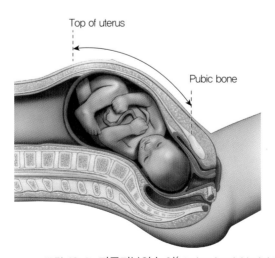

그림 40-2. 자궁저부의 높이(uterine fundal height)

② 초음파 검사

  a. 태아성장 평가를 위한 연속적인 초음파 검사

    - 적응증 : 자궁 내 성장제한의 과거력, 성장제한의 위험인자가 있는 경우

    - 최소한 임신 16~20주 이전에 정확한 임신 주수와 중증 기형유무를 확인

    - 임신 32~34주 또는 임상적으로 의심이 되는 경우에는 연속적인 검사를 통해 태아 성장
에 대한 평가 시행

  b. 태아의 크기를 측정하는 생체계측

    - 양쪽마루뼈 지름(BPD), 머리 둘레(HC), 복부 둘레(AC), 대퇴골 길이(FL)

    - 자궁 내 성장제한의 예측에 가장 효과적인 변수 : 복부 둘레(AC)

복부 둘레(AC)	예측
Normal range AC	태아성장제한 배제 가능
Small AC	Decreased fetal pO_2 and pH
≤5 percentile	Highly suggestive of FGR

  c. 초음파 예측체중과 실제 체중은 20% 이상 불일치하여 위양성, 위음성 발생 가능

③ 양수량 측정

  a. 태아의 신장 혈류를 반영하는 것으로 간접적으로 태아의 혈류순환을 평가하는 지표

  b. 양수과소증(oligohydramnios)

    - 성장제한 태아에서 가장 먼저 나타나는 징후

    - 태아의 저산소혈증에 의한 혈류의 재분배를 의미

    - 신장 혈류의 감소와 이에 따른 소변 생성 감소의 결과

    - 양소과소증이 심해질수록 비정상도플러 파형과 관련

④ 도플러 측정

  a. 도플러 혈류속도의 측정

    - 태아성장제한의 초기 변화 : 탯줄동맥 및 중간대뇌동맥의 혈류 변화

    - 태아성장제한의 후기 변화 : 탯줄동맥 혈류 소실 및 역전, 정맥관, 대동맥, 폐동맥의 비
정상적인 흐름

  b. 탯줄동맥(umbilical artery)의 도플러 파형

    - 태반 혈류의 저항을 반영

    - 비정상 탯줄동맥 도플러 파형 : 태반기능 이상을 나타내는 중요한 지표

    - 자궁 내 성장제한 태아를 평가하는 표준검사법(ACOG, 2015)

    - 주산기 예후를 향상시킬 수 있는 검사

c. 탯줄동맥의 이완기말 혈류 소실 또는 역전(absent or reversed end-diastolic flow)
- 태반 동맥의 60~70%가 폐색되었을 때 발생
- 자궁 내 저산소혈증이 50~80%에서 동반
- 주산기 사망률이 각각 4배, 10.7배 증가

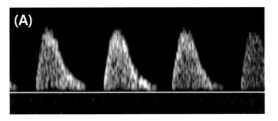 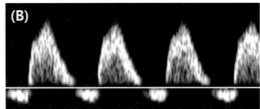

그림 40-3. 비정상 탯줄동맥 도플러 파형, (A) 이완기말 혈류 소실, (B) 이완기말 혈류 역전

d. 정맥관(ductus venosus)의 도플러 파형
- 심근기능의 악화 및 산혈증을 반영
- 주산기 및 신경계의 부정적 결과에 주요한 원인
e. 정맥관의 박동지수가 증가하고 심방기 혈류의 소실 또는 역전
- 태아 산증을 시사하는 소견
- 태아 비정상 혈류의 후기 변화

(7) 예방
① 임신 전
a. 산모의 건강상태, 약물, 영양상태의 조절, 금연, 위험지역에서의 말라리아 예방
b. 경증에서 중등도의 고혈압 치료는 태아성장제한 발병을 줄이지 못함
② 임신 초기에 정확한 임신 주수 확인
③ 이전 부당경량아 임신 과거력이 있더라도 지금 임신이 정상적이라면 도플러와 태아감시가 반드시 필요하지는 않음
④ 태아성장제한 과거력 여성에서 예방을 위한 저용량 아스피린은 권장되지 않음

(8) 관리
① 태아감시(fetal surveillance test)
a. 정밀 초음파
- 자궁 내 성장제한 의심 시 태아기형, 염색체 이상 등을 우선적으로 배제
- 2~4주 간격의 연속적인 초음파 검사로 성장 속도를 평가

b. 도플러, 비수축검사(NST), 생물리학계수(BPP) : 태반기능부전과 태아 안녕상태를 평가

c. 태아안녕평가의 분류

	만성기 검사	급성기 검사
종류	- 탯줄동맥(umbilical artery) 도플러 - 중대뇌동맥(middle cerebral artery) 도플러 - 양수량(amnionic fluid volume) 변화	- 비수축검사(NST) - 생물리학계수(BPP) - 정맥관(ductus venosus) 도플러
특징	- 만성 저산소증, 저산소혈증 발생 시 가장 먼 저 비정상 소견을 나타내며 점진적으로 악화 - 만성 저산소증의 중증도 파악에 효과적	- 태아손상이 상당히 진행된 후 나타나는 변화 - 중증의 저산소증과 대사성 산증을 시사 - 자궁 내 태아사망이 며칠 내로 발생 가능

d. 탯줄동맥 도플러

- 저항이 증가되어 있는 경우 : 추적검사 필요

- 이완기말 혈류 소실 또는 역전이 발생한 경우 : 분만 고려

② 만삭이 먼 태아성장제한의 관리

a. 산모의 상태 평가, 탯줄동맥 도플러, 태아심박동검사, 생물리학검사를 시행

b. 임신 34주 미만 또는 출산 위험이 있으면 폐성숙을 위한 corticosteroid 투여

c. 탯줄동맥 이완기말 혈류 소실 또는 역전, 안심할 수 없는 태아상태이면 분만 진행

d. 임신의 유지가 가능하다고 판단될 경우 : 매주 탯줄동맥 도플러, 태아심박동검사, 양수량
측정을 하며 태아감시 시행

③ 만삭이 가까운 태아성장제한의 관리

a. 임신 34주가 지났고 양수과소증, 탯줄동맥의 비정상 혈류파형, 임산부의 위험인자 등이
있다면 유도분만 시행

b. 연속적인 초음파 검사에서 태아성장이 확인되고 탯줄동맥 도플러를 비롯한 태아안녕검
사에서 정상 소견을 보일 경우에는 임신 38~39주에 분만

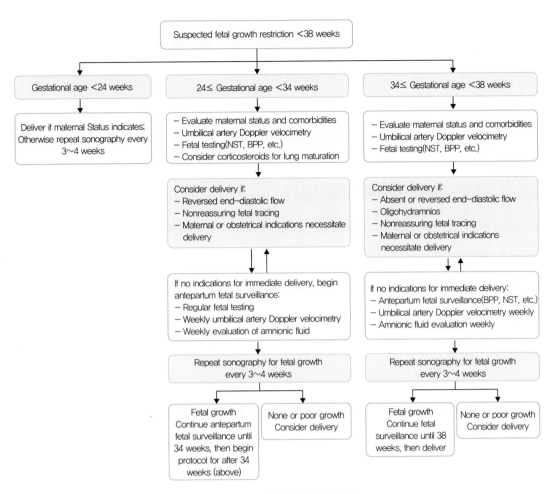

그림 40-4. 태아성장제한의 관리

(9) 분만진통과 분만

① 자궁 내 성장제한은 제왕절개의 적응증이 아니지만 임상적 판단이 중요

② 연속적인 태아감시 장치를 통한 분만진통 시 주의 깊은 감시가 필요

    a. 태반기능부전의 경우 분만진통 스트레스에 대한 예비력 저하로 태아가사 위험성 증가

    b. 양수과소증의 경우 탯줄 압박 가능성 증가

③ 양수과소증이 의심될 경우 임신 34주경 분만을 권고

2 태아과도성장(Fetal overgrowth)

1) 서론

(1) 정의 및 빈도

① 거대아(macrosomia)

a. 출생 주수에 따른 97 백분위 또는 2 표준편차 이상의 출생체중

b. 임신 39주에 4,000 g 이상, 임신 40주에 4,500 g 이상

② 거대아의 비율이 20세기에 들어 증가

③ 전체 분만의 약 3% 정도

(2) 위험인자 및 위험성

위험인자	분만 시 증가하는 위험성
산모의 비만(임신 전 BMI)	제왕절개
당뇨(diabetes)	견갑난산
지연임신(postterm pregnancy)	산후 출혈, 회음부 열상
다분만부(multiparity)	5분 아프가 점수 <7점
부모의 큰 체격	NICU 입원, 기계호흡
산모 나이의 증가	산모의 감염
거대아의 과거력	쇄골골절, Erb 마비
인종, 유전적 요인	저혈당, 고빌리루빈혈증

2) 진단 및 처치

(1) 진단

① 출생 전에 큰 태아를 정확하게 예측할 수 있는 방법은 제한

② 초음파 : 태아체중 추정에 있어 작은 태아에 비해 큰 태아에서는 덜 유용

(2) 처치

① 초음파상 거대아 예상 : 만삭 이전 또는 만삭의 선택적 유도분만의 적응증이 아님

② 당뇨 합병 임신 + 초음파상 거대아 예상 : 제왕절개술 고려 가능

③ 당뇨 합병 임신 + 태아예상체중 4,250~4,500 g 이상 : 제왕절개술이 견갑난산을 예방

CHAPTER 41

다태아 임신(Multifetal pregnancy)

1 다태아 임신의 발생 기전

1) 다태아 임신의 발생

(1) 난성(Zygosity)

	일란성 쌍태아 (Monozygotic twin)	이란성 쌍태아 (Dizygotic twin)
수정된 난자의 수	한 개의 난자	두 개의 난자
태아의 발생	수정 후 분리	같은 시기에 수정된 2개의 난자가 착상
태아의 유전자	유전적으로 동일	동일하지 않음
비율	쌍태아의 1/3	쌍태아의 2/3
발생 빈도	인종, 유전, 나이, 분만 횟수와 무관 불임치료의 방법 모두에서 증가	인종, 유전, 나이, 분만 횟수, 불임치료와 관련
성별	동성(mosaicism 시 46,XY+45,X 가능)	동성 또는 이성
혈액형	동일	다름
이식거부반응	음성	양성
지문	다름	다름

(2) 일란성 쌍태아(Monozygotic twin)의 발생 기전

① 어떤 이유로 일란성 쌍태아가 발생하는지에 대하여 아직 확립된 이론은 없음

　　a. 수정되었을 때 나뉘어지기 쉬운 적은 수의 난자가 있을 것으로 생각

　　b. 보조생식술로 난소를 자극하면 이런 난자의 개수도 함께 증가하여 일란성 쌍태아가 늘어
　　　나는 것으로 생각

② 분할 시기에 따른 여러 형태

수정 후 분할	Embryo의 변화	Chorion	Amnion
3일 이내	inner cell mass와 융모막이 형성되기 이전 (태반은 융합 또는 2개, 기능적으로도 별개의 태반)	Dichorion	Diamnion
4~8일	inner cell mass와 융모막은 형성되고 양막은 형성되기 이전	Monochorion	Diamnion
8~13일	inner cell mass와 융모막은 형성되고 양막도 이미 형성	Monochorion	Monoamnion
13일 이후	배아가 발달하는 시기, 난할이 불완전	Conjoined twins	

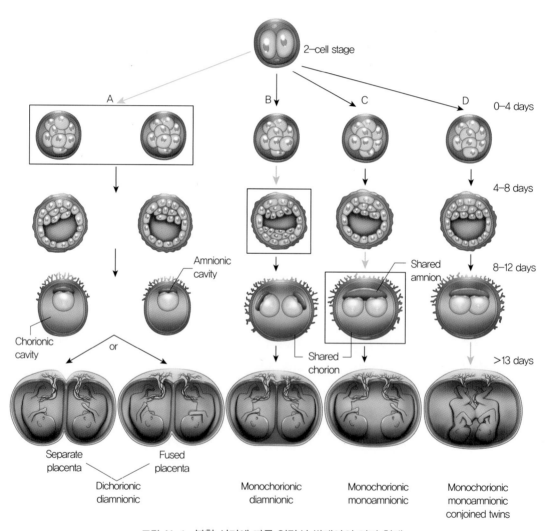

그림 41-1. 분할 시기에 따른 일란성 쌍태아의 여러 형태

(3) 동기복수임신(Superfecundation)과 이기복수임신(Superfetation)

  ① 동기복수임신(superfecundation)

    a. 똑같은 시기에 배란된 두 개의 난자와 서로 다른 2회의 성교에 의하여 임신 되는 것

    b. 1982년 부모 모두 O형에서 A형인 흑인 신생아와 O형인 백인 신생아를 출산

  ② 이기복수임신(superfetation)

    a. 이미 임신 된 상태에서 다음 생리 주기에 다시 임신 되는 것

    b. 당나귀에서는 이에 대한 보고가 있지만 인간에서는 일어나지 않는 것으로 알려짐

    c. 태아의 크기 차이가 많이 나는 쌍태아를 이기복수임신이라고 주장하기도 하지만 대부분
은 두 태아의 성장 차이에서 오는 것으로 생각

  ③ 키메라현상(chimerism) : 한 난자에 이중 수정이 일어나는 것

(4) 쌍태아 임신의 빈도 증가에 영향을 주는 요인

  ① 인종 : 흑인 > 백인 > 동양인

  ② 유전 : 모계의 유전형질이 쌍태아 임신에 더욱 중요한 역할

  ③ 산모의 나이 및 분만력 증가

  ④ 영양 상태가 좋고, 체격과 키가 큰 여성에서 증가

  ⑤ 성선자극호르몬(pituitary gonadotropin)의 증가

    a. 경구피임약 중단 시 FSH의 일시적 증가로 2개 이상의 난자가 배란될 수 있음

    b. 폐경기에 가까워지면 성선자극호르몬이 증가

  ⑥ 난임 치료 : 일란성 및 이란성 모두 증가

  ⑦ 보조생식술(assisted reproductive technology, ART)

(5) 다태아 임신에서의 성비(Sex ratio)

  ① 임신당 태아 수가 증가함에 따라 남성 비율이 감소

  ② 남성 비율 감소의 원인

    a. 자궁에서 시작한 생애주기 전반 동안의 더 낮은 여성 사망률

    b. 여성 접합자(female zygotes)의 더 큰 분열 경향

(6) 융모막성(Chorionicity)의 결정

① 초음파 검사를 통한 진단

a. 임신 제1삼분기

단일 융모막성 이양막성 쌍태아 임신(MCDA)	이융모막성 이양막성 쌍태아 임신(DCDA)
– 임신낭이 한 개로 관찰 – 임신 8주 전에 얇은 중간 양막을 보기 어려울 수 있고, 그러면 난황낭(yolk sac) 수로 양막성을 판단 – 임신 8주 이후 체액이 차면 양막 확인 가능	– 두 개의 임신낭을 분리하는 두꺼운 융모막 밴드 (thick band of chorion) – 모두 이양막성(diamnion)
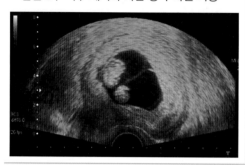	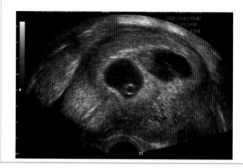

b. 임신 제2삼분기

- 태아의 성별
  - 태아의 성이 다르면 이란성이므로 이융모막(dichorion) 쌍태아
  - 섞임증(mosaicism) 발생 시 46,XY와 45,X의 다른 성별이 발생 가능
- 태반의 수 : 분리된 태반을 가지고 있으면 이융모막(dichorion) 쌍태아
- 태반이 한 덩어리로 보이는 경우

단일 융모막성 이양막성 쌍태아 임신(MCDA)	이융모막성 이양막성 쌍태아 임신(DCDA)
– T sign : 태반에서 분리막이 90°를 이루며 막 사이에 태반조직이 없는 경우 – 분리막의 두께 <2 mm	– Twin peak sign (lamda or delta sign) : 분리막의 기저부에서 삼각형 모양으로 만들어진 태반조직 – 분리막의 두께 ≥2 mm
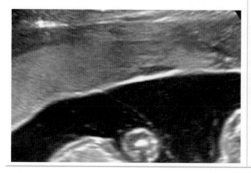	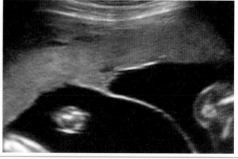

c. 융모막성, 양막성 평가가 중요한 이유 : 산과적 위험도를 평가하여 다태아 임신부 관리에
중요한 정보를 제공

② 태반 검사

a. 만출된 태반에 양막(amnion)과 융모막(chorion)이 부착된 상태를 확인하는 방법

b. 단일 융모막성(monochorion) : 양막강이 하나이거나, 분리막에서 맞닿아 있는 두 양막을
분리해 볼 때 그 사이에 융모막이 존재하지 않음

c. 이융모막성(dichorion) : 분리막에서 두 양막을 분리해 볼 때 그 사이에 융모막이 존재

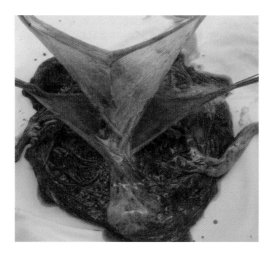

그림 41-2. 태반 검사 통한 이융모막성 쌍태아 임신의 확인

③ 태반과 양막의 형태

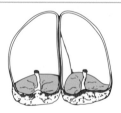

2 placentas, 2 amnions, 2 chorions
→ 수정 후 3일 이내에 분할된 이란성 쌍태아 혹은 일란성 쌍태아

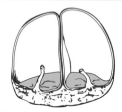

1 placenta, 2 amnions, 2 chorions
→ 수정 후 3일 이내에 분할된 이란성 쌍태아 혹은 일란성 쌍태아

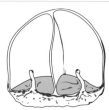

1 placenta, 1 chorion, 2 amnions
→ 수정 후 4~8일 이내에 분할된 일란성 쌍태아

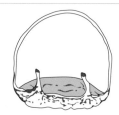

1 placenta, 1 chorion, 2 amnions
→ 수정 후 8~13일 이내에 분할된 일란성 쌍태아

2) 다태아 임신의 진단

(1) 임상적 평가

① 자궁저부의 높이(height of fundus) : 임신 20~30주 사이에 같은 주수의 단태아 임신보다 5 cm 정도 더 큼

② 산모의 복부 촉진 : 더 이상 사용하지 않음

③ 도플러로 쌍태아 임신을 의심할 수 있지만 확진은 초음파를 이용

(2) 초음파 검사

① 초기 진단에 가장 유용한 검사

② 태아의 수, 임신 주수 추정, 융모막성과 양막성의 확인 가능

(3) 다른 진단 방법들

① 자기공명영상(MRI) : 단일 융모막성 쌍태아의 합병증 확인에 도움

② 생화학적 검사

    a. 증가 : β-hCG, maternal serum levels of alpha-fetoprotein(MSAFP)

    b. 수치의 범위가 다양하고 단태아의 수치와 겹칠 수 있음

3) 다태아 산모의 적응

(1) 다태아 산모의 생리적 변화

① 더 심한 구역(nausea), 구토(vomiting) : 증가한 β-hCG 수치의 영향

② 혈액량(blood volume)의 50~60% 증가 : 단태아 임신 시 40~50% 증가

③ 철분과 엽산 요구량 및 임신성 빈혈의 빈도 증가

④ 정상적이지만 큰 혈압의 변화폭 : 임신 초 더 낮다가 만삭에 많이 상승

⑤ 심박출량(cardiac output) 증가 : 맥박수 및 심근의 수축력 증가

(2) 양수량 증가에 의한 압박 증상

① 커진 자궁에 의한 폐와 내장기관 압박

② 요관폐쇄(obstructive uropathy)에 의한 신장기능 손상 발생 가능

③ 치료적 양수천자 : 요관폐쇄, 조기진통의 위험성을 줄일 수 있음

2 | 다태아 임신의 합병증

1) 다태아 임신 시 증가하는 합병증

(1) 자연 유산(Spontaneous abortion)

① 임신 제1삼분기 이내 유산의 위험성 : 약 14%(단태아 임신의 3배)

② 태아의 수가 많을수록 증가

③ 이융모막성보다 단일 융모막성(monochorion)에서 증가

(2) 선천성 기형(Congenital malformations)

① 단태아 임신보다 약 1.7배 높음

② 이융모막성보다 단일 융모막성(monochorion)에서 2배 정도 높은 빈도

③ 쌍태아 임신에서 선천성 기형의 종류

쌍태아 임신 특이적인 이상	쌍태아 임신에서 더 흔히 발생하는 이상	자궁 내 환경으로 인한 이상
결합 쌍태아 쌍태아 역동맥관류연쇄	수두증 선천성 심장기형 신경관 결손	곤봉발 선천성 고관절 탈구

④ 최근 보조생식술(ART)과 관련된 선천적 기형의 비율 증가가 보고

(3) 저출생체중(Low birth weight)

① 원인 : 발육 지연과 조산

② 태아의 수가 증가할수록 저체중의 정도가 더 심함

③ 쌍태아는 임신 28~30주까지 단태아와 거의 비슷하게 성장하지만 그 이후부터 감소하기 시작하여 임신 34~35주부터는 확실하게 차이가 발생

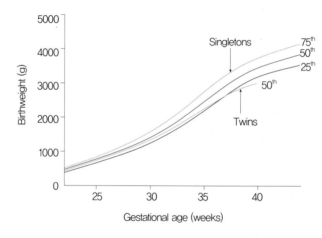

그림 41-3. 쌍태아와 단태아의 출생체중 백분위

(4) 고혈압(Hypertension)

① 태아의 수 및 태반의 크기가 발병기전과 연관

② 단태아 임신과 비교

    a. 임신성 고혈압 발생 빈도 증가(약 2배 이상)

    b. 이른 시기에 더 심한 양상으로 발생하는 경향

    c. 조산, 태아성장제한, 태반조기박리, HELLP증후군 등의 합병증이 증가

    d. 신생아 예후가 더 불량

③ 임신성 고혈압의 진단이나 치료는 단태아 임신과 동일

(5) 조산(Preterm birth)

① 쌍태아 임신에서 신생아 이환율과 사망률의 주원인

② 태아의 수가 증가함에 따라 임신 주수는 감소

③ 태아의 수에 따른 평균 임신 주수

태아의 수	평균 임신 주수(weeks)
1	40
2	36.5
3	33
4	29.5
5	29

④ 원인 : 자연 조기진통이 조기양막파수보다 더 많은 부분을 차지

(6) 지연임신(Postterm pregnancy)

① 쌍태아 임신의 지연임신

  a. 임신 40주 이후

  b. 임신 40주가 지나서 분만된 쌍태아에서 단태아의 지연임신에서 나타나는 과숙 징후가 나타나기 때문

② 빈도 : 전체 쌍태아 임신의 약 6.4%

(7) 장기적 태아 발달(Long-term infant development)

① 지능은 단태아와 차이 없음

② 조산의 원인은 다를 수 있지만 신생아 결과는 일반적으로 유사한 임신 주수와 동일

③ 정상 출생체중 쌍태아에서 뇌성마비(cerebral palsy) 위험성 증가 : 태아성장제한, 선천적 기형, 쌍태아 수혈증후군, 일태아 사망의 위험성 증가가 원인으로 생각

2) 고유한 태아 합병증

(1) 단일 양막성 쌍태아 임신(Monoamnionic twin)

① 드문 빈도, 일란성 쌍태아 임신의 1%

② 자궁 내 태아성장제한이 많고, 매우 높은 태아 사망률

  a. 선천성 기형, 조산

  b. 탯줄 얽힘(cord entanglement)

    - 단일 양막성 쌍태아 사망의 가장 흔한 원인, 예측이 어려움

    - 주로 임신 초기에 발생, 임신 29~32주가 지나면 발생이 현저히 감소

    - 탯줄이 얽혀서 태아가 사망하는 경우에는 대개 양측 태아가 사망

③ 관리

    a. 임신 26~28주에 태아 폐성숙을 위한 첫 번째 코스의 스테로이드를 투여하고, 매일 태아 심박수 감시를 시행

    b. 태아감시상 안심할 수 있는 태아상태(reassuring)라면 두 번째 코스의 스테로이드 투여 후 임신 34주에 제왕절개분만 시행

(2) 비정상적인 쌍태아

① 일란성 쌍태아에서 분리된 두개의 배아가 초기에 융합되어 기형의 범주로 발생

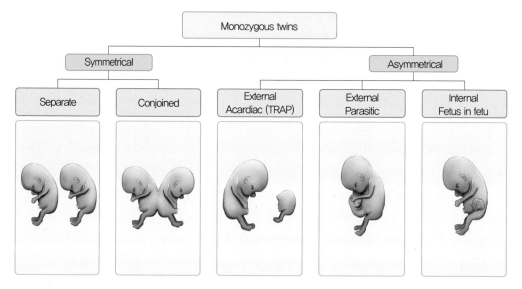

그림 41-4. 쌍태아와 단태아의 출생체중 백분위일란성 쌍태아의 가능한 모습들

② 결합 쌍태아(conjoined twins, Siamese twins)

    a. 단일 융모막성(monochorion) 쌍태아의 약 1%에서 발생, 매우 드문 기형

    b. 단일 수정란이 늦게 분할되는 경우, 특히 수정 12일 이후 분할이 일어났을 때 발생

    c. 가장 흔한 종류 : 가슴붙은 쌍태아(thoracopagus)

    d. 진단 : 임신 중기 초음파 검사, 자기공명영상(공유 장기를 명확하게 확인 가능)

    e. 분만

      - 생존이 가능한 결합 쌍태아 : 제왕절개 분만 시행

      - 유산이 목적인 경우 : 질식분만 가능(난산이 자주 발생)

f. 치료 및 예후
   - 공유된 장기의 특징이나 정도에 따라 예후가 결정
   - 생존 장기를 공유하지 않는 경우에는 분리 수술 가능

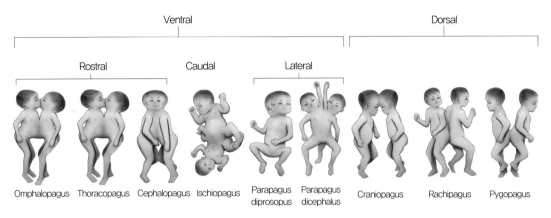

그림 41-5. 결합 쌍태아의 종류

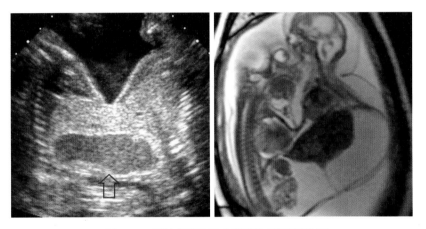

그림 41-6. 결합 쌍태아의 초음파와 자기공명영상

③ 기생 쌍태아(fetus-in-fetus)
   a. 발생 초기에 한 태아가 정상 성장을 한 쌍생아에 봉입되는 매우 드문 선천성 이상
   b. 척추 축 주위에 장기나 사지가 배열되어 있는 종물로 정의
   c. 진단 : 초음파(고형 및 석회화 성분을 포함하고 있는 낭성 종물 소견)
   d. 악성화의 가능성이 있는 기형종과는 달리 기생 쌍태아의 악성화 가능성은 거의 없음

(3) 단일 융모막성(Monochorion) 쌍태아의 혈관 문합

① 단일 융모막성 태반에서만 나타나는 형태

② 태반 내에서 태아 간 혈관이 연결되어 있는 것

③ 혈관 문합의 형태 및 특징

연결된 혈관	특징
동맥−동맥(Artery to Artery) 정맥−정맥(Vein to Vein)	− 융모막판(chorionic plate)의 표면에 위치 − 양방향성(bidirectional flow)을 보여 혈압의 차이에 따라 수시로 방향이 바뀜
동맥−정맥(Artery to Vein)	− 융모막판을 뚫고 태반 속에서 이루어지는 연결 − 동맥에서 정맥으로의 일방향성(unidirectional flow)을 보여 태아의 혈압이나 혈액량과는 관계없이 한 방향으로 혈류 이동이 일어나 TTTS를 일으키는 원인

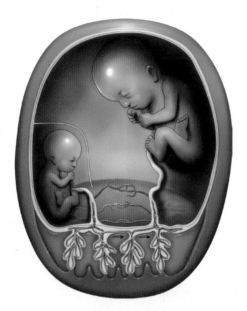

그림 41-7. 쌍태아 간의 혈관 문합

④ 쌍태아 수혈증후군(twin-twin transfusion syndrome, TTTS)

  a. 발생기전

    - A태아에서 B태아로의 동맥-정맥 연결도 있고, B태아에서 A태아로의 동맥-정맥 연결도 존재

    - 두 태아 사이의 동맥-정맥 연결을 통한 혈류량이 A태아에서 B태아로 많다면 동맥-동맥, 정맥-정맥 연결을 통해 B태아에서 A태아로의 이동이 이루어져 균형을 유지

    - 이런 일련의 과정에서 혈류 불균형을 되돌리지 못하여 발생

b. 임상소견

공여자(Donor)	수혈자(Recipient)
혈량저하증(hypovolemia)	혈량과다증(hypervolemia)
탈수(dehydration)	적혈구증가증(polycythemia)
저혈당(hypoglycemia)	울혈성 심부전(CHF), 심비대(cardiomegaly)
양수과소증(oligohydramnios), 교착 쌍태아(stuck twin)	고혈압(hypertension)
성장제한(growth restriction)	양수과다증(polyhydramnios)
빈혈(anemia)	부종(edema), 수종(hydrops)

- 태아의 뇌손상(fetal brain damage) : 저혈압, 빈혈 등에 의한 허혈성 괴사로 유발

c. 진단

쌍태아 수혈증후군(TTTS)의 진단기준	
단일 융모막성(monochorion) 쌍태아　+	공여자의 양수과소증(largest vertical pocket <2 cm)
	수혈자의 양수과다증(largest vertical pocket >8 cm)

- 불일치 쌍태아(discordant twin), 성장제한이 발견될 수 있지만 진단기준은 아님
- Stuck twin : 공혈자 태아의 양수가 거의 없어지면서 태아 피부에 양막이 붙은 것
- 단일 융모막성 쌍태아 임신은 16주부터 매 2주간격 초음파 검사를 권고(ACOG,2016)

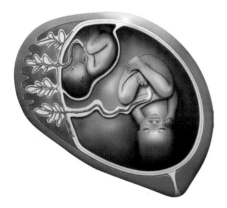 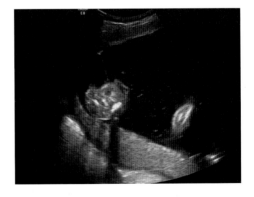

그림 41-8. Stuck twin

d. 쌍태아 수혈증후군의 단계(Quintero staging system)

- 예후와 연관성이 높은 staging system

- 산전 초음파를 이용하여 TTTS의 진행상태를 정하여 치료 방침과 예후 예측에 도움

Stage I	– 수혈자 태아 양수(최대 수직공간 >8 cm)와 공여자 태아 양수(최대 수직공간 <2 cm) – 공여자 태아의 방광이 보임
Stage II	– 공여자 태아의 방광이 보이지 않을 경우
Stage III	– 심각한 도플러 초음파 이상 소견(하나 이상, 공여자 태아의 방광이 보여도 진단 가능) • 탯줄동맥에서 이완기 혈류속도가 없거나 역류 • 정맥관(ductus venosus)의 역류 • 파동성 탯줄정맥(pulsatile umbilical vein)
Stage IV	– 태아에서 복수 혹은 태아 수종이 의심될 경우
Stage V	– 한 태아 이상 사망했을 경우

e. 치료

- 태아경하 레이저응고술(fetoscopic laser ablation) : Stage II~IV의 권장 치료법

- 양수감소술(amnioreduction)

- 선택적 태아희생술(selective feticide) : 탯줄정맥 부위의 고주파 열치료(radiofrequency ablation), 탯줄 폐쇄(cord occlusion)

- 중격천공술(septostomy) : 시술 후 단일 양막성 상태를 만들어 추천되지 않음

f. 예후

- Stage I : 2/3에서 치료없이 안정적이거나 호전

- Stage II~IV : 치료가 없는 경우 주산기 사망률 70~100%

⑤ 쌍태아 빈혈-적혈구증가증 현상(twin anemia-polycythemia sequence, TAPS)

a. 단일 융모막 쌍태아 임신에서 만성적인 쌍태아 간 수혈로 인하여 발생

- 쌍태아 간 양수량의 차이 없이 혈색소 수치의 차이를 보이는 것이 특징

- 태반은 미세한 동정맥 연결을 가지고 있으며 표면에 동맥-동맥 연결이 없거나 드묾

b. 종류

Spontaneous TAPS	Iatrogenic TAPS
단일 융모막 쌍태아 임신 중 자연적으로 발생 대부분 임신 26주 이후에 발생	태아경하 레이저응고술 후 발생 시술 후 5주 이내에 발생

c. 기전

- 미세한 동정맥 연결을 통해 공여자에서 수혈자로 느린 속도의 만성적 수혈 발생

- 혈역학적 보상기전이 작용하여 호르몬 장애나 양수량 차이 없이 혈색소 차이만 유발

d. 진단
- 공여자의 중대뇌동맥 최대수축속도(MCA-PSV) >1.5 MoM
- 수혈자의 중대뇌동맥 최대수축속도(MCA-PSV) <0.8 MoM

⑥ 쌍태아 역동맥관류 현상(Twin reversed arterial perfusion sequence, TRAP)
a. 단일 융모막성(monochorion) 쌍태아 임신의 드문 형태
- 쌍태아의 양막성 : 단일 양막성 또는 이양막성
- 펌프 쌍태아(pump twin) : 다른 태아의 혈류순환을 대신하는 태아
- 무심장 쌍태아(acardiac twin) : 혈류를 받는 태아

b. 기전
- 임신 초기 태반에 양측 태아의 탯줄에서 나온 동맥-동맥 연결 형성
- 한 태아의 탯줄동맥 관류가 우세하여 다른 태아의 탯줄동맥으로 혈류가 역류
- 태아 간 혈역학적 균형이 깨져 한 태아의 심혈관계가 다른 태아의 심혈관계를 대체
- 무심장 쌍태아에서 탯줄정맥을 통해 태반으로 되돌아온 혈액은 정맥-정맥 연결을 통해 다시 펌프 쌍태아에게 돌아감
- 무심장 쌍태아가 받는 혈액은 상대적으로 산소포화도가 낮은 혈류이고 보통 장골혈관 (iliac vessels)까지만 도달하기 때문에 상반신의 정상적인 발달이 어려움

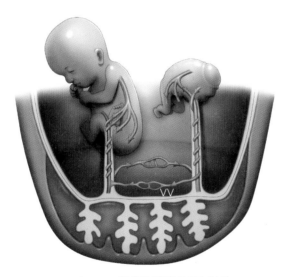

그림 41-9. 쌍태아 역동맥관류 현상

c. 치료
- 펌프 쌍태아에서 고박출 심부전(high-output heart failure)이 발생하기 전에 무심장 쌍태아의 탯줄 혈류를 차단
- 초음파 유도하 무심장 쌍태아의 탯줄 결찰
- 복강 내 탯줄동맥에 알코올 주입
- 탯줄동맥 내 코일 삽입
- 전기소작이나 레이저로 무심장 쌍태아의 탯줄 응고
- 고주파 열치료(radiofrequency ablation, RFA)
- 임신 13~16주에 태아 내 레이저술(intrafetal laser treatment)

(4) 포상기태와 동반된 정상 태아(Hydatidiform mole with normal fetus)
① 2가지 유형
a. 정상 태반의 이배수체(diploid) 태아 + 완전 포상기태(46,XX)
b. 삼배수체(triploid) 태아 + 부분 포상기태(69,XXY)
② 산모와 태아에 대한 영향
a. 삼배수체(triploid) 태아 : 심각한 선천성 기형, 대부분 임신 초기에 사망
b. 이배수체(diploid) 정상 태아 : 유산, 조산, 자궁 내 태아사망의 발생률 증가
c. 산모
- 분만 전 : 임신 초기부터 발생하는 심한 전자간증, 임신성 구토, 갑상샘기능항진증, 임신 중 출혈, 빈혈, 융모막색전(trophoblastic embolization)에 인한 호흡곤란증후군 등
- 분만 후 : 지속성 임신성 융모종양(persistent trophoblastic disease) 발생 가능
③ 처치
a. 포상기태와 동반된 태아 임신이 진단되면 임신을 종료
b. 임신유지요법의 조건 : 정상 태아 염색체, 감소하는 모체 혈장 hCG 수치, 조기 발생 전자간증이 없음

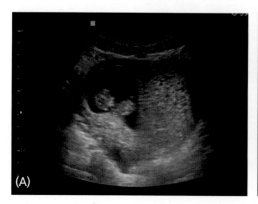
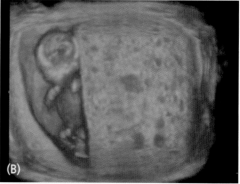

그림 41-10. 완전포상기태와 동반된 정상 태아

3) 불일치 쌍태아(Discordant twins)

(1) 정의 및 원인

① 쌍태아 중 한 태아의 병적인 성장제한

② 원인

이란성 쌍태아의 성장불균형	일란성 쌍태아의 성장불균형
성별 및 각 개체의 유전적 잠재성 태반의 착상 위치 탯줄의 부착 부위에 따른 혈류 저항 → 다양한 원인으로 발생	두 태아의 태반 공유로 인한 혈류분포 혈관 문합을 통한 혈압 차이 → 혈류의 불균형이 주 원인

(2) 빈도 및 위험인자

① 빈도

    a. 태아의 숫자가 많을수록 그 빈도 증가

    b. 쌍태아의 5~15%, 삼태아의 30% 정도

② 발생 시기

    a. 대개 임신 제2삼분기 및 제3삼분기 초기에 발생

    b. 일찍 발생할수록 더 심각한 합병증 유발

    c. 임신 제1삼분기에 발견된 경우 염색체 이상과 관련 가능성

③ 위험인자 : 단일 융모막성 쌍태아, 임신성 고혈압, 분만 전 출혈 등

④ 위험성 : 신생아 사망률, 선천성 기형, 저체중 출생아, 뇌실질 내 경색, 제왕절개 증가

(3) 진단

① 반복적 초음파를 이용하여 진단

불일치 쌍태아의 불일치 정도 (%)

$$\text{불일치 정도} = \frac{\text{큰 쌍태아의 체중} - \text{작은 쌍태아의 체중}}{\text{큰 쌍태아의 체중}} \times 100$$

② 불일치 정도에 따른 예후

    a. 20% 이상 : 불일치 쌍태아(discordant twins)로 진단

    b. 25% 이상 : 호흡곤란증후군, 뇌실내출혈, 경련, 뇌실주위백질연화증, 패혈증, 괴사성 장염 등이 증가

    c. 40% 이상 : 태아 사망 증가

(4) 관리

① 쌍태아의 관리

　　a. 초음파 : 태아의 성장 양상과 양수량 등을 관찰

　　b. 비수축검사, 생물리학계수, 탯줄동맥 도플러 검사

② 합병증이 없는 이융모막성 쌍태아 임신은 단태아와 같은 산전 태아감시를 시행

③ 산전 태아감시가 정상적이면서 태아의 크기 불일치만 있는 경우 분만의 적정 시기에 대한 자료는 아직 제한적이며, 후기의 임신 주수에서는 분만을 진행

4) 일태아 사망(One fetal demise)

(1) 정의 및 병인론

① 쌍태아 임신에서 한 명의 태아만 자궁 내에서 사망한 경우

② 살아있는 다른 태아의 예후 : 융모막성(chorionicity)에 따라 차이 발생

　　a. 단일 융모막성(monochorion) 쌍태아

　　　- 한 태아 사망 시 동맥-동맥, 정맥-정맥 연결을 통해 살아 있는 태아로부터 사망한 태아로 혈액이 이동

　　　- 짧은 시간 다량의 혈액 이동이 일어나면 살아있던 태아도 급격한 혈압 저하로 사망

　　　- 이동된 혈액량이 많지 않으면 전혀 영향이 없음

　　　- 두 경우의 중간 상태로 생존하지만 심각한 저혈압으로 인한 뇌손상 발생

　　b. 이융모막성(dichorion) 쌍태아

　　　- 사망한 태아가 산모나 다른 태아에 미치는 영향이 크지 않음

③ 태아 사망으로 인해 산모의 소모성 혈액응고장애(DIC)가 발생할 수 있지만 임상에서는 거의 발생하지 않음

　　a. 한 쪽 태아만 사망한 경우, 일시적으로 소모성 응고장애가 발생할 수 있으나 곧 자연적으로 정상화

　　b. 소모성 혈액응고장애가 드문 이유 : 사망한 태아 쪽의 태반에 다량의 fibrin 침착이 발생하고 이것이 thromboplastin의 모체 혈관 유입을 차단

(2) 위험인자

① 단일 융모막성(monochorion) 쌍태아

② 쌍태아의 성이 같은 경우

③ 태아의 몸무게 차이가 많은 경우

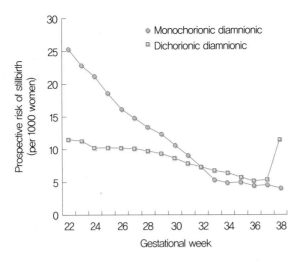

그림 41-11. 융모막성 차이에 따른 임신 주수별 사산 위험

(3) 예후

① 사망 태아의 형태

　a. 압박 태아(fetus compressus) : 죽은 태아, 태반, 막 등이 모두 눌린 것

　b. 지상 태아(fetus papyraceous) : 수분과 연조직이 흡수되어 말라 붙은 것

② 생존 태아의 예후에 영향을 주는 요인

　a. 사망 당시의 임신 주수

　b. 융모막성(chorionicity) : 단일 융모막성인 경우 예후 좋지 않음

　c. 태아 사망 후 생존아의 분만까지의 시간

(4) 관리

① 임신의 지속 여부 결정 요인

　a. 사망의 원인 : 사망의 원인을 알기는 어려움

　b. 산모와 생존아에 대한 위험의 정도

　　- 한쪽 태아의 사망은 대부분의 경우 단일 융모막성(monochorion) 쌍태아

　　- 조기 분만을 시켜 조산이 되는 것보다는 임신 유지가 유리

② 처치

　a. 생존 태아의 보존적 치료 시행

　b. 주기적 검진

　　- 모체측 : 소모성 응고장애에 대한 검사

　　- 태아측 : 비수축검사(NST), 폐성숙도 확인을 위한 양수천자

　c. 소모성 혈액응고장애 발생 시 저용량 헤파린 사용

3 다태아 임신의 산전 관리 및 분만

1) 산전 관리

(1) 식이

① 칼로리, 단백질, 비타민, 필수 지방산 등이 더 많이 필요

② 칼로리

    a. 비임신의 필요 칼로리 : 2,200 kcal/day

    b. 단태아 임신의 필요 칼로리 : 2,500 kcal/day

    c. 쌍태아 임신의 필요 칼로리 : 2,800 kcal/day (300 kcal/day 더 필요)

③ 철분 : 60~100 mg/day

④ 엽산 : 1 mg/day

⑤ 나트륨의 제한 : 큰 의미 없음

(2) 초음파 검사

① 임신 제3삼분기에 태아 성장 확인, 양수량 측정에 이용

② 양수량

    a. 자궁과 태반의 상태 및 태아안녕상태를 나타내는 지표

    b. 단일 최대양수포켓(single deepest pocket) : 양수량 측정에 이용

    c. 양수과소증(SDP <2 cm), 양수과다증(SDP >8 cm)

(3) 산전 태아감시(Antepartum fetal surveillance)

① 예상 체중, 양수의 양을 연속적으로 측정하는 것이 중요

② 태아 감시 방법 : 각각의 태아를 검사하는게 중요

    a. 비수축검사(NST)

    b. 생물리학계수(biophysical profile)

    c. 도플러 파형(doppler velocimetry)

2) 조산(Preterm birth)

(1) 조산의 예측

① 자궁경부 길이의 측정

    a. 자궁경부의 길이가 짧은 경우 조산의 위험성이 증가

    b. 임신 20~24주에 2 cm 미만 : 임신 32~34주 이전의 조산 예측에 가장 정확한 지표

② 임신 28주에 태아섬유결합소 양성 : 임신 32주 이전의 조산과 연관

(2) 조산의 예방

① 침상안정(bed rest) : 임신 기간 연장이나 태아의 생존율 향상에 기여하지 못함

② 예방적 자궁수축억제제 : 조산 예방 효과 없으며, 단태아에 비해 부작용이 현저히 발생

③ 프로게스테론 투여

    a. 근육주사 : 17-OHP-C의 근육주사는 조산의 예방 효과 없음

    b. 질 투여 : 프로게스테론 질정의 조산의 예방 효과 없음

④ 예방적 자궁경부원형결찰술 : 조산 감소의 효과가 없으며, 오히려 조산의 위험도가 증가

(3) 조산의 치료

① 자궁수축억제제

    a. 신생아 예후를 향상시키지 못함

    b. 단태아 임신에 비해 폐부종, 빈맥 등의 심혈관계 부작용 발생빈도 증가

② 폐성숙을 위한 스테로이드 투여 : 단태아 임신과 같은 방법으로 사용(ACOG, 2016)

(4) 조기양막파수(Preterm premature membrane rupture, PPROM)

① 태아의 수가 증가할수록 조기양막파열의 빈도 증가

② 단태아 임신과 동일하게 처치

③ 양막파수에서 분만까지의 시간이 단태아에 비해 더 짧음

3) 분만진통 및 분만

(1) 분만의 준비

① 숙련된 산부인과 의사, 소아과, 마취과 등의 의료팀을 소집

② 지속적인 전자태아감시 시행

③ 정맥주사용 경로를 확보하고, 출혈이 없는 경우 dextrose 또는 링거액을 60~125 mL/hr의 속도로 주입

④ 초음파로 분만 중 태아의 모습과 위치를 평가하고 첫째 분만 후 남아 있는 태아를 확인

⑤ 응급 제왕절개 또는 마취를 통한 자궁 내 술기 필요 시 즉시 마취 시행

⑥ 충분히 넓은 공간에 각 태아마다 한 명은 신생아 소생술(resuscitation), 다른 한 명은 그를 도와줄 사람이 있어야 함

(2) 분만 시기

① 다태아 임신의 이상적인 분만 시기는 태아 수, 융모막성에 따라 다름

② 분만 시기에 영향을 주는 인자 : 임신 주수, 태아 성장, 폐성숙, 산모의 합병증 유무

③ 합병증이 없는 다태아 임신의 권장 분만 시기(ACOG, 2016)

    a. 이융모막성(dichorionic) 쌍태아 : 임신 38주

    b. 단일 융모막성(monochorion) 이양막성(diamnion) 쌍태아 : 임신 34~37$^{6/7}$주

    c. 단일 양막성(monoamnion) 쌍태아 : 임신 32~34주

(3) 태위(fetal presentation)의 평가

① 쌍태아의 분만 시 선진부(presentation part)

1st–2nd presentation	비율	특성
Cephalic–Cephalic	42%	
Cephalic–Breech	27%	첫 태아가 두위인 경우가 약 87% 정도
Cephalic–Transverse	18%	
Breech–Breech	5%	두위–두위 이외의 태위는 불안정
Other	8%	태아가 작고, 양수가 많으며, 출산력이 많은 경우에서 더 빈번

② 두위-두위 이외의 태위는 분만진통 및 분만 시 자세 변동 및 탯줄 탈출 가능성 증가

(4) 유도분만

① 옥시토신, 자궁경부 숙화제의 사용 : 조건을 충족한다면 안전

② 진통 시간 : 단태아에 비해 짧음

(5) 무통(Analgesia) 및 마취(Anesthesia)

① 무통 또는 마취 방법의 결정이 어려운 이유 : 미숙한 태아, 산모의 고혈압, 자궁 내 조작의 필요, 분만 후 자궁이완증 및 출혈

② 경막외마취(epidural anesthesia)

    a. 장점

      - 진통 중 통증경감 효과가 우수

      - 신생아 합병증 발생 위험도를 높이지 않으며 안전

      - 태아다리내회전술이나 제왕절개술이 필요한 경우 신속하게 머리 쪽으로 마취를 확장시킬 수 있어 전신마취를 피할 수 있음

    b. 단점 : 저혈압(hypotension)

③ 자궁 내 조작이 필요할 경우 자궁이완 유도 방법

    a. Isoflurane 흡입마취, nitroglycerine 투여

    b. 증가하는 위험성 : 출혈

④ 쌍태아 산모의 산소 요구량이 증가되어 있기 때문에 전신마취를 하는 경우 저산소증에 빠지기 쉬우므로 마스크로 충분한 산소를 공급하는 것이 중요

(6) 분만 경로

① 두위-두위(Cephalic-Cephalic) 태위

a. 대부분 질식 분만을 선택

b. 계획된 제왕절개가 태아의 예후를 향상시키지 못함

② 두위-비두위(Cephalic-Noncephalic) 태위

a. 첫 번째 태아가 두위인 쌍태아 임신의 경우 임신 32주 이상이거나 태아예상체중이 1,500 g 이상이라면 질식분만을 우선적으로 계획할 것을 권장

b. 두 번째 출생아는 첫 번째 출생아와 비교해 나쁜 예후를 보이는 경우가 많음

c. 대규모 무작위 비교연구에서 임신 32~38주에 시행한 계획된 제왕절개분만은 계획된 질식분만과 비교했을 때 출생아의 주산기 사망이나 주요 합병증을 줄이지 못함

③ 첫 번째 태아가 둔위(Breech)인 경우

a. 분만 시 발생할 수 있는 문제점

- 머리 분만의 어려움 : 머리가 산도에 비해 큰 경우, 태아가 작아서 자궁경부가 개대되기 전 몸통이 분만된 경우

- 탯줄 탈출

b. 잠긴 쌍태아(locked twin)

- 둔위-두위일 때 서로 턱이 맞물리는 것

- 태아 사망률이 높아 즉시 제왕절개를 시행

(7) 두 번째 태아의 질식분만

① 첫 번째 태아의 분만 직후에는 두 번째 태아의 선진부, 크기, 산도와의 관계를 복부진찰, 내진, 자궁 내 촉진으로 신속한 확인 필요

② 두 번째 태아의 태위에 따른 분만 방법

두위 또는 둔위로 산도에 고정되어 있는 경우

- 중등도의 자궁저부 압박을 가하면서 양막을 터트리고 내진으로 탯줄 탈출 여부를 확인
- 비정상적인 태아심박수나 자궁출혈이 없으면 분만을 서두를 필요는 없음
- 첫 번째 태아 분만 후 약 10분이 경과해도 자궁수축이 다시 일어나지 않으면, 희석된 옥시토신을 사용하여 자궁수축을 자극

두위 또는 둔위로 골반 내에 고정되어 있지 않은 경우

- 한 손은 질 속에 넣고, 다른 손은 자궁저부에 어느 정도 압박을 가하여 골반 내로 고정시킴
- 골반 내에 고정되면 양막을 터트리고 위와 같은 방법으로 분만 시행
- 두위가 아닌 두 번째 태아를 외회전술 하기도 함

두위나 둔위로 고정되지 않는 경우 또는 상당한 질 출혈이 있는 경우

‒ 심각한 문제 상황
‒ 자궁이완이 가능한 마취과 의사의 도움 하에 태아다리내회전술(internal podalic version)로 분만 시도
‒ 태아다리내회전술을 할 수 없거나, 자궁이완에 필요한 마취가 불가능하면 바로 제왕절개 시행

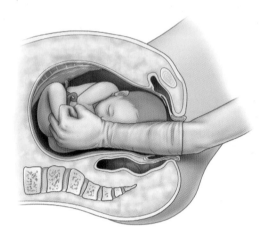

그림 41-12. 태아다리내회전술(internal podalic version)

(8) 제왕절개 후 질식분만(Vaginal birth after cesarean delivery, VBAC)

① 시도 가능한 조건 : 이전에 자궁하부 횡절개 방식으로 제왕절개분만을 한 번 했고, 다른 조건은 질식분만시도에 적합한 쌍태임신부

② 쌍태아 임신에서 단태아 임신과 비교하여 제왕절개 후 질식분만 시 자궁파열의 위험도가 더 높다는 증거는 없음(ACOG, 2019)

(9) 제왕절개분만

① 쌍태아 임신의 제왕절개 적응증

　a. 단태아 임신의 제왕절개 적응증과 동일

가장 흔한 적응증	그 밖의 적응증
‒ 이전 제왕절개 ‒ 난산(dystocia) ‒ 태아의 위치 이상 : 둔위 혹은 횡위 ‒ 태아곤란증(fetal distress)	‒ 자궁근종절제술 같은 자궁수술의 과거력 ‒ 전치태반(placenta previa) ‒ 태아의 안녕이 위협받는 경우 : 탯줄 탈출, HIV 산모, 활동성 생식기 헤르페스

　b. 결합 쌍태아, 단일 양막성 쌍태아

　c. 첫 번째 태아가 두위가 아닌 경우

② 첫 번째 태아의 질식분만 후 두 번째 태아를 제왕절개분만 하는 경우

    a. 두 번째 태아가 첫 번째 태아에 비해 상당히 크면서 둔위 또는 횡위

    b. 첫 번째 태아의 분만 후 자궁경부가 바로 닫혀 다시 개대되지 않은 상태에서 태반조기박리, 태아가사 등이 의심되는 경우

③ 수술 시 주의점

    a. 누운자세 저혈압(supine hypotension)이 흔해 좌측와위(left lateral decubitus)을 취함

    b. 자궁절개는 태아가 손상 받지 않도록 충분히 크게 시행

    c. 횡위이거나 팔이 빠져 나온 경우에는 가로절개보다는 수직절개가 더 쉽고 안전

(10) 삼태아 이상의 임신

① 삼태아 임신의 평균 분만 주수 : 임신 32~34주

② 이융모막성 삼태아가 삼융모막성 삼태아에 비하여 이른 시기에 분만했으며 태아수혈증후군 및 호흡곤란증후군의 발생이 높아 불량한 예후를 보임

③ 삼태아 이상의 임신은 제왕절개분만을 권고(ACOG, 2016)

④ 질식분만을 시도하는 경우 : 현저하게 미성숙한 태아, 산모의 합병증으로 제왕절개가 위험한 경우

4) 선택적 태아감소술(Selective reduction)과 선택적 임신종결(Selective termination)

(1) 선택적 태아감소술(Selective reduction)

① 삼태아 이상의 임신일 경우 하나 혹은 그 이상의 배아 혹은 태아를 희생시키는 것

② 같은 용어 : 다태아 임신 태아감소술(mutiple pregnancy reduction, MPR)

③ 태아의 수를 줄임으로써 평균 임신 주수가 늘어나고 생존율 증가 및 유병률 감소 기대

④ 방법 : 태아의 심장에 생리식염수 혹은 염화칼륨(KCl)을 주입

(2) 선택적 임신종결(Selective termination)

① 쌍태아 이상의 임신에서 태아의 이상이 발견되어 선택적으로 임신을 종결하는 것

② 선택적 임신종결을 계획할 경우에는 정확한 진단이 중요

③ 방법

이융모막성(dichorionic) 쌍태아 임신	단일 융모막성(monochorion) 쌍태아 임신
태아 심장에 생리식염수 or 염화칼륨(KCl) 주입	탯줄정맥 부위의 고주파 열치료(radiofrequency ablation) 탯줄정맥 알코올 주입 희생할 태아에 가까운 부위에서 탯줄 폐쇄(cord occlusion) 태아 내 레이저 치료법(intrafetal laser treatment)

---

1 임신 중 고려사항

1) 임신 중 수술(Surgical procedures during pregnancy)

(1) 임신에 대한 수술과 마취의 영향

① 합병증이 없는 수술과 마취는 임신의 예후에 나쁜 영향을 미치지 않음

② 합병증을 동반한 수술일 경우 위험성 증가

③ 주산기 예후

  a. 임신 중 수술 시 주산기 이환은 수술과 마취보다 그 질환 자체와 연관

  b. 저출생체중, 조산, 7일 이내의 신생아 사망 증가

  c. 사산(stillbirth), 선천성 기형(congenital malformation) : 증가하지 않음

  d. 마취제 : 기형유발물질(teratogens)이 아니라는 결론을 내릴 수는 없음

(2) 복강경 수술(Laparoscopic surgery)

① 임신부에서 복강경 수술의 가이드라인

적응증 : 비임신 여성과 동일

– 부속기 종양절제술(adnexal mass excision)
– 급성 복증(acute abdomen)의 조사
– Appendectomy, cholecystectomy, nephrectomy, adrenalectomy, splenectomy

방법

– 자세 : lateral recumbent
– 진입 : open technique, Veress needle or optical trocar, 자궁저부의 높이에 따라 삽입 부위 변경
– Trocars : 직접 눈으로 보며 위치시킴
– CO_2 주입 압력 : 10~15 mmHg
– 감시 : 수술 중 호기말 이산화탄소 분압측정(capnography), 수술 전·후 태아심박동 확인
– 수술 중 공기압박장치, 수술 후 조기 보행

② 수술을 시행하는 임신 주수

    a. 주로 임신 제1삼분기에 시행

    b. 복강경이 가능한 최대 임신 주수 : 임신 26~28주

    c. 최근 경험이 쌓이며 임신 제3삼분기에도 수술이 이루어짐

③ 개복술과 비교해 주산기 예후의 차이 없음

④ 합병증

    a. 모든 복강경의 위험성이 임신 중 약간 증가

    b. Trocar 또는 Veress needle에 의한 자궁천공

2) 영상의학 기술(Imaging techniques)

(1) 이온화 방사선(Ionizing radiation)

① 방사선(radiation)

    a. 종류 : X-ray, microwave, ultrasound, diathermy, radio wave

    b. 가장 큰 영향 : X-ray, gamma ray (γ-ray)

② 임신 중 방사선 노출에 대한 영향

    a. Deterministic effects : 선천성 기형을 유발하는 영향

      - 0.05 gray or 5 rad 이하 : 위험 없음

      - 0.2 gray or 20 rad 이하 : 전반적인 태아 기형에 대한 임계치

    b. Stochastic effects : 유전질환이나 암을 유발하는 영향

③ 태아의 기형유발에 대한 영향

    a. 동물 실험

      - 착상 전 : preblastocyst에 치명적이지만 배아(embryo)는 민감하지 않음

      - 배아기(organogenesis stage) : 기형 유발, 성장제한, 사망 등 발생 가능

      - 태아기(fetal period) : 중추신경계에 대한 영향, 성장제한 유발 가능

    b. 인간에 대한 영향

      - 한번의 진단적 방사선에 노출된 경우 태아에게 위험할 정도의 방사선을 유발하지 않아 치료적 유산의 적응증이 되지 않음

      - 누적용량효과(cumulative dose effect)를 고려

       • 임신 8~15주 : 소두증, 중증 정신지체 위험이 가장 큼

       • 임신 16~25주 : 위험성이 조금 감소하여 더 큰 용량이 필요

       • 임신 8주 이하, 25주 이상 : 지능장애의 위험성이 증가하지 않음

④ 방사선 검사 시 태아가 노출되는 방사선량

Examination	Typical dose (mGy)	Examination	Typical dose (mGy)
Cervical spine(AP, lat)	<0.001	Barium enema	7
Extremities	<0.001	Head CT	0
Chest (AP, lat)	0.002	Chest CT	0.2
Thoracic spine	0.003	Abdomen CT	4
Abdomen	1	Abdomen-Pelvis CT	25
Lumbar spine	1	Bone scan	4~5
Limited IVP	6	Whole body PET	10~15
Small bowel study	7	Thyroid scan	0.1~0.2

(2) 핵의학 검사(Nuclear medicine study)

① Radioiodine : 태반을 쉽게 통과, 임신 10주 정도부터 갑상샘에 흡수

② Iodine[131] : 태아 갑상샘에 흡수되어 갑상샘기능저하증 유발 가능, 임신 중 사용 금기

(3) 초음파 검사(Sonography)

① 매우 높은 강도(intensity)에서는 열, cavitation에 의해 조직에 손상을 줄 가능성이 있음

② 낮은 intensity의 real-time imaging에서는 태아에게 무해

③ 임신 중 초음파 검사의 금기증은 없음

(4) 자기공명단층촬영(Magnetic resonance imaging, MRI)

① 이온화 방사선을 유발하지 않기 때문에 산과 영역에서 매우 유용

② 태아에 대한 유해점이 보고된 바 없음

③ 금기증이 없는 한 임신 중 언제든지 사용 가능

④ 태아의 적응증 : 태아의 기형(특히 뇌의 기형이 의심되는 경우)

⑤ 조영제(contrast agent)

    a. Gadolinium chelates 제재를 사용

    b. 태반을 통과하여 양수에서 발견

    c. 동물 실험에서 인간 사용량의 10배 투여 시 발달지체 초래

    d. 큰 이득이 없다면 사용하지 않는 것이 좋음

(5) 임신 중 영상진단의 지침(ACOG, 2009)

① 한번의 진단 X-ray는 태아에게 유해하지 않음을 산모에게 설명(5 rad 이하는 태아기형 또는 유산 위험이 증가하지 않음)

② 내과적 적응증인 경우 고용량의 방사선 노출의 위험 때문에 검사를 포기해서는 안 됨

③ 임신 중에는 가능하면 방사선의 위험이 없는 초음파, MRI 등을 이용

④ 산모가 여러 번의 진단적 검사를 한 경우 용량 계산을 위해 영상의학과에 진료의뢰

⑤ 임신 중 치료 목적으로 Iodine 동위원소 사용은 금기

⑥ Radiopaque, paramagnetic contrast agent는 유해하지 않으며 진단에 도움이 되지만, 사용은 태아에 대한 위험의 가능성보다 이득이 된다고 판단될 때만 사용

2 임신 중 중환자 관리

1) 급성 폐부종(Acute pulmonary edema)

(1) 원인 및 발생기전

① 원인

a. 심부전(heart failure)

b. 폐포-모세혈관의 투과성 증가

② 발생기전 : 폐의 간질조직 내로 과량의 물성분이 침윤되어 폐기능이 급격히 감소됨으로써 폐포 내에서 산소와 이산화탄소 교환이 저하되어 발생

(2) 위험인자

임신 전 위험인자	임신 중 유발 질환	약물 원인
고혈압 허혈성 심질환 선천성 심기형 판막질환, 부정맥, 심근병 비만, 고령 갑상선기능항진 등의 내분비 이상	전자간증 심근증 패혈증 양수색전증 폐색전증	자궁수축억제제제 스테로이드제제 황산마그네슘 코카인 등의 마약류 사용

(3) 진단

① 폐부종을 의심할 수 있는 증상 : 숨참, 기좌 호흡, 불안감, 기침 등

② 이학적 검사 소견 : 빈맥, 빈호흡, 청진 시 쌕쌕거림, 심잡음, 산소포화도 감소

③ 진단 검사

　a. 흉부 방사선 사진 : Kerley B 선이 나타나거나 전체적으로 증가한 음영 소견

　b. 동맥혈 산소포화도 검사

　c. 심전도

　d. 심초음파

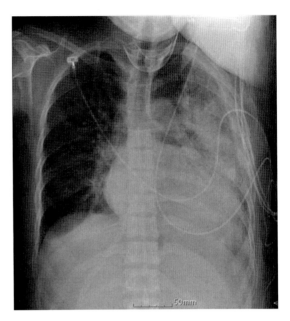

그림 42-1. 폐부종(Pulmonary edema)

(4) 고혈압이 동반되지 않은 급성 폐부종

① 원인 : 자궁수축억제제, 패혈증, 심장질환, 양수색전증, 과다한 수액요법

② 폐간질 조직 내의 유체 압력, 삼투압, 모세혈관 투과성의 불균형에 의하여 발생

　a. 비임신의 경우와 같은 이유이지만 임신한 여성에서 보다 쉽게 발생

　b. β-adrenergic receptor agonist (terbutaline, salbutamol) : 폐간질 내 모세혈관의 투과성 증가에 의한 부종

(5) 고혈압이 동반된 급성 폐부종

① 임신 중 고혈압 의심 : 수축기 혈압 ≥140 mmHg, 이완기 혈압 ≥90 mmHg

② 원인 : 만성 고혈압, 전자간증, 가중합병전자간증, 갑상샘기능항진증

③ 고혈압이 발생한 산모에서 폐부종이 의심되는 경우 대처 방법

1단계	2단계	3단계	4단계
대화로 호흡곤란 확인 생체 징후의 감시	의식상태 확인 생체 징후 매 15분 확인 혈액검사, 소변검사 시행	NSAID 사용제한 수액을 제한 마그네슘 제제 사용제한	항고혈압제 사용 이뇨제의 사용

④ 치료

치료 원칙	치료 방법
좌심실의 전부하 감소 좌심실의 후부하 감소 심근의 허혈상태 예방 산소포화도 유지	Nitroglycerin, 분당 5 μg, 정맥주사 → 매 3~5분마다 증량(안정적 혈압이 확보될 때까지 100 μg까지 증량 가능) Furosemide, 2분에 걸쳐 20~40 mg, 정맥주사 → 이뇨작용이 불충분한 경우 30분마다 주사, 최대 시간당 120 mg까지 사용

2) 패혈증(Sepsis syndrome)

(1) 원인 및 발생기전

① 세균, 바이러스, 내독소나 외독소 같은 부산물에 대한 전신 염증반응에 의해 유발

    a. 염증유발물질 : TNF-α, interleukins (IL-6 등), cytokines, proteases, oxidants, bradykinin

    b. 내피 손상(endothelial injury)에 의한 투과성 변화로 모세혈관 누출 및 간질액 축적

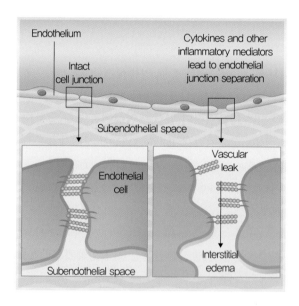

그림 42-2. 패혈증 시 내피의 투과성 변화

② 패혈증의 중증도

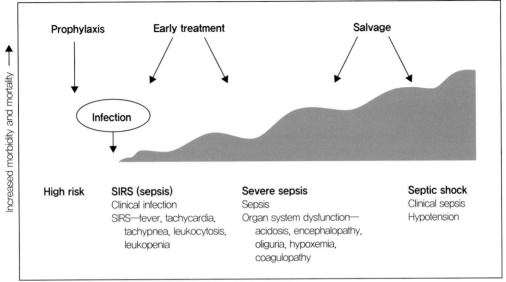

그림 42-3. 패혈증의 중증도

③ 산과적 영역에서 패혈증의 원인

    a. 신우신염(pyelonephritis)

    b. 융모양막염(chorioamnionitis), 산욕기 패혈증(puerperal sepsis)

    c. 패혈성 유산(septic abortion)

    d. 괴사성 근막염(necrotizing fasciitis)

(2) 처치

  ① 활력 징후(vital sign) 확인

  ② 소변량 확인

  ③ 다량의 수액 공급

    a. hematocrit <30% 시 crystalloid와 수혈을 시행하여 hematocrit >30% 유지

    b. 소변량이 30~50 mL/hr 이상 되지 않으면 pulmonary artery catheterization 고려

  ④ 경험적 항생제 투여

    a. Culture 후 광범위 항생제 최대 용량으로 사용

    b. Ampicillin + Gentamicin + Clindamycin

  ⑤ 산소 공급, 기계환기(ventilatory support)

⑥ 필요 시 임상적으로 안정되면 수술
    a. 패혈성 유산(septic abortion) : 즉시 소파술 시행
    b. 자궁이 파열되거나 심하게 감염되지 않으면 자궁절제술은 시행하지 않음

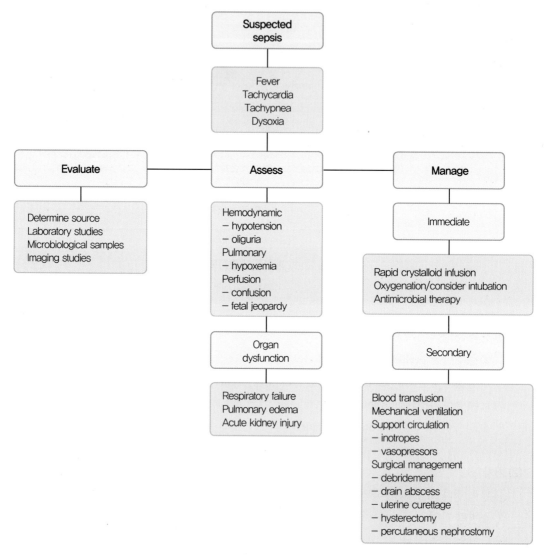

그림 42-4. 패혈증의 치료 알고리즘

3 임신 중 외상

1) 둔상(Blunt trauma)

(1) 교통사고

① 임신 중 외상의 가장 많은 원인

② 임신부의 교통사고와 태아 사망에 관련된 요인 : 임신부 사망, 임신부 빈맥, 안심할 수 없는 (nonreassuring) 태아 심장박동수 양상, 안전벨트 미착용, 높은 Injury Severity Score (5점 이상), 임신부 저혈압이나 저산소증, 태반조기박리, 자궁파열

③ 삼점식 안전벨트 사용을 권고 : 위쪽 벨트는 자궁 위로, 아래쪽 벨트는 자궁 아래쪽에 허벅지 위로 지나가게 착용

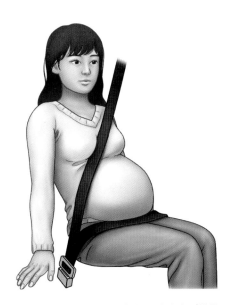

그림 42-5. 임신부의 삼점식 안전벨트 착용

(2) 폭력 및 성폭행

① 폭력의 합병증

　a. 급성 합병증 : 자궁파열, 조산, 산모 사망, 태아 사망 등의 위험 증가

　b. 만성 합병증 : 태반조기박리, 조산, 저출생체중 등의 발생 증가

② 성폭행

　a. 피해 여성과 가족의 신체적, 정신적 충격에 대한 치료와 상담이 중요

　b. 성폭행 후 성병에 대한 예방적 항생제 요법

예방 균주	표준요법	대체요법
Neisseria gonorrhoeae	Ceftriaxone 125 mg, 근주, 1회	Cefixime 400 mg, 경구, 1회 or Ciprofloxacin 500 mg, 경구, 1회
Chlamydia trachomatis	Azithromycin 1 g, 경구, 1회 or Amoxicillin 500 mg, 경구, 하루 3회, 7일	Erythromycin-base 500 mg, 경구, 하루 4회, 7일 or Ofloxacin 300 mg, 경구, 하루 2회, 7일
세균성 질염 (Bacterial vaginosis)	Metronidazole 2 g, 경구, 1회 or Metronidazole 500 mg, 경구, 하루 2회, 7일	Metronidazole gel 0.75% 5 g, 질 내 도포, 5일 혹은 Clindamycin cream 2% 5 g, 질 내 도포, 7일
트리코모나스 질염 (Trichomonas vaginalis)	Metronidazole 2 g, 경구, 1회 or Tinidazole 2 g, 경구, 1회	Metronidazole 500 mg, 경구, 하루 2회, 7일
B형 간염 (Hepatitis B)	전에 백신을 맞지 않았다면 1차 접종 시행 1~2개월 후 2차 접종 4~6개월 후 3차 접종	
사람면역결핍바이러스 (HIV)	HIV 감염 위험이 높은 경우, 항바이러스 예방 요법 시작(retroviral prophylaxis)	

(3) 태아에 대한 영향

① 임신 초기 : 자궁이 골반 내에 위치하여 외상으로부터 보호

② 임신이 진행되면서 자궁 내 태아 합병증의 위험이 증가

③ 모든 외상을 입은 산모들은 미미한 사고인 경우에도 태아의 상태에 대한 진료가 필요

    a. 임신 중 둔상에 의해 3~38% 정도의 태아 사망이 발생

    b. 태아 합병증은 외상의 중증 여부에 관계없이 발생 가능

(4) 외상 시 발생하는 산과적 합병증

① 태반조기박리(placental abruption)

    a. 위험성

      - 임신 중 외상의 약 7%에서 태반조기박리 발생

      - 조기진통, 조산, 내출혈(concealed hemorrhage), 소모성 응고장애 등의 위험 증가

      - 외상 중증도와 태반조기박리 발생의 관련성이 적어 경미한 외상에도 발생 가능

    b. 증상

      - 일반적인 증상은 태반조기박리와 동일

      - 비외상성에 비해 심한 혈액응고장애를 보일 수 있음

      - 자궁의 통증, 압통, 질 출혈과 같은 전형적인 증상이나 징후가 없을 수 있음

c. 진단
- 자궁경부의 소실 및 개대 유무, 질 출혈 확인
- 전자태아감시장치 : 자궁수축, 태아 빈맥, 늦은 태아심장박동수감소(late deceleration) 등
  이 보이는 경우 태반박리를 의심
- 초음파 검사 : 임신 주수, 태아 및 태반의 상태 확인, 양수량, 생물리학계수 측정

d. 처치
- 외상의 중증도와 상관없이 최소 4시간 동안 전자태아감시장치를 이용하여 태아 심박수
  와 자궁수축 여부를 관찰
- 4시간 동안 전자태아감시장치에서 매 10분 보다 짧은 간격의 자궁수축이 없다면, 태반
  조기박리의 가능성은 거의 없음
- 자궁수축이 있어도 자궁수축억제제(tocolytics) 사용은 금기

② 자궁파열(uterine rupture)
a. 둔상에 의한 자궁파열은 드물지만, 외상 정도가 심할수록 발생 위험도 증가
b. 위험인자 : 이전 제왕절개 및 자궁수술 과거력, 자궁기형, 자궁수축제 사용, 외상
c. 증상
- 태반조기박리와 유사
- 복부의 근성방어(muscle guarding), 복막자극증상 등
- 분만 중 파열보다 출혈량도 적고 예후도 비교적 양호
- 외상에 의한 파열 부위의 자궁근육 수축력이 높아 출혈량이 상대적으로 감소

③ 태아-모체 출혈(fetal-maternal hemorrhage)
a. 태아-모체 출혈의 진단 : 모체 혈액의 Kleihauer-Betke 염색을 통하여 출혈량을 추정
b. 임신부가 Rh 음성인 경우, 소량의 출혈에도 감작될 수 있으므로 모든 외상 시 항-D 면역
글로불린(anti-D immunoglobulin) 300 μg 투여를 권고

2) 임신 중 외상
(1) 관통상
① 모성 사망률과 이환율은 비임신부보다 양호
② 태아측 예후는 불량하여 태아 사망이 약 60%까지 발생
③ 진단
a. 초음파 검사
b. 컴퓨터단층촬영(CT)
c. 시험적 개복술(exploratory laparotomy) : 복강 내 출혈이나 장손상이 의심 시 시행
④ 파상풍 예방접종 : 비임신부와 같은 기준으로 주사

(2) 화상

① 수일에서 수주 후 자연 진통이 발생하는 경우가 많음

② 치료와 전반적인 예후는 비임신부와 유사

③ 태아 상태에 대한 지속적 태아감시(fetal surveillance) 필요

④ 예후

    a. 태아의 예후 : 화상에 의한 모체의 탈수, 혈관 내 체액 감소(intravascular depletion), 감염, 저산소증, 대사항진 등에 영향을 받음

    b. 모성 사망률 39%, 태아 사망률 49%

    c. 화상이 평균 체표면적의 40%를 넘거나, 흡인성 기관지손상 동반 시 예후가 더욱 불량

(3) 임신 중 외상환자의 처치

① 급성 심폐소생술이나 쇼크 상태 시 산모의 체위 : 원활한 혈액순환을 위한 좌측와위

② 태아 생존이 가능한 임신 주수에서 태아 심박수가 이상소견을 보이지 않는다면 적절한 자궁 관류가 되고 있음을 예측 가능

③ 복막세정(peritoneal lavage) : 복강 내 출혈이나 장 손상이 의심되는 경우 시행

④ 시험적 개복술 : 복강 내 출혈이 의심되는 경우 시행

3) 심폐소생술(Cardiopulmonary resuscitation)

(1) 임신부의 심폐소생술 시행 시 기본 원칙

① 임신부의 체위를 좌측와위(left lateral decubitus)로 변경

    a. 커진 자궁에 의해 대동맥과 하대정맥이 눌리게 되어 심장의 혈액 순환을 방해

    b. 효과적인 가슴압박을 저해

② 100% 산소를 투여

③ 횡격막 위로 정맥주사 경로를 설치

④ 수축기 혈압이 100 mmHg 미만이거나, 저혈압이 있다면 교정

⑤ 원인 질환이나 주요 요인을 찾아 치료

(2) 심폐소생술 상황에서 제왕절개술

① 신경학적인 손상 없는 신생아 분만

    a. 산모의 심정지 후 5분 이내로 분만 되면 신경학적 손상 없는 신생아 분만 가능

    b. 심정지 후 16분이 넘어가면 이 확률은 33% 이내로 감소

    → 심정지와 분만의 간격이 짧을수록 신경학적 손상이 적고 태아 생존률 증가

② 산모의 심정지 후 4분 이내인 경우에는 제왕절개를 고려(ACOG, 2017)

1) 비만(Obesity)

  (1) 정의

    ① 체질량지수(body mass index, BMI) = kg/m^2

    ② 세계 여성의 체중 기준(WHO, 2000)

분류	BMI (kg/m²)
저체중(Underweight)	<18.5
정상체중(Normal range)	18.5~24.9
과체중(Overweight)	25~29.9
비만(Obese)	≥30
Class I	30~34.9
Class II	35~39.9
Class III	≥40

    ③ 우리나라 여성의 체중 기준(대한비만학회, 2018)

분류	BMI (kg/m²)	허리둘레에 따른 동반질환의 위험도	
		<85 cm	≥85 cm
저체중	<18.5	낮음	보통
정상	18.5~22.9	보통	약간 높음
비만 전단계(과체중 or 위험체중)	23~24.9	약간 높음	높음

1단계 비만	25~29.9	높음	매우 높음
2단계 비만	30~34.9	매우 높음	가장 높음
3단계 비만(고도비만)	≥35	가장 높음	가장 높음

- 비만의 진단 기준으로 세계보건기구 아시아-태평양지역 및 대한비만학회에서는 체질량지수에 따른 비만 동반 질환의 유의미한 증가에 근거를 두고 과체중 또는 비만 전단계의 기준을 체질량지수 23 kg/m² 이상, 비만의 기준은 체질량지수 25 kg/m² 이상으로 정의

(2) 비만의 합병증

① 지방(adipose)의 병인론

Adipokine	adiponectin	leptin, resistin, TNF-α, IL-6	임신성 당뇨
특징	인슐린 감수성 증가 간의 glucose 방출 차단 지질에 대한 심장보호 효과	인슐린 저항성 유발 임신 중 증가	Adipokine의 불일치 낮은 adiponectin 높은 leptin

- 그 밖에 다른 adipokine : VEGF, IGF, lipoprotein lipase, resistin, visfatin, apelin

② 비만의 장기적인 합병증

Disorder	Possible Cause
Type 2 diabetes mellitus	Insulin resistance
Hypertension	Increased blood volume and cardiac output
Coronary heart disease	Hypertension, dyslipidemia, type 2 diabetes
Obesity cardiomyopathy	Eccentric left ventricular hypertrophy
Sleep apnea/pulmonary dysfunction	Pharyngeal fat deposition
Ischemic stroke	Atherosclerosis, decreased cerebral blood flow
Gallbladder disease	Hyperlipidemia
Liver disease - nonalcoholic steatohepatitis (NASH)	Increased visceral adiposity; elevated serum, free fatty acids; hyperinsulinemia
Osteoarthritis	Stress on weight-bearing joints
Subfertility	Hyperinsulinemia
Cancer - endometrium, colon, breast	Hyperestrogenemia
Carpal tunnel syndrome	
Deep venous thrombosis	
Poor wound healing	

(3) 대사증후군(Metabolic syndrome)

① 제2형 당뇨(T2DM), 이상지질혈증(dyslipidemia), 고혈압(hypertension)과 함께 비만으로 인해 인슐린 저항성(insulin resistance)이 높아져 생기는 불현성 이상(subclinical abnormality)

② 대사증후군의 진단기준

다음 중 세가지 이상 해당하는 경우 진단	
Elevated waist circumference	≥85 cm (33 in) in females ≥90 cm (35 in) in males
Elevated triglycerides	≥150 mg/dL
Reduced HDL cholesterol	<50 mg/dL in females <40 mg/dL in males
Elevated blood pressure	systolic ≥130 mmHg and/or diastolic ≥85 mmHg
Elevated fasting glucose	≥100 mg/dL

③ 초기에는 증상이 없으나, 지속 시 심혈관질환, 뇌졸중, 치매, 고혈압, 당뇨병 등으로 진행

④ 나이가 증가할수록 유병률 증가

2) 임신 전 비만과 합병증

(1) 산모의 비만

① 산모의 비만은 임신 전 체질량지수(BMI)로 평가

② 과체중과 비만은 임신 합병증의 위험 인자로 작용

③ 임신 전부터의 관리가 중요

(2) 비만으로 인한 산과적 합병증

임신 전 합병증	임신 중 합병증	태아의 합병증
– 제2형 당뇨 – 고혈압 – 가임력 감소(배란장애)	– 유산, 조산, 사산, 지연임신 – 태아 기형(신경관결손, 수두증, 항문직장기형, 　사지단축, 선천성 심기형, 구순구개열) – 임신성 당뇨, 전자간증 – 견갑난산, 유도분만, 제왕절개분만 – 수술부위 감염, 마취 합병증 – 분만 후 출혈, 자궁이완증 – 혈전 및 폐색전증 – 모성 사망률과 이환율	– 거대아 – 과출생체중아 – 신생아중환자실 입원율 – 소아 비만 및 당뇨(fetal 　programming)

3) 비만이 산전 진찰에 미치는 영향

(1) 초음파 검사의 제한

① 복부 지방에 의한 초음파 투과율 제한

② 태아 기형에 대한 진단력 감소

③ 기형 진단율 : 정상 66% → 과체중 49% → Class I 48% → Class II 45% → Class III 22%

(2) 다운증후군 선별검사에 대한 영향

① 목덜미 투명대(NT) : 정확한 측정이 어려움

② 사중표지물질검사(quad test) : 모체혈청 선별수치가 비만 정도에 영향을 받음

③ 모체혈청DNA선별검사(NIPT) : 산모 체중의 증가에 따라 태아 DNA의 분획이 감소

④ 침습적 검사(융모막융모생검, 양수검사 등) : 시행의 어려움

2 비만의 관리

1) 임신 전 관리

(1) 임신 전 체중 관리

① 임신 중 과도한 체중 증가보다 임신 전 과체중과 비만이 임신 관련 합병증을 더 증가

② 임신 전 체중 감소를 위한 생활형태의 개선(life style modification)이 필요

③ 식욕억제제, 지방흡수억제제 : 안전성 우려와 부작용 가능성으로 권장되지 않음

④ 체중 관리의 목표

    a. 이상적인 목표는 정상 체중으로의 회복

    b. 가능한 조금이라도 체중 감소를 위한 노력이 필요

(2) 임신 전 체중 감소를 위한 진료지침

① 임신 전 체질량지수 $25{\sim}30\ kg/m^2$ 미만으로 감소시킨 후 임신을 권장

② 일차 목표 : 6개월 내에 체중의 5~10% 감량

③ 치료 전 체중의 3~5%만 감량해도 심혈관질환의 위험인자를 개선 가능

④ 당뇨와 수면무호흡증 선별검사 권고(ACOG, 2015)

2) 임신 중 관리

(1) 산전 검사

① 비만 임신부(BMI $\geq 30\ kg/m^2$)의 첫 방문 시(ACOG, 2017)

    a. 당뇨 선별검사(50 g 경구당부하검사) 시행

　　　b. 정상이더라도 임신 24~28주에 50 g 경구당부하검사 다시 시행

　② 갑상선, 간 및 담낭, 심장, 수면무호흡 등 내과적 질환의 유무와 정도를 면밀히 파악

(2) 임신 중 영양 및 체중 관리

　① 비만 임신부의 관리

임신 전	임신 초기
− 엽산 1 mg/day 복용 − 당뇨, 고혈압 등 내과적 질환 확인 − 5~10%의 체중 감량 − 영양 상담	− 엽산 1 mg/day 복용 − 50 g 경구당부하검사(정상이더라도 임신 24~28주에 재검) − 혈압 측정 − HbA1c, 심전도 − 당뇨, 고혈압이 있으면 24시간 소변검사 − 영양 및 적절한 체중 증가 상담

　② 체질량지수에 따른 임신 중 권장되는 체중 증가

임신 전 BMI	체중 증가 권고 범위 (kg)	
	단태아(single)	쌍태아(twin)
저체중 (<18.5 kg/m^2)	12.5~18	기준 없음 (근거자료 부족)
정상 (18.5~24.9 kg/m^2)	11.5~16	16.8~24.5
과체중 (25~29.9 kg/m^2)	7~11.5	14.1~22.7
비만 (≥30 kg/m^2)	5~9	11.4~19.1

　③ 임신 전 체질량지수가 높았던 임신부

　　　a. 식이요법을 통하여 권장되는 체중 증가 범위 이내로 조절

　　　b. 적절한 운동을 병행

　　　c. 임신 중 체중 감량은 권장되지 않음

　④ 임신부의 운동(ACOG, 2015)

　　　a. 모든 임신부는 임신 중 하루에 적어도 30분 정도의 중등도 강도의 신체 활동을 권장

　　　b. 비만 산모의 경우 일주일에 적어도 150분 정도 낮은 또는 중등도 강도의 운동을 권장

(3) 분만

　① 지연임신, 유도분만 실패, 분만진통 지연, 분만 후 출혈 등 분만 관련 위험도가 증가

　② 비만 임신부의 분만진통 지연

　　　a. 대부분 분만진통 제1기에 국한되어 발생

　　　b. 임신부 및 태아 상태가 양호하다면 분만 1기의 진행시간을 더 늘려서 보는 것이 좋음

③ 제왕절개 분만을 시행할 경우 복부절개 방향

    a. 수술자의 선호도와 임신부의 상황에 따라 개별화

    b. 복부절개 깊이가 2 cm가 넘는 경우 피하층 봉합 : 상처벌어짐 감소

    c. 수술부위의 감염 증가 : 예방적 항생제 증량, 상처관리

④ 혈전색전증 위험도 증가

    a. 수분 공급, 압박스타킹 착용, 조기보행을 권장

    b. 혈전색전증의 위험이 매우 높은 임신부의 경우 저용량의 헤파린을 고려

3) 분만 후 관리

(1) 산후 비만의 문제점

① 산욕기 자궁내막염, 상처감염, 혈전색전증 등의 합병증 위험성 증가

② 모유수유가 체중 감소에 도움이 되므로 적극 권장

③ 출산 후 체중 저류

④ 다음 임신 시 합병증 발생 및 향후 심혈관 및 대사질환 위험성 증가

⑤ 저용량 경구피임제의 실패율 증가 : 레보놀게스트렐분비 자궁내장치(LNG-IUS)가 적합

(2) 산후 체중 관리

① 출산 후 체중관리를 하기 위한 전통적인 방법 : 식이요법과 운동을 동반한 행동치료

② 영양 및 운동 상담이 출산 후 다음 임신을 시도하기까지 계속되는 것이 중요

CHAPTER 44

심혈관질환(Cardiovascular disorders)

1 서론

1) 심혈관계의 생리학적 변화

(1) 임신 중의 심혈관계 변화

① 혈액량 증가(hypervolemia)

    a. 원인 : hPL, ANP, renin의 활성도 증가

    b. 임신 제3삼분기 중반까지 초기에 비해 약 40~45% 증가

    c. 심장박출량(cardiac output)에 제한이 있는 심장질환

    - 혈액량 증가에 대한 대처가 부적절 → 심부전(heart failure), 심근허혈(myocardial ischemia) 등이 악화

    - 적혈구 증가가 혈장 증가에 비해 상대적으로 적어 빈혈이 발생 → 심장기능에 더욱 부담

② 심박출량 증가

    a. 임신 전에 비해 30~50% 증가

    b. 임신 중 심박출량의 증가 기전

      - 심실의 과역동상태나 고박출상태 때문이 아님

      - 심실이 확장되는 임신의 생리적 변화 때문

임신 초반	임신 후반
말초혈관저항의 감소 → 일회박출량(stroke volume) 증가, 혈압 감소	혈액량 증가로 일회박출량 더욱 증가 휴식기 맥박수 증가 → 심박출량 더욱 증가

c. 심장질환이 있는 경우 심실기능장애로 인한 심인성 심장기능상실을 유발
- 대부분 혈액량 증가와 심박출량의 증가가 급격히 늘어나는 임신 28주 이후에 발생
- 혈액 재분배 등으로 심장에 부담이 더욱 가중되는 분만 전후기가 가장 많은 발생률
- 심장질환으로 인한 모성사망의 80%는 산욕기에 발생
③ 혈액응고 증가
a. 임신 중에는 혈액응고인자 I, II, VII, VIII, IX, X 등이 증가
b. 인공판막시술을 받았거나 부정맥이 있는 경우에는 항응고제의 투여가 더욱 중요
④ 분만 12주 후와 비교한 정상 만삭 임신부의 혈역학적 변화

Parameter	Change (%)
Cardiac output	+43
Heart rate	+17
Left ventricular stroke work index	+17
Vascular resistance	
Systemic	−21
Pulmonary	−34
Mean arterial pressure	+4
Colloid osmotic pressure	−14

(2) 분만 중의 심혈관계 변화
① 분만진통 제1기
a. 분만진통 중 심박출량 더욱 증가
- 자궁수축 시 자궁에서 전신순환으로 300~500 mL 정도의 자가수혈현상 발생
- 통증으로 인한 교감신경자극으로 심박수와 혈압 상승, 심근의 산소 소모량 증가
b. 심장질환이 있는 임신부의 처치
- 적절한 진통제 투여 : 심장의 부담 감소
- 측와위(lateral decubitus) : 대정맥 압박에 의한 심장 전부하(preload) 감소를 예방
② 분만진통 제2기
a. 임산부의 힘주기(pushing)
- 심박출량 50% 더 증가
- 흉곽 내 압력 증가로 심장으로의 혈액 귀환 감소, 전신혈관저항 증가
- 수 초간의 일시적인 반사성 서맥과 교감신경자극에 의한 빈맥
b. 심장질환이 있는 임신부의 처치 : 분만진통 제2기의 단축

③ 분만진통 제3기

    a. 분만 후 태반 박리 시작

    - 자궁으로의 혈액량 감소 및 자가수혈현상 발생

    - 혈관 외로 삼출 되었던 체액이 다시 혈관 내로 이동

    - 이뇨현상(diuresis) 발생

    → 심장기능의 부담 가중

    b. 출혈이 심하지 않은 경우 다량의 혈액이 심장으로 이동하여 폐부종 등의 합병증 발생

분만진통 제1기	분만진통 제2기	분만진통 제3기

심박출량 더욱 증가
 – 자가수혈현상
 – 교감신경자극
심장질환이 있는 임산부의 처치
 – 적절한 진통제 투여
 – 측와위(lateral decubitus)
	임산부의 힘주기(pushing)
	 – 심박출량 50% 더 증가
	 – 혈액귀환 감소, 전신혈관저항 증가
	 – 일시적인 반사성 서맥과 교감신경자
	   극에 의한 빈맥
	심장질환이 있는 임산부의 처치
	 – 분만진통 제2기의 단축
		태반 박리 시작
		 – 자궁으로의 혈액량 감소
		 – 자가수혈현상
		 – 이뇨현상(diuresis)
		 → 심장기능의 부담 가중
		심장질환이 있는 임산부
		 – 출혈이 심하지 않은 경우 다
		   량의 혈액이 심장으로 이동하
		   여 폐부종 등의 합병증 발생

(3) 임신 중 생리학적인 고려사항

    ① 임신에 의한 혈역학적 변화로 기존의 심장질환 악화될 수 있음

    ② 임신에 의한 변화 중 가장 중요한 것은 심박출량 증가이고 임신 중반에 최고에 도달

    ③ 혈역학적 변화는 임신 초부터 발생하므로 임신 중반 이전이라도 심부전 발생 가능

    ④ 심장질환에 의한 모성사망은 산욕기에 가장 많음

    ⑤ 심장질환은 다인자성 유전으로 심장질환 산모는 심장질환 태아를 분만할 확률이 높음

2) 증상 및 소견

(1) 정상 임신에서 나타날 수 있는 증상 및 소견

증상	심전도
숨쉬기 힘듦 기좌호흡(orthopnea) 실신할 것 같은 느낌(presyncope) 목정맥 확장 기능성 수축기 심잡음	QRS축의 좌심장 축변위(left axis deviation) 우심장축변위(right axis deviation) 우측각차단(right bundle branch block)

심장 초음파 검사	흉부 X-선 검사
임신 중의 심장질환의 진단에 가장 권장되는 방법 만삭 시 약간의 삼첨판역류, 폐동맥판역류, 승모판역류 좌심방 크기와 이완기말 좌심실 용적의 증가 좌심실 두께 증가 무증상의 심장막삼출(pericardial effusion)	커진 좌심방 편평해진 심장의 우측상부 경계부위 폐혈관 음영의 강조

(2) 심장질환을 의심할 수 있는 증상 및 소견

증상	소견
진행성 호흡곤란(progressive dyspnea) 기좌호흡(orthopnea) 야간 기침(nocturnal cough) 객혈(hemoptysis) 실신(syncope) 흉부통증(chest pain)	청색증(cyanosis) 손가락 곤봉증(clubbing) 지속적인 목정맥 확장 grade 3/6 이상의 수축기 잡음 이완기 잡음 심장비대(cardiomegaly) 지속적인 빈맥(tachycardia) 혹은 부정맥 (arrhythmia) 지속적인 S2 분열 폐고혈압(pulmonary hypertension)

3) 임상적 분류 및 상담

(1) 심장질환의 분류

① NYHA (New York Heart Association)에 의한 심장질환의 임상적 분류

Class I	Uncompromised 일상적인 신체적 활동에도 증상이 없는 경우
Class II	Slight limitation of physical activity 일상적인 신체적 활동에서 증상이 나타나는 경우 휴식 중에는 증상이 없지만, 일상적 활동에 의해 피로, 심계항진, 호흡곤란, 협심통 발생
Class III	Marked limitation of physical activity 일상적 이하의 경한 신체적 활동에서 증상이 나타나는 경우
Class IV	Severely compromised 가만히 있어도 증상이 있거나 심장기능상실이 있는 경우 움직이면 증세가 더 악화

a. NYHA 분류에 기인한 심장질환 여성에서 임신 중 심장질환 합병증의 예측인자

- 심부전(heart failure), 일과성 허혈발작(transient ischemic attack), 부정맥(arrhythmia), 뇌졸중(stroke)의 과거력

- NYHA class III or IV or 청색증(cyanosis)

- 좌측심장폐색(left-sided obstruction) : 승모판(mitral valve) 면적 <2 cm², 동맥판(aortic valve) 면적 <1.5 cm² 또는 좌심실유출로 최대경사압력(peak LVOT gradient) >30 mmHg
- 박출률(ejection fraction) <40%

b. 예측인자 중 1개가 있는 경우 : 폐부종, 지속적인 부정맥, 뇌졸중, 심정지, 심장사의 위험이 유의하게 증가

c. 예측인자 중 2개 이상 있는 경우 : 합병증 발생이 더욱 증가

② 세계보건기구(WHO)에 의한 심장질환과 임신의 위험성 분류

WHO 1 – 일반 임신부와 동일한 위험성

합병증이 없는 작거나 경증 병변
　폐동맥판협착(pulmonary stenosis)
　심실중격결손(ventricular septal defect)
　동맥관열림증(patent ductus arteriosus)
　승모판탈출증(mitral valve prolapse) – 경도 승모판역류증 동반된 경우도 포함
치료가 완료된 단순 병변
　둘째사이막 심방중격결손(ostium secondum atrial septal defect)
　심실중격결손(ventricular septal defect)
　동맥관열림증(patent ductus arteriosus)
　총폐정맥환류이상(total anomalous pulmonary venous drainage)
단독성 심실주기외수축(ventricular extrasystoles) 혹은 심방주기외박동(atrial ectopic beats)

- 임신 중 심장내과 1~2회 협진

WHO 2 – 경도의 모성사망/이환 증가, 비교적 잘 견딤, 무합병증

수술하지 않은 심방중격결손(atrial septal defect)
교정된 팔로네징후(Fallot tetralogy)
부정맥(arrhythmias)

- 각 삼분기(trimester)마다 심장내과 협진

WHO 2 or 3 – 개별 사례에 따라 결정

경증 좌심실 장애
비후성 심근증(hypertrophic cardiomyopathy)
WHO IV에 포함되지 않은 판막성심장병(valvular heart disease)
대동맥이 정상인 Marfan증후군(Marfan syndrome without aortic dilation)
심장이식(heart transplantation)

- 병변 및 질병 중증도에 따라 WHO 2 또는 3과 유사한 개별화된 치료

WHO 3 – 유의한 모성사망/이환 증가, 심장전문의/고위험임신 전문의 관리 필요

기계식 인공판막(mechanical valve)
전신 우심실–선천성 교정 대혈관전위, Mustard 수술, Senning 수술
Fontan 수술을 받은 경우
청색증 심장질환(cyanotic heart disease)
복합 선천성 심장질환(other complex congenital heart disease)

- 전문의료팀의 치료 : 매월 또는 격월로 심장내과 및 산과 추적관찰

> **WHO 4 − 심각한 모성사망/이환 증가, 임신 금기, 임신중절 필요**
>
> 폐동맥 고혈압(pulmonary arterial hypertension)
> 중증 전신심실장애(severe systemic ventricular dysfunction) : NYHA III/IV 혹은 좌심실박출률 <30%
> 좌심실 기능장애가 남아 있는 분만 전후 심장근육병증 과거력(previous peripartum cardiomyopathy)
> 중증 좌심실폐쇄(severe left heart obstruction)
> Marfan증후군(대동맥 확장 >40 mm)

- 임신의 금기증
- 만약 임신 시, 매월 또는 격월로 심장내과 및 산과 추적관찰

    a. 임신 중 심장질환으로 인한 합병증이나 모성사망이 발생할 가능성에 따른 분류

    b. 임신 전 심장질환에 의한 위험도의 상담에 매우 유용한 예측인자

(2) 심장질환 여성의 임신 전 상담

① 심장질환 여성은 반드시 임신 전 산과전문의와 심장전문의의 상담이 필요

② 산전상담 시 의료진이 확인할 사항

    a. 모체의 심장기능 상태를 평가

    b. 심장질환의 종류와 정도를 진단

    c. 임신 전 치료가 가능한지 수술 등의 치료방법을 확인

    d. 임신 후 예후를 악화시킬 수 있는 위험인자를 파악

    e. 심장질환을 감안한 기대수명에 근거하여 분만 후 자녀의 양육능력을 평가

    f. 유전 가능성이 있는 선천심장질환 여부를 확인

③ 치료가 가능한 심장질환은 임신 전 미리 치료

    a. 완치가 가능한 질환 : 둘째사이막 심방중격결손, 동맥관열림증, 대동맥축착 등

    b. 완치는 아니지만 이상소견은 없앨 수 있는 질환 : 승모판질환, 대동맥협착, 팔로네징후, 중
       등도의 폐동맥고혈압을 동반한 심실중격결손 및 폐동맥판협착 등

    c. 수술 후 수개월 경과 후 임신 시도

④ 모성사망률이 매우 높아 임신 금기 또는 임신중절을 시행해야 하는 질환

임신 금기인 심장질환	
− 확장성 심근병증(dilated cardiomyopathy) − 원발성 폐동맥 고혈압(pulmonary arterial hypertension) − Eisenmenger증후군 − 대동맥 확장이 합병된 Marfan증후군	− 폐동정맥누공(pulmonary arteriovenous fistula) − 중증 좌심실폐쇄(severe left heart obstruction) − 약물요법에 반응하지 않고 교정이 불가능한 NYHA III-IV군

⑤ 심장질환이 있는 여성의 임신은 유산, 태아사망, 태아기형의 빈도가 증가

(3) 선천성 심장질환의 유전

① 많은 선천성 심장질환 : 다유전자적(polygenic) 형질로 유전

② 비후성 심근증(hypertrophic cardiomyopathy) : 멘델유전

③ 가족 중에 선천성 심장질환이 있을 때 다음 자녀에게 선천성 심장질환의 발생 위험

질환	선천성 심장질환 발생위험(%)		
	이전 출산아	아버지	어머니
Marfan증후군	–	50	50
대동맥협착	2	3	15~18
폐동맥판협착	2	2	6~7
심실중격결손	3	2	10~16
심방중격결손	2.5	1.5	5~11
동맥관열림증	3	2.5	4
대동맥축착	–	–	14
팔로네징후	2.5	1.5	2~3

a. 선천성 심장질환의 빈도가 상대적으로 증가하는 경우

  - 부모의 선천성 심장질환

  - 이전에 선천성 심장질환을 가진 자녀를 출산한 과거력

b. 어머니가 선천성 심장질환이 있는 경우에 빈도가 더욱 증가

④ 선천성 심장질환의 발생에는 환경적인 요소도 영향을 미침

2 심장질환 임신부의 관리

1) 산전 관리

(1) 빈혈의 예방

① 빈혈의 영향

a. 심박출량 증가, 전신혈관저항 감소, 폐혈관저항 감소, 심박동수 증가 등

b. 임신으로 인한 심혈관계의 변화와 서로 상충작용 또는 상승작용

② 빈혈 예방이 매우 중요 : 임신 전부터 철분제와 엽산의 복용, 균형잡힌 식생활

(2) 운동

① 심장질환 임신부에게도 규칙적인 운동을 권장

② 운동의 절대적 금기증 : 질 출혈, 운동 전 호흡곤란, 어지러움, 두통, 흉통, 근력약화, 종아

리 통증 또는 부기, 조기진통, 태동감소, 양수누출, NYHA III/IV

(3) 예방접종 및 감염성 심내막염(Infective endocarditis)의 예방
　① 심장질환 임신부의 예방접종
　　　a. 인플루엔자 예방접종(Influenza vaccination)
　　　b. 파상풍/디프테리아/백일해 예방접종(DTaP vaccination)
　　　c. 폐렴알균 예방접종(Pneumococcal vaccination)
　② 심장질환이 있는 임신부에서 분만 전후 감염성 심내막염의 발생 위험도

고위험군

인공심장판막(생체인공판막 또는 동종이식판막)
감염성 심내막염의 이전 병력
청색증이 나타나는 복합 선천성 심장질환(팔로네징후, 대동맥전위)
수술로 만든 전신-폐 순환계 지름길 또는 통로

중등도 위험군

고위험군이나 저위험군에 속하지 않는 선천성 심장질환
후천적 판막기능 이상(류마티스 심장질환 포함)
역류나 판막비후가 동반된 승모판탈출증
비대심장근육병증

저위험군

단독의 둘째사이막 심방중격결손
수술로 교정한 둘째사이막 심방중격결손, 심실중격결손, 동맥관열림증
심장동맥두름길 수술을 받은 경우
역류가 없는 승모판탈출증
판막기능이상이 없었던 Kawasaki병 또는 류마티스열의 병력
심장제세동기 또는 박동조절기를 가지고 있는 경우
생리적 기능성 심잡음이 들리는 경우

　③ 감염성 심내막염의 증상 : 발열, 오한, 야간발한, 식욕부진, 피로, 근력저하, 감기증상 등
　④ 감염성 심내막염의 예방적 항생제
　　　a. 과거에는 심장질환 임신부의 질식분만 시 예방적으로 투여
　　　b. 중등도 위험군 : 균혈증이 의심되는 경우에만 투여
　　　c. 고위험군 : 균혈증이 의심되는 경우에만 투여, 합병증이 없는 경우에는 선택적 투여

고위험군에서 감염성 심내막염의 예방적 항생제 요법(ACOG, 2016)

Standard (IV) : Ampicillin 2 g or Cefazolin or Ceftriaxone 1 g

Penicillin-allergic (IV) : Cefazolin or Ceftriaxone 1 g or Clindamycin 600 mg

Oral : Amoxicillin 2 g

⑤ 심장질환 임신부의 치과시술

    a. 감염성 심내막염 고위험 임신부는 치과치료 시 시술의 종류에 따라 예방적 항생제 투여가 필요

    b. 심장질환 임신부는 감염성 심내막염 고위험 여부에 상관없이 치아건강에 주의가 필요

(4) 혈전색전증의 예방

① 임신으로 인한 정상적인 혈액응고능력의 변화만으로도 혈전색전증의 위험도가 증가

② 와파린(warfarin)

    a. 기형유발 효과

       - 용량비례관계로 확인

       - 하루에 투여하는 와파린 용량이 5 mg 이하일 때는 임신 중에도 와파린 복용을 지속하다가 분만 직전에 와파린 복용을 중단하고 헤파린으로 변경(미국심장학회, 2014)

    b. 유산, 사산, 태아기형 증가

    c. 모유를 통해 신생아에게 넘어가는 양이 매우 적어 모유수유 중에도 복용 가능

③ 헤파린(heparin)

    a. 와파린에 비해 항응고효과가 적어 모체에 대한 위험성은 상대적으로 높음

    b. 태반을 통과하지 않음

    c. 장기간 투여 시 골다공증의 위험

    d. 부작용 : 혈소판감소증, 무균농양 형성

(5) 태아 평가

① 심장질환 임신부는 일반적 산전진찰 외에도 태아 성장, 선천성 기형 특히 심장기형의 발견 등에 세심한 주의가 필요

② 심장질환 임신부의 태아심장 평가 시기 : 임신 제1삼분기부터 시행

③ 태아곤란증 의심 시 생물리학계수 주 1회 이상 시행

2) 분만 전·후의 관리

(1) NYHA 분류에 따른 관리

① NYHA class I & II

    a. 임신 중 관리

       - 대부분 별다른 합병증 없이 임신 지속 가능

       - 지나친 체중 증가 방지(11 kg 미만의 증가), 충분한 수면, 식후 휴식, 가벼운 활동

       - 심부전 예방이 중요 : 담배, 술, 마약 금지, 감기 주의, 예방접종(인플루엔자, 파상풍/디프테리아/백일해, 폐렴알균) 시행

b. 진통 및 분만 시 관리

- 제왕절개의 적응증이 없다면 질식분만 시도

- 진통 중 자세 : 옆으로 기울인 반쯤 누운 자세(semirecumbent position with lateral tilt)

- 심장의 부담을 줄이기 위한 적극적인 통증 조절

- 분만진통 제2기를 단축시키기 위해 필요시 흡입분만 또는 겸자분만 시도

- 경막외마취(epidural anesthesia) : 질식분만과 제왕절개 시 선호, 저혈압 주의

c. 산욕기 관리

- 혈역학적 변화로 인해 모성 사망이 가장 많이 발생하는 시기

- 심장질환 합병증으로 분만 후 출혈, 감염, 빈혈, 혈전 등에 의한 심부전이 발생 가능

② NYHA class III & IV

a. 모성 사망률이 약 4~7%로 임신의 위험성에 대한 설명이 필요

- 임신 초기이고 심한 심장질환이 있으면 유산을 고려

- 임신을 지속하는 경우 장기입원 또는 침상안정이 필요

b. 제왕절개의 적응증이 없는 한 질식분만이 원칙

c. 유도분만은 일반적으로 안전(보통 임신 38~39주에 시행)

d. 경막외마취(epidural anesthesia) 선호

(2) 유도분만

① 심장질환 임신부에서 유도분만의 장단점

a. 장점 : 산과, 심장, 마취전문의를 통한 응급상황 대처 가능

b. 단점 : 자궁경부가 준비되지 않았으면 분만진통 시간이 연장

② 자궁경부 개대 방법

a. 기계적 방법 선호, 예방적 항생제 사용

b. PGE_1 (misoprostol), PGE_2 (dinoprostone)

- 이론적으로 관상동맥연축이나 부정맥의 가능성

- 유도분만을 위해 비교적 안전하게 사용 가능

- 혈압에 대한 영향이 PGE_2가 PGE_1보다 심해 급성기 심혈관질환의 경우에는 금기

③ 유도분만 시 처치

심장질환 산모의 유도분만

지속적인 심전도 감시, 산소측정장치 확인
산모의 자세 : 측와위(lateral decubitus)
분만진통 제2기에 계획되지 않은 발살바 효과를 피하기 위해 힘주기는 최소한으로 시행
필요에 따라 흡입분만 또는 겸자분만 시도
산후 출혈에 대한 준비
옥시토신 사용 시 항이뇨작용으로 인한 심장의 부담을 고려
수액 투여 : 5% 포도당 용액 50 mL/hr

(3) 통증조절 및 마취

① 분만진통 중 통증과 불안을 감소시켜 주는 것이 중요

　　a. 통증으로 인한 교감신경 자극 → 심박수와 혈압 상승 → 심장근육의 산소 소모 증가

　　b 분만진통 중에 적절한 진통제 투여가 심장의 부담을 감소시키는 좋은 방법

② 정맥주사를 통해 진통제 투여

③ 경막외마취 : 가장 선호, 산모의 저혈압 주의

④ 전도마취(conduction anesthesia)의 금기증

　　a. 부적절한 전부하, 심실박출량을 유발할 수 있어 저혈압을 주의해야 하는 질환

　　b. 종류

　　　- 심장내단락(intracardiac shunt)

　　　- 폐고혈압(pulmonary hypertension)

　　　- 대동맥협착(aortic stenosis)

　　　- 비후성 심근증(hypertrophic cardiomyopathy)

(4) 항응고제

① 항응고제 종류에 따른 투여 원칙

항응고제의 종류	투여 원칙
경구 항응고제	임신 36주부터는 저분자량 헤파린이나 미분획 헤파린으로 교체 투여
저분자량 헤파린 (low-molecular-weight heparin)	유도분만이나 제왕절개 24시간 전까지 사용
미분획 헤파린 (unfractionated heparin)	분만 4~6시간 전에 중단

② 항응고제의 재투여

　　a. 질식분만 : 분만 후 6시간 뒤 와파린 또는 헤파린을 다시 투여 시작

　　b. 제왕절개 : 수술 후 6~12시간 뒤 저분자량 헤파린이나 미분획 헤파린을 다시 투여 시작 (대개 24시간 후 다시 투여)

③ 저분자량 헤파린이나 미분획 헤파린 사용 중 갑작스러운 분만을 하는 경우

　　a. 프로타민(protamine sulfate) 정맥주사

　　b. 프로트롬빈시간(PT)이 INR 2 이하로 교정되도록 제왕절개 전 신선동결혈장을 수혈

　　c. anti-Xa 활동도를 검사

(5) 감염성 심내막염(Infective endocarditis)

① 산전관리 중의 감염성 심내막염의 관리와 동일

② 질식분만 중에 감염성 심내막염이 발생하면 문제가 심각해질 수 있으므로 고위험군에서는 분만 시에 감염성 심내막염을 예방할 수 있는 항생제 요법을 선택하는 것도 고려

(6) 임신중절

① 자궁소파술 : 임신 제1, 2삼분기 모두에서 위험도가 가장 적은 방법

② 사후피임약 : 이른 임신 주수에 사용 가능

③ 임신 중기 중절 시 PGE_1, PGE_2 이용

3) 산욕기 관리

(1) 산욕기의 변화

① 모성 사망의 대부분이 일어나는 시기

    a. 분만 전과는 달라진 혈역학 변화가 심장에 큰 부담을 주기 때문

    b. 심장근육의 수축기능은 분만과 출산 직후에 가장 낮기 때문에 폐부종 위험은 출산 후 24~72시간까지 존재

② 수액 주입으로 인한 혈액량 과다를 피하면서 산후출혈을 예방하기 위한 방법

    a. 태반 만출 후 옥시토신 2 Unit을 10분에 걸쳐 느린 속도로 정맥주사

    b. 이후 4시간 동안 12 mU/min. 속도로 주입

③ Methylergonovine : 혈관수축과 고혈압 위험성 때문에 심장질환에서는 금기

④ 조기 보행 및 탄력 스타킹 착용을 권장

⑤ NYHA III/IV에 해당하는 심부전을 제외한 대부분의 경우 수유 권장

(2) 피임

① 경구피임제

    a. 혈전색전증 및 고혈압 유발 가능성

    b. 금기증 : 폐동맥 고혈압, 기계식 판막을 가진 여성

② 호르몬분비 자궁내장치

    a. 생리양 감소, 콘돔을 제외한 가장 안전

    b. 삽입 시 미주신경 반사, 부정맥 유발 가능하므로 주의

    c. 감염성 심내막염의 원인이 될 수 있어 심장이식 환자, 심내막염의 과거력, 인공판막 환자, 장기간 항응고제 투여 환자에서는 금기

③ 구리 자궁내장치 : 생리양 증가 가능성

④ 콘돔, 살정제 : 모체에 대한 위험을 주지 않으면서도 높은 피임 효과

⑤ 난관결찰술 : 모체와 태아 사망률 및 이환율이 높은 질환에 권장

⑥ 응급피임법

    a. 구리 자궁내장치 : 가장 효과적

    b. 응급피임제 : 혈전증의 위험도를 높이지 않음

      - 성교 후 72시간 이내에 levonorgestrel 1.5 mg 1회 복용

      - 성교 후 5일(120시간) 이내에 ulipristal acetate 30 mg 1회 복용

3 심장질환의 종류와 임신에 대한 영향

1) 심장판막질환(Valvular heart disease)

(1) 승모판협착(Mitral stenosis)

① 류마티스 심장질환의 가장 흔한 결과

② 임신 중 나타나는 가장 흔한 판막질환

③ 높은 모성사망률 : NYHA III/IV군인 경우 모성사망률 5~7%, 주산기사망률 12~31%

④ 수축된 판막이 좌심방에서 좌심실로의 혈류를 방해하여 증상이 발생

    a. 승모판협착이 있는 여성의 25%가 임신 중 처음으로 심부전이 발생

    b. 특징적인 증상 : 폐동맥 고혈압, 폐부종에 의한 호흡곤란

    c. 다른 증상 : 저혈압, 피로, 실신, 두근거림, 기침, 객혈 등

⑤ 치료

    a. 활동의 제한과 이뇨제를 투여

    b. 심부전이나 부정맥이 있는 경우 : β-blocker 사용

    c. 폐울혈(pulmonary congestion)에 의한 증상 발생 시 : 활동 및 나트륨을 더욱 제한

    d. 부정맥 발생 시

      - 빠른 부정맥이 처음 발생하는 경우 : verapamil 투여 또는 심장율동전환(cardioversion)

      - 만성적인 부정맥이 있는 경우 : Digoxin, β-blocker, Ca channel blocker 투여, 심방잔떨림

        (atrial fibrillation)이 있으면 반드시 항응고제(heparin)를 투여

    e. 내과적 치료와 침실 안정에도 효과가 없는 경우 : 경식도 심장초음파 하 경피풍선판막성형술 시행

⑥ 분만

    a. 질식분만 : 경한 협착, 폐고혈압이 없는 중등도 협착, NYHA I/II의 중증도 협착

    b. 제왕절개 : NYHA III/IV의 협착과 경피풍선판막성형술을 시행하지 못한 환자에서 내과적 치료 후에도 폐고혈압이 있는 경우

(2) 승모판역류(Mitral regurgitation)

① 수축기 동안 승모판이 부적절하게 접합되면 승모판역류가 발생하게 되어, 좌심실의 확장과 편심적 비대로 발전

② 원인 : 류마티스열 또는 확장성 심근병증에 의한 좌심실 확장

③ 임신 중 발생하는 혈역학적 변화는 승모판역류에 의한 병태생리를 개선시킴

　　a. 임신의 혈액량 증가와 전신혈관저항 감소로 인해 판막을 통한 혈액의 역류가 감소

　　b. 중증 질환에서는 좌심방 확장과 그에 따른 심방잔떨림(atrial fibrillation)의 유발 주의

④ 치료

　　a. 폐울혈(pulmonary congestion) : 이뇨제 투여

　　b. 고혈압 : 혈관확장제 투여

⑤ 경막외마취(epidural anesthesia) : 적절하게 수액 투여를 하며 안전하게 시행 가능

(3) 승모판탈출증(Mitral valve prolapse)

① 임신 중 가장 흔히 발생하는 심장질환

② 원인 : 점액종변성이 판막과 판막의 고리(annulus) 또는 힘줄근(chordae tendineae)에 발생하여 판막의 탄성이 약해지며 발생

③ 증상 : 대부분 무증상, 임신 중 합병증의 발생도 드묾

④ 치료 : 증상이 있는 경우 β-blocker 투여

⑤ 분만 : 질식분만 시도, 제왕절개는 적응증에서 시행

(4) 대동맥협착(Aortic stenosis)

① 30세 미만의 가장 흔한 원인 : 선천성 심장질환인 이엽성 대동맥판막(bicuspid valve)

② 판막의 협착으로 일회 박출량이 제한되어 있는 상태에서는 심박수가 심박출량을 결정

　　a. 느린 맥인 경우 : 심박출량을 떨어뜨리고 저혈압을 유발

　　b. 빠른 맥인 경우 : 심실 충만시간을 감소시켜 심박출량이 감소하고 심근허혈이 유발

③ 증상

　　a. 가슴 통증, 실신, 심부전, 부정맥으로 인한 갑작스런 사망

　　b. 활동 후 가슴 통증이 나타나면 평균 기대수명은 5년 밖에 되지 않으므로 증상이 있는 경우에는 판막 교체를 시행

④ 임신 중 관리

　　a. 중등도 이하의 대동맥협착이 있는 경우 : 증상이 없는 경우 보존적 치료 시행

　　b. 증상이 있는 임신부

　　　- β-blocker, 산소 공급, 활동제한, 감염에 대한 치료

　　　- 증상 지속 시 판막치환술이나 판막절개술 시행

⑤ 분만진통 중의 관리

　　a. 가장 중요한 요소 : 전부하 감소의 차단, 심박출량의 유지, 출혈에 대비해 혈관 내 용적의 안정된 유지

　　b. 경막외마취

　　　- 저혈압과 빈맥 주의(전부하의 감소로 심박출량이 감소하여 위험)

　　　- 마약성 진통제, 희석된 약제를 경막외공간에 서서히 주입

　　c. 분만진통 제2기의 단축이 유리

　　d. 산후 출혈은 전부하 감소를 유발하므로 적극적인 처치가 필요

(5) 대동맥판역류(Aortic regurgitation)

① 확장기 때 대동맥에서 좌심실로 역류가 일어나는 질환

② 원인

　　a. 류마티스열에 의한 심내막염이나 결합조직질환, 선천성 심장질환으로 발생

　　b. Marfan증후군에서는 대동맥 근부가 확장되어 역류 발생

③ 급성 역류 : 세균성 심내막염이나 대동맥박리에 의하여 발생

④ 만성 역류 : 좌심실 비대와 확장으로 발생

⑤ 임신 중 관리

　　a. 임신 중 혈관저항의 감소로 임상경과의 악화는 드묾

　　b. 심부전 증상 호소 시 : 이뇨제, 활동 제한, 임신을 피함

(6) 폐동맥판협착(Pulmonary stenosis)

① 원인 : 주로 선천적인 원인, 팔로네징후, Noonan증후군, 판막의 문제 등

② 특징적 소견 : 폐동맥판 부위의 수축기 박출잡음(ejection murmur)

③ 임신 중 관리

　　a. 중등도 이하의 경우 : 임신과 분만진통을 잘 견딤

　　b. 중증의 경우 : 우측 심장기능상실, 심방부정맥 악화 가능하여 제왕절개 시행

④ 임신에 대한 영향

　　a. 임신 전 수술적 교정 시행

　　b. 임신 중 증상이 심해지면 임신 중이라도 풍선판막성형술을 시행

　　c. 우심실 수축기압 150 mmHg 이상인 중증의 경우 임신은 금기

　　d. 드물게 태아의 선천성 심장질환이 발생할 수 있음

(7) 주요 심장판막질환

Type	Cause	Pathophysiology	Pregnancy
승포판협착 (Mitral stenosis)	Rheumatic valvulitis	LA dilation and passive pulmonary hypertension Atrial fibrillation	Heart failure from fluid overload, tachycardia
승모판부전 (Mitral insufficiency)	Rheumatic valvulitis Mitral valve prolapse LV dilation	LV dilatation and eccentric hypertrophy	Ventricular function improves with afterload decrease
대동맥협착 (Aortic stenosis)	Congenital bicuspid valve	LV concentric hypertrophy, decreased cardiac output	Moderate stenosis is tolerated; severe is life-threatening with decreased preload, e.g., obstetrical hemorrhage or regional analgesia
대동맥부전 (Aortic insufficiency)	Rheumatic valvulitis Connective-tissue disease Congenital	LV hypertrophy and dilatation	Ventricular function improves with afterload decrease
폐동맥판협착 (Pulmonary stenosis)	Rheumatic valvulitis Congenital	Severe stenosis associated with RA and RV enlargement	Mild stenosis usually well tolerated; severe stenosis associated with right heart failure and atrial arrhythmias

(8) 심장판막질환이 있는 임신부에서 모체와 태아에 대한 위험도

심장판막질환	모체와 태아의 고위험	모체와 태아의 저위험
대동맥협착	중증도	무증상 (박출계수 ≥50%, 폐와 전신순환계 혈압 차이 <50 mmHg)
대동맥판역류	NYHA III/IV군	NYHA I/II군, 정상 좌심실수축기능
승모판협착	NYHA III/IV군	중등도 이하, 중등도 이하의 폐동맥고혈압 평균판막면적: 1.5 cm², 압력차 <5 mmHg
승모판역류	NYHA III/IV군	NYHA I/II군, 정상 좌심실수축기능
대동맥판/승모판 질환	심한 폐고혈압 (폐순환계 혈압≥전신순환계 혈압의 75%) 심한 좌심실기능이상(박출계수<40%)	
판막치환술	기계식 인공판막 – 항응고제 투여 필요	이종판막치환술 – 항응고제 불필요
Marfan 증후군	대동맥판역류 동반	
폐동맥판협착		중등도 이하

2) 선천성 심장질환(Congenital heart disease)

(1) 심방중격결손(Atrial septal defect, ASD)
① 성인에서 처음 진단되는 선천성 심장질환 중 가장 흔한 유형
② 성인이 되어 발견한 경우 교정수술을 권함
③ 임신에 대한 영향
　　a. 전신혈관저항의 감소로 인해 심장 내 지름길을 통한 혈류의 이동은 별로 증가하지 않고, 폐고혈압의 발생도 없어 임신을 잘 유지하는 경우가 많음
　　b. 임신 중 혈액의 과부하가 걸리는 것을 피하는 것이 중요
　　c. 임신 전에 폐고혈압이 발생한 경우에는 임신을 피해야 하며, 임신한 경우에도 초기에 유산시킬 것을 권유

(2) 심실중격결손(Ventricular septal defect, VSD)
① 이엽성 대동맥판(bicuspid valve)을 제외한 가장 흔한 심장기형
　　a. 수술이나 자연폐쇄로 인해 성인에서는 심방중격결손보다 빈도가 낮음
　　b. 90%에서 유년기에 결손부위가 자연폐쇄
　　c. 막주위형(paramembraneous)이 대부분, 생리적장애는 결손 부위의 크기와 관련
② 임신에 대한 영향
　　a. 치료가 되지 않은 상태로 임신하는 경우가 드묾
　　b. 작고 단독으로 발생한 경우 : 임신 유지 잘 됨
　　c. 수술로 교정되고 폐고혈압이 없는 경우에는 임신 중 특별한 위험은 없으며 심내막염 예방을 위한 항생제도 필요 없음
　　d. 폐고혈압 또는 Eisenmenger증후군이 동반되어 있는 경우 : 임신 종결을 고려

(3) 동맥관열림증(Patent ductus arteriosus, PDA)
① 생리적 장애는 동맥관의 열림 정도와 관련
　　a. 교정을 해 주지 않는 경우에는 40대에 들어서면서 사망률이 높아짐
　　b. 증상이 있는 경우 대개 유년기에 교정하고, 늦어도 임신 전 교정을 시행
② 임신에 대한 영향
　　a. 작은 동맥관열림증 : 임신 유지 잘 됨
　　b. 교정하지 않은 경우
　　　- 심한 폐고혈압으로 진행할 수 있음
　　　- 전신 혈압 감소 시 폐동맥에서 대동맥으로 역류가 일어나서 분리성 청색증 발생
　　c. 심한 폐고혈압이 있을 경우 혈압이 갑작스럽게 떨어져 치명적인 쇼크에 빠질 수 있으므로 저혈압이 발생하지 않도록 주의

(4) 대동맥축착(Aortic coarctation)

① 대동맥의 어느 한부분이 선천적으로 좁아져 있는 질환

　　a. 비교적 드문 질환, 종종 다른 동맥 이상이 동반

　　b. 교정술을 받지 않은 대동맥축착 환자가 임신하는 경우는 드묾

② 전형적인 징후 : 팔에서는 고혈압이 있으면서 다리에서는 혈압이 정상이거나 낮게 측정

③ 대동맥박리에 따른 동맥 파열과 고혈압 주의

　　a. 모성사망률 : 3%

　　b. 대동맥 파열 : 임신 말이나 산욕기 초기에 잘 발생

④ 임신 중 처치

　　a. 고혈압 : 임신 경과를 악화시키므로 β-blocker를 투여

　　b. 울혈성 심부전 : 적극적인 처치와 함께 임신 중절이 필요

　　c. 질식분만을 권장

　　d. 경막외마취를 통한 제왕절개 : 분만진통 중 혈압 상승으로 인한 대동맥이나 뇌동맥 꽈리
　　　의 파열이 우려되는 경우 시행

(5) 팔로네징후(Tetralogy of Fallot)

① 임신 중 가장 흔한 청색증을 동반하는 선천성 심장질환

② 해부학적 특징

　　a. Large VSD

　　b. Pulmonary stenosis

　　c. Right ventricular hypertrophy

　　d. Overriding aorta

③ 임신으로 인한 심장 기능의 악화와 심한 모체 저산소혈증 유발

　　a. 임신 중 이환율 및 사망률을 결정하는 주요 인자 : 전신혈관저항의 감소

　　b. 기형을 교정한 경우 : 모성 사망률은 매우 낮음

④ 임신 예후가 매우 불량해 임신을 피해야 하는 경우

　　a. 임신 전 적혈구용적률(hematocrit) ≥65%

　　b. 실신 또는 심부전의 과거력

　　c. 심전도상 우심실의 기능 이상

　　d. 심장 비대(cardiac hypertrophy)

　　e. 우심실압 ≥120 mmHg

　　f. 말초 산소포화도 <80%

⑤ 질식분만을 선호

(6) Eisenmenger증후군

① 선천적으로 전신순환계와 폐순환계 사이에 혈액 교통이 있는 환자에서 폐순환계의 저항이 증가하여 전신순환계의 저항과 비슷하거나 높을 경우에 나타나는 일련의 증상

② 원인 : 심실중격결손(가장 흔한 원인), 동맥관열림증, 심방중격결손

③ 임신의 예후인자 : 폐고혈압의 중증도

④ 폐혈관 병변으로 인해 혈관저항이 높게 고정되어 있기 때문에 임신 중에 발생하는 다양한 혈역학적 부하에 적응하지 못함

⑤ 모성 사망률 : 30~50%

    a. 원인 : 우심실 기능상실, 혈전색전증, 폐동맥파열

    b. 임신 금기증 : 폐동맥압이 전신동맥압의 50% 이상인 경우

    c. 임신이 되면 초기 유산을 권장

(7) 폐고혈압(Pulmonary hypertension)

① 진단 기준

    a. 평균 폐동맥압 : ≥25 mmHg(휴식 시), ≥30 mmHg(운동 시)

    b. 심장질환, 만성 혈전색전증, 기저 폐질환이 없음

② 원인

    a. Left to right shunt with Eisenmenger syndrome : 가장 흔한 원인

    b. 만성 폐질환, 이상혈색소증, 코카인 사용, HIV 감염, 식욕억제제 등

③ 모성 사망률 증가

    a. 중증(severe) 폐고혈압 : 임신 금기증

    b. 경증(mild) 폐고혈압 : 임신 금기증 아님

④ 임신 중 관리

    a. 신체적 활동을 제한함

    b. 임신 후기 앙와위(supine position)를 피함

    c. 이뇨제, 혈관확장제, 산소 공급, nifedipine, prostacyclin 사용

    d. 저혈압이 발생하지 않도록 주의

⑤ 질식분만 시도, 제왕절개는 적응증에서 시행

(8) Marfan증후군

① 상염색체 우성유전을 하는 전신적인 결체조직 약화증

    a. 자녀에게 유전될 위험이 50%이므로 임신 전에 이에 대한 상담이 필요

    b. 심혈관계 합병증 : 대동맥판부전, 감염성 심내막염, 승모판탈출증 등

② 혈관이 침범된 Marfan증후군의 임신에 대한 영향

a. 임신 중 혈역학적 변화로 인해 대동맥 근부와 혈관벽의 약화가 발생되어, 대동맥 박리와 파열이 발생할 수 있어 모성 사망률이 매우 높음

b. 초기에 임신중절을 시행

c. 임신을 유지하는 경우

　- 매달 심장 초음파를 통해 대동맥 근부 직경을 측정

　- β-blocker 투여로 고혈압을 철저히 조절

③ 분만

a. 대동맥 근부 직경이 45 mm를 넘지 않고 다른 심혈관계 합병증이 없는 경우에는 경막 외 마취를 하고 분만진통 제2기를 단축시키면서 질식분만을 시도

b. 그 이외에는 고혈압으로 인한 대동맥 박리를 피하기 위해 제왕절개를 시행

3) 분만 전·후 심장근육병증(Peripartum cardiomyopathy)

(1) 서론

① 특별한 심장질환이 없었던 여성에서 임신 마지막 1개월부터 출산 후 5개월 사이에 발생하는 원인불명의 심장기능상실

② 진단기준

a. 분만 전 1개월, 분만 후 5개월 내에 발생한 심부전

b. 심장기능상실의 원인 불명

c. 밝혀진 심장질환이 없는 경우

d. 좌심실 확장과 수축기능장애(비후성 심근증, 심박출 감소 등)

③ 모성 사망률 : 20~25%

(2) 증상

① 울혈성 심부전의 소견 : 호흡곤란, 앉아 숨쉬기, 기침, 두근거림, 흉통 등

② 심부전(heart failure) 연관 질환

a. 가중합병전자간증(superimposed preeclampsia on chronic hypertension) : 임신 중 심부전의 가장 흔한 원인

b. 고혈압성 심질환(hypertensive heart disease)

c. 승모판협착(mitral stenosis)

d. 비만(obesity) : 가장 흔한 동반 질환

e. 바이러스성 심근염(viral myocarditis)

(3) 검사

① 흉부 X-선 : 현저한 심장비대

② 심초음파(echocardiography) : 좌심실 확장과 수축 기능의 장애

③ Endomyocardial biopsy 상 가장 흔한 소견 : Myocarditis

(4) 치료

① 울혈성 심부전(congestive heart failure)에 준한 치료

② 다음 임신을 피해야 함

4) 심장동맥질환

(1) 대동맥박리(Aortic dissection)

① 임신의 영향

    a. Marfan증후군과 대동맥축착이 있는 임신부에서 주로 발생

    b. 임신 말기에 발생확률 증가

② 증상 : 가슴을 찌르는 것 같은 극심한 통증, 말초 동맥이 소실, 대동맥판폐쇄부전 잡음

③ 검사

    a. 비정상 흉부 X-선 소견

    b. 동맥 혈관조영술 : 확진 방법

    c. 심장 초음파, CT, MRI 같은 비침습적인 방법으로 진단

④ 치료 : 혈압을 먼저 낮추고 수술적 치료 시행

(2) 허혈성 심장질환(Ischemic heart disease)

① 임신 중 매우 드문 질환이지만 비임신 시에 비해서는 증가

    a. 임신 중 혈액응고기전의 활성화와 심장근육의 산소요구량의 증가

    b. 대부분 임신 제3삼분기, 분만 전후, 산욕기에 발생

② 위험인자 : 당뇨병, 흡연, 고혈압, 고지혈증, 비만, 습관성 유산의 과거력

③ 분만

    a. 임신 중 급성 심근경색이 있었던 경우에는 분만 시기를 최소 2주일은 늦추어 심장근육이
치유될 시간이 필요

    b. 적절한 경막외마취하에 분만진통 제2기를 단축시키면서 질식분만을 권장

④ 다음 임신을 하는 경우 20~50%에서 울혈성 심부전, 협심증 같은 합병증 발생 가능

5) 부정맥

(1) 서맥성부정맥(bradyarrhythmia)

① 좋은 임신 예후

② 완전 심장차단
- a. 분만진통 중에 실신 가능성이 있어 임시박동조율이 필요할 수 있음
- b. 영구 박동조율기를 장착한 임신부도 큰 무리 없이 임신 유지 가능

(2) 상실성빈맥(Supraventricular tachycardia, SVT)

① 발작성 상실성빈맥(paroxysmal supraventricular tachycardia)
- a. 가임기 여성에서 가장 흔한 부정맥
- b. SVT 여성의 절반 정도가 임신 중 초기 발작 발생
- c. 태아의 중격결손, 2차공 결손과 연관

② 심방잔떨림(atrial fibrillation), 심방된떨림(atrial flutter)
- a. 임신 중 잘 발생하지 않음
- b. 만성폐쇄폐질환, 폐색전증, 심장근육병증, 심장판막질환이나 갑상샘기능항진증 등의 기저질환이 있는 경우에 발생

③ 치료 : 임신 전과 동일

(3) 심실성빈맥(Ventricular tachycardia)

① 보통 구조적인 심장질환이 있는 경우에 발생
② 임신에 의해 유발된 경우 β-blocker 투여
③ 치료
- a. 혈류역학적으로 안정한 환자에서는 리도카인과 프로카인아미드를 연속해서 투여하여 심장율동전환을 시도
- b. 혈류역학적으로 불안정한 경우에는 직류 심장율동전환기를 사용하고, 재발을 막기 위해 β-차단제를 사용
- c. 치명적인 심실부정맥이 있고 중증의 구조적인 심장질환이 없는 경우에는 임신 중이라도 체내 삽입형 심장율동전환-제세동기(cardioverter-defibrillator)를 사용

6) 심장수술

(1) 임신 전 판막치환술(Valve replacement)

① 임신에 대한 영향
- a. 합병증
  - 혈전색전증(thromboembolism), 항응고제에 의한 출혈, 심부전(cardiac failure)
  - 자연유산, 사산, 태아기형 등
- b. 모성 사망율 3~4%
- c. 임신을 원하는 경우 심사숙고

② 판막의 종류에 따른 임신 중 항응고제

    a. 기계식판막(mechanical valve) : 항응고제 필요

    b. 이종판막(porcine tissue valve) : 항응고제 불필요

      - 항응고제가 필요 없어 산모에게 훨씬 안전

      - 혈전색전증의 발생은 적지만 견고하지 못해서 장래에 또 다시 수술 필요

      - 임신으로 인한 사용기간 감소 없음

(2) 심장허파두름술(Cardiopulmonary bypass)

  ① 임신 중의 심장수술은 모체와 태아에게 많은 위험 발생

  ② 태아에 대한 영향

태아 사망의 위험인자	태아 사망이 잘 발생하는 경우
모체 심장질환의 중증도 혈액응고기전의 변화 보체(complement)의 활성화 색전증, 저혈압, 체온 저하 박동성이 없는 혈류	심실중격결손과 같은 심장내지름길 교정 수술 동맥판 교체술 감염성 심내막염 수술 후

  ③ 수술 중 태아의 위험 감소를 위한 방법

    a. 수술 중 출혈 감소, 수술시간 단축

    b. 태반관류 유지를 위한 혈류 및 평균동맥압 유지

    c. 정상 체온, 칼륨 농도, 산소포화도 유지, 저혈당 방지

  ④ 임신 28주 이후 제왕절개 직후 심장수술 시행

(3) 심장이식 후 임신

  ① 임신에 의한 혈류역학 변화에 비교적 잘 적응

  ② 정상 임신부에 비해서 임신 합병증의 비율이 현저히 높음

    a. 임신 합병증 : 고혈압, 조기진통, 자간전증, 태아성장지연, 신생아 호흡부전, 황달 증가

    b. 신생아 합병증 : 골수기능억제, 항체농도 감소, 감염, 저혈당, 저칼슘혈증 등

  ③ 면역억제제의 투여가 생식력에 영향을 미치지는 않음

  ④ 출산 후 면역억제제 복용하는 경우에는 수유 금기

  ⑤ 피임 : 차단법(barrier) 또는 영구피임법 권유

CHAPTER 45

호흡기질환(Pulmonary disorders)

1 천식(Asthma)

1) 병태생리

(1) 정의

① 여러 세포와 다양한 매체들이 관여하는 기도의 만성 염증성 알레르기 질환

② 기도의 염증은 기도 과민증과 가역적인 기도 폐쇄가 동반되어 반복적인 호흡 곤란과 천명음, 기침, 가슴 답답함 등의 증상을 유발

③ 천식의 위험인자

a. 천식을 발생시키는 원인인자, 증상을 일으키는 유발인자

b. 두 가지 인자의 복잡한 상호작용으로 발생

원인인자	유발인자
유전적 인자	알레르겐
아토피 관련 유전자	실내 : 집먼지진드기, 동물(개, 고양이) 바퀴벌레, 곰팡이, 균사체, 효모균
기도과민성 관련 유전자	실외 : 꽃가루, 곰팡이, 균사체, 효모균
기도 염증 관련 유전자	감염 : 호흡기세포융합 바이러스(RSV), 파라인플루엔자 바이러스 등
비만	마이크로바이옴(micobiome)
남성	직업성 감작물질 : isocyanate, 자극성 가스(연무) 등
	흡연(직접, 간접), 실외/실내 대기오염
	식품, 스트레스

(2) 유병률

① 국가에 따라 다양한 유병률 : 1~16%

a. 국내 성인의 천식 유병률 : 1.1%(1998년) → 3.1%(2011년)

b. 지속적으로 증가하는 양상

② 임신 중 발생률 : 5~9%

(3) 임신 중 호흡기계의 변화

① 폐기능의 변화

폐기능		변화
폐활량(vital capacity), 흡기량(inspiratory capacity)	↑	20%
호기예비용적(expiratory reserve volume)	↓	1,300 mL → 1,100 mL
일회 호흡량(tidal volume)	↑	40%
분당 호흡량(minute ventilation volume)	↑	30~40%
잔기량(residual volume)	↓	20%
기능적 잔류용량(functional residual capacity)	↓	10~25%

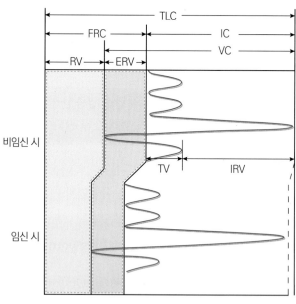

그림 45-1. 임신 중 폐기능 변화

② 동맥혈가스의 변화

구성성분	비임신	제1삼분기	제2삼분기
pH	7.40	7.42~7.46	7.43
PaO_2 (mmHg)	93	105~106	101~106
$PaCO_2$ (mmHg)	37	28~29	26~30
Serum HCO_3 (mEq/L)	23	18	17

2) 임신과 천식의 영향

(1) 임신이 천식에 미치는 영향

① 일반적으로 1/3에서 호전, 1/3에서 악화, 1/3에서 불변

② 임신 전에 천식 증상이 경미하거나 중등도인 경우에는 임신 기간 중에도 변화가 없음

③ 임신 중 악화될 가능성이 높은 경우

    a. 임신 전 중증의 천식을 가지고 있었던 경우

    b. 여아를 임신한 경우 > 남아를 임신한 경우

    c. 제왕절개분만 > 질식분만

④ 임신 중 천식의 임상증상 정도 변화는 임신 제2삼분기에 자주 발생

⑤ 다음 번 임신에서는 대부분 같은 증상의 변화를 보임

(2) 천식이 임신에 미치는 영향

① 천식이 심하지 않으면 임신에 악영향을 주지 않음

② 중등도와 중증 천식에서 증가하는 위험성

    a. 전자간증(preeclampsia)

    b. 조산(preterm labor)

    c. 태아발육지연(fetal growth restriction), 저출생체중(low birth weight)

    d. 주산기 사망(perinatal mortality)

③ 아주 심한 경우에는 천식지속상태(status asthmaticus)에 의한 산모 사망 발생 가능

3) 임신 중 천식의 관리

(1) 임상적 평가

① 동맥혈 분석 : 임신부의 적절한 환기에 의한 산소 공급 상태, 천식의 중등도를 반영하는 산염기 상태를 객관적으로 확인

② 폐기능 측정

    a. 의의

      - 기류 제한의 정도와 천식 진단에 필수적인 가역성과 변동률을 측정

      - 천식 관리를 위한 전략 수립의 기초

      - 천식 조절의 보조적인 정보를 제공

    b. 폐기능 측정 방법

      - 1초간 강제호기량(forced expiratory volume 1 sec, FEV1)

      - 최고호기유속(peak expiratory flow rate, PEFR)

(2) 천식의 관리와 급성 증상의 예방

① 환자 교육 : 천식을 스스로 조절할 수 있는 능력을 갖추는 것이 목표

② 위험인자의 확인과 노출 회피

③ 천식의 평가와 치료

　　a. 폐기능검사 및 태아안녕검사

　　b. 약물 치료

(3) 급성 천식 악화의 처치

① 입원, 수액 정맥주사(대개 증상 호전)

② 산소 공급(O_2 mask), 맥박산소측정

③ 기초 폐기능검사(baseline PFT) : FEV1, PEFR

④ 태아안녕검사

⑤ 약물치료 : β-agonist (1차 선택약제), corticosteroids

⑥ 입원과 퇴원의 기준

　　a. 퇴원 : β-agonist 치료 후 PEFR이 baseline ≥70%

　　b. 입원 : 호흡곤란 혹은 3회의 β-agonist 치료 후에도 PEFR ≤70%

⑦ 천식지속상태(status asthmaticus)와 호흡부전

　　a. 집중치료 30~60분 후에도 반응하지 않는 중증 천식

　　b. 기관내삽관, 기계환기 기준 : 피로감, 과탄산혈증(hypercapnia), 저산소혈증(hypoxemia)

(4) 분만진통 중의 처치

① 잘 조절되는 천식 : 진통 및 분만 중에 평상시의 투약을 지속

② 임신 중 지속적으로 전신 corticosteroid를 투여하던 환자 : hydrocortisone 100 mg, 8시간마다 정맥주사

③ 진통제

　　a. Non-histamine releasing narcotics 사용 : fentanyl

　　b. morphine, meperidine 등 진통제는 사용을 줄임

④ 마취 방법

　　a. 경막외마취(epidural analgesia) : 가장 선호

　　b. 기관내삽관 : 기관지연축(bronchospasm) 유발 가능성

⑤ 유도분만이나 산후 출혈을 동반하는 자궁무력증 시 사용 가능한 약제

　　a. Oxytocin

　　b. PGE_1 (misoprostol), PGE_2 (dinoprostone)

　　c. $PGF_{2\alpha}$ or ergotamine derivatives : 심각한 기관지연축(bronchospasm) 유발 가능

2 폐렴(Pneumonia)

1) 세균성 폐렴(Bacterial pneumonia)

(1) 증상 및 특징

① 임상증상 : 열, 기침, 흉막염통증(pleuritic pain), 오한, 객담, 호흡곤란 등의 다양한 증상

② 임신 중 폐렴의 종류

　a. 전형적(typical) 폐렴

　　- 열, 오한, 화농성(purulent) 객담, 기침을 동반하는 급성 질환

　　- 흉부 X-선 검사 : 대엽양상(lobar pattern)

　b. 비전형적(atypical) 폐렴

③ 한국의 지역사회획득폐렴의 가장 흔한 원인균 빈도

　a. 사슬알균폐렴(Streptococcus pneumonia)

　b. 폐렴막대균(Klebsiella pneumonia), 포도알균폐렴(Staphylococcus aureus)

　c. 인플루엔자균(Hemophillus influenza)

④ 고위험군 : 흡연, 만성 기관지염, 천식, 음주, HIV 감염

⑤ 진단 : 흉부 X-선 사진, 객담의 그람 염색, 혈액과 객담의 배양 등

(2) 치료

① 치료 원칙

　a. 폐렴이 있는 산모는 입원 치료

　b. 가능성 있는 원인균에 근거한 경험적 항생제가 사용

　c. 항생제를 선택함에 있어 임신 시의 안전성과 효과를 우선 고려

② 지역사회획득폐렴 표준치료지침

구분	경험적 항생제의 선택
입원을 요하지 않는 환자 (경구)	β-lactam 단독(amoxicillin or amoxicillin-clavulanate, cefditoren, cefpodoxime, cefuroxime) 또는 respiratory fluoroquinolone (gemifloxacin, levofloxacin, moxifloxacin) 비정형 폐렴이 의심되는 경우 β-lactam + macrolide (azithromycin, clarithromycin, roxithromycin)
일반병실로 입원하는 환자 (P. aeruginosa 감염의 위험인자가 없는 경우, 경구 또는 주사)	β-lactam (ampicillin/sulbactam, or amoxicillin/clavulanate, cefotaxime or ceftriaxone) 또는 respiratory fluoroquinolone 비정형폐렴, 중증폐렴인 경우 β-lactam + macrolide

중환자실로 입원하는 환자	
P. aeruginosa 감염의 위험인자가 없는 경우	β-lactam (ampicillin/sulbactam, cefotaxime, ceftriaxone) + azithromycin (주사 혹은 경구) 또는 β-lactam + Respiratory fluoroquinolone (gemifloxacin, levofloxacin, mocifloxacin)
P. aeruginosa 감염이 위험인자가 있는 경우	Antipneumococcal, antipseudomonal β-lactam (cefepime, piperacillin/tazobactam, imipenem, meropenem) + ciprofloxacin 또는 levofloxacin Antipneumococcal, antipseudomonal β-lactam + aminoglycoside + azithromycin Antipneumococcal, antipseudomonal β-lactam + aminoglycoside + antipneumococcal fluoroquinolone (gemifloxacin, levofloxacin, moxifloxacin)

③ 경증 또는 중증도 폐렴의 경험적 치료 시 β-lactam 또는 respiratory fluoroquinolone의 단독투여를 권장

2) 바이러스성 폐렴(Viral pneumonias)

(1) 인플루엔자 폐렴(Influenza pneumonia)

① 증상 및 특징

a. 임상증상 : 전신증상(고열, 두통, 근육통, 피로감), 호흡기증상(인후통, 기침, 객담, 비염)

b. 보통 겨울이 시작되는 늦가을에서 이른 봄에 많이 발생

c. 호흡기 비말(droplet)을 통해 주로 전파, 직접접촉에 의해서도 감염

d. 감염 위험군 : 2세 이하의 소아, 65세 이상의 성인, 만성질환을 동반한 경우, 산모 및 분만 후 2주 이내, 장기간 아스피린 치료 중인 19세 이하 환자, 고도비만(BMI > 40)

e. 임신에 대한 영향 : 유산, 사산, 조산, 저체중아, 신생아 중환자실 입원 및 사망 증가

② 검사

a. 흉부 X-선 검사 : 특징적인 간질침윤(interstitial infiltrate) 소견

b. 바이러스의 확인 : 인플루엔자 신속검사(rapid influenza diagnostic test, RIDT), 면역형광(immunofluoscence), 바이러스 배양(viral culture), 역전사중합효소연쇄반응(RT-PCR)

③ 치료

a. 안정, 수분보충 및 해열제 등의 대증요법

b. 전염력이 있는 기간 동안 타인과의 접촉을 피함

c. 인플루엔자 증상이 있는 산모 및 분만 후 2주 이내의 여성은 예방접종 유무, 인플루엔자 신속검사 결과와 상관없이 항바이러스제를 가능한 빨리 투여

d. 항바이러스제 투여요법 및 용량

Antiviral Agent	Prophylaxis	Treatment	FDA category
Oseltamivir (Tamiflu®)	75 mg once daily × 7days	75 mg twice daily × 5days	C
Zanamivir (Relenza®)	10 mg once daily × 7days	10 mg twice daily × 5days	C

(2) 수두 폐렴(Varicella pneumonia)

① 증상 및 특징

　　a. 수두 후 발생하는 가장 중증 합병증

　　　- 임신 시 수두에 이환된 산모 중 2~5%에서 합병증으로 폐렴이 발생

　　　- 임신 제3삼분기에 호발

　　b. 감염된 사람과 접촉하거나 호흡기 비말에 의해 눈의 결막(conjunctiva)이나 비인두(naso-pharynx) 점막으로 감염

　　c. 임상증상 : 발열, 소수포 발진이 나타나고 대개 2~5일 후 기침, 호흡곤란, 흉막염통증, 객혈 등의 호흡기 증상

② 검사

　　a. 흉부 X-선 검사 : 특징적인 간질, 확산속립, 결절침윤(interstitial, nodular infiltrates)

　　b. 진단 : 흉부 X-선 검사 + 특징적인 수두발진과 발열

③ 치료

　　a. 이전 수두의 병력, 예방접종 유무, 혈액검사상 수두 IgG를 고려하여 결정

　　b. 격리, 수액치료 및 항바이러스제(acyclovir)를 포함한 적극적인 치료

3) 진균성 폐렴(Fungal pneumonia)

(1) 특징

① 원인균 : cryptococcus neoformans, histoplasma capsulatum, sporothrix schenkii, blastomyces dermatitidis, coccidioides immitis 등

② 임신 중 진균에 의한 폐렴은 드물며 건강한 산모에서의 단독 진균성 폐렴은 적절한 치료에 의해 대부분 회복

(2) 치료

① 파종성 감염 또는 중증 폐렴 : amphotericin B 정맥주사(1차 선택약제)

② 경과가 호전될 경우 유지요법으로 경구 itraconazole 등 azole계열의 항진균제를 투여

3 결핵(Tuberculosis)

1) 병인론

(1) 병태 생리

① 원인균 : Mycobacterium tuberculosis

② 최초 감염의 경우 6개월의 단기간 치료의 완치율은 90%

③ 결핵 발생 고위험군 : HIV 감염자, 최근 2년간 결핵균에 감염된 경우, 6세 미만의 소아, 면역 제제 치료자, 면역체계저하 질환자, 당뇨, 흡연, 마약 등 불법약물 남용자

(2) 임상증상

① 침범 부위에 따라 다양한 증상이 나타남

② 기침(가장 흔한 증상), 체중 감소, 야간발한, 발열, 객혈, 호흡 곤란(진행된 결핵이나 흉수를 동반한 경우에 발생)

③ 뚜렷한 원인 없이 2~3주 이상 기침 등의 호흡기 증상이 있으면 결핵의 가능성을 고려

④ 임신에 대한 영향

    a. 임신은 결핵의 증상이나 경과에 영향을 미치지 않음

    b. 활동성 결핵이라도 태아와 임신부의 예후는 양호

    c. 합병증 : 조산, 저출생체중, 태아발육제한, 주산기 사망, 선천성 결핵

2) 진단 및 치료

(1) 진단

① 임상 소견과 검사들을 종합적으로 판단하여 진단

② 검사 방법 : 흉부 X-선 검사, 흉부 전산화단층촬영, 항산균(acid fast bacilli) 도말검사, 항산균 배양검사, 결핵균 핵산증폭검사, 조직검사 및 면역학적 검사

③ 면역학적 진단 검사

    a. 투베르쿨린검사(tuberculin skin test, TST) : 결핵균의 배양액으로부터 정제한 purified protein derivatives (PPD)를 피내에 주사하여 지연과민반응이 일어나는지를 확인

    b. 인터페론감마 분비검사(interferon-gamma releasing assay, IGRA)

④ 투베르쿨린검사(TST) 상 치료해야 하는 경우

Tuberculin test ≥5 mm	Tuberculin test ≥10 mm	Tuberculin test ≥15 mm
HIV positive	Foreign born	
Abnormal chest X-ray	IV drug users with HIV (−)	None of risk factors
Recent contact with an active case	Low income population	

(2) 임신부의 결핵 치료

① 임신 중 결핵의 잠복 감염(latent infection) 치료

    a. Isoniazid 300 mg daily for 1 year

      - 비임신, tuberculin (+), 35세 미만

      - 활동성 질환의 증거가 없음

    b. 임신, HIV (-) : 분만 후 isoniazid 치료

    c. 치료를 미루면 안되는 경우

      - 최근 피부검사 변환자로 확인된 경우

      - 활동 감염에 노출된 피부검사 양성 여성

      - HIV 양성 여성

② 임신 중 결핵의 활동 감염(active infection) 치료

    a. 임신부에서 결핵이 상당히 의심되는 경우에는 바로 치료 시행

    b. 권고 치료법 : 3제 or 4제 요법 + pyridoxine

      - 미국 질병통제예방센터(CDC) : isoniazid, rifampin, ethambutol

      - 세계보건기구(WHO) : isoniazid, rifampin, ethambutol, pyrazinamide

      - 우리나라는 3제 요법, 4제 요법 모두 권고

      - Pyridoxine(vit.B6) 하루 10~50 mg 투여 : Isoniazid 투여 시 말초신경염의 예방

      - 뇌수막염(meningitis) 시 : Levofloxacin 추가

    c. Pyrazinamide

      - 미국에서는 pyrazinamide의 안전성에 대한 우려

      - Pyrazinamide를 포함하는 일차 항결핵제로 결핵 치료 중 임신이 확인되어도 유산을 권고해서는 안 됨

    d. 임신 중 사용할 수 없는 결핵치료제

약제	위험성
Aminoglycoside (streptomycin, kanamycin, amikacin, capreomycin)	태아의 청력이상, 난청(deafness) 초래
Prothionamide	동물실험에서 태아의 성장발달을 저해
p-aminosalicylic acid	출생 시 여러 이상 보고
Quinolone, Cycloserine, Rifabutin	안전성이 검증되지 않아 다른 약을 선택할 수 없을 경우만 사용
Bedaquiline, Delamanid, Clofazimine	안전성에 대한 임상 자료가 부족

(3) 모유수유 중의 결핵 치료

① 모유수유 지속

a. 일차 항결핵제로 치료 중인 산모의 유즙에서는 아주 소량만 검출

b. Isoniazid 투여 수유부 : Pyridoxine (Vit.B6) 하루 10~50 mg 투여

② 임신 기간 중 충분한 결핵 치료를 받지 못하고 아기가 출생하는 경우

a. 전염성이 있는 기간 동안에는 산모와 아기를 격리

b. 직접 모유수유의 중단을 권고

(4) 신생아 결핵(Neonatal tuberculosis)

① 선천성 결핵은 드물지만 발생 시 치명적

② 발생 경로

a. 혈행성 전이(50%)

b. 분만 시 감염된 분비물의 흡인(50%)

③ 분만 전부터 치료를 했거나, 객담 배양검사 음성이면 신생아 감염의 가능성은 적음

④ 분만 시 산모가 활동성 결핵이 의심되면 격리

a. 신생아는 결핵에 감수성이 높음

b. 활동성 결핵을 치료받지 않은 산모의 신생아는 1년 내에 50%

활동성 결핵을 가진 산모에서 치료받지 않은 채로 태어난 신생아는 1년 내에 50%에서 결핵이 발생

⑤ Isoniazid chemoprophylaxis가 신생아에게 효과적인지 확실하지 않지만 BCG 접종 여부에 관계없이 투여 가능

CHAPTER 46

혈전색전성질환(Thromboembolic disorder)

1 서론

1) 정의 및 빈도

(1) 정의

① 정맥혈전색전성질환(venous thromboembolic disorder) : 심부정맥혈전증(deep vein thrombosis)과 폐색전증(pulmonary embolism)의 총칭

② 임신과 산욕기 동안 건강한 여성에서도 정맥혈전증과 폐색전증의 위험도는 매우 높음

(2) 빈도

① 빈도 : 임신부 1,000명 중 0.5~3명

② 임신과 관련된 정맥혈전색전증(venous thromboembolism)

심부정맥혈전증(deep vein thrombosis)	폐색전증(pulmonary embolism)
임신 중 정맥혈전색전증의 75~80%	임신 중 정맥혈전색전증의 20~25%
분만 전에 더 많이 발생	분만 후 첫 6주간 더 많이 발생
조기 보행으로 산욕기 발생빈도 감소	모성 유병률과 사망률의 주요 원인

2) 병태생리(Pathophysiology)

(1) 발생기전

정맥혈전색전증 촉발 요인(Virchow's triad)	임신 기간 중 생리학적, 해부학적 변화
과응고성(hypercoagulability)	임신 시 출혈을 예방하기 위한 응고인자의 합성 증가
정맥 울혈(venous stasis)	늘어난 자궁으로 인한 하대정맥과 골반정맥의 압박 제3삼분기 초부터 분만 후 6주까지 하지정맥혈류의 속도 감소 운동량의 저하
외상성 혈관손상(vascular damage)	정맥 울혈과 분만에 의한 내피세포의 손상

(2) 혈전색전증 위험을 증가시키는 위험인자

Obstetrical	General
Cesarean delivery	Age 35 years or older
Diabetes	Cancer
Hemorrhage and anemia	Connective-tissue disease
Hyperemesis	Dehydration
Immobility − prolonged bed rest	Immobility − long-distance travel
Multifetal gestation	Infection and inflammatory disease
Multiparity	Myeloproliferative disease
Preeclampsia	Nephrotic syndrome
Puerperal infection	Obesity
	Oral contraceptive use
	Orthopedic surgery
	Paraplegia
	Prior thromboembolism
	Sickle-cell disease
	Smoking
	Thrombophilia

2 혈전성향증(Thrombophilia)

1) 선천성 혈전성향증(Inherited thrombophilias)

(1) 정의

① 응고과정의 억제제로 작용하는 억제단백질들의 선천적 결핍상태

② 혈전증의 가족력

(2) 원인

① 안티트롬빈 결핍(antithrombin deficiency)

② C 단백질 결핍(protein C deficiency)

③ S 단백질 결핍(protein S deficiency)

④ 응고인자 V 레이덴 돌연변이(factor V Leiden mutation) : Activated protein C resistance

⑤ 프로트롬빈 G2021A 유전자 돌연변이(prothrombin G2021A mutation)

⑥ 고호모시스테인혈증(hyperhomocysterinemia)

2) 후천성 혈전성향증(Acquired thrombophilias)

(1) 정의

① 후천적으로 혈전형성이 잘 일어나는 상태

② 혈전형성이 잘 일어나는 전신질환

    a. 항인지질증후군(antiphospholipid syndrome)

    b. 헤파린 유도성 혈소판감소증(heparin-induced thrombocytopenia)

    c. 암(cancer)

③ 가장 흔한 발생 위치 : 하지

(2) 항인지질증후군(Antiphospholipid syndrome, APS)

① 비외상성 정맥혈전증 환자의 약 2%에서 발견

② 임상소견

    a. 혈관 내 혈전 형성

    b. 1회 이상의 임신 10주 이상에서의 원인 불명의 태아사망

    c. 1회 이상의 전자간증 또는 태반기능부전으로 인한 34주 이전의 조산

    d. 3회 이상의 임신 10주 이전 원인 불명의 자연유산

③ 비전형적 위치에 혈전이 발생한 여성에서는 항인지질증후군을 반드시 고려

④ 항인지질증후군을 가진 여성에서 혈전증의 25% 정도가 임신 중 또는 산욕기에 발생

3) 임신과 혈전성향증(Thrombophilias)

(1) 임신에 대한 영향

① 선천성 혈전성향증과 임신합병증 간에 명확한 상관관계는 없음

② 혈전성향증 여성에서 저용량 헤파린(LMWH)의 예방적 사용도 합병증의 발생 감소 없음

(2) 혈전성향증 선별검사

① 선별검사는 고위험군에게만 시행

② 임신 중 혈전성향증 선별검사의 적응증(ACOG, 2017)

    a. 골절, 수술, 부동 체위와 같은 반복적이지 않은 위험인자와 연관된 정맥혈전색전증의 기왕력이 있는 경우

    b. 다른 위험인자가 없는 상태에서 50세 이전의 혈전성향증 또는 정맥혈전색전증의 직계가족력이 있는 경우

③ 태아 사망 또는 조기 전자간증 과거력 : 항인지질항체에 대한 선별검사를 시행

2 정맥혈전색전성질환(Venous thromboembolic disorder)

1) 심부정맥혈전증(Deep vein thrombosis)

(1) 임상소견

① 하지 심부정맥계(deep venous system)에 호발 : 장골대퇴골정맥(iliofemoral vein)이 70%

② 증상의 결정요인 : 폐색 정도, 염증반응의 강도

③ 임신 중 좌측에서 호발 : 좌측 장골정맥(iliac vein)이 그 위를 가로지르는 우측 장골동맥(iliac artery)과 난소동맥(ovarian artery)에 의해 눌리기 때문

(2) 임상증상

① 갑자기 발생하는 다리와 허벅지 부위의 통증과 부종(가장 흔한 증상)

② 동맥의 반사적 경련으로 하지가 차갑고 창백해지며, 박동이 감소

③ 혈전 형성 시 통증, 발열, 부종이 동반

④ Homans sign

　　a. 자연적인 종아리의 통증이 생기거나, 종아리를 쥐어짜거나 아킬레스건(archilles tendon)을 늘릴 때 생기는 반동적인 종아리 통증

　　b. 긴장된 근육이나 좌상(contusion)으로 인해 유발

⑤ 하지에 급성 심부정맥혈전증을 진단받은 30~60% 여성에서 무증상의 폐색전증이 동반

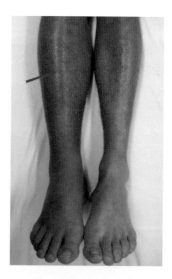

그림 46-1. 심부정맥혈전증으로 인한 한쪽 다리의 부종

(3) 진단

① 압박초음파(compression ultrasound) : 초기에 권고되는 진단적 검사

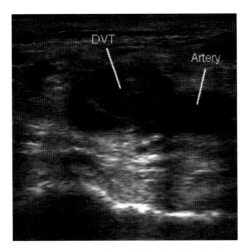

그림 46-2. 심부정맥혈전증의 압박초음파

② 자기공명영상(MRI) : 압박초음파 결과가 음성이거나 모호한 상태에서 장골정맥의 혈전증이 의심되는 경우 시행

③ D-dimer

    a. 비임신군에서는 정맥혈전색전증을 배제할 수 있는 유용한 선별검사

    b. 임신 시에는 D-dimer의 지속적인 상승이 동반되기 때문에 D-dimer의 측정으로 정맥 혈전색전증의 예측은 어려움

④ 기타 검사 : 정맥조영술(venography), 혈량측정법(impedance plethysmography), 전산화단층촬영(CT)

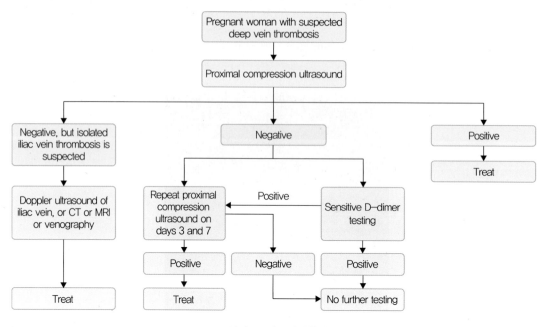

그림 46-3. 임신 중 심부정맥혈전증의 진단

(4) 치료

① 항응고치료(anticoagulation)

    a. 헤파린(heparin)

        - 태반을 통과하지 않기 때문에 임신 중 안전

        - 미분획 헤파린(unfractionated heparin)

        - 저분자량 헤파린(low molecular weight heparin, LMWH)

          • 출혈 합병증 및 헤파린 유도성 혈소판감소증의 위험도가 낮음

          • 혈장 내 반감기가 길고, 골밀도 감소가 더 적음

    b. 와파린(warfarin)

        - 임신 외의 기간에 가장 장기간 보편적으로 사용하는 항응고제

        - 산모에게 Vit.K dependent coagulation factor의 합성을 방해하며, 태반을 통과하여 태아에게도 같은 영향을 미침

        - 선천성 기형

          • 임신 8주 이전 : 코형성부전, 눈기형, 성장제한

          • 임신 제2, 3삼분기 : 중추신경계 이상

        - 장기간 항응고치료를 받는 여성이 임신을 한 경우, 헤파린으로 치료제를 전환

② 임신 중 항응고제 치료 방법

Anticoagulation Regimen	Definition
Prophylactic LMWH	Enoxaparin, 40 mg SC once daily Dalteparin, 5,000 units SC once daily Tinzaparin, 4,500 units SC once daily
Therapeutic LMWH	Enoxaparin, 1 mg/kg every 12 hours Dalteparin, 200 units/kg once daily Tinzaparin, 175 units/kg once daily Dalteparin, 100 units/kg every 12 hours
Minidose prophylactic UFH	UFH, 5,000 units SC every 12 hours
Prophylactic UFH	UFH, 5,000~10,000 units SC every 12 hours UFH, 5,000~7,500 units SC every 12 hours in first trimester UFH 7,500~10,000 units SC every 12 hours in the second trimester UFH, 10,000 units SC every 12 hours in the third trimester, unless the aPTT is elevated
Therapeutic UFH	UFH, 10,000 units or more SC every 12 hours in doses adjusted to target aPTT in the therapeutic range (1.5~2.5) 6 hours after injection
Postpartum anticoagulation	Prophylactic LMWH/UFH for 4~6 weeks or vitamin K antagonists for 4~6 weeks with a target INR of 2.0~3.0, with initial UFH or LMWH therapy overlap until the INR is 2.0 or more for 2 days
Surveillance	Clinical vigilance and appropriate objective investigation of women with symptoms suspicious of deep vein thrombosis or pulmonary embolism

③ 임신 중 항응고치료의 합병증
    a. 가장 중요한 합병증 : 출혈, 혈소판감소증(thrombocytopenia), 골다공증(osteoporosis)
    b. 혈소판감소증과 골다공증은 헤파린을 사용할 때 발생
    c. 저분자량 헤파린을 투여 시 합병증 위험이 감소

(5) 항응고치료와 분만

분만 전	분만 중	분만 후
− 분만 한달 전에 저용량 헤파린에서 반감기가 짧은 미분획 헤파린으로 교체 − 임신 주수와 관계없이 분만이 임박한 경우 가능한 빨리 미분획 헤파린으로 교체	− 진통 시작 시 헤파린 투여 중지 − 항응고제를 일시적으로 중단한 후 24시간 내에 분만을 유도 − 저용량 헤파린을 예방적 용량으로 주사 후 10~12시간, 치료적 용량으로 주사 후 24시간 동안은 통증조절을 위한 부위마취를 시행하지 않는 것을 권고	− 분만 후 출혈 최소화를 위해 질식분만 4~6시간 후, 제왕절개분만 6~12시간 후 헤파린 투여를 시작 − 자궁수축이 안 좋거나 외상이 생긴 경우 1~2일 경과관찰 − 6주 이상 지속적인 항응고제 투여 산모는 와파린으로 교체(교체하는 중에는 헤파린과 와파린을 함께 사용) − 증상이 사라지면 단계별 보행, 탄력 스타킹, 항응고치료

2) 폐색전증(Pulmonary embolism)

(1) 병인론

① 혈전이 정맥벽에서 떨어져 심장을 통해 폐동맥으로 이동하면서 발생

    a. 많은 경우에서 심부정맥혈전증이 선행

    b. 대부분 제왕절개 후에 발생하며 분만 후 48시간 내에 가장 많이 발생

② 빈도 : 약 0.023% 정도

③ 임신 중 폐색전증의 위험인자

임신 중 폐색전증의 위험인자	
수술 과거력	폐색전증의 과거력
임신중독증	빈혈
3회 이상의 출산력	체질량지수(BMI) ≥30
35세 이상의 고령 산모	

(2) 임상소견

① 심부정맥혈전증 보다 급성 경과를 보임

② 주요 증상

    a. 호흡곤란, 흉부통증, 기침, 객혈

    b. 빠른 호흡, 빈맥, 불안감

    c. EKG : Right axis deviation, T-wave inversion in the ant. chest lead

    d. 정상 ABGA

    e. Alveolar-arterial O_2 difference ≥20 mmHg

(3) 진단

  ① 환기-혈류스캔(ventilation-perfusion scan)

  ② CT 혈관조영검사(CT angiography)

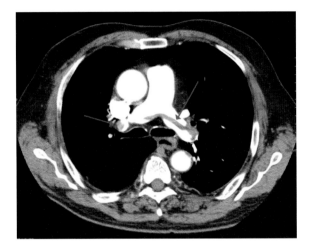

그림 46-4. 폐색전증(pulmonary embolism)

  ③ 압박초음파(compression ultrasound)

  ④ 흉부 X-선 검사 : 폐색된 동맥에 의해 공급되는 폐 영역의 혈관 음영 소실

  ⑤ D-dimer

  ⑥ MRI

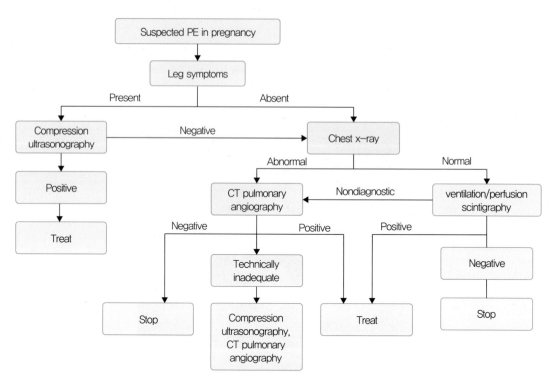

그림 46-5. 임신 중 폐색전증의 진단

(4) 치료

① 항응고치료(anticoagulation) : 심부정맥혈전증의 치료와 유사
② 대정맥여과장치(vena caval filter)
③ 혈전용해제(thrombolytic agent) : 조직 플라스미노겐 활성인자
④ 색전절제술(embolectomy)

1 임신 중 요로계의 변화

1) 신장과 방광의 변화

(1) 신장의 해부학적 변화

① 임신 중에는 신장의 전체 크기가 증가
  - a. 신장의 길이 : 1~1.5 cm 정도 증가
  - b. 신장의 혈류량 증가 및 간질 부피 증가 때문

② 집합계(urinary collecting system)의 확장
  - a. 상행 요로감염 증가의 원인
  - b. 요관, 신우 확장은 오른쪽이 더 심함
    - 좌측 요관 : 직장(sigmoid colon)에 의해 보호
    - 우측 요관 : 자궁의 우측회전(dextrorotation)과 난소정맥에 의한 압박

(2) 신장의 생리학적 변화

① 사구체 여과율(glomerular filtration rate, GFR) 증가
  - a. 신장혈관 확장, 저항성 감소 → 신장 혈류량과 사구체 여과율 증가 → 산모의 빈뇨
  - b. 심박출량 증가, 알부민 감소에 의한 교질 삼투압 저하, 렐락신(relaxin)

② 신장질환을 의심할 수 있는 경우

임신 중 정상 변화	신장질환 의심
크레아티닌(creatinine) 감소 : 평균 0.5 mg/dL 요소질소(BUN) 감소 : 평균 9 mg/dL	크레아티닌(creatinine) ≥0.9 mg/dL (79 μmol/L) 요소질소(BUN) ≥14 mg/dL

③ 신세뇨관기능(renal tubular function)

a. 나트륨(sodium, Na)

- 사구체 여과율의 증가에 의한 일일 나트륨 여과가 증가
- 배설 촉진 인자 : progesterone, prostaglandin E, atrial natriuretic factor (ANP)

b. 칼륨(potassium, K)

- Aldosterone 및 mineralocorticoid의 증가로 칼륨 배설이 증가하지만 실제 체내 칼륨은 300~350 mEq/L 정도가 축적
- 원위세관(distal tubule)과 헨레고리(loop of henle)의 칼륨 재흡수는 임신 시 감소하지만 근위세관(proximal tubule) 재흡수가 증가하기 때문

c. 칼슘(calcium, Ca)

- 임신 중 칼슘 배설량이 증가하지만 소장의 칼슘 흡수량이 증가하여 칼슘농도는 임신 전 과 비슷하게 유지
- 총 칼슘농도는 혈청 알부민 농도의 감소로 임신 초기에서 만삭으로 갈수록 감소

d. 포도당(glucose)

- 임신 중에는 집합세관(collecting tubule)과 헨레고리(loop of henle)에서의 재흡수의 이상 으로 포도당의 배설이 비임신에 비해 10~100배 정도 증가
- 임신부에서 소변 내 당(glycosuria)은 당뇨 산모의 관리에 사용될 수 없음

e. 요산(uric acid)

- 임신 중 요산의 생산은 증가하지 않으나 요산의 신장 청소율이 증가하여 혈중 요산농도 는 적어도 25% 이상 감소
- 혈중 요산농도 감소는 임신 초기에 더 크며 임신 말기에는 점차 정상화됨

f. 산염기 평형

- 신세뇨관의 중탄산염(bicarbonate) 재흡수는 변화가 없음
- 과호흡(hyperventilation)으로 경한 호흡성 알칼리증 상태
- pH 7.42~7.44, pCO_2 31 mmHg, bicarbonate 18~22 mEq/L 정도로 유지

g. 삼투압농도(osmolarity)

- 임신 10주에는 정상보다 10 mOsm/L 정도 낮아지며 이는 임신 말기까지 지속
- 원인 : 혈장 나트륨과 음이온의 감소

(3) 방광의 변화

① 자궁의 크기 증가로 인해 방광 용적이 작아져 적은 소변량에도 요의를 느끼게 됨
② 임신 제3삼분기 중 약 절반이 요실금 증상을 호소

2) 임신 중 신장질환의 평가

(1) 검사

① 소변 검사 : 간헐적 당뇨(glycosuria)가 있는 것을 제외하고 비임신과 동일

② 혈청 크레아티닌(creatinine) : 임신 중 감소, 0.9 mg/dL 이상이면 신장질환을 의심

③ 경정맥신우조영술(intravenous pyelography, IVP)

a. 일반적으로 full-sequence IVP는 하지 않음

b. 필요할 경우 조영제 주입 후 1~2장의 복부 촬영(one-shot pyelography) 가능

④ 방광내시경(cystoscopy) : 적응에 해당 되면 실시

⑤ 신장 조직검사 : 가능한 분만 이후로 미룸

(2) 당뇨(Glycosuria)

① 정상 산모의 1/6에서도 나타나는 소견

② 당뇨의 가능성을 항상 염두

(3) 단백뇨(Proteinuria)

① 임신 중 사구체 여과율의 정상적인 증가로 단백 여과량도 증가

② 단백뇨의 기준 : 비임신 시 ≥150 mg/day, 임신 시 ≥300 mg/day

③ 비정상 단백뇨의 정의

a. 24시간 소변 단백질의 양 ≥300 mg

b. 요단백/크레아티닌비(urine protein/creatinine ratio) ≥0.3

c. 무작위 소변검사 상 지속적인 단백수치 30 mg/dL(random urine stick +1) 이상

2 요로감염(Urinary tract infections)

1) 무증상 세균뇨(Asymptomatic bacteriuria)

(1) 특성

① 증상 없는 여성의 깨끗한 소변에서 세균이 10^5 organism/mL 이상 확인되는 경우

② 빈도

a. 임신 중 약 4~7%

b. 대개 첫 산전 진찰 시 확인 : 즉시 치료 시행, 이후 1% 미만에서 요로감염 발생

③ 진단

a. 증상이 없는 여성의 깨끗한 소변에서 세균이 10^5 organism/mL 이상 확인되는 경우

b. 증상이 있는 여성의 경우 세균이 10^5 organism/mL 미만이더라도 치료

④ 의의

    a. 치료하지 않으면 25%에서 급성 방광염이나 급성 신우신염으로 진행

    b. 치료 시 조산, 저출생체중, 임신성 고혈압, 빈혈 등의 위험도 감소

    c. 모든 산모에서 첫 산전 진찰 시 무증상 세균뇨에 대한 선별검사 시행을 권고

(2) 치료

① 무증상 세균뇨가 있는 임신부의 치료에 사용되는 경구 항생제

1회요법(Single-dose treatment)

Amoxicillin, 3 g
Ampicillin, 2 g
Cephalosporin, 2 g
Nitrofurantoin, 200 mg
Trimethoprim–sulfamethoxazole, 320/1600 mg

3일요법(3-day course)

Amoxicillin, 500 mg, 하루 세 번
Ampicillin, 250 mg, 하루 네 번
Cephalosporin, 250 mg, 하루 네 번
Ciprofloxacin, 250 mg, 하루 두 번
Levofloxacin, 250 or 500 mg, 하루 한 번
Nitrofurantoin, 50~100 mg, 하루 네 번 또는 100 mg, 하루 두 번
Trimethoprim–sulfamethoxazole, 160/800 mg, 하루 두 번

그 외

Nitrofurantoin, 100 mg, 하루 네 번, 10일간 투여
Nitrofurantoin, 100 mg, 하루 두 번, 5~6일간 투여
Nitrofurantoin, 100 mg, 하루 한 번, 취침 전, 10일간 투여

치료 실패 또는 재발된 경우

Nitrofurantoin, 100 mg, 하루 네 번, 21일간 투여

잦은 재발 또는 지속되는 세균뇨

Nitrofurantoin, 100 mg, 하루 한 번, 취침 전, 남은 임신 기간 동안 유지

---

② 1회요법은 치료 효과가 다른 방법보다 적어 보통은 다회요법을 사용

③ 치료 방법과 상관없이 30% 정도에서 재발되기 때문에 치료 후 정기적인 검사 시행

2) 방광염(Cystitis) 및 요도염(Urethritis)

(1) 특성

① 빈도 : 임신 중 약 1~2%

② 증상 : 배뇨통, 절박뇨, 빈뇨 등, 대개 발열은 없음

③ 진단

    a. 소변 검사 : 농뇨(pyuria), 세균뇨(bacteriuria), 적혈구 등의 확인

    b. 때때로 육안적 혈뇨

(2) 치료

① 무증상 방광염의 3일요법 : 90% 정도에서 효과적(1회요법은 덜 효과적)

② *Chlamydia trachomatis* 요도염

    a. 세균뇨 없이 빈뇨, 절박뇨, 배뇨통, 농뇨 등이 발생

    b. Azithromycin이 효과적

3) 급성 신우신염(Acute pyelonephritis)

(1) 특성

① 임신 중 급성 신우신염의 특징

    a. 임신 중 가장 흔한 내과적 합병증 중의 하나(약 1~4% 빈도)

    b. 젊은 초산부에서 임신 제2삼분기에 빈도가 높게 발생

    c. 50% 이상이 오른쪽 신장에서 발생, 25%는 양측성

② 원인균 : *Escherichia coli* (75~80%), *Klebsiella pneumonia*, *Enterobacter* 등

③ 임상 증상

    a. 특징적 증상 : 갑자기 발생하는 열과 오한, 한쪽 또는 양쪽 요추부 동통 또는 요통

    b. 식욕 부진, 구역질, 구토

④ 진단

    a. 신체 검진 : 늑골척추각 압통(CVA tenderness)

    b. 소변 검사 : 많은 수의 백혈구 및 세균을 확인

(2) 치료

① 급성 신우신염이 있는 임신부의 관리

급성 신우신염이 있는 임신부의 관리
임신부의 입원
소변배양검사와 혈액배양검사 시행
전혈구(CBC), 전해질, 혈청 크레아티닌 평가
활력 징후, 소변량 확인 – 유치도뇨관 고려
소변량 ≥50 mL/hr 유지되도록 정맥 내 수액 공급
정맥 내 항생제 투여
호흡곤란(dyspnea) 또는 빈호흡(tachypnea) 시 흉부 방사선 검사 시행
48시간 후 전혈구(CBC), 전해질, 혈청 크레아티닌 재검
열이 떨어지면 경구 항생제로 교체
24시간 동안 열이 없으면 퇴원, 항생제 치료 7~10일 고려
항생제 치료 종료 1~2주 후 소변배양검사 재검

② 항생제

    a. 즉각적으로 항생제를 사용(충분한 수액 투여 + 정맥용 항생제)

        - Ampicillin + Gentamicin

        - Cefazolin or Ceftriaxone

        - 기타 광범위 항생제

    b. 치료 시작 후 95%가 72시간 이내에 열이 감소

    c. 열이 떨어지면 경구 항생제로 교체, 총 항생제 투여일이 10~14일은 되도록 유지

    d. 열이 24시간 이상 없으면 퇴원 고려

③ 검사 및 모니터링

    a. 소변배양검사와 혈액배양검사 : 항생제 투여가 끝난 1주 후 소변배양검사 재검

    b. 전혈구(CBC), 전해질, 혈청 크레아티닌 : 신장기능 확인 등을 위해 48시간 후 재검

    c. 흉부 방사선 검사

        - 호흡곤란이나 빈호흡이 있는 경우 시행

        - 폐부종 : 10% 미만에서 발생, 조기진통이 동반되어 β-agonist를 함께 사용할 때 증가

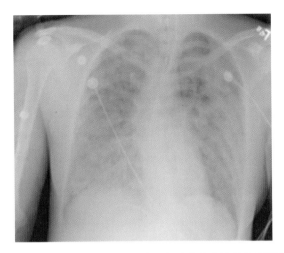

그림 47-1. 중증 신우신염이 있는 임신 제2삼분기 여성의 급성 호흡곤란증후군(ARDS)

④ 치료에 반응하지 않는 임신부의 치료

    a. 적절한 항생제와 수액 치료 약 72시간 후에도 열이 지속되는 경우

    b. 요로폐색이나 다른 합병증의 유무를 확인하기 위한 추가 검사가 필요

       - 신장 초음파 : 요관 및 신우의 확장, 요로결석 등 확인

       - 복부 단순 촬영, one-shot IVP : 요로결석이 의심되나 초음파로 안 보이는 경우 시행

       - MRI : 신장 내 농양 등의 확인

    c. 요관이 막힌 경우의 치료

       - Double-J 도뇨관, 경피적 신루설치술(percutaneous nephrostomy, PCN)

       - 수술적 제거 : 심한 경우 시행

3　신장질환(Renal disease)

1) 신장결석(Nephrolithiasis)

  (1) 특성

    ① 임신 중 매우 드문 합병증

    ② 80~90% 환자가 임신 제2, 3삼분기에 발견

    ③ 빈도 : 2,000 임신당 1명(비임신과 비슷)

④ 결석의 종류

임신 중 가장 흔한 결석	비임신 중 가장 흔한 결석
인산칼슘석(calcium phosphate stone) 수산화인회석(hydroxyapatite stone)	수산칼슘석(calcium oxalate stone)

⑤ 임신 중 신장결석의 특징

    a. 임신 중에는 장에서 칼슘 흡수가 증가되고 신장에서 배설도 증가되지만 신장결석의 형성이 증가되지는 않음

    b. 산모는 요관 확장 때문에 결석이 더 잘 배출

(2) 증상 및 진단

① 임상증상

    a. 통증, 혈뇨(hematuria) : 가장 흔한 증상

    b. 오심, 구토, 복통, 배뇨통, 농뇨 : 이차적 요로감염과 연관

    c. 감별진단 : 급성 충수염, 게실염, 태반조기박리

② 진단

    a. 신장 초음파 : 임신 중 첫 번째 진단 방법, 임신 중 생리적 수신증으로 진단이 어려움

    b. 자기공명영상(MRI) : 임신으로 인하여 다른 방사선학적 검사가 부적절한 경우 사용

    c. 전산화단층촬영(CT) : 비임신 여성에서 가장 많이 사용되는 방법

    d. Half-fourier single-shot turbo-spin echo (HASTE), Magnetic resonance urography (MRU)

(3) 치료

① 보존적 처치

    a. 안정과 적절한 수분 공급, 진통제와 필요 시 항구토제 투여

    b. 임신부는 호르몬의 영향으로 요관이 확장되어 보존적 치료로도 65~80%에서 결석이 자연 배출

② 침습적 처치

    a. 경피적 신루설치술(percutaneous nephrostomy)

    b. 요관내시경(ureteroscopy)

    c. 체외충격파쇄석술(extracorporeal shock wave lithotripsy, ESWL)

    d. 수술적 제거

2) 신장이식 후 임신(Pregnancy after renal transplantation)

(1) 신장이식환자의 임신 가능 기준

① 신장이식 후 최소 1~2년이 지나고 전체적으로 양호한 신체 상태

② 이식된 신장의 기능이 양호 : 혈중 Cr < 1.5 mg/dL, 단백뇨 < 500 mg/day

③ 6개월 이상 거부반응 없고, 초음파상 신우/신배 확장이 없고, 고혈압이 없거나 잘 조절

④ 기형유발약제를 투여하지 않으며 면역억제제 사용량이 안정적

(2) 신장이식환자의 임신 예후

① 비교적 양호한 임신 예후

② 정상 임신에 비해 증가하는 합병증 : 조산, 전자간증, 임신성 당뇨, 바이러스 감염

③ 선천성 기형 : 증가 없음(mycophenolate mofetil 사용 시에는 증가)

④ 면역억제제의 혈중 농도는 임신 중 감소하지만 급성거부반응을 보이지는 않음

(3) 신장이식환자의 임신 중 관리

① 감염 관리

    a. 요로감염 : 1개월 마다 소변배양검사, 무증상 세균뇨도 2주간 치료 및 억제 치료 시행

    b. 분만 시 항생제 투여

    c. 백신은 신장이식 이전에 접종하는 것을 추천

② 고혈압

    a. 30~75%에서 고혈압이 발생

    b. 고혈압 발생 시 급성거부반응과 임신중독증을 감별하는 것이 중요

    c. 급성거부반응으로 인한 경우에는 고농도 스테로이드 치료가 필요(분만의 적응증 아님)

③ 신장기능

    a. 분만 2년 이내 이식된 신장의 상실은 11% 정도

    b. 이식 신장의 예후 확인

       - 임신 3개월 이내의 혈청 creatinine 수치

       - ≥2.3 mg/dL : 임신 금기

    c. 환자의 신장기능 확인을 위한 검사

       - 2주마다 요소질소(BUN), 크레아티닌, 전해질 수치 확인

       - 매달 초음파 및 분기별 신장스캔 시행

④ 약물의 영향

    a. 임신 동안 cyclosporine, tacrolimus, prednisone, azathioprine 같은 면역억제제의 사용이 가능하고 수유 시에도 안전

    b. Mycophenolate mofeil은 기형을 유발하므로 적어도 임신 3개월 전 중단

⑤ 분만

    a. 정상 산모군보다 전자간증, 조산, 저출생체중, 모체와 신생아의 입원율이 증가

    b. 이식된 신장이 태아 하강을 방해할 수 있음

    c. 질식분만이 원칙, 제왕절개술은 산과적 적응증이 있을 때 시행

3) 만성 신장질환(Chronic renal disease)

(1) 병인론

① 진행성 신장 파괴를 일으켜 신장의 말기상태(end stage)를 유발하는 병태생리적 과정

② 원인 : 당뇨, 고혈압, 사구체신염, 다낭성신장질환 등에 의해 발생

(2) 임신과 만성 신장질환

① 빈도 : 임신 중 발생률 약 0.1%

② 발생 빈도가 낮은 이유

    a. 임신 중 혈청 creatinine이 낮아져서 만성 신장질환의 진단 실패

    b. 만성 신장질환에 동반되는 여러 질환으로 인해 임신 초 유산 발생

(3) 신장기능의 평가

① 검사 : 혈청 크레아티닌(creatinine), 사구체 여과율(glomerular filtration rate)

② 분류

Creatinine 수치에 따른 분류		National kidney foundation의 분류	
경증(mild)	Cr <1.5 mg/dL	1단계	신장 손상 및 GFR 정상 또는 증가(≥90 mL/min/1.73 m^2)
중등도(moderate)	Cr 1.5~3.0 mg/dL	2단계	신장 손상 및 경도의 GFR 감소(60~89 mL/min/1.73 m^2)
중증(severe)	Cr >3.0 mg/dL	3단계	중증도의 GFR 감소(30~59 mL/min/1.73 m^2)
		4단계	심한 GFR 감소(15~29 mL/min/1.73 m^2)
		5단계	신부전(GFR<15 mL/min/1.73 m^2 또는 투석)

(4) 임신 전 평가 및 예후

① 임신 예후에 가장 중요한 인자

    a. 신장기능 손상의 정도 : serum creatinine, urine protein으로 확인

    b. 고혈압의 여부

② 임신 전 혈청 creatinine 수치와 임신 중 신장 손상 정도는 비례

    a. 혈청 Cr 1.4 mg/dL 이하의 경증 신부전 환자

      - 일부분에서 임신 중에 사구체 여과율이 증가

- 큰 합병증이나 후유증 없이 임신과 분만이 진행
    b. 혈청 Cr 1.4 mg/dL 이상의 30~50% 환자
        - 임신에 의한 사구체 여과량의 증가가 거의 없음
        - 혈압의 상승과 동시에 사구체 손상으로 단백뇨 증가(proteinuria >1 g/day)
        - 신부전이 악화되어 태아발육제한, 조산 등 발생 가능
        - 분만 후에도 임신 전의 신장기능보다 악화된 신부전을 보임
    c. 혈청 Cr 2.8~3.0 mg/dL 이상인 진행된 신부전 환자
        - 임신 자체가 어려운 경우가 많음
        - 임신이 되더라도 고혈압 및 전자간증으로 진행되어 태아의 생존이 어려움은 물론 산모도 투석으로 이행되는 경우가 흔함
        - 임신 중과 분만 후에 손상이 진행되어 임신 전보다 기능이 나빠지는 경우가 많음

(5) 치료
① 일반 사항
    a. 안정하며 적당한 활동이 필요
    b. 저염식이가 필요하나 혈압 상태에 따라 결정
② 고혈압제
    a. methyldopa, hydralazine, labetalol, 칼슘 통로 차단제
    b. 이뇨제 : 주의하여 사용
    c. 혈압이 이러한 약제에 어느 정도 조절되는지가 예후와 연관이 있음
③ 신장기능의 추적검사
    a. 혈청 creatinine, 단백뇨
    b. 4~6주 간격으로 검사하여 신장기능의 악화 여부를 확인
    c. 급격한 변화가 있는 경우 이에 대한 추가 검사와 약제 조절이 필요
④ 태아 정기검사
    a. 16~18주 이후 정기적인 초음파로 태아 상태를 평가
    b. 산전 진찰 : 32주까지는 2주에 1회, 32주 이후에는 1주에 1회
    c. 신장기능의 악화 정도, 고혈압 유무, 단백뇨 정도, 태아성장에 따라 필요 시 임신 28주부터 1주에 1회 또는 2회 정도 생물리학계수 시행

(6) 분만
① 신장기능의 악화가 보이면 태아의 폐성숙도를 보고 가능한 빠른 시일 내에 분만 시도
② 급성 신부전이나 수분 저류, 대사성 산증의 진행 등 투석이 필요할 정도의 증상이 보이면 즉시 분만을 결정

CHAPTER **48**

위장관질환(Gastrointestinal disorders)

1 임신 중 고려사항

1) 위장관질환에 대한 임신의 영향

(1) 임신 중 위장관질환 진단의 어려움

① 임신 중 커진 자궁으로 인한 복부장기의 위치 변화로 진찰과 평가가 어려움

② 임신 중 변화에 의한 불편감 또는 유발 질환

    a. 소변의 정체로 인한 방광염, 신우신염

    b. 자궁의 위 압박과 하부식도괄약근 긴장도의 감소로 인한 위식도역류

    c. 위산 생성 감소와 장 운동성 감소로 인한 변비

③ 정상적인 임신 중 소견 : 경도의 백혈구증가증, 생리적 빈혈, 경도의 저알부민혈증, 알칼리인 산분해효소 증가, 전해질 변화, 경도의 저나트륨혈증

(2) 임신 중 위장관질환의 임상 증상과 감별진단

① 복통

    a. 다른 증상이 없다면 커진 자궁에 의한 복부 불편감 또는 정상적인 임신 관련 증상

    b. 임신 중 급성, 중증의 복통을 유발하는 원인들

소화기질환	비뇨기질환	산부인과질환
급성 충수돌기염	신장결석증	자궁외임신의 파열
크론병	방광염	난소종양의 파열 혹은 염전
메켈게실파열	신우신염	자궁내막증
장중첩증		자궁근종
염증성장질환		
대장암		
허혈성대장염		
과민성대장증후군		

② 상부 위장관 증세

구역, 구토	소화불량, 속쓰림	토혈
입덧	입덧	위식도역류
췌장염	위식도역류	위염
담석증	소화성궤양	Mallory-Weiss 식도 열상
간염	췌장염	위궤양
소화성궤양	담석산통	
위암	급성 담낭염	
장폐색	간염	
위염	충수돌기염	
위식도역류	임신성 지방간	
급성 신우신염	과민성대장증후군	
전자간증/자간증		
임신성 지방간		
HELLP증후군		

③ 하부 위장관 증세

    a. 변비 : 임신부의 25%에서 나타나는 가장 흔한 증상

    b. 직장출혈 : 임신 중 직장 출혈의 가장 흔한 원인은 치질

    c. 설사 : 임신 중의 설사는 비임신 시의 설사와 원인 및 감별 질환이 유사

2) 임신 중 위장관질환의 진단방법

(1) 비침습적 영상검사

검사	임신 중 안전성
복부 초음파	임신 중 안전하다고 알려져 있어 주로 사용되는 검사 다른 검사에 비해 민감도, 특이도가 떨어지는 단점
X-선 검사	꼭 필요한 경우 제한적으로 사용 가능 복부 차폐를 통해 태아 노출 감소 가능
자기공명영상(MRI)	비교적 안전하다고 알려짐 임신 제1삼분기에는 가돌리늄(gadolinium) 노출을 피해야 함
컴퓨터단층촬영(CT)	가능하면 임신 중 시행하지 않는 것이 바람직, 필요 시 MRI로 대체하는 것을 고려

(2) 내시경 검사

    ① 조산 위험성이 약간 증가하지만 이는 위장관질환 자체로 인한 조산 위험도와 유사

    ② 내시경 약제 사용으로 인한 합병증 : 태아의 영향, 태반박리, 부정맥, 저혈압 또는 고혈압, 일시적 저산소증 등

③ 대장내시경

    a. 임신 중 안전성을 증명하기에 아직 제한적

    b. 임신 시기에 따른 위험도

      - 임신 제1삼분기 : 반드시 필요한 경우에 한하여 제한적으로 검사를 시행

      - 임신 제2삼분기 : 대장암이 강력히 의심되는 명백한 적응증이 있는 경우 시행

④ 위내시경, 구불결장내시경 : 비교적 임신 중 안전하게 사용 가능

(3) 복강경 검사

① 임신부에서 복강경 수술의 적응증 : 비임신 여성과 동일

② 주로 임신 제1삼분기에 시행

③ 복강경이 가능한 최대 임신 주수 : 임신 26~28주

④ 개복술과 비교해 주산기 예후의 차이 없음

2 상부 위장관질환(Upper gastrointestinal tract disorders)

1) 임신과다구토(Hyperemesis gravidarum)

(1) 특성

① 임신 중 구역, 구토

	입덧(emesis gravidarum)	임신과다구토(hyperemesis gravidarum)
정의	질병이라기보다는 생리적인 변화	임신 전 체중에 비해 5% 이상 감소하였거나 탈수, 기아에 의한 산증, 염산의 손실에 의한 대사성 알칼리증 및 저칼륨혈증이 나타나는 경우
시기	임신 초기에 발생하여 임신 18주 정도까지	임신 초기에 주로 발생
빈도	임신부의 50% 이상	임신부의 약 0.5~2%
특징	심하지 않은 체중감소, 탈수 및 비타민 및 다른 영양소 결핍이 없는 상태	심한 구역 및 구토, 심한 체중감소 및 영양소 결핍, 탈수 외에 구강건조증, 과도한 타액 분비, 미각장애 동반

② 원인

    a. 임신 관련 호르몬의 빠르고 높은 증가 + 생물학적, 환경적 요인

    b. hCG, estrogen, progesterone, leptin, placental growth hormone, prolactin, thyroxine, adreno-cortical hormones, ghrelins, leptin, nesfatin-1, peptide YY

③ 위험인자 : 갑상샘기능항진증, 포상기태의 과거력, 당뇨, 위장관질환, 제한적 식단, 천식, 알러지질환

(2) 합병증

임신과다구토의 심각한 합병증
급성 신장손상(acute kidney injury) – 투석이 필요할 수 있음
우울증(depression)
횡격막 파열(diaphragmatic rupture)
식도 파열(esophageal rupture) – Boerhaave syndrome
저프로트롬빈혈증(hypoprothrombinemia) – vitamin K deficiency
고영양 합병증(hyperalimentation complications)
Mallory–Weiss증후군 – 출혈, 기흉, 종격동기종, 심막기종
횡문근융해증(rhabdomyolysis)
베르니케 뇌병증(Wernicke encephalopathy) – thiamine deficiency

(3) 치료

① 경증의 입덧 : 소량의 음식, 빈번한 섭취와 같은 적절한 상담

② 약물치료 : 심한 구역, 구토를 호소하는 경우

Options for Nausea and Vomiting		
Antihistamine		
Doxylamine + Pyridoxine	At bedtime, up to 4 times daily	PO
Phenothiazines	Every 6 hr	
Promethazine	12.5~25 mg	IM, IV, PO, PR
Prochlorperazine	5~10 mg	IM, IV, PO, PR
Serotonin antagonist	Every 8 hr	
Ondansetron	8 mg	IV, PO
Benzamides	Every 6 hr	
Metoclopramide	5~15 mg	IM, IV, PO

③ 수액치료

　　a. 체내 탈수가 일어나지 않도록 수분 및 전해질을 교정

　　b. 포도당수액 1 L + thiamine 100 mg : 베르니케 뇌병증(Wernicke encephalopathy) 예방

④ 식이

　　a. 염분이 있는 액체부터 시작하여 점차 부드러운 음식으로 진행

　　b. 배고픔을 느끼는 즉시 음식을 먹도록 교육

　　c. 지속되는 구토로 경구 식이가 불가능한 경우

　　　- 경장영양(enteral feeding)

　　　- 비경구영양(total parenteral feeding)

⑤ Corticosteroids : 기형유발 가능성이 있어 추천되지 않음(ACOG, 2015)

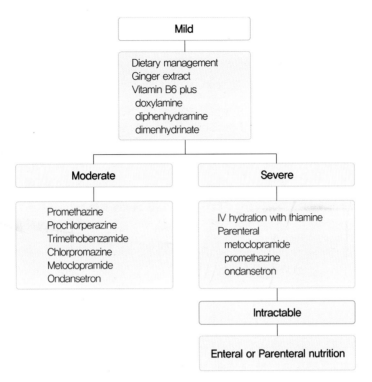

그림 48-1. 임신과다구토의 조절

2) 위식도역류질환(Gastroesophageal reflux disease, GERD)

(1) 특성

① 원인 : 하부식도괄약근 이완으로 인한 위식도역류

② 증상 : 속쓰림(heartburn), 가슴앓이(pyrosis)

③ 증상이 경하고 유병기간이 짧기 때문에 합병증이 발생하는 경우는 드묾

(2) 치료

① 생활습관 개선

  a. 알콜, 흡연 자제

  b. 소량의 식사를 하고, 식사 후 바로 눕지 않음

  c. 침대의 상체 부분을 높임

  d. 유발인자 회피 : 기름진 음식, 토마토 식품, 커피 등

② 약물 치료

Oral options for Gastroesophageal reflux(GERD)		
H2 receptor antagonists	심한 식도염(esophagitis)이 있는 경우 투여	
Ranitidine	150 mg, twice daily	안전하게 사용 가능
Cimetidine	400 mg, 4 times daily for up to 12 wks 800 mg twice daily for up to 12 wks	항안드로겐.효과, 주의 필요
Nizatidine	150 mg, twice daily	태아에 대한 독성 가능성, 주의 필요
Famotidine	20 mg, twice daily up to 6 wks	안전하게 사용 가능
Proton-pump inhibitors	다른 약물로 조절되지 않는 심한 증상에 투여	
Pantoprazole	40 mg, daily for up to 8 wks	안전하게 사용 가능
Lansoprazole	15 mg, daily for up to 8 wks	안전하게 사용 가능
Omeprazole	20 mg, daily for 4~8 wks	선천성 기형, 사산 위험 증가 없음
Dexlansoprazole	30 mg, daily for up to 4 wks	

③ 임신 중 주의가 필요한 제산제
    a. 중탄산염나트륨을 포함한 제산제 : 체액의 과부하나 대사성 알칼리혈증을 유발 가능
    b. Sucralfate : 임신 중 안전하게 사용할 수 있지만 알루미늄을 포함하고 있어 신기능이 좋지
       않은 임신부에게 투여 시 주의
    c. Misoprostol : 유산, 진통, 자궁경부 숙화를 유발하므로 임신 중 사용 금기

3) 소화성궤양(Peptic ulcer)
  (1) 특성
    ① 원인 : *H pylori* 감염(가장 흔한 원인), aspirin, NSAIDs의 복용
    ② 증상
      a. 프로게스테론 증가 → 위산 감소, 점액 증가, 위 운동성 감소 → 임신 중 증상 호전
      b. 분만 후 3개월에 반 이상이 재발하고, 2년 정도면 거의 모두에서 재발

  (2) 치료
    ① 위식도역류질환(GERD)와 동일
    ② 제산제 : 일차치료제

③ *Helicobacter pylori*(*H. pylori*) 감염의 확인

진단법

- 요소호흡검사(urea breath test)
- 혈청학적 검사(serologic test)
- 내시경 조직검사(endoscopic biopsy)

양성인 경우 : 항생제 + Proton-pump inhibitor

- 14일 요법 : Amoxicillin, 1000 mg, 1일 2회 + Clarithromycin, 250~500 mg, 1일 2회 + Metronidazole, 500 mg, 1일 2회 + Omeprazole (PPI), 20 mg, 1일 1회
- 임신 중 tetracycline 투여 금지

---

3 소장 및 대장질환(Small bowel and Colon disorders)

1) 임신 중 흔한 하부 위장관질환

(1) 변비(Constipation)

① 임신부의 25%에서 나타나는 가장 흔한 증상

② 발생 원인

　a. 입덧으로 인한 수분공급이 감소

　b. 운동 부족과 프로게스테론의 영향으로 장의 운동성 감소

　c. 커진 자궁에 의한 소장 내 음식물 통과시간의 지연

　d. 대장근육 이완으로 내용물의 정체시간이 길어져 수분과 나트륨의 흡수 증가

③ 치료

　a. 적절한 수분 섭취, 중등도의 운동, 식이섬유 섭취량 증가

　b. 자극성 완하제 : 차풀(senna), 비사코딜(bisacodyl)

　c. 피마자유(caster oil)를 포함한 완하제 : 조기진통 유발 가능성

　d. Phospho-soda : 고장성 완하제(hypertonic saline laxatives)로 염류와 수분의 저장을 초래하여 탈수나 신부전 임신부는 사용을 금함

(2) 설사(Diarrhea)

① 급성 설사의 원인에 따른 증상 및 치료

원인	잠복기	구토	통증	열	설사	치료
Toxin producers 1. Staphylococcus 2. C. perfringens 3. E. coli (enterotoxin) 4. B. cereus	1~3일	3~4+	1~2+	0~1+	3~4+, watery	 1. None 2. None 3. Ciprofloxacin 4. None
Enteroadherent 1. E. coli 2. Giardia 3. helminths	1~8일	0~1+	1~3+	0~2+	1~2+, watery, mushy	 1. Ciprofloxacin 2. Tinidazole 3. As detected
Cytotoxin producers 1. C. difficile 2. E. coli (hemorrhagic)	1~3일	0~1+	3~4+	1~2+	1~3+, watery, bloody	 1. Metronidazole 2. None
Minimal inflammation 1. Rotavirus 2. Norovirus	1~3일	1~3+	2~3+	3~4+	1~3+, watery	 1. None 2. None
Variable inflammation 3. Salmonella 4. Campylobacter 5. Vibrio	1~11일	0~3+	2~4+	3~4+	1~4+, watery, bloody	 3. Ciprofloxacin 4. Azithromycin 5. Doxycycline
Severe inflammation 6. Shigella 7. E. coli 8. Entamoeba histolytica	1~8일	0~1+	3~4+	3~4+	1~2+, bloody	 6. Ciprofloxacin 7. Ciprofloxacin 8. Metronidazole

② *Clostridium difficile* 감염

    a. 혐기성 그람 양성균, 분변-구강 경로를 통해 전파

    b. 항생제 투여로 인해 지나치게 증식한 C. difficile 독소에 의한 항생제 관련 대장염 또는 위막성 대장염(pseudomembranous colitis)에 의해 설사 유발

    c. 위험인자

       - 항생제 사용(aminopenicillin, clindamycin, cephalosporin, fluoroquinolone)

       - 염증성 장질환, 면역억제상태, 고령, 위장수술

(3) 치질(Hemorrhoid)

① 임신 중 25% 빈도로 발생 : 임신 제3삼분기, 출산 직후 가장 흔함

② 임신 중에는 변비 증가, 정맥 팽대, 혈관압박으로 인한 정맥혈 정체로 더욱 호발

③ 치료

　　a. 통증이 심한 경우 : 수분섭취, 대변 연화제, 국소진통제, 좌욕

　　b. 임신 중 치질 증상이 심한 경우 : 국소마취하 수술 시행

2) 염증성 장질환(Inflammatory bowel disease)

(1) 염증성 장질환의 유사점과 차이점

	궤양성 대장염(Ulcerative colitis)	크론병(Crohn disease)
	Shared Characteristics	
Hereditary	100개 이상의 질병 관련 유전적 위치 – 3분의 1을 공유, 유대인 우세, 5~10%의 가족력, 터너증후군, 면역조절장애	
Other	만성 및 간헐적인 증세 악화 및 완화, 관절염, 결절성홍반, 포도막염	
	Differentiating Characteristics	
Major symptoms	만성 또는 간헐적인 설사, 후중감, 직장 출혈, 경련통	섬유성협착 – 재발성 RLQ 산통, 발열 누공 – 피부, 방광, 장간
Bowel involvement	대장의 표층인 점막 및 점막하층 일반적으로 직장(rectum)에서 시작	소장과 대장의 깊은 층, 일반적으로 전층 불연속 침범, 협착 및 누공
Endoscopy	과립상(granular) 및 무른(friable) 홍반성 점막, 직장 침범	패치, 직장은 정상, 항문주위 침범
Serum antibodies	Antineutrophil cytoplasmic (pANCA) ~ 70%	Anti–S cerevisiae ~ 50% Anti–S cerevisiae ~ 50%
Complications	독성거대결장, 협착, 관절염, 암(3~5%)	누공, 관절염, 독성거대결장
Management	약물치료, 대장절제술	약물치료, 부분 및 누공절제술

(2) 염증성 장질환과 임신의 영향

① 염증성 장질환에 대한 임신의 영향

　　a. 임신이 염증성 장질환을 악화시키지 않음

　　b. 치료는 비임신 시와 동일, 치료하는 것이 약제 위험성보다 더 이득

　　c. 필요 시 진단검사를 시행하고, 장천공이나 장폐색 발생 시 임신 중이라도 수술 시행

② 임신에 대한 염증성 장질환의 영향

　　a. 증가하는 위험성 : 조산, 저출생체중, 태아발육제한, 제왕절개 등

　　b. 주산기 사망 : 영향 없음

3) 장폐색(Intestinal obstruction)

(1) 증상

① 임신 중 발생하는 급성 복통에서 급성 충수염 다음으로 흔한 응급질환

② 임신 중 빈도가 증가하지 않음

③ 원인 : 유착(가장 흔함), 장염전, 장중첩증, 탈장, 암, 충수염 등

④ 증상

    a. 구역, 구토 및 복통, 복부 압통

    b. 대장폐색으로 인한 증상보다 일반적으로 통증이 더 심하며 통증 부위가 광범위

(2) 진단 및 치료

① 복부 X-선 검사 : 심한 복부팽만과 전반적인 장 팽대 소견

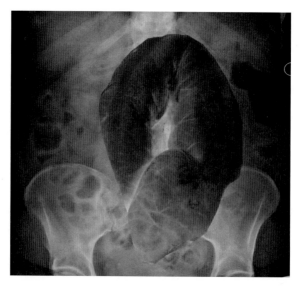

그림 48-2. **구불창장염전(sigmoid volvulus)**

② 치료

    a. 부분적 장폐색 : 경비위관 흡인, 정맥 수액, 전해질 교정, 직장관 감압

    b. 완전한 장폐색 : 수술적 치료

(3) 임신에 대한 영향

① 예후 : 모성 사망(6%), 태아 사망(26%)

② 예후가 안 좋은 이유

    a. 진단의 착오, 지연

b. 임신 중 수술 기피

c. 부적절한 수술 처치

4) 충수염(Appendicitis)

(1) 특성

① 빈도

a. 1,000 임신부당 1명 정도

b. 임신 중 수술이 필요한 가장 흔한 질환

c. 임신 중 발생 빈도가 증가하지 않음

② 원인 : 충수석에 의한 충수(appendix) 폐색

③ 임신 중 진단이 어려운 이유

a. 식욕부진, 구역, 구토는 임신 중 흔히 발생하는 증상

b. 자궁이 커지면서 충수(appendix)가 위, 바깥으로 이동하여 통증 위치가 변함

c. 정상 임신에서도 관찰되는 백혈구증가증(leukocytosis)

d. 임신 중 나타날 수 있는 질환들과 감별 필요(신우신염, 요로결석증, 태반조기박리, 융모양막염, 자궁근종의 이차변성, 진통, 난관임신파열, 크론병, 대장계실염, 담낭염, 췌장염, 위장염, 대장암, 장폐색, 탈장, 급성 장간막허혈 등)

(2) 진단 및 치료

① 진단

a. 초음파 검사(graded compression ultrasonography)

 - 일차적인 검사 방법

 - 충수 두께 증가, 충수 주변 액체 저류, 압박되지 않는 충수내강이 6 mm 이상 팽대

b. 자기공명영상(MRI) : 초음파에서 명확한 진단이 어려운 경우 시행

c. 전산화단층촬영(CT)

② 치료

a. 충수염 의심 시 임신 주수에 관계없이 즉시 수술 시행

b. 복강경 충수절제술 : 안전하게 시행 가능

c. 항생제 : 2세대 cephalosporin 또는 3세대 penicillin

d. 복막염으로 자궁수축 발생 시 자궁수축억제제 사용

(3) 임신에 대한 영향

① 유산, 조기진통 증가 : 복막염 발생 시 증가

② 최근의 수술에 의한 복부 상처는 진통과 질식분만에 문제가 되지 않음

CHAPTER 49

간, 담도, 췌장질환
(Hepatic, Biliary, and Pancreatic disorders)

1 간질환(Hepatic disorders)

1) 임신 중 간의 변화

(1) 생리적 변화

① 혈액량의 증가로 여러 지표가 임신 전과 비교하여 비정상 수치를 나타냄

② 간질환의 지표들은 정상 수치를 나타냄

③ Amino-transferase, γ-glutamyl transpeptidase(γ-GT)의 증가 : 간질환에 대한 검사 필요

(2) 임신에 의해 유발되지만 임신 종결 후 호전되는 간질환

① 간내 담즙정체(intrahepatic cholestasis)

② 임신성 급성 지방간(acute fatty liver of pregnancy)

③ 중증 전자간증, 자간증에 의한 간세포손상

④ 임신과다구토에 의한 간기능부전

(3) 급성 간부전의 유발인자

① 전격성 간염(fulminant hepatic failure)

② 약물유발 간독성(drug induced hepatic toxicity)

③ 임신성 급성 지방간(acute fatty liver of pregnancy)

2) 간내 담즙정체(Intrahepatic cholestasis)

(1) 특성

① 원인

a. 임신 중 증가하는 estrogen과 progesterone이 간내 담즙정체에 관여

b. 유전적인 요인 및 여러 요소들이 복합적으로 작용

② 위험인자 : 다분만부, 간내 담즙정체의 가족력

③ 임상증상

가려움증(pruritus)	황달(icterus)
− 주로 임신 후기 발생(때때로 이른 발생) − 손바닥과 발바닥에서 시작되어 전신으로 진행 − 긁어서 생기는 상처 이외의 피부 변화는 없음 − 증상 발현 시 비정상 생화학적 검사 소견을 보일 수 있으나, 소양증은 비정상 검사 소견보다 몇 주 앞서 나타날 수 있음	− 약 10%에서 발생 − 가려움증 발생 후 2주 정도 지나면 경한 황달이 나타나고 분만까지 지속

(2) 진단 및 치료

① 검사소견

    a. Total bilirubin : 증가 ($\leq$4~5 mg/dL)

    b. Alkaline phosphatase : 약간 증가

    c. Aminotransferase : 약간 증가 ($\leq$250 U/L)

    d. 간 조직검사 : 경증의 담즙정체, 간세포 내 bile plug

② 진단 : 정상 수치 3배 이상 담즙산의 증가가 있을 때 가능

③ 치료

    a. 분만 : 가장 좋은 치료, 분만 후 수일 내에 소양증이 완화, 검사 소견은 분만 후 1~2주 이내에 정상으로 회복

    b. 경구용 항히스타민제 + 국소적 피부연화제(topical emollients)

    c. Ursodeoxycholic acid(UDCA)

(3) 임신에 대한 영향

① 증가하는 위험성 : 조기진통, 태변 착색, 주산기 사망률

② 담즙산이 40 mmol/L 이상으로 증가된 임신부에서 더욱 임신 결과가 불량

③ 다음 임신 또는 경구피임제 복용 시 반복하여 발생

3) 임신성 급성 지방간(Acute fatty liver of pregnancy, AFLP)

(1) 특성

① 빈도는 낮지만 높은 모성 및 태아 사망률

② 대부분 임신 후반에 발생(전형적인 경우 임신 22주에 시작, 평균 임신 37.5주)

③ 초산부, 태아가 남아인 경우, 다태아에서 흔함

(2) 임상증상

　① 증상 : 복통, 두통, 오심, 지속적인 구토, 서서히 발생하는 황달

　② 합병증

　　a. 산모의 50%에서 고혈압, 단백뇨, 부종이 발생(전자간증 징후)

　　b. 저혈당, 혈액응고장애, 당뇨, 급성 췌장염, 복수, 간성뇌병증(hepatic encephalopathy)

(3) 진단 및 치료

　① 검사 소견

혈액 검사	조직 검사
응고시간 지연(prolonged clotting time) 고빌리루빈혈증(hyperbilirubinemia(보통 ≤10 mg/dL) Transaminase 증가(300~500 U/L) 저섬유소원혈증(hypofibrinogenemia) 저알부민혈증(hypoalbuminemia) 저콜레스테롤혈증(hypocholesterolemia) 혈액농축(hemoconcentration) 백혈구증가증(leukocytosis) 혈소판감소증(thrombocytopenia) 용혈(hemolysis)	Hepatocyte swelling Cytoplasm의 microvesicular fat deposition Minimal hepatocellular necrosis Renal tubular cell에도 lipid 축적 가능

　② 진단 : 임상 증상과 혈액 검사

　③ 치료 : 분만 후 자연적으로 좋아지므로 조기 진단 및 분만이 중요

4) 바이러스성 간염(Viral hepatitis)

(1) A형 간염

　① 원인 : 27-nm RNA picornavirus에 의해 발생

　② 전파 경로

　　a. 분변-구강 경로(fecal-oral route)를 통해 전파

　　b. 수직전파 가능 : 불량한 위생 상태와 관련

　③ 임상증상

　　a. 무증상인 경우가 많음

　　b. 비특이적인 증상 : 전신 쇠약감, 피로, 구역 및 구토

　　c. 특징적인 신체 소견 : 황달, 간의 압통, 진한 소변색, 회색변

　④ A형 간염의 임신에 대한 영향

　　a. 임신에 의해 병의 진행이 영향을 받지 않음

　　b. 태아 기형을 유발하지 않음

c. 조산이 약간 증가

d. 태아로의 전염은 거의 없음

e. 최근 감염된 임산부에게서 태어난 신생아는 분만 후 수직감염을 예방하기 위해 면역글로불린을 투여

(2) B형 간염

① 원인 : DNA hepadnavirus 감염에 의해 발병

② 전파 경로 : 감염된 혈액, 혈액제제, 침, 질 분비물, 정액 등에 의해 감염

③ 위험인자

    a. 사람면역결핍바이러스(HIV) : 동시감염으로 인해 이환율 증가

    b. 마약 사용자, 동성연애자, 의료인, 혈우병 환자 등에서 빈발

④ 임상증상

    a. 무증상이거나 증상이 경한 경우가 가장 많음

    b. 환자의 30% 정도에서 공막 황달, 구역, 구토, 우상복부 압통을 호소

⑤ B형 간염의 임신에 대한 영향

    a. 임신에 의해 병의 진행이 영향을 받지 않음

    b. 모든 산모는 임신 중 간염검사를 시행

    c. 태아 및 신생아 감염경로

      - 태반 감염 : 임신 제3삼분기에 급성 B형 간염에 감염된 경우를 제외하고는 드묾

      - 분만 중 감염 : 가장 흔한 감염경로

      - 모유수유를 통한 감염 : 바이러스 전파 가능성 존재

    d. 산모의 항원과 수직 감염의 관계

      - HBeAg : 감염력과 손상 받지 않은 바이러스 입자의 존재를 의미

      - HBsAg (+), HBeAg (+) : 신생아에 전파 가능성 증가

      - HBsAg (+), HBeAg (-), anti-HBeAb (+) : 신생아에 전파되지 않음

    e. 감염된 태아의 예후

      - 대부분 증상이 없음

      - 85%에서 만성 보균이 되며 감염성이 있음

⑥ 신생아 감염의 예방

    a. 임신 중 B형 간염에 대하여 검사

    b. HBeAg 양성이면 출생 후 가능한 빨리 B형 간염 면역글로불린과 백신을 투여하고 1, 6개월 후 2, 3차 접종을 시행

    c. HBV DNA 수치가 높은 고위험군에게 lamivudine이나 telbivudine과 tenofovir 병합 용법을 이용한 항바이러스제 투여를 고려

d. HBsAg 양성인 임신부라도 신생아에게 적절한 면역글로불린과 1차 백신을 투여한 경우에는 수직감염 위험이 HBsAg 음성 임신부와 차이가 없어 원하는 경우 모유수유 가능

e. 항체가 없으면서 감염 고위험 산모는 임신 중 예방접종을 시행

(3) C형 간염

① 원인 : Flaviviridae계의 RNA 바이러스에 의해 발생

② 전파 경로 : B형 간염과 유사하나 B형 간염처럼 쉽게 전염되지는 않음

③ 특성

    a. 감염이 되면 절반 정도에서 만성 간질환으로 진행

    b. 임신부에서의 발생 빈도는 4% 미만이나, 약 40%의 환자에서 간경변증으로 진행

④ 진단

    a. HCV RNA 검사 : 확진

    b. Anti-HCV 양성인 경우 대부분 만성 환자

⑤ C형 간염의 임신에 대한 영향

    a. 임신 시 C형 간염의 경과는 비임신시와 유사

    b. Anti-HCV 양성인 경우 대부분 만성 환자로 임신 중 항바이러스제를 사용하지 않음

    c. C형 간염 임산부에서의 수직 감염

      - 태아와 신생아에 대한 수직 감염 가능(3~6%)

      - 수직 감염이 증가하는 경우 : B형 간염, HIV 감염, 최근 수혈자, 마약 복용자

⑥ 신생아 감염의 예방

    a. 성인과 마찬가지로 태아에 항체가 있어도 감염으로부터 보호되지 않음

    b. 현재로서는 출생 시 감염을 예방할 수 있는 방법이 없음

    c. 가능하면 산모의 혈액이나 질 분비물의 접촉을 피하기 위해 제왕절개술이 선호

    d. HCV 양성 임신부의 신생아는 면역글로불린을 투여하고 주기적인 추적 관찰 시행

(4) D형 간염

① 원인 : D형 또는 델타 간염을 일으키는 바이러스는 B형 간염 표면 항원의 외막과 내부에 델타 항원을 갖는 RNA 바이러스

② B형 간염과 동시 감염되며 B형 간염보다 혈청 내에서 더 오래 지속하지 못함

③ 전파 경로 : B형 간염과 유사하고, 동시 감염 시 B형 간염 단독보다 독성이 강함

④ 신생아 감염이 보고되었으나, 신생아에 대한 B형 간염의 면역학적 예방이 D형 간염에 효과적으로 작용하여 빈도가 높지 않음

(5) E형 간염
① 원인 : RNA 바이러스에 의한 감염
② 감염 경로
    a. 분변-구강 경로(fecal-oral route)를 통해 전파
    b. 대부분 오염된 식수로 전파되고, 개인간 전파는 드묾
③ 임신부에서는 수직 감염의 빈도가 높음
④ 임신 제2, 3삼분기 감염 시 예후가 좋지 않음

(6) 만성 활동성 간염
① 원인 : 대부분 B형과 C형 간염의 만성 감염, 자가면역 만성 간염
② 만성 간염의 임신에 대한 영향
    a. 임산부의 간경변증 정도, 문맥 고혈압, 간기능부전 유무에 따라 주산기 이환율이 변함
    b. 병의 정도가 심하지 않은 이상 만성 간염이 불량한 임신 결과를 보이지 않음

2 담도 및 췌장질환(Biliary and Pancreatic disorders)

1) 담석(Cholelithiasis) 및 담낭염(Cholecystitis)
(1) 서론
① 발생 빈도
    a. 임신 중 담석의 빈도 : 1/1000 명(12% 정도)
    b. 임신 중 담석의 발생 증가
      - 임신 14주 이후 공복 시 담낭 용적이 비임신의 두 배
      - 담낭의 배출 시간이 지연되고 잔류 용적이 증가
      - 담낭 내용물의 불완전한 제거로 콜레스테롤 결정의 정체가 발생
② 임상 증상 : 구역, 구토와 미열 등이 동반된 우상복부 통증

(2) 치료
① 내과적 치료
    a. 정맥 내 수액 공급, 진통제, 코와 위의 흡인, 항생제 투여
    b. 재발률이 높고, 임신 후반부에 담낭염이 재발하면 조기진통 발생이 증가
② 외과적 치료
    a. 복강경 담낭절제술(laparoscopic cholecystectomy)
    b. Endoscopic retrograde cholangiopancreatography(ERCP)

c. 임신 및 산욕기의 무증상 담석증 : 담낭절제술의 적응증이 아님

2) 췌장염(Pancreatitis)

(1) 서론

① 임신 중 급성 췌장염은 드물게 발생

② 원인

    a. 비임신 시 : 알코올 및 약물 복용, 고지혈증 등

    b. 임신 시 : 담석(가장 흔한 선행요인)

③ 임신 어느 시기에도 발생할 수 있으나 주로 임신 제3삼분기에 흔함

④ 임상 증상 : 오심, 구토, 등과 어깨로 퍼지는 상복부 통증

⑤ 진단 : 비임신 시와 같음

    a. Serum amylase : 정상의 3배 이상 증가, 수치는 병의 경중과 연관성은 적음

    b. Serum lipase

⑥ 임신에 대한 영향

    a. 임신의 예후는 양호

    b. 중증의 경우 혈량저하증, 저산소증, 산혈증 등에 의한 태아 사망이 증가

(2) 치료

① 내과적 치료 : 식이제한, 정맥 내 수액 공급, 진통제, 코와 위의 흡인, 항생제 투여

② 담석에 의한 췌장염의 경우에서는 임신 주수에 따라 치료를 결정

    a. 임신 제2삼분기 : 수술에 가장 적절한 시기

    b. 임신 제3삼분기 : 분만까지 내과적 치료를 하고 분만 후 담낭절제술을 시행

    c. 최근 제1삼분기 후반과 제2삼분기에 복강경적 담낭절제술의 안전성이 입증

빈혈(Anemias)

1) 서론

(1) 빈혈의 정의 및 원인

① 정의

　　a. 임신 제1,3삼분기 <11 g/dL

　　b. 임신 제2삼분기 <10.5 g/dL

② 빈혈의 원인

후천성(acquired)	선천성(hereditary)
철결핍성빈혈(iron-deficiency anemia)	지중해빈혈증(thalassemias)
급성 출혈에 의한 빈혈	낫적혈구혈색소병증(sickle-cell hemoglobinopathies)
염증, 악성 종양에 의한 빈혈	기타 혈색소병증(other hemoglobinopathies)
거대적혈모구빈혈(megaloblastic anemia)	유전성용혈성빈혈(hereditary hemolytic anemias)
후천성용혈성빈혈(acquired hemolytic anemia)	
재생불량성빈혈(aplastic or hypoplastic anemia)	

(2) 빈혈이 임신에 미치는 영향

① 혈색소 6 g/dL 미만

　　a. 양수량 감소, 태아 뇌혈관 확장, 태아 심박동 이상과 연관

　　b. 조산, 유산, 저출생체중, 태아 사망의 증가

② 혈색소 7 g/dL 미만 : 모성 사망률의 증가

③ 너무 높은 혈색소 농도

　　a. 정상적인 혈액량의 증가가 결여되어 임신의 예후에 좋지 않음

　　b. 발육지연의 위험이 증가

2) 철결핍성빈혈(Iron-deficiency anemia)

(1) 특성

① 비생리적 빈혈이 생기는 주요 원인(90%)

② 정상 단태아 임신 여성의 임신 중 철분 요구량 : 1,000 mg

    a. 300 mg : 태아와 태반

    b. 500 mg : 산모의 혈색소(hemoglobin) 증대

    c. 200 mg : 장, 소변, 피부로 정상적으로 배출

③ 임신 시기별 철분 보충

    a. 임신 제1삼분기에는 철분 요구량이 많지 않고 위장장애나 구토 등을 악화 시킬 수 있기 때문에 철분을 투여하지 않음

    b. 임신 제2삼분기에 혈액량의 증가가 가장 많음

    c. 임신 제3삼분기에 혈액량의 증가가 많지 않지만 철분이 계속 필요한 이유

       - 산모 혈색소(Hb)의 지속적인 증가

       - 태아에게 이동되는 철의 양이 많음

④ 태아에서 철결핍성빈혈이 발생하지 않는 이유 : 산모의 빈혈 여부에 관계없이 태아에게 이동되는 철의 양은 거의 일정

⑤ 신생아의 철분 저장 : 산모의 철분 저장에 의해 결정되기 보다는 주로 분만 직후에 탯줄결찰의 시기와 방법에 영향을 받음

(2) 진단

① 진단을 위한 검사 : 혈색소(hemoglobin), 헤마토크리트(hematocrit), 적혈구 지수(red cell indices), 말초 혈액 도말(peripheral blood smear), 혈청 철(serum iron), 페리틴(serum ferritin)

② 검사소견

    a. 혈청 ferritin : 감소

       - 임신 중 철결핍성빈혈의 유용한 선별 검사

       - Ferritin이 정상이면 철결핍성빈혈을 배제 가능

       - 10~15 mg/L 미만 : 철결핍성빈혈로 진단

       - 감소된 ferritin이 반드시 철결핍성빈혈을 의미하지는 않음

    b. 혈청 iron : 감소

    c. 혈청 철결합능력(serum total iron-binding capacity) : 증가

    d. 저색소혈증(hypochromia)과 소적혈구증(microcytosis) : 비임신에 비해 덜 뚜렷하며 중등도의 빈혈이 있는 경우 적혈구의 모양 변화는 거의 없음

(3) 치료

① 목표 : 혈색소 부족 교정 및 철분량의 회복

② 경구 철분 투여

　　a. 임신 중 권장 : 하루 30~60 mg elemental iron + 400 µg folic acid 복용

　　b. 철결핍성빈혈 산모 : 하루 200 mg elemental iron 복용

　　　- 종류 : ferrous sulfate, fumarate, gluconate

　　　- 철분 저장을 위해 빈혈 교정 후에도 3개월 정도 더 투여

　　c. 비경구 철분 : 경구 철분 흡수가 안 되거나 복용하지 못하는 산모에게 사용

　　d. 치료 효과

　　　- 경구 투여와 비경구 투여의 혈색소 증가는 비슷함

　　　- 혈액량이 증가되어 있기 때문에 혈색소 증가는 비임신에 비하여 더 느림

　　　- 치료 효과의 확인 : Reticulocyte count

③ 수혈

　　a. 적응증

　　　- 실혈에 의한 혈량저하증(hypovolemia)이 동반된 경우

　　　- 빈혈이 심한 산모에서 응급수술이 필요할 경우

　　b. 철분 보충을 위해 빈혈 교정 후 3개월간 경구 철분 치료를 지속

3) 다른 원인들에 의한 빈혈

(1) 급성 출혈에 의한 빈혈

① 대량 출혈은 즉각적인 처치가 필요

② 혈색소 수치 7 g/dL 이상의 중등도의 빈혈이라도 혈역학적으로 안정되어 있고 다른 부작용 없이 걸을 수 있으면서 패혈증이 동반된 것이 아니라면 수혈의 적응증이 아님

③ 치료

　　a. 대량 출혈 시 전혈 수혈

　　b. 위험한 순환혈액량 감소가 극복되고 지혈이 이루어지면, 나머지 빈혈은 철분제로 3개월 정도 치료

　　c. 산후 빈혈은 하루 세 번 경구 ferrous sulfate 치료보다 매주 정맥 carboxymaltose 철분 치료 가 효과적

(2) 만성 질환에 의한 빈혈

① 흔한 원인 : 만성 신부전, 암, 항암화학요법, HIV 감염, 만성 염증

② 만성 감염, 종양 : 저색소성(hypochromic) 및 소구성(microcytic) 적혈구가 있는 중등도에서 중증의 빈혈

③ 혈액학적 특성

　　a. Bone marrow cellular morphology : 큰 변화 없음

　　b. Serum iron 농도, TIBC, erythropoiesis : 감소

　　c. Serum ferritin : 증가

　　d. Reticuloendothelial function 변경

(3) 거대적혈모구빈혈(Megaloblastic anemia)

① 원인 : 손상된 DNA 합성으로 인한 혈액과 골수의 이상

② 엽산 결핍(folic acid deficiency)

　　a. 임신 중 발생하는 거대적혈모구 빈혈의 주요 원인

　　b. 엽산 결핍의 원인

　　　- 태아의 요구량 증가

　　　- 산모의 적혈구양의 확장으로 인한 적혈구 생성 증가에 대한 요구량 증가

　　　- 임신 중 호르몬 변화로 엽산 흡수를 감소시키고 소변으로의 배출이 증가

③ 임신부의 엽산 요구량과 권장량

엽산 요구량	임신부의 엽산 권장량
비임신 시 : 하루 50 μg	모든 임산부 : 하루 400~1,000 μg
임신 시 : 하루 150 μg	고위험군 : 하루 4 mg (4,000 μg) 　- Pregestational DM 　- Neural tube defect의 과거력 및 가족력 　- 간질로 인해 항경련제(valproic acid) 복용자

④ 비타민 B_{12} 결핍(Vit.B_{12} deficiency)

　　a. 임신 중 드묾

　　b. 비타민 B_{12} 결핍의 원인 : 악성빈혈(pernicious anemia), 부분 또는 전체 위절제술, 크론병
　　　(Crohn disease), 회장(ileal) 절제, 소장의 박테리아 과증식 등

⑤ 기타 원인 : 알코올, 약물, 갑상샘기능저하증, 간질환

(4) 후천성용혈성빈혈(Acquired hemolytic anemia)

① 약물성 용혈

　　a. 대부분 심하지 않은 용혈

　　b. 대개 약물치료를 중단하면 호전

　　c. 약물에 대한 항체에 강한 친화성 항원으로 작용하는 약물 : 페니실린, 세팔로스포린

　　d. 약물에 대한 항체에 약한 친화성 항원으로 작용하는 약물 : 프로베네시드, 퀴니딘, 리팜핀,
　　　티오펜탈

e. 약물성 용혈성 빈혈의 가장 흔한 원인 : 선천성 적혈구효소 이상(아프리카계 미국인의 glucose-6-phosphate dehydrogenase 결핍)

② 임신성 용혈

    a. 원인불명으로 임신 초기동안 심한 빈혈이 발생하였다가 출산 후 수개월에 없어짐

    b. 산모의 corticosteroid 치료 : 대개 효과적

    c. 태아는 대개 괜찮으며, 용혈은 저절로 좋아짐

③ 자가면역성 용혈

    a. 원인 : 명확하지 않음

    b. 검사 : 직접쿰스검사(direct Coombs test)와 간접쿰스검사(indirect Coombs test) 양성

    c. 온열 자가항체(warm active auto-antibody) : 원인의 80~90%

    d. 한랭 자가항체(cold active auto-antibody) : 원인의 10~20%

    e. 이차성의 원인 : 림프종, 백혈병, 결체조직질환, 감염, 만성 염증성질환, 약물성 항체

    f. 한랭 응집소병의 원인 : Mycoplasma pneumoniae, infectious mononucleosis

(5) 재생불량성빈혈(Aplastic & hypoplastic anemia)

① 1/3이 임신 종결 후 호전

② 원인

    a. Diamond-Blackfan syndrome : autosomal recessive (AR)

    b. Gaucher disease : autosomal recessive (AR)

③ 임신 중 재생불량성빈혈의 위험인자 : 출혈, 패혈증

④ 치료

    a. Severe aplastic anemia : 골수 또는 줄기세포 이식

    b. Moderate aplastic anemia 또는 공여자(donor)가 없는 경우

       - Anti-thymocyte globulin (ATG) : 가장 좋은 치료

       - Cyclosporine : ATG 치료 효과 증가

    c. Corticosteroid, large dose testosterone

    d. Granulocyte, RBC, platelet 수혈

(6) 낫적혈구빈혈(Sickle cell anemia)

① 원인 : β-globin gene의 single nucleotide mutation (GAG/GTG)으로 인해 발생

② Sickle Hb (HbS)

    a. 이형접합은 질환을 일으키지 않으나 동형유전 또는 다른 β-globin mutation gene과의 복합이형유전은 낫적혈구병을 유발

    b. RBC with HbS : deoxygenated & Hb aggregation 때 sickling 됨

③ 임신에 대한 영향

    a. Von willebrand factor, fibrinogen, factor VIII 같은 유착 및 응고 단백질의 임신관련 증가는 적혈구유착을 증가시켜 적혈구와 혈소판의 응집을 가져오고 혈관의 폐쇄를 유발

    b. 자연유산, 태아발육제한, 조기진통, 태반조기박리, 전자간증의 발생 증가

④ 임신 중 관리

    a. CBC, reticulocyte 측정, 소변검사, 혈압측정을 매 병원 방문 시 시행

    b. 철분은 없지만 엽산이 첨가된 산전 비타민 복용

    c. 급성 흉통, 급성 비장격리, 비장경색, 급성 다발성 장기부전 같은 낫적혈구 통증성 질환이 발생하는지 관찰

⑤ 분만진통 중 관리

    a. 진통 중 정맥 내 수액 투여, 산소 공급

    b. 제왕절개의 적응증은 일반적인 낫적혈구병이 없는 산과적 적응증과 동일

⑥ 치료

    a. 철분 보충으로 빈혈을 교정할 수 없음 : 많은 환자들이 반복수혈로 인해 이미 철분이 과량 투여된 상태일 수 있기 때문

    b. 예방적 수혈 : 권장되지 않음

    c. 단순 또는 교환 수혈의 적응증은 비임신과 동일(뇌졸중, 안과질환, 심한 급성 흉통, 비장격리, 증상성 골수무형성위기, 뇌혈관질환)

2 혈소판질환(Platelet disorders)

1) 서론

(1) 저혈소판증의 정의

  ① 임신 시 혈소판수의 정상 범위 : 100,000~150,000/µL

  ② 임신부의 10%에서 발생

  ③ 혈소판이 10% 감소하는 것은 임신 중 흔함

  ④ 혈소판감소증은 임신 후반기에 많이 발생

(2) 임신 중 저혈소판증의 증상 및 분만 방법

  ① 증상

    a. 대부분 무증상 : 임신 중 선별검사에서 우연히 발견

    b. 멍이 쉽게 잘 생기고, 점상 출혈, 코피, 잇몸 출혈이 발생

② 분만 방법

  a. 산과적 적응증에 따라 시행

  b. 경막외 마취, 질식 분만, 제왕절개를 위해 50,000~75,000/μL 이상이 적당

(3) 임신 중 발생하는 혈소판질환의 원인

  ① 유전적(inherited) 또는 특발성(idiopathic)

  ② 후천성용혈성빈혈, 중증 전자간증 또는 자간증, 중증 출혈의 수혈, 태반조기박리 또는 저섬
    유소원혈증 상태로 인한 소모성 응고장애, 패혈증, 전신성홍반성루푸스, 항인지질항체증후
    군, 재생불량성빈혈, 거대적아구성 빈혈

  ③ 바이러스 감염, 각종 약물 노출, 알레르기 반응, 방사선 조사

2) 임신 중 발생하는 혈소판질환

(1) 임신성혈소판감소증(Gestational thrombocytopenia)

  ① 임신 중 발생하는 저혈소판증의 가장 흔한 원인

  ② 원인 : 혈장량의 생리적 증가와 함께 혈소판 수명의 감소

    a. 임신 제3삼분기가 가장 많이 감소

    b. 임신 중 혈소판의 수명 감소 또는 활성화는 없음

임신 중 혈소판감소증의 원인
임신성혈소판감소증(gestational thrombocytopenia) : 75%
전자간증(preeclampsia), HELLP증후군 : 20%
산과적 응고병증(obstetrical coagulopathy) : DIC, massive transfusion protocol
특발성혈소판감소증(idiopathic thrombocytopenic purpura)
전신홍반성루푸스(SLE), 항인지질항체증후군(APAS)
감염 : 바이러스, 패혈증
약물(drugs)
용혈성빈혈(hemolytic anemia)
혈전성미세혈관병증(thrombotic microangiopathy)
악성종양(malignancy)

  ③ 진단

    a. 배제진단 : 다른 원인의 배제로 이루어짐

    b. 혈소판 < 80,000/μL : 임신성혈소판감소증 이외의 다른 원인에 대한 검사가 필요

  ④ 임신에 대한 영향 : 산모와 태아의 예후에 영향 없음

(2) 특발성혈소판감소증(Idiopathic thrombocytopenic purpura, ITP)

① 빈도

   a. 10,000 임신 중 1명의 빈도

   b. 대개 임신 제1삼분기에 발생

② 원인

   a. Antibody-coated platelet이 reticuloendothelial system, 특히 비장(spleen)에서 파괴

   b. Platelet-associated immunoglobulin 생산기전은 불명확

   c. 자가항체(antiplatelet antibody) 질환으로 생각

   d. 고농도의 estrogen도 원인의 하나로 추정

③ 임신에 대한 영향

   a. 임신에 의하여 재발하거나 더 악화되지 않음

   b. 임신 중 재발하는 경우도 있으나 이는 아마도 더 자세한 감시 때문인 것으로 생각

④ 태아에 대한 영향

   a. Platelet-associated IgG antibody가 태반을 통과하여 태아의 혈소판감소증을 유발 가능

   b. 심한 혈소판감소증 태아에서 진통과 분만 중 출혈, 특히 두개내출혈이 발생 가능

   c. 산모와 태아의 혈소판 사이에 강한 연관성은 없음

   d. 태아의 혈소판수를 정확히 예측할 만한 임상적 특징이나 검사소견은 없음

   e. 심한 신생아 혈소판감소증과 그에 의한 합병증의 발생이 낮기 때문에 태아 혈소판 검사와
       제왕절개는 필요 없음

⑤ 관리

   a. 경막외마취, 질식분만, 제왕절개를 위해 혈소판 50,000~75,000/μL 이상이 적당

   b. 30,000~50,000/μL 미만인 경우 치료를 고려

⑥ 치료

   a. Corticosteroid

      - 적응증 : 혈소판 50,000/μL 이하, 혈소판 수치는 높지만 심각한 출혈이 있는 경우

      - Prednisone 1~2 mg/kg, 경구투여(2/3에서 혈소판 수치 상승)

      - 재발이 흔함

   b. 면역글로불린(immunoglobulin)

      - 적응증 : Steroid 2~3주 치료에 반응하지 않는 경우

      - 정맥면역글로불린(intravenous immunoglobulin, IVIG) 2 g/kg, 2~5일간 정맥주사

   c. Corticosteroid와 IVIG 병합요법 : 치료에 잘 반응하지 않는 경우 사용

   d. 비장절제술(splenectomy) : 약물치료에 반응하지 않는 경우 시행

   e. 면역억제제 : azathioprine, cyclophosphamide, cyclosporine

   f. 기타 : danazol, vinca alkaloid, plasma exchange, high dose dexamethasone pulse therapy

(3) 혈전성미세혈관병증(Thrombotic microangiopathy)

① 종류

　a. 혈전저혈소판혈증자색반병(thrombotic thrombocytopenic purpura, TTP)

　　- 임신 중 위험성 증가

　　- 전체 TTP 환자의 10~20%를 임산부가 차지

　　- 임신 제2, 3삼분기에 발생

　　- 특징적인 5가지 증상 : 혈소판감소증, 열, 신경학적 이상, 신장장애, 용혈성빈혈

　b. 용혈성요독증후군(Hemolytic uremic syndrome, HUS)

　　- 임신으로 위험성 증가

　　- 분만 3~4주 후 발생

　　- 신부전을 동반하는 비전형 HUS가 가장 흔함

　　- 신장침범이 흔하고 신경학적 증상은 적음

　c. 산후 신부전(postpartum renal failure)

② 임상증상

　a. 혈소판감소증, fragmentation hemolysis, 다양한 장기기능장애

　b. 바이러스 전구증상

　c. 신경학적 증상

　d. 신부전

③ 혈액학적 이상소견

　a. 혈소판감소증

　b. 중등도 또는 현저한 빈혈

　c. Erythrocyte fragmentation with schistocytosis

　d. Reticulocyte count 증가

　e. Nucleated RBC 증가

　f. 소모성 혈액응고장애

④ 치료

　a. 혈장교환 및 교환수혈

　b. 적혈구 수혈

　c. Prednisone

(4) 소모성 혈액응고장애(Disseminated intravascular coagulation, DIC)

① 원인 : 전자간증에 동반할 수 있고 남은 태아조직, 패혈증, 태반조기박리, 양수색전증에서 기인할 수도 있음

② 저혈소판증은 덜 심하며, 미세혈관병성용혈은 혈전저혈소판혈증자색반병, 용혈성요독증후

군, HELLP증후군보다 그 정도가 덜함

③ 임신 중 소모성 혈액응고장애는 급작스럽고 심하며 적당히 처치되지 않는다면 치명적

④ 치료

  a. 동결침전(cryoprecipitate) : 지속되는 심한 저섬유소원혈증(hypofibrinogenemia <100 g/dL)
    에서 사용

  b. Low dose heparin : 심각한 혈전증에서 사용

1) 서론

(1) 정의

　① 임신으로 인한 생리적 변화에 의해서 임신 중에 발견되는 당뇨병의 아형

　② 임신 중에 발생하였거나 발견된 내당능장애(carbohydrate intolerance)

(2) 빈도

　① 우리나라의 임신성 당뇨의 빈도 5.7~9.5%, 현성 당뇨 임신 0.4%

　② 국내는 물론 전 세계적으로 임신 중 당뇨는 계속 증가하는 양상

(3) 임신 중 산모의 당대사 변화

　① 산모의 생리적 변화

　　a. 공복 시 저혈당증(mild fasting hypoglycemia)

　　b. 고인슐린혈증(hyperinsulinemia)

　　c. 식후 고혈당증(postprandial hyperglycemia)

　② 변화의 원인

　　a. Estrogen, progesterone, hPL, cortisol의 영향

　　b. β-cell hypertrophy, hyperplasia

　　c. Placental insulinase의 작용이 없음

　　d. Peripheral insulin resistance 증가

(4) 임신 중 당뇨의 분류

임신 중 당뇨의 분류	
임신성 당뇨(Gestational diabetes) 명확한 현성 당뇨가 아닌 임신 중 진단된 당뇨	
제1형 당뇨(Type 1 diabetes)	**제2형 당뇨(Type 2 diabetes)**
β-cell 파괴로 인한 인슐린 결핍으로 유발되는 당뇨병 　a. 혈관합병증이 없는 경우 　b. 혈관합병증이 있는 경우	인슐린 저항성 증가로 인해 부적절한 인슐린 분비로 유발되는 당뇨병 　a. 혈관합병증이 없는 경우 　b. 혈관합병증이 있는 경우
다른 종류의 당뇨(other types) 유전적 원인, 췌장질환 연관, 약물 유발, 화학적 유발	

2) 임신성 당뇨의 진단

(1) 임신성 당뇨의 선별검사

① 임신성 당뇨의 위험도에 따른 선별검사

저위험군(low risk)

다음 모두를 만족할 경우에는 당부하검사를 필요로 하지 않음
- 임신성 당뇨의 유병률이 낮은 민족
- 1차 직계가족에 당뇨가 없는 경우
- 25세 미만
- 임신 전 체중이 정상인 경우
- 당대사이상의 과거력이 없는 경우
- 불량한 산과적 과거력이 없는 경우

중등도위험군(average risk)

고위험군이나 저위험군에 속하지 않는 그룹으로 임신 24~28주 사이에 선별검사를 시행
- 스페인계, 아프리카계, 미국인, 동아시아인, 남아시아인
- 검사법
  - 2단계 검사법 : 50 g 경구당부하검사 후 양성으로 나오면 진단적 100 g 경구당부하검사
  - 1단계 검사법 : 선별검사 없이 진단적 경구당부하검사

고위험군(high risk)

임신 진단 후 바로 검사를 시행, 그때 진단되지 않으면 24~28주 또는 고혈당 의심 증상이 있는 경우 재검
- 고도 비만
- 제2형 당뇨의 가족력
- 임신성 당뇨, 내당능장애, 당뇨(glycosuria)의 과거력

② 50 g 경구당부하검사(50 g oral glucose tolerance test, 50 g OGTT)
　a. 검사 시기
　　- 임신 24~28주에 시행
　　- 식사 유무에 관계없이 하루 중 어느 때든지 시행 가능

b. 50 g의 설탕물을 5분 이내에 마시고 물 포함 금식 후 앉아 있다 1시간 뒤 혈당 측정

c. 검사 양성의 기준치

1시간 뒤 혈당 ≥140 mg/dL	1시간 뒤 혈당 ≥130 mg/dL
선별 대상의 14~18%에서 양성 임신성 당뇨의 80% 이상을 발견	선별 대상의 20~25%에서 양성 임신성 당뇨의 90% 이상을 발견

d. 선별검사 양성의 기준치는 둘 다 사용 가능, 각 기관별 방침을 따르도록 함

(2) 임신성 당뇨의 진단검사

① 확진을 위한 진단검사

2단계 검사법	1단계 검사법
선별검사 양성 시 100 g 경구당부하검사 시행 2개 이상의 혈당 수치가 기준치보다 높을 때 진단 ACOG의 권고안 : 미국에서 사용하는 방법	선별검사 없이 75 g 경구당부하검사 시행 1개 이상의 혈당 수치가 기준치보다 높을 때 WHO의 권고안 : 유럽 및 그 외에서 사용하는 방법

주의사항
- 두 검사 모두 검사 전에는 8~14시간 동안 금식
- 적어도 3일은 하루 탄수화물 150 g 이상을 포함한 식사를 한 후에 시행
- 검사 동안에는 흡연이나 걷는 것을 피하고, 검사 후에는 반동성 저혈당증을 막기 위해 음식을 섭취

② 진단 기준

	100 g 경구당부하검사 (Carpenter−Coustan 기준치)	75 g 경구당부하검사 (ADPSG/ADA 기준치)
공복	95 mg/dL	92 mg/dL
1 시간	180 mg/dL	180 mg/dL
2 시간	155 mg/dL	153 mg/dL
3 시간	140 mg/dL	

③ 이전에 당뇨병이나 임신성 당뇨병으로 진단받지 않은 임신부는 100 g 경구당부하검사 2단계법, 75 g 경구당부하검사 1단계법 두 가지 모두 시행 가능

3) 산모와 태아에 대한 영향

(1) 산모에 대한 영향

① 제왕절개

a. 거대아로 인한 제왕절개 분만율, 흡입분만, 분만손상이 증가

b. 임신성 당뇨를 치료하여 신생아 체중이 정상화 된 여성에서도 제왕절개율이 높음

② 고혈압성 질환

　a. 임신성 당뇨 여성에서 고혈압성 질환의 빈도가 약 2배 증가

　b. 치료할 경우 치료하지 않은 임신부에 비해 임신 중 고혈압성 질환이 감소

③ 모체의 장기적 합병증

　a. 20년 이내에 약 50%에서 제2형 당뇨가 발생

　b. 제2형 당뇨의 사망률이 증가

　c. 심혈관계 합병증의 빈도 증가

　d. 다음 임신에 다시 임신성 당뇨의 발생위험은 30~50%(과체중인 경우와 공복 혈당이 높은
　　경우 위험성이 더 증가)

(2) 태아에 대한 영향

① 거대아(macrosomia)

　a. 원인 : 모체의 고혈당증으로 태아는 혈당에 과다 노출되고 이로 인해 발생한 태아 고인슐
　　린혈증이나 지방, 아미노산의 농도가 증가하여 지나친 신체 성장이 발생

　b. 문제점 : 제왕절개, 수술적 분만, 분만 손상, 신생아 저혈당증 등

　c. 진단 기준

　　- 출생 주수에 따른 97 백분위 또는 2 표준편차 이상의 출생체중

　　- 임신 39주에 4,000 g 이상, 임신 40주에 4,500 g 이상

② 견갑난산(shoulder dystocia)과 분만 손상

　a. 문제점 : 쇄골골절, 위팔신경손상(brachial plexus injury)

　b. 예방적 제왕절개로 견갑난산은 예방 가능하지만 위팔신경손상은 예방하지 못함

③ 태아 사망

　a. 임신성 당뇨와 연관된 가장 중요한 합병증

　　- 사산의 위험성 3~4배 증가

　　- 고혈압이 동반된 경우 7배까지 증가

　b. 임신성 당뇨가 적절히 치료되면 태아 사망률은 일반 임신부와 별 차이가 없음

④ 태아 폐성숙 지연, 태아곤란증(fetal distress)

⑤ 태아 기형 : 적극적인 혈당 관리를 하는 경우 증가가 없거나 경계성의 증가를 보임

(3) 신생아에 대한 영향

① 증가하는 위험성 : 신생아 호흡곤란증후군, 신생아 저혈당증, 고빌루빈혈증, 저칼슘혈증, 적
　혈구증가증, 신생아집중치료실 입원

② 고인슐린혈증으로 출생 직후 저혈당증이 초래되어 4%에서는 정맥 포도당 공급이 필요

③ 신생아의 저혈당성 경련이나 재발성 저혈당증의 빈도는 낮고, 고빌리루빈혈증 역시 적절히 치료하면 오래 지속되지 않음

4) 산과적 처치 및 관리

(1) 혈당 조절

① 혈당의 측정 : 하루 4회(공복 혈당, 매 식후 1시간 또는 2시간 혈당)

② 임신성 당뇨의 혈당 조절 목표(ACOG, 2018)

임신성 당뇨의 혈당 조절 목표	
공복	≤95 mg/dL
식후 1시간	≤140 mg/dL
식후 2시간	≤120 mg/dL

③ 대부분 식이요법과 운동요법으로 혈당이 조절되지만, 30~40%는 약물요법이 필요

(2) 식이요법

① 식이요법의 목표

  a. 임신부와 태아에 필요한 영양을 공급

  b. 정상 혈당을 유지

  c. 기아에 의한 케톤산증(ketoacidosis)을 예방

  d. 적절한 체중 증가

② 권장 식이요법

  a. 권장 하루 칼로리 섭취량 : 30~35 kcal/kg

  b. 탄수화물 제한 식이(탄수화물 33~40%, 단백질 20%, 지방 40%)

  c. 낮은 당지수를 가지는 복합 탄수화물 권장

  d. 하루 3끼의 식사와 2끼의 간식(식후 혈당 변동폭 감소)

③ 체질량지수 30 kg/m² 이상인 비만 여성

  a. 탄수화물 섭취를 30~33%로 더 낮추어 체중 킬로그램 당 약 25 kcal로 조절

  b. 열량을 너무 제한하면 산모가 케톤산증에 빠질 수 있음

(3) 운동요법

① 운동요법의 이점

  a. 인슐린 저항성의 감소

  b. 혈당 조절 능력의 개선

  c. 체중 조절

② 권장 운동요법

    a. 하루 30분 동안의 중등도 강도 유산소 운동을 주 5회 이상 하거나 1주에 150분 이상 하는 것을 목표

    b. 매 식사 후 최소 10분 정도 빠르게 걷거나 앉아서 팔 운동을 하는 것이 좋으며, 하루에 30분 정도가 적당

③ 혈당 감소는 운동을 한지 4주 정도 지나면 확인 가능

④ 운동요법의 금기증 : 임신성 고혈압, 양막파열, 태아성장제한, 출혈, 조산의 과거력, 자궁경부 무력증

(4) 약물요법

① 적응증

임신성 당뇨의 약물요법 적응증

진단 처음부터 고도의 고혈당이 있는 경우

식이요법과 운동요법으로도 혈당이 조절되지 않는 경우

공복	>95 mg/dL
식후 1시간	>140 mg/dL
식후 2시간	>120 mg/dL

---

② 인슐린(insulin)

    a. 처음 시작하는 용량은 하루에 0.7~1.0 unit/kg 용량을 나누어서 투여

    b. 공복과 식후 고혈당이 있는 경우 : 지속성 혹은 중간성 인슐린 + 속효성 인슐린

    c. 아침 공복 혈당만 높은 경우 : 자기 전 NPH와 같은 중간성 인슐린

    d. 식후 혈당만 높은 경우 : 식전 속효성 인슐린

③ 인슐린 유사제(insulin analog)

    a. 생리적 인슐린과 작용이 유사하지만 태반을 통과하지 않음

    b. 종류 : insulin lispro, insulin aspart

    c. Regular 인슐린보다 혈당조절이 더 잘되고, 거대아의 위험성을 줄이는 효과가 더 좋음

④ 경구 혈당강하제(oral hypoglycemic agent)

    a. Metformin

      - Biguanide 계열로 간의 포도당신생(gluconeogenesis)과 당흡수를 억제하고, 말초 조직의 당 활용을 자극

      - 첫 주에는 하루 500 mg을 자기 전에 사용, 이후 하루 두 번 500 mg 복용

      - 인슐린과 비교하여 조산의 빈도 1.5배 증가, 주산기 사망률, 신생아 저혈당증, 호흡곤란,

광선치료 등은 비슷

b. Glyburide

- Sulfonylurea 계열로 췌장의 베타세포에 결합하여 인슐린 분비를 증가시키고, 말초 조직에서 인슐린 감수성을 증가
- 하루 2.5~20 mg을 나누어서 복용, 필요 시 30 mg까지 사용
- 인슐린이나 metformin을 사용하는 경우에 비하여 신생아의 저혈당이나 거대아의 빈도가 증가
- 20~40% 여성에서 혈당 조절이 충분하지 않아 추가로 인슐린이 필요

⑤ 임신성 당뇨의 약물치료 권고안(ACOG, 2018)

a. 1차 약제 : 인슐린

b. 2차 약제 : Metformin

c. Glyburide의 경우 그 효과가 떨어지므로 1차 약제로는 사용하지 말도록 권고

(5) 임신 중 관리

① 산전 태아감시

a. 태아감시방법 : 태동 횟수 측정, 비수축검사(NST), 생물리학계수(BPP) 등

b. 혈당조절이 잘 되고 특별한 위험요인이 없는 임신성 당뇨

- 일치된 견해가 없음
- 산전 태아감시의 시기와 빈도는 각 기관의 방침을 따름

c. 투약이 필요한 임신성 당뇨

- 임신 32주 이후 태아감시 시행
- 혈당조절이 불량하거나 고혈압 질환 등 위험요인이 합병된 경우는 더 일찍 시작

② 임신부 관리

a. 임신 34주 이전의 조산의 위험성 높으면 태아 폐성숙을 위한 corticosteroid를 투여

b. 이 경우 임신부의 혈당을 올리므로 혈당을 체크하여 필요시 인슐린 용량을 증량

c. 전자간증의 위험도 증가하므로 산전진찰 시 혈압과 단백뇨 여부를 잘 확인

③ 분만 시점

a. 투약없이 조절되는 임신성 당뇨의 경우 다른 적응증이 없다면 임신 39주 이전에 유도분만을 해서는 안 되고 산전 태아감시가 적절한 경우에는 임신 $40^{6/7}$주까지 기다림

b. 투약이 필요한 임신성 당뇨의 경우 임신 $39^{0/7}$~$39^{6/7}$주 사이의 분만이 권고

c. 혈당 조절이 안되거나 다른 합병증이 동반된 경우 더 이른 분만을 고려

④ 분만 방법

a. 분만진통 중의 모체 혈당 수준이 신생아 저혈당 위험과 밀접한 연관이 있기 때문에 분만진통 중에 혈당을 110 mg/dL 이하로 잘 유지시키는 것이 매우 중요

　　b. 초음파상 4,500 g 이상의 거대아가 의심되는 경우에는 계획 제왕절개분만에 대한 상담을
　　　권고

(6) 분만 후 관리

① 출산 직후 임신부의 인슐린 요구량은 급격히 감소하지만 출산 후에도 임신성 당뇨 여성의
　인슐린 민감도와 췌장 베타세포 기능은 감소

② 분만 4~12주 후에 75 g 경구당부하검사 시행

	정상	내당능장애	당뇨
공복	<100 mg/dL	100~125 mg/dL	≥126 mg/dL
2 시간	<140 mg/dL	140~199 mg/dL	≥200 mg/dL
Hemoglobin A$_{1C}$	<5.7%	5.7~6.4%	≥6.5%

③ 정상인 경우 1~3년 간격으로 경구당부하검사 반복

④ 향후 심혈관계 합병증이 초래될 가능성이 크고, 2/3 이상에서는 다음 임신 시 재발

⑤ 피임

　　a. 당뇨가 있는 여성은 당뇨병가 없는 여성과 동일한 피임을 권장

　　b. Progestin : Insulin을 방해하는 항인슐린작용

　　c. 당뇨 환자의 피임 : 경구피임제 보다는 자궁내장치(IUD)가 적합

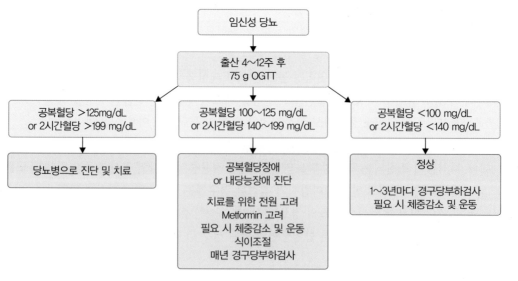

그림 51-1. 임신성 당뇨의 분만 후 관리

2 현성 당뇨(Pregestational diabetes, Overt DM)

1) 현성 당뇨의 영향

(1) 산모에 대한 영향

① 전자간증

a. 현성 당뇨 임신의 경우 전자간증이 약 3.7배 증가

b. 임신 전부터 만성 고혈압, 단백뇨 같은 신장병증이 있으면 임신 후 전자간증, 자궁태반기능부전, 사산의 위험성 증가

c. 제1형 또는 제2형 당뇨 산모에게 임신 12주 이후부터 저용량의 아스피린 투여 권고

② 당뇨성 신장병증(diabetic nephropathy)

a. 정상 신기능을 지니며 합병증이 없는 당뇨의 경우 임신으로 인해 신장병증의 위험성이 증가하지는 않음

b. 진행된 신장병증의 경우, 특히 고혈압이 합병된 경우에는 악화 가능

c. 전자간증, 조산, 태아성장제한 위험성 증가

③ 당뇨성 망막병증(diabetic retinopathy)

a. 당뇨의 유병기간과 관련

b. 제1형에서는 100%, 제2형에서는 60%에서 발생

c. 임신은 이미 합병된 망막병증의 악화 위험도를 2배로 증가

d. 현성 당뇨 산모는 임신 제1삼분기에 자세한 안과 검진을 받고, 이후 매 분기마다 안과적 진찰 시행

④ 당뇨성 신경병증(diabetic neuropathy) : 대칭성 말초신경병증이 잘 발생

⑤ 감염 : 모든 종류의 감염 빈도가 증가

⑥ 케톤산증(diabetic ketoacidosis, DKA)

a. 제1형 당뇨에서 더 흔하게 발생

b. 생명을 위협하는 응급상황(모성사망 1%, 태아사망 35%)

c. 원인 : 심한 입덧, 감염, 스테로이드, 약물 복용 등으로 유발

d. 처치

- 검사 : ABGA, glucose, ketone, electrolyte level

- 수액과 인슐린 정맥주사 : low dose insulin + isotonic sodium chloride

- 혈당이 250 mg/dL 되면 생리식염수(normal saline)에서 5% dextrose로 교체

(2) 태아에 대한 영향

① 자연유산

　a. 혈당 조절이 불량한 경우 임신 제1삼분기 자연유산이 발생

　b. 위험도가 증가하는 경우

　　- 최초 측정한 당화혈색소(HbA$_{1c}$) 12% 이상

　　- 식전 혈당 수치가 지속적으로 120 mg/dL 이상인 제1형 당뇨 임신부

② 원인불명의 사산 : 1% 빈도로 발생하고 35주 이후, 진통 전에 사망

③ 태아 기형

　a. 일반 산모에 비해 태아 기형의 위험성이 2~3배 높음

　b. 발생 원인 : 모체의 고혈당

　　- 고혈당이 조직 세포의 기능 손상 및 영구적인 구조 교란을 유발

　　- 지나치게 생성된 케톤체가 미토콘드리아의 형태를 변형시켜 핵산 생성이 감소

　　→ 적절한 혈당 조절 시 태아 기형의 빈도 감소

　c. 당뇨 산모에서 태어난 신생아의 주요 선천성 기형

	Type 1 DM (n = 482)	Type 2 DM (n = 4166)	Gestational DM (n = 31,700)
Cardiac	38	272	1129
Musculoskeletal	1	31	231
Urinary	3	28	260
CNS	1	13	64
GI	1	30	164
Other	11	80	355
Total	55	454	2203

　d. 주산기 사망의 가장 흔한 원인

　e. 염색체 이상의 빈도는 증가하지 않음

④ 양수과다증 : 태아 고혈당에 의한 다뇨증, 양수 내 포도당 증가에 의해 발생

⑤ 거대아

　a. 거대아 발생은 임신 초기 혈당 조절에 의해 결정

　b. 임신 32주 이후 복부둘레가 큰 차이를 보이며 체중이 증가

　c. 분만 손상의 위험성, 높은 주산기 사망률과 이환률

　d. 머리-골반 불균형과 견갑난산으로 태아질식과 태변흡인이 발생 가능

⑥ 조산 : 의인성(iatrogenic) 조산과 자연(spontaneous) 조산 모두 증가

(3) 신생아에 대한 영향

① 호흡곤란증후군 : 조산에 의한 폐의 미성숙

② 저혈당증 : 현성 당뇨 산모의 신생아 중 25~40%는 산모의 고혈당으로 태아의 인슐린 분비
세포가 증식되어 출생 후 저혈당을 초래

③ 저칼슘혈증, 저마그네슘혈증 : 주요 대사 장애이고 원인은 불분명

④ 고빌리루빈혈증, 적혈구증가증

⑤ 심근병증 : 비후성심근증이 발생

⑥ 신경학적 손상

⑦ 장기적 예후 : 내당능장애, 제1형 당뇨, 제2형 당뇨, 과체중, 비만 등의 증가

2) 현성 당뇨의 관리

(1) 임신 전과 임신 중의 관리

① 철저한 혈당 조절

	임신 전 혈당관리	임신 중 혈당관리
공복	≤95 mg/dL	≤95 mg/dL
식전		≤100 mg/dL
식후 1시간	≤140 mg/dL	≤140 mg/dL
식후 2시간	≤120 mg/dL	≤120 mg/dL
새벽 2~6시 사이		60~90 mg/dL
HbA1c	<6.5%	<6%

② 임신 전부터 하루 400 μg 엽산 복용

③ 당화혈색소(HbA_{1c}) 측정

　　a. 임신 전 <6.5%, 임신 중 <6% 정도로 조절

　　b. 정상 범위 내에 있으면 태아 기형의 위험도가 당뇨병이 없는 여성과 비슷

　　c. 10%를 넘으면 태아 기형의 발생 위험이 4배 증가

④ 임신성 당뇨의 임신 중 관리와 유사하게 관리

(2) 분만 중 관리

① 분만진통 중에 혈당을 100 mg/dL 이하로 잘 유지

② 분만진통과 분만 시 인슐린 처치

분만진통과 분만 시 인슐린 처치
– 분만이 예정된 전날 자정부터 금식
– 취침 전에 투여하던 중간형 인슐린(intermediate-acting insulin)은 그대로 투여
– 분만 당일 아침 인슐린 투여 보류
– 생리식염수(normal saline)의 정맥 주입 시작
– 활성 분만진통이 시작되거나 혈당이 70 mg/dL 미만으로 감소하면 주입액을 생리식염수에서 5% 포도당으로 변경하고 혈당 100 mg/dL 정도가 되도록 100~150 cc/hr (2.5 mg/kg/min)의 속도로 주입
– 1시간마다 혈당을 측정
– 속효성 인슐린(short-acting insulin)은 혈당이 100 mg/dL 초과하는 경우 1.25 U/hr 속도로 정맥 투여

③ 분만진통과 분만 후 충분한 수액을 공급하고 정상 혈당유지를 위한 포도당도 공급

④ 제왕절개 시 가능한 아침에 시행, 부분마취가 유리

(3) 분만 후 관리

① 분만 후에는 인슐린 요구량이 상당히 감소

② 출산 전에 유지하던 철저한 혈당 조절 원칙은 24~48시간 동안 지키지 않아도 괜찮음

③ 혈당이 200 mg/dL 이상이 되면 속효성 인슐린을 투여

④ 분만 다음날부터 제2형 당뇨인 경우 바로 경구 혈당강하제로 전환 가능

⑤ 모유수유 권장, 임신 전 섭취 열량보다 500 kcal 증량, 수유 전 간식으로 저혈당 예방

1) 서론

(1) 임신 중 갑상샘의 변화

① 임신 중 갑상샘호르몬의 변화

증가	정상(변화 없음)	감소
TBG	free T3, free T4	T3 resin uptake
Total T3, T4	TSH	
갑상샘 크기	TRH	

② 임신 중 갑상샘호르몬의 수치 변화

검사	비임신	임신
TSH	4~5 μU/mL	변화 없음
TBG	12~30 μg/L	30~50 μg/L
Total T4	5~12 μg/dL	10~17 μg/dL
Total T3	70~190 ng/dL	100~220 ng/dL
free T4	1~2 ng/dL	변화 없음
T3 resin uptake	25~35%	15~25%

③ 임신 중 갑상샘 기능평가의 정확한 지표 : TSH, free T4(농도 변화가 없기 때문)

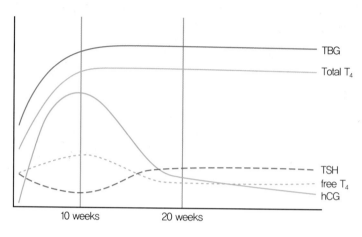

그림 52-1. 임신 중 산모의 갑상샘호르몬 변화

(2) 태아와 신생아의 갑상샘 기능

　① 태아의 갑상샘

　　a. 임신 7주에 형성

　　b. 임신 10주 이후 갑상샘포(thyroid follicle)가 형성되며 T4의 합성이 시작

　② 신생아의 갑상샘호르몬

　　a. 출생 직후에는 시상하부에서 TRH 분비가 증가하여 TSH 분비도 증가

　　b. 혈중 T3, T4는 생후 2일째 가장 높고 이후 감소하여 일주일 후 성인 수치와 유사

　③ 갑상샘호르몬의 태반 통과

통과	미량 통과	불통과
요오드(iodine) Thioamides 약물 갑상샘자극항체(thyroid stimulating antibody or immunoglobulin) TRH	T3, T4	TSH

(3) 자가면역과 갑상선질환

　① 갑상신에 대한 항체(antibody)의 작용

　　a. 자극(stimulate), 차단(block), 염증(inflammation)

　　b. 종종 이러한 효과는 겹치거나 공존

② 갑상샘자극항체(thyroid stimulating antibody)

　　a. TSH receptor에 결합하여 활성화되고 갑상샘의 기능항진 및 성장을 유발

　　b. 고전적인 Grave's disease 환자의 대부분에서 확인

③ 갑상샘과산화효소항체(thyroid peroxidase antibody)

　　a. 이전 명칭 : 갑상샘미세소체자가항체(thyroid microsomal autoantibody)

　　b. 산모의 5~15%에서 발생

　　c. 임신에 대한 영향 : 조기유산, 조산, 태반조기박리, 산후 갑상선기능장애

2) 갑상샘기능항진증(Hyperthyroidism)

(1) 빈도 및 원인

① 빈도 : 임산부 1,000명당 2~17명 정도

② 원인

　　a. 주 원인 : 그레이브스병(Graves' disease)

　　b. 기타 : 임신영양세포병(gestational trophoblastic disease), 독성결절성갑상샘종(toxic nodular goiter), 인공갑상샘항진증(thyrotoxicosis factitia)

(2) 진단

① 임신 중 갑상샘기능항진증의 진단은 어려움 : 임신에 의한 대사증가로 증상의 혼동

② 특징적인 소견

임상증상	혈액검사
빈맥(≥100회/min.) 수면 중 심장박동수 증가 갑상샘 비대 안구돌출(exophthalmos) 눈꺼풀내림 지체(lid lag) 임신에 따른 체중 증가가 없음	TSH 및 free T4 측정이 가장 정확 → TSH 감소, free T4 증가 검사 결과가 모호하면 3~4주 후 재검

(3) 치료

① 약물치료(thionamide drugs)

	Propylthiouracil(PTU)	Methimazole
효과	T4에서 T3로의 변환을 억제	
태반통과	Methimazole 보다 덜 통과	PTU 보다 많이 통과

부작용	발진, 소양감, 발열 무과립구증(agranulocytosis)	선천성 피부무형성증 식도폐쇄, 후비공폐쇄
용법	− 하루 300∼450 mg 용량으로 시작 − 잘 조절이 되면 3∼4주에 걸쳐 25∼30% 씩 용량을 감소시켜 갑상샘기능을 정상으 로 유지할 수 있는 최소 용량으로 투여	
반응확인	free T4 (혈중 free T4가 정상화되어도 TSH는 수주 동안 낮은 수치를 보일 수 있음)	

② 갑상샘 부분절제술(subtotal thyroidectomy)

    a. 적응증 : 약제에 반응하지 않는 경우, 환자가 약물 복용을 잘 하지 않는 경우

    b. 수술 전 약물치료를 반드시 선행

    c. 임신 제1삼분기 수술 시 자연 유산의 위험성이 증가

③ Iodine-131 (^{131}I) 방사선동위원소 치료 : 임신 및 수유 중 금기

(4) 임신에 대한 영향

	Treated and Euthyroid (n = 380)	Uncontrolled Thyrotoxicosis (n = 90)
산모의 예후(maternal outcome)		
전자간증(preeclampsia)	40 (10%)	15 (17%)
심부전(heart failure)	1	7 (8%)
사망(death)	0	1
주산기 예후(perinatal outcome)		
조산(preterm delivery)	51 (16%)	29 (32%)
성장제한(growth restriction)	37 (11%)	15 (17%)
사산(stillbirth)	0/59	6/33 (18%)
갑상샘중독증(thyrotoxicosis)	1	2
갑상샘기능저하증(hypothyroidism)	4	0
갑상샘종(goiter)	2	0

(5) 태아에 대한 영향

  ① 태아의 갑상샘중독증(thyrotoxicosis)

    a. 갑상샘자극항체가 태반 통과 후 태아에게 전달되면 갑상샘중독증 발병 가능

    b. 산모가 치료를 받지 않은 경우 위험성 증가

② 태아의 갑상샘종(goiter) : 항진증 또는 저하증 모두에서 발생 가능

Goitrous thyrotoxicosis	Goitrous hypothyroidism
– 갑상샘자극항체의 태반 통과로 발생 – 모체의 ^{131}I 방사선동위원소 치료 후에도 혈액 속에 남아있는 갑상샘자극항체가 태반 통과 후 유발 가능 – 치료 : 산모에게 thioamide drug 투여	– 모체의 thioamide drug에 태아가 노출되어 발생 – 실제로 발생하는 경우는 매우 드묾 – 치료 : Intra-amnionic thyroxine injection

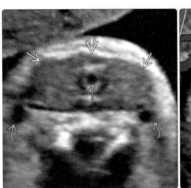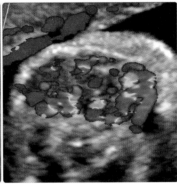

그림 52-2. 태아의 갑상샘종(goiter)

(6) 갑상샘중독발작(thyroid storm)

① 임신 중 매우 드물고, 치료를 받지 않는 산모에서도 드물게 발생

② 갑상샘과다증을 모르고 있었던 산모가 감염, 수술, 진통 등의 스트레스를 경험하면 유발

③ 임상 증상

　　a. 발열 : 가장 특징적인 증상, 스트레스 수 시간 후부터 시작, 보통 40℃ 이상 상승

　　b. 빈맥, 의식의 변화, 오심, 구토, 고박출량의 심근병증 등

④ 치료

　　a. 즉각적인 수액 공급, 전해질 투여, 혈압 조절, 해열 등을 시행

　　b. 금기 : Aspirin (plasma protein과 결합된 thyroid hormone을 분리시킴)

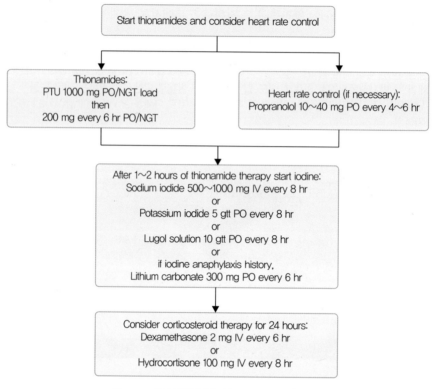

그림 52-3. 갑상샘중독발작(thyroid storm)의 치료

3) 갑상샘기능저하증(Hypothyroidism)

(1) 빈도 및 원인

① 빈도 : 임산부 1,000명당 2~12명 정도

② 원인 : 갑상샘의 자가면역질환, 수술, 방사선 치료

    a. 특발성 점액부종(idiopathic myxedema), 하시모토 갑상샘염(Hashimoto's thyroiditis)

    b. 수술이나 방사선 치료에 의한 갑상샘 융해(thyroid ablation)

(2) 진단

① 특징적인 소견

임상증상	혈액검사
피로, 변비, 추위 불내성 근육 경련, 체중 증가 부종, 건조한 피부, 탈모 심부건반사의 저하	free T4 감소, TSH 증가

② 무증상의 갑상샘기능저하증 : free T4 정상, TSH 증가

(3) 치료

① T4 제제인 levothyroxine (synthyroid®) 하루 1~2 μg/kg 또는 대략 100 μg 투여

② 4~6주 간격으로 TSH를 측정하여 치료 반응을 확인

③ 약은 태아에게는 별다른 영향이 없음

(4) 임신에 대한 영향

① 불임, 임신 초기 유산과 관련

② 임신 중 합병증

합병증(complications)	Overt hypothyroidism (%)	Subclinical hypothyroidism (%)
전자간증(preeclampsia)	32	8
태반조기박리(placental abruption)	8	1
심장기능장애(cardiac dysfunction)	3	2
출생체중(birthweight) <2,000 g	33	32
사산(stillbirths)	9	3

③ 점액부종 혼수(myxedema coma)

    a. 증상 : 저체온, 서맥, 심부건반사 저하, 의식의 변화

    b. 사망률이 20% 정도로 높아 신속한 치료가 필요

    c. 혈액검사 : 저나트륨혈증, 저혈당, 저산소증, 과탄산혈증

    d. 치료 : 대증요법을 하면서 갑상샘호르몬 투여

(5) 태아에 대한 영향

① 산모와 태아의 갑상샘 이상은 서로 연관

② 임신 초기 요오드(iodine) 결핍 → 산모와 태아 모두에서 갑상샘기능저하증 유발

③ 산모의 TSH-receptor Ab → 태반을 통과해 태아의 갑상샘기능장애 유발

4) 산후 갑상샘염(Postpartum thyroiditis)

(1) 빈도 및 원인

① 산후 일과성 자가면역 갑상샘염에 의해 발생하는 갑상샘기능저하증 또는 항진증

② 빈도 : 약 5~10%의 산모에서 발생

③ 원인

    a. 자가면역질환

    b. 발생 산모의 약 50%에서 임신 제1삼분기에 갑상샘항체(thyroid antibody) 양성

    c. 제1형 당뇨 산모의 약 25%에서 발생

(2) 임상증상 및 치료

① 임상증상

    a. 비특이적 증상(우울, 부주의, 기억력 저하 등) + 검사소견 이상

    b. 임상 증상을 보이는 경우

       - 분만 6~12주경 갑상샘기능항진증 → 분만 4~8개월에는 갑상샘기능저하증 → 분만 6~9개월이 지나면 80~90%에서 자연 소실

       - 10~20%의 갑상샘기능저하증의 임상경과는 TPO Ab의 역가를 추적하면 예측 가능

② 치료

    a. 대개 치료가 필요하지 않음

    b. 갑상샘기능항진증 증상이 심한 경우

       - β-adrenergic blocker 사용

       - 항갑상샘제의 사용은 피함(갑상샘의 염증성 파괴로 인한 호르몬 방출이기 때문)

    c. 갑상샘기능저하증 증상이 있는 경우 : thyroxine 6~12개월 사용, 이후 점차 용량 감소

③ 갑상샘기능저하증이 발생할 가능성

    a. 산후 갑상샘염을 앓은 산모는 일정 기간이 경과한 후 발생 가능성이 25% 정도

    b. TPO Ab를 가지고 있는 경우 발생 가능성이 더 높음

2 부갑상샘질환(Parathyroid disorders)

1) 임신 중 칼슘의 대사

(1) 부갑상샘호르몬(parathyroid hormone, PTH)

① 역할 : 뼈 및 신장에는 직접 작용하고, 소장에는 1,25-dihydroxyvitamin D를 통하여 작용하여 세포외액의 칼슘 농도를 유지

② 분비 : 혈중 이온화칼슘(ionized calcium) 농도에 의하여 음성되먹이기에 의하여 조절

(2) 임신 중 칼슘의 변화

① 산모의 칼슘 요구량 증가

    a. 태아의 칼슘 필요량(임신 후기에 300 mg/day, 총 25~30 g) 증가

b. 사구체 여과율의 증가로 인한 칼슘 배설량 증가

② 임신 중 혈중 총 칼슘(total calcium) 농도는 임신이 경과함에 때라 점차 감소하여 임신 제3삼분기 중간이 되면 최저로 되어 비임신 시 보다 5% 정도 감소

③ 이온화 칼슘 농도는 임신 중 변화가 없음

2) 부갑상샘기능항진증(Hyperparathyroidism)

(1) 빈도 및 원인

① 임신 중 합병이 매우 드문 질환

② 일차성 부갑상샘기능항진증의 원인

a. 부갑상샘종(adenoma) : 80%

b. 샘의 증식(hyperplasia) : 10~20%

(2) 진단

① 임신 중 진단이 어려운 이유

a. 혈중 칼슘이 태아로 많이 이동

b. 산모의 신장을 통한 배설이 증가

② 부갑상샘기능항진증이 의심되는 경우

a. 이온화 칼슘이 증가하고 저인산혈증이 확인될 경우

b. 췌장염, 골절, 위궤양 등의 합병증이 발생할 경우

③ 혈중 칼슘 12 mg/dL 이상의 고칼슘혈증 시 산모에게 나타나는 증상 : 피로, 우울증, 식욕부진, 복통, 골통, 오심, 구토, 빈뇨, 변비, 신결석, 췌장염 등

(3) 치료

① 단기 약물 치료 : calcitonin 또는 경구 phosphate 제제 하루 1~1.5 g

② 고칼슘혈증 발작 시 생리식염수, furosemide 투여

③ 금기약물

a. Mithramycin : 임신 중 안정성이 확립되어 있지 않음

b. Thiazide : 칼슘 저류를 유발하기 때문에 사용하지 않음

(4) 임신 및 태아에 대한 영향

임신 중 합병증	태아의 합병증
자연유산 자궁 내 태아사망 태아성장제한 저출생체중 조산 전자간증	부갑상샘기능저하증 저칼슘혈증 강직(tetany)

3) 부갑상샘기능저하증(Hypoparathyroidism)

(1) 빈도 및 원인

① 매우 드문 질환

② 부갑생샘 또는 갑상샘 수술을 받은 후에 발생

(2) 진단 및 증상

① 진단 : 목 수술의 과거력 + 혈중 칼슘의 감소 및 인의 증가

② 증상 : 안면근육 경련(facial muscle spasms), 근육 경련(muscle cramps), 입술, 혀, 손가락, 발의 이상감각(paresthesia), 강직, 경련

③ 태아에 대한 영향 : 산모의 낮은 혈중 칼슘 → 태아로의 칼슘 공급 저하 → 태아의 이차성 부갑상샘기능항진증 → 태아 뼈의 광물제거(demineralization) 및 골막하 흡수(subperiosteal resorption) → 낭성섬유뼈염(osteitis fibrosa cystica) 발생

(3) 치료

① Calcitriol, dihydrotachysterol 또는 vitamin D (50,000~150,000 IU/day) 투여

② 인(phosphate)이 많은 음식을 피하도록 함

③ 분만 중 혈중 칼슘이 낮은 경우 : calcium gluconate IV, 과호흡 억제

3 부신질환(Adrenal gland disorders)

1) 쿠싱증후군(Cushing syndrome)

(1) 특성 및 원인

① 과다한 코티솔(cortisol)에 의하여 발생하는 질환

② 무월경, 무배란 등을 유발하기 때문에 임신이 되는 경우가 적어 임신 중 발견이 드묾

③ 원인

    a. 부신피질호르몬의 과다 투여(long-term corticosteroid treatment) : 가장 흔한 원인

    b. 쿠싱병(Cushing disease) : 뇌하수체 선종에 의한 양측성 부신 증식

    c. 시상하부의 부신피질자극호르몬분비호르몬(CRH)의 과분비

    d. 부신 선종(adrenal adenoma) : 임신 중 가장 흔한 원인

④ 증상

    a. 특징적인 증상 : 둥근 얼굴(moon face), 목의 들소형 융기(buffalo hump), 몸통 비만

    b. 고혈압, 다모증, 무월경 등

(2) 진단

① 선별검사

    a. 24시간 소변의 자유코티솔 측정(24-hour urine free cortisol level)

    b. 덱사메타손 억제검사(dexamethasone suppression test)

② CT, MRI : 종양의 위치 확인

③ 임신 중 감별진단이 어려운 이유 : 임신 시에는 생리적으로 혈중 cortisol, corticotropin, CRH 모두 증가하기 때문

④ 임신 중 가장 유용한 진단방법 : 증가된 24시간 소변의 자유코티솔 측정

(3) 치료

① 뇌하수체 선종 또는 부신 선종의 절제 : 가장 근본적인 치료

② 약물치료

    a. Metyrapone : 출산 후 수술까지의 중간 치료로 사용

    b. Ketoconazole : 고환의 steroid 생산을 억제할 수 있어 태아가 남아인 경우 주의 필요

(4) 임신에 대한 영향

산모의 합병증(maternal complication)		주산기 합병증(perinatal complication)	
고혈압(hypertension)	68%	조산(preterm delivery)	43%
당뇨(diabetes)	25%	태아성장제한(fetal-growth restriction)	21%
전자간증(preeclampsia)	15%	사산(stillbirth)	6%
골다공증(osteoporosis)/골절(fracture)	5%	신생아 사망(neonatal death)	2%
정신장애(psychiatric disorders)	4%		
심부전(cardiac failure)	3%		
사망(mortality)	2%		

2) 원발성 알도스테론증(Primary aldosteronism)

(1) 특성 및 원인

① 과다한 알도스테론(aldosterone)에 의하여 발생

② 임신 중 매우 드문 질환

③ 증상 : 고혈압, 저칼륨혈증, 대사성 알칼리혈증 등

(2) 진단

① 혈중 레닌(renin) 활성도의 감소, 알도스테론(aldosterone)의 증가

② 임신 중 감별진단이 어려운 이유 : 임신 시 aldosterone 분비가 증가하기 때문

③ 임신 중 질환이 호전 : 임신 시 분비되는 프로게스테론이 알도스테론의 작용을 억제

(3) 치료

① 고혈압이 약물로 잘 조절된다면 출산 후에 수술적 치료

    a. 치료약물 : spironolactone + 항고혈압제

    b. Spironolactone은 항남성호르몬(antiandrogen)으로서 태아의 성 발달에 영향을 줄 수 있기 때문에 사용 시 주의

② 고혈압이 조절되지 않는다면 임신 중이라도 수술적 치료

3) 부신기능저하증(Adrenal insufficiency)

(1) 특성 및 원인

① 매우 드문 질환 : 증상이 발생하기 위해 총 부피의 90% 이상이 파괴되어야 하기 때문

② 원인

    a. 자가면역 질환에 의한 부신 자체의 기능 저하(Addison disease) : 가장 흔한 원인

    b. 뇌하수체의 기능저하 또는 스테로이드의 투여에 의한 이차적인 기능저하

③ 증상

    a. 피로, 쇠약, 식욕저하, 오심, 저혈압, 복통, 저혈당, 피부 색소의 증가 등

    b. 임신 제1삼분기의 흔한 증상과 유사

④ 임신에 대한 영향 : 진단 후 3년 이내의 임신에서 조산, 저출생체중, 제왕절개 증가

(2) 진단

① 혈중 cortisol 및 corticotropin의 측정

② 부신피질자극호르몬 자극검사(ACTH stimulation test)

③ 임신 중에는 cortisol 및 cortisol-binding globulin, ACTH의 생리적 증가가 있으므로 이를 고려하여 검사 수치를 해석

(3) 치료

① 약물치료

a. Cortisone acetate, 아침 25 mg, 저녁 12.5 mg, 경구투여

b. Prednisone, 아침 5 mg, 저녁 2.5 mg, 경구투여

c. Fludrocortisone acetate, 하루 0.05~0.1 mg, 경구투여

② 치료 시 임신 유지에 특별한 문제 없음

③ 분만진통 및 분만 중

a. 스트레스 용량(stress dose)의 부신피질호르몬(glucocorticoid)을 투여

b. Hydrocortisone, 100 mg, 48시간 동안 8시간 간격으로 정맥주사

4 뇌하수체질환(Pituitary disorders)

1) 프로락틴종(Prolactinoma)

(1) 증상

① 비임신 시 흔한 증상 : 유즙분비(galactorreha), 무배란에 의한 무월경, 불임

② 임신 시 흔한 증상 : 시야장애, 두통, 요붕증(diabetes insipidus)

(2) 임신에 대한 영향

미세선종(microadenoma)	거대선종(macroadenoma)
직경 ≤10 mm	직경 >10 mm
에스트로겐의 자극을 받아서 종양의 크기가 증가 가능	
임신 중 2% 미만에서 종양 증가로 인한 증상이 발생 대부분 특별한 문제가 발생하지 않음	임신 중 15~20%에서 종양 증가로 인한 증상이 발생 임신 전 수술적 치료의 시행을 고려

(3) 임신 중 추적 방법

① 미세선종(microadenoma) : 주기적인 증상의 관찰(두통, 시야장애 등)

② 거대선종(macroadenoma) : 각 삼분기마다 시야검사 및 안저검사(fundoscopy) 시행

③ CT, MRI : 증상이 발현된 경우 시행

④ 혈중 prolactin 측정

a. 임신 시 혈중 prolactin의 생리적 증가와 종양으로 인한 증가의 감별이 어려움

b. 비임신 여성의 정상 prolactin 수치 <25 pg/mL

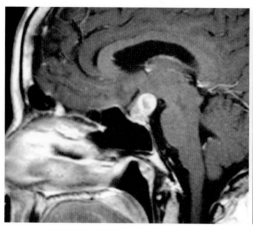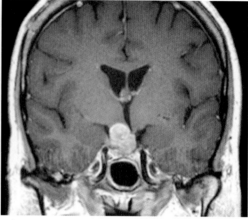

그림 52-4. 뇌하수체 거대선종(pituitary macroadenoma)의 T1-weighted MRI

(4) 치료

① 증상이 있는 종양의 크기 증가는 치료 시행

② 내과적 치료

   a. Bromocriptine

      - Dopamine receptor agonists(prolactin inhibitor)

      - 임신 중 안전성이 확인

   b. Cabergoline

      - 비임신 환자에서 사용, bromocriptine에 비해 효과가 더 좋고 부작용이 적음

      - 임신 중 안전성이 덜 확인되었지만 대체로 안전하다고 생각

③ 수술적 치료

   a. 내과적 치료에 반응하지 않는 경우 고려

   b. 나비뼈경유수술(transsphenoidal surgery)

④ 분만 후 관리

   a. 종양의 크기 및 혈중 prolactin 수치를 다시 검사

   b. 모유수유 가능

2) 다른 뇌하수체질환

(1) 말단비대증(Acromegaly)

① 드물지만 임신 가능

② 수술을 먼저하고 임신을 권유

   a. 임신 시 종양의 크기 증가하기 때문

   b. 나비뼈경유수술(transsphenoidal surgery)

③ 임신 중 진단이 어려운 이유 : 태반에서 분비되는 growth hormone variant 때문

④ 임신 시 주기적인 증상의 관찰(두통, 시야장애 등)

⑤ 약물치료 : octreotide(somatostatin-receptor ligand), pegvisomant (GH analogue)

(2) 요붕증(Diabetes Insipidus)

① 매우 드문 질환(임신 중 합병된 예는 전 세계적으로 100예 미만)

② 뇌하수체 후엽의 arginine vasopressin (AVP) 분비 부족으로 인하여 발생하는 질환

③ 원인 : 시상하부나 뇌하수체줄기(pituitary stalk)의 장애

④ 증상 : 심한 다뇨, 묽은 소변(비중 <1.005), 심한 갈증

⑤ 임신 시 50~60%의 환자에서 증상이 악화, 임신성 급성 지방간(AFLP) 위험성 증가

⑥ 치료 : desmopressin (DDAVP)의 비강투여

(3) 뇌하수체기능저하증(Pituitary insufficiency)

① 1937년 처음 보고되어 시한증후군(Sheehan syndrome)으로 알려짐

② 원인

　a. 주원인 : 산후 출혈성 쇼크와 관련된 뇌하수체 전엽의 허혈괴사(ischemic necrosis)

　b. 기타 : 자가면역질환, 종양, 수술, 방사선 치료 등에 의한 뇌하수체의 손상

③ 종류

　a. 급성 : 저혈압, 빈맥, 저혈당, 모유 생산 실패, 사망할 수도 있어 신속한 진단이 필요

　b. 만성 : 출산 후 모유분비 감소, 액모 및 치모의 탈락, 희발월경, 무월경, 불임 등

④ 진단 : TSH, ACTH, thyroxine, cortisol의 정상 이하 수치

⑤ 임신에 대한 영향 : 대부분 불임, 드물지만 자연임신 가능

⑥ 치료

　a. glucocorticoid 보충

　b. 갑상샘호르몬, 성선호르몬, 성장호르몬의 보충을 고려

결체조직질환(Connective tissue disease)

1 전신홍반루푸스(Systemic lupus erythematosus, SLE)

1) 병인론

(1) 정의
① 피부, 관절, 신장, 폐, 장막, 신경계, 간 등에 영향을 미치는 특발성 만성 염증질환
② 다양한 자가항원에 대한 자가항체의 과형성으로 조직, 세포, 세포핵의 구성 성분에 대하여 자가항체와 면역복합체가 침착되어 염증반응과 조직손상을 초래하는 전신자가면역질환

(2) 빈도
① 남성보다 여성에서 5~10배 발생 빈도가 높음
② 가임기 동안 발병(30~50대에서 주로 발생)
③ 가임기 여성의 500명당 1명

(3) 유전
① 유전적 소인에 의한 발생빈도
　　a. 가족 내에 한 명의 환자가 있을 경우 약 10%
　　b. 일란성 쌍생아인 경우 약 50% 이상
② 발생빈도를 증가시키는 유전적 요인
　　a. 보체 성분(complement component)의 결핍 : C1q, C2, C4
　　b. TREX1 유전자의 돌연변이 : DNA 분해효소(DNA-degrading enzyme)를 유도하는 역할
　　c. HLA-A1, -B8, -DR3, -DRB1, -TET3 유전자를 가진 경우
　　d. 최근 연구에서 태아에 HLA-DRB1 유전자가 있으면 산모에서 발생이 증가됨을 확인

2) 임상증상 및 검사

(1) 임상증상

장기	임상증상	Percent
전신(Systemic)	피로, 권태감, 발열, 체중 감소	95
근골격계(Musculoskeletal)	관절통, 근육통, 다발성관절염 , 근육병증	95
혈액(Hematological)	빈혈, 용혈, 백혈구감소증, 혈소판감소증, 루푸스항응고인자, 비장비대	85
피부(Cutaneous)	협부발진, 원판상발진, 광과민성, 구강궤양, 탈모, 피부발진	80
신경(Neurological)	인지기능장애, 기분장애, 두통, 발작, 뇌졸중	60
심혈관계(Cardiopulmonary)	흉막염, 심장막염, 심근염, 심내막염, 폐렴, 폐동맥고혈압	60
신장(Renal)	단백뇨, 신증후군, 신부전	30~50
위장관계(Gastrointestinal)	오심, 통증, 설사, 간기능검사 이상	40
혈관(Vascular)	정맥혈전(10%), 동맥혈전(5%)	15
안과(Ocular)	결막염, sicca증후군	15

(2) 전신홍반루푸스의 항체

항체(antibody)	%	임상적 관련성
Antinuclear (ANA)	84~98	가장 적합한 루푸스 선별검사 두 번의 검사결과가 음성이면 루푸스 가능성은 낮음 양성으로 나올 수 있는 경우 　－ 자가면역질환 : 류마티스 관절염, Sjögren증후군, 피부경화증 　－ 정상인, 바이러스감염, 만성 감염질환, 약물 등
Anti-dsDNA	62~70	루푸스 특이적 검사 활성화된 루푸스 환자의 90%에서 검출 높은 역가일 경우, 루푸스 특이적이며 질병 활성도, 신장염, 혈관염과 연관
Anti-Sm (Smith)	30~38	루푸스 특이적 검사 루푸스 환자의 30~40%에서 발견 신질환과 관련성이 높음
Anti-RNP	33~40	루푸스 비특이적 검사 높은 역가일 경우, 류마티스 증후군과 연관
Anti-Ro (SS-A)	30~49	루푸스 비특이적 검사 Sicca증후군, 피부홍반루푸스, 완전심장차단을 동반한 신생아 전신홍반루푸스, 신장염 위험성 감소와 연관
Anti-La (SS-B)	10~35	Anti-Ro와 연관
Antihistone	70	약물유발루푸스에서 흔히 나타남

Antiphospholipid	21~50	혈전, 태아 소실, 혈소판감소증, 심장판막질환과 연관된 루푸스항응고인자 (lupus anticoagulant)와 항카디오리핀항체(anticardiolipin antibody) 매독(syphilis) 혈청검사의 위양성 반응과 연관
Antierythrocyte	60	용혈현상이 나타나므로 직접쿰스검사(direct Coombs test)로 진단
Antiplatelet	30	15%에서 혈소판감소증이 나타남 진단검사로는 추천되지 않음

(3) 혈액 및 소변검사

① 빈혈, 백혈구감소증, 혈소판감소증, PTT (partial thromboplastin time) 연장

② 매독 혈청검사의 위양성 반응

③ 류마티스유사인자의 양성 반응

④ 단백뇨

3) 진단

(1) 진단기준

Clinical criteria	
Acute cutaneous lupus : malar rash	Renal : proteinuria, casts, biopsy
Chronic cutaneous lupus : discoid rash	Neurologic : seizures, psychosis, myelitis, neuropathy
Oral ulcers	Hemolytic anemia
Nonscarring alopecia	Leukopenia
Synovitis	Thrombocytopenia
Serositis	

Immunological criteria	
Antinuclear (ANA)	Antiphospholipid
Anti-dsDNA	Hypocomplementemia (C3, C4, CH50)
Anti-Sm	Direct Coombs test

- Clinical, immunological criteria에서 적어도 1개씩을 만족하면서, 총 4개 이상인 경우 진단
- 신장조직검사상 루푸스신장염과 ANA or Anti-dsDNA 양성이 확인되어도 진단

(2) 전신홍반루푸스 활동성의 평가

① CH50, C4, C3 등의 보체(complement) 감소 : 활동성 루푸스신장염과 관련

② Anti-dsDNA 증가 : 질병 활성도와 연관, 루푸스신장염 및 다른 장기 침범 시 관찰

③ Antinuclear (ANA) : 활동성 루푸스 환자에서 역가 상승이 관찰

④ ANA 음성인 경우 : Anti-Ro (SS-A), Anti-La (SS-B) 측정

(3) 전신홍반루푸스 임산부의 임신 제1삼분기 검사

① CBC, serum transaminase, BUN, Cr

② Urinalysis, 24 hours urine for protein & Cr

③ ANA, anti-Ro, anti-La Ab titer

④ Lupus anticoagulant level, anticardiolipin Ab

⑤ Anti-dsDNA ab titer, CH50, C3/C4 level

⑥ Evaluate for lupus flare

4) 임신에 대한 영향

(1) 임신과 전신홍반루푸스의 관계

① 임신 중 1/3은 경과가 호전되고, 1/3은 변화가 없으며, 1/3은 악화(lupus flare)

② 임신 중 주요 이환율(major morbidity) : 약 7%

③ 임신의 예후가 좋은 경우

　　a. 임신 전 6개월 동안 루푸스의 활동성이 없는 경우

　　b. 단백뇨 또는 신기능 저하 등을 동반하는 루푸스신장염이 없는 경우

　　c. 항인지질항체증후군(APS) 또는 lupus anticoagulant가 없는 경우

　　d. 가중합병전자간증(superimposed preeclampsia)이 동반되지 않는 경우

(2) 전신홍반루푸스의 임신 관련 합병증

동반 질환	(%)	산과적 합병증	(%)
임신 전 당뇨(pregestational diabetes)	5.6	전자간증(preeclampsia)	22.5
혈소판증가증(thrombophilia)	4.0	조기진통(preterm labor)	20.8
고혈압(hypertension)	3.9	태아성장제한(fetal growth restriction)	5.6
신부전(renal failure)	0.2	자간증(eclampsia)	0.5
폐동맥고혈압(pulmonary hypertension)	0.2		
내과적 합병증	(%)	감염	(%)
빈혈(anemia)	12.6	폐렴(pneumonia), 패혈증(sepsis syndrome)	2.2
혈소판감소증(thrombocytopenia)	4.3	**모성 이환율 및 사망률**	
혈전증 – 뇌졸중, 폐색전증, 심부정맥혈전증	1.7	325/100,000	

(3) 루푸스신장염(Lupus nephritis)

① 루푸스신장염 환자의 임신 시 전자간증 위험성이 증가하고 신기능이 더 악화 가능

임신 상담	루푸스신장염 환자의 상태
임신을 피하는 것을 권장	루푸스신장염 class IV, 신증후군, 중증 고혈압
임신의 상대적 금기증	중등도 신장기능부전 (혈청 creatinine 1.5~2.0 mg/dL)
임신의 절대적 금기증	중증 신장기능부전 (혈청 creatinine >2 mg/dL)

② 루푸스신장염의 악화는 임신 초기 루푸스 활성도의 영향을 받기 때문에 임신 시도 6개월 전 부터 관해(remission)상태를 유지하는 것이 좋음

③ 임신의 예후를 가장 잘 반영하는 인자

  a. 단백뇨(proteinuria)

  b. 크레아티닌 청소율(creatinine clearance)

④ 전자간증, 자간증과 임상적으로 감별이 어려움

  a. 전자간증의 치료는 분만, 루푸스 악화의 치료는 면역억제제

  b. 정확한 감별이 조기분만 여부를 결정

⑤ 루푸스 악화(lupus flare)와 전자간증(preeclampsia)의 비교

Factor	Lupus	Preeclampsia
Clinical findings	Fatigue, headache, extra-renal signs (rash, serositis, arthritis)	Headaches, confusion, visual changes, convulsions
Blood pressure	Normal or high	High
Anemia	Hemolytic	Absent
Proteinuria	Present	Present
Creatinine	Normal or High	Normal or High
Liver Transaminases	Normal	Normal or High
Complement	Decreased	Normal

(4) 전자간증

① 임신성 고혈압, 전자간증 같은 고혈압성 질환은 루푸스 환자의 흔한 합병증

② 루푸스신장염이 있는 환자에서 전자간증의 위험도는 증가

③ 루푸스 환자의 전자간증 위험인자 : 만성 고혈압, 항인지질항체증후군, 만성적인 글루코코르 티코이드 사용, 당뇨, 이전 임신의 전자간증 과거력 등

(5) 신생아 전신홍반루푸스(Neonatal lupus syndrome)

① 원인 : 모체의 자가항체, 주로 anti-Ro (SS-A), anti-La (SS-B) 항체의 태반을 통한 이동

② 유병률

    a. 전체 루푸스 산모의 5% 미만

    b. anti-Ro (SS-A), anti-La (SS-B) 항체 양성 산모의 15~20%

        - 피부발진을 동반한 신생아 루푸스는 25%

        - 선천성 심장차단(congenital heart block)은 3% 미만

③ 증상 : 피부발진(가장 흔함), 자가면역용혈빈혈, 백혈구감소증, 혈소판감소증, 간비장비대

④ 완전심장차단(complete heart block)

    a. 신생아 전신홍반루푸스의 가장 심각한 합병증

        - 전체 사망률 19%, 생존 태아도 63%에서 심박동기가 필요

        - 초음파상 60~80회/min.의 고정된 서맥이 관찰되어 진단

    b. 원인

        - 심장근육에 존재하는 항원에 항체가 결합하여 심장전도체계에 손상 유발

        - 방실결절(AV node)과 히스속(bundle of His) 사이 전도계 섬유화로 완전방실차단 발생

    c. 태아의 산모에서 anti-Ro (SS-A), anti-La (SS-B) 항체 양성

    d. anti-Ro (SS-A), anti-La (SS-B) 항체 양성 산모에서 완전심장차단이 발생 빈도는 1~2%

    e. 다음 임신에서 완전심장차단의 재발 가능성은 15~20%로 높음

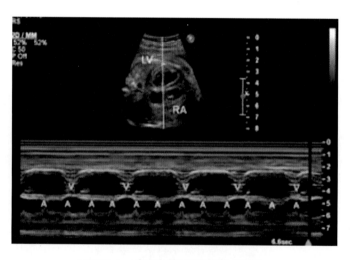

그림 53-1. 태아의 완전심장차단 초음파

5) 임신 중 관리

(1) 약물치료

① 비스테로이드성 항염증제(NSAIDs)

　a. 관절통(arthralgia), 장막염(serositis) 조절

　b. 장기 복용은 태아 소변량 감소, 양수과소증, 신기능 부전이 가능해 임신 중에는 피함

　　- Acetaminophen과 마약성 진통제는 임신 중 복용 가능

　　- Indomethacin 만성 복용은 임신 32주 이후에 동맥관 조기폐쇄의 위험성으로 주의

　　- 저용량 aspirin은 임신 중 안전

② Corticosteroid

　a. 적응증

　　- 루푸스신장염, 신경학적 증상, 혈소판감소증, 용혈성 빈혈 등이 동반되는 위중한 상태

　　- 다른 약제에 반응하지 않는 피부질환이 있는 경우

　b. 임신성 당뇨 유발 가능

③ 면역억제제 및 세포독성 약물

　a. 비임신 여성의 활동성 루푸스 치료에 사용

　b. 적응증 : 루푸스신장염, 스테로이드 치료에 반응하지 않는 경우

　c. Cyclophosphamide : 태아 독성이 있어 임신 중 사용을 권하지 않음

　d. Methotrexate : 기형유발효과(teratogenic effect)로 임신 중 금기

④ 항말라리아제(antimalarials)

　a. 종류 : Hydroxychloroquine

　b. 임신부에서 안전하게 사용가능

　c. 포식작용 억제, 혈소판 응집 억제, 혈중지질 감소 작용

(2) 태아 감시

① 루푸스는 자궁태반기능부전의 주된 위험인자 : 태아 성장에 대한 감시

② anti-Ro (SS-A), anti-La (SS-B) 항체 양성 산모는 태아 심장초음파의 세심한 관찰이 필요

(3) 피임

① 차단피임법(barrier method), 자궁내장치(IUD) : 고위험 루푸스 환자도 안전한 사용 가능

② 호르몬요법

　a. Estrogen 함유 경구피임제 : estrogen이 루푸스 악화에 기여한다는 보고가 있어 피함

　b. Progestin 단일 제제 : 면역 활성 증가, 루푸스 악화, 혈전과 관련이 없어 사용가능

　c. 항인지질항체(antiphopholipid antibody) 양성인 경우 호르몬요법은 피함

2 항인지질항체증후군(Antiphospholipid antibody syndrome, APS)

1) 병인론

(1) 정의 및 빈도

① 음성하전 인지질(negatively charged phospholipid)과 이러한 인지질에 결합하는 단백질에 대한 항체가 존재하는 자가면역질환

② 발생 및 빈도

    a. 단독으로 발생하기도 하지만 전신홍반루푸스와 자주 동반

    b. 건강한 대조군의 5%, 전신홍반루푸스의 35% 빈도

(2) 병인론

① 항인지질항체의 종류

    a. 루푸스항응고인자(lupus anticoagulant, LAC)

    b. 항카디오리핀항체(anticardiolipin antibody, ACAs) : IgG, IgM, IgA

    c. 베타당단백I항체(β 2-glycoprotein I antibody) = apolipoprotein H

② 항인지질항체가 혈전을 일으키는 기전

    a. 인지질결합단백질과의 작용으로 정상적인 지혈과정을 간섭함으로써 발생

    b. 부착분자(adhesion molecule)의 발현, 사이토카인 분비, 아라키돈산 대사물의 생산을 증가시켜 내피세포를 활성화

    c. 혈관내피의 산화제매개 손상에도 관여

    d. 보체의 활성화

      - CH50, C3, C4의 농도가 낮고 보체 활성화의 지표인 보체 조각이 증가

      - 태반에서 보체 침착(complement deposition)이 증가

(3) 임상증상

정맥혈전증	혈전색전증(thromboembolism), 혈전정맥염(thrombophlebitis), 망상피반(livedo reticularis)
동맥혈전증	뇌졸중(stroke), 일과성뇌허혈증(transient ischemic attack), 심근경색, 하지궤양, 혈전성정맥염
혈액	혈소판감소증, 자가면역성용혈성빈혈(autoimmune hemolytic anemia)
기타	신경학적 증상, 편두통, 간질, 사구체혈전증(glomerular thrombosis), 관절염, 관절통
임신	전자간증, 반복 유산, 조산, 태아성장제한, 태아 사망

(4) 항인지질항체증후군의 진단기준

임상기준(Clinical criteria)

Obstetric :

　임신 10주 이후에 형태학적으로 정상인 태아의 원인불명 사망이 1회 이상

　　or

　임신 10주 이전에 원인불명의 연속적인 자연 유산이 3회 이상

　　or

　임신 34주 이전 분만이 필요한 중증 전자간증 또는 태반기능부전

Vascular : 조직이나 장기에 동맥, 정맥, 작은 혈관 내 혈전증이 한 번 이상 발생

검사기준(Laboratory criteria)

International Society on Thrombosis and Hemostasis 지침에 따른 lupus anticoagulant의 존재

　　or

Medium or high serum levels of IgG or IgM anticardiolipin antibodies

　　or

Anti-β2-glycoprotein I IgG or IgM antibody

– 임상기준, 검사기준 각각 한가지 이상 양성으로 확인
– 12주 간격으로 2회에 걸쳐 LAC, ACA, anti-β2-glycoprotein I 수치 상승의 확인

(5) 임신에 대한 영향

① Lupus anticoagulant 또는 anticardiolipin antibody IgG가 중등도 이상의 항체가를 보일 때 위험도가 증가하는 질환

　a. 탈락막의 혈관병변(decidual vasculopathy)

　b. 태반경색증(placental infarction)

　c. 태아성장제한(fetal growth restriction)

　d. 조발형 전자간증(early onset preeclampsia)

　e. 습관성 유산 및 자궁 내 태아사망

② 위험도를 더욱 증가시키는 요인

　a. 항인지질항체증후군과 전신홍반루푸스 병력

　b. 태아 사망 또는 혈전증의 과거력

2) 치료

(1) 치료제

아스피린(Aspirin)	헤파린(Heparin)
– SLE 또는 APS 여성에게 사용 – 임신 중 안전, 예후에 안 좋은 영향 없음 – 60~80 mg/day, 경구투여	– 정맥 및 동맥 혈전증 예방을 위해 사용 – 미분획 헤파린(unfractionated heparin) – 저분자량 헤파린(low molecular weight heparin)

→ Asprin + Heparin : 가장 효과적인 요법

Corticosteroid

– SLE 여성 또는 SLE가 발생한 APS 여성에게 사용
– 원발성 APS에서는 사용하지 않음
– SLE에서 발생한 이차성 APS 여성은 악화(flare)를 예방하기 위해 prednisone을 가장 낮은 용량 유지

Intravenous immunoglobulin therapy (IVIG)

– 치명적인 항인지질증후군(CAPS) 또는 헤파린유도 혈소판감소증에 사용
– 전자간증이나 태아성장제한 시 다른 치료에 반응하지 않은 경우 사용

Immunosuppression with hydroxychloroquine

– APS 여성의 혈전증 위험을 줄이고 임신 결과를 개선
– SLE 또는 APS 여성에서 저용량 아스피린의 치료에 함께 사용

(2) 치료 방법

임신 초기의 반복유산 (+) + 혈전증의 과거력 (−)

저용량 아스피린 ± 헤파린(unfractionated heparin or LMWH)

태아 사망 또는 조산이 필요한 중증 전자간증 또는 태반기능부전 (+) + 혈전증의 과거력 (−)

저용량 아스피린 + 헤파린(unfractionated heparin or LMWH)

혈전증의 과거력 (+)

저용량 아스피린 + 헤파린(unfractionated heparin or LMWH)

– 치료의 1차 목적 : 혈전증 예방
– 임신 전체 동안 및 분만 후 6주까지 항응고요법을 지속

3 류마티스 관절염(Rheumatoid arthritis)

1) 병인론

(1) 정의 및 원인

① 비정상적인 면역체계가 주로 관절을 침범하여 활막의 염증을 일으키는 자가면역질환
    a. 연골과 골의 파괴가 발생하고 관절 손상과 영구적인 기능 장애를 초래

   b. 윤활관절에 대칭적, 다발성으로 발생

  ② 원인

   a. 명확하게 알려져 있지 않음

   b. 유전요인 및 면역조절기능의 이상

(2) 빈도

 ① 0.5~1%의 유병률

 ② 여성에게서 2~3배 정도 호발

 ③ 모든 연령에서 발병 가능하며 35~50대에 가장 많이 발병

 ④ 유전적 경향

(3) 임상증상

 ① 만성적인 다발성 관절염에 의한 증상(hand, wrist, knee, feet)

 ② 피로, 오심, 근력 약화 등의 전신증상이 흔히 동반

(4) 진단

Factor	Criteria	Score
관절 침범	1개의 큰 관절 침범 – 팔꿈치, 어깨, 고관절, 무릎, 발목	0
	2~10개의 큰 관절 침범	1
	1~3개의 작은 관절 침범(±큰 관절 침범)	2
	4~10개의 작은 관절 침범(±큰 관절 침범)	3
	10개 이상의 관절 침범(최소 1개의 작은 관절 침범 포함)	5
자가항체	류마티스인자(RF)와 ACPA 모두 음성	0
	류마티스인자(RF) 또는 ACPA 낮은 역가 양성	2
	류마티스인자(RF) 또는 ACPA 높은 역가 양성	3
급성기 반응물질 (혈청 염증수치)	정상 CRP and ESR	0
	비정상 CRP or ESR	1
증상 지속기간	<6주	0
	≥6주	1

– 점수의 총합이 6점 이상일 때 류마티스 관절염으로 진단

2) 치료 및 예후

(1) 치료

 ① 비스테로이드성 항염증제(NSAIDs)

  a. 증상 및 염증 조절에 있어 많이 사용

  b. 장기 복용은 태아 소변량 감소, 양수과소증, 신기능 부전이 가능해 임신 중에는 피함

② Glucocorticoid

    a. 낮은 농도지만 태반을 통과 할 수 있는 약물

    b. 가능한 한 최소 용량을 사용해야 하며 필요 시 국소적 스테로이드 주사요법이 도움

③ 기타 : hydroxychloroquine, sulfasalazine 등

(2) 임신에 대한 류마티스 관절염의 영향

① 증가하는 위험성 : 조산, 부당경량아, 전자간증 등

② 분만 시에는 분만 자세를 취할 때 관절 손상이 생기지 않도록 주의

③ 전신마취 시 고리뒤통수관절(atlanto-occipital joint)의 부분 탈구의 위험성

(3) 류마티스 관절염에 대한 임신의 영향

① 주산기 예후 : 태아 및 신생아에 안 좋은 영향 없음

② 약 90%에 가까운 환자들이 임신 중 증상이 호전

③ 증상이 좋아졌던 환자의 대부분에서 분만 후 3개월 이내에 증상의 악화가 발생

④ 수유를 하는 경우 이러한 증상 악화가 더 잘 발생

CHAPTER 54

신경질환과 정신질환
(Neurological and Psychiatric disorders)

---

1 신경질환(Neurological disorders)

1) 중추신경계 영상

(1) 컴퓨터단층촬영(CT)

① 임신 중이라도 적당한 방법으로 복부를 가리고 사용하면 안전

② 출혈성 질환의 진단 : CT가 MRI 보다 우수

(2) 자기공명영상(MRI)

① 방사선이 없어 태아에게 안전

② 단점 : scanner 내에서 공간이 제한되어 있어 상태가 좋지 않은 환자의 감시가 어려움

(3) 뇌혈관조영술(Cerebral angiography)

① 대퇴동맥(femoral artery)을 통해 조영제를 투여

② 필요 시 복부를 잘 가리고 산모에게 사용

2) 두통(Headache)

(1) 긴장성 두통(Tension headache)

① 뒷목 근육의 뻣뻣함과 통증이 동반된 두통

② 신경장애(neurological disturbance) 없음

③ 휴식, 마사지, 냉찜질, 온찜질, 항염증제, 약한 진정제 등으로 호전

(2) 편두통(Migraine headache)

① 주기적인 머리 반쪽의 욱신거리는 두통, 때로 구역, 구토 등의 자율신경이상 동반

② 허혈성 뇌졸중(ischemic stroke)의 발생 위험 증가, 흡연, 복합 경구피임제 복용 시 위험이 더욱 증가

③ 편두통이 있는 여성의 70%에서 임신 중 증상이 좋아짐

④ 치료

사용 목적	약제 및 FDA 임부등급	
구역, 구토	– Promethazine(C : 제1삼분기, B : 제2, 3삼분기) – Metoclopramide(B)	– Hydroxyzine(C) – Prochlorperazine(C)
통증	– Acetaminophen(B) – Ibuprofen(B), Naproxen(B), Aspirin(C) 등의 비스테로이드성 항염증약 – Sumatriptan(C) 등의 트립탄 제제 (세로토닌 수용체 작용제) – Codeine(B), Meperidine(B) 등의 마약제 – Caffeine(B)	
진정, 수면	– Chloral hydrate(C) – Promethazine(C) – Lorazepam(D) – Pentobarbital(D) – Meperidine(C) (+항구토제) – Clonazepam(D) – Hydroxyzine(C) – Diazepam(D) – Chlorpromazine(C)	
예방	– Propranolol(C) 등의 베타차단제 – Verapamil(C), Nifedipine(C), Amlodipine(C) 등의 칼슘통로차단제 – Amitriptyline(C), Fluoxetine(B) 등의 항우울제	

3) 발작 질환(Seizure disorders)

(1) 빈도 및 특성

① 빈도

  a. 여성 인구의 0.5~2%

  b. 약 200명의 임산부 중 한 명

② 특성

  a. 임신 중 두 번째로 흔한 신경학적 질환

  b. 태아 발달에 영향을 줄 수 있으며 임신의 진행, 진통 및 분만에도 영향을 줄 수 있음

  c. 항간질제에 의한 기형 유발 가능성

  d. 임신 중 항간질제 대사의 변화로 인하여 간질의 악화 가능

(2) 임신과 간질(epilepsy)의 영향

① 임신이 간질에 미치는 영향

  a. 임신 중 항간질제의 혈중 농도가 감소하는 요인

    - 구역, 구토로 인한 복용 중단

    - 위장관 운동의 감소와 제산제에 의한 약물 흡수의 감소

    - 혈장량 증가로 인한 약물 농도 감소

- 간, 혈장, 태반 호르몬에 의한 약물 대사 증가

- 사구체 여과율 증가에 따른 약물 배설의 증가

- 알부민 감소로 인해 증가된 유리 약물의 배설 촉진

 b. 항간질제의 기형유발 가능성을 우려한 약제 임의 중단

 c. 임신 중 수면장애, 진통 중 과호흡 및 통증 등으로 낮아지는 경련의 역치

② 간질이 임신에 미치는 영향

 a. 간질은 선천성 기형의 위험을 증가시키지 않음

 b. 제왕절개, 조산, 산후 출혈의 유의한 증가 없음

 c. 전자간증 발생의 증가에 대한 증거는 부족

 d. 태아성장제한의 빈도, 1분 Apgar 점수가 7점 미만으로 낮을 위험성 증가

 e. 흡연을 하는 간질 여성은 조기진통 및 조산의 위험성 증가

③ 항간질제가 태아에 미치는 영향

 a. 태아 기형, 인지장애와 관련

 b. 조절되지 않은 경련은 부상, 저산소증, 원인 미상의 급사 등을 유발 가능해 임신 중 지속적인 항간질제 사용을 권장

 c. 항간질제의 영향

항간질제	선천성 기형
Phenytoin, phenobarbital	신생아의 vitamin K-dependent coagulation factor의 결핍 초래 심장기형, 구순/구개열, 요로기형 등과 관련 인지장애의 위험성 증가 예방 : 신생아나 임산부에게 vitamin K 투여
Carbamazepine, phenobarbital	소두증(microcephaly), 척추이분증(spina bifida)
Valproic acid	안면, 사지, 골격계의 기형, 태아성장제한, 신경관결손(NTD)
Trimethadione	강력한 기형발생물질로 임신 시 금기

(3) 관리

① 임신 전 상담

 a. 임신 전 9개월 이상 경련이 없는 경우 임신 중 경련이 없을 가능성이 높음

 b. 경련 조절을 위한 약제를 논의하고 단일제제로 조정

 c. 엽산 복용

  - 최소 임신 1개월 전부터 0.4 mg/day

  - 항경련제 복용 여성이 임신 시 4 mg/day

② 임신 및 진통 중 처치

 a. 임신 중에는 항간질제의 혈중 농도를 정기적으로 측정하고 이에 따라 용량을 조절

b. 임신 16~18주에 산모혈청 알파태아단백(MSAFP)을 측정

c. 임신 18~22주에 심장초음파를 포함하여 정밀초음파를 시행

d. 진통 중 적절한 감시 및 관리로 질식분만을 안전하게 시행 가능

e. 분만 직후 모든 신생아에서 주는 것처럼 비타민 K1 1 mg 근육주사

③ 분만 후 처치

a. 분만 후 항경련제의 농도가 급속히 증가할 수 있어 혈중 농도를 측정하며 용량 조절

b. 항경련제의 모유로의 분비를 확인 필요

c. 피임

- 몇몇 항경련제는 간의 미세소체 산화효소의 활성을 증가시킴으로써 스테로이드 배출이 빨라져 경구피임제의 실패율 증가 유발 → 높은 에스트로겐 용량의 약제를 사용하는 것이 필요

- 경구피임제가 경련의 빈도를 증가시키지 않음

4) 기타 신경질환

(1) 뇌내출혈(Intracerebral hemorrhage) 및 지주막하출혈(Subarachnoid hemorrhage)

① 만삭에 가까우면 제왕절개 후 수술

② 임신 초기의 뇌출혈 : 치료적 유산

③ 항섬유소제제(antifibrinolytic agents)는 임신 중 금기

(2) 척수 손상(Spinal cord injury)

① 외상이나 종양에 의한 병변이 있더라도 임신이 가능하고 경과도 좋음

② 병변이 위쪽에 있다면 분만이 시작되었다는 것을 느끼지 못하므로 임신 28주부터는 일주일 간격으로 내진을 시행

③ 분만 방법 : 골반 기형이 없으면 질식분만 시도

2 정신질환(Psychiatric disorders)

1) 산욕기 정신질환

(1) 산후 우울기분(Postpartum blues)

① 분만 첫 주(3~6일 내)에 임산부의 약 50%에서 발생하는 정서 장애

② 특성 : 대개는 일시적이며, 분만 후 4~5일에 최고를 보이다가 10일 정도 지나면 정상화

③ 원인 : 출산 후 급격히 변화하는 호르몬 및 생화학적 상태 때문이라고 생각

④ 증상 : 심한 감정의 불안정, 불면증, 눈물, 우울, 집중장애, 과민성 등

⑤ 치료

    a. 증상이 경미하며 대개 수일 내에 소실

    b. 산모에게 감정적 지지를 하며 안심

    c. 출산 후 2주간 우울감이 호전되기보다 점점 심해진다면 산후 우울증이 발생하는 경우일 수 있어 주의 깊은 관찰이 필요

(2) 산후 우울증(Postpartum depression)

① 10~20% 정도의 유병률

② 원인

    a. 스트레스, 외상

    b. 임신에 의한 호르몬 변화

③ 위험인자 : 산전 우울증, 산모의 어린 나이, 미혼 상태, 흡연이나 음주, 약물남용, 입덧, 조산, 신생아가 중환자실에 입원하는 경우, 가정폭력 등

④ 재발을 잘하는 질환

    a. 임신 전 항우울제 복용이 필요했던 우울증은 임신 후 최소 60%에서 증상 발생

    b. 이전 산후 우울증이 있었고 현재 산후 우울기분이 있는 경우 주요 우울장애로 발전할 가능성이 높음

⑤ 주요 산후 우울증(major postpartum depression)의 치료

    a. 보조적 요법만으로는 충분하지 않으며 약물 치료가 필요

    b. 항우울제, 항불안제, 전기경련치료(electroconvulsive therapy)

⑥ 치료를 받지 않는 경우 25%에서 우울증상이 일년 후에도 지속, 기간이 길어지면 후유증이나 중증도도 높아져 자살의 위험이 증가

2) 산후 정신병(Postpartum psychosis)

(1) 서론

① 양극성장애(대부분을 차지), 주요 우울증

② 빈도 : 1,000 임산부 중 1~2예

③ 대부분의 경우 출산 후 2주 이내에 증상이 발현

④ 다음 임신에서 자주 재발

(2) 위험인자

① 양극성장애의 과거력(가장 중요)

② 우울증, 자살시도 과거력이 있는 경우

③ 초산, 산과적 합병증이 있는 경우

(3) 예후가 좋은 경우

① 병전 성격이 좋은 경우

② 정신분열증이나 우울증이 없을 때

③ 가족들의 지지가 있을 때

(4) 치료

① 영아에 해를 가할 위험이 높아서 입원, 약물 치료, 정신과적 치료가 필요

② 항우울제, lithium, 항정신병 약물

피부질환(Dermatological disorders)

1 임신의 생리적 피부변화

1) 서론

(1) 임신으로 인한 정상적 호르몬 변화

① Estrogen, progesterone, androgen 증가

② Cortisol, aldosterone, deoxycorticosterone 등의 부신 스테로이드들의 변화

③ 멜라닌세포자극호르몬(melanocyte-stimulating hormone, MSH) 증가

(2) 정상적인 호르몬 변화에 의한 변화

부위	피부변화
색소	과다색소침착, 기미, 이차유륜, 흑선
모발	산후 휴지기 탈모, 다모증, 산후 남성형 탈모
혈관	거미혈관종, 수장홍반, 정맥류, 잇몸출혈, 모세혈관종, 정맥류, 임부치은종, 부종, 치질
결합조직	임신선
분비선	외분비선기능증가, 피지선기능증가, 아포크린선기능감소
손발톱	손발톱밑각화과다증, 가로흠, 말단손발톱박리증, 위약성(brittleness)

2) 피부변화

(1) 색소 침착(Pigmentation)

① 표피와 진피포식세포 내로 멜라닌이 침착되어 발생

② 임신부의 약 90%에서 발생, 주로 임신 후반기에 호발

③ 원인 : 명확하지 않음

    a. 멜라닌세포자극호르몬(MSH)과 에스트로겐의 증가

    b. 자외선 노출, 유전적 요인

④ 기미(chloasma)

    a. 임신부의 50% 이상에서 발생

    b. 자외선은 멜라닌생성을 과도하게 자극하여 기미를 악화

    c. 관리

      - 심한 햇볕노출을 피하고, 자외선 차단제 사용

      - 분만 후 자연적으로 없어지나, 일부에서는 분만 후에도 지속

      - 경구피임제 복용으로 심해질 수 있음

⑤ 과다색소침착(hyperpigemntation)

    a. 임신 초기부터 시작되는 임신 중 가장 흔한 변화

    b. 부위

      - 유륜, 유두, 회음부와 같이 정상적으로 피부가 착색되어 있는 부위

      - 겨드랑이, 대퇴부 내측과 같이 피부가 마찰되는 부위

    c. 관리

      - 분만 후 보통 사라지지만 진피멜라닌증은 1/3에서 10년 이상 지속

      - 심한 경우 2~5% hydroquinone, 0.1% tretinoin 연고나 크림, 20% azelaic acid 크림의 국
        소적 사용

      - 지속적인 자외선 차단제 사용

(2) 모반(Nevus)

① 모든 사람에서 어느 정도 있음

② 임신 중 대개 커지고 진해짐

③ 임신 중 악성으로의 변화는 없음

(3) 모발(Hair)

① 임신에 의한 영향

    a. Estrogen 증가 : 모발 성장기(anagen phase)를 증가시켜 머리카락이 두꺼워짐

    b. Androgen 증가 : 약간의 다모증(hirsutism)이 얼굴에 발생

② 휴지기 탈모(telogen effluvium)

    a. 분만 1~5개월 후 모발 성장기(anagen phase)에 있던 머리카락의 상당수가 모발 휴지기
      (telogen phase)로 들어가며 발생

    b. 빗질이나 세척 시 더 심하게 일어나는 것이 특징

c. 자연적으로 좋아지며 6~12개월경에는 다시 정상 모발 성장이 발생

(4) 혈관(Blood vessels)

① 말초혈관 저항이 감소하고 피부 혈류가 증가해 증가된 대사로 발생한 과다한 열을 발산

② 말초혈관의 변화

    a. 원인 : Estrogen에 의해 발생

    b. 거미혈관종(spider angioma), 수장 홍반(palmar erythema), 정맥류(varicosities), 모세혈관종
    (capillary hemangioma)

③ 임부치은종(pregnancy gingivitis) : 잇몸과 코 점막이 충혈되어 출혈이 자주 발생하고 잇몸 혈
관이 과다 성장하여 발생

④ 부종(edema)

    a. 매우 흔한 증상, 하지 뿐 아니라 얼굴과 손에도 잘 발생

    b. 원인

       - 커진 자궁의 하지 혈류 방해

       - 혈관의 증가, 물과 소금의 저류, 혈관 투과성의 증가

    c. 주로 아침에 심하다가 오후에는 점차 가라앉는 양상

    d. 다리를 올리거나, 누워서 쉬는 것, 물속에 다리나 몸을 담그는 것이 도움

⑤ 정맥류

    a. 임신 여성의 40% 정도에서 관찰

    b. 원인 : 혈류량 증가와 임신 자궁에 의한 대퇴와 골반 혈관의 정맥압 증가

2 임신 중 피부질환

1) 임신 특징적 피부질환

(1) 임신성 간내쓸개즙정체(Intrahepatic cholestasis of pregnancy)

    ① 과거명 : 임신 가려움증(pruritus gravidarum)

    ② 발생 빈도 : 1~2%

    ③ 두 가지 양상

        a. 가려움을 동반한 황달

        b. 황달은 동반하지 않고 가려움증만 보이는 양상

    ④ 임상적 특징

        a. 주로 임신 제3삼분기에 나타나는 심한 가려움증

           - 담즙산염(bile salt)이 축적되어 혈중치가 증가하고 진피에 침착되며 가려움증이 발생

           - 손바닥이나 발바닥 같이 부분적으로 혹은 전신적으로 나타나는 가려움증

- 주로 밤에 더 심하고, 환자의 1/5 정도에서는 가려움증 이전에 비뇨기계 감염이 선행
  - b. 일차적인 피부병변은 없음, 긁은 상처로 인한 병변 발생 가능
  - c. 약 20%에서 황달이 동반
  - d. 증상들은 분만 1~2일 후, 황달은 2~4주 후에 사라지만 다음 임신 시 재발이 흔함
- ⑤ 태아에 대한 영향
  - a. 간 내 쓸개즙 정체의 정도에 따라 다름
  - b. 심한 경우 조산, 양수의 태변 착색, 태아곤란증, 사산 등의 주산기 이환율이 증가
- ⑥ 진단 : 혈청 담즙산(bile acids) 농도 증가
- ⑦ 치료
  - a. 피부연화제(skin emollients), 국소 스테로이드(topical corticosteroid) : 증상 완화
  - b. Cholestyramine
    - 담즙산과 결합하여 장간 순환 내 농도를 감소시키고 장내 배설을 증가
    - 지용성 비타민의 흡수를 저하시켜 Vit. K 결핍으로 인한 태아 응고병증 발생 가능
  - c. Ursodeoxycholic acid (UDCA)
    - 장간 순환 내 소수성 담즙산과 간독성 담즙산을 제거하여 담즙 정체를 개선
    - 가려움증에 cholestyramine 보다 효과가 빠르고 지속적

(2) 임신소양성두드러기성 구진 및 판(Pruritic urticarial papules and plaques of pregnancy)
  - ① 임신 중 가장 흔한 가려움증을 동반한 양성 피부 염증성 질환
  - ② 발생 빈도 : 약 0.25~1%, 쌍태아 임신 시 발생 빈도 증가
  - ③ 원인 : 정확히 밝혀져 있지 않음(자가면역질환은 아닌 것으로 생각)
  - ④ 임상적 특징
    - a. 초산모에서 잘 발생
    - b. 임신 후기(특히 임신 제3삼분기)에 호발, 약 15%는 분만 후 발생
    - c. 심한 가려움을 동반한 다양한 형태의 발진 : 두드러기, 잔수포, 찰과상, 자색반 등
    - d. 분만 후 수일 내에 흉터를 남기지 않고 자연 회복
    - e. 다음 임신이나 경구피임제 복용으로 인한 재발은 거의 없음
  - ⑤ 특징적인 피부 병변
    - a. 1~2 mm 크기의 홍반성 두드러기 구진(papule)과 판(plaque)
    - b. 임신선 주위 복부에 발생하여 엉덩이, 허벅지, 사지로 퍼지는 양상
    - c. 얼굴, 손바닥, 발바닥은 잘 침범하지 않음

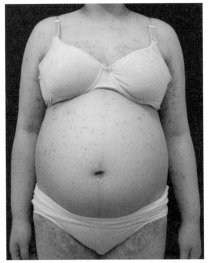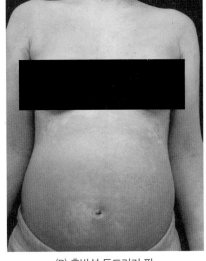

(A) 홍반성 두드러기 구진   (B) 홍반성 두드러기 판

그림 55-1. 임신소양성두드러기성 구진 및 판(PUPPP)

⑥ 임신에 대한 영향 : 임산부와 태아의 위험 증가 없음

⑦ 진단 : 특이적 검사는 없음, 진단이 명확하지 않은 경우 조직검사 시행

⑧ 치료 : 대증 요법

    a. 경구 항히스타민(oral antihistamine), 피부연화제(skin emollients)

    b. 국소 스테로이드(topical corticosteroid) : 대부분에서 호전

    c. 경구 스테로이드(oral corticosteroid) : 위 치료로 호전되지 않는 경우 단기간 사용

(3) 임신유사천포창(Pemphigoid gestationis)

① 과거명 : 임신 헤르페스(Herpes gestationis)

② 발생 빈도 : 10,000~50,000 임신 중 1예

③ 원인

    a. 헤르페스 바이러스와는 관계가 없는 자가면역 수포성 피부질환

    b. 표피의 기저막에 대한 C3 보체, 때로 IgG 항체가 생성되면서 발생

④ 임상적 특징

    a. 대부분 임신 제2, 3삼분기에 주로 발생

    b. 임신 초기나 분만 후 1주일 후에도 발생하는 경우도 존재

    c. 복부에 심한 가려움을 동반한 발진성 병변

      - 다양한 병변 : 붉은 부종성 구진(papules), 긴장성의 잔물집(vesicles), 물집(bullae)

      - 처음에는 몸통, 특히 배꼽 주위에 생겨 점차 전신으로 퍼지는 양상

- 얼굴, 점막, 손바닥, 발바닥에는 잘 발생하지 않음
- 물집이 형성되기 전엔 PUPPP와 유사
d. 대부분 임신 후기에 병변이 자연적으로 호전되나, 분만 시 75%에서 발적(flare)을 보임
e. 치유된 부위들은 보통 흉터가 없으며 흔히 과다색소침착이 발생

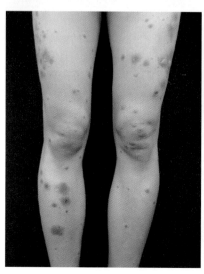

(A) 부종성 구진과 물집   (B) 붉은 과녁 모양의 구진과 긴장성 물집

그림 55-2. 임신유사천포창(Pemphigoid gestationis)

⑤ 재발
  a. 다음 임신에서 종종 재발하고, 재발 시 더 이른 시기에 더 심하게 발병
  b. 다음 월경과 동반되어 재발하거나 경구피임제 사용 후 발적 형성 가능
⑥ 임신에 대한 영향
  a. 조산, 사산, 태아성장제한 등 태아의 위험이 증가
    - 질환이 조기에 발생한 경우
    - 물집이 생긴 경우
  b. 신생아에서 일과성으로 유사한 병변이 발생 가능
⑦ 진단
  a. 조직학적 검사 : 진피 내 혈관 주위로 림프구와 호산구가 산재해 있으면서 표피하 작은 물집들이 존재
  b. 면역형광검사 : 병변 주위의 기저막을 따라 C3 보체가 띠 모양을 하고 있는 양상

⑧ 치료

    a. 경구 항히스타민, 국소 스테로이드 : 초기 병변에 사용

    b. 경구 스테로이드 : 진행된 병변에 사용

       - Prednisone 0.5~1 mg/kg/day(보통 20~40 mg/day), 경구 투여

       - 보통 즉시 증상이 호전되고 새로운 병변의 발생을 억제

(4) 임신 아토피 발진(Atopic eruption of pregnancy)

   ① 이전에 각각 나뉘어 분류되었던 세가지 질환을 포함하는 포괄적인 명칭

     a. 임신중습진(eczema in pregnancy)

     b. 임신가려움발진(prurigo of pregnancy)

     c. 임신소양성모낭염(pruritic folliculitis of pregnancy)

   ② 빈도 및 특징

	임신중습진 (eczema in pregnancy)	임신가려움발진 (prurigo of pregnancy)	임신소양성모낭염 (pruritic folliculitis of pregnancy)
빈도	– 가장 흔한 임신 피부질환 – 임신 중 모든 소양증이 있는 피부질환의 50%를 차지	– 임신 중 비교적 흔히 발생 – 300~450 임신 중 1예	– 매우 드문 고름물집 발진 – 3,000 임신 중 1예
특징	– 사지 굴곡부위, 유두, 목, 얼굴 등에 발생 – 침범된 피부는 건조하고 두꺼워지며 인설(scaly)이 있는 붉은 반(patch)을 보임 – 아토피 과거력과 관련	– 홍반성 구진과 결절 – 사지 신전부나 몸통에 호발 – 임신성 간내쓸개즙정체 가족력, 아토피 가족력과 관련	– 몸통이나 전신에 발생하는 소포성, 농포성, 구진성 병변 – 작은 홍반성 구진으로 시작되어 퍼지며 소포성 홍반성 구진과 무균성 고름물집을 형성 – 가려움은 적고 전신증상이 흔함 – 구역, 구토, 설사, 오한, 발열 – 저알부민혈증, 저칼슘혈증 – 분만 후 보통 자연 회복

   ③ 임신에 대한 영향 : 임산부와 태아의 위험 증가 없음

   ④ 다음 임신 시 재발이 흔함

   ⑤ 치료

     a. 항히스타민(oral antihistamine)과 국소 스테로이드(topical corticosteroid)

     b. 치료에 반응하지 않는 심한 병변

       - 단파장 자외선 광선 요법(narrow band ultraviolet B phototherapy)

       - 경구 스테로이드(oral corticosteroid)

       - Cyclosporine

(5) 임신 특징적 피부질환의 비교

	임신성 간내쓸개즙정체 (Intrahepatic cholestasis)	임신소양성두드러기성 구진 및 판(PUPPP)	임신유사천포창 (Pemphigoid gestationis)
발생 빈도	1~2%	0.25~1%	1:10,000
호발 시기	제3삼분기	제3삼분기	제2, 3삼분기 때때로 분만 후 1~2주
호발 부위	– 부분적(손바닥, 발바닥) – 전신적	– 임신선 주위 복부에 발생 – 엉덩이, 사지로 퍼지는 양상 – 전신적	– 몸통, 배꼽 주위에 발생 – 전신으로 퍼지는 양상
특징	– 심한 가려움 – 밤에 더 심함 – 일차적인 피부병변 없음 – 긁은 상처로 인한 병변	– 심한 가려움 – 홍반성 소양성 구진 또는 판 – 반점형 또는 전신형	– 심한 가려움 – 다양한 병변 : 붉은 부종성 구진(papule), 긴장성 잔물 집(vesicle), 물집(bullae)
주산기 영향	주산기 이환률 증가 조산, 태변착색, 태아곤란증	영향 없음	조산, 사산, 태아성장제한 신생아의 일과성 유사병변
재발	++	–	+++
치료	가려움약, 연화제 국소 스테로이드 Cholestyramine, UDCA	가려움약, 연화제 국소 스테로이드	가려움약, 연화제 국소 스테로이드 중증 시 경구 스테로이드

2) 기존 피부질환의 변화

(1) 건선(Psoriasis)

① 임신 중 증세가 호전

② 임신 중 건선의 치료

    a. 병변이 국한적인 경우 : 국소 스테로이드(topical corticosteroid)

    b. 반응이 없는 경우 : 국소 calcipotriene, anthralin, tacrolimus 치료

(2) 여드름(Acne)

① 임신이 여드름에 미치는 영향은 다양

② 임신 중 여드름의 치료

    a. Benzoyl peroxide : 안전하게 사용 가능

    b. Clindamycin or Erythromycin gel : 심한 경우 사용

③ Isotretinoin, Etretinate

    a. 비임신 여성의 여드름 치료에 사용

    b. 기형 유발 작용이 있어 임신 시 사용 금지

    c. Isotretinoin 치료 중인 여성이 임신을 원하면 치료 후 최소한 4주 동안 임신을 피함

(3) 결절성 홍반(Erythema nodosum)

  ① 임상적 특징

    a. 1~5 cm 정도의 압통이 있는 붉은 결절 또는 판 형태의 병변이 다리나 팔의 신전부위에 발생(특히 정강뼈 앞에 흔함)

    b. 수일 후 붉은 결절은 평평해지며 멍과 같은 형태로 변함

  ② 원인을 발견하여 치료하는 것이 원칙, 필요에 따라 대증요법을 시행

(4) 고름 육아종(Pyogenic granuloma)

  ① 양성 병변으로 임신 중 빈번히 관찰

  ② 임상적 특징

    - 주로 잇몸 점막에 발생하나 피부나 다른 부위의 점막에도 생길 수 있음

    - 소엽 모세혈관종(lobular capillary hemangioma)으로 폴립 모양의 성장

    - 자발 출혈이 있는 궤양성 병변

  ③ 분만 후 보통 수개월 내 소실

  ④ 절제 : 증상 발생, 분만 후 지속, 진단이 명확하지 않은 경우

(5) 화농성 한선염(Hydradenitis suppurativa)

  ① 피부와 지지구조에 만성 지속성 염증과 화농을 야기하는 통증성 질환

  ② 아포크린샘이 막혀 무한증(anhidrosis)과 세균 감염을 유발

  ③ 호발 부위 : 겨드랑이, 서혜부(groin), 회음부, 직장 주위

  ④ 사춘기 이전에는 발생하지 않음

  ⑤ 임신에 의해 호전되고, 분만 후 악화 가능

  ⑥ 치료

    a. 전신 항생제 투여 또는 clindamycin 연고 : 급성 감염 치료

    b. 결손 부위의 광범위 절제 : 가장 근치적 치료

(6) 기타 질환

  ① 신경섬유종(neurofibromatosis) : 임신의 결과로 병변의 크기와 수가 증가

  ② 나병(Hansen disease) : 임신동안 악화

1) 수술적치료(Surgery)

  (1) 수술의 목적

    ① 종양 종류에 대한 확진(diagnostic surgery)

    ② 병기설정(staging surgery)

    ③ 종양 제거에 의한 치료(therapeutic surgery)

  (2) 난소절제술

    ① 임신 8주 이전에 제거 : 유산의 위험이 있으므로 progesterone 투여

    ② 임신 8주 이후에 제거 : 태반에서 충분한 양의 progesterone이 생산되기 때문에 필요하면 난소를 절제할 수 있음

  (3) 수술 시기

    ① 진단 또는 병기설정 수술

      a. 과거에는 유산의 위험 때문에 임신 제2삼분기까지 연기

      b. 현재는 초음파로 임신 9~11주에 태아 생존이 확인된 경우 95%의 태아가 생존하므로 연기할 필요 없음

    ② 치료적 목적의 수술 : 임신 주수와 관계없이 시행

2) 방사선치료(Radiation therapy)

  (1) 방사선치료의 시기

    ① 진단적 방사선(diagnostic radiation) : 얻어진 정보가 치료에 영향을 준다면 미루지 않음

② 치료적 방사선(therapeutic radiation)

　　a. 치료적 방사선에 대해 안전한 임신 주수는 없음

　　b. 치료 목적의 유산 유도(abortion induction)가 아니면 피함

　　c. 산전 방사선치료 후 6~12개월 동안은 임신을 피함 : 방사선치료 또는 항암화학치료 후 1
　　년 이내에는 자연 유산 또는 저출생체중 빈도 증가

(2) 방사선치료의 영향

① 고선량 방사선의 특징적 부작용

　　a. 소두증(microcephaly)

　　b. 정신지체(mental retardation)

② 방사선 노출량 및 시기에 따른 위험성

	임신 전 기간	임신 8~15주	임신 16주~분만
노출량	5 cGy 미만	5~50 cGy	50 cGy 미만
영향	태아 부작용의 발생 위험은 거의 없음	정신지체, 뇌손상, 발육제한 등 위험성이 가장 큰 결정적인 시기	태아에 큰 영향이 거의 없음

③ 태아의 성장 시기에 따른 방사선 노출의 위험성

	착상 전기와 착상 초기	기관형성기(organogenesis)	태아기(fetal stage)
시기	수정 후 첫 10일간	발생 10일~7주	발생 8주 ~ 임신 말기
영향	자궁 내 태아사망	자궁 내 태아성장제한 중추신경기형 (소두증, 정신지체, 눈의 기형)	육안적 이상은 적지만, 영구적인 발육제한 발생 가능

3) 항암화학치료(Chemotherapy)

(1) 항암화학치료의 시기

① 임신 제1삼분기

　　a. 임신 5~10주 : 기관형성기로 항암화학치료에 가장 민감한 시기

　　b. 임신 제1삼분기에 높은 기형을 보이는 약물

　　　- Folate antagonist : methotrexate, aminoprotein

　　　- Alkylating agent : busulfan, chlorambucil, cyclophosphamide, nitrogen mustard

② 임신 제2, 3삼분기 : 저출생체중, 자궁 내 성장제한, 자연 유산, 조산

③ 수유 중 금기 약물 : hydroxyurea, cyclophosphamide, cisplatin, doxorubicin, methotrexate

(2) 항암화학치료(Chemotherapy)의 영향

① 태아에 대한 영향 : 기형, 성장제한, 정신지체, 암 발생 위험 증가 등

② 항암화학치료 후 난소의 기능

a. 남성 및 여성 모두 항암화학치료 후 임신력 감소

- 난소의 섬유화(ovarian fibrosis) 발생

- 난포 성숙(follicular maturation) 약화

b. 수정 능력에 대한 영향은 환자의 나이와 약의 용량에 따라 다름

c. 사춘기 이전이 항암화학치료에 더 잘 견딤

d. 수정 능력이 없어지지 않으면 유산, 태아 염색체 손상, 태아 기형은 증가하지 않음

2 생식기 악성 신생물(Reproductive tract neoplasia)

1) 자궁경부암(Cervical neoplasia)

(1) 자궁경부 상피내종양(Cervical intraepithelial neoplasia, CIN)

① 임신부의 자궁경부세포검사 이상소견 빈도 : 약 5%

② 임신 중 비정상 자궁경부세포검사의 관리 목적

a. 침윤성 암의 배제

b. 자궁경부 상피내종양의 중증도를 평가하여 분만 이후로 치료의 연기가 가능한지 확인

③ 임신 중 진단을 위한 검사방법

a. 질확대경검사(colposcopy)를 이용한 조직 생검

- 안전하며 믿을 만한 방법(진단 정확도 99%, 합병증 1% 이내)

- 조직 생검 위치는 쉽게 출혈이 발생지만 지혈이 잘 됨

b. 자궁경부내소파술(endocervical curettage, ECC) : 임신 중 금기

c. 자궁경부 원추절제술(cervical conization)

- 방법 : Loop electrosurgical excision procedure (LEEP), cold-knife conization

- 침윤성 암을 배제하기 위해 시행 가능

- 임신 중 되도록 피하는 것이 좋은 이유 : 조산 및 양막파수 위험 증가, 출혈

- 자궁경부 원추절제술의 시기에 따른 태아 소실률

	제1삼분기	제2삼분기	제3삼분기
태아 소실률	약 25%	10% 미만	태아 소실 없이 시행 가능

④ 임신 중 비정상 자궁경부세포검사의 처치

비정상 소견	35세 이상의 여성	21~34세 여성
Negative for intraepithelial lesion		
HPV positive	1년 후 Pap 재검 이번이 2번째면 질확대경검사(colposcopy) 시행	해당사항 없음
ASC-US		
HPV positive	질확대경검사(colposcopy) 질확대경 검사를 분만 후 6주까지 연기 가능	1년 후 Pap 재검
HPV negative	정기 검진	정기 검진
HPV unknown	1년 후 재검 2번째 ASC-US면 질확대경검사(colposcopy) 시행	
LSIL	질확대경검사(colposcopy) 질확대경 검사를 분만 후 6주까지 연기 가능	1년 후 Pap 재검
ASC-H HSIL Squamous cell carcinoma (SCCA) AGC (atypical glandular cell) AIS (adenocarcinoma in situ) Adenocarcinoma (adenoCa)	임신 중 질확대경검사(colposcopy) 시행	

⑤ 질확대경 조직검사(colposcopic biopsy) 결과에 따른 처치

조직검사 소견	처치
CIN 1	분만 후 재검
CIN 2 or 3	
침윤성 암이 배제된 경우	재평가를 분만 후 6주까지 연기 가능 or 질확대경검사 및 세포진검사를 12주 이하 간격으로 반복 시행
병변 악화, 침윤성 암 의심	반복 조직검사 시행, 자궁경부 원추절제술 시행 가능
암이 확인된 경우	임신 중 치료 시행

(2) 침윤성 자궁경부암(Invasive cervical cancer)

① 임신 중 자궁경부암의 진단

    a. 병리학적으로 침윤성 자궁경부암이 확인되었다면, 병기설정을 위한 검사를 시행

    b. 임신 중 자궁경부암의 병기설정이 어려운 이유 : 가급적 X-선 조사를 피해야 하며, 임신 중 변화인 자궁경부의 부종 및 개대, 골반내진 시 자궁방조직평가의 어려움

② 임신 중 자궁경부암의 치료

    a. 미세침윤암(microinvasion), Stage IA1

       - 자궁경부 원추절제술 후 조직검사에 의해 진단된 경우 CIN과 유사한 지침

       - 임신의 지속과 질식분만은 안전

       - 최종 치료는 분만 후 6주에 시행

    b. Stage IA2 이상의 병기

임신 20주 이전 진단	임신 28주 이후 진단

지연 없이 바로 적극적인 치료 시행	환자의 치료 지연 선택
	  – 태아의 성숙 확인 후 제왕절개 + 근치적자궁절제술 + 골반 림프절절제술
	  – 필요한 경우 분만이 가능한 시기까지 항암화학치료를 시행하면서 분만과 최종 치료를 지연
	환자의 즉각적인 치료 선택
	  – IA2~IB : 수술적 치료 또는 방사선치료
	  – IIB 이상 : 방사선치료

③ 확실한 침윤이 있으면 제왕절개 분만을 선호

    a. 질식분만 시 암 조직에서 심한 출혈

    b. 회음절개 부위에서의 재발 가능성

④ 예후 : 병기가 비슷하면 비임신과 생존률은 비슷

2) 자궁내막암(Endometrial cancer)

  (1) 빈도 및 특성

    ① 폐경 전후에 호발

    ② 분만 후 5년 이내에는 거의 발생하지 않음

    ③ 위험인자 : 불임, 다낭성 난소증후군 등

    ④ 임신과 동반되는 경우는 매우 드묾

  (2) 치료

    ① 임신과 동반된 자궁내막암의 특징

      a. 분화가 좋은 종양이며 자궁근층으로의 침윤이 없거나 미세하여 예후가 좋음

      b. 이유 : 임신 중 프로게스테론의 상승이 자궁내막의 악성세포 성장을 억제

    ② 임신을 유지하면서 자궁내막암의 진단을 위한 자궁내막 조직 채취는 어려움

    ③ 치료

      a. 임신의 종결 또는 분만 후 시행

b. 자궁절제술과 양측 부속기절제술

c. 병기에 따라서 방사선치료 또는 항암화학치료를 시행

3) 난소암(Ovarian cancer)

(1) 임신 중 자궁부속기 종양의 처치

① 빈도

a. 임신 중 자궁부속기 종양의 발견 빈도 : 0.2~2% 정도(이중 1~3% 정도가 악성)

b. 임신 중 난소암의 빈도 : 임신부 18,000명당 1명

② 임신 중 흔히 발견되는 자궁부속기 종양

a. 황체낭종(corpus luteum cysts) : 가장 흔하고, 임신 16주경 소실

b. 기타 : endometriomas, benign cystadenomas, mature cystic teratomas

③ 자궁부속기 종양의 악성 가능성 예측 인자

a. 이학적 검사 : 골반 진찰 시 촉지되는 부동성의 불규칙한 표면을 가진 종괴

b. 초음파 소견

- 양측성, 고형성분(solid), 고착되어 있는 양상, 불규칙한 모양, 유두상 돌기, 격막이 있는 복합성 난소 낭종, 급격한 성장, Cul-de sac nodules

- 낭종벽이 두껍고 복수가 있거나 인근 장기로의 침윤이 보이는 경우

c. 자기공명영상 소견 : 초음파 상 악성 유무가 불분명한 경우 시행

d. 임신 중 난소 종양의 크기에 따른 처치

- >8 cm : 수술적 제거(염전 위험성 증가, 악성 종양 감별)

- 6~8 cm : 평가 시행(악성 의심 시 수술)

- <6 cm : 영상학적 추적관찰

e. 종양 표지물질 : CA-125

- 임신 초기에 다양한 범위로 증가하고, 임신 중 계속 증가 상태로 유지

- 악성 난소 종양의 진단에 있어서 믿을 만한 지표가 되지 못함

④ 임신 중 자궁부속기 종양의 합병증

a. 염전(torsion) : 가장 흔한 합병증, 임신 제1삼분기에 가장 많이 발생

b. 파열(rupture)

(2) 임신 중 난소암의 치료

① 임신 중 난소의 악성 종양이 의심되면 확진과 치료를 위한 수술적 처치가 필요

② 병기설정술 : 복수의 세포학적 검사, 복막 및 횡격막의 조직검사, 골반 및 대동맥림프절제술, 대망절제술, 반대편 난소 조직검사

③ 병기, 조직학적 형태, 등급에 따라 치료가 다르고, 또한 임신 주수를 고려

(3) 예후

① 임신 중 발생하는 난소암의 조직학적 형태

    a. 생식세포종양(germ cell tumor) : 45%

    b. 상피세포종양(epithelial cell tumor) : 37%

    c. 기질종양(stromal tumor) : 10%

② 임신 중 발생하는 난소암이 좋은 예후를 보이는 이유

    a. 젊은 나이

    b. 산전검사 동안의 빈번한 초음파 검사로 인해 조기 발견

③ 임신은 난소암의 예후를 변화시키지 않음

④ 염전 또는 합병증에 의해 자연 유산이나 조산의 빈도 증가

3 비생식기 악성 신생물(Non-reproductive tract neoplasia)

1) 유방암(Breast carcinoma)

(1) 임신의 유방암에 대한 영향

① 임신 관련 유방암(pregnancy associated breast cancer)

    a. 정의 : 임신 중 또는 분만 후 1년 이내 유방암이 진단된 경우

    b. 특징

      - 임신은 유방암에 뚜렷한 영향을 주지 않음

      - 임신 중 발견되는 경우 국소 림프절의 현미경적 전이가 더 많음

      - 임신과 비임신에서 같은 병기의 생존률은 유사

      - 임신 중에는 병기가 더 진행된 상태로 발견되며 비임신에 비해 높은 전이 위험도

      - 임신 중에는 진단과 치료가 1~2개월 정도 늦어짐

② 임신 관련 유방암의 진단이 어려운 이유

    a. 임신에 의한 유방의 변화 : 비대, 울혈, 결절 등의 변화, 분비물 증가

    b. 수유 중 소엽 증식(lobular hyperplasia) 및 유즙 정체(galactosis)

③ 임신부 또는 수유 중인 여성에서 2~4주 이상 지속적으로 만져지는 유방 종괴는 조직검사를 통한 확인이 중요

(2) 진단 및 치료

① 진단

    a. 초음파, 세침흡인생검(fine-needle aspiration), 조직검사, 유방촬영술(mammography)

    b. 비임신과 동일

② 치료

    a. 수술적치료 : 임신 때문에 연기해서는 안 됨

    b. 방사선치료 : 임신 중 금기

    c. 항암화학치료 : 림프절 양성인 경우 시행

2) 호지킨 림프종(Hodgkin lymphoma)

(1) 특징

① 빈도 : 1,000~6,000분만 중 1명

② 호발 연령 : Bimodal peak(18~32세, 50세 이후)

③ 증상 : 통증이 없는 말초선병증(peripheral lymphadenopathy)을 보이거나 열, 야간 발한, 무력감, 체중 감소, 소양감

④ 진단 : 조직검사가 필수

⑤ 임신 중의 병기설정 : 흉부 방사선, 복부 초음파, 자기공명영상, 골수 생검

⑥ 임신과의 관련성은 낮음

(2) 치료

① 치료 방법

    a. 병기, 임신 주수에 따라서 결정

    b. 방사선치료는 국한된 경부림프절종대가 있는 경우 선호

    c. 대부분의 경우 항암화학치료를 시행

② 임신 주수에 따른 치료 방법

    a. 임신 제1삼분기

      - 방사선치료와 항암제의 사용에 따른 위험 때문에 치료적 유산 고려

      - 환자가 치료적 유산을 거부할 경우 : 임신 제2삼분기가 될 때까지 항암제 단독 치료 또는 10 rad 이하의 방사선치료를 상부 횡경막 부위에 시행

    b. 임신 제2삼분기 또는 임신 제3삼분기에 진단된 경우 : 복합 항암화학치료

3) 악성 흑색종(Malignant melanoma)

(1) 임신의 흑색종에 대한 영향

① 태반으로 전이되는 가장 흔한 종양

② 임신 중에 흑색종이 진단되거나 기존의 흑색종을 가진 여성에서 임신이 된 경우 생존에 악영향 없음

③ 임신 전, 후로 흑색종이 진단된 경우보다 임신 중 진단된 경우가 높은 사망률을 보이지만, 임신과 비임신을 비교하면 병기(stage)에 따른 생존율은 유사

(2) 임신 중 흑색종의 치료

① 흑색종에 대한 일차 수술치료

   a. 병기에 따라 결정

   b. 광범위 절제술(wide local resection) ± 광범위 국소림프절절제술(extensive regional LND)

② 예방적 항암화학치료 또는 면역억제치료는 임신 중 피함

③ 첫 치료 후 임신은 3~5년간 피함

감염질환(Infectious diseases)

1 바이러스 감염(Viral infections)

1) 거대세포바이러스(Cytomegalovirus, CMV)

(1) 특성
① 전 세계적으로 대부분의 사람을 감염시키는 DNA herpesvirus
② 전파
　　a. 수직 전파 : 선천성 감염 및 주산기 감염
　　b. 수평 전파 : 비말, 타액, 소변, 성적 접촉, 가족 내 접촉, 수혈 및 장기 이식

(2) 모체 감염
① 임신 중 CMV 감염에 의한 혈청변환(seroconversion)의 비율 : 약 1~7% 정도
② 임신이 산모의 CMV 감염 위험이나 중증도를 증가시키지 않음
③ 증상
　　a. 대부분 무증상
　　b. 약 15%의 성인 : 발열, 인두염, 단핵구유사증후군(림프절병증, 다발성 관절염)

(3) 태아 감염
① 비유전성 청력소실의 주원인
② 태아 감염의 양상은 산모의 감염형태가 초회 감염인지 반복 감염인지에 따라 다름

	초회 감염	반복 감염
선천성 감염	30~40%	0.1~2%
특성	– 임신 주수가 진행될수록 태아 감염 증가 – 임신 제1삼분기에는 30% – 임신 제3삼분기에는 40~70%	
감염된 태아의 증상	– 대부분 출생 시 무증상 – 12~18% : 황달, 자반증, 혈소판감소증, 　간비장비대, 성장제한, 심근염, 수종 – 20~30% : 태아 사망 – 6세까지 5~25%에서 감각신경성 청력소 　실, 인지결손, 맥락망막염, 경련, 사망	– 약 1% 미만 : 출생 시 증상 발현 – 5세까지 약 14% : 청력소실, 맥락망막염, 　소두증

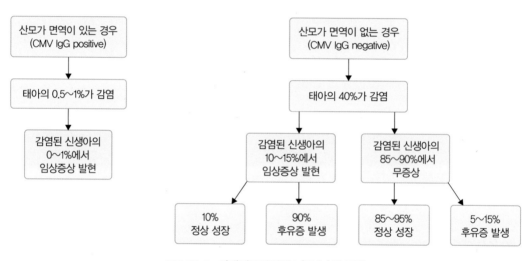

그림 57-1. 거대세포바이러스(CMV)의 감염

(4) 검사 및 진단

① 초음파 검사

CMV의 산전 초음파 이상소견	
대표적 소견	태아수종
중추신경계	뇌실확장증, 두개 내 석회화, 뇌실막밑낭종, 거대뇌증, 소두증
심장	방실중격결손, 폐동맥협착, 난원공 폐색, 대동맥축착증
복부	간비장비대, 복강 내 석회화, 고음영장(echogenic bowel)
기타	비정상적인 태반 크기(크거나, 작거나), 양수과다증 or 양수과소증

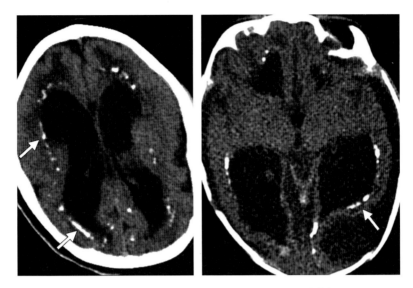

그림 57-2. 선천성 CMV 감염의 다발성 뇌실주위 석회화

② 산모 감염의 진단

    a. 초회 감염의 진단

       - 혈청변환 : CMV-specific IgG 항체(음성) → CMV-specific IgM/IgG 항체(양성/양성)

       - CMV-specific IgM/IgG 항체(양성/양성) & 낮은 IgG 항체 결합력(IgG avidity 30% 미만

        일 경우 최근 3개월 내의 감염을 시사)

    b. 반복 감염의 진단 : 혈청학적 진단이 제한적

    c. CMV-specific IgM 항체 : 급성 감염의 진단 시 위양성율이 높아 단독으로 이용 안함

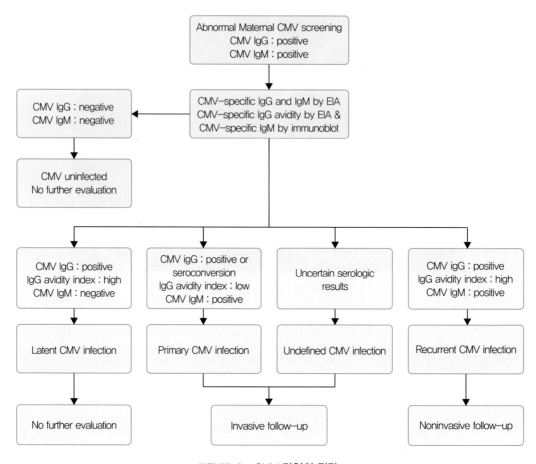

그림 57-3. CMV 감염의 진단

③ 태아 감염의 진단 : 양수천자를 통한 CMV nucleic acid amplification testing (NAAT)

④ 초음파 소견 + 검체 내 바이러스 검출 : 생후 증상 발현의 위험성 약 75%

⑤ 핵내봉입체(intranuclear inclusion body)

    a. 어떤 종류의 바이러스에 감염되었을 때 정상세포에서는 보이지 않는, 크기와 모양이 다른 과립형태의 구조물

    b. 조직 슬라이드에서 올빼미눈(owl's eye) 모양

    c. 일반적으로 DNA 바이러스감염 시 관찰(herpesvirus, varicella-zoster virus, adenovirus)

    d. 세균의 감염, 화학물질에 의해서도 형성 가능

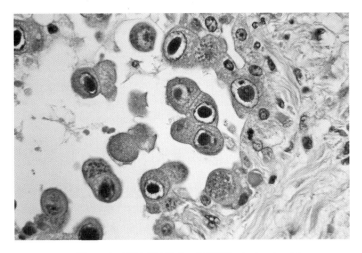

그림 57-4. 감염 시 보이는 봉입체(inclusion body)

(5) 치료 및 예방

① 현재 선천성 CMV 감염에 대한 효과적인 예방 및 치료법이 없어 산모에 대한 혈청학적 선별 검사는 권고되지 않음

② 항바이러스제 : Valacyclovir(장기적인 신경학적 후유증이 입증되지 않아 권고되지 않음)

③ CMV 예방접종 : 1년간 CMV 감염 차단에 50%의 효과를 보였지만 예방효과가 짧음

④ 선천성 감염을 막는 최상의 방법 : 산모의 일차감염 차단, 좋은 위생 상태와 손씻기

2) 수두-대상포진바이러스(Varicella-zoster virus, VZV)

(1) 특성

① DNA herpesvirus

② 직접 접촉이나 비인두 분비물을 통해 전파

③ 수두와 대상포진이라는 2가지 임상증후군을 유발

    a. 초회 감염은 수두(varicella, chickenpox)로 발생

    b. 지각 신경절에 잠복해 있다가 재활성되면 대상포진(herpes zoster, shingles)으로 발생

④ 대부분의 성인들은 과거 수두를 경험하였고, 95%에서 혈청학적 면역력 보유

(2) 모체 감염

	수두(varicella, chickenpox)	대상포진(herpes zoster, shingles)
증상	– 열, 무력감, 소양증을 동반하는 발진이 발생하고, 3~7일 후 수포화 – 임신부는 임신 제3삼분기에 감염되면 위험 : 폐렴과 그 합병증 때문	– 일측성의 피부 분절을 따라 분포하는 수포성 발진 – 심한 통증 동반
감염력을 갖는 시기	발진이 나타나기 48시간 전부터 딱지가 앉을 때까지	
진단	전형적인 수포성 발진 양상으로 진단 가능 수포액의 nucleic acid amplification testing(NAAT) 검사로 확진	

(3) 태아 감염

① 바이러스가 태반을 통과하여 태아 감염 유발 가능 → 대부분 무증상
② 임신 중 대상포진은 수두와 달리 선천성 기형의 위험은 거의 없음

선천성 수두증후군 (congenital varicella syndrome, CVS)	신생아 수두 감염
– 임신 20주 이전, 특히 임신 13~20주에 감염되었을 때 1.4~2%에서 발생 – 임신 20주 이후에는 발생이 드묾 – 분만 전후 산모가 수두를 앓는 경우 신생아의 25~50% 정도에서 선천성 수두 발생(모체로부터 전달되는 수동면역의 미완성 때문) – 증상 : 안구기형(맥락망막염, 소안구증, 백내장), 대뇌피질위축, 수신증, 사지형성부전(limb hypoplasia), 피부반흔	– 심한 피부병변, 폐렴, 간부전, 뇌염 및 응고장애 등의 전신파종성 감염 – 약 30%의 사망률 – 신생아기에 정상이어도 생후 1~2년 이내 대상포진으로 발병 가능

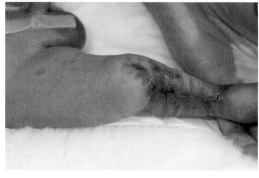
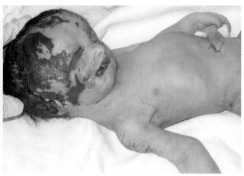

(A) 사지형성부전(limb hypoplasia) (B) Hemangiomatous skin lesion

그림 57-5. 선천성 수두증후군의 증상

(4) 검사 및 진단

① 진단

　　a. 모체 감염 : 수포액의 nucleic acid amplification testing (NAAT)

　　b. 태아 감염 : 양수천자를 통한 nucleic acid amplification testing (NAAT) 검사 + 초음파

② 태아 초음파

　　a. 이상소견을 놓치지 않기 위해서 모체 감염과 5주의 간격을 갖고 시행

　　b. 초음파 소견 : 뇌실확장, 뇌, 간 및 심근의 석회화, 태아수종, 사지결손, 태아성장제한

　　c. 초음파 이상소견이 많을수록 출생 후 중추신경계 이상 가능성 증가

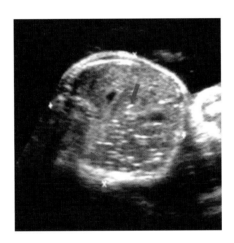

그림 57-6. 선천성 수두증후군의 간 석회화

(5) 치료 및 예방

① 치료

　　a. 수두에 걸린 임신부의 대부분은 대증적 치료만으로 회복

　　b. 폐렴 등 전신증상을 보이는 경우 : 입원, acyclovir 정맥주사, 호흡 보조 등

　　c. 항바이러스제는 태아의 병증을 막거나 완화시키지는 못함

② 산모의 바이러스 노출

　　a. 수두 환자의 발진이 나타나기 2일 전~발진 후 5일 이내에 접촉한 경우

　　b. 산모의 수두 과거력이나 예방접종 여부를 확인

　　　　- 면역이 확인되는 경우 : 산모와 태아의 위험 없음

　　　　- 과거력이 확실하지 않거나 면역이 없는 산모 : 접촉 후 72~96시간 이내에 수두-대상포

　　　　　진 면역글로불린(varicella-zoster immune globulin, VZIG) 투여

　　c. 분만 전 5일부터 분만 후 2일 이내에 수두를 앓은 임신부의 신생아에게도 VZIG 투여

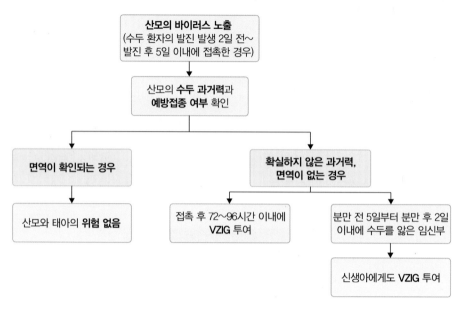

그림 57-7. 산모의 VZV 노출에 따른 관리

③ 예방접종

수두 예방접종	예방접종 금기
– Varivax : 약독화 생백신 – 12~18개월에 접종을 권장 – 12세 이후의 접종은 4~8주 간격으로 2회 접종 – 임신 전 4주 이내, 임신 중에는 접종 금기 – 임신 중 백신 접종과 선천성기형의 연관성은 없음 – 모유수유 중 접종 가능	– 중증의 면역기능저하 환자 – 감마글로블린제를 투여 받는 경우 – 임신 중인 경우 – 급성 발열질환을 앓거나 항생제(erythromycin 　또는 kanamycin 등)에 과민반응이 있는 경우 – 전신상태가 나쁜 경우(혈관질환, 신장질환, 간질환)

3) 인플루엔자바이러스(Influenza virus)

(1) 특성

① Orthomyxoviridae에 속하는 중간 크기의 RNA 바이러스

② 핵산-단백의 항원성에 따라 인플루엔자바이러스 A형, B형, C형으로 구분

③ 표면의 당단백질(hemagglutinins, neuraminidase)돌기

　　a. Hemagglutinins : 3개의 종류(H1, H2, H3), 호흡기세포에 부착되어 인체에 감염

　　b. Neuraminidase : 2개의 종류(N1, N2), 감염된 세포에서 바이러스의 방출

(2) 모체 감염

① 증상 : 오한, 기침, 두통, 권태, 근육통, 발열 등의 전신 증상

② 대부분 건강한 성인에서는 위험하지 않지만 임신부는 폐합병증에 취약

③ 중증 감염의 발생시 1%의 모성사망률

(3) 태아 감염

① 인플루엔자바이러스의 태반 통과는 매우 드묾

② 선천성 기형과 연관 없음

③ 임신 초기의 신경관결손 증가는 고열과 관련된 것으로 생각

(4) 검사 및 진단

① 인플루엔자바이러스 검사 방법

Method	Test time
Rapid influenza diagnostic tests (RIDT)	<30분
RT−PCR and other molecular assays	1~6시간
Direct (DFA) or Indirect (IFA) fluorescent antibody assay	1~4시간
Rapid cell culture	1~3일
Viral cell culture	3~10일

② 진단 : 인플루엔자 시즌에 발생한 증상

③ 확진 : 인플루엔자바이러스의 확인

(5) 치료 및 예방

① 치료

a. 인플루엔자 감염이 의심되는 임신부는 즉각적인 치료가 원칙

b. Neuramidase 억제제 : Osteltamivir, Zanamivir 등

② 예방접종

권장사항(ACOG, 2016)	예방접종이 중요한 경우
− 모든 임신부에 대한 예방접종을 권장 − 시기 : 10월에서 이듬해 5월 사이 − 태아에 대한 부작용 없음 − 모유수유 시에도 안전 − 태아가 분만 이후 6개월간의 예방효과 획득 − 비강흡입을 통한 생백신 예방접종은 권장되지 않음	− 만성질환자 − 당뇨(diabetes) − 심장병(heart disease) − 천식(asthma) − 인간면역결핍바이러스(HIV) 환자

4) 볼거리바이러스(Mumps virus)

(1) 특성

① Paramyxoviridae과에 속하는 RNA 바이러스
② 사람이 유일한 숙주
③ 예방접종 도입 이후 성인에서 감염질환을 일으키는 경우는 드묾
④ 80~90%의 성인에서 혈청반응 양성

(2) 모체 감염

① 바이러스는 침범 후 호흡기 세포에서 일차증식 후 혈행성으로 전신에 퍼져 침샘을 비롯한 여러 장기를 침범
② 잠복기 : 약 16~18일
③ 전형적인 증상
    a. 발열, 구토, 두통 등의 전구증상 이후 침샘 비대와 동통이 특징
    b. 임신 중 감염 시 더 심한 증상 발현
④ 임신에 대한 영향
    a. 선천성 기형과 연관 없음
    b. 임신 제1삼분기에 볼거리 발생 시 자연 유산 증가

(3) 치료 및 예방

① 대부분의 경우 자연 치유되므로 대증요법만으로 충분
② 예방접종 : MMR vaccine(약독화 생백신)
    a. 임신 전 : 예방접종 후 30일 지나서 임신 권유(1개월간의 피임)
    b. 임신 중 : 임산부에게 투여 금기
    c. 분만 후 : 접종 가능, 모유수유 가능

5) 홍역바이러스(Measles virus)

(1) 특성

① Paramyxoviridae과에 속하는 RNA 바이러스
② 대부분의 성인은 면역력 보유
③ 영유아를 대상으로 홍역 예방접종을 시작하면서부터 발생 빈도가 급격히 감소

(2) 모체 감염

① 늦겨울에서 봄에 주로 발생
② 잠복기 : 약 8~12일

③ 전구기

    a. 전염력이 강한 시기

    b. 발열, 기침, 콧물, 결막염이 3~5일간 지속된 후 구강점막에 특징적인 Koplik 반점 발생

    c. 홍반성 구진이 두부와 몸통 순으로 발생

④ 임신에 대한 영향

    a. 임신 중 감염이 선천성 기형과 관련 없음

    b. 유산, 조산, 저출생체중 빈도 증가

⑤ 진단 : IgM 항체의 혈청학적 확인, RT-PCR

(3) 치료 및 예방

① 치료 : 합병증이 없는 경우 대증요법을 시행

② 환자와 접촉 시 임신부가 면역이 없는 경우 : immune globulin, 400 mg/kg, 정맥투여

③ 예방접종 : MMR vaccine

6) 풍진바이러스(Rubella virus)

(1) 특성

① RNA togavirus

② 법정 2종 전염병

③ 비인두 분비물을 통해 감수성 있는 대상의 80%를 감염

④ 호발 연령인 소아 및 청년기 : 보통 자연 치유되는 경한 질환

(2) 모체 감염

① 잠복기 : 약 12~23일

② 감염력이 높은 시기

    a. 바이러스혈증(viremia) 동안과 발진 발생 후 7일

    b. 바이러스혈증은 일반적으로 임상증상보다 1주 정도 먼저 발생

③ 증상

    a. 감염 환자의 약 50%는 무증상

    b. 미열, 두경부 림프절병증, 결막염. 관절통, 관절염, 발진 등

④ 임신 초기 감염 시 유산, 사산, 선천성 풍진증후군 초래

(3) 태아 감염

① 풍진바이러스는 태반을 통과하여 태아의 모든 장기에 영향

② 바이러스 노출 시 모체의 풍진 항체가 양성이면 태아는 문제 없음

③ 감염된 임신 주수에 따라 태아 결손의 차이 발생

감염된 임신 주수	선천성 감염	태아 결손
임신 첫 12주 이전	최대 90%	거의 모든 태아에서 선천성 심장병, 청력소실 등이 발생
임신 13~14주	약 50%	
임신 20주 이후		태아 결손의 발생은 드묾
임신 제2삼분기 말	약 25%	

④ 선천성 풍진증후군(congenital rubella syndrome)

태아 결손
- 산전 진단이 가능한 결손 　심장중격결손(cardiac septal defects) 　폐동맥협착(pulmonary stenosis) 　소두증(microcephaly) 　백내장(cataract) 　소안구증(microphthalmia) 　간비장종대(hepatosplenomegaly) - 다른 이상 소견 　감각신경성 난청(sensorineural deafness) 　지능장애(intellectual disability) 　자반증(purpura) 　방사선투과성 골질환(radiolucent bone disease) - 선천적 풍진을 가지고 태어난 신생아는 수개월 동안 바이러스 전파 가능

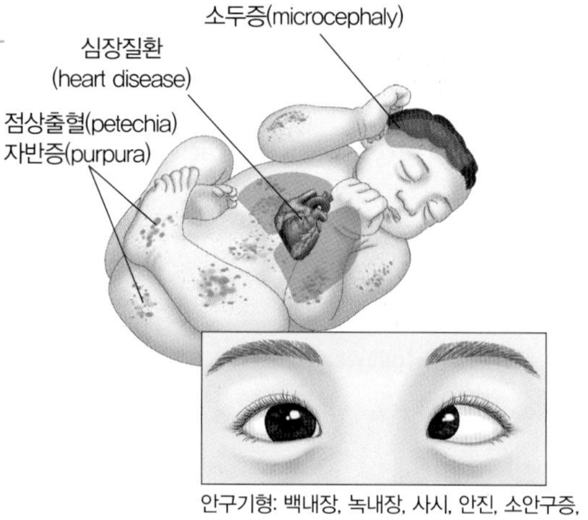

안구기형: 백내장, 녹내장, 사시, 안진, 소안구증, 홍채이형성

그림 57-8. 선천성 풍진증후군

(4) 검사 및 진단

① 혈청학적 검사

IgG	IgM
- 노출 후 12~14일에 혈청에서 생성되어 농도 상승 - 생성되면 거의 평생 지속 - 2~3주 사이에 수치가 4배 이상 증가하면 최근에 감염되었음을 시사 - Titer 1:8 이상이면 풍진에 대한 면역이 있다고 판정	- 노출 후 12~14일에 생성되기 시작 - 30일 후에는 거의 소실 - IgM 양성은 발병 4주 이내의 최근 감염을 시사 - 태아의 제대혈에서 검출되면 태아 감염을 의미 - 일부는 몇 개월동안 낮은 농도로 남아 있는 경우, 드물게 평생 지속되는 경우도 있음

② 혈청학적 검사의 결과 해석

IgG	IgM	결과 해석
음성	음성	면역력 없음
음성	양성	급성 감염, 위양성
양성	음성	면역력 있음, IgG 200 IU/mL 이상인 경우 재검
양성	양성	급성 감염, 위양성

③ 모체 감염의 진단

    a. Rubella-specific IgM 항체가 검출

    b. Rubella-specific IgG 항체의 혈청변환(seroconversion)

    c. 회복기 IgG 항체가 급성기에 비해 4배 이상 증가(2~3주 간격)

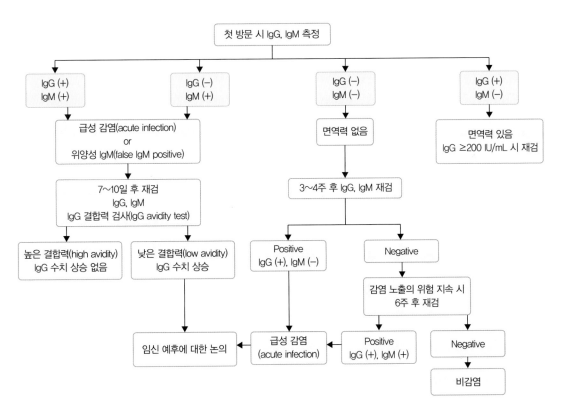

그림 57-9. 산모의 풍진 감염 진단

④ 최근의 감염 여부가 항체 검사로 애매한 경우

> **최근의 감염 여부가 항체 검사로 애매한 경우 : IgG avidity 검사 시행**
>
> – Rubella IgG avidity : Rubella 항원에 대응하는 Rubella IgG 항체의 전체적인 결합 강도
> – IgG 항체가 성숙될수록 항원에 대응할 수 있는 자리가 늘어나서 avidity가 증가
> – Avidity가 증가되어 있다는 것은 항원 노출이 그만큼 오래 전에 일어났다는 것을 의미

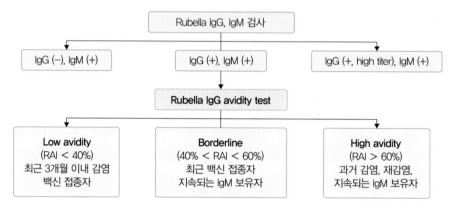

그림 57-10. Rubella IgG avidity test

⑤ 태아 감염의 확진
   a. 탯줄천자에서 Rubella-specific IgM 항체 확인
   b. 융모막, 양수, 제대혈에서 RT-PCR을 통한 바이러스 확인

(5) 예방

① 임신 전 MMR 백신을 접종 받거나 풍진 IgG 항체 양성을 확인하는 것이 필요
② 예방접종 : MMR vaccine(약독화 생백신)
③ 면역력이 없는 산모는 출산 이후 접종

7) 장바이러스(Enterovirus)

(1) 특성

① Picomaviruses과에 속하는 RNA 바이러스
② 분류 : 소아마비바이러스(polioviruses), 콕사키바이러스(coxsackievirus), 에코바이러스(echovirus), 엔테로바이러스(enterovirus)
③ 감염
   a. 위장관에서 증식하여 림프로 파급되어 여러 장기에 2차 병소를 형성하면서 임상 증세가 시작되고 중추신경계, 피부, 심장, 폐 등을 포함한 장기에 감염을 유발

b. 대부분 무증상

c. 모체로부터 특이항체를 받지 못한 신생아는 중증 감염의 위험성 증가

④ 중증 감염의 위험인자 : 면역억제, 영양결핍, 임신 등

⑤ 치료나 예방법은 없음

(2) 콕사키바이러스(Coxsackievirus)

① 대부분의 감염은 무증상

　　a. 임신부에는 큰 영향이 없음

　　b. 태아에 치명적일 수 있음 : 무균성 수막염, 소아마비유사병증, 수족구병, 발진, 호흡기질
　　　환, 흉막염, 심장막염, 심내막염 등을 유발

② 혈청검사 양성인 임신부에서 선천성 기형의 빈도가 약간 증가

③ 바이러스혈증 : 태아 간염, 피부병변, 심근염, 뇌척수염, 태아 사망 유발 가능

(3) 소아마비바이러스(Poliovirus)

① 대부분의 감염은 무증상에서 경증

② 중추신경계(CNS)에 주로 침범 : 마비성 질환, 소아마비 유발 가능

③ 임신한 여성이 회색질 척수염에 더 감수성이 있으며, 높은 사망률을 보임

④ 불활성화된 피하 폴리오백신(inactivated subcutaneous polio vaccine)

　　a. 임산부에 접종 가능

　　b. 유행지역을 여행하거나 고위험 상황의 감수성이 있는 임산부에게 사용 권고

⑤ 활성화된 경구 폴리오백신(live oral polio vaccine)

　　a. 태아에 안 좋은 영향 없음

　　b. 임신 중에도 예방접종 가능

8) 파르보바이러스(Parvovirus)

(1) 특성

① Parvoviridae과에 속하는 erythrovirus 중 하나인 single-stranded DNA 바이러스

② Parvovirus B19

　　a. 사람에게만 감염

　　b. 전염성 홍반(erythema infectiosum), 제5병(Fifth's disease), 태아수종과 연관

　　c. 세포수용체 P항원(cellular receptor P antigen)을 통해 적혈모구((erythroblast) 전구체와 같
　　　은 빠르게 증식하는 세포들에 감염

　　d. P항원 발현 조직 : 거대핵세포, 내피세포, 태반, 태아의 간과 심장

③ 전파 : 호흡기 비말, 감염된 혈액, 손과 입의 접촉

④ 주로 늦겨울에서 봄에 흔하지만 연 중 산발적으로 발생

(2) 모체 감염

① 잠복기 : 노출 후 4~28일 정도

② 바이러스혈증 : 바이러스에 노출되고 4~14일 후에 발생, 발진 발생 후에는 감염성 없음

③ 증상

    a. 성인의 20~30%는 무증상

    b. 발열, 두통, 감기 증상이 바이러스혈증의 마지막 며칠에 시작

    c. 며칠 후 안면 홍반이 나타나고 이후 얼굴, 몸통, 사지근위부에 반점홍반이 발생

    d. 발열, 두통, 감기 증상, 림프절병증, 손, 무릎과 손목의 대칭성 다발성 관절통

    e. 증상은 일반적으로 저절로 소실되지만 수개월간 지속되기도 함

(3) 태아 감염

① 모체 감염 이후 약 33%에서 발생 : 모체의 감염 후 10주 이내(평균 6~7주)

② 태아에 대한 영향

    a. 유산, 사산 : 임신 20주 전 감염 시 8~17%, 임신 중기 감염 시 2~6%의 태아 소실률

    b. 비면역성 태아수종(nonimmune hydrops)

      - 감염된 산모의 1% 정도에서 발생하지만 이는 비면역성 태아수종의 가장 흔한 원인

      - 80% 이상이 임신 제2삼분기에 진단

      - 태아수종 유발의 중요한 시기 : 임신 13~16주(태아의 간내 혈구생성이 활발한 시기)

      - 파르보바이러스 감염과 연관된 태아수종의 대부분은 감염 후 10주 이내에 발생

(4) 검사 및 진단

① 모체 감염의 진단 : 혈청학적 검사를 통한 specific IgG, IgM 항체 확인

② 태아 감염의 진단 : 양수의 B19 viral DNA 검출, 탯줄천자를 통한 specific IgM 항체 확인

③ 초음파 검사

태아 감염 확인을 위한 초음파 검사	태아 감염 시 초음파 소견
− 산모 진단 및 노출 후 8~10주까지 태아수종 확인을 위해 2주 간격으로 시행 − 이 기간 이후 태아수종의 소견이 없으면 추가 검사는 시행하지 않음 − 태아 빈혈의 확인 : 중대뇌동맥-최고수축기속도(MCA-PSV)	− 태아수종(hydrops fetalis) − 간비대(hepatomegaly) − 비장비대(splenomegaly) − 태반비대(placentomegaly) − MCA-PSV 증가

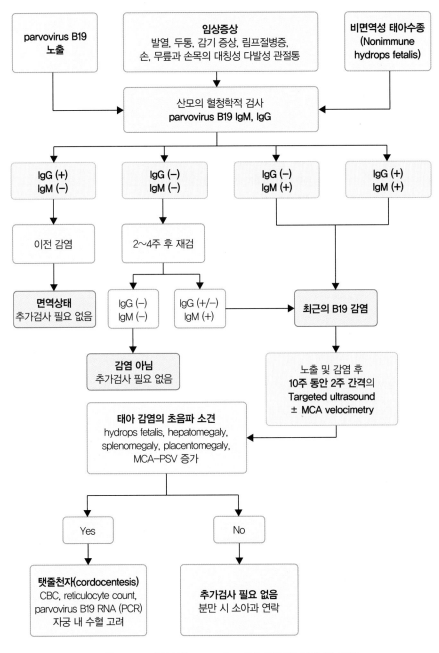

그림 57-11. 임신 중 parvovirus B19 감염의 진단 및 처치

(5) 치료 및 예방

① 임신부의 경우 대증적 치료 시행

② 특별한 치료를 하지 않아도 33%의 경우에서 태아수종은 호전되지만, 태아사망을 예측할 수

있는 인자가 없어 탯줄천자를 통한 수혈이 권고

③ 예방

    a. Parvovirus 예방접종은 아직 없음

    b. 항바이러스제가 모체나 태아의 감염을 예방한다는 증거는 부족

9) 지카바이러스(Zika virus)

(1) 특성

① Flaviviridae과에 속하는 single-stranded RNA 바이러스

② 절지동물로 전파되는 바이러스(arbovirus)

    a. 주로 모기를 통해 감염

    b. 성관계 및 수혈, 수유로 인한 감염도 가능

(2) 임신에 대한 영향

① 성인의 감염 증상

    a. 무증상

    b. 경증 : 발진, 열, 관절통, 두통, 결막염, 오한 등이 수 일 지속되다가 회복되는 양상

    c. 중증 : 길랭-바레증후군의 신경학적 합병증, 백혈구감소증, 혈소판감소증 등

② 태아 감염

    a. 모체의 증상 유무와 상관없이 발생 가능

    b. 소두증, 심각한 뇌이상, 안구이상, 선천적인 관절굽음증(arthrogryposis) 등

(3) 검사 및 진단

① 의심환자는 검사를 권장

    a. 2개월 이내에 지카바이러스 감염증 발생국가 여행력이 있으면서 2주 내에 발진과 함께 관절통, 근육통, 결막염, 두통 증상 중 하나가 동반될 때

    b. 무증상이어도 노출 위험이 있는 임산부

② 진단

    a. 혈액이나 소변에서 PCR을 통한 Zika virus RNA의 검출

    b. Zika IgM 항체와 IgG 항체가 3~6일 후 4배 이상 증가

③ 초음파 검사

    a. 임상 증상이나 진단에 관계없이 지카바이러스에 노출된 임산부에게 시행

    b. 태아 구조, 신경구조, 성장을 추적 검사

(5) 치료 및 예방

① 현재까지 치료약이나 백신은 없음

② 예방법

    a. 모기 회피 : 모기기피제, 모기장, 긴소매 밝은 색 옷 등

    b. 2개월 내 지카바이러스 유행지역을 다녀온 남성

      - 배우자가 임신 중인 경우 : 임신기간 동안 금욕 또는 콘돔을 사용

      - 배우자가 임신이 아닌 경우 : 최소 2개월 동안 금욕 또는 콘돔을 사용

    c. 남성 확진 환자 : 회복 후 최소 6개월간 금욕 또는 콘돔을 사용

    d. 2개월 내 지카바이러스 유행지역을 다녀온 여성

      - 귀국 후 최소 2개월간 임신을 자제

      - 임신부는 가능한 위험국가나 발생국가 여행을 자제

2 세균 감염(Bacterial infections)

1) B군 연쇄구균(Group B streptococcus, GBS)

(1) 특성

① 그람 양성구균인 *Streptococcus agalactiae*

    a. 세균 피막 다당류의 항원성에 따라 Ia, Ib, Ia/c, II, III, IV, V, VI의 8가지 혈청형으로 구분

    b. 피막 다당류 항원에 대한 모체의 항체가 침습적 감염 여부에 중요한 역할

② 위장관과 여성 생식기에 존재하는 정상 세균총의 하나

③ 대부분 무증상으로 단순히 군집화만 되어 있는 경우가 많지만 신생아, 임신부, 노약자 등에서는 현성 감염 유발 가능

(2) 모체 감염

① GBS의 보균율 : 외국 임신부의 20~30%, 국내 임신부의 약 11.6%

② 임신 후기에 군집화를 보였던 임신부의 약 40~70%에서 신생아에게 군집화를 초래

③ 약 1~2%에서 신생아 감염 발생

(3) 태아 감염

① 신생아 GBS 감염 : 패혈증, 폐렴, 뇌수막염, 사산 등을 유발

② 발병 시기에 따른 임상소견

	조기 발병형(early-onset)	후기 발병형(late-onset)
발병 시기	7일 이내	7일 이후 ~ 3개월 내
감염 경로	분만 시	분만 시 또는 임신부와 접촉
주된 발병 형태	폐렴, 패혈증	수막염, 패혈증
사망률	높음	낮음
신경학적 후유증	흔함	흔함
예방적 항생제	효과	분만 시 예방적 항생제로 예방되지 않음

(4) 선별검사

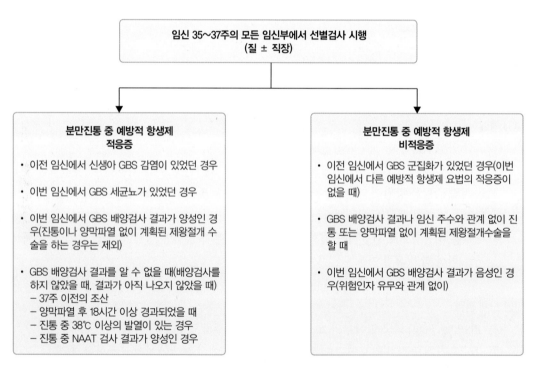

그림 57-12. 임신 중 GBS 선별검사 가이드라인

(5) 예방적 항생제요법

① 예방적 항생제요법을 시행해야 하는 임신부의 선택

    a. 위험인자를 기초로 하는 접근법 : 분만 시 GBS 배양 결과를 알 수 없는 경우 권유

    b. 배양검사 결과를 기초로 하는 접근법

② 분만진통 중 GBS 예방적 항생제요법

Regimen	Treatment
권고 항생제	Penicillin G, 500만 U IV 후 4시간 간격 250~300만 U 분만까지 투여
대체 항생제	Ampicillin, 2 g IV 후 4시간 간격 1 g or 6시간 간격 2 g 분만까지 투여
페니실린 알러지 위험성	
알러지 위험이 높지 않은 경우	Cefazolin, 2 g IV 후 8시간 간격으로 1 g 분만까지 투여
알러지 고위험 + Clindamycin 감수성	Clindamycin, 900 mg IV 후 8시간 간격으로 분만까지 투여
알러지 고위험 + Clindamycin 내성균	Vancomycin, 1 g IV 후 12시간 간격으로 분만까지 투여

③ 조기분만 위험 시 GBS 예방적 항생제요법

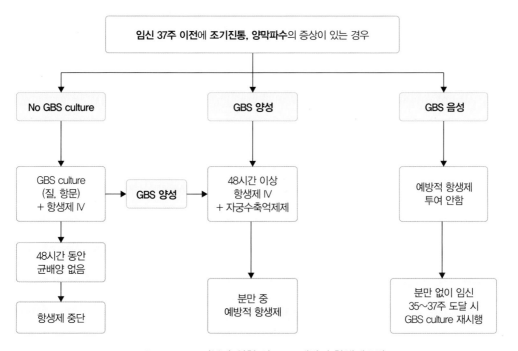

그림 57-13. 조기분만 위험 시 GBS 예방적 항생제요법

2) 리스테리아증(Listeriosis)

(1) 특성

① *Listeria monocytogenes*

    a. 아포를 형성하지 않는 그람 양성 간균

    b. 물, 토양, 동물 병원소 등 환경에 널리 퍼져 있음

② 발생 빈도 : 매우 낮음, 10만명당 약 0.7명

③ 감염

    a. 사람에게는 음식물을 통한 전파

    b. 다른 식중독과는 달리 패혈증, 뇌수막염, 사산 등 침습적인 감염증을 유발

    c. 매우 높은 사망률 : 20~40%

    d. 위험인자 : 노인, 신생아나 어린이, 임신부, 당뇨병, 만성 신장질환, 장기이식자, HIV 감염자, 면역력이 떨어진 환자

(2) 모체 감염

① 증상

    a. 무증상(가장 흔함)

    b. 인플루엔자, 신우신염, 뇌수막염과 혼동되는 열성질환 양상

    c. 조산, 사산, 신생아의 중증 감염으로 진행 유발 가능

② 태아 감염 유발 : 미세고름집을 동반한 파종성 육아종성 병변, 융모양막염

③ 진단 : 임신부 혈액, 뇌척수액, 양수의 배양검사

(3) 신생아 감염

① 조기 or 후기 발병형의 두 가지 형태

	조기 발병형 감염	후기 발병형 감염
증상 발생	감염 5~7일 이내	감염 5~7일 이후
감염 경로	태반을 통한 수직 감염	분만 중 산도를 통한 감염이나 원내 감염
증상	대부분의 신생아는 조산아 출생 시 증상 발생 호흡 부전과 발열, 신경학적 장애	뇌수막염

② 리스테리아증으로 인한 신생아 사망률 : 25% 정도

(4) 치료 및 예방

① 임신 중 치료

    a. Ampicillin 1.0~1.5 g, 6시간 간격, 2주간 정맥투여

    b. 뇌농양, 심내막염, 국소적 감염증이 있는 경우 : Ampicillin + Gentamicin, 6주간 투여

    c. 신속한 진단과 치료가 시행되면 임신부의 예후는 좋고, 치료는 태아 감염에도 효과적

② 예방

    a. 예방 백신은 아직 없음

    b. 고위험군(임신부, 면역저하자)의 예방법

      - 음식에서 발견되므로 유통음식에 대한 철저한 관리가 필요

      - 소고기, 돼지고기, 닭고기를 잘 익히고, 야채를 깨끗하게 씻은 후 섭취

      - 조리할 때 야채나 조리된 음식이 날고기에 오염되지 않도록 주의

3) 살모넬라(Salmonella)

(1) 비장티푸스성 살모넬라균 위장관염(Nontyphoidal salmonella gastroenteritis)

① 원인균 : *Salmonella typhi*

② 음식물 매개 질병 중 가장 많은 급성 전염성 질환

③ 증상 : 장기간의 고열과 두통, 위화감, 상대 서맥, 간비장종대, 장미진, 복통, 변비나 설사, 전신적 림프조직의 침범, 장출혈 및 천공, 의식혼탁 등

④ 진단 : 대변검사(stool study)

⑤ 치료

    a. 수액 정맥투여(intravenous crystalloid solutions)

    b. 항생제

      - 단순 감염 : 보균상태(carrier state)를 연장시킬 수 있어 투여하지 않음

      - 균혈증에 의한 위장염(gastroenteritis) : fluoroquinolone, 3세대 cephalosporin

(2) 장티푸스(Typhoid fever)

① 원인균 : *Salmonella typhi*

② 오염된 음식, 물 또는 우유에 의해 전파

③ 임신한 여성에서 유행 지역에 있거나, HIV 감염이 있는 경우 잘 발생

④ 이전에 장티푸스(typhoid fever)를 앓은 경우 : 유산, 조기진통, 산모 또는 태아의 사망 증가

⑤ 치료 : fluoroquinolone, 3세대 cephalosporin

⑥ 장티푸스 예방접종

    a. 임신부에게 투여해도 해로운 영향 없음

    b. 전염병이 발생하거나 발병 지역으로 여행하기 전에 투여

4) 세균성 이질(Shigellosis)

(1) 특성

① 원인균 : *Shigella*

② 염증성 삼출 설사를 일으키는 전염성이 높은 2급 감염질환

③ 경구-분변 경로를 통한 전파

④ 유치원, 탁아소 아원 어린이에서 흔함

⑤ 임상증상 : 경한 설사에서 심한 이질, 혈변, 복통, 후중감, 발열, 전신적 독성 등

(2) 치료 및 예방

① 임신 중 치료

    a. 심한 경우 탈수(dehydration) 주의

    b. 항생제 치료가 필수적

      - fluoroquinolone, ceftriaxone, azithromycin

      - 항생제 감수성 검사가 적절한 치료에 도움

② 예방 접종 : 효과적인 예방 접종은 아직 없음

5) 나병(Hansen disease)

(1) 특성

① *Mycobacterium leprae*에 의해 발생하는 만성적 감염

② 우리나라 나병의 유병률 : 인구 10,000명당 0.15명

③ 진단 : PCR

④ 치료 : dapsone, rifampin, clofazimine

(2) 임신에 대한 영향

① 감염된 여성에서 저출생체중 빈도 증가

② 태반을 침범하지 않음

③ 신생아 감염은 피부접촉에 의해 발생

6) 라임병(Lyme disease)

(1) 특성

① 스피로헥타 Borrelia burgdorferi에 의해 발생

② Lyme borreliosis는 진드기에 물린 자리에 발생

③ 임상증상

초기 감염(early infection)	후기 또는 지속 감염(chronic phase)
– 독특한 피부병변 : 이동홍반(erythema migrans) – 감기 증상과 국소적 림프절병증을 동반 – 미치료 시 수 일에서 수 주 내 파종성감염 발생 – 여러 장기를 침범하는 것이 흔하지만, 피부병변, 관절통, 근육통, 심장염, 뇌막염이 잘 발생	– 수 주 또는 수개월 후에도 치료를 받지 않는 경우 50% 이상에서 발생 – 선천면역이 획득되며, 질병이 만성적 단계로 진행 – 몇몇 환자는 무증상으로 남게 되지만, 만성적 단계로 접어들면 피부, 관절, 신경학적 증상이 발생

(2) 임신에 대한 영향

① 태아 사망, 조산, 기형의 위험성은 높지 않음

② 초기 감염에 대한 즉각적인 치료가 임신 중 예후에 중요

(3) 치료

① 적합한 치료는 알려져 있지 않음

② 최적의 치료(미국 전염병학회, 2016)

초기 감염의 권고 항생제

Doxycycline, Amoxicillin, Cefuroxime 14일간 경구투여 (임신 중에는 doxycycline 사용하지 않음)

합병증이 동반된 초기 감염의 항생제(뇌수막염, 심장염, 파종성 감염 등)

Ceftriaxone, Cefotaxime, Penicillin G 14~28일간 정맥투여

만성 관절염(chronic arthritis), 라임병후증후군(post-Lyme disease syndrome)의 항생제

장기간 경구 또는 정맥투여로 치료하지만 증상은 치료에 잘 반응하지 않음

③ 예방 접종 : 효과적인 예방 접종은 아직 없음

3 원충 감염(Protozoal infection)

1) 톡소플라즈마증(Toxoplasmosis)

(1) 특성

① 원인 : *Toxoplasma gondii*

② 사람의 감염

a. 고양이의 배설물로 오염된 물이나 음식

b. 낭포가 포함된 덜 익은 음식을 섭취

(2) 모체 감염

 ① 산모가 면역되어 있으면 태아 감염은 발생하지 않음

 ② 15~44세 여성의 15%만이 면역성을 갖고 있음

 ③ 선천성 감염의 빈도와 중증도 : 임신 주수와 관련

  a. 임신 주수가 높을수록 감염의 빈도가 증가(임신 13주에 6%, 임신 36주에 72%)

  b. 조기에 감염될수록 태아 감염의 증세가 더 많이 발생

 ④ 산모에서 감염의 증세

  a. 무증상(가장 흔함)

  b. 피로, 근육통, 림프절병증 등

(3) 태아 감염

 ① 감염된 태아는 톡소플라즈마증의 명확한 징후가 없이 분만

 ② 선천성 톡소플라즈마증(congenital toxoplasmosis)

선천성 톡소플라즈마증(congenital toxoplasmosis)의 소견		
Classic triad	맥락망막염(chorioretinitis), 두개내석회화(intracranial calcification), 수두증(hydrocephalus)	
초음파 소견	수두증(hydrocephaly) 두개내석회화(intracranial calcification) 간내석회화(hepatic calcification) 복수(ascites)	두꺼운 태반(placental thickening) 장의 고음영(hyperechoic bowel) 성장제한(growth restriction)
출생 후 증상	저출생체중(low birth weight) 간비장종대(hepatosplenomegaly) 황달(jaundice) 빈혈(anemia)	신경질환(neurological disease) 두개내석회화(intracranial calcification) 수두증(hydrocephalus) 소두증(microcephaly)

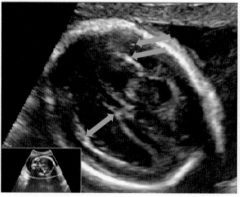
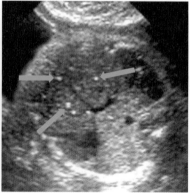

(A) Intracranial calcification & Ventriculomegaly   (B) Hepatic calcification

그림 57-14. 선천성 톡소플라즈마증의 초음파 소견

(4) 검사 및 진단

① 유병률이 낮은 지역에서 톡소플라스마증의 산전 선별검사를 권장하지 않음(ACOG, 2017)

② 산전 선별검사의 적응증 : HIV 감염자, 면역저하자

③ Toxoplasma IgG의 산전 확인 : 선천성 감염 태아의 출생 위험 없음

④ 급성 감염

    a. 산모의 혈청전환을 확인할 수 있는 단일 검사방법이 없음

    b. IgG, IgM 항체의 혈청전환, IgG, IgM의 4배 이상 증가 → IgG 항체 결합력(avidity) 확인

(5) 치료 및 예방

① 선천성 감염의 예방 및 경감

② 임신 중 치료

    a. Spiramycin 단독요법

      - 급성 감염 시 수직 전파를 줄이는데 더 효과적

      - 태반을 통과하지 못하기 때문에 태아 감염에 대한 치료로 사용되지 못함

    b. Pyrimethamine + Sulfonamide + Folinic acid(activated B9) 병합요법

      - 임신 18주 이후 또는 태아 감염이 의심되는 경우 투여

      - 태아 감염의 중증도 감소

③ 예방

    a. 예방 백신은 아직 없음

    b. 선천성 감염의 예방법

      - 적절한 온도에서 육류 요리

      - 과일과 채소를 씻고 껍질을 벗겨 먹기

      - 조리하는 기구를 깨끗이 씻기

      - 고양이의 배설물 또는 쓰레기 처리 시 장갑 착용

      - 고양이에게 날 음식을 먹이지 말 것

2) 말라리아(Malaria)

(1) 특성

① 원인 : 4종의 열원충(*plasmodium*)

② 한국 토착형 말라리아는 완전히 사라졌고, 해외여행으로 인한 수입형 말라리아만 보고

③ 임신부와 관련된 말라리아는 매우 드묾

(2) 증상 및 진단

① 증상

a. 특징적 증상 : 발열 및 오한, 두통, 근육통, 무력감과 같은 감기 유사 증상

b. 빈혈, 황달 발생 가능

c. 재발 시 경해지는 경향

② 진단 : 혈액도말표본(blood smear)

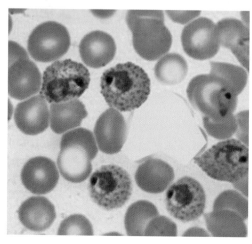

(A) 말라리아에 감염된 적혈구   (B) 융모사이공간에 있는 감염된 적혈구

그림 57-15. 말라리아의 혈액도말표본

(3) 임신에 대한 영향

① 임신 중 감염 시 비임신에 비해 균혈증의 빈도 증가 : 세포성 면역의 감소, 코티솔의 증가 및 면역력의 변화 때문

② 말라리아에 대한 면역력이 없는 지역 : 유산, 조산의 빈도 증가

③ 면역력이 있는 지역 : 신생아 체중 감소의 빈도 증가

(4) 치료 및 예방

① 치료(CDC, 2013)

a. 항말라리아제 : 임신 중 투여 가능

b. *P. vivax, malariae, ovale,* 클로로퀸 민감 *P. falciparum* : Chloroquine, Hydroxychloroquine

c. 다제내성 *P. falciparum*

 - Artemether-Lumefantrine

- Artesunate + Mefloquine
- Artesunate + Dihydroartemisinin-Piperaquine

② 예방

    a. Chloroquine 300 mg, 여행 1~2주전부터 여행 4주 후까지 경구 투여

    b. 클로로퀸 저항 *P. falciparum* 지역 : mefloquine 투여

1) 서론

(1) 원인

① 원인균 : *Treponema pallidum*이라는 스파이로헤타(spirochetes)

② 전파 경로

    a. 성접촉 : 매독 병변과의 접촉을 통해 외음부, 질, 항문, 직장, 입술 등에 병변 발생

    b. 수직 감염

        - 스파이로헤타가 태반을 통과하여 태아를 감염

        - 분만 시 신생아가 모체의 매독병변과 접촉

        - 오염된 혈액을 통해 감염

③ 감염

    a. 피부, 점막의 상처를 통해 체내로 들어간 후 수 시간 내에 림프절과 내부장기로 퍼짐

    b. 조기 매독 : 높은 감염성, 주입되는 균의 양이 많아 접촉한 사람의 30~51%가 감염

    c. 만기 매독 : 낮은 감염성

(2) 매독의 단계

1기 매독(primary syphilis)	2기 매독(secondary syphilis)

– 통증이 없는 굳은궤양(chancre)
  • 보통 한 개 발생, 경계가 명확, 주변부의 융기
  • 고름이 없는 매끄러운 궤양 기저부
– 비화농성 림프절병이 동반될 수 있음
– 2~8주 후에 자연히 소실
	– 혈행성과 림프성 전파를 통한 피부증상과 전신증상
	– 전구증상 : 발열, 쇠약감, 림프절병, 인후통, 식욕부진,체중감소, 두통, 근육통, 관절통 등
	– 매독진(syphilid) : 90% 이상에서 보이는 피부발진
	– 편평콘딜로마(condyloma lata)

잠복매독(latent syphilis)	3기 매독(tertiary syphilis)

– 매독 혈청검사는 양성이고 임상증상은 없는 경우
– 조기 잠복매독 : 감염 후 1년 이내
– 만기 잠복매독 : 감염 후 1년 이상
– 매독 경과 기간을 모르면 만기 잠복매독으로
  분류
	– 첫 감염에서 5~20년 이후에 발생
	– 피부, 간, 뼈 등에 발생하는 고무종(gumma)의 소실
	  과 재발 반복
	– 신경매독과 심장혈관매독 증상 발현 가능

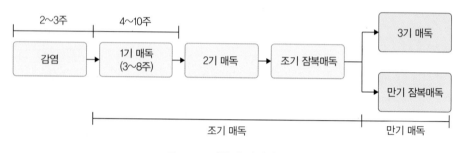

그림 58-1. 매독의 자연경과

(3) 임신에 대한 영향

① 산과적 합병증

태아에 대한 영향	태반과 양수에 대한 영향	신생아 감염 시 발생하는 질환
조기진통 태아성장제한 간 이상, 복수 빈혈, 혈소판감소증 태아수종 태아 사망	태반 비대 말단 동맥염 태반혈관 감소 괴사성 탯줄염 혈관저항 증가 양수과다증	간비장비대 황달, 혈소판감소증, 점상 출혈 피부점막 이상 폐렴, 심근염, 비염, 안장코 림프절병 뼈 이상

② 태아와 신생아 감염

　　a. 스파이로헤타(spirochetes)는 태반을 쉽게 통과 : 선천성 감염 가능

　　b. 태아 감염은 임신부 매독의 어느 병기에서도 발생 가능

　　c. 선천성 매독의 빈도는 모성 감염의 병기와 기간에 따라 차이 발생

　　　- 조기 매독에서 감염율이 높음(1기, 2기, 조기 잠복매독)

　　　- 1년 이상이 지난 만기 잠복매독은 감염력이 낮음

　　　- 임신 18주 이전에 감염된 경우 태아의 면역 능력이 없어 증상이 나타나지 않음

2) 진단

(1) 산전진찰

① 모든 임신한 여성의 첫 산전진찰 시 매독선별검사를 시행

② 고위험산모는 임신 제3삼분기와 분만 시 매독균 비특이항체 검사를 다시 시행

③ 모든 매독환자에서 HIV, HBV, 다른 성매개질환에 대한 검사 권장

(2) 혈청학적 진단

선별검사

- Treponema pallidum 직접 관찰
  - 병소의 바닥을 짜서 나온 장액성 삼출액을 슬라이드 위에서 식염수와 섞은 후 암시야 검경법과 직접 형광항체검사를 통해 관찰
- 매독균 비특이항체 검사(nontreponemal test)
  - 종류 : VDRL (venereal disease research laboratory), RPR(rapid plasma reagin)
  - 항체 역가는 매독의 활성도와 연관성이 있어 선별검사, 무증상 환자의 진단, 치료 효과의 판정에 유용
  - 1기와 2기 매독이 치료되면 12개월 이내로 역가가 4배 이하(2회 희석)로 감소
  - 위양성을 보이는 경우 : 자가면역질환, 약물 오용, 림프종, 감염 질환, 간경화, 항인지질항체증후군

확진검사

- 매독균 특이항체 검사(treponemal test)
  - FTA-ABS (fluorescent treponemal antibody absorption test)
  - MHA-TP (microhemagglutination assay for Ab to treponema pallidum)
  - TP-PA (Treponema pallidum passive particle agglutination test)
  - ICS (immunochromatographic strip)
- 매독에 감염되면 매독균 특이항체 검사는 일생동안 양성

(3) 태아 감염의 진단

① 양수 : PCR for Treponema pallidum, 암시야검경법

② 초음파 검사

  a. 태아 : 간비장종대, 부종, 복수, 태아수종

  b. 태반 : 태반비대

  c. 태아가 감염되었다 하더라도 정상적인 소견을 보이는 경우가 훨씬 흔함

3) 치료

(1) 임신부의 매독 치료

① Penicillin

조기 매독
Benzathine penicillin G 240만 units, 근육주사, 1회 (임신 20주 이상은 1주일 간격으로 2회 요법)

만기 매독 (신경매독 제외)
Benzathine penicillin G 240만 units, 근육주사, 1주일 간격 3회

신경매독
Potassium crystalline penicillin G 300~400만 units, 6회/일, 18~21일 간 (페니실린 정맥주사는 하루라도 빠지면 처음부터 다시 시작)

② Penicillin 알러지가 있는 경우

    a. 탈감작 후 치료를 실시

    b. 처음에 페니실린 100 units를 30 mL의 물에 희석하여 경구 복용 한 후 15분마다 페니실린의 단위를 2배씩 증가시켜 동일한 방법으로 물에 희석하여 경구 복용

    c. 최종 복용 횟수는 14회로, 이때 복용량은 640,000 units, 전체 누적량은 1,296,700 units

    d. 경구 페니실린 탈감작 과정을 마친 후 Benzathine penicillin G 치료를 시작

③ 성적 파트너의 치료는 권장되지 않음

(2) 치료판정과 추적검사

① 검사방법 : VDRL or RPR

② 조기 매독의 치료 후 추적검사 시기

    a. 치료 후 1, 3, 6개월에 추적검사를 시행

    b. 치료 후 2년까지 6개월 간격으로 검사

(3) 선천성 매독(Congenital syphilis)의 치료

① 선천성 매독이 있거나 의심되는 모든 신생아는 뇌척수액 검사를 시행

② 치료 후에는 VDRL이 음성 또는 고정될 때까지 2~3개월마다 검사

③ Erythromycin으로 치료한 산모에서 태어난 아이는 선천성 매독이 있는 아이와 마찬가지로 치료 시행

(4) Jarisch-Herxheimer 반응

① 감염성 질환에 대한 항생제 치료 후 발생할 수 있는 저절로 호전되는 일시적 면역 반응

② 태아와 모체에 발열, 빈맥, 두통, 근육통, 자궁수축, 태동감소, 태아심박동감속 등이 10시간 이내에 발생할 수 있어 항생제 치료 후 집중적인 관찰이 필요

③ 주로 1, 2기 매독에서 발생하고 잠복 매독과 만기 매독에서는 거의 발생하지 않음

④ 치료 : 증상에 따라 대증치료를 시행

2 임질(Gonorrhea)

1) 서론

(1) 원인

① 원인균 : 그람 음성 쌍구균인 *Neisseria gonorrhoeae*

② 감염의 위험인자

   a. 저소득층, 다수의 성배우자, 매춘, 독신, 이른 나이의 성경험, 가출 청소년, 약물 남용, 산전 진찰을 받지 않은 경우, 다른 성병에 감염된 경우

   b. 임질에 감염된 임신부에서 클라미디아(chlamydia)의 동반 감염이 46% 정도로 발생

(2) 임신에 대한 영향

① 산과적 합병증

산모에 대한 영향	태아에 대한 영향	산과적 합병증
– 주로 하부생식기(자궁경부, 요도, 바톨린샘)에 국한된 감염 – 골반염 같은 상부 생식기 감염은 드묾	– 분만 시 수직감염 발생 가능 – 신생아 임균성 안질환 – 각막반흔, 안구천공, 시력상실	– 임신 초반기 패혈성 유산 – 인공유산 후 자궁감염 – 임신 중반기 이후 조산, 조기양막파수, 융모양막염 – 산후감염, 파종성 임균감염

② 임신 중 어느 시기에나 임신에 나쁜 영향을 줄 수 있음

2) 진단 및 치료

(1) 선별검사

① 임질감염의 위험군

   a. 첫 산전진찰 때 임질의 선별검사를 시행

   b. 임신 제3삼분기 때 다시 한 번 검사를 시행

② 다른 성매개질환의 공존을 염두하고 매독, 클라미디아, HIV의 선별검사를 동시에 시행

(2) 진단검사

 ① 배양검사

  a. 질 내 상주균이 복잡해서 직접도말 그람염색만으로는 진단이 어려워 배양검사가 필요

  b. Thayer-Martin 배지를 주로 사용, 감수성은 좋으나 배양기간이 긴 단점(약 48시간)

 ② PCR 등의 핵산증폭검사(nucleic acid amplification test, NAAT) : 선호되는 방법

(3) 임신 중 치료

임신 중 임질감염의 항생제 치료

Ceftriaxone 250 mg, 1회, 근육주사 + Azithromycin 1 g, 1회, 경구투여
Ceftriaxone을 사용할 수 없는 경우 : Cefixime 400 mg, 1회, 경구투여 + Azithromycin 1 g, 1회, 경구투여
Cephalosporin을 사용할 수 없는 경우 : Azithromycin 2 g, 1회, 경구투여

파종성 임균감염(Disseminated gonococcal infection, DGI)

Ceftriaxone 1 g, 매일 1회, 근육 or 정맥 주사
증상 호전 후 1~2일간 같은 치료 유지, 이후 경구용 cefixime을 감수성 결과에 따라 7일 정도 더 치료

뇌수막염의 치료

Ceftriaxone 1~2 g, 12시간마다, 최소한 10~14일간 정맥투여
임질 심내막염은 같은 용법으로 최소한 4주간 치료

3   클라미디아감염(Chlamydial infection)

1) 서론

(1) 원인

 ① 원인균 : *Chlamydia trachomatis* (혈청형 D~K형이 성매개질환을 유발)

 ② 임신 중 감염의 위험인자

  a. 나이 <25세

  b. 다른 성매개질환의 과거력

  c. 다수의 성파트너

  d. 3개월 이내의 새로운 성파트너

(2) 임상증상

 ① 잠복 기간 : 2~3주

 ② 임신한 여성의 증상

  a. 70~80% : 무증상(무증상 클라미디아 자궁경부염은 44%가 자발적으로 소실)

b. 20~30% : 화농성 자궁경부염, 하복부 통증, 요도염, 바톨린샘염, 급성 난관염 등

③ 임신 중 발생하는 화농성 자궁경부염(mucopurulent cervicitis)의 감별진단

    a. 클라미디아감염(chlamydial infection)

    b. 임균감염(gonococcal infection)

    c. 정상적인 자극에 의한 자궁경부의 점액분비

④ 성병 림프육아종(lymphogranuloma venereum, LGV)

    a. 클라미디아 계열의 균 중 혈청형 L1, L2, L2a, L3에 의해 발병

    b. 서혜부림프절의 화농 및 궤양, 발열, 관절통, 전신 무력감 등의 전신증상

    c. 임상경과

      - 균 노출 부위인 성기나 항문에 수포나 미란 등이 발생, 3~4일 후 흉터 없이 소실

      - 1~2주 후 서혜부림프절의 동통성 종창이 나타나고 이들이 융합하여 종괴를 형성하고 천공되면 여러 개의 고름샛길이 형성

      - 여성에서는 질 내 감염 시 림프절이 서혜부보다 직장항문계로 연결되어 있어 급성 직장염 증상이 흔히 발생

      - 경화증과 섬유화는 외음부 상피병(elephantiasis)을 유발 가능

(3) 임신에 대한 영향

수직 감염 및 증가하는 위험성	영향 없음	확실하지 않음
질식분만 중 신생아로 전파율은 30~50% 신생아 결막염(neonatal conjunctivitis) 생후 6개월 이내 영아 폐렴(pneumonia)	유산(abortion) 융모양막염(chorioamnionitis) 제왕절개 후 골반감염	조산(preterm delivery) 조기양막파수(PROM) 주산기 사망률(perinatal mortality)

2) 진단 및 치료

(1) 진단

① 선별검사

    a. 모든 임신부는 첫 방문 시 클라미디아 선별검사를 시행

    b. 임신 제1삼분기에 치료를 했더라도 25세 이하이거나, 감염 위험인자가 지속되는 임신부는 임신 제3삼분기에 재검사 시행

② 진단법

    a. 핵산증폭검사(NAAT) : 클라미디아와 임질을 하나의 검체로 동시에 진단

    b. 배양검사 : NAAT보다 특이도는 높지만, 민감도가 낮고 비싼 가격

③ 검체 : 자궁경부 분비물, 소변

(2) 치료

① 임신 중 클라미디아의 치료

Regimen	Drug and Dosage
선호 치료법	Azithromycin 1 g, 1회, 경구투여
대체 요법	Amoxicillin 500 mg, 하루 3회, 7일간, 경구투여 Erythromycin base 500 mg, 하루 4회, 7일간, 경구투여 Erythromycin ethylsuccinate 800 mg, 하루 4회, 7일간, 경구투여 Erythromycin base 250 mg, 하루 4회, 14일간, 경구투여 Erythromycin ethylsuccinate 400 mg, 하루 4회, 14일간, 경구투여
성병 림프육아종(LGV)	Erythromycin base 500 mg, 하루 4회, 21일간 경구투여

② 클라미디아 감염의 파트너 치료가 필요

4 단순포진(Herpes simplex virus)

1) 서론

(1) 원인

① 단순포진바이러스(herpes simplex virus, HSV)

   a. DNA virus로 두가지 형태

     - HSV type 1 : 비생식기계 감염, 입술 포진의 대부분을 유발

     - HSV type 2 : 생식기계 감염의 85%를 유발, 성 접촉에 의해 감염

     - 두 유형 모두 입과 생식기계 감염의 원인이 될 수 있음

   b. 한 유형이 먼저 감염된 경우 다른 유형의 감염의 약화 유발 : HSV-1 혈청 반응이 양성인 여성에서는 증상이 있는 HSV-2 감염이 55~74% 감소

② 항체가 없는 상태에서 활동성 병변이 있는 사람과 성교 시 거의 대부분에서 감염

(2) 임상소견

① 감염의 종류 및 특성

	원발성 감염	첫 발현 비원발성 감염	재발 감염
정의	HSV에 처음으로 감염된 경우	이미 HSV 항체를 가진 사람이 다른 유형의 HSV에 감염되어 증상이 나타나는 경우	신경절에 잠복해 있던 바이러스가 재활성화되어 증상이 나타나는 경우
특성	– 잠복기 : 3~6일 – 첫 발현 원발성 감염 : 원발성 HSV-2 감염으로 증상이 나타나는 경우	– 원발성 감염 후 교차반응 항체의 면역능력을 가지게 되어 증상이 약하게 발현	– 같은 부위에서 재발 – 원발성 감염 보다 약한 증상 – 평생 반복적으로 나타나지만 나이가 들며 발생빈도는 감소
증상	– 대부분 무증상 – 가렵고 따끔거리는 홍반판 – 광범위 통증성 물집 및 궤양 – 서혜부 샘염증, 자궁경부염 – Viremia에 의한 일시적인 감기 증상 : 발열, 근육통 등 – 2~4주 후 모든 증세 사라짐	– 적은 병변수, 국소적 병변 – 적은 통증 – 덜 심한 전신증상 – 드문 합병증 – 짧은 임상경과(평균 16일)	– 약한 통증 – 적은 병변수(원발성 병변의 10% 정도) – 드문 전신증상 – 짧은 바이러스 확산(2~5일) – 짧은 임상경과(평균 10일)

② 무증상 바이러스전파(asymptomatic viral shedding)

    a. 임상증상 없이 바이러스가 만들어지는 경우

    b. 이 시기의 성접촉을 통해 HSV가 전파됨

(3) 임신에 대한 영향

① 임신 중 감염에 따른 영향

    a. 임신 초기의 첫 발현 원발성 감염 : 유산 위험성 증가 없음

    b. 임신 말기의 원발성 감염 : 조산 위험성 증가

② 태아 및 신생아 감염

	태아 감염	신생아 감염
시기	자궁 내 감염(5%), 주산기 감염(85%), 분만 후 감염(10%)	
증상	– 피부 물집 – 소두증, 뇌염 – 소안구증, 맥락망막염	– 국소 감염(45%) : 피부, 눈, 입 – 중추신경계 감염(30%) : 뇌염(encephalitis) – 다수의 장기에 파종성 감염(25%)

특성	– 자궁경부 또는 하부 생식기에 있던 단순포진바이러스가 감염
	  • 분만 시 양막파열 후 바이러스의 침입
	  • 분만 중 태아에게 접촉
	– 조기양막파수 시 상행감염은 발생하지 않음
		– 신생아 감염의 위험성
		  • 원발성 감염인 경우 : 약 50%
		  • 재발 감염인 경우 : 4~5%
		– 국소 감염은 예후가 좋음
		– 다른 감염보다 내부장기나 중추신경계 감염이 훨씬 많아 항바이러스제 치료에도 높은 치명률

③ 조기양막파수

    a. 조기양막파수 시 병변으로부터 태아로의 상행감염은 발생하지 않는다고 알려짐

    b. 현재까지 양막파수 경과기간과 제왕절개의 신생아 감염예방효과의 상관관계는 미확인

2) 진단 및 치료

(1) 진단

  ① 바이러스 배양검사

    a. 확진 검사

    b. 민감도가 높고 HSV의 아형도 알 수 있음

    c. 단점 : 검체를 다루기가 어렵고 바이러스 분리기간이 1~2주 걸리기도 함

  ② PCR

    a. 민감도가 가장 높은 검사

    b. 아형 확인 가능

    c. 중추신경계나 뇌척수액의 감염 진단에 적합

    d. 1~2일 이내 결과 확인 가능

  ③ 혈청학적 검사

    a. Western blot, ELISA를 이용하여 HSV의 G1, G2에 대한 항체를 검출하는 방법

    b. 민감도와 특이도가 매우 높음

(2) 치료

적응증	임신 중 권장 치료법
원발성 감염 or 첫 발현 원발성 감염	Acyclovir 400 mg, 하루 3회, 7~10일간, 경구투여 Valacyclovir 1 g, 하루 2회, 7~10일간, 경구투여
증상이 있는 재발 감염	Acyclovir 400 mg, 하루 3회, 5일간, 경구투여 Acyclovir 800 mg, 하루 2회, 5일간, 경구투여 Acyclovir 800 mg, 하루 3회, 2일간, 경구투여 Valacyclovir 500 mg, 하루 2회, 3일간, 경구투여 Valacyclovir 1 g, 하루 1회, 5일간, 경구투여
억제요법	Acyclovir 400 mg, 하루 3회, 임신 36주부터 분만할 때까지, 경구투여 Valacyclovir 500 mg, 하루 2회, 임신 36주부터 분만할 때까지, 경구투여

– 증상 발생 후 가급적 빨리 항바이러스요법을 시작해야 효과적

3) 분만 및 모유수유

(1) 분만

① HSV에 감염되었던 산모가 분만 임박 시

a. 가렵고 따끔거리는 선행증상이 있는지 확인

b. 외음부, 질, 자궁경부를 관찰하며 의심 병변이 있으면 바이러스 검사 시행

② 제왕절개의 적응증 : 생식기의 활성병변 또는 선행증상이 있는 경우(ACOG, 2016)

③ 활성병변이 없거나 활성병변이 생식기 외에 있을 경우 질식분만 가능

(2) 모유수유

① 유방에 HSV 병변이 없다면 모유수유 가능

② 수유 전후 철저하게 손을 씻고, 병변이 신생아에 닿지 않도록 주의

③ Acyclovir, valacyclovir는 수유 중 사용 가능하며 유즙으로는 소량 분비

5 무른 궤양(Chancroid)

1) 서론

(1) 원인

① 원인균 : *Haemophilus ducreyi*

② 잠복기 : 성관계 후 약 10일(보통 3~7일)

③ HIV 유병률이 높은 지역에서 많이 발생

(2) 임상소견

① 성기 및 서혜부에 작은 구진으로 시작

② 1~2일 만에 도려낸 듯한 통증성 비결절 궤양이 급성으로 발생

③ 통증성 서혜부림프절병(painful inguinal lymphadenopathy) 동반 가능

2) 진단 및 치료

(1) 진단

① 도말검사(smear) : Ducreyi bacillus 확인, 50%에서만 확인 가능

② 배양이 쉽지 않아 배양으로 진단이 어려움

③ 암시야검사에서 스피로헤타가 없고 헤르페스바이러스 검사에서 음성일 때 추정 진단

(2) 치료

① Erythromycin base 500 mg, 하루 3회, 7일간, 경구 투여

② Ceftriaxone 250 mg, 1회, 근육 주사

③ Azithromycin 1 g, 1회, 경구 투여

6 인간면역결핍바이러스(Human immunodeficiency virus, HIV)

1) 서론

(1) 원인

① RNA 레트로바이러스(retroviruses)

　a. HIV-1, 2 : 림프구 친화성 바이러스로 CD4+ T세포와 CD4+ 단핵구에 감염을 유발

　b. HIV는 인체를 벗어나서는 바로 비활성화 되거나 사멸

② 한번 감염된 HIV는 인간 면역체계에 의해서 제거되지 않으며, 시간이 지나면서 T세포가 점차 감소하여 심각한 면역결핍상태를 유발

③ HIV 감염의 위험인자 : 주사제 마약사용, 매춘, 다수의 성접촉자, HIV에 감염되어 있거나 감염이 의심되는 배우자, 다른 성매개질환을 가지고 있는 경우

(2) 임상소견

① 잠복기 : 수 일~수 주(감염부터 임상질환까지)

② 다른 바이러스 감염과 비슷한 급성 증상은 대개 10일 이내 지속 : 열, 야간 발한, 피로, 발진, 두통, 림프절병증, 근육통, 관절통, 오심, 구토 등

③ 증세가 사라지면서 만성 바이러스혈증(chronic viremia)이 시작

④ 무증상의 바이러스혈증에서 면역결핍증(AIDS)까지는 10년 정도 걸림

(3) 임신에 대한 영향

① 신생아의 HIV 감염 : 대부분 모체로부터 감염

② 태아 감염 및 수직전파의 위험성

태아 감염 빈도	수직전파 위험성이 증가하는 경우
치료를 하지 않은 경우 분만 전 감염 　– 임신 36주 이전 : 20% 　– 임신 36주~분만 전 : 50% 　– 분만 중 : 30% 치료하지 않고 모유수유 안하는 경우 : 약 15~40%	조산(preterm birth) 지속된 양막파수 매독이 동반된 경우 모유수유 태반경색, 융모양막염이 동반된 경우

③ Maternal plasma HIV RNA burden

    a. 주산기 전파 예견의 가장 좋은 지표

    b. 항바이러스제로 HIV 부하량을 낮추면 수직 전파의 위험이 더 높아지지 않음

      - Viral RNA <1,000 copies/mL : 5%의 신생아 감염

      - Viral RNA >10만 copies/mL : ≥40%의 신생아 감염

④ 산모의 이환률 및 사망률은 임신에 의해 증가하지 않음

⑤ 산모의 HIV 감염으로 안 좋은 태아 예후 증가

    a. 조산, 조기진통, 조기양막파수

    b. 임신성 당뇨, 전자간증, 태아발육제한

    c. 사산

2) 진단 및 치료

(1) 진단

① AIDS 진단 = HIV 양성 + 다른 임상소견

② CD4+ lymphocytes 200/mm³ 이하인 경우 AIDS로 확진

③ 여러 기회 감염의 확인 필요 : candidiasis, persistent zoster infection, tuberculosis, CMV infection, pneumocystis pneumonia 등

(2) 검사

선별검사

Enzyme immunoassay (EIA)
- HIV에 대한 항체 검출(anti-HIV test)
- 양성 시 99.5% 민감도

확진검사 (EIA에서 양성으로 확인 시 시행)

Western blot test
- IFA보다 특이도는 높지만 덜 민감함

면역형광분석(Immunofluorescence assay, IFA)
- EIA 양성, western blot indeterminate인 경우 이용
- 더 정확하며 항체는 감염 후 대부분 1개월 이내에 검출 가능

(3) 치료

① 항바이러스제

    a. 바이러스 부하량과 CD4+ T세포수에 관계없이 HIV에 감염된 모든 임신부는 치료 시행

    b. 종류

      - Nucleoside reverse transcriptase inhibitors (NRTI) : zidovudine, lamivudine, tenofovir

- Non-nucleoside reverse transcriptase inhibitors (NNRTI) : nevirapine

- Protease inhibitor : ritonavir, atazanavir, lopinavir/ritonavir

② 추적검사

　　a. 새롭게 치료를 시작했거나 기존 치료를 변경한지 4주가 지나면 CD4+ T세포수, CBC, LFT 등을 검사하여 독성 발생 여부를 파악

　　b. HIV RNA 부하량을 매달 검사하여 더 이상 RNA가 발견되지 않는 것이 확인되면 그 다음 에는 임신 분기마다 검사

③ 폐포자충 폐렴(pneumocystis pneumonia)의 예방

　　a. 적응증 : CD4+ T세포수 ≤200/mm^3

　　b. 예방 및 치료제 : sulfamethoxazole-trimethoprim 또는 dapsone

(4) 수직 감염의 예방

① 수직 감염을 예방하는 두 가지 원칙적인 방법

항레트로바이러스제 치료(antiretroviral therapy)	제왕절개분만(cesarean section)
− 수직 감염 예방 효과가 있음 − Zidovudine 시작 시기에 따른 주산기 감염률 차이 　• 주산기에 시작 시 6% 　• 임신 중에만 사용 시 10% 　• 출생 48시간 이내 시작 시 9% 　• 출생 3일 이후 시작 시 19%	− 질식분만보다 감염 위험이 1/2로 감소 − HIV RNA 부하량 　• ≥1,000 copies/mL 시 제왕절개 권유 　• ≤1,000 copies/mL 시 제왕절개 이점이 불분명 − PROM 가능성을 줄이기 위해 임신 38주에 시행

② 모유수유

　　a. 모유수유는 전염의 위험이 증가하므로 권장하지 않음

　　b. 모유수유 중 감염률은 30~40%이고, 바이러스 부하량이 증가할수록 높아짐

　　c. 영아로의 HIV전파를 막기 위한 항바이러스제를 이용할 수 없는 상황일지라도, 감염성 질 환과 기아 상태가 영아 사망의 주요 원인이 되는 영양결핍 국가에서는 처음 6~12개월간 제한된 모유수유를 권함(WHO, 2016)

7 인유두종바이러스(Human papilloma virus, HPV)

1) 서론

(1) 원인

① HPV의 유형은 100가지가 넘는데 그 중 30가지 이상의 유형이 생식기감염을 유발

② 유형에 따른 유발 증상

	고위험 HPV	저위험 HPV
유발 증상	자궁경부이형성, 암	생식기 사마귀, 첨형 콘딜로마
Type	주로 16, 18	주로 6, 11

(2) 임상소견
  ① 대부분 자각증상이 없고 무증상
  ② 생식기 사마귀(external genital warts, condyloma acuminatum)
    a. 잠복기 : 1~8개월
    b. 전염력이 매우 강하여 한 번의 성접촉으로도 약 50%가 감염
    c. 주로 저위험 HPV에 의해 발생하지만 중등도 또는 고위험 HPV에 의해 발생하기도 함
    d. 임신 중에는 더 흔하게 발생하고 여러 군데에 발생하며 크게 자라는 경우가 많음
    e. 외음부, 자궁경부, 질, 서혜부, 항문 등과 같이 털이 없으며 불완전하게 각화된 부위에서 산딸기나 닭 벼슬 모양처럼 자라나와 덩어리져서 질식분만을 어렵게 하거나 회음절개 벌어짐의 원인이 되기도 함

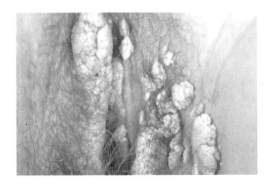

그림 58-2. 생식기 사마귀

  ③ 고위험 HPV의 감염 : 조기양막파수와 관련
  ④ 후두 유두종증(laryngeal papillomatosis)
    a. 소아기에 발생한 후두의 양성 종양
    b. 분만 당시 신생아가 주로 HPV 6, 11형에 감염된 물질을 흡입하여 발생

2) 진단 및 치료

(1) 진단

① 외음부와 항문 주변에 생식기 사마귀가 관찰되면 반드시 질경 검사를 시행하여 질 내부와 자궁경부를 철저하게 확인

② 외음부에 새롭게 생긴 생식기 사마귀는 반드시 생검이 필요한 것은 아니지만, 자궁경부에 발생하였거나 비전형적인 형태의 사마귀는 감별진단을 위한 조직검사가 필요

(2) 치료

① 분만 후 좋아지는 경우가 많아 불편감이 있을 때 치료 시행

② 임신 중 치료법과 금기법

임신 중 치료법	임신 중 금기법
Trichloroacetic or bichloracetic acid solution 　– Topically once a week 　– 80~90%에서 효과 　– 넓은 범위에 사용할 수 있음 냉동치료(cryotherapy) 레이저절제술(laser ablation) 전기소작술(electrocautery) 수술적 절제술(surgical excision)	Podophyllin (topical application of 25% or 10%) Podofilox 5–FU cream Imiquimod cream Interferon

③ 수술 시 주의점

　a. 전기소작술이나 레이저절제술 시 발생하는 연기에 HPV 입자가 포함되어 있어 시술자에게 후두 유두종증 발생 가능

　b. 시술 시 필터를 갖춘 연기흡입장치와 특수마스크를 이용

④ 분만방법

　a. 제왕절개가 수직감염을 낮추는지 확실하지 않음

　b. 생식기 사마귀가 산도를 막아 질식분만이 불가능한 경우를 제외하고는 HPV의 신생아 전파를 예방하기위한 제왕절개는 추천되지 않음

⑤ 예방접종

　a. 종류

　　- 서바릭스(Cervarix) : HPV 16, 18을 포함하는 2가 백신

　　- 가다실(Gardasil) : HPV 6, 11, 16, 18을 포함하는 4가 백신

　　- 가다실 9(Gardasil 9) : HPV 6, 11, 16, 18, 31, 33, 45, 52, 58을 포함하는 9가 백신

　b. 임신 중에 시행하지 않는 것이 원칙

　c. 예방접종을 시작했는데 모르고 임신이 된 경우

　　- 투여를 즉각 중단

- 분만 후 접종을 재개 : 3회의 접종 중 남은 회차의 접종을 원래의 일정대로 지속
- 부주의하게 노출된 예에서 유산 등의 임신의 합병증은 보고되지 않았음

d. 수유 중인 산모에게 HPV 예방접종 가능

8 질염(Vaginitis)

1) 세균성 질염(Bacterial vaginosis)

(1) 원인 및 증상

① 과산화수소(hydrogen peroxide)를 생성하는 lactobacillus가 풍부한 정상 세균총이 혐기성 박테리아, Gardnerella vaginallis, Mobiluncus sp., Mycoplasma hominis 등으로 대치되는 상태

② 증상

a. 생선비린내(fishy odor)

b. 분비물 pH >4.5

c. 단서세포(clue cell) 증가

d. Whiff test 양성

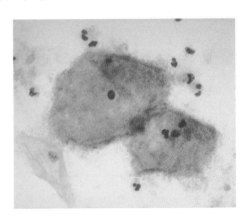

그림 58-3. 세균성 질염에서 보이는 단서세포(clue cell)

(2) 임신에 대한 영향

① 자연 유산(spontaneous abortion)

② 조기진통 및 조산(preterm labor & delivery)

③ 조기양막파수(premature rupture of membranes)

④ 융모양막염(chorioamnionitis)

⑤ 양수 내 감염(chorioamnionitis)

⑥ 제왕절개 후 자궁내막염(postcesarean endometritis)

(3) 치료

권장 치료법

Metronidazole 500 mg, 하루 2회, 7일간, 경구투여
Metronidazole 0.75% gel, 하루 1회, 5일간, 질내투여
Clindamycin 2% cream, 하루 1회, 7일간, 질내투여

대체 요법

Clindamycin 300 mg, 하루 2회, 7일간, 경구투여
Clindamycin ovules 100 mg, 하루 1회, 3일간, 질내투여

2) 트리코모나스 질염(Trichomoniasis)

(1) 원인 및 증상

① 원인균 : *Trichomonas vaginalis*

② 증상

a. 노란색 분비물(yellow discharge)

b. 이상한 냄새(abnormal odor)

c. 외음부 가려움증

d. 화농성 질분비물(purulent vaginal discharge)

e. 외음부의 발적

f. Colpitis macularis(strawberry cervix)

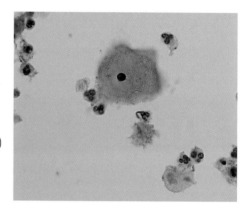

그림 58-4. Trichomonas vaginalis

(2) 임신에 대한 영향

① 증가 : 조기양막파수, 저출생체중

② Trichomonas, Candida, Chlamydia trachomatis가 조산과 관계가 없음

③ 조산 예방을 목적으로 Chlamydia trachomatis와 Trichomonas vaginalis에 대한 선별검사와 치료를 하는 것은 추천되지 않음

(3) 치료

권장 치료법

Metronidazole 2 g, 1회, 경구투여

HIV 감염 환자의 치료법

Metronidazole 250 mg, 하루 3회, 7일간, 경구투여

권장사항

- 성 파트너의 치료도 권유
- 재감염률이 높아 초기 치료 후 3개월 이내에 Trichomonas vaginalis에 대한 재검사를 권장
- 산후 모유수유의 경우 마지막 경구 metronidazole 투여 후 24시간 동안 수유를 중단

3) 칸디다증(Candidiasis)

(1) 원인 및 증상

① 원인균 : *Candida albicans* (85~90%), *Candida glabrata, Candida tropicalis*

② 증상

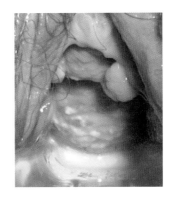

   a. 외음부 소양증

   b. 백태 또는 비지 같은 분비물

   c. 배뇨통, 외음부 작열감, 성교통

   d. 음순과 외음부의 홍반과 부종

그림 58-5. 칸디다증의 질 분비물

(2) 치료

7일요법 (권장 치료법)

Miconazole 100 mg, 질정	
Butoconazole 2%, 연고	
Clotrimazole 1%, 연고	하루 1회, 7일간
Miconazole 2%, 연고	
Terconazole 0.4%, 연고	

3일요법

Clotrimazole 2%, 연고	
Miconazole 4%, 연고	
Tioconazole 0.8%, 연고	하루 1회, 3일간
Miconazole 200 mg, 질정	
Terconazole 80 mg, 질정	

- 임신 중에는 경구용 azol 보다는 국소용(topical) azol을 권장(ACOG, 2017)